#홈스쿨링
#초등 영어 기초력
#초등영어 교육과정 기반

똑똑한 하루 Phonics는 무엇이 다를까요?
하루에 발음 1~2개! 단어 3~4개를 집중해서 연습하니까 배우기 쉬워요!
매일 4쪽씩 학습하고, 부록으로 놀이하듯 복습하며 균형 잡힌 학습을 해요!
발음 동영상으로 정확한 발음을 익히고, 찬트/랩으로 읽기 훈련을 해요!
반복되고 지루한 문제는 그만! 다양한 활동으로 재미있게 학습해요!
매주 5일은 스토리로 문장을 읽어 보고, 사이트 워드도 익혀 보세요!

#알파벳과 파닉스부터 #사이트 워드와 스토리까지 #똑똑하게 파닉스 완성하기!

똑똑한 하루 Phonics
시리즈 구성 〔Starter, Level 1~3〕

Starter A, B
A 알파벳 + 파닉스 ①
B 알파벳 + 파닉스 ②

Level 1 A, B
A 자음과 모음
B 단모음

Level 2 A, B
A 매직 e 장모음
B 연속자음 + 이중자음

Level 3 A, B
A 장모음
B 이중모음

똑똑한 하루 Phonics만의

똑똑한 부가 자료

책 속 부록

브로마이드

놀이 부록

온라인 자료

QR
▷ QR로 편리하게 듣고 발음 동영상도 볼 수 있어요.

추가 활동지
▷ 다양한 추가 활동지를 book.chunjae.co.kr 에서 다운 받으세요.

똑똑한
하루
Phonics

3주 완성 스케줄표

 1주

★ 공부한 날짜를 써 봐!

1 B

1일 8~15쪽	2일 16~19쪽	3일 20~23쪽	4일 24~27쪽	5일 28~31쪽
-an	-ap	-at	-ad, -am	1주 복습
월 일	월 일	월 일	월 일	월 일

TEST
32~33쪽
월 일

 **2주**

힘을 내! 넌 최고야!

5일 60~63쪽	4일 56~59쪽	3일 52~55쪽	2일 48~51쪽	1일 40~47쪽	특강
2주 복습	-it, -ix	-in, -ig	-ed, -en	-et	34~39쪽
월 일	월 일	월 일	월 일	월 일	월 일

TEST
64~65쪽
월 일

 3주

계획대로만 하면 금방 끝날 거야!

 배운 단어는 꼭꼭 복습하기!

특강	1일 72~79쪽	2일 80~83쪽	3일 84~87쪽	4일 88~91쪽	5일 92~95쪽
66~71쪽	-op	-ot, -ox	-un	-ub, -ut	3주 복습
월 일	월 일	월 일	월 일	월 일	월 일

TEST
96~97쪽
월 일

 복습

복습하니까 이해가 쏙쏙! 실력이 쏙쏙!

실력 쏙쏙 TEST②	실력 쏙쏙 TEST①	이해 쏙쏙 Activity	기초 탄탄 Review	특강
114~117쪽	110~113쪽	106~109쪽	104~105쪽	98~103쪽
월 일	월 일	월 일	월 일	월 일

똑똑한 하루 Phonics

똑똑한 QR 사용법

방법 1

QR로 편리하게 듣기

1. 교재 표지의 QR 코드 찍기
2. 해당 '레벨 ≫ 주 ≫ 일'을 터치하고, 원하는 음원과 동영상 재생하기
3. 복습할 때 찬트 모아 듣기, 동영상 모아 보기 기능 활용하기

방법 2

교재에서 바로 듣기

교재 본문의 QR 코드를 찍고, 원하는 음원과 동영상 재생하기

편하고 똑똑하게!

Chunjae
Makes
Chunjae

▼

똑똑한 하루 Phonics 1B

편집개발	조수민, 구보선, 유재영, 주선이
디자인총괄	김희정
표지디자인	윤순미, 이주영
내지디자인	박희춘, 이혜미
제작	황성진, 조규영

발행일	2021년 11월 15일 초판 2024년 10월 15일 3쇄
발행인	(주)천재교육
주소	서울시 금천구 가산로9길 54
신고번호	제2001-000018호
고객센터	1577-0902

똑똑한 하루 Phonics

하루 4쪽!
쉽고 재미있게!

1B

단모음

똑똑한 하루 Phonics ⭐ Level 1B

이렇게 구성했어요!

한 주 미리보기

배울 내용을 이야기로 살펴 보고,
스티커를 붙이며 학습을 준비해요.

1~4일 학습

단모음이 단어 속에서 어떻게 소리 나는지 만화와
발음 동영상을 보며 익혀요.

랩으로 익히는 단어 읽기 연습과 다양한 듣기/쓰기
활동을 통해 스스로 단어를 읽고 쓸 수 있어요.

5일 복습

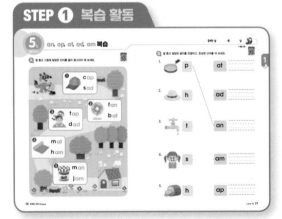

문제를 풀어 보며 단모음의 소리와 단어를 복습
해요.

한 주 동안 배운 단어로 구성된 스토리와 사이트
워드로 읽기 자신감을 키워요.

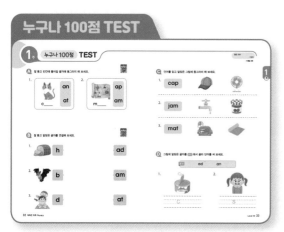

한 주 동안 배운 내용을 문제로 확인해요.

Brain Game

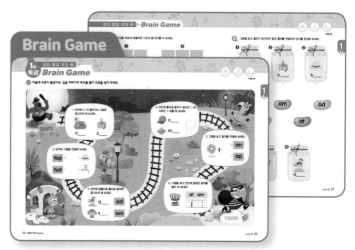

창의 · 융합 · 코딩 활동으로 복습은 물론!
재미와 사고력까지 UP!

전체 복습

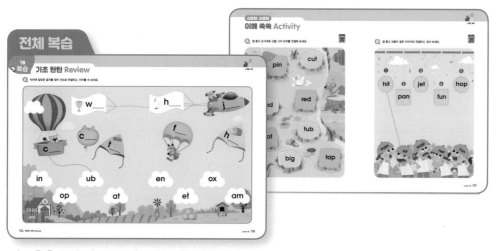

단모음을 복습하고, 문제로 학습을 마무리해요.

발음 동영상으로
익혀 보세요.

놀이로 매일 복습하며
재미 쑥! 실력 쑥!

놀이 부록

부록을 뜯어서 놀이하듯 재미있게
단모음을 복습해요.

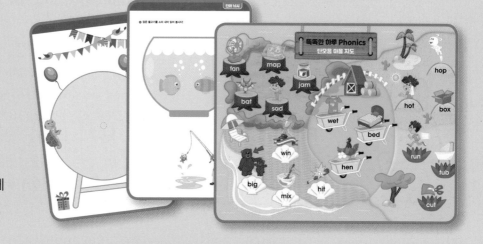

무엇을 배울까요?

3주

복습

권말 부록 ········· 뜯어 쓰는 놀이 부록

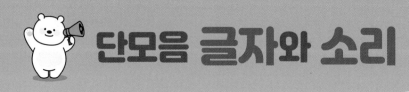

🎤 모음을 손가락으로 짚으며 소리를 말해 보세요.

a   an   ap   at   ad   am

e   et   ed   en

i   in   ig   it   ix

o   op   ot   ox

u   un   ub   ut

함께 배울 친구들

안녕, 내 이름은 도리야!
이 새하얀 털을 봐서 알겠지만,
나는 북극곰이야.
가끔은 엉뚱한 면도 있지만 귀엽게 봐 줘.
꼬미는 나의 가장 친한 친구야.
꼬미와 함께 모음들을 찾아
소리 나라로 떠나 보자!

도리

안녕! 내 이름은 꼬미야!
나는 사막에서 살다가 도시로
이사 온 미어캣이야. 나보다 더
똑똑한 미어캣이 있으면 나와 봐!
내 친구 도리와 모음들을 찾아
떠날 건데, 같이 갈래?

꼬미

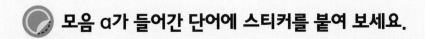 모음 a가 들어간 단어에 스티커를 붙여 보세요.

1
주

h am

s ad

Quiz

단어 속에 숨어 있는 모음 a를 찾아 모두
동그라미 해 보세요.

an 소리 익히기

 an이 단어 속에서 어떻게 소리 나는지 들어 보세요.

an이 어떻게 소리 나는지 듣고 따라 말해 보세요.

a ⇒ a+n ⇒ an
애 애 ㄴ 앤

B 잘 듣고 따라 말하면서 an의 단어를 익혀 보세요.

1

c a n ⇒ can
ㅋ 앤

2

m a n ⇒ man
ㅁ 앤

3
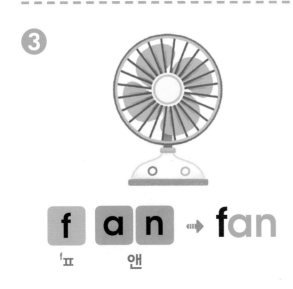
f a n ⇒ fan
ᶠㅍ 앤

4

p a n ⇒ pan
ㅍ 앤

an 단어 익히기

A 스티커를 붙인 후, 단어를 리듬에 맞춰 읽어 보세요.

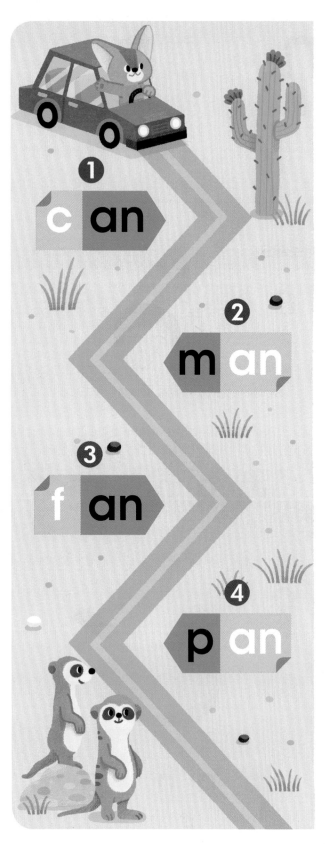

① c an

② m an

③ f an

④ p an

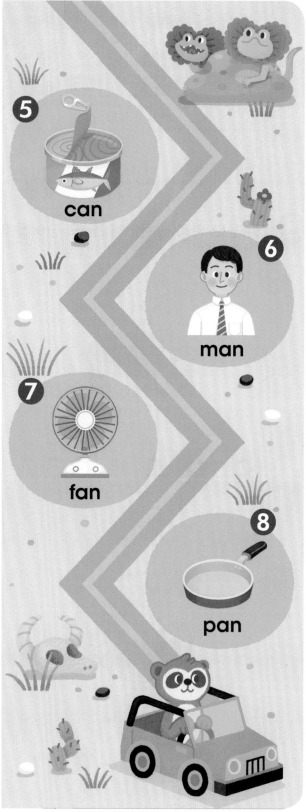

⑤ can

⑥ man

⑦ fan

⑧ pan

B 단어를 읽고 알맞은 그림에 동그라미 해 보세요.

1.

fan

2.

can

C 그림에 알맞은 단어를 찾아 동그라미 하고 써 보세요.

1.

c a n v a n p a n

_____

_____

2.

t a n m a n f a n

_____

_____

14쪽의 단어들을 다시 한 번 읽어 보세요.

ap 소리 익히기

📖 ap가 단어 속에서 어떻게 소리 나는지 들어 보세요.

▶

A ap가 어떻게 소리 나는지 듣고 따라 말해 보세요.

a	→	a+p	→	ap
애		애 ㅍ		애ㅍ

B 잘 듣고 따라 말하면서 ap의 단어를 익혀 보세요.

①

c a p → cap
ㅋ 애ㅍ

②

m a p → map
ㅁ 애ㅍ

③

t a p → tap
ㅌ 애ㅍ

④

n a p → nap
ㄴ 애ㅍ

① 야구 모자 ② 지도 ③ 수도꼭지 ④ 낮잠   Level 1B **17**

ap 단어 익히기

A 스티커를 붙인 후, 단어를 리듬에 맞춰 읽어 보세요.

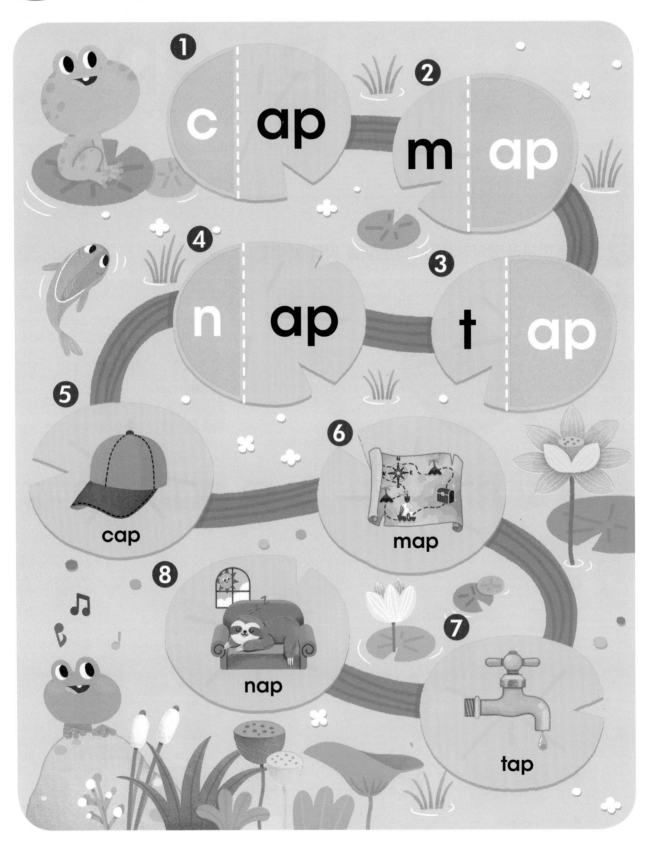

B 단어를 읽고 알맞은 그림과 연결해 보세요.

1. cap •

2. map •

3. tap •

C 그림을 보고 글자를 바르게 배열하여 써 보세요.

1.

n p a

_____

2.

a m p

_____

18쪽의 단어들을 다시 한 번 읽어 보세요.

at 소리 익히기

 at가 단어 속에서 어떻게 소리 나는지 들어 보세요.

Ⓐ at가 어떻게 소리 나는지 듣고 따라 말해 보세요.

a → a+t → at
애   애   ㅌ   애ㅌ

Ⓑ 잘 듣고 따라 말하면서 at의 단어를 익혀 보세요.

①

c a t → cat
ㅋ 애ㅌ

②

h a t → hat
ㅎ 애ㅌ

③

b a t → bat
ㅂ 애ㅌ

④

m a t → mat
ㅁ 애ㅌ

① 고양이 ② 모자 ③ 박쥐 ④ 매트, 깔개   Level 1B **21**

at 단어 익히기

A 스티커를 붙인 후, 단어를 리듬에 맞춰 읽어 보세요.

① c **at**

② h at

③ b **at**

④ m at

⑤ cat

⑥ hat

⑦ bat

⑧ mat

B 그림에 알맞은 단어에 동그라미 해 보세요.

1.

mat　hat

2.

bat　cat

C 빈칸에 들어갈 글자를 골라 완성된 단어를 써 보세요.

1.
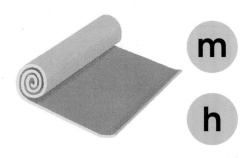

m
h

＿＿at

2.

b
c

＿＿at

ad, am 소리 익히기

📖 ad와 am이 단어 속에서 어떻게 소리 나는지 들어 보세요.

ad와 am이 어떻게 소리 나는지 듣고 따라 말해 보세요.

a → **a+d** → **ad**
애   애   ㄷ   애ㄷ

①

d a d → **dad**
ㄷ   애ㄷ

②

s a d → **sad**
ㅅ   애ㄷ

a → **a+m** → **am**
애   애   ㅁ   앰

③

j a m → **jam**
ㅈ   앰

④

h a m → **ham**
ㅎ   앰

① 아빠 ② 슬픈 ③ 잼 ④ 햄   Level 1B **25**

ad, am 단어 익히기

A 스티커를 붙인 후, 단어를 리듬에 맞춰 읽어 보세요.

B 단어를 읽고 알맞은 그림과 연결해 보세요.

C 그림에 알맞은 글자를 보기 에서 골라 단어를 써 보세요.

보기   ad   am

j

d

26쪽의 단어들을 다시 한 번 읽어 보세요.   Level 1B **27**

an, ap, at, ad, am 복습

A 잘 듣고 그림에 알맞은 단어를 골라 동그라미 해 보세요.

❶ cap / sad

❷ fan / bat

❸ tap / dad

❹ mat / ham

❺ man / jam

▶정답 3쪽

B 잘 듣고 알맞은 글자를 연결하고, 완성된 단어를 써 보세요.

1. 　p　　　at

2. 　h　　　ad

3. 　t　　　an

4. 　s　　　am

5. 　h　　　ap

Story Time

A 이야기를 들으며 따라 읽어 보세요.

1 Sam has a cap.

2 Sam has ham.

3 "Here you go, Dad!"

4 Sam is sad.

Sight Word

has를 찾아라!

B has를 모두 찾아 큰 소리로 읽으며 동그라미 해 보세요.

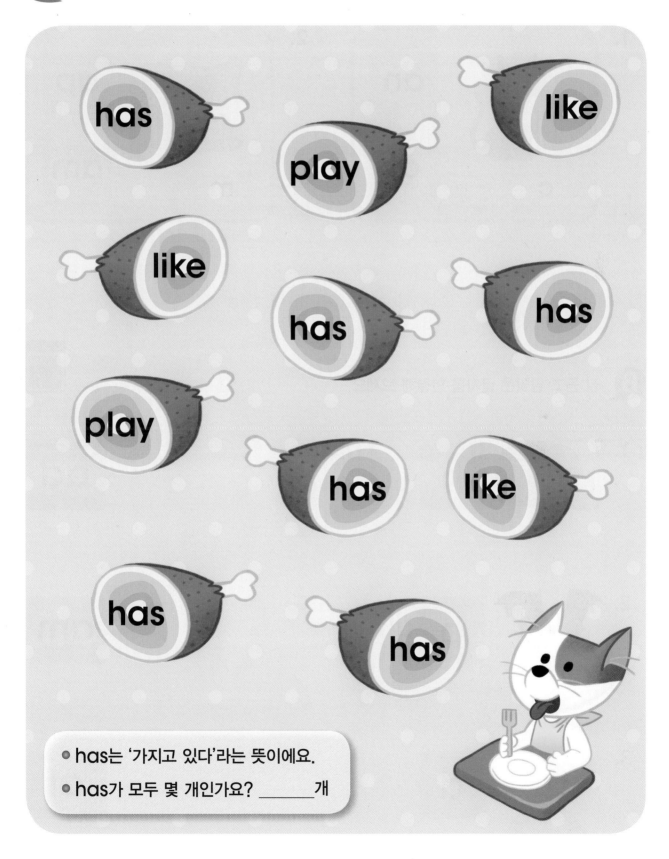

- has는 '가지고 있다'라는 뜻이에요.
- has가 모두 몇 개인가요? _____개

A 잘 듣고 빈칸에 들어갈 글자에 동그라미 해 보세요.

1.
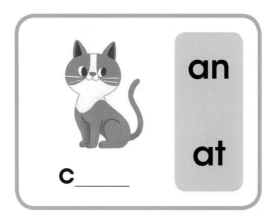

c_____   an / at

2.
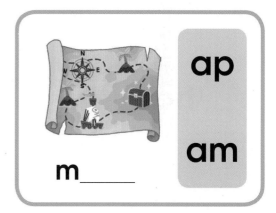

m_____   ap / am

B 잘 듣고 알맞은 글자를 연결해 보세요.

1.
   h   ad

2.
   b   am

3.
   d   at

C 단어를 읽고 알맞은 그림에 동그라미 해 보세요.

1. **cap**

2. **jam**

3. **mat**

D 그림에 알맞은 글자를 보기 에서 골라 단어를 써 보세요.

보기   ad   an

1.

c

2.

s

Brain Game

🔀 마을에 도둑이 들었어요! 길을 따라가며 퀴즈를 풀어 도둑을 잡아 주세요.

1. 빈칸에 an이 들어가는 그림에 동그라미 해 보세요.

n_____   c_____

2. 단어와 그림을 연결해 보세요.

tap ·

hat ·

3. 빈칸에 공통으로 들어갈 글자에 동그라미 해 보세요.

d_____   ad

s_____   am

▶정답 5쪽

4. 빈칸에 들어갈 글자가 같으면 ○ 표,
   다르면 × 표를 해 보세요.

c____

m____

5. 그림을 보고 글자를 연결해 보세요.

f ·

· an

· ap

6. 그림을 보고 빈칸에 알맞은 글자를
   골라 써 보세요.

at   am

j

Finish

A 그림 조각을 바르게 배열하면 나오게 될 단어를 써 보세요.

❶

a   c   p

❷

b   t   a

❸

m   a   h

❹

s   d   a

▶정답 5쪽

B 그림을 보고 젤리가 담겨있던 병과 젤리를 연결하여 단어를 완성해 보세요.

1

❶ t_____

❷ c_____

❸ h_____

an

am

ad

ap

at

❹ j_____

❺ d_____

Level 1B **37**

A 사다리를 타고 내려가서 단어를 쓴 후, 그림 스티커를 붙여 보세요.

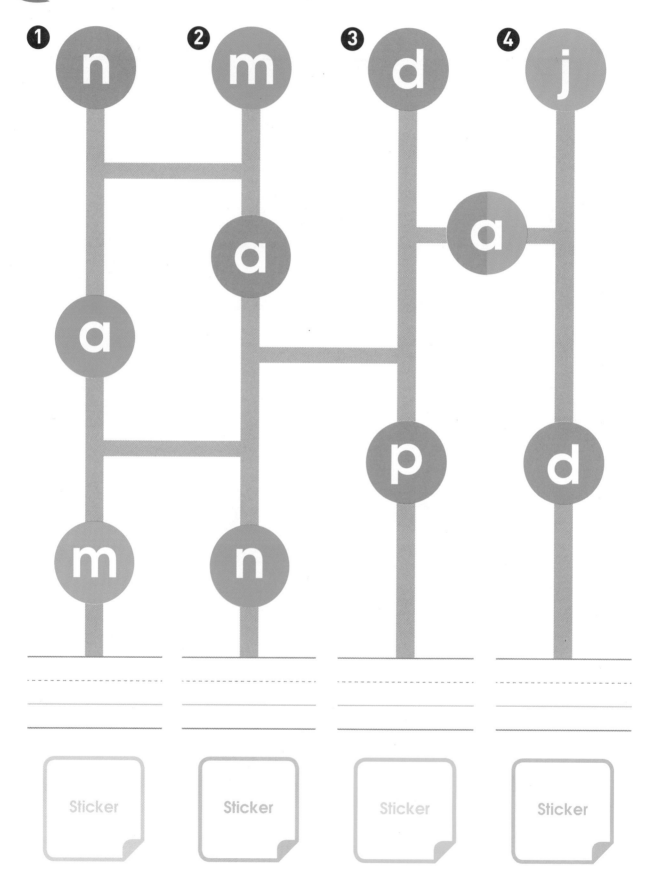

❶ n a m

❷ m a n

❸ d a p

❹ j a d

Sticker   Sticker   Sticker   Sticker

▶정답 6쪽

B 힌트를 보고 암호를 푼 후, 알맞은 그림을 찾아 동그라미 해 보세요.

a	b	c	d	e	f	g	h	i
🍎	⚽	🧁	🐺	🥚	🌀	🎁	🏪	🍦

j	k	l	m	n	o	p	q	r
🍷	🥝	🌿	🍼	🦌	🍒	🍕	?	🤖

s	t	u	v	w	x	y	z	
☀	🚁	☂	🚚	💧	📦	⛵	⭕	

❶ 🧁 🍎 🚁 ＿＿＿ ＿＿＿ ＿＿＿

❷ 🍼 🍎 🍕 ＿＿＿ ＿＿＿ ＿＿＿

❸ 🌀 🍎 🦌 ＿＿＿ ＿＿＿ ＿＿＿

이번 주에는 무엇을 배울까? ❶

2
주

6

안녕, 난 /이/!
우리 마을로 놀러 와~!

어서 와, 난 /에/.
우리 마을에 재미있는 게
더 많아!

7

어, 뭐야?

우르르르

8

어엇! 어디로
데려가는 거야?

가자!
/에/ 마을로
출발!

9

바로 여기가 /에/
마을이야.

우와!

10

이번에는 조금 정신
없는 여행이 되겠어.

▶정답 6쪽

 모음 e와 i가 들어간 단어에 스티커를 붙여 보세요.

j et

h en

s ix

r ed

Quiz

단어 속에 숨어 있는 모음 e와 i를 찾아 모두 동그라미 해 보세요.

et 소리 익히기

 et가 단어 속에서 어떻게 소리 나는지 들어 보세요.

A et가 어떻게 소리 나는지 듣고 따라 말해 보세요.

e → e+t → et
에   에 ㅌ   에트

B 잘 듣고 따라 말하면서 et의 단어를 익혀 보세요.

①

j e t → jet
ㅈ 에트

②

n e t → net
ㄴ 에트

③

p e t → pet
ㅍ 에트

④

w e t → wet
워 에트

① 제트기 ② 그물 ③ 애완동물 ④ 젖은   Level 1B **45**

et 단어 익히기

 스티커를 붙인 후, 단어를 리듬에 맞춰 읽어 보세요.

1 j et

2 n et

3 p et

4 w et

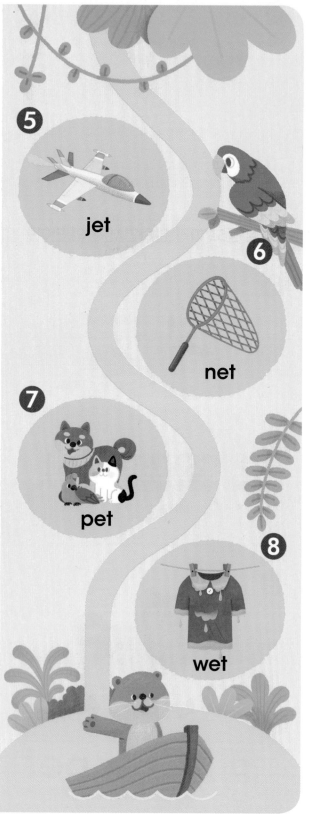

5 jet

6 net

7 pet

8 wet

B 단어를 읽고 알맞은 그림에 동그라미 해 보세요.

1.

net

2.

wet

C 그림에 알맞은 단어를 찾아 동그라미 하고 써 보세요.

1.

p a n n e t j e t

_____

- - - - - - - - - - - - - - -

_____

2.

c a n p e t w e t

_____

- - - - - - - - - - - - - - -

_____

46쪽의 단어들을 다시 한 번 읽어 보세요.

ed, en 소리 익히기

 ed와 en이 단어 속에서 어떻게 소리 나는지 들어 보세요.

A ed와 en이 어떻게 소리 나는지 듣고 따라 말해 보세요.

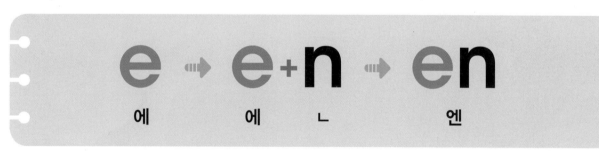

e → e+d → ed
에   에   ㄷ   에드

①
b e d → bed
ㅂ   에드

②
r e d → red
뤄   에드

e → e+n → en
에   에   ㄴ   엔

③
h e n → hen
ㅎ   엔

④
t e n → ten
ㅌ   엔

ed, en 단어 익히기

A 스티커를 붙인 후, 단어를 리듬에 맞춰 읽어 보세요.

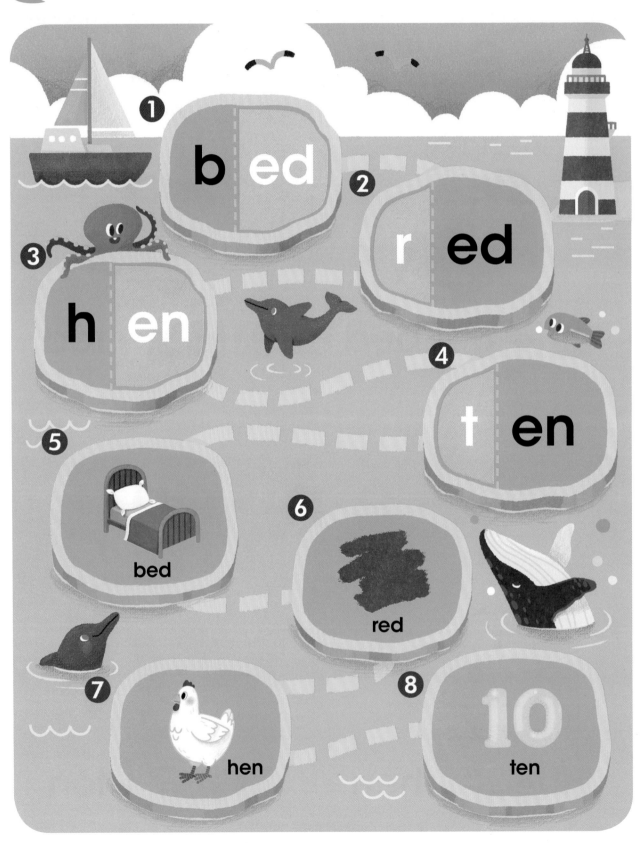

① b ed
② r ed
③ h en
④ t en
⑤ bed
⑥ red
⑦ hen
⑧ 10 ten

B 단어를 읽고 알맞은 그림과 연결해 보세요.

1. hen ·

2. red ·

3. bed ·

2
주

C 그림을 보고 글자를 바르게 배열하여 써 보세요.

1.

n   t   e

_____

2.

d   e   r

_____

50쪽의 단어들을 다시 한 번 읽어 보세요.   Level 1B **51**

in, ig 소리 익히기

📖 in과 ig가 단어 속에서 어떻게 소리 나는지 들어 보세요.

A in과 ig가 어떻게 소리 나는지 듣고 따라 말해 보세요.

i ➡ i+n ➡ in
이　　　이 ㄴ　　　　인

①

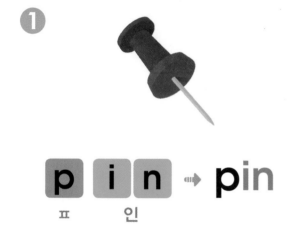

p i n ➡ pin
ㅍ　인

②

w i n ➡ win
워　　인

i ➡ i+g ➡ ig
이　　　이 ㄱ　　　　이ㄱ

③

p i g ➡ pig
ㅍ　이ㄱ

④

b i g ➡ big
ㅂ　　이ㄱ

① 핀 ② 이기다 ③ 돼지 ④ 크기가 큰　　Level 1B **53**

A 스티커를 붙인 후, 단어를 리듬에 맞춰 읽어 보세요.

① p in

② w in

③ p ig

④ b ig

⑤ pin

⑥ win

⑦ pig

⑧ big

B 그림에 알맞은 단어에 동그라미 해 보세요.

1.

win   pig

2.

pin   big

C 빈칸에 들어갈 글자를 골라 완성된 단어를 써 보세요.

1.

p

w

_____in

_____

2.

b

p

_____ig

_____

it, ix 소리 익히기

 it와 ix가 단어 속에서 어떻게 소리 나는지 들어 보세요.

A it와 ix가 어떻게 소리 나는지 듣고 따라 말해 보세요.

i ➡ i+t ➡ it

이 　 이 ㅌ 　 이ㅌ

①

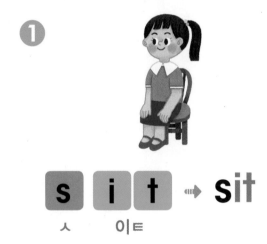

s i t ➡ sit

ㅅ 이ㅌ

②

h i t ➡ hit

ㅎ 이ㅌ

i ➡ i+x ➡ ix

이 　 이 ㅋㅅ 　 익ㅅ

③

s i x ➡ six

ㅅ 익ㅅ

④

m i x ➡ mix

ㅁ 익ㅅ

① 앉다 ② 치다, 때리다 ③ 여섯, 육 ④ 섞다 　 Level 1B **57**

it, ix 단어 익히기

 스티커를 붙인 후, 단어를 리듬에 맞춰 읽어 보세요.

B 단어를 읽고 알맞은 그림과 연결해 보세요.

C 그림에 알맞은 글자를 보기 에서 골라 단어를 써 보세요.

보기   ix   it

1.

m

2.

s

58쪽의 단어들을 다시 한 번 읽어 보세요.   Level 1B **59**

et, ed, en, in, ig, it, ix 복습

A 잘 듣고 그림에 알맞은 단어를 골라 동그라미 해 보세요.

① ten / pin

② sit / red

③ jet / win

④ big / bed

⑤ hen / net

⑥ pig / mix

⑦ hit / six

B 잘 듣고 알맞은 글자를 연결하고, 완성된 단어를 써 보세요.

1.  p   ix

2.  m   ig

3.  w   et

4.  b   in

5.  t   en

Story Time

Jin sits on the net.

The red hen sits on the net.

The big pig sits on the net.

Yikes!

They all sit on the net.

Sight Word

on을 찾아라!

B on을 찾아 큰 소리로 읽으면서 연결해 보세요.

- on은 '～ 위에'라는 뜻이에요.
- on이 모두 몇 개인가요? _____개

A 잘 듣고 빈칸에 들어갈 글자에 동그라미 해 보세요.

1.

h____   in / en

2.

s____   et / it

B 잘 듣고 알맞은 글자를 연결해 보세요.

1.

b

ed

2.

m

ig

3.
r

ix

C 단어를 읽고 알맞은 그림에 동그라미 해 보세요.

1.

ten

2.

bed

3.

pin

D 그림에 알맞은 글자를 보기에서 골라 단어를 써 보세요.

보기   in   et

1.

W

2.

W

Brain Game

🔁 퀴즈를 풀어 아기 돼지가 집에 무사히 도착할 수 있도록 도와주세요.

Start

1. 빈칸에 et가 들어가는 그림에 동그라미 해 보세요.

b____   p____

2. 단어와 그림을 연결해 보세요.

red ·

ten ·

· 10

3. 빈칸에 공통으로 들어갈 글자에 동그라미 해 보세요.

w____   in

p____   ig

4. 빈칸에 들어갈 글자가 같으면 ○ 표,
   다르면 × 표를 해 보세요.

   w____

   n____

5. 그림을 보고 글자를 연결해 보세요.

   s ·

   · ix

   · it

6. 그림을 보고 빈칸에 알맞은 글자를
   골라 써 보세요.

   en   ix

   m____

A 그림을 보고 지워진 글자를 골라 동그라미 해 보세요.

①

b e

n   d

②

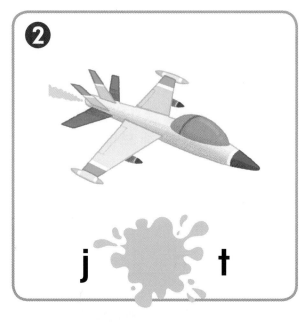

j   t

e   i

③

e n

h   m

④

w i

t   n

▶정답 11쪽

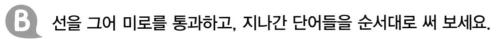

B 선을 그어 미로를 통과하고, 지나간 단어들을 순서대로 써 보세요.

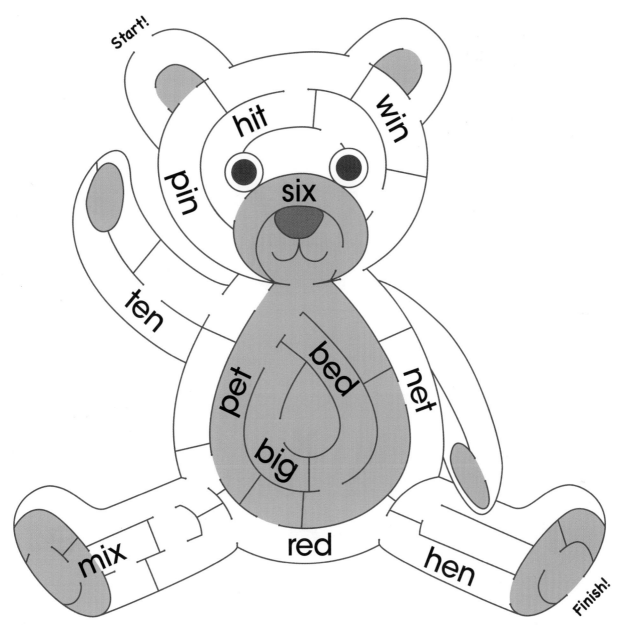

1. _____

2. _____

3. _____

4. _____

5. _____

A 그림을 보고 퍼즐에서 단어를 찾아 동그라미 해 보세요.

1.

2.

3.

4.

5.

6.

m	i	x	p	w
h	s	a	r	e
b	i	d	m	t
e	t	e	n	j
d	w	b	i	g

▶정답 11쪽

B 빈칸에 들어갈 글자에 동그라미 한 다음, 보기 의 단어 순서대로 길을 따라가 보세요.

보기 　pig 〉 mix 〉 red 〉 pin 〉 net

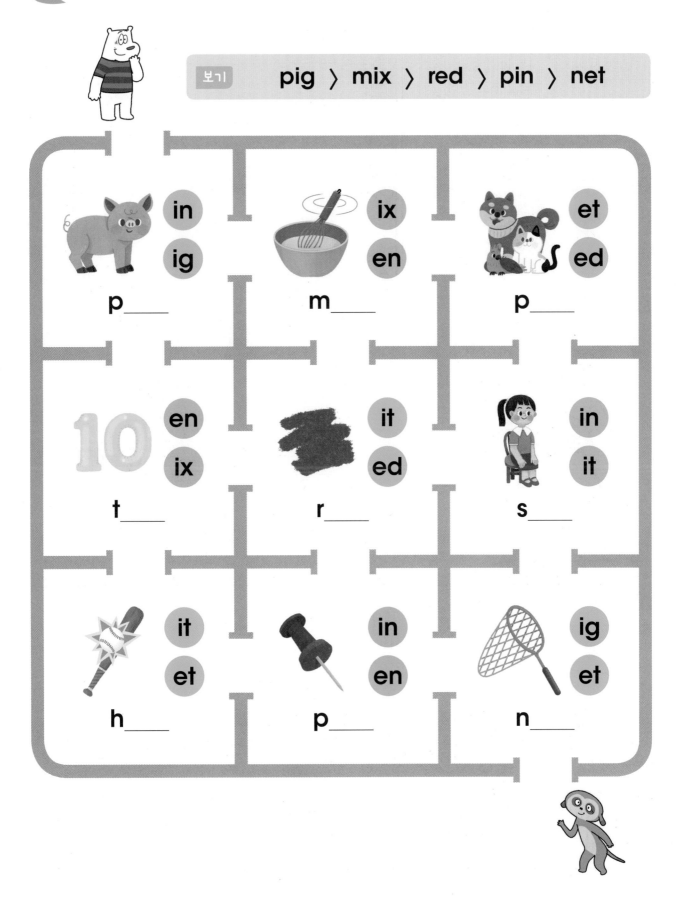

/아프\　/아트\　/악스\

여기서 제일 가까운 마을이 어디야?

우리 /아/ 마을도 있고, 조금 더 가면 /어/ 마을도 있어!

가자! /아/ 마을로~!

모음 o와 u가 들어간 단어에 스티커를 붙여 보세요.

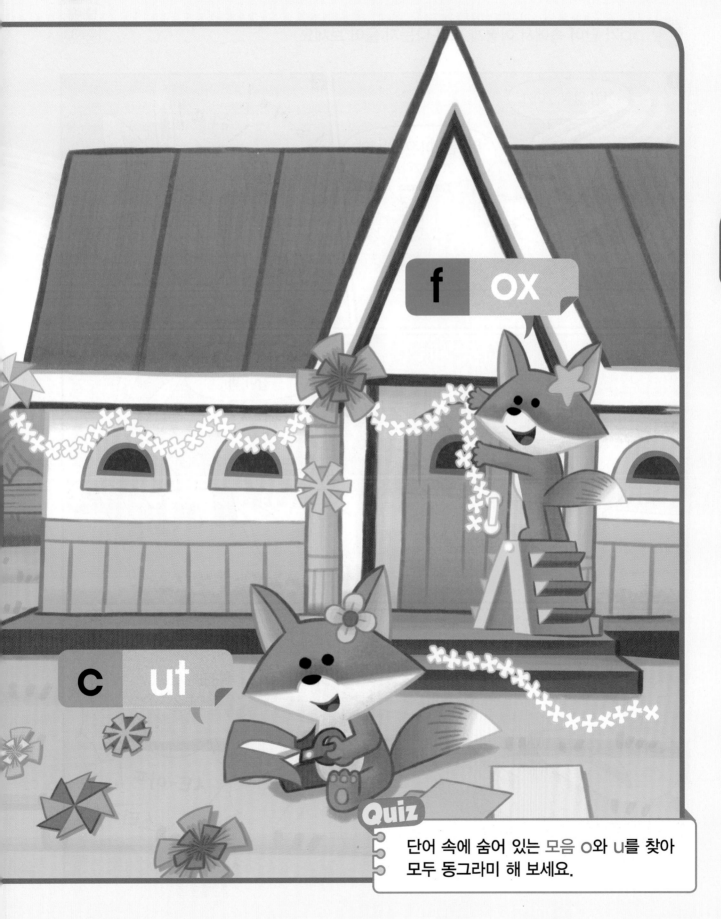

3
주

f ox

c ut

Quiz

단어 속에 숨어 있는 모음 o와 u를 찾아
모두 동그라미 해 보세요.

op 소리 익히기

PHONICS

 op가 단어 속에서 어떻게 소리 나는지 들어 보세요.

A op가 어떻게 소리 나는지 듣고 따라 말해 보세요.

O → O+p → op
아   아 ㅍ   아ㅍ

B 잘 듣고 따라 말하면서 op의 단어를 익혀 보세요.

①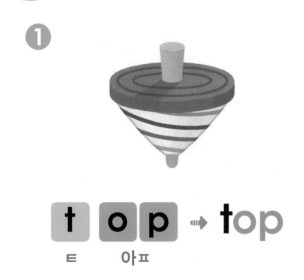

t o p → top
ㅌ 아ㅍ

②

h o p → hop
ㅎ 아ㅍ

③

m o p → mop
ㅁ 아ㅍ

④

st o p → stop
ㅅㅌ 아ㅍ

① 팽이 ② 깡총깡총 뛰다 ③ 대걸레 ④ 멈추다   Level 1B **77**

op 단어 익히기

A 스티커를 붙인 후, 단어를 리듬에 맞춰 읽어 보세요.

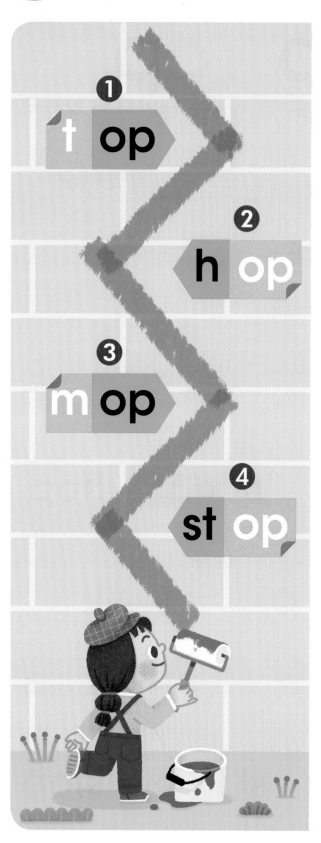

① t op

② h op

③ m op

④ st op

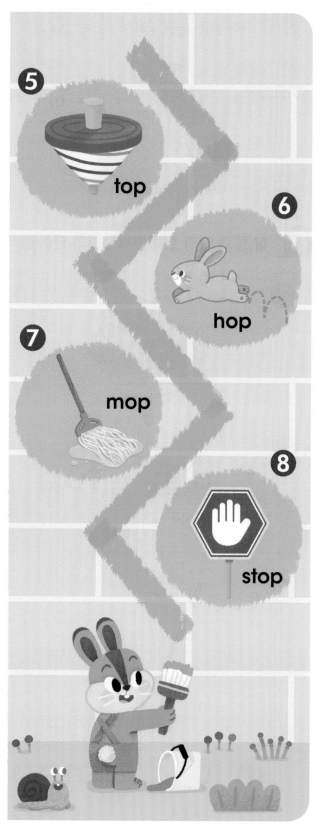

⑤ top

⑥ hop

⑦ mop

⑧ stop

B 단어를 읽고 알맞은 그림에 동그라미 해 보세요.

1.

hop

2.

mop

C 그림에 알맞은 단어를 찾아 동그라미 하고 써 보세요.

1.

m e h o p s t o p

2.

m o p t o p s i t

 78쪽의 단어들을 다시 한 번 읽어 보세요.

ot, ox 소리 익히기

📖 ot와 ox가 단어 속에서 어떻게 소리 나는지 들어 보세요.

A ot와 ox가 어떻게 소리 나는지 듣고 따라 말해 보세요.

O → O+t → ot
아   아   ㅌ   아ㅌ

① h o t → hot
ㅎ   아ㅌ

② p o t → pot
ㅍ   아ㅌ

O → O+X → OX
아   아   ㅋㅅ   악ㅅ

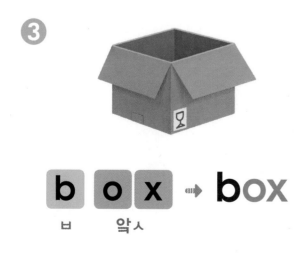

③ b o x → box
ㅂ   악ㅅ

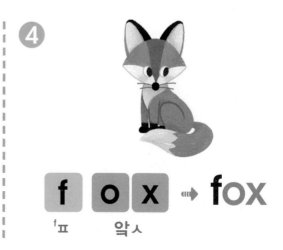

④ f o x → fox
ᶠㅍ   악ㅅ

① 더운 ② 냄비 ③ 상자 ④ 여우

Level 1B **81**

ot, ox 단어 익히기

A 스티커를 붙인 후, 단어를 리듬에 맞춰 읽어 보세요.

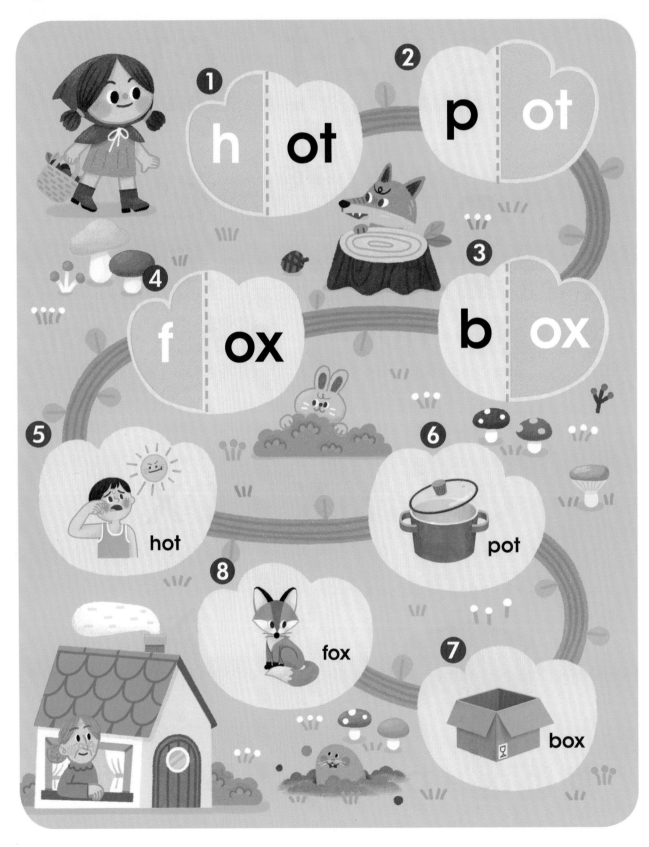

B 단어를 읽고 알맞은 그림과 연결해 보세요.

1. pot ·

2. fox ·

3. hot ·

C 그림을 보고 글자를 바르게 배열하여 써 보세요.

1.

o   b   x

_____

2.

t   h   o

_____

82쪽의 단어들을 다시 한 번 읽어 보세요.

un 소리 익히기

📖 un이 단어 속에서 어떻게 소리 나는지 들어 보세요.

A un이 어떻게 소리 나는지 듣고 따라 말해 보세요.

u ➡ u+n ➡ un
어　　　어 ㄴ　　　언

 B 잘 듣고 따라 말하면서 un의 소리를 익혀 보세요.

1

s u n ➡ **sun**
ㅅ　언

2

g u n ➡ **gun**
ㄱ　언

3

r u n ➡ **run**
뤄　언

4

f u n ➡ **fun**
ᶠㅍ　언

① 해, 태양 ② 총 ③ 달리다 ④ 재미있는 　Level 1B **85**

un 단어 익히기

A 스티커를 붙인 후, 단어를 리듬에 맞춰 읽어 보세요.

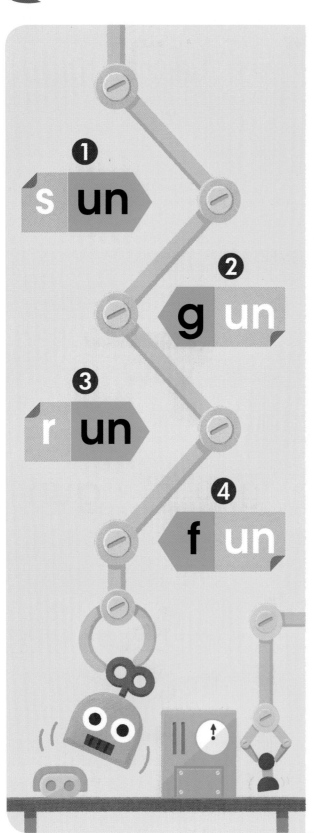

① **s** un

② **g** un

③ **r** un

④ **f** un

⑤ sun

⑥ gun

⑦ run

⑧ fun

B 그림에 알맞은 단어에 동그라미 해 보세요.

1.

| run | fun |

2.

| sun | gun |

3주

C 빈칸에 들어갈 글자를 골라 완성된 단어를 써 보세요.

1.

g

f

____un

2.

s

r

____un

86쪽의 단어들을 다시 한 번 읽어 보세요.

ub, ut 소리 익히기

📖 ub와 ut가 단어 속에서 어떻게 소리 나는지 들어 보세요.

A ub와 ut가 어떻게 소리 나는지 듣고 따라 말해 보세요.

u → u+b → ub
어   어   ㅂ   어ㅂ

①

t u b → tub
ㅌ   어ㅂ

②

c u b → cub
ㅋ   어ㅂ

u → u+t → ut
어   어   ㅌ   어ㅌ

③
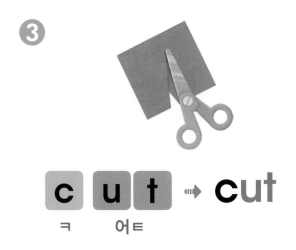

c u t → cut
ㅋ   어ㅌ

④

n u t → nut
ㄴ   어ㅌ

ub, ut 단어 익히기

 스티커를 붙인 후, 단어를 리듬에 맞춰 읽어 보세요.

B 단어를 읽고 알맞은 그림과 연결해 보세요.

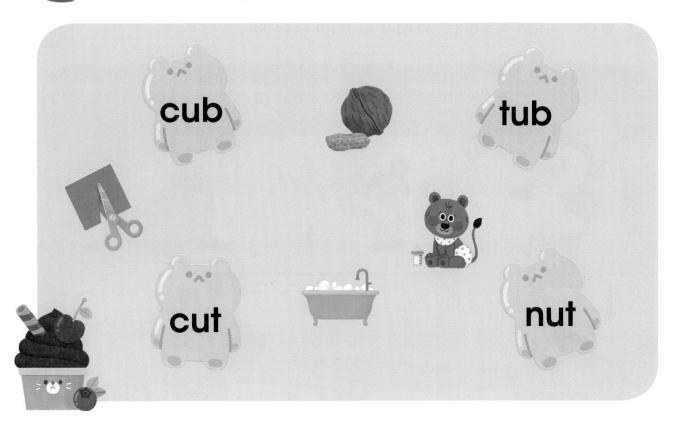

C 그림에 알맞은 글자를 보기 에서 골라 단어를 써 보세요.

보기   ut   ub

c

n

90쪽의 단어들을 다시 한 번 읽어 보세요.

op, ot, ox, un, ub, ut 복습

A 잘 듣고 그림에 알맞은 단어를 골라 동그라미 해 보세요.

1. fun / top
2. hop / cut
3. pot / mop
4. cub / fox
5. hot / tub

▶정답 14쪽

B 잘 듣고 알맞은 글자를 연결하고, 완성된 단어를 써 보세요.

1.  c 　　 ox

2.  r 　　 ub

3.  b 　　 un

4.  st 　　 ot

5.  p 　　 op

Story Time

 이야기를 들으며 따라 읽어 보세요.

1

The fox can hop.

2

The cub can hop.

3

They hop and stop.

4

What a fun day!

Sight Word

can을 찾아라!

▶정답 15쪽

B can을 모두 찾아 큰 소리로 읽으며 동그라미 해 보세요.

c	a	n	i	t
n	l	c	v	f
r	c	a	n	c
p	m	n	g	a
s	o	u	k	n

- can은 '할 수 있다'라는 뜻이에요.
- can이 모두 몇 개인가요? _____개

Level 1B **95**

A 잘 듣고 빈칸에 들어갈 글자에 동그라미 해 보세요.

1.

t____ ub / ut

2.
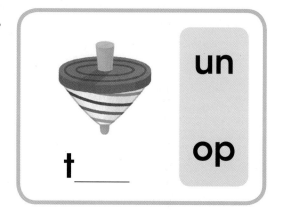
t____ un / op

B 잘 듣고 알맞은 글자를 연결해 보세요.

1.

s
ut

2.

n
un

3.

f
ox

C 단어를 읽고 알맞은 그림에 동그라미 해 보세요.

1. **gun**

2. **cub**

3. **hop**

D 그림에 알맞은 글자를 보기 에서 골라 단어를 써 보세요.

보기   un   ot

1.

f_____

2.

_____h_____

Brain Game

길을 따라 퀴즈를 풀어 보물을 찾아 보세요.

Start

1. 빈칸에 un이 들어가는 그림에 동그라미 해 보세요.

s____   b____

2. 단어와 그림을 연결해 보세요.

hop ·

tub ·

·

·

3. 빈칸에 공통으로 들어갈 글자에 동그라미 해 보세요.

st____   un

m____   op

▶정답 16쪽

6. 그림을 보고 빈칸에 알맞은 글자를 골라 써 보세요.

ot	ut

c

4. 빈칸에 들어갈 글자가 같으면 ○ 표, 다르면 × 표를 해 보세요.

t＿＿＿

f＿＿＿

5. 그림을 보고 글자를 연결해 보세요.

p ·

· ot

· ub

Ⓐ 단서를 보고 핸드폰 잠금 화면의 패턴을 풀어 보세요.

단서 hop - fox - pot - cub - run - cut

B 그림을 보고 퍼즐을 연결하여 단어를 완성해 보세요.

1.

 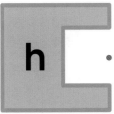 h ·  u · b

2.

 st · o ·  n

3.

 g ·  u ·  t

4.

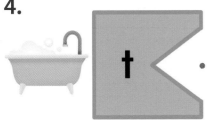 t ·  o · 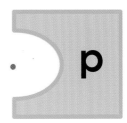 p

3
주

A 빈칸에 들어갈 스티커를 붙이고, 알맞은 단어를 보기 에서 골라 써 보세요.

1.

2.

3.

4.

보기　**sun　fun　top　nut**

Sticker	Sticker	Sticker	Sticker

_____　_____　_____　_____

B 그림을 보고 성냥개비 두 개를 옮겨 단어를 만든 후, 써 보세요.

1.
 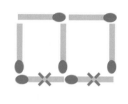 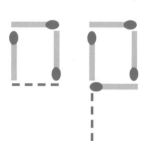

m

2.
  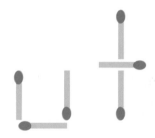

h

3.

g

4.

c

기초 탄탄 Review

A 빈칸에 알맞은 글자를 찾아 선으로 연결하고, 단어를 써 보세요.

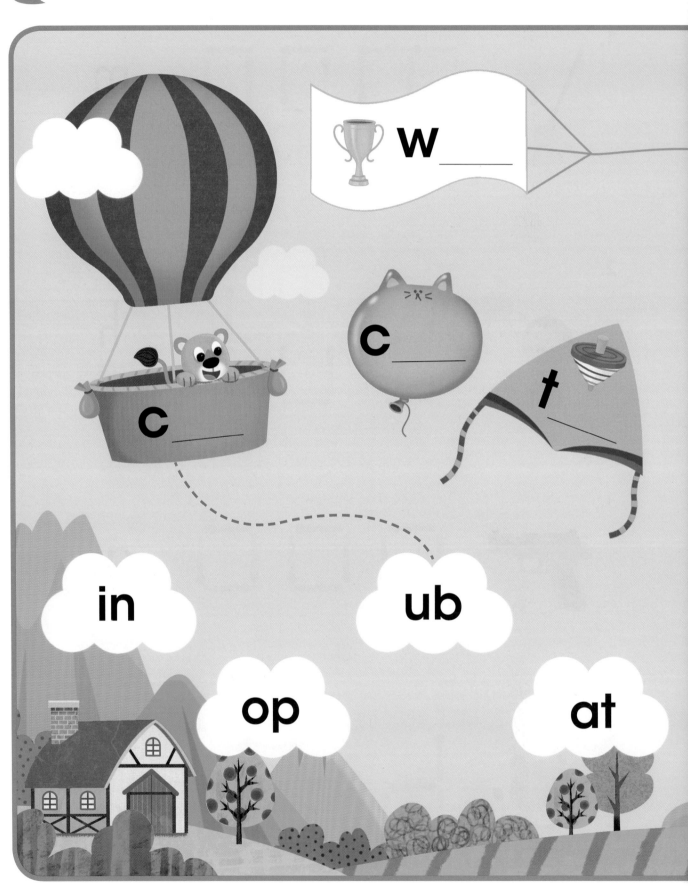

w_____

c_____

c_____

t_____

in

ub

op

at

▶정답 17쪽

h____

j____

f
____

h
____

en

ox

et

am

이해 쏙쏙 Activity

A 잘 듣고 순서대로 선을 그어 단어를 연결해 보세요.

B 잘 듣고 모음이 같은 단어끼리 연결하고, 읽어 보세요.

이해 쏙쏙 Activity

C 단어의 모음을 보기 에서 찾아 해당하는 색으로 색칠해 보세요.

보기   a ●   e ●   i ●   o ●   u ●   ☆ ●

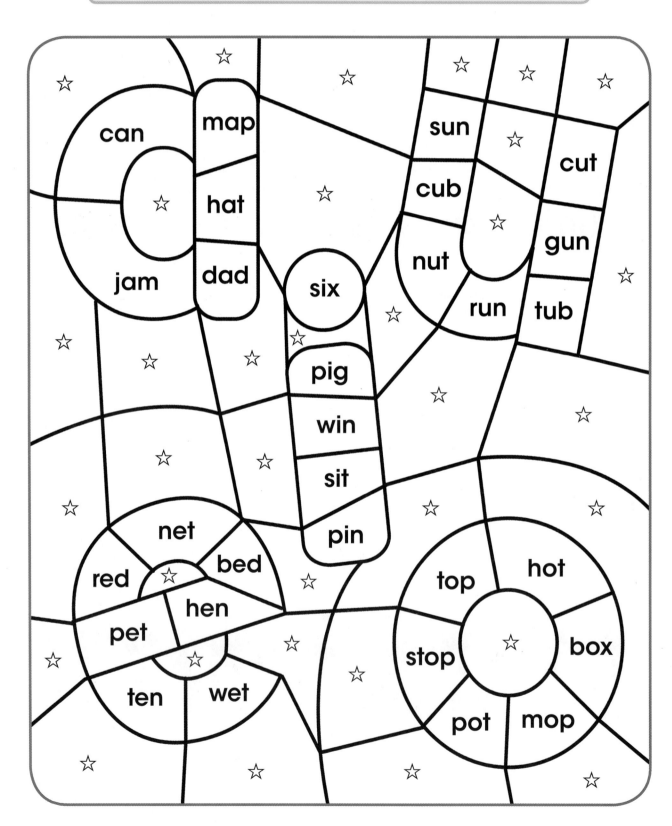

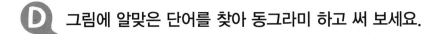 그림에 알맞은 단어를 찾아 동그라미 하고 써 보세요.

1.

_____

2.

_____

3.

_____

b r e d c f o x h j a m

4.

_____

5.

_____

6.

_____

p m a t n b i g t s u n t

A 잘 듣고 알맞은 단어에 동그라미 해 보세요.

1.

hat

map

2.

ham

fan

3.

bed

dad

4.

win

pig

5.

sit

hot

6.

cut

fun

▶정답 19쪽

B 잘 듣고 그림에 알맞은 글자를 찾아 연결해 보세요.

1. 　　2. 　　3. 　　4.

●　　　　　　●　　　　　　●　　　　　　●

h　　　r　　　m　　　p

un　　　et　　　op　　　an

C 그림을 보고 빈칸에 들어갈 글자에 동그라미 해 보세요.

1.

a
o

d____d

2.

e
i

m____x

3.

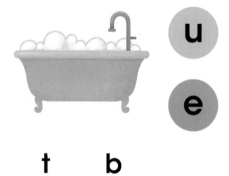

u
e

t____b

4.

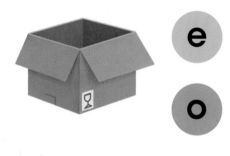

e
o

b____x

5.

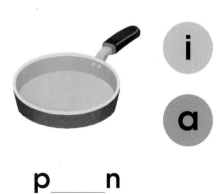

i
a

p____n

6.

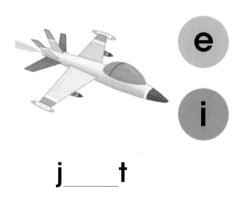

e
i

j____t

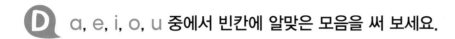 **D** a, e, i, o, u 중에서 빈칸에 알맞은 모음을 써 보세요.

1.

| h | | t |

2.

| b | | g |

3.

| h | | n |

4.

| f | | n |

5.

| st | | p |

6.

| n | | p |

A 잘 듣고 그림에 알맞은 단어를 연결해 보세요.

1.  •

                                        gun

2.  •

                                          bat

3.  •

                                          sad

4.  •

                                          ten

5.  •

                                          pot

▶정답 20쪽

B 잘 듣고 글자를 연결하여 단어를 완성해 보세요.

1.  r　　　am

2.  p　　　ed

3.  j　　　in

4.  m　　　un

5.  r　　　op

그림을 보고 순서대로 글자에 색을 칠해 단어를 완성해 보세요.

1.

(c) (i) (t)
(p) (a) (g)

2.

(j) (i) (x)
(s) (a) (m)

3.

(f) (o) (b)
(t) (u) (x)

4.

(n) (a) (t)
(t) (e) (p)

5.

(b) (u) (x)
(s) (o) (n)

6.

(c) (e) (d)
(r) (u) (b)

▶정답 20쪽

D 그림을 보고 빈칸에 알맞은 글자를 골라 써 보세요.

ap
an

1.

f

2.

c

et
op

3.

t

4.

w

it
ut

5.

s

6.

n

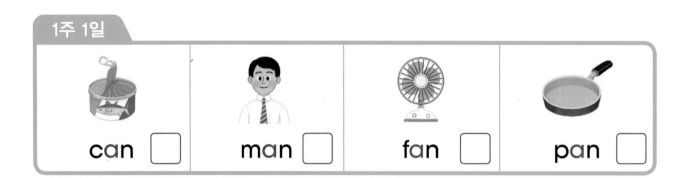

1주 1일

| can ☐ | man ☐ | fan ☐ | pan ☐ |

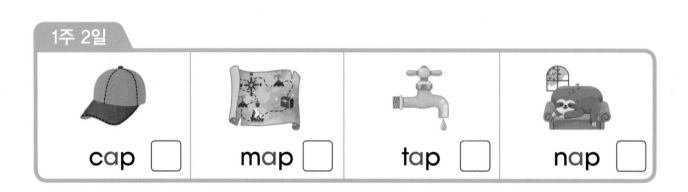

1주 2일

| cap ☐ | map ☐ | tap ☐ | nap ☐ |

1주 3일

| cat ☐ | hat ☐ | bat ☐ | mat ☐ |

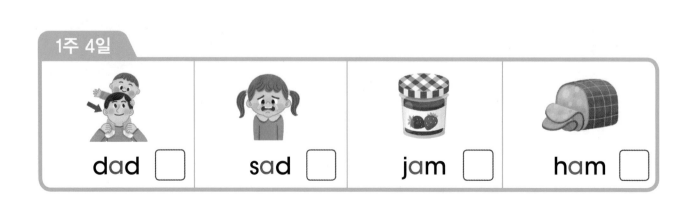

1주 4일

| dad ☐ | sad ☐ | jam ☐ | ham ☐ |

2주 1일

jet ☐	net ☐	pet ☐	wet ☐

2주 2일

bed ☐	red ☐	hen ☐	ten ☐

2주 3일

pin ☐	win ☐	pig ☐	big ☐

2주 4일

sit ☐	hit ☐	six ☐	mix ☐

Word List

읽을 수 있는 단어에 ✔표 해 보세요.

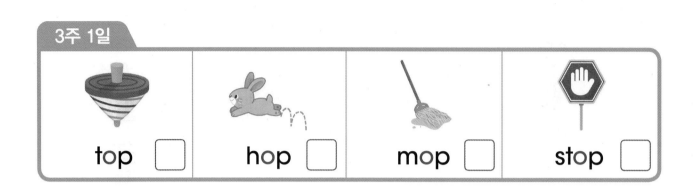

3주 1일

| top ☐ | hop ☐ | mop ☐ | stop ☐ |

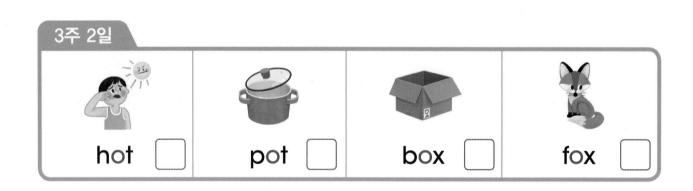

3주 2일

| hot ☐ | pot ☐ | box ☐ | fox ☐ |

3주 3일

| sun ☐ | gun ☐ | run ☐ | fun ☐ |

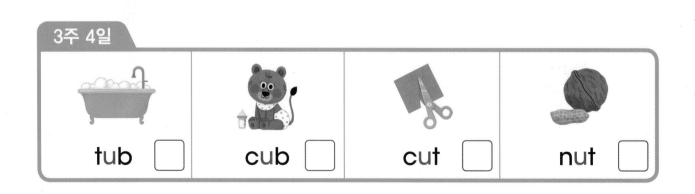

3주 4일

| tub ☐ | cub ☐ | cut ☐ | nut ☐ |

돌림판

준비물 자음 돌림판, 모음 돌림판

★ 활용 방법

❶ 돌림판, 자음 돌림판, 모음 돌림판을 모두 뜯으세요.

❷ 돌림판 가운데 구멍에 맞춰 자음 돌림판, 모음 돌림판을 차례로 올려 놓으세요.

❸ 가운데 구멍에 고정핀을 끼우고 돌림판 3장을 고정시키세요.

❹ 자음과 모음 돌림판을 돌리며 거북이 가리키고 있는 단어를 읽어 보세요.

*자음과 모음의 글자를 조합하여 읽는 것이 목적이므로, 뜻을 모르거나 뜻이 없는 단어라도 읽을 수 있도록 연습해 보세요.

단어 낚시

준비물 글자 물고기 1, 2 (선택: 나무 젓가락, 미니 자석, 실, 클립)

★ 활용 방법

❶ 글자 물고기 1, 2를 모두 뜯으세요.

❷ 글자가 보이지 않게 물고기를 모두 뒤집어서 바닥에 펼쳐 놓으세요.

❸ 주황 물고기와 보라 물고기를 한 마리씩 골라 게임판 위에 놓고 완성된 단어를 읽어 보세요.

더 재미있게 즐기는 방법!

나무 젓가락에 작은 자석을 길게 실로 묶어 낚싯대를 만드세요. 물고기에 클립을 부착하고 낚싯대로 글자 물고기를 낚아 보세요.

모음 손바닥

준비물 글자 물고기 1

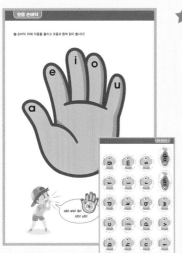

★ 활용 방법

주황 물고기를 손바닥 위에 놓고, 손가락에 적힌 모음과 합쳐서 읽어 보세요.
(예) ab-eb-ib-ob-ub → 애ㅂ-에ㅂ-이ㅂ-아ㅂ-어ㅂ

*자음 앞에 모음을 바꿔가며 발음을 연습하는 것이 목적이므로, 글자를 보고 바로 소리가 나올 때까지 반복해서 연습해 보세요.

스피드 리딩

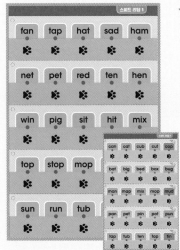

★ **활용 방법**

왼쪽에서 오른쪽 방향으로 발자국을 따라가며 정확한 발음으로 단어를 읽어 보세요. 처음에는 천천히 시작하여 점점 속도를 높여 읽어 보세요.

스피드 리딩 ❷의 마지막 단어는 배우지 않은 단어입니다. 스스로 읽을 수 있는지 도전해 보세요.

단어 카드

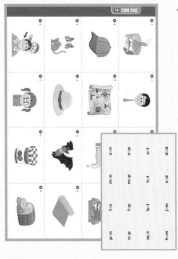

★ **활용 방법**

친구 또는 부모님이 불러 주는 단어를 듣고, 글자나 그림으로 단어 카드를 찾아 보세요.

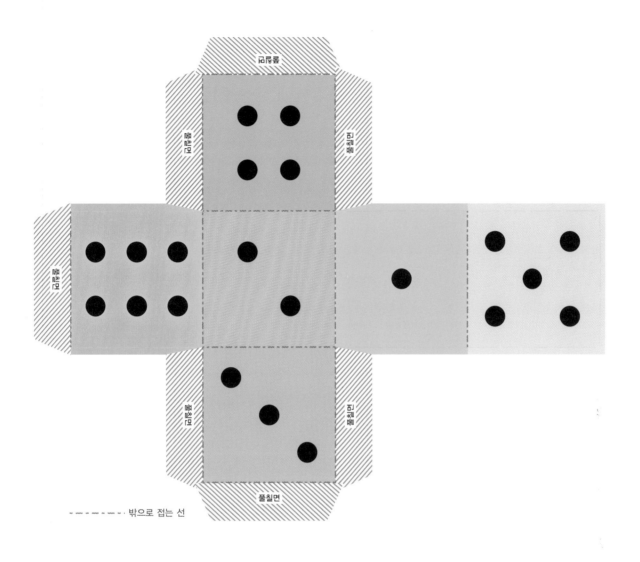

------- 밖으로 접는 선

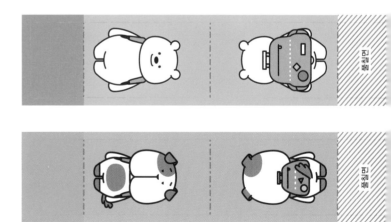

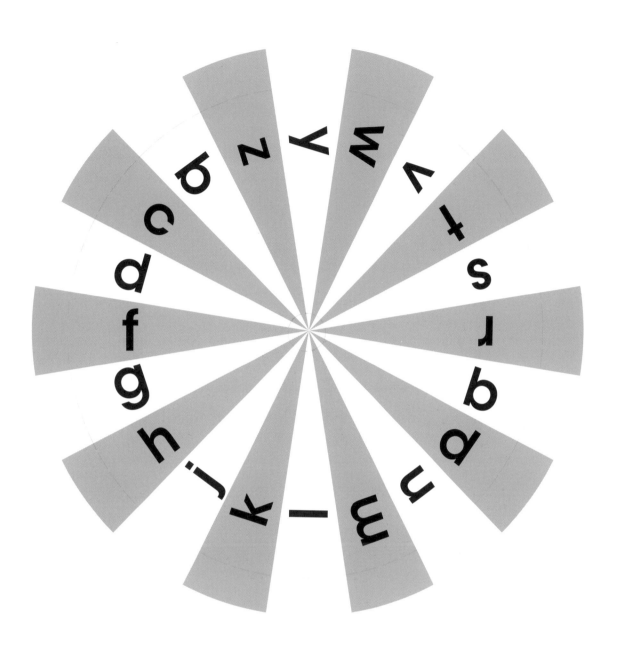

돌림판을
고정할 때 사용하세요!
-----을 따라 접고
돌림판 구멍에 끼운 후,
뒤로 핀다리를 접어
고정하세요.

여분으로 하나 더!

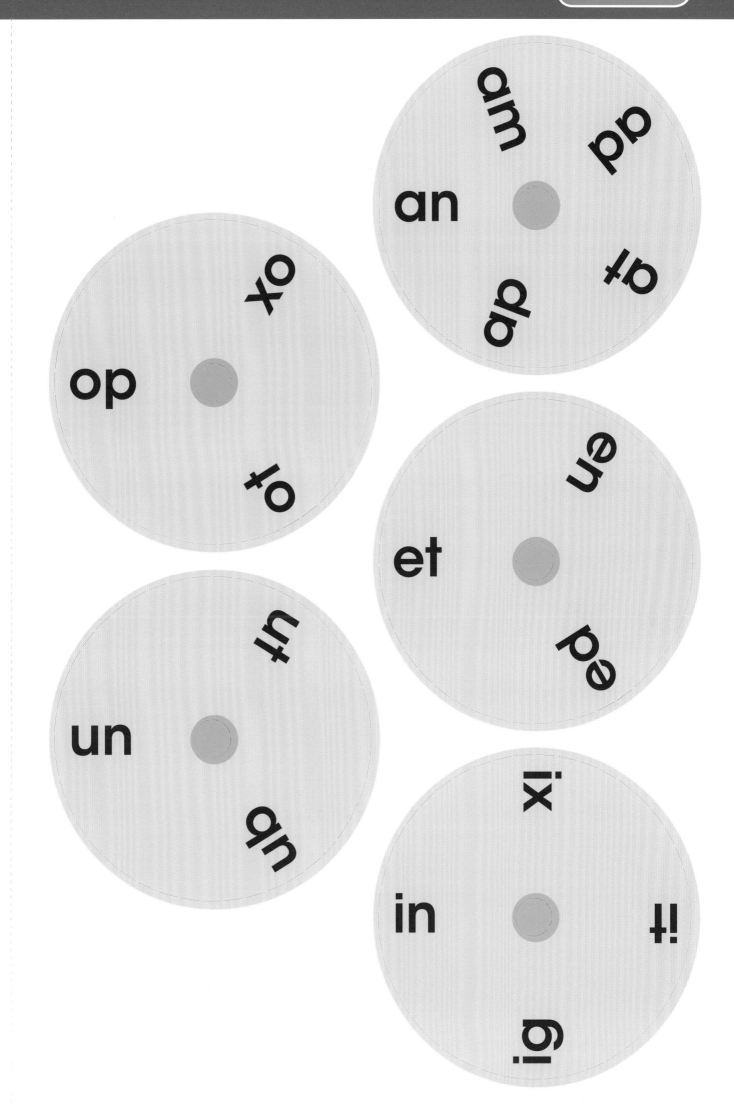

● 잡은 물고기를 소리 내어 읽어 봅시다!

● 손바닥 위에 자음을 올리고 모음과 합쳐 읽어 봅시다!

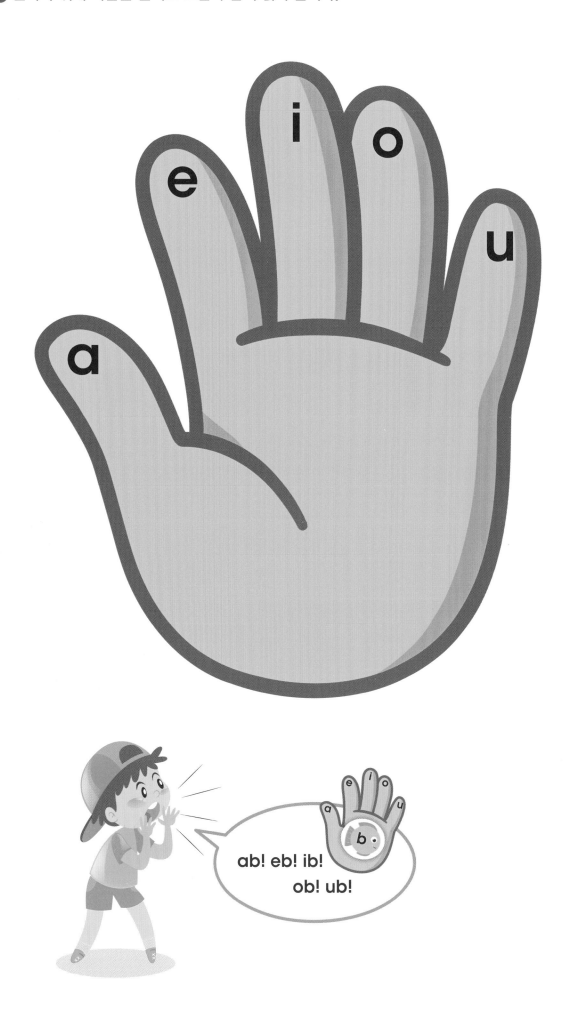

ab! eb! ib!
ob! ub!

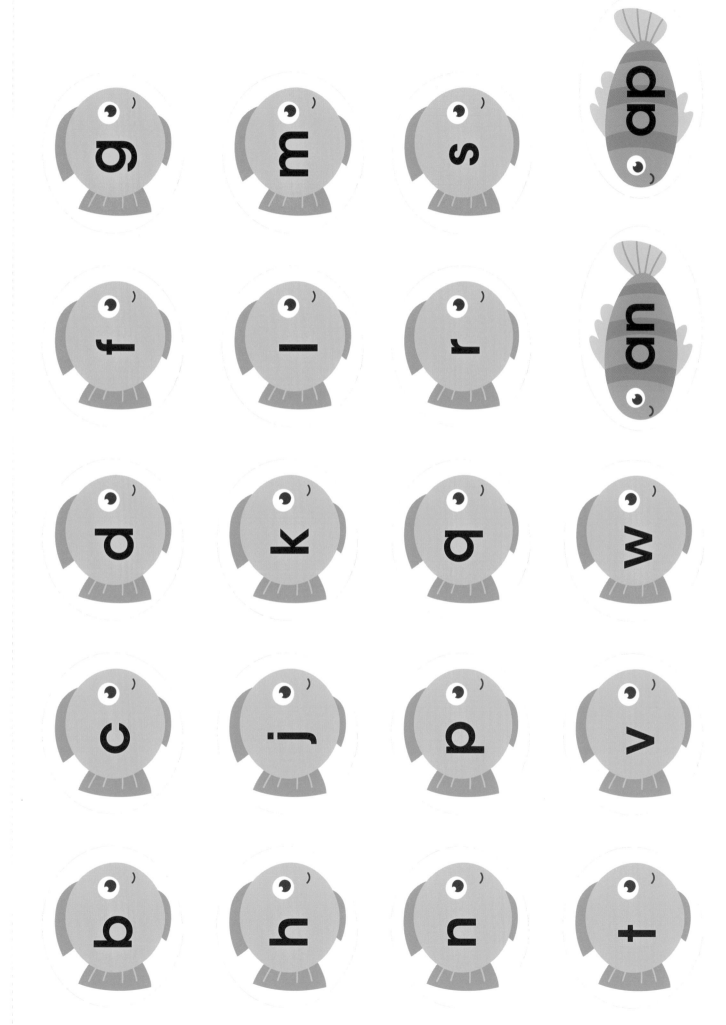

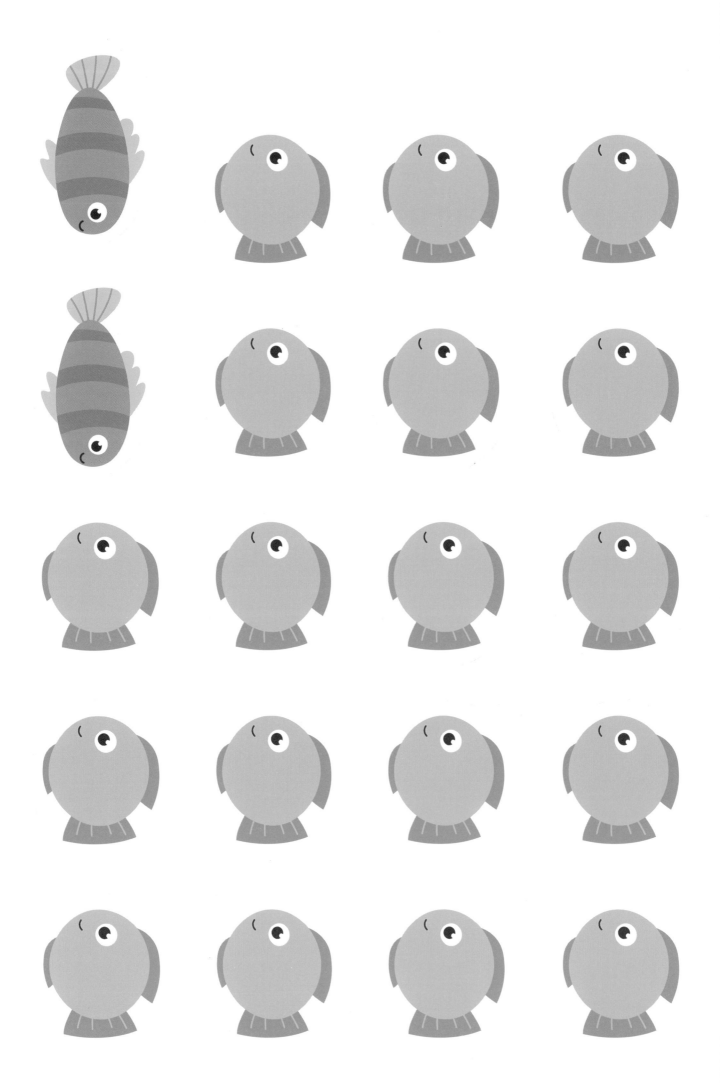

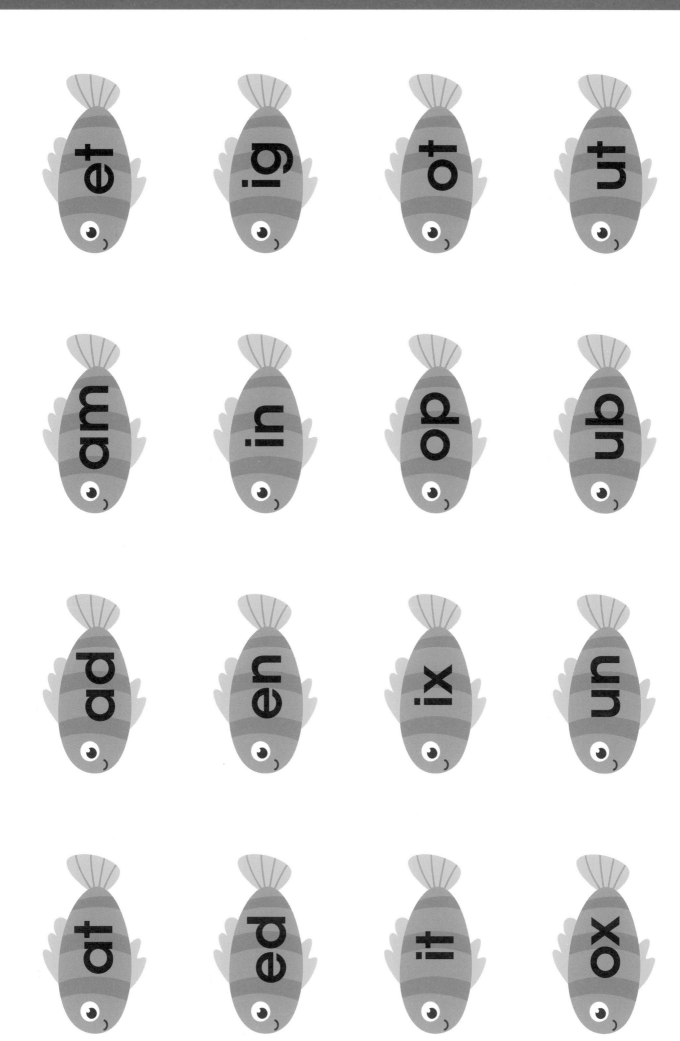

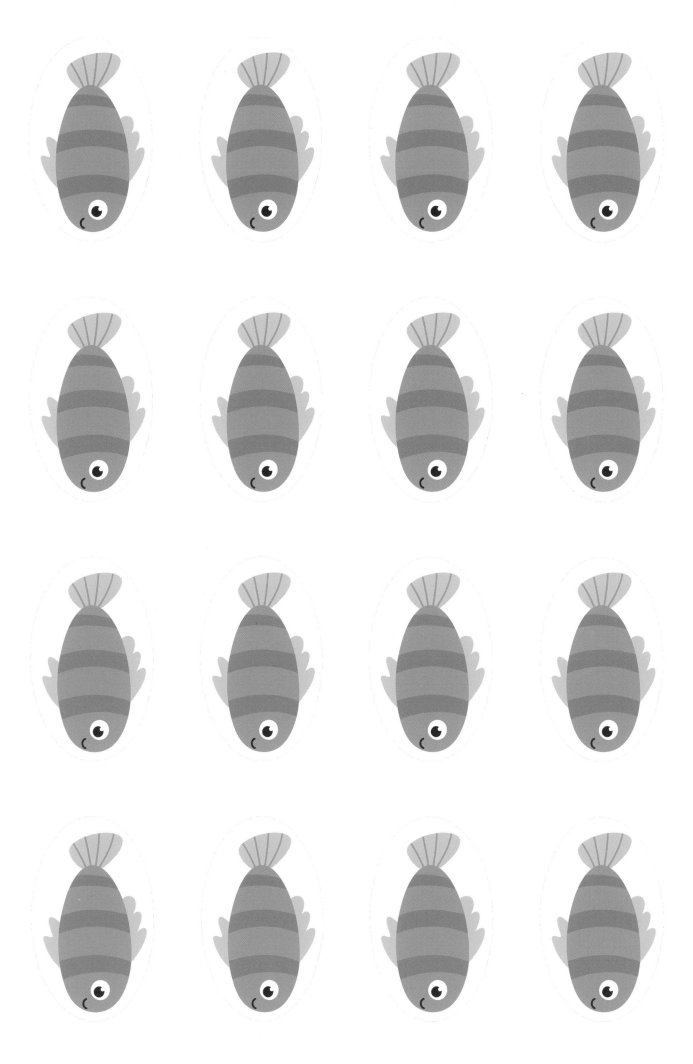

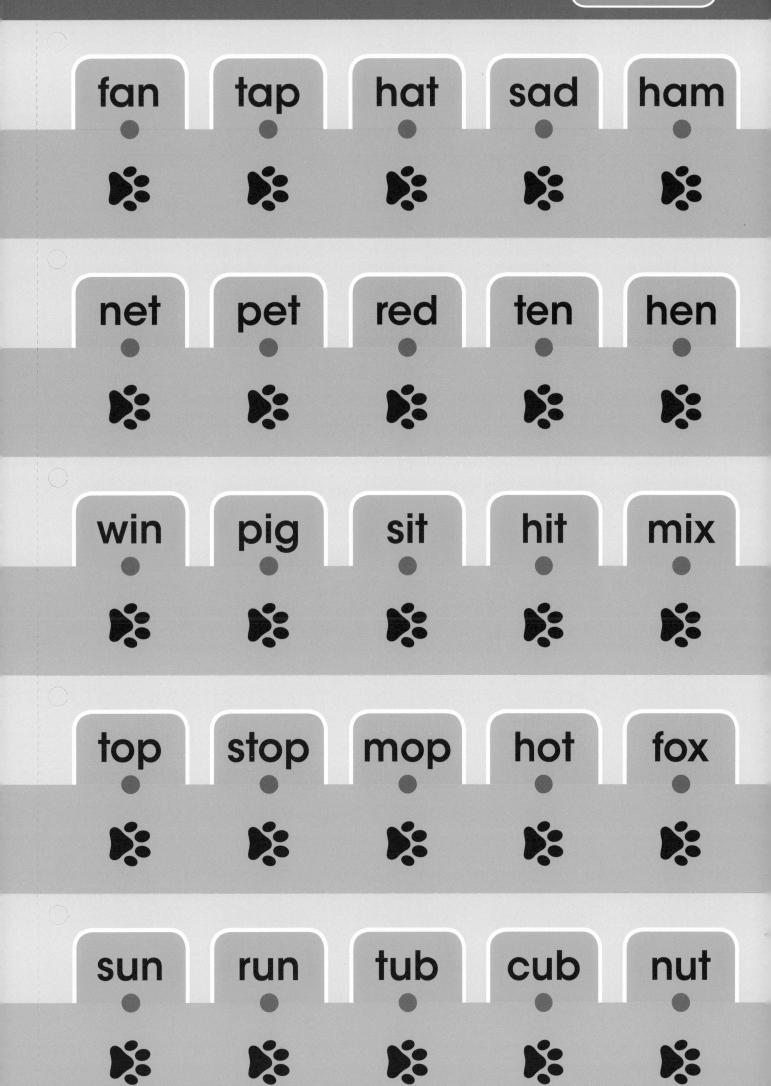

fan tap hat sad ham

net pet red ten hen

win pig sit hit mix

top stop mop hot fox

sun run tub cub nut

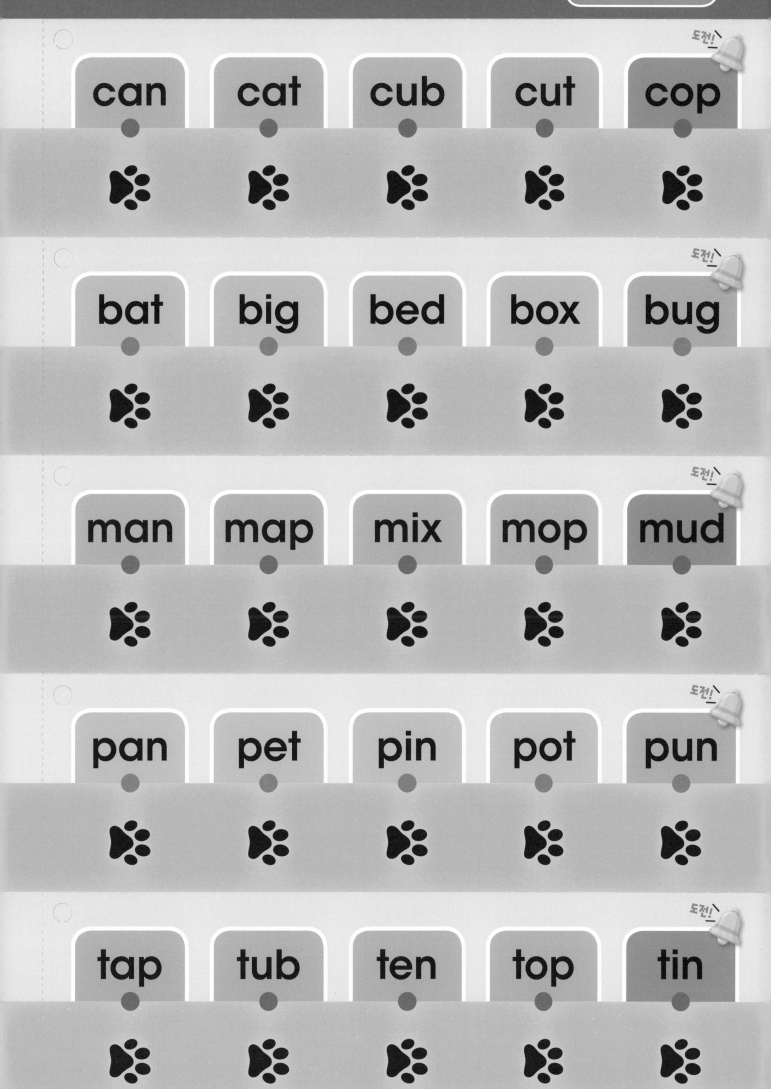

can	cat	cub	cut	cop

bat	big	bed	box	bug

man	map	mix	mop	mud

pan	pet	pin	pot	pun

tap	tub	ten	top	tin

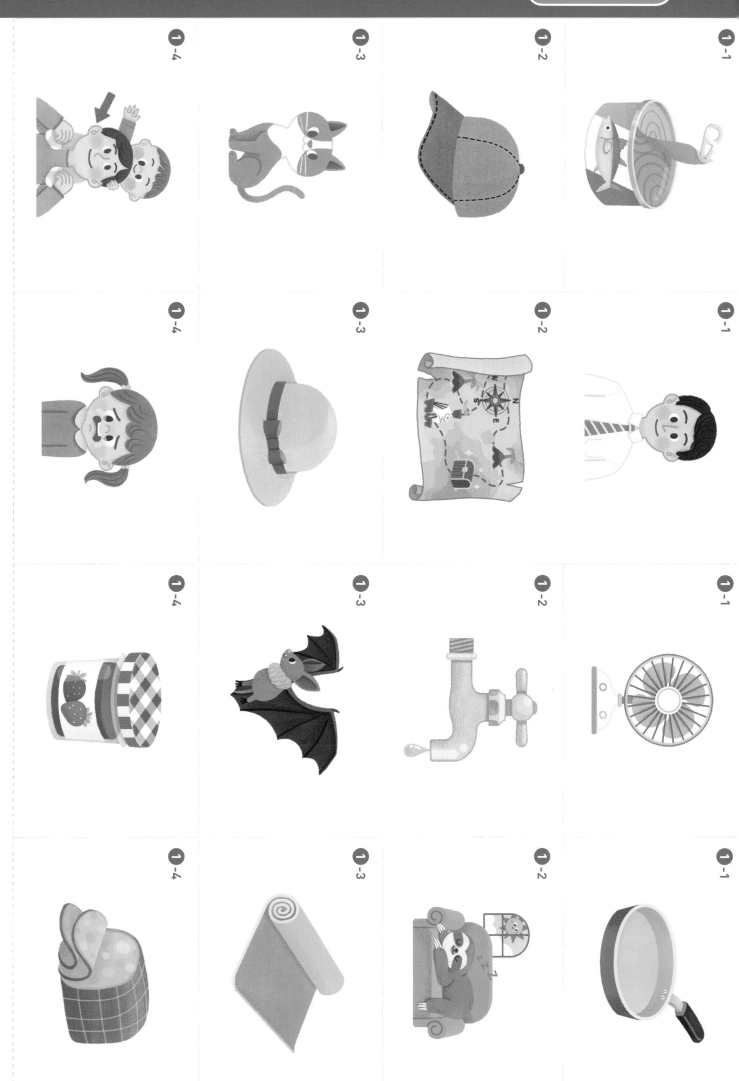

can

cap

cat

dad

man

map

hat

sad

fan

tap

bat

jam

pan

nap

mat

ham

jet

bed

pin

sit

net

red

win

hit

pet

hen

pig

six

wet

ten

big

mix

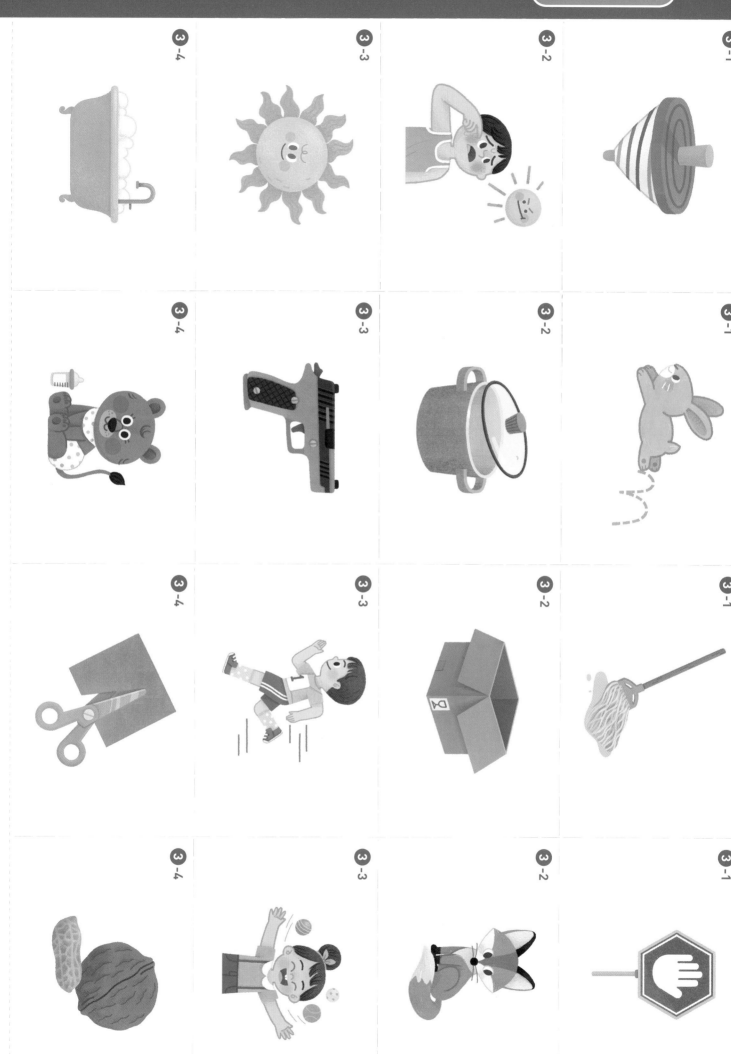

top	hop	mop	stop
hot	pot	box	fox
sun	gun	run	fun
tub	cub	cut	nut

1주 1일 10~11쪽

an ap at am ad

1주 1일 14쪽

c　an
f　an

1주 2일 18쪽

c　ap　n

ap

1주 3일 22쪽

c　at　b　at

1주 4일 26쪽

ad　s　am　h

1주 5일 38쪽

2주 1일 42~43쪽

it ig en et

ix in ed

2주 1일 46쪽

j et p et

2주 2일 50쪽

ed r en t

2주 3일 54쪽

p in p ig

2주 4일 58쪽

it h ix m

3주 1일 74~75쪽

ot   ox   un   ub

ut   op

3주 1일 78쪽

t   op

m   op

3주 2일 82쪽

h   ot   f

ox

3주 3일 86쪽

s   un   r   un

3주 4일 90쪽

ub   c   n   ut

3주 5일 102쪽

힘이 되는 좋은 말

나보다 시작이 나은 선수들이 있겠지만,
나는 끝이 강한 선수다.

There are better starters than me but I'm a strong finisher.

우사인 볼트 Usain Bolt · 자메이카의 육상 선수

뭘 좋아할지 몰라 다 준비했어♥
전과목 교재

전과목 시리즈 교재

●무등생 해법시리즈
– 국어/수학	1~6학년, 학기용
– 사회/과학	3~6학년, 학기용
– SET(전과목/국수, 국사과)	1~6학년, 학기용

●똑똑한 하루 시리즈
– 똑똑한 하루 독해	예비초~6학년, 총 14권
– 똑똑한 하루 글쓰기	예비초~6학년, 총 14권
– 똑똑한 하루 어휘	예비초~6학년, 총 14권
– 똑똑한 하루 한자	예비초~6학년, 총 14권
– 똑똑한 하루 수학	1~6학년, 총 12권
– 똑똑한 하루 계산	예비초~6학년, 총 14권
– 똑똑한 하루 도형	예비초~6학년, 총 8권
– 똑똑한 하루 Voca	3~6학년, 학기용
– 똑똑한 하루 Reading	초3~초6, 학기용
– 똑똑한 하루 Grammar	초3~초6, 학기용
– 똑똑한 하루 Phonics	예비초~초등, 총 8권

●독해가 힘이다 시리즈
– 초등 수학도 독해가 힘이다	1~6학년, 학기용
– 초등 문해력 독해가 힘이다 문장제수학편	1~6학년, 총 12권
– 초등 문해력 독해가 힘이다 비문학편	3~6학년, 총 8권

영어 교재

●초등영어 교과서 시리즈
파닉스(1~4단계)	3~6학년, 학년용
영단어(1~4단계)	3~6학년, 학년용

●LOOK BOOK 영단어	3~6학년, 단행본
●원서 읽는 LOOK BOOK 영단어	3~6학년, 단행본

국가수준 시험 대비 교재

●해법 기초학력 진단평가 문제집	2~6학년·중1 신입생, 총 6권

똑똑한
하루
Phonics

매일매일
쌓이는
영어 기초력

정답

1B
단모음

 천재교육

1주 미리보기

▶정답 1쪽

1주 이번 주에는 무엇을 배울까? ❷

🔵 모음 a가 들어간 단어에 스티커를 붙여 보세요.

p an   h am

c ap   c at   s ad

Quiz 단어 속에 숨어 있는 모음 a를 찾아 모두 동그라미 해 보세요.

10 똑똑한 하루 Phonics

Level 1B 11

1주 1일

PHONICS **an 단어 익히기**

▶정답 1쪽

Ⓐ 스티커를 붙인 후, 단어를 리듬에 맞춰 읽어 보세요.

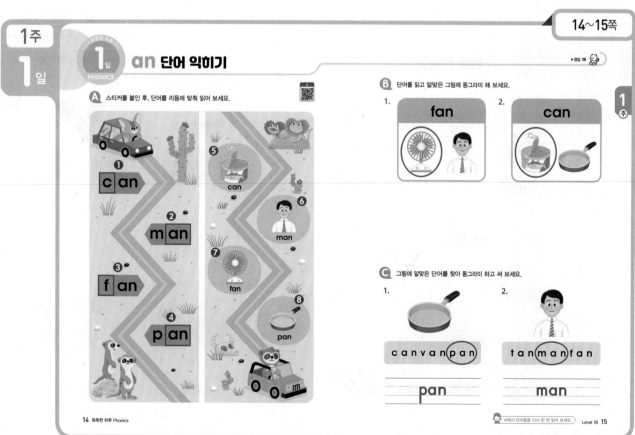

❶ c an
❷ m an
❸ f an
❹ p an
❺ can
❻ man
❼ fan
❽ pan

Ⓑ 단어를 읽고 알맞은 그림에 동그라미 해 보세요.

1. fan
2. can

Ⓒ 그림에 알맞은 단어를 찾아 동그라미 하고 써 보세요.

1. canvan(pan)
   pan

2. tan(man)fan
   man

14 똑똑한 하루 Phonics

14쪽의 단어들을 다시 한 번 읽어 보세요. Level 1B 15

정답 **1**

18~19쪽

1주

2일

2일 PHONICS **ap 단어 익히기**

▶정답 2쪽

Ⓐ 스티커를 붙인 후, 단어를 리듬에 맞춰 읽어 보세요.

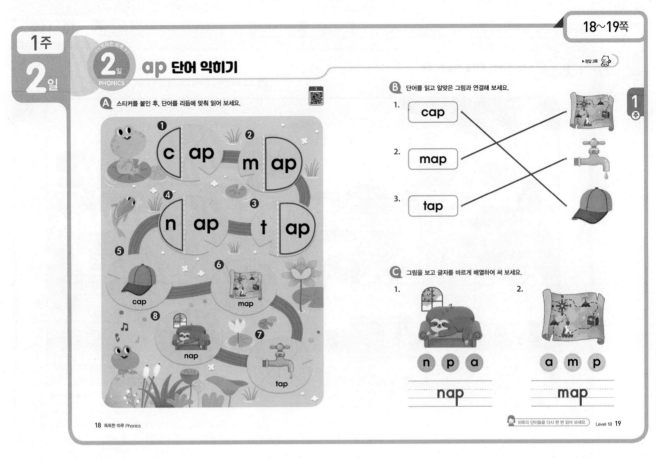

Ⓑ 단어를 읽고 알맞은 그림과 연결해 보세요.

1. cap
2. map
3. tap

Ⓒ 그림을 보고 글자를 바르게 배열하여 써 보세요.

1. n p a → **nap**
2. a m p → **map**

18쪽의 단어들을 다시 한 번 읽어 보세요. Level 1B **19**

22~23쪽

1주

3일

3일 PHONICS **at 단어 익히기**

▶정답 2쪽

Ⓐ 스티커를 붙인 후, 단어를 리듬에 맞춰 읽어 보세요.

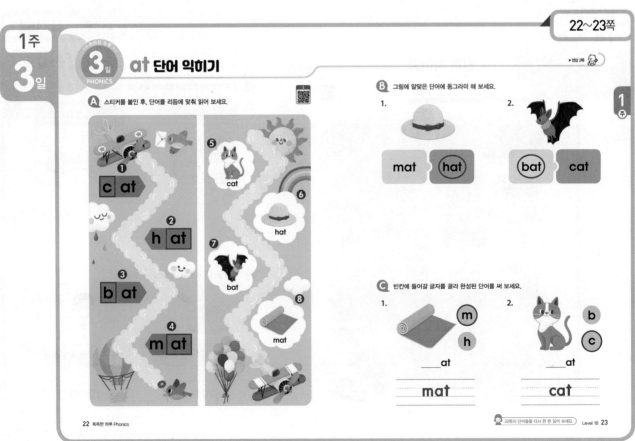

Ⓑ 그림에 알맞은 단어에 동그라미 해 보세요.

1. mat (hat)
2. (bat) cat

Ⓒ 빈칸에 들어갈 글자를 골라 완성된 단어를 써 보세요.

1. m / h __at → **mat**
2. b / c __at → **cat**

22쪽의 단어들을 다시 한 번 읽어 보세요. Level 1B **23**

1주 4일

4일 PHONICS

ad, am 단어 익히기

▶정답 3쪽

Ⓐ 스티커를 붙인 후, 단어를 리듬에 맞춰 읽어 보세요.

Ⓑ 단어를 읽고 알맞은 그림과 연결해 보세요.

Ⓒ 그림에 알맞은 글자를 보기에서 골라 단어를 써 보세요.

보기   ad   am

jam   dad

26 똑똑한 하루 Phonics

26쪽의 단어들을 다시 한 번 읽어 보세요.   Level 1B 27

1주 복습

5일 Review

an, ap, at, ad, am 복습

공부한 날   월   일

▶정답 3쪽

Ⓐ 잘 듣고 그림에 알맞은 단어를 골라 동그라미 해 보세요.

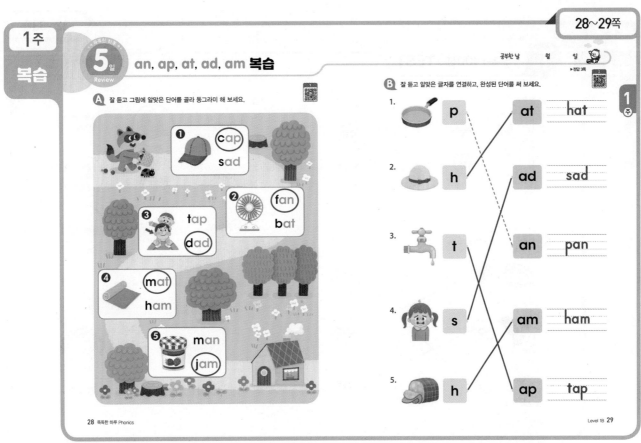

Ⓑ 잘 듣고 알맞은 글자를 연결하고, 완성된 단어를 써 보세요.

1. p — at   hat
2. h — ad   sad
3. t — an   pan
4. s — am   ham
5. h — ap   tap

28 똑똑한 하루 Phonics

Level 1B 29

30~31쪽

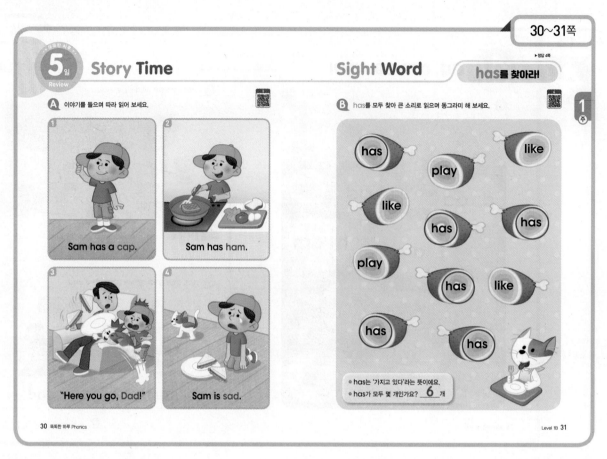

Level 1B 31

32~33쪽

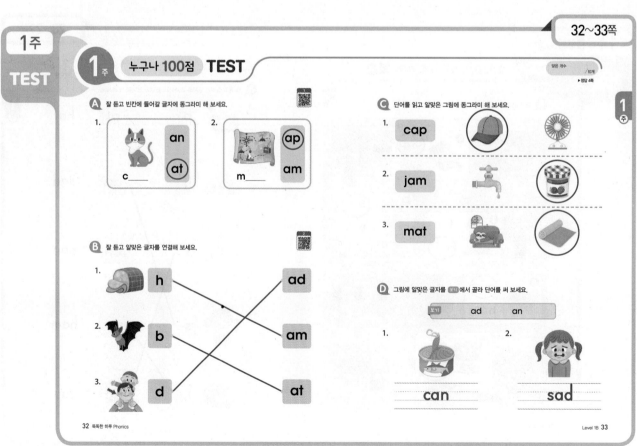

Level 1B 33

34~35쪽

1주 **특강**

1주 특강 창의·융합·코딩 ❶ *Brain Game*

마을에 도둑이 들었어요! 길을 따라가며 퀴즈를 풀어 도둑을 잡아 주세요.

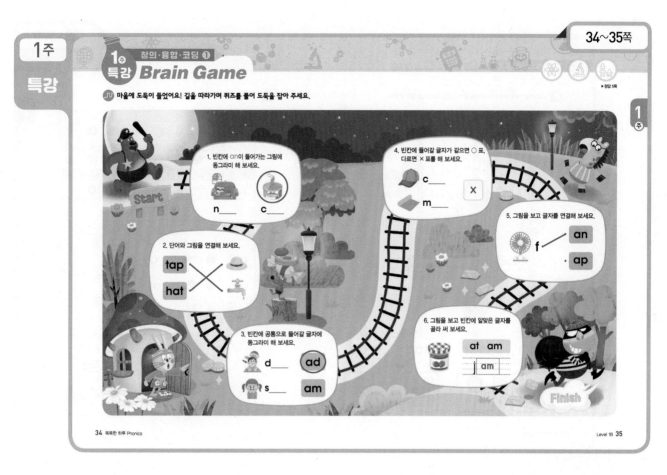

36~37쪽

창의·융합·코딩 ❷ *Brain Game*

Ⓐ 그림 조각을 바르게 배열하면 나오게 될 단어를 써 보세요.

Ⓑ 그림을 보고 젤리가 담겨있던 병과 젤리를 연결하여 단어를 완성해 보세요.

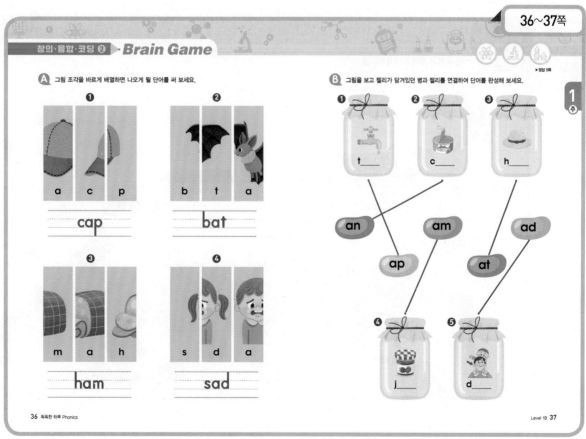

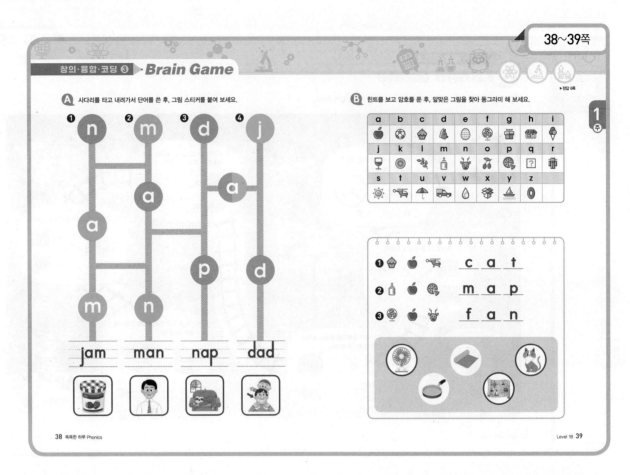

창의·융합·코딩 ❸ ▶ **Brain Game**

Ⓐ 사다리를 타고 내려가서 단어를 쓴 후, 그림 스티커를 붙여 보세요.

jam　man　nap　dad

Ⓑ 힌트를 보고 암호를 푼 후, 알맞은 그림을 찾아 동그라미 해 보세요.

❶ c a t
❷ m a p
❸ f a n

2주
미리
보기

2주 이번 주에는 무엇을 배울까? ❷

모음 e와 i가 들어간 단어에 스티커를 붙여 보세요.

j et
s it
h en
s ix
p ig
p in
r ed

Quiz
단어 속에 숨어 있는 모음 e와 i를 찾아 모두 동그라미 해 보세요.

2주

1일

46~47쪽

1일 PHONICS **et** 단어 익히기

▶정답 7쪽

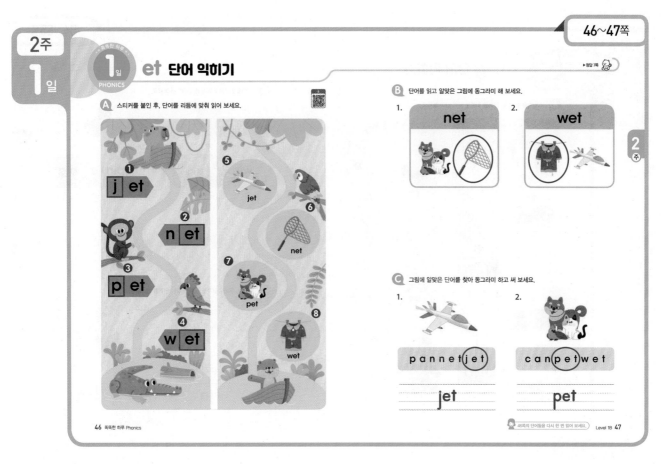

A 스티커를 붙인 후, 단어를 리듬에 맞춰 읽어 보세요.

B 단어를 읽고 알맞은 그림에 동그라미 해 보세요.

1. net   2. wet

C 그림에 알맞은 단어를 찾아 동그라미 하고 써 보세요.

1. pannet**jet** → jet

2. can**pet**wet → pet

46 똑똑한 하루 Phonics

46쪽의 단어들을 다시 한 번 읽어 보세요. Level 1B 47

2주

2일

50~51쪽

2일 PHONICS **ed, en** 단어 익히기

▶정답 7쪽

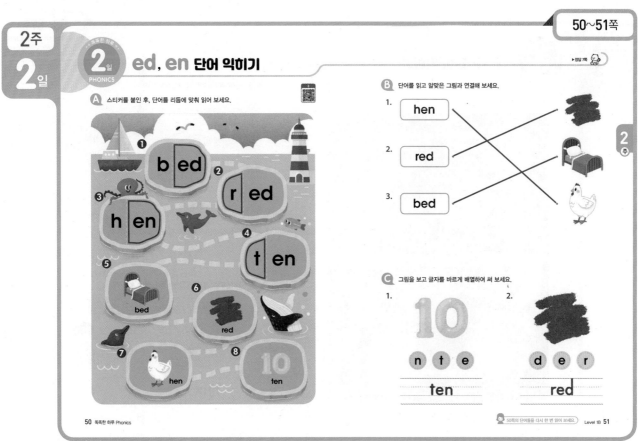

A 스티커를 붙인 후, 단어를 리듬에 맞춰 읽어 보세요.

B 단어를 읽고 알맞은 그림과 연결해 보세요.

1. hen
2. red
3. bed

C 그림을 보고 글자를 바르게 배열하여 써 보세요.

1. 10 n t e → ten

2. d e r → red

50 똑똑한 하루 Phonics

50쪽의 단어들을 다시 한 번 읽어 보세요. Level 1B 51

2주 3일

3일 in, ig 단어 익히기

▶정답 8쪽

Ⓐ 스티커를 붙인 후, 단어를 리듬에 맞춰 읽어 보세요.

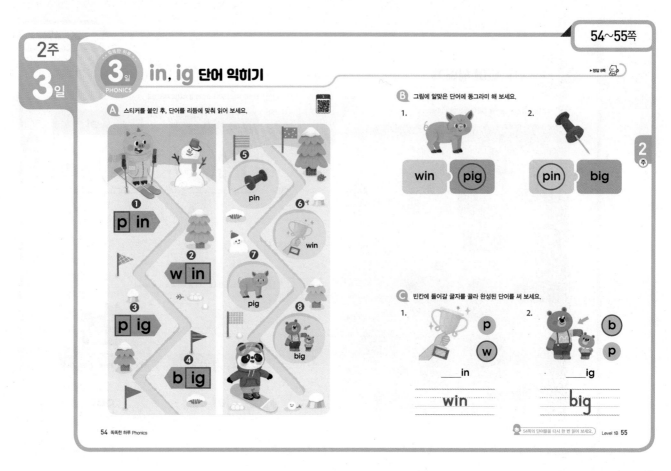

Ⓑ 그림에 알맞은 단어에 동그라미 해 보세요.

1. win **pig**
2. **pin** big

Ⓒ 빈칸에 들어갈 글자를 골라 완성된 단어를 써 보세요.

1. ____in
   win

2. ____ig
   big

54쪽의 단어들을 다시 한 번 읽어 보세요.

2주 4일

4일 it, ix 단어 익히기

▶정답 8쪽

Ⓐ 스티커를 붙인 후, 단어를 리듬에 맞춰 읽어 보세요.

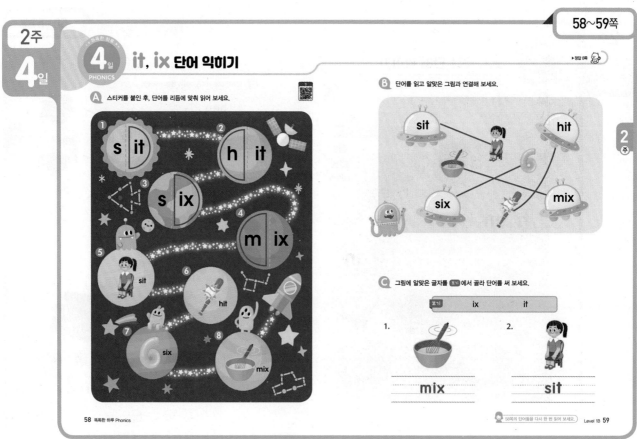

Ⓑ 단어를 읽고 알맞은 그림과 연결해 보세요.

sit / hit / six / mix

Ⓒ 그림에 알맞은 글자를 보기 에서 골라 단어를 써 보세요.

| 보기 | ix | it |

1. mix

2. sit

58쪽의 단어들을 다시 한 번 읽어 보세요.

60~61쪽

2주 복습

5일 Review et, ed, en, in, ig, it, ix **복습**

공부한 날   월   일

▶정답 9쪽

Ⓐ 잘 듣고 그림에 알맞은 단어를 골라 동그라미 해 보세요.

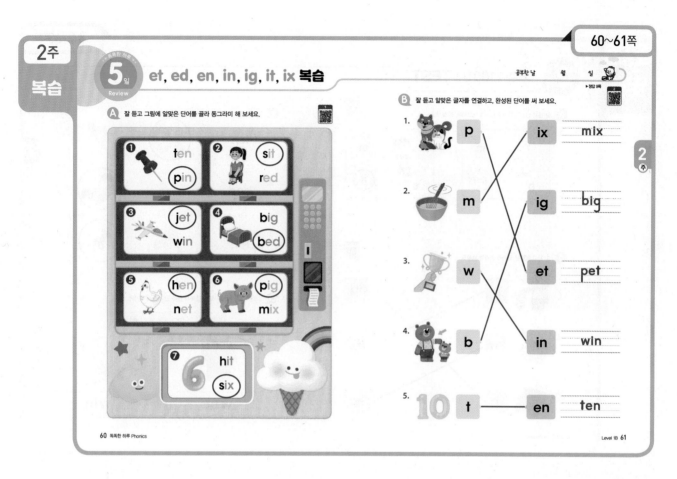

Ⓑ 잘 듣고 알맞은 글자를 연결하고, 완성된 단어를 써 보세요.

1. p — ix   mix
2. m — ig   big
3. w — et   pet
4. b — in   win
5. t — en   ten

60 똑똑한 하루 Phonics

Level 1B 61

62~63쪽

5일 Review Story Time   Sight Word   on을 찾아라!

▶정답 9쪽

Ⓐ 이야기를 들으며 따라 읽어 보세요.

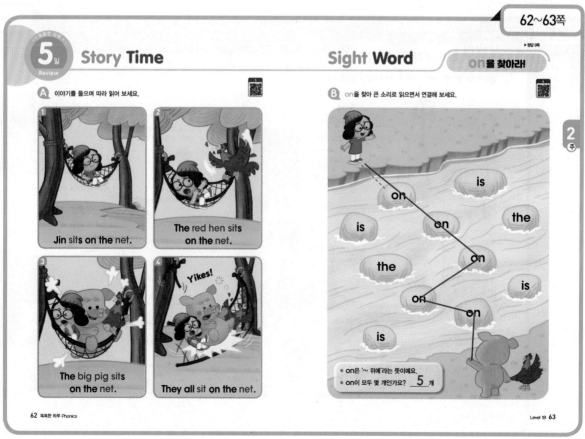

Jin sits on the net.

The red hen sits on the net.

The big pig sits on the net.

They all sit on the net.

Ⓑ on을 찾아 큰 소리로 읽으면서 연결해 보세요.

• on은 '~ 위에'라는 뜻이에요.
• on이 모두 몇 개인가요? **5** 개

62 똑똑한 하루 Phonics

Level 1B 63

2주 TEST

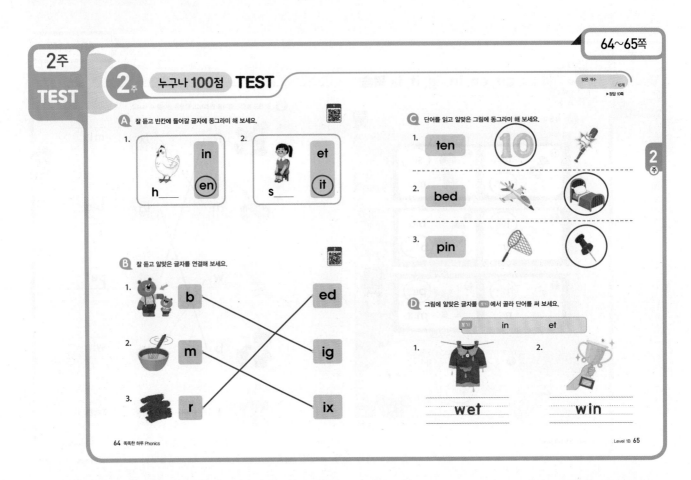

2주 누구나 100점 TEST

맞힌 개수 10개
▶정답 10쪽

Ⓐ 잘 듣고 빈칸에 들어갈 글자에 동그라미 해 보세요.

1. h___ (in) **en**
2. s___ **et** (it)

Ⓑ 잘 듣고 알맞은 글자를 연결해 보세요.

1. b — ig
2. m — ix
3. r — ed

Ⓒ 단어를 읽고 알맞은 그림에 동그라미 해 보세요.

1. ten — 10
2. bed — 침대
3. pin — 압정

Ⓓ 그림에 알맞은 글자를 보기 에서 골라 단어를 써 보세요.

보기 in et

1. wet
2. win

64 똑똑한 하루 Phonics

Level 1B 65

2주 특강

2주 특강 창의·융합·코딩 ❶ Brain Game

▶정답 10쪽

퀴즈를 풀어 아기 돼지가 집에 무사히 도착할 수 있도록 도와주세요.

Start

1. 빈칸에 et가 들어가는 그림에 동그라미 해 보세요.
   b___ p___

2. 단어와 그림을 연결해 보세요.
   red —
   ten — 10

3. 빈칸에 공통으로 들어갈 글자에 동그라미 해 보세요.
   w___ (in)
   p___ ig

4. 빈칸에 들어갈 글자가 같으면 ○ 표, 다르면 × 표를 해 보세요.
   w___
   n___ ○

5. 그림을 보고 글자를 연결해 보세요.
   s · ix
   · it

6. 그림을 보고 빈칸에 알맞은 글자를 골라 써 보세요.
   en ix
   m ix

Finish

66 똑똑한 하루 Phonics

Level 1B 67

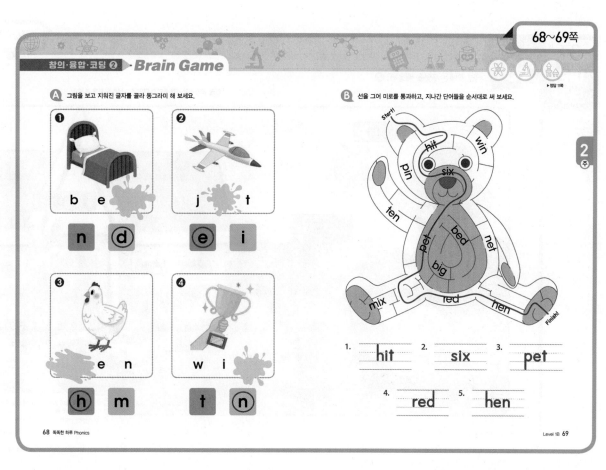

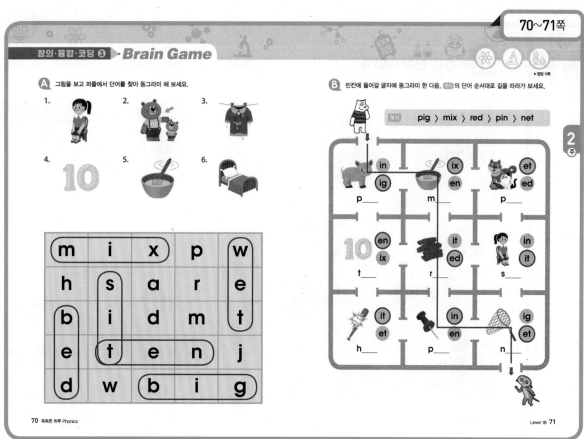

74~75 쪽

3주
미리보기

3주 이번 주에는 무엇을 배울까? ❷

모음 o와 u가 들어간 단어에 스티커를 붙여 보세요.

78~79쪽

3주 1일
PHONICS

op 단어 익히기

Ⓐ 스티커를 붙인 후, 단어를 리듬에 맞춰 읽어 보세요.

Ⓑ 단어를 읽고 알맞은 그림에 동그라미 해 보세요.

Ⓒ 그림에 알맞은 단어를 찾아 동그라미 하고 써 보세요.

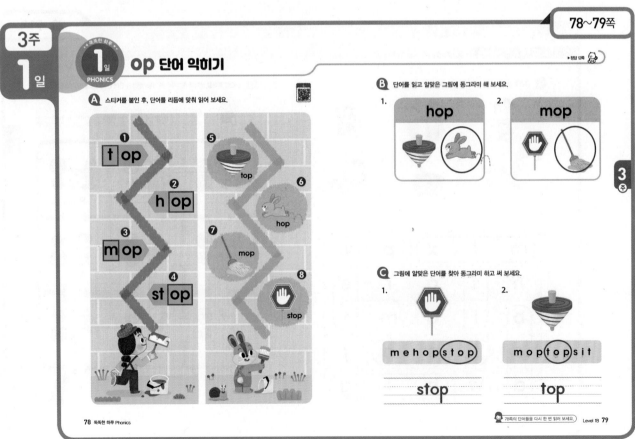

3주 2일

2일 PHONICS — ot, ox 단어 익히기

▶정답 19쪽

A 스티커를 붙인 후, 단어를 리듬에 맞춰 읽어 보세요.

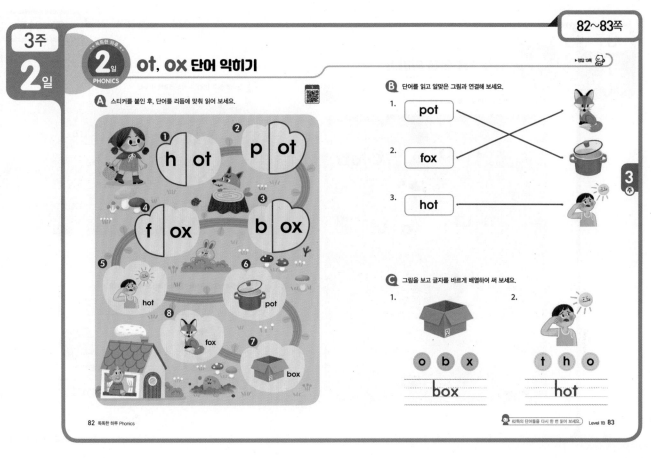

B 단어를 읽고 알맞은 그림과 연결해 보세요.

1. pot
2. fox
3. hot

C 그림을 보고 글자를 바르게 배열하여 써 보세요.

1. o b x

box

2. t h o

hot

82쪽의 단어들을 다시 한 번 읽어 보세요. Level 1B **83**

3주 3일

3일 PHONICS — un 단어 익히기

▶정답 19쪽

A 스티커를 붙인 후, 단어를 리듬에 맞춰 읽어 보세요.

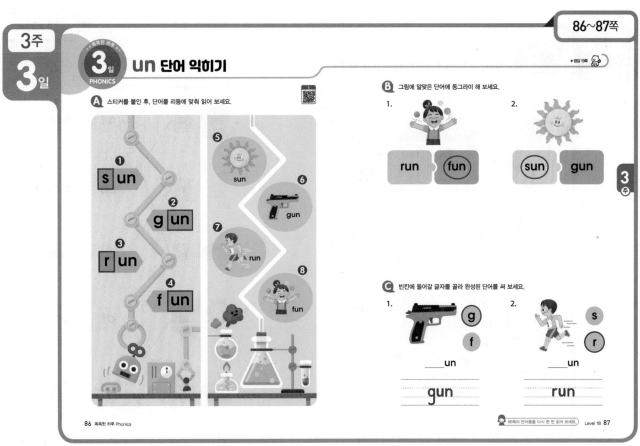

B 그림에 알맞은 단어에 동그라미 해 보세요.

1. run fun
2. sun gun

C 빈칸에 들어갈 글자를 골라 완성된 단어를 써 보세요.

1. g f

___un

gun

2. s r

___un

run

86쪽의 단어들을 다시 한 번 읽어 보세요. Level 1B **87**

3주

4일

4일 PHONICS **ub, ut 단어 익히기**

▶정답 14쪽

A 스티커를 붙인 후, 단어를 리듬에 맞춰 읽어 보세요.

B 단어를 읽고 알맞은 그림과 연결해 보세요.

C 그림에 알맞은 글자를 보기에서 골라 단어를 써 보세요.

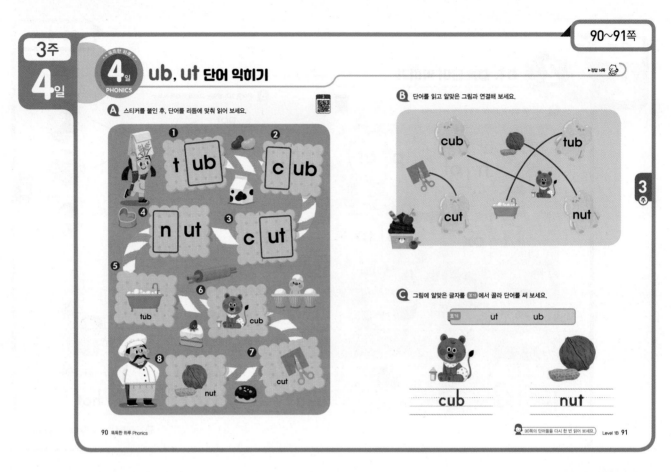

90 똑똑한 하루 Phonics

90쪽의 단어들을 다시 한 번 읽어 보세요. Level 1B 91

3주

복습

5일 Review **op, ot, ox, un, ub, ut 복습**

공부한 날 월 일

▶정답 14쪽

A 잘 듣고 그림에 알맞은 단어를 골라 동그라미 해 보세요.

B 잘 듣고 알맞은 글자를 연결하고, 완성된 단어를 써 보세요.

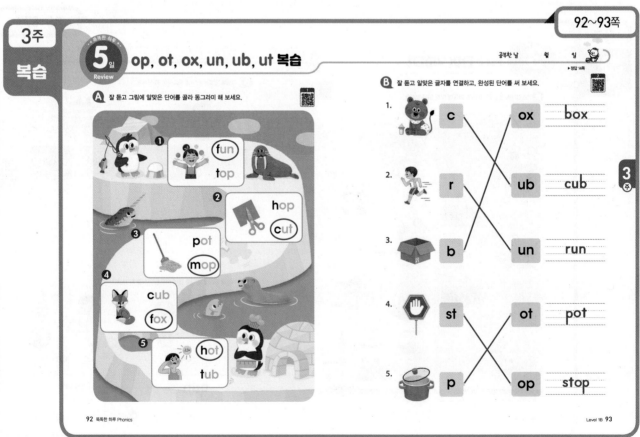

92 똑똑한 하루 Phonics

Level 1B 93

94~95쪽

5일 Review Story Time

▶정답 15쪽

A 이야기를 들으며 따라 읽어 보세요.

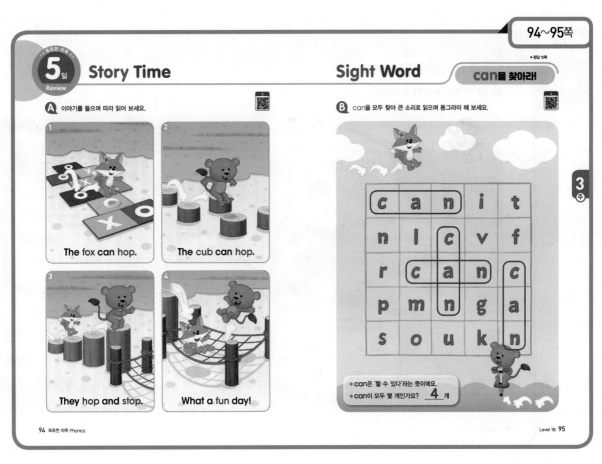

1. The fox can hop.
2. The cub can hop.
3. They hop and stop.
4. What a fun day!

Sight Word

can을 찾아라!

B can을 모두 찾아 큰 소리로 읽으며 동그라미 해 보세요.

c	a	n	i	t
n	l	c	v	f
r	c	a	n	c
p	m	n	g	a
s	o	u	k	n

• can은 '할 수 있다'라는 뜻이에요.
• can이 모두 몇 개인가요? __4__ 개

94 똑똑한 하루 Phonics

Level 1B 95

96~97쪽

3주 TEST

3주 누구나 100점 TEST

맞은 개수 /10개
▶정답 15쪽

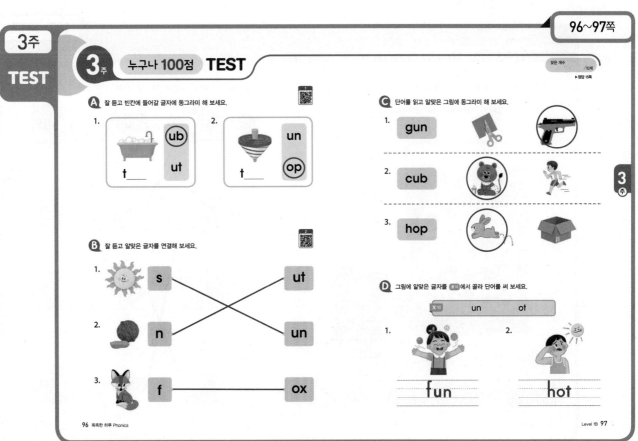

A 잘 듣고 빈칸에 들어갈 글자에 동그라미 해 보세요.

1. t___ (ub) / ut
2. t___ un / (op)

B 잘 듣고 알맞은 글자를 연결해 보세요.

1. s — un
2. n — ut
3. f — ox

C 단어를 읽고 알맞은 그림에 동그라미 해 보세요.

1. gun
2. cub
3. hop

D 그림에 알맞은 글자를 보기에서 골라 단어를 써 보세요.

보기 un   ot

1. fun
2. hot

96 똑똑한 하루 Phonics

Level 1B 97

정답 **15**

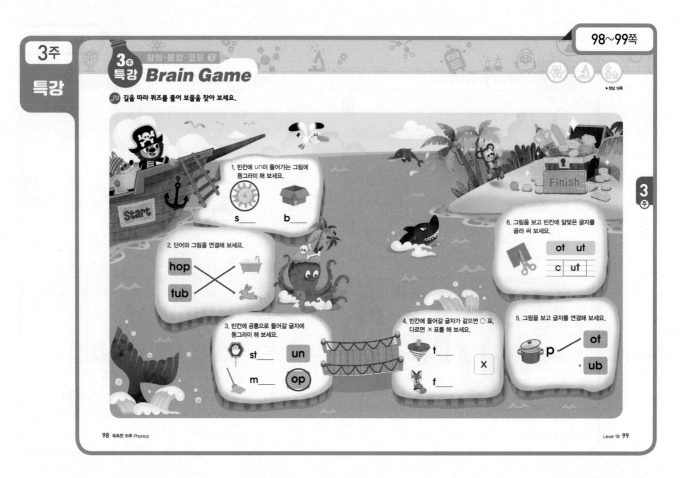

3주
특강

3주 특강 *Brain Game*

창의·융합·코딩 ❶

♫ 길을 따라 퀴즈를 풀어 보물을 찾아 보세요.

1. 빈칸에 un이 들어가는 그림에 동그라미 해 보세요.

s___   b___

2. 단어와 그림을 연결해 보세요.

hop   tub

3. 빈칸에 공통으로 들어갈 글자에 동그라미 해 보세요.

st___   un
m___   op

4. 빈칸에 들어갈 글자가 같으면 ○표, 다르면 ×표를 해 보세요.

t___   f___   X

5. 그림을 보고 글자를 연결해 보세요.

p   ot   ub

6. 그림을 보고 빈칸에 알맞은 글자를 골라 써 보세요.

ot ut
c ut

98 똑똑한 하루 Phonics

Level 1B 99

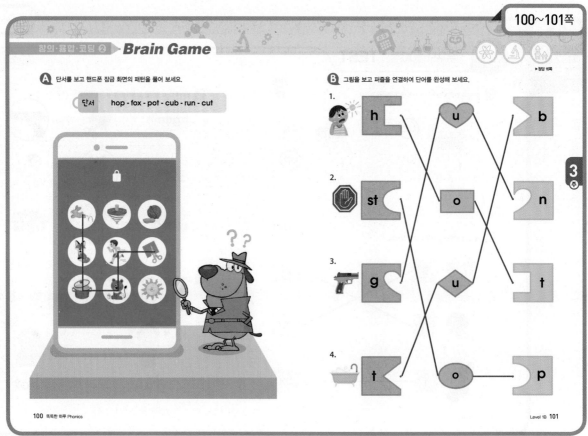

창의·융합·코딩 ❷ *Brain Game*

Ⓐ 단서를 보고 핸드폰 잠금 화면의 패턴을 풀어 보세요.

단서   hop - fox - pot - cub - run - cut

Ⓑ 그림을 보고 퍼즐을 연결하여 단어를 완성해 보세요.

1. h   u   b
2. st   o   n
3. g   u   t
4. t   o   p

100 똑똑한 하루 Phonics

Level 1B 101

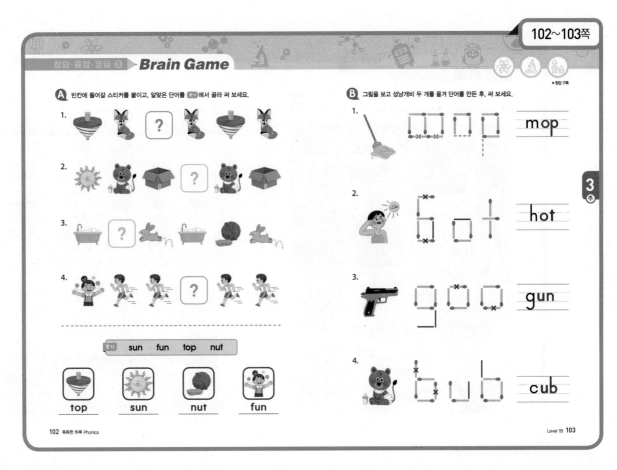

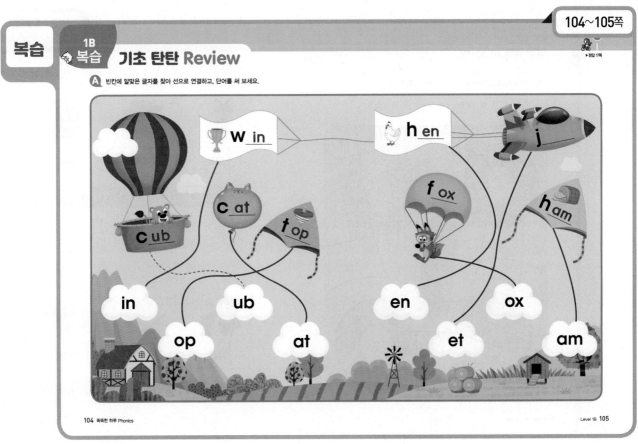

106~107쪽

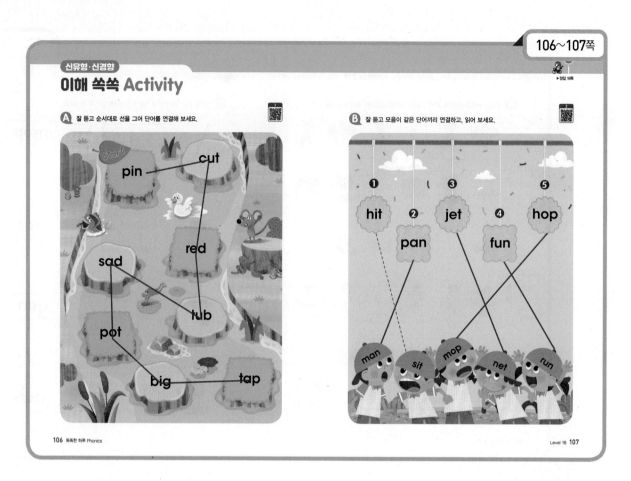

108~109쪽

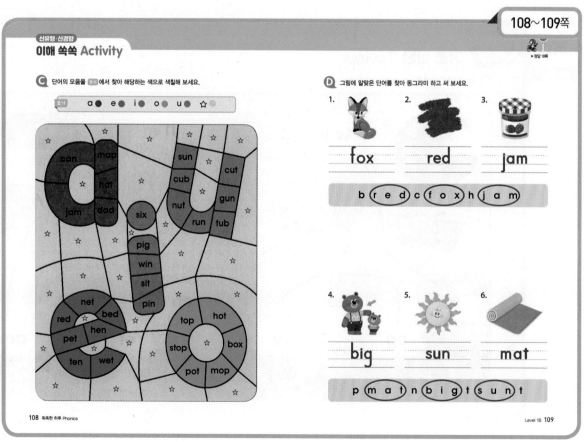

110~111쪽

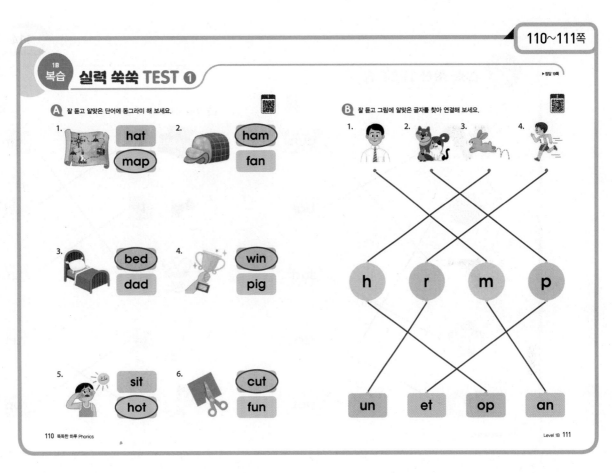

112~113쪽

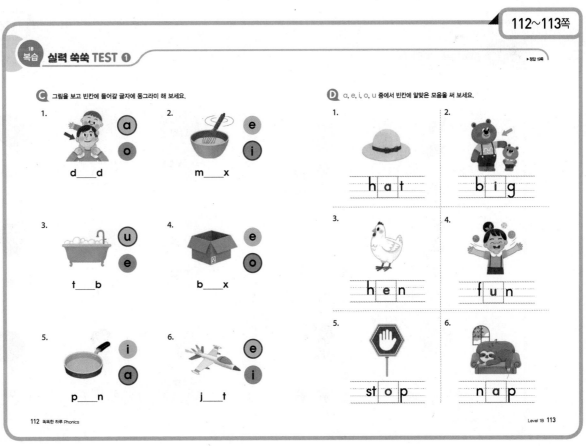

114~115쪽

1B 복습 **실력 쑥쑥 TEST 2**

▶정답 20쪽

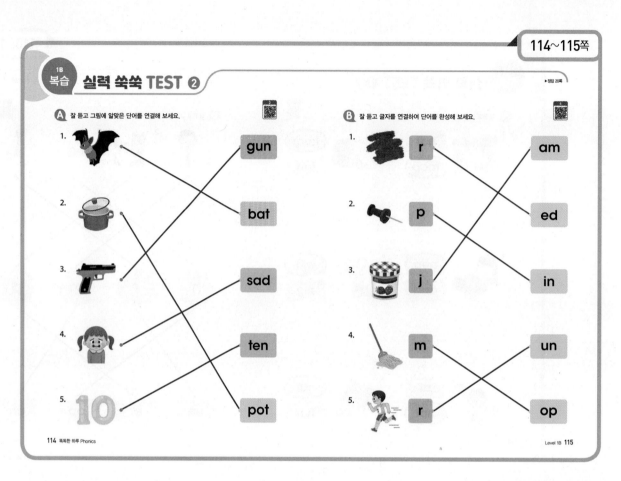

A 잘 듣고 그림에 알맞은 단어를 연결해 보세요.

1. — bat
2. — pot
3. — gun
4. — sad
5. — ten

B 잘 듣고 글자를 연결하여 단어를 완성해 보세요.

1. r — in
2. p — am
3. j — ed
4. m — op
5. r — un

114 똑똑한 하루 Phonics

Level 1B 115

116~117쪽

1B 복습 **실력 쑥쑥 TEST 2**

▶정답 20쪽

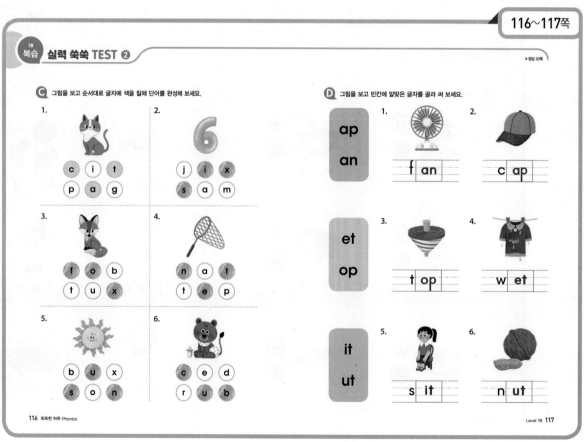

C 그림을 보고 순서대로 글자에 색을 칠해 단어를 완성해 보세요.

1. c i t / p a g
2. j i x / s a m
3. f o b / t u x
4. n a t / t e p
5. b u x / s o n
6. c e d / r u b

D 그림을 보고 빈칸에 알맞은 글자를 골라 써 보세요.

ap / an

1. f an
2. c ap

et / op

3. t op
4. w et

it / ut

5. s it
6. n ut

116 똑똑한 하루 Phonics

Level 1B 117

20 정답

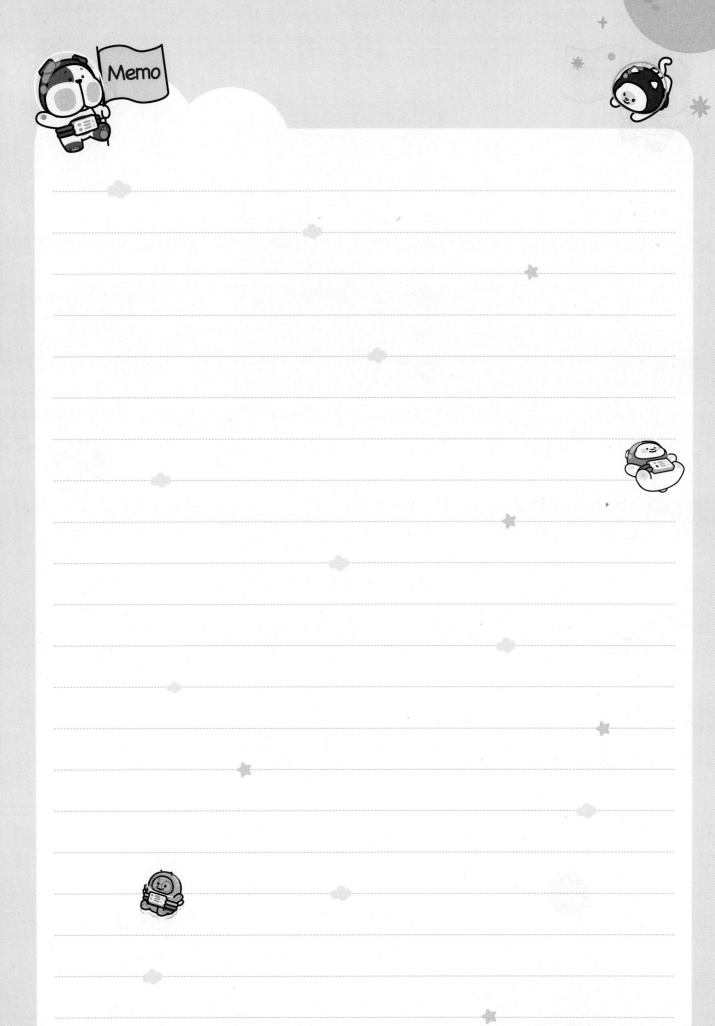

Memo

Memo

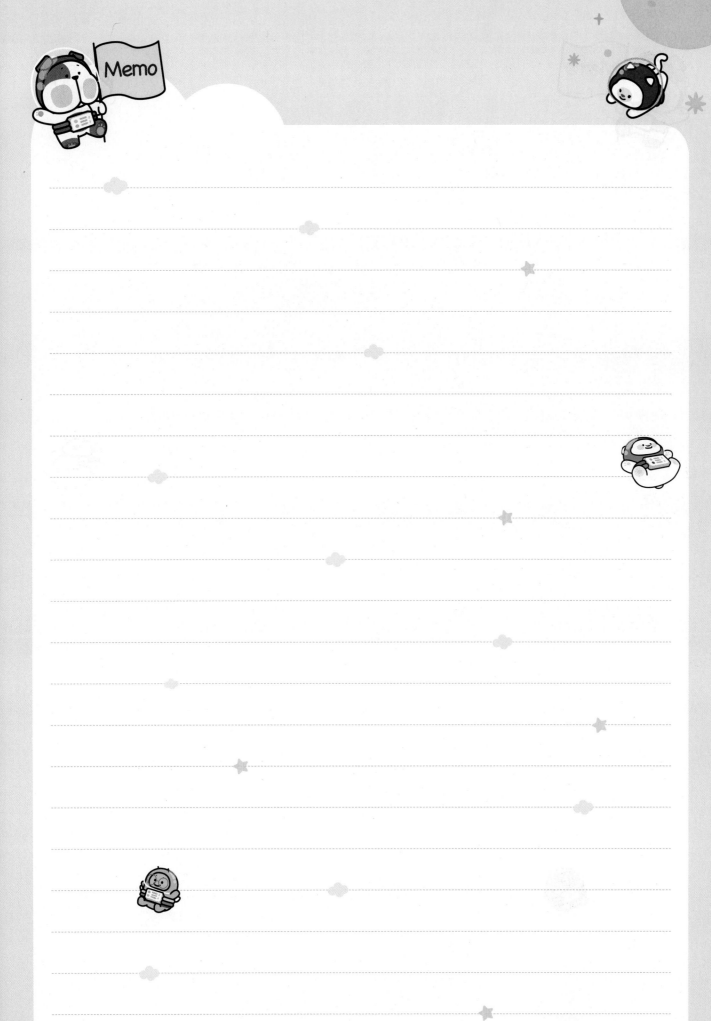

Memo

매일매일 쌓이는 영어 기초력

똑똑한 하루

VOCA/Reading/Grammar/Phonics

공부 습관 다지기

하루 6쪽, 주 5일, 4주 학습의
체계적인 구성으로 차곡차곡
실력이 쌓이는 영어 공부 습관!

전 영역 마스터

보카, 리딩, 그래머, 파닉스까지
초등 영어 전 영역을 커버하는
완벽한 구성으로 영어 걱정 끝!

재미있는 놀이 학습

그림, 만화, 창의 게임 활동 등의
놀이 학습과 발음 동영상으로
가장 쉽고 재미있게 기초력 UP!

'똑똑한 하루 영어 시리즈'와 함께 똑똑하게 영어 공부하자!

VOCA, Reading, Grammar 각 8권
초3~6 각 A·B (하루 6쪽)

Phonics 8권
Starter A·B, 1A·1B (하루 4쪽)
2A~3B (하루 6쪽)

정답은
이안에
있어!

수학 전문 교재

- **● 연산 학습**
  빅터연산   예비초~6학년, 총 20권
- **● 개념 학습**
  개념클릭 해법수학   1~6학년, 학기용
- **● 수준별 수학 전문서**
  해결의법칙(개념/유형/응용)   1~6학년, 학기용
- **● 단원평가 대비**
  수학 단원평가   1~6학년, 학기용
- **● 상위권 학습**
  최고수준 S 수학   1~6학년, 학기용
  최고수준 수학   1~6학년, 학기용
  최강 TOT 수학   1~6학년, 학년용
- **● 경시대회 대비**
  해법 수학경시대회 기출문제   1~6학년, 학기용

예비 중등 교재

- **● 해법 반편성 배치고사 예상문제**   6학년
- **● 해법 신입생 시리즈(수학/영어)**   6학년

맞춤형 학교 시험대비 교재

- **● 열공 전과목 단원평가**   1~6학년, 학기용(1학기 2~6년)

한자 교재

- **● 한자능력검정시험 자격증 한번에 따기**   8~3급, 총 9권
- **● 씽씽 한자 자격시험**   8~5급, 총 4권
- **● 한자 전략**   8~5급Ⅱ, 총 12권

배움으로 행복한 내일을 꿈꾸는
천재교육 커뮤니티 안내 • • •

 교재 안내부터 구매까지 한 번에!
천재교육 홈페이지

자사가 발행하는 참고서, 교과서에 대한 소개는 물론
도서 구매도 할 수 있습니다. 회원에게 지급되는 별을 모아
다양한 상품 응모에도 도전해 보세요!

 다양한 교육 꿀팁에 깜짝 이벤트는 덤!
천재교육 인스타그램

천재교육의 새롭고 중요한 소식을 가장 먼저 접하고 싶다면?
천재교육 인스타그램 팔로우가 필수!
깜짝 이벤트도 수시로 진행되니 놓치지 마세요!

 수업이 편리해지는
천재교육 ACA 사이트

오직 선생님만을 위한, 천재교육 모든 교재에 대한 정보가 담긴
아카 사이트에서는 다양한 수업자료 및 부가 자료는 물론
시험 출제에 필요한 문제도 다운로드하실 수 있습니다.

https://aca.chunjae.co.kr

 천재교육을 사랑하는 샘들의 모임
천사샘

학원 강사, 공부방 선생님이시라면 누구나 가입할 수 있는 천사샘!
교재 개발 및 평가를 통해 교재 검토진으로 참여할 수 있는 기회는 물론
다양한 교사용 교재 증정 이벤트가 선생님을 기다립니다.

 아이와 함께 성장하는 학부모들의 모임공간
튠맘 학습연구소

튠맘 학습연구소는 초·중등 학부모를 대상으로 다양한 이벤트와 함께
교재 리뷰 및 학습 정보를 제공하는 네이버 카페입니다.
초등학생, 중학생 자녀를 둔 학부모님이라면 튠맘 학습연구소로 오세요!

★ 해설편 앞 부분에 「SPEED 정답 체크 표」가 있습니다.
오려서 정답을 확인하거나 책갈피로 사용하시면 됩니다.

04

단계적 해설 & 문제 해결 꿀 팁

혼자서도 학습이 충분하도록 자세한 [단계적 해설]과 함께
고난도 문제는 문제 해결 꿀~팁까지 수록을 했습니다.

❶ 문제 속 핵심 단서를 제시해주는 **단계별 STEP 풀이**가 수록되어
있으며, 일부 문항은 다른 풀이까지 수록했습니다.

❷ 수학에서 등급을 가르는 **고난도 문제는 많이 틀린 이유**와 함께
문제 해결 꿀 팁까지 명쾌한 해설을 수록했습니다.

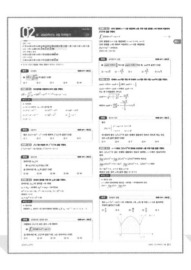

05

SPEED 정답 체크 표 & 등급 컷

빠르게 정답을 확인할 수 있는 정답 체크 표와 문제를 푼 후
등급을 확인 할 수 있는 등급 컷을 제공합니다.

❶ 회차별로 문제를 푼 후 빠르게 정답을 확인할 수 있는 **SPEED
정답 체크 표**를 제공하며, 오려서 책갈피로도 사용할 수 있습니다.

❷ 문제를 푼 후 바로 자신의 실력과 모의고사에서 상대적 위치를
확인할 수 있도록 **등급 컷**을 제공합니다.

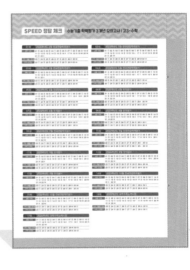

06

STUDY 플래너 & 정답률

학습 계획에 따라 날짜와 시간 등을 기록할 수 있는 STUDY
플래너와 전 회분 [문항별] 정답률을 제공합니다.

❶ 문제를 풀기 전 먼저 **STUDY 플래너**에 학습 날짜, 시간, 등급을
표기하고 성적 변화를 체크하면서 학습할 수 있습니다.

❷ 문항별로 **정답률**을 제공하므로 문제의 난이도까지 파악할 수 있어
문제 풀이에 답답함 없는 학습이 가능합니다.

STUDY 플래너 & 등급 컷

① 문제를 풀기 전 먼저 〈학습 체크표〉에 학습 날짜와 시간을 기록하세요.
② 회분별 기출 문제는 영역별로 정해진 시간 안에 푸는 습관을 기르세요.
③ 정답 확인 후 점수와 등급을 적고 성적 변화를 체크하면서 학습 계획을 세우세요.
④ **리얼 오리지널은** 실제 수능 시험과 똑같이 학습하는 교재이므로 실전을 연습하는 것처럼 문제를 풀어 보세요.

● 수학영역 | 시험 개요

문항 수	문항당 배점	문항별 점수 표기	원점수 만점	시험 시간	문항 형태
30문항	2점, 3점, 4점	• 각 문항 끝에 점수 표기	100점	100분	5지 선다형, 단답형

● 수학영역 | 등급 컷 원점수(선택 과목별)

회분	채점 결과		☐ 확률과 통계								☐ 미적분							
	점수	등급	1등급	2등급	3등급	4등급	5등급	6등급	7등급	8등급	1등급	2등급	3등급	4등급	5등급	6등급	7등급	8등급
01회 2024학년도 3월			86	74	61	47	29	18	13	8	79	67	55	41	23	13	8	4
02회 2023학년도 3월			85	73	61	43	27	18	15	10	77	66	55	38	23	15	12	7
03회 2022학년도 3월			81	68	50	34	22	16	11	7	76	63	48	34	21	15	11	8
04회 2024학년도 5월			79	64	51	38	23	15	10	8	74	59	47	34	21	13	8	6
05회 2023학년도 4월			81	69	60	46	28	18	13	10	73	63	55	42	26	17	12	9
06회 2025학년도 6월			87	77	64	54	35	22	15	10	80	70	59	49	32	19	12	8
07회 2024학년도 6월			89	80	69	53	36	21	14	9	80	72	61	47	30	16	10	5
08회 2023학년도 6월			90	81	70	57	39	20	15	11	84	76	65	51	33	17	13	9
09회 2023학년도 7월			79	68	58	45	27	16	12	10	77	67	56	43	25	14	10	8
10회 2022학년도 7월			86	76	64	48	32	19	15	11	81	72	60	45	29	18	13	7
11회 2025학년도 9월			94	90	79	63	45	23	14	7	92	88	77	61	43	20	11	4
12회 2024학년도 9월			92	81	69	56	43	25	17	12	89	78	66	54	41	23	15	10
13회 2023학년도 9월			88	78	68	55	35	19	14	9	84	75	65	52	33	15	10	6
14회 2023학년도 10월			86	75	64	47	25	14	10	6	81	70	59	43	22	11	7	3
15회 2022학년도 10월			81	68	59	41	21	17	13	9	77	65	55	39	21	15	10	7
16회 2025학년도 수능			92	83	73	60	40	25	18	13	88	79	69	56	37	22	15	10
17회 2024학년도 수능			92	82	72	58	38	23	18	13	84	75	65	52	34	19	14	10

※ 등급 컷 원점수는 추정치입니다. 실제와 다를 수 있으니 학습 참고용으로 활용하십시오.

수학 영역

제 2 교시

● 문항수 30개 | 배점 100점 | 제한 시간 100분

01회

● 배점은 2점, 3점 또는 4점

5 지 선 다 형

1. $\sqrt[3]{54} \times 2^{\frac{5}{3}}$ 의 값은? [2점]

① 4   ② 6   ③ 8   ④ 10   ⑤ 12

2. 함수 $f(x) = x^3 - 3x^2 + x$ 에 대하여 $\lim_{h \to 0} \dfrac{f(3+h) - f(3)}{2h}$ 의 값은? [2점]

① 1   ② 3   ③ 5   ④ 7   ⑤ 9

3. $\cos\theta > 0$ 이고 $\sin\theta + \cos\theta\tan\theta = -1$ 일 때, $\tan\theta$ 의 값은? [3점]

① $-\sqrt{3}$ ② $-\dfrac{\sqrt{3}}{3}$ ③ $\dfrac{\sqrt{3}}{3}$ ④ 1   ⑤ $\sqrt{3}$

4. 함수

$$f(x) = \begin{cases} 2x + a & (x < 3) \\ \sqrt{x+1} - a & (x \geq 3) \end{cases}$$

이 $x = 3$ 에서 연속일 때, 상수 a 의 값은? [3점]

① -2 ② -1 ③ 0   ④ 1   ⑤ 2

5. 다항함수 $f(x)$가

$$f'(x) = x(3x+2), \quad f(1) = 6$$

을 만족시킬 때, $f(0)$의 값은? [3점]

① 1   ② 2   ③ 3   ④ 4   ⑤ 5

6. 공비가 1보다 큰 등비수열 $\{a_n\}$의 첫째항부터 제 n항까지의 합을 S_n이라 하자.

$$\frac{S_4}{S_2} = 5, \quad a_5 = 48$$

일 때, $a_1 + a_4$의 값은? [3점]

① 39   ② 36   ③ 33   ④ 30   ⑤ 27

7. 함수 $f(x) = \dfrac{1}{3}x^3 - 2x^2 - 5x + 1$이 닫힌구간 $[a, b]$에서 감소할 때, $b-a$의 최댓값은? (단, a, b는 $a < b$인 실수이다.) [3점]

① 6   ② 7   ③ 8   ④ 9   ⑤ 10

8. 두 다항함수 $f(x)$, $g(x)$에 대하여

$$(x+1)f(x)+(1-x)g(x)=x^3+9x+1, \quad f(0)=4$$

일 때, $f'(0)+g'(0)$의 값은? [3점]

① 1   ② 2   ③ 3   ④ 4   ⑤ 5

9. 좌표평면 위의 두 점 $(0, 0)$, $(\log_2 9, k)$를 지나는 직선이 직선 $(\log_4 3)x+(\log_9 8)y-2=0$에 수직일 때, 3^k의 값은? (단, k는 상수이다.) [4점]

① 16   ② 32   ③ 64   ④ 128   ⑤ 256

10. 시각 $t=0$일 때 동시에 원점을 출발하여 수직선 위를 움직이는 두 점 P, Q의 시각 $t\,(t\geq 0)$에서의 속도가 각각

$$v_1(t)=3t^2-6t-2, \quad v_2(t)=-2t+6$$

이다. 출발한 시각부터 두 점 P, Q가 다시 만날 때까지 점 Q가 움직인 거리는? [4점]

① 7   ② 8   ③ 9   ④ 10   ⑤ 11

11. 공차가 음의 정수인 등차수열 $\{a_n\}$에 대하여

$$a_6 = -2, \quad \sum_{k=1}^{8} |a_k| = \sum_{k=1}^{8} a_k + 42$$

일 때, $\sum_{k=1}^{8} a_k$의 값은? [4점]

① 40　　② 44　　③ 48　　④ 52　　⑤ 56

12. 실수 a에 대하여 함수 $f(x)$는

$$f(x) = \begin{cases} 3x^2 + 3x + a & (x < 0) \\ 3x + a & (x \geq 0) \end{cases}$$

이다. 함수

$$g(x) = \int_{-4}^{x} f(t)\,dt$$

가 $x = 2$에서 극솟값을 가질 때, 함수 $g(x)$의 극댓값은? [4점]

① 18　　② 20　　③ 22　　④ 24　　⑤ 26

13. 그림과 같이

$$2\overline{AB}=\overline{BC}, \quad \cos(\angle ABC)=-\frac{5}{8}$$

인 삼각형 ABC의 외접원을 O라 하자. 원 O 위의 점 P에 대하여 삼각형 PAC의 넓이가 최대가 되도록 하는 점 P를 Q라 할 때, $\overline{QA}=6\sqrt{10}$ 이다. 선분 AC 위의 점 D에 대하여 $\angle CDB=\dfrac{2}{3}\pi$ 일 때, 삼각형 CDB의 외접원의 반지름의 길이는?

[4점]

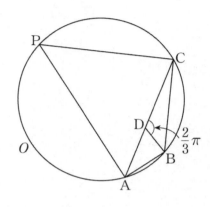

① $3\sqrt{3}$ ② $4\sqrt{3}$ ③ $3\sqrt{6}$ ④ $5\sqrt{3}$ ⑤ $4\sqrt{6}$

14. 두 정수 a, b에 대하여 함수 $f(x)$는

$$f(x)=\begin{cases} x^2-2ax+\dfrac{a^2}{4}+b^2 & (x \le 0) \\ x^3-3x^2+5 & (x > 0) \end{cases}$$

이다. 실수 t에 대하여 함수 $y=f(x)$의 그래프와 직선 $y=t$가 만나는 점의 개수를 $g(t)$라 하자. 함수 $g(t)$가 $t=k$에서 불연속인 실수 k의 개수가 2가 되도록 하는 두 정수 a, b의 모든 순서쌍 (a, b)의 개수는? [4점]

① 3 ② 4 ③ 5 ④ 6 ⑤ 7

15. 수열 $\{a_n\}$이 모든 자연수 n에 대하여

$$a_{n+1} = \begin{cases} a_n & (a_n > n) \\ 3n-2-a_n & (a_n \le n) \end{cases}$$

을 만족시킬 때, $a_5 = 5$가 되도록 하는 모든 a_1의 값의 곱은? [4점]

① 20　　② 30　　③ 40　　④ 50　　⑤ 60

16. 방정식 $4^x = \left(\dfrac{1}{2}\right)^{x-9}$ 을 만족시키는 실수 x의 값을 구하시오. [3점]

17. $\displaystyle\int_0^2 (3x^2 - 2x + 3)\,dx - \int_2^0 (2x+1)\,dx$ 의 값을 구하시오. [3점]

18. 수열 $\{a_n\}$에 대하여

$$\sum_{k=1}^{10} a_k + \sum_{k=1}^{9} a_k = 137, \quad \sum_{k=1}^{10} a_k - \sum_{k=1}^{9} 2a_k = 101$$

일 때, a_{10}의 값을 구하시오. [3점]

20. 두 함수 $f(x) = 2x^2 + 2x - 1$, $g(x) = \cos \dfrac{\pi}{3} x$에 대하여

$0 \le x < 12$에서 방정식

$$f(g(x)) = g(x)$$

를 만족시키는 모든 실수 x의 값의 합을 구하시오. [4점]

19. 실수 a에 대하여 함수 $f(x) = x^3 - \dfrac{5}{2} x^2 + ax + 2$이다.

곡선 $y = f(x)$ 위의 두 점 $A(0, 2)$, $B(2, f(2))$에서의 접선을 각각 l, m이라 하자. 두 직선 l, m이 만나는 점이 x축 위에 있을 때, $60 \times |f(2)|$의 값을 구하시오. [3점]

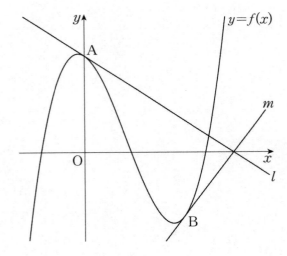

21. $a > 2$인 실수 a에 대하여 기울기가 -1인 직선이 두 곡선

$$y = a^x + 2, \quad y = \log_a x + 2$$

와 만나는 점을 각각 A, B라 하자. 선분 AB를 지름으로 하는 원의 중심의 y좌표가 $\dfrac{19}{2}$이고 넓이가 $\dfrac{121}{2}\pi$일 때, a^2의 값을 구하시오. [4점]

22. 함수 $f(x) = |x^3 - 3x + 8|$과 실수 t에 대하여 닫힌구간 $[t, t+2]$에서의 $f(x)$의 최댓값을 $g(t)$라 하자. 서로 다른 두 실수 α, β에 대하여 함수 $g(t)$는 $t = \alpha$와 $t = \beta$에서만 미분가능하지 않다. $\alpha\beta = m + n\sqrt{6}$일 때, $m+n$의 값을 구하시오. (단, m, n은 정수이다.) [4점]

---

* **확인 사항**

○ 답안지의 해당란에 필요한 내용을 정확히 기입(표기)했는지 확인하시오.

○ 이어서, 「**선택과목(확률과 통계)**」 문제가 제시되오니, 자신이 선택한 과목인지 확인하시오.

제 2 교시

수학 영역(확률과 통계)

01회

5 지 선 다 형

23. $_3H_3$의 값은? [2점]

① 10   ② 12   ③ 14   ④ 16   ⑤ 18

24. 숫자 1, 2, 3 중에서 중복을 허락하여 4개를 택해 일렬로 나열하여 만들 수 있는 네 자리 자연수 중 홀수의 개수는? [3점]

① 30   ② 36   ③ 42   ④ 48   ⑤ 54

25. 남학생 5명, 여학생 2명이 있다. 이 7명의 학생이 일정한 간격을 두고 원 모양의 탁자에 모두 둘러앉았을 때, 여학생끼리 이웃하여 앉는 경우의 수는?
(단, 회전하여 일치하는 것은 같은 것으로 본다.) [3점]

① 200   ② 240   ③ 280   ④ 320   ⑤ 360

26. 그림과 같이 직사각형 모양으로 연결된 도로망이 있다. 이 도로망을 따라 A 지점에서 출발하여 B 지점까지 최단 거리로 갈 때, P 지점을 지나면서 Q 지점을 지나지 않는 경우의 수는? [3점]

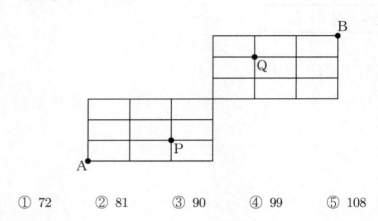

① 72   ② 81   ③ 90   ④ 99   ⑤ 108

27. 그림과 같이 문자 A, A, A, B, B, C, D가 각각 하나씩 적혀 있는 7장의 카드와 1부터 7까지의 자연수가 각각 하나씩 적혀 있는 7개의 빈 상자가 있다.

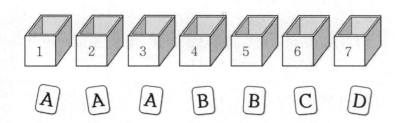

각 상자에 한 장의 카드만 들어가도록 7장의 카드를 나누어 넣을 때, 문자 A가 적혀 있는 카드가 들어간 3개의 상자에 적힌 수의 합이 홀수가 되도록 나누어 넣는 경우의 수는? (단, 같은 문자가 적힌 카드끼리는 서로 구별하지 않는다.)

[3점]

① 144　　② 168　　③ 192　　④ 216　　⑤ 240

28. 다음 조건을 만족시키는 자연수 a, b, c의 모든 순서쌍 (a, b, c)의 개수는? [4점]

> (가) $ab^2c = 720$
> (나) a와 c는 서로소가 아니다.

① 38　　② 42　　③ 46　　④ 50　　⑤ 54

단 답 형

29. 세 명의 학생에게 서로 다른 종류의 초콜릿 3개와 같은 종류의 사탕 5개를 다음 규칙에 따라 남김없이 나누어 주는 경우의 수를 구하시오.
(단, 사탕을 받지 못하는 학생이 있을 수 있다.) [4점]

> (가) 적어도 한 명의 학생은 초콜릿을 <u>받지 못한다.</u>
>
> (나) 각 학생이 받는 초콜릿의 개수와 사탕의 개수의 합은 2 이상이다.

30. 집합 $X = \{1, 2, 3, 4, 5\}$에 대하여 다음 조건을 만족시키는 함수 $f : X \rightarrow X$의 개수를 구하시오. [4점]

> (가) $f(1) \leq f(2) \leq f(3)$
>
> (나) $1 < f(5) < f(4)$
>
> (다) $f(a) = b$, $f(b) = a$를 만족시키는 집합 X의 서로 다른 두 원소 a, b가 존재한다.

※ 확인 사항

○ 답안지의 해당란에 필요한 내용을 정확히 기입(표기)했는지 확인하시오.

○ 이어서, 「**선택과목(미적분)**」 문제가 제시되오니, 자신이 선택한 과목인지 확인하시오.

제 2 교시

수학 영역(미적분)

01회

5 지 선 다 형

23. $\lim\limits_{n \to \infty} \dfrac{2^{n+1} + 3^{n-1}}{2^n - 3^n}$ 의 값은? [2점]

① $-\dfrac{1}{3}$　　② $-\dfrac{1}{6}$　　③ 0　　④ $\dfrac{1}{6}$　　⑤ $\dfrac{1}{3}$

24. 두 수열 $\{a_n\}$, $\{b_n\}$ 이

$$\lim\limits_{n \to \infty} n a_n = 1, \quad \lim\limits_{n \to \infty} \dfrac{b_n}{n} = 3$$

을 만족시킬 때, $\lim\limits_{n \to \infty} \dfrac{n^2 a_n + b_n}{1 + 2b_n}$ 의 값은? [3점]

① $\dfrac{1}{3}$　　② $\dfrac{1}{2}$　　③ $\dfrac{2}{3}$　　④ $\dfrac{5}{6}$　　⑤ 1

25. 수열 $\{a_n\}$이 모든 자연수 n에 대하여

$$2n+3 < a_n < 2n+4$$

를 만족시킬 때, $\displaystyle\lim_{n\to\infty}\frac{(a_n+1)^2+6n^2}{na_n}$ 의 값은? [3점]

① 1   ② 2   ③ 3   ④ 4   ⑤ 5

26. 수열 $\{a_n\}$이 모든 자연수 n에 대하여

$$a_{n+1}-a_n=a_1+2$$

를 만족시킨다. $\displaystyle\lim_{n\to\infty}\frac{2a_n+n}{a_n-n+1}=3$ 일 때, a_{10}의 값은?

(단, $a_1>0$) [3점]

① 35   ② 36   ③ 37   ④ 38   ⑤ 39

27. $a_1 = 3$, $a_2 = 6$인 등차수열 $\{a_n\}$과 모든 항이 양수인 수열 $\{b_n\}$이 모든 자연수 n에 대하여

$$\sum_{k=1}^{n} a_k (b_k)^2 = n^3 - n + 3$$

을 만족시킬 때, $\displaystyle\lim_{n \to \infty} \frac{a_n}{b_n b_{2n}}$ 의 값은? [3점]

① $\dfrac{3}{2}$ ② $\dfrac{3\sqrt{2}}{2}$ ③ 3 ④ $3\sqrt{2}$ ⑤ 6

28. 자연수 n에 대하여 직선 $y = 2nx$가 곡선 $y = x^2 + n^2 - 1$과 만나는 두 점을 각각 A_n, B_n이라 하자. 원 $(x-2)^2 + y^2 = 1$ 위의 점 P에 대하여 삼각형 $A_n B_n P$의 넓이가 최대가 되도록 하는 점 P를 P_n이라 할 때, 삼각형 $A_n B_n P_n$의 넓이를 S_n이라 하자. $\displaystyle\lim_{n \to \infty} \frac{S_n}{n}$ 의 값은? [4점]

① 2 ② 4 ③ 6 ④ 8 ⑤ 10

29. 자연수 n에 대하여 함수 $f(x)$를

$$f(x) = \frac{4}{n^3}x^3 + 1$$

이라 하자. 원점에서 곡선 $y=f(x)$에 그은 접선을 l_n, 접선 l_n의 접점을 P_n이라 하자. x축과 직선 l_n에 동시에 접하고 점 P_n을 지나는 원 중 중심의 x좌표가 양수인 것을 C_n이라 하자. 원 C_n의 반지름의 길이를 r_n이라 할 때, $40 \times \lim_{n \to \infty} n^2(4r_n - 3)$의 값을 구하시오. [4점]

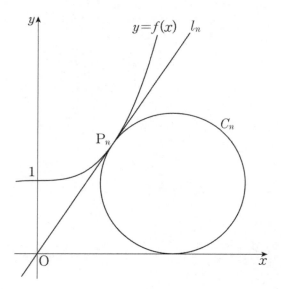

30. 최고차항의 계수가 1인 삼차함수 $f(x)$와 자연수 m에 대하여 구간 $(0, \infty)$에서 정의된 함수 $g(x)$를

$$g(x) = \lim_{n \to \infty} \frac{f(x)\left(\dfrac{x}{m}\right)^n + x}{\left(\dfrac{x}{m}\right)^n + 1}$$

라 하자. 함수 $g(x)$는 다음 조건을 만족시킨다.

(가) 함수 $g(x)$는 구간 $(0, \infty)$에서 미분가능하고, $g'(m+1) \leq 0$이다.

(나) $g(k)g(k+1) = 0$을 만족시키는 자연수 k의 개수는 3이다.

(다) $g(l) \geq g(l+1)$을 만족시키는 자연수 l의 개수는 3이다.

$g(12)$의 값을 구하시오. [4점]

수학 영역

5 지 선 다 형

1. $\sqrt[3]{8} \times \dfrac{2^{\sqrt{2}}}{2^{1+\sqrt{2}}}$ 의 값은? [2점]

① 1　　　② 2　　　③ 4　　　④ 8　　　⑤ 16

2. 함수 $f(x) = 2x^3 - x^2 + 6$에 대하여 $f'(1)$의 값은? [2점]

① 1　　　② 2　　　③ 3　　　④ 4　　　⑤ 5

3. 등비수열 $\{a_n\}$이

$$a_5 = 4, \ a_7 = 4a_6 - 16$$

을 만족시킬 때, a_8의 값은? [3점]

① 32　　　② 34　　　③ 36　　　④ 38　　　⑤ 40

4. 다항함수 $f(x)$가 모든 실수 x에 대하여

$$\int_1^x f(t)dt = x^3 - ax + 1$$

을 만족시킬 때, $f(2)$의 값은? (단, a는 상수이다.) [3점]

① 8　　　② 10　　　③ 12　　　④ 14　　　⑤ 16

5. $\cos(\pi+\theta)=\dfrac{1}{3}$ 이고 $\sin(\pi+\theta)>0$일 때, $\tan\theta$의 값은? [3점]

① $-2\sqrt{2}$ ② $-\dfrac{\sqrt{2}}{4}$ ③ 1

④ $\dfrac{\sqrt{2}}{4}$ ⑤ $2\sqrt{2}$

6. 함수

$$f(x)=\begin{cases} x^2-ax+1 & (x<2) \\ -x+1 & (x\geq 2) \end{cases}$$

에 대하여 함수 $\{f(x)\}^2$이 실수 전체의 집합에서 연속이 되도록 하는 모든 상수 a의 값의 합은? [3점]

① 5   ② 6   ③ 7   ④ 8   ⑤ 9

7. 함수 $y=|x^2-2x|+1$의 그래프와 x축, y축 및 직선 $x=2$로 둘러싸인 부분의 넓이는? [3점]

① $\dfrac{8}{3}$ ② 3 ③ $\dfrac{10}{3}$ ④ $\dfrac{11}{3}$ ⑤ 4

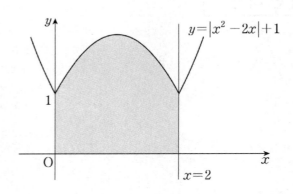

8. 두 점 A$(m,\ m+3)$, B$(m+3,\ m-3)$에 대하여 선분 AB를 $2:1$로 내분하는 점이 곡선 $y=\log_4(x+8)+m-3$ 위에 있을 때, 상수 m의 값은? [3점]

① 4   ② $\dfrac{9}{2}$ ③ 5   ④ $\dfrac{11}{2}$ ⑤ 6

9. 함수 $f(x)=|x^3-3x^2+p|$는 $x=a$와 $x=b$에서 극대이다. $f(a)=f(b)$일 때, 실수 p의 값은? (단, $a,\ b$는 $a\neq b$인 상수이다.) [4점]

① $\dfrac{3}{2}$ ② 2   ③ $\dfrac{5}{2}$ ④ 3   ⑤ $\dfrac{7}{2}$

10. 공차가 양수인 등차수열 $\{a_n\}$이 다음 조건을 만족시킬 때, a_{10}의 값은? [4점]

| (가) $|a_4|+|a_6|=8$ |
| (나) $\displaystyle\sum_{k=1}^{9}a_k=27$ |

① 21   ② 23   ③ 25   ④ 27   ⑤ 29

11. 그림과 같이 $\angle BAC = 60°$, $\overline{AB} = 2\sqrt{2}$, $\overline{BC} = 2\sqrt{3}$ 인 삼각형 ABC가 있다. 삼각형 ABC의 내부의 점 P에 대하여 $\angle PBC = 30°$, $\angle PCB = 15°$일 때, 삼각형 APC의 넓이는? [4점]

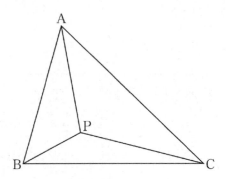

① $\dfrac{3+\sqrt{3}}{4}$　　② $\dfrac{3+2\sqrt{3}}{4}$　　③ $\dfrac{3+\sqrt{3}}{2}$

④ $\dfrac{3+2\sqrt{3}}{2}$　　⑤ $2+\sqrt{3}$

12. 곡선 $y = x^2$과 기울기가 1인 직선 l이 서로 다른 두 점 A, B에서 만난다. 양의 실수 t에 대하여 선분 AB의 길이가 $2t$가 되도록 하는 직선 l의 y절편을 $g(t)$라 할 때, $\displaystyle\lim_{t\to\infty}\frac{g(t)}{t^2}$의 값은? [4점]

① $\dfrac{1}{16}$　　② $\dfrac{1}{8}$　　③ $\dfrac{1}{4}$　　④ $\dfrac{1}{2}$　　⑤ 1

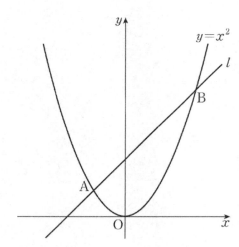

13. 두 함수

$$f(x) = x^2 + ax + b, \quad g(x) = \sin x$$

가 다음 조건을 만족시킬 때, $f(2)$의 값은?
(단, a, b는 상수이고, $0 \le a \le 2$이다.) [4점]

(가) $\{g(a\pi)\}^2 = 1$

(나) $0 \le x \le 2\pi$일 때, 방정식 $f(g(x)) = 0$의

모든 해의 합은 $\dfrac{5}{2}\pi$이다.

---

① 3 　　② $\dfrac{7}{2}$ 　　③ 4 　　④ $\dfrac{9}{2}$ 　　⑤ 5

14. 세 양수 a, b, k에 대하여 함수 $f(x)$를

$$f(x) = \begin{cases} ax & (x < k) \\ -x^2 + 4bx - 3b^2 & (x \ge k) \end{cases}$$

라 하자. 함수 $f(x)$가 실수 전체의 집합에서 미분가능할 때,
<보기>에서 옳은 것만을 있는 대로 고른 것은? [4점]

--- < 보 기 > ---

ㄱ. $a = 1$이면 $f'(k) = 1$이다.

ㄴ. $k = 3$이면 $a = -6 + 4\sqrt{3}$ 이다.

ㄷ. $f(k) = f'(k)$이면 함수 $y = f(x)$의 그래프와 x축으로

둘러싸인 부분의 넓이는 $\dfrac{1}{3}$이다.

---

① ㄱ 　　　　② ㄱ, ㄴ 　　　　③ ㄱ, ㄷ

④ ㄴ, ㄷ 　　　　⑤ ㄱ, ㄴ, ㄷ

15. 모든 항이 자연수인 수열 $\{a_n\}$이 모든 자연수 n에 대하여

$$a_{n+2} = \begin{cases} a_{n+1}+a_n & (a_{n+1}+a_n \text{이 홀수인 경우}) \\ \dfrac{1}{2}(a_{n+1}+a_n) & (a_{n+1}+a_n \text{이 짝수인 경우}) \end{cases}$$

를 만족시킨다. $a_1 = 1$일 때, $a_6 = 34$가 되도록 하는 모든 a_2의 값의 합은? [4점]

① 60 ② 64 ③ 68 ④ 72 ⑤ 76

단 답 형

16. $\log_2 96 - \dfrac{1}{\log_6 2}$ 의 값을 구하시오. [3점]

17. 직선 $y = 4x + 5$가 곡선 $y = 2x^4 - 4x + k$에 접할 때, 상수 k의 값을 구하시오. [3점]

18. n이 자연수일 때, x에 대한 이차방정식

$$x^2 - 5nx + 4n^2 = 0$$

의 두 근을 α_n, β_n이라 하자.

$\displaystyle\sum_{n=1}^{7}(1-\alpha_n)(1-\beta_n)$의 값을 구하시오. [3점]

19. 시각 $t=0$일 때 동시에 원점을 출발하여 수직선 위를 움직이는 두 점 P, Q의 시각 $t\,(t\geq 0)$에서의 속도가 각각

$$v_1(t) = 3t^2 - 15t + k, \quad v_2(t) = -3t^2 + 9t$$

이다. 점 P와 점 Q가 출발한 후 한 번만 만날 때, 양수 k의 값을 구하시오. [3점]

20. 최고차항의 계수가 1이고 $f(0)=1$인 삼차함수 $f(x)$와 양의 실수 p에 대하여 함수 $g(x)$가 다음 조건을 만족시킨다.

(가) $g'(0)=0$

(나) $g(x) = \begin{cases} f(x-p) - f(-p) & (x < 0) \\ f(x+p) - f(p) & (x \geq 0) \end{cases}$

$\displaystyle\int_{0}^{p} g(x)dx = 20$일 때, $f(5)$의 값을 구하시오. [4점]

수학 영역

21. 그림과 같이 1보다 큰 두 실수 a, k에 대하여 직선 $y=k$가 두 곡선 $y=2\log_a x+k$, $y=a^{x-k}$과 만나는 점을 각각 A, B라 하고, 직선 $x=k$가 두 곡선 $y=2\log_a x+k$, $y=a^{x-k}$과 만나는 점을 각각 C, D라 하자. $\overline{AB}\times\overline{CD}=85$이고 삼각형 CAD의 넓이가 35일 때, $a+k$의 값을 구하시오. [4점]

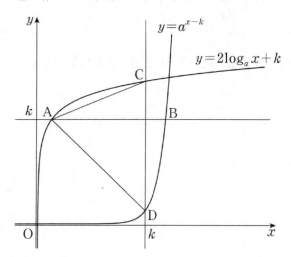

22. 최고차항의 계수가 1인 사차함수 $f(x)$가 있다.

실수 t에 대하여 함수 $g(x)$를 $g(x)=|f(x)-t|$라 할 때, $\displaystyle\lim_{x\to k}\frac{g(x)-g(k)}{|x-k|}$의 값이 존재하는 서로 다른 실수 k의 개수를 $h(t)$라 하자.

함수 $h(t)$는 다음 조건을 만족시킨다.

> (가) $\displaystyle\lim_{t\to 4+}h(t)=5$
>
> (나) 함수 $h(t)$는 $t=-60$과 $t=4$에서만 불연속이다.

$f(2)=4$이고 $f'(2)>0$일 때, $f(4)+h(4)$의 값을 구하시오. [4점]

---

* 확인 사항

◦ 답안지의 해당란에 필요한 내용을 정확히 기입(표기)했는지 확인하시오.

◦ 이어서, 「선택과목(확률과 통계)」 문제가 제시되오니, 자신이 선택한 과목인지 확인하시오.

제 2 교시 **수학 영역(확률과 통계)** **02회**

---

5 지 선 다 형

23. $_3\mathrm{P}_2 + _3\Pi_2$ 의 값은? [2점]

① 15   ② 16   ③ 17   ④ 18   ⑤ 19

24. 5명의 학생이 일정한 간격을 두고 원 모양의 탁자에 모두 둘러앉는 경우의 수는? (단, 회전하여 일치하는 것은 같은 것으로 본다.) [3점]

① 16   ② 20   ③ 24   ④ 28   ⑤ 32

25. 문자 A, A, A, B, B, B, C, C가 하나씩 적혀 있는 8장의 카드를 모두 일렬로 나열할 때, 양 끝 모두에 B가 적힌 카드가 놓이도록 나열하는 경우의 수는? (단, 같은 문자가 적혀 있는 카드끼리는 서로 구별하지 않는다.) [3점]

① 45   ② 50   ③ 55   ④ 60   ⑤ 65

26. 서로 다른 공 6개를 남김없이 세 주머니 A, B, C에 나누어 넣을 때, 주머니 A에 넣은 공의 개수가 3이 되도록 나누어 넣는 경우의 수는? (단, 공을 넣지 않는 주머니가 있을 수 있다.) [3점]

① 120   ② 130   ③ 140   ④ 150   ⑤ 160

27. 방정식 $a+b+c+3d=10$을 만족시키는 자연수 a, b, c, d의 모든 순서쌍 (a, b, c, d)의 개수는? [3점]

① 15   ② 18   ③ 21   ④ 24   ⑤ 27

28. 원 모양의 식탁에 같은 종류의 비어 있는 4개의 접시가 일정한 간격을 두고 원형으로 놓여 있다. 이 4개의 접시에 서로 다른 종류의 빵 5개와 같은 종류의 사탕 5개를 다음 조건을 만족시키도록 남김없이 나누어 담는 경우의 수는? (단, 회전하여 일치하는 것은 같은 것으로 본다.) [4점]

> (가) 각 접시에는 1개 이상의 빵을 담는다.
> (나) 각 접시에 담는 빵의 개수와 사탕의 개수의 합은 3 이하이다.

① 420   ② 450   ③ 480   ④ 510   ⑤ 540

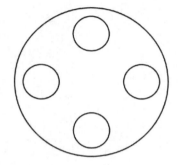

단 답 형

29. 숫자 1, 2, 3 중에서 중복을 허락하여 다음 조건을 만족시키도록 여섯 개를 선택한 후, 선택한 숫자 여섯 개를 모두 일렬로 나열하는 경우의 수를 구하시오. [4점]

> (가) 숫자 1, 2, 3을 각각 한 개 이상씩 선택한다.
> (나) 선택한 여섯 개의 수의 합이 4의 배수이다.

30. 집합 $X = \{1, 2, 3, 4, 5\}$에 대하여 다음 조건을 만족시키는 함수 $f : X \to X$의 개수를 구하시오. [4점]

> (가) 집합 X의 임의의 두 원소 x_1, x_2에 대하여 $x_1 < x_2$이면 $f(x_1) \leq f(x_2)$이다.
> (나) $f(2) \neq 1$이고 $f(4) \times f(5) < 20$이다.

※ 확인 사항

○ 답안지의 해당란에 필요한 내용을 정확히 기입(표기)했는지 확인하시오.

○ 이어서, 「**선택과목(미적분)**」 문제가 제시되오니, 자신이 선택한 과목인지 확인하시오.

5 지선다형

23. $\lim\limits_{n\to\infty}\dfrac{(2n+1)(3n-1)}{n^2+1}$ 의 값은? [2점]

① 3   ② 4   ③ 5   ④ 6   ⑤ 7

24. 수열 $\{a_n\}$이 모든 자연수 n에 대하여

$$3^n - 2^n < a_n < 3^n + 2^n$$

을 만족시킬 때, $\lim\limits_{n\to\infty}\dfrac{a_n}{3^{n+1}+2^n}$의 값은? [3점]

① $\dfrac{1}{6}$ ② $\dfrac{1}{3}$ ③ $\dfrac{1}{2}$ ④ $\dfrac{2}{3}$ ⑤ $\dfrac{5}{6}$

25. 등차수열 $\{a_n\}$에 대하여

$$\lim_{n \to \infty} \frac{a_{2n} - 6n}{a_n + 5} = 4$$

일 때, $a_2 - a_1$의 값은? [3점]

① -1 ② -2 ③ -3 ④ -4 ⑤ -5

26. 두 수열 $\{a_n\}$, $\{b_n\}$에 대하여

$$\lim_{n \to \infty} (n^2 + 1)a_n = 3, \quad \lim_{n \to \infty} (4n^2 + 1)(a_n + b_n) = 1$$

일 때, $\lim_{n \to \infty} (2n^2 + 1)(a_n + 2b_n)$의 값은? [3점]

① -3 ② $-\dfrac{7}{2}$ ③ -4 ④ $-\dfrac{9}{2}$ ⑤ -5

27. $a_1 = 3$, $a_2 = -4$인 수열 $\{a_n\}$과 등차수열 $\{b_n\}$이 모든 자연수 n에 대하여

$$\sum_{k=1}^{n} \frac{a_k}{b_k} = \frac{6}{n+1}$$

을 만족시킬 때, $\lim_{n \to \infty} a_n b_n$의 값은? [3점]

① -54 ② $-\dfrac{75}{2}$ ③ -24 ④ $-\dfrac{27}{2}$ ⑤ -6

28. $a > 0$, $a \neq 1$인 실수 a와 자연수 n에 대하여 직선 $y = n$이 y축과 만나는 점을 A_n, 직선 $y = n$이 곡선 $y = \log_a(x-1)$과 만나는 점을 B_n이라 하자. 사각형 $A_n B_n B_{n+1} A_{n+1}$의 넓이를 S_n이라 할 때,

$$\lim_{n \to \infty} \frac{\overline{B_n B_{n+1}}}{S_n} = \frac{3}{2a+2}$$

을 만족시키는 모든 a의 값의 합은? [4점]

① 2 ② $\dfrac{9}{4}$ ③ $\dfrac{5}{2}$ ④ $\dfrac{11}{4}$ ⑤ 3

29. 자연수 n에 대하여 x에 대한 부등식 $x^2 - 4nx - n < 0$을 만족시키는 정수 x의 개수를 a_n이라 하자. 두 상수 p, q에 대하여

$$\lim_{n \to \infty} \left(\sqrt{na_n} - pn \right) = q$$

일 때, $100pq$의 값을 구하시오. [4점]

30. 함수

$$f(x) = \lim_{n \to \infty} \frac{x^{2n+1} - x}{x^{2n} + 1}$$

에 대하여 실수 전체의 집합에서 정의된 함수 $g(x)$가 다음 조건을 만족시킨다.

$2k - 2 \leq |x| < 2k$일 때,

$$g(x) = (2k-1) \times f\left(\frac{x}{2k-1} \right)$$

이다. (단, k는 자연수이다.)

$0 < t < 10$인 실수 t에 대하여 직선 $y = t$가 함수 $y = g(x)$의 그래프와 만나지 않도록 하는 모든 t의 값의 합을 구하시오.

[4점]

＊ 확인 사항

○ 답안지의 해당란에 필요한 내용을 정확히 기입(표기)했는지 확인 하시오.

[해설편 p.020]

2022학년도 3월 고3 전국연합학력평가 문제지   1

수학 영역

제 2 교시

03회

● 문항수 30개 | 배점 100점 | 제한 시간 100분

● 배점은 2점, 3점 또는 4점

03회

5 지 선 다 형

1. $(3\sqrt{3})^{\frac{1}{3}} \times 3^{\frac{3}{2}}$ 의 값은? [2점]

① 1   ② $\sqrt{3}$ ③ 3   ④ $3\sqrt{3}$ ⑤ 9

2. 함수 $f(x) = x^3 + 2x^2 + 3x + 4$ 에 대하여 $f'(-1)$의 값은? [2점]

① 1   ② 2   ③ 3   ④ 4   ⑤ 5

3. 등차수열 $\{a_n\}$에 대하여

$$a_4 = 6, \quad 2a_7 = a_{19}$$

일 때, a_1의 값은? [3점]

① 1   ② 2   ③ 3   ④ 4   ⑤ 5

4. 함수 $y = f(x)$의 그래프가 그림과 같다.

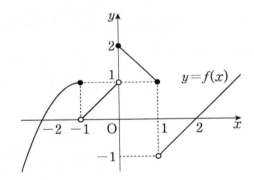

$$\lim_{x \to -1+} f(x) + \lim_{x \to 1-} f(x)$$의 값은? [3점]

① -2 ② -1 ③ 0   ④ 1   ⑤ 2

5. $\dfrac{\pi}{2} < \theta < \pi$인 θ에 대하여 $\cos\theta\tan\theta = \dfrac{1}{2}$일 때, $\cos\theta + \tan\theta$의 값은? [3점]

① $-\dfrac{5\sqrt{3}}{6}$
② $-\dfrac{2\sqrt{3}}{3}$
③ $-\dfrac{\sqrt{3}}{2}$

④ $-\dfrac{\sqrt{3}}{3}$
⑤ $-\dfrac{\sqrt{3}}{6}$

6. 함수 $f(x) = 2x^2 - 3x + 5$에서 x의 값이 a에서 $a+1$까지 변할 때의 평균변화율이 7이다. $\displaystyle\lim_{h\to 0}\dfrac{f(a+2h) - f(a)}{h}$의 값은? (단, a는 상수이다.) [3점]

① 6
② 8
③ 10
④ 12
⑤ 14

7. 그림과 같이 곡선 $y = x^2 - 4x + 6$ 위의 점 A$(3, 3)$에서의 접선을 l이라 할 때, 곡선 $y = x^2 - 4x + 6$과 직선 l 및 y축으로 둘러싸인 부분의 넓이는? [3점]

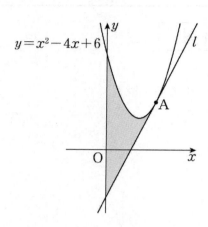

① $\dfrac{26}{3}$
② 9
③ $\dfrac{28}{3}$
④ $\dfrac{29}{3}$
⑤ 10

8. 그림과 같이 양의 상수 a에 대하여 곡선

$y = 2\cos ax \left(0 \leq x \leq \dfrac{2\pi}{a} \right)$와 직선 $y = 1$이 만나는 두 점을 각각

A, B라 하자. $\overline{AB} = \dfrac{8}{3}$일 때, a의 값은? [3점]

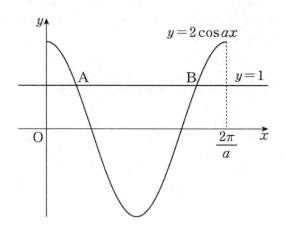

① $\dfrac{\pi}{3}$　　② $\dfrac{5\pi}{12}$　　③ $\dfrac{\pi}{2}$　　④ $\dfrac{7\pi}{12}$　　⑤ $\dfrac{2\pi}{3}$

9. 수직선 위를 움직이는 점 P의 시각 $t(t \geq 0)$에서의 속도 $v(t)$가

$$v(t) = 3t^2 + at$$

이다. 시각 $t = 0$에서의 점 P의 위치와 시각 $t = 6$에서의 점 P의 위치가 서로 같을 때, 점 P가 시각 $t = 0$에서 $t = 6$까지 움직인 거리는? (단, a는 상수이다.) [4점]

① 64　　② 66　　③ 68　　④ 70　　⑤ 72

10. 두 함수

$$f(x) = x^2 + 2x + k, \quad g(x) = 2x^3 - 9x^2 + 12x - 2$$

에 대하여 함수 $(g \circ f)(x)$의 최솟값이 2가 되도록 하는 실수 k의 최솟값은? [4점]

① 1　　② $\dfrac{9}{8}$　　③ $\dfrac{5}{4}$　　④ $\dfrac{11}{8}$　　⑤ $\dfrac{3}{2}$

11. 그림과 같이 두 상수 a, k에 대하여 직선 $x = k$가 두 곡선 $y = 2^{x-1} + 1$, $y = \log_2(x-a)$와 만나는 점을 각각 A, B라 하고, 점 B를 지나고 기울기가 -1인 직선이 곡선 $y = 2^{x-1} + 1$과 만나는 점을 C라 하자.

$\overline{AB} = 8$, $\overline{BC} = 2\sqrt{2}$일 때, 곡선 $y = \log_2(x-a)$가 x축과 만나는 점 D에 대하여 사각형 ACDB의 넓이는? (단, $0 < a < k$) [4점]

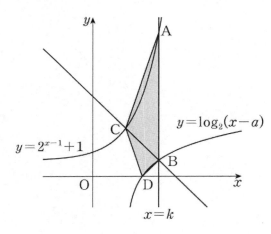

① 14　　② 13　　③ 12　　④ 11　　⑤ 10

12. $a > 2$인 상수 a에 대하여 함수 $f(x)$를

$$f(x) = \begin{cases} x^2 - 4x + 3 & (x \le 2) \\ -x^2 + ax & (x > 2) \end{cases}$$

라 하자. 최고차항의 계수가 1인 삼차함수 $g(x)$에 대하여 실수 전체의 집합에서 연속인 함수 $h(x)$가 다음 조건을 만족시킬 때, $h(1) + h(3)$의 값은? [4점]

(가) $x \ne 1$, $x \ne a$일 때, $h(x) = \dfrac{g(x)}{f(x)}$이다.

(나) $h(1) = h(a)$

① $-\dfrac{15}{6}$　　② $-\dfrac{7}{3}$　　③ $-\dfrac{13}{6}$　　④ -2　　⑤ $-\dfrac{11}{6}$

13. 첫째항이 양수인 등차수열 $\{a_n\}$의 첫째항부터 제n항까지의 합을 S_n이라 하자.

$$|S_3| = |S_6| = |S_{11}| - 3$$

을 만족시키는 모든 수열 $\{a_n\}$의 첫째항의 합은? [4점]

① $\dfrac{31}{5}$　　② $\dfrac{33}{5}$　　③ 7　　④ $\dfrac{37}{5}$　　⑤ $\dfrac{39}{5}$

14. 두 함수

$$f(x) = x^3 - kx + 6, \quad g(x) = 2x^2 - 2$$

에 대하여 <보기>에서 옳은 것만을 있는 대로 고른 것은? [4점]

――――― < 보 기 > ―――――

ㄱ. $k = 0$일 때, 방정식 $f(x) + g(x) = 0$은 오직 하나의 실근을 갖는다.

ㄴ. 방정식 $f(x) - g(x) = 0$의 서로 다른 실근의 개수가 2가 되도록 하는 실수 k의 값은 4뿐이다.

ㄷ. 방정식 $|f(x)| = g(x)$의 서로 다른 실근의 개수가 5가 되도록 하는 실수 k가 존재한다.

① ㄱ　　　　　② ㄱ, ㄴ　　　　　③ ㄱ, ㄷ
④ ㄴ, ㄷ　　　　⑤ ㄱ, ㄴ, ㄷ

15. 그림과 같이 원에 내접하는 사각형 ABCD에 대하여

$$\overline{AB} = \overline{BC} = 2, \quad \overline{AD} = 3, \quad \angle BAD = \frac{\pi}{3}$$

이다. 두 직선 AD, BC의 교점을 E라 하자.

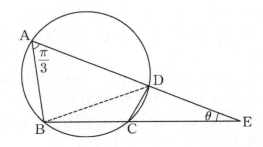

다음은 $\angle AEB = \theta$일 때, $\sin\theta$의 값을 구하는 과정이다.

삼각형 ABD와 삼각형 BCD에서 코사인법칙을 이용하면
$$\overline{CD} = \boxed{(가)}$$
이다. 삼각형 EAB와 삼각형 ECD에서
$$\angle AEB는 공통, \quad \angle EAB = \angle ECD$$
이므로 삼각형 EAB와 삼각형 ECD는 닮음이다.
이를 이용하면
$$\overline{ED} = \boxed{(나)}$$
이다. 삼각형 ECD에서 사인법칙을 이용하면
$$\sin\theta = \boxed{(다)}$$
이다.

위의 (가), (나), (다)에 알맞은 수를 각각 p, q, r라 할 때, $(p+q) \times r$의 값은? [4점]

① $\dfrac{\sqrt{3}}{2}$ 　② $\dfrac{4\sqrt{3}}{7}$ 　③ $\dfrac{9\sqrt{3}}{14}$ 　④ $\dfrac{5\sqrt{3}}{7}$ 　⑤ $\dfrac{11\sqrt{3}}{14}$

16. $\dfrac{\log_5 72}{\log_5 2} - 4\log_2 \dfrac{\sqrt{6}}{2}$ 의 값을 구하시오. [3점]

17. $\displaystyle\int_{-3}^{2} (2x^3 + 6|x|)dx - \int_{-3}^{-2} (2x^3 - 6x)dx$의 값을 구하시오.

[3점]

18. 부등식 $\displaystyle\sum_{k=1}^{5} 2^{k-1} < \sum_{k=1}^{n} (2k-1) < \sum_{k=1}^{5} (2 \times 3^{k-1})$을 만족시키는 모든 자연수 n의 값의 합을 구하시오. [3점]

19. 모든 실수 x에 대하여 부등식

$$3x^4 - 4x^3 - 12x^2 + k \geq 0$$

이 항상 성립하도록 하는 실수 k의 최솟값을 구하시오. [3점]

20. 수열 $\{a_n\}$은 $1 < a_1 < 2$이고, 모든 자연수 n에 대하여

$$a_{n+1} = \begin{cases} -2a_n & (a_n < 0) \\ a_n - 2 & (a_n \geq 0) \end{cases}$$

을 만족시킨다. $a_7 = -1$일 때, $40 \times a_1$의 값을 구하시오. [4점]

21. 상수 k에 대하여 다음 조건을 만족시키는 좌표평면의 점 $A(a, b)$가 오직 하나 존재한다.

(가) 점 A는 곡선 $y = \log_2(x+2) + k$ 위의 점이다.

(나) 점 A를 직선 $y = x$에 대하여 대칭이동한 점은 곡선 $y = 4^{x+k} + 2$ 위에 있다.

$a \times b$의 값을 구하시오. (단, $a \neq b$) [4점]

22. 실수 전체의 집합에서 연속인 함수 $f(x)$와 최고차항의 계수가 1이고 상수항이 0인 삼차함수 $g(x)$가 있다. 양의 상수 a에 대하여 두 함수 $f(x)$, $g(x)$가 다음 조건을 만족시킨다.

(가) 모든 실수 x에 대하여 $x|g(x)| = \int_{2a}^{x}(a-t)f(t)dt$ 이다.

(나) 방정식 $g(f(x)) = 0$의 서로 다른 실근의 개수는 4이다.

$\int_{-2a}^{2a} f(x)dx$의 값을 구하시오. [4점]

---

* 확인 사항

o 답안지의 해당란에 필요한 내용을 정확히 기입(표기)했는지 확인하시오.

o 이어서, 「선택과목(확률과 통계)」 문제가 제시되오니, 자신이 선택한 과목인지 확인하시오.

5 지 선 다 형

23. $_3\Pi_4$의 값은? [2점]

① 63 　② 69 　③ 75 　④ 81 　⑤ 87

24. 6개의 숫자 1, 1, 2, 2, 2, 3을 일렬로 나열하여 만들 수 있는 여섯 자리의 자연수 중 홀수의 개수는? [3점]

① 20 　② 30 　③ 40 　④ 50 　⑤ 60

25. A 학교 학생 5명, B 학교 학생 2명이 일정한 간격을 두고 원 모양의 탁자에 모두 둘러앉을 때, B 학교 학생끼리는 이웃하지 않도록 앉는 경우의 수는? (단, 회전하여 일치하는 것은 같은 것으로 본다.) [3점]

① 320　　② 360　　③ 400　　④ 440　　⑤ 480

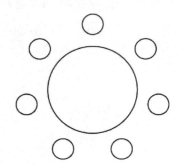

26. 그림과 같이 직사각형 모양으로 연결된 도로망이 있다. 이 도로망을 따라 A 지점에서 출발하여 P 지점을 지나 B 지점까지 최단 거리로 가는 경우의 수는? (단, 한 번 지난 도로를 다시 지날 수 있다.) [3점]

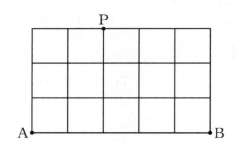

① 200　　② 210　　③ 220　　④ 230　　⑤ 240

27. 그림과 같이 같은 종류의 책 8권과 이 책을 각 칸에 최대 5권, 5권, 8권을 꽂을 수 있는 3개의 칸으로 이루어진 책장이 있다. 이 책 8권을 책장에 남김없이 나누어 꽂는 경우의 수는? (단, 비어 있는 칸이 있을 수 있다.) [3점]

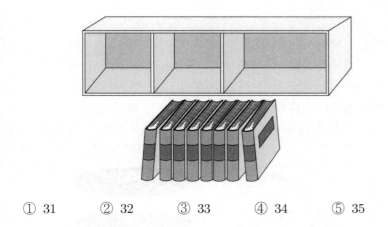

① 31   ② 32   ③ 33   ④ 34   ⑤ 35

28. 세 명의 학생 A, B, C에게 서로 다른 종류의 사탕 5개를 다음 규칙에 따라 남김없이 나누어 주는 경우의 수는? (단, 사탕을 받지 못하는 학생이 있을 수 있다.) [4점]

> (가) 학생 A는 적어도 하나의 사탕을 받는다.
> (나) 학생 B가 받는 사탕의 개수는 2 이하이다.

① 167   ② 170   ③ 173   ④ 176   ⑤ 179

단답형

29. 두 집합 $X = \{1, 2, 3, 4, 5\}$, $Y = \{-1, 0, 1, 2, 3\}$에 대하여 다음 조건을 만족시키는 함수 $f : X \to Y$의 개수를 구하시오.

[4점]

> (가) $f(1) \le f(2) \le f(3) \le f(4) \le f(5)$
>
> (나) $f(a) + f(b) = 0$을 만족시키는 집합 X의 서로 다른 두 원소 a, b가 존재한다.

30. 흰색 원판 4개와 검은색 원판 4개에 각각 A, B, C, D의 문자가 하나씩 적혀 있다. 이 8개의 원판 중에서 4개를 택하여 다음 규칙에 따라 원기둥 모양으로 쌓는 경우의 수를 구하시오. (단, 원판의 크기는 모두 같고, 원판의 두 밑면은 서로 구별하지 않는다.) [4점]

> (가) 선택된 4개의 원판 중 같은 문자가 적힌 원판이 있으면 같은 문자가 적힌 원판끼리는 검은색 원판이 흰색 원판보다 아래쪽에 놓이도록 쌓는다.
>
> (나) 선택된 4개의 원판 중 같은 문자가 적힌 원판이 없으면 D가 적힌 원판이 맨 아래에 놓이도록 쌓는다.

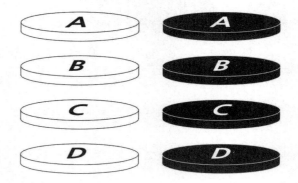

★ 확인 사항

◦ 답안지의 해당란에 필요한 내용을 정확히 기입(표기)했는지 확인하시오.

◦ 이어서, 「선택과목(미적분)」 문제가 제시되오니, 자신이 선택한 과목인지 확인하시오.

5 지 선 다 형

23. $\lim\limits_{n\to\infty}\dfrac{2^{n+1}+3^{n-1}}{(-2)^n+3^n}$ 의 값은? [2점]

① $\dfrac{1}{9}$ ② $\dfrac{1}{3}$ ③ 1 ④ 3 ⑤ 9

24. 수열 $\{a_n\}$이 $\lim\limits_{n\to\infty}(3a_n-5n)=2$를 만족시킬 때,

$\lim\limits_{n\to\infty}\dfrac{(2n+1)a_n}{4n^2}$의 값은? [3점]

① $\dfrac{1}{6}$ ② $\dfrac{1}{3}$ ③ $\dfrac{1}{2}$ ④ $\dfrac{2}{3}$ ⑤ $\dfrac{5}{6}$

25. $\lim\limits_{n \to \infty}\left(\sqrt{an^2+n} - \sqrt{an^2-an}\right) = \dfrac{5}{4}$ 를 만족시키는 모든 양수

a의 값의 합은? [3점]

① $\dfrac{7}{2}$ ② $\dfrac{15}{4}$ ③ 4 ④ $\dfrac{17}{4}$ ⑤ $\dfrac{9}{2}$

26. 첫째항이 1인 두 수열 $\{a_n\}$, $\{b_n\}$이 모든 자연수 n에 대하여

$$a_{n+1} - a_n = 3, \quad \sum_{k=1}^{n}\frac{1}{b_k} = n^2$$

을 만족시킬 때, $\lim\limits_{n \to \infty} a_n b_n$의 값은? [3점]

① $\dfrac{7}{6}$ ② $\dfrac{4}{3}$ ③ $\dfrac{3}{2}$ ④ $\dfrac{5}{3}$ ⑤ $\dfrac{11}{6}$

27. 수열 $\{a_n\}$이 모든 자연수 n에 대하여

$$a_n^2 < 4na_n + n - 4n^2$$

을 만족시킬 때, $\displaystyle\lim_{n \to \infty} \frac{a_n + 3n}{2n + 4}$의 값은? [3점]

① $\dfrac{5}{2}$　　② 3　　③ $\dfrac{7}{2}$　　④ 4　　⑤ $\dfrac{9}{2}$

28. 자연수 n에 대하여 좌표평면 위의 점 A_n을 다음 규칙에 따라 정한다.

> (가) A_1은 원점이다.
> (나) n이 홀수이면 A_{n+1}은 점 A_n을 x축의 방향으로 a만큼 평행이동한 점이다.
> (다) n이 짝수이면 A_{n+1}은 점 A_n을 y축의 방향으로 $a+1$만큼 평행이동한 점이다.

$\displaystyle\lim_{n \to \infty} \frac{\overline{A_1 A_{2n}}}{n} = \frac{\sqrt{34}}{2}$일 때, 양수 a의 값은? [4점]

① $\dfrac{3}{2}$　　② $\dfrac{7}{4}$　　③ 2　　④ $\dfrac{9}{4}$　　⑤ $\dfrac{5}{2}$

29. 실수 t에 대하여 직선 $y = tx - 2$가 함수

$$f(x) = \lim_{n \to \infty} \frac{2x^{2n+1} - 1}{x^{2n} + 1}$$

의 그래프와 만나는 점의 개수를 $g(t)$라 하자. 함수 $g(t)$가 $t = a$에서 불연속인 모든 a의 값을 작은 수부터 크기순으로 나열한 것을 a_1, a_2, $\cdots$, a_m (m은 자연수)라 할 때, $m \times a_m$의 값을 구하시오. [4점]

30. 그림과 같이 자연수 n에 대하여 곡선

$$T_n : y = \frac{\sqrt{3}}{n+1} x^2 \ (x \geq 0)$$

위에 있고 원점 O와의 거리가 $2n+2$인 점을 P_n이라 하고, 점 P_n에서 x축에 내린 수선의 발을 H_n이라 하자. 중심이 P_n이고 점 H_n을 지나는 원을 C_n이라 할 때, 곡선 T_n과 원 C_n의 교점 중 원점에 가까운 점을 Q_n, 원점에서 원 C_n에 그은 두 접선의 접점 중 H_n이 아닌 점을 R_n이라 하자. 점 R_n을 포함하지 않는 호 Q_nH_n과 선분 P_nH_n, 곡선 T_n으로 둘러싸인 부분의 넓이를 $f(n)$, 점 H_n을 포함하지 않는 호 R_nQ_n과 선분 OR_n, 곡선 T_n으로 둘러싸인 부분의 넓이를 $g(n)$이라 할 때, $\lim\limits_{n \to \infty} \dfrac{f(n) - g(n)}{n^2} = \dfrac{\pi}{2} + k$이다. $60k^2$의 값을 구하시오. (단, k는 상수이다.) [4점]

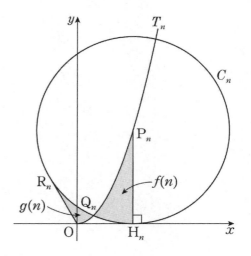

제 2교시

수학 영역

● 문항수 30개 | 배점 100점 | 제한 시간 100분

● 배점은 2점, 3점 또는 4점

5지 선다 형

1. $4^{1-\sqrt{3}} \times 2^{1+2\sqrt{3}}$ 의 값은? [2점]

① 1 ② 2 ③ 4 ④ 8 ⑤ 16

2. $\lim_{x \to \infty} \left(\sqrt{x^2+4x} - x \right)$의 값은? [2점]

① 1 ② 2 ③ 3 ④ 4 ⑤ 5

3. 첫째항이 1인 등차수열 $\{a_n\}$에 대하여 $a_5 - a_3 = 8$일 때, a_2의 값은? [3점]

① 3 ② 4 ③ 5 ④ 6 ⑤ 7

4. 다항함수 $f(x)$에 대하여 $\lim_{h \to 0} \dfrac{f(1+2h)-4}{h} = 6$일 때, $f(1)+f'(1)$의 값은? [3점]

① 5 ② 6 ③ 7 ④ 8 ⑤ 9

5. $\sin(-\theta)+\cos\left(\dfrac{\pi}{2}+\theta\right)=\dfrac{8}{5}$ 이고 $\cos\theta<0$일 때, $\tan\theta$의 값은?

[3점]

① $-\dfrac{5}{3}$ ② $-\dfrac{4}{3}$ ③ 0 ④ $\dfrac{4}{3}$ ⑤ $\dfrac{5}{3}$

7. 다항함수 $f(x)$가 실수 전체의 집합에서 증가하고

$$f'(x)=\{3x-f(1)\}(x-1)$$

을 만족시킬 때, $f(2)$의 값은? [3점]

① 3 ② 4 ③ 5 ④ 6 ⑤ 7

6. 함수 $f(x)=x^3+ax^2+3a$가 $x=-2$에서 극대일 때,
함수 $f(x)$의 극솟값은? (단, a는 상수이다.) [3점]

① 5 ② 6 ③ 7 ④ 8 ⑤ 9

8. 두 양수 a, b에 대하여 함수 $f(x) = a \cos bx$의 주기가 6π이고 닫힌구간 $[\pi, 4\pi]$에서 함수 $f(x)$의 최댓값이 1일 때, $a+b$의 값은? [3점]

① $\dfrac{5}{3}$ ② $\dfrac{11}{6}$ ③ 2 ④ $\dfrac{13}{6}$ ⑤ $\dfrac{7}{3}$

9. 수열 $\{a_n\}$의 첫째항부터 제n항까지의 합을 S_n이라 하자. 모든 자연수 n에 대하여

$$a_{n+1} = 1 - 4 \times S_n$$

이고 $a_4 = 4$일 때, $a_1 \times a_6$의 값은? [4점]

① 5 ② 10 ③ 15 ④ 20 ⑤ 25

10. 실수 m에 대하여 수직선 위를 움직이는 두 점 P, Q의 시각 $t(t \geq 0)$에서의 속도를 각각

$$v_1(t) = 3t^2 + 1, \quad v_2(t) = mt - 4$$

라 하자. 시각 $t = 0$에서 $t = 2$까지 두 점 P, Q가 움직인 거리가 같도록 하는 모든 m의 값의 합은? [4점]

① 3 ② 4 ③ 5 ④ 6 ⑤ 7

04회

11. 공차가 정수인 두 등차수열 $\{a_n\}$, $\{b_n\}$과 자연수 $m(m \geq 3)$이 다음 조건을 만족시킨다.

> (가) $|a_1 - b_1| = 5$
> (나) $a_m = b_m$, $a_{m+1} < b_{m+1}$

$\displaystyle\sum_{k=1}^{m} a_k = 9$일 때, $\displaystyle\sum_{k=1}^{m} b_k$의 값은? [4점]

① -6 ② -5 ③ -4 ④ -3 ⑤ -2

12. 최고차항의 계수가 1인 사차함수 $f(x)$에 대하여

곡선 $y = f(x)$와 직선 $y = \dfrac{1}{2}x$가 원점 O에서 접하고

x좌표가 양수인 두 점 A, B($\overline{\text{OA}} < \overline{\text{OB}}$)에서 만난다.
곡선 $y = f(x)$와 선분 OA로 둘러싸인 영역의 넓이를 S_1,
곡선 $y = f(x)$와 선분 AB로 둘러싸인 영역의 넓이를 S_2라 하자.
$\overline{\text{AB}} = \sqrt{5}$이고 $S_1 = S_2$일 때, $f(1)$의 값은? [4점]

① $\dfrac{9}{2}$ ② $\dfrac{11}{2}$ ③ $\dfrac{13}{2}$ ④ $\dfrac{15}{2}$ ⑤ $\dfrac{17}{2}$

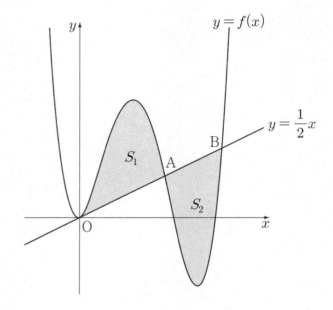

13. 두 상수 $a, b(b > 0)$에 대하여 함수 $f(x)$를

$$f(x) = \begin{cases} 2^{x+3} + b & (x \le a) \\ 2^{-x+5} + 3b & (x > a) \end{cases}$$

라 하자. 다음 조건을 만족시키는 실수 k의 최댓값이 $4b+8$일 때, $a+b$의 값은? (단, $k > b$) [4점]

> $b < t < k$인 모든 실수 t에 대하여 함수 $y = f(x)$의 그래프와 직선 $y = t$의 교점의 개수는 1이다.

① 9 ② 10 ③ 11 ④ 12 ⑤ 13

14. 최고차항의 계수가 1인 삼차함수 $f(x)$와 실수 t에 대하여 곡선 $y = f(x)$ 위의 점 $(t, f(t))$에서의 접선의 y절편을 $g(t)$라 하자. 두 함수 $f(x)$, $g(t)$가 다음 조건을 만족시킨다.

> $|f(k)| + |g(k)| = 0$을 만족시키는 실수 k의 개수는 2이다.

$4f(1) + 2g(1) = -1$일 때, $f(4)$의 값은? [4점]

① 46 ② 49 ③ 52 ④ 55 ⑤ 58

15. 첫째항이 자연수인 수열 $\{a_n\}$이 모든 자연수 n에 대하여

$$a_{n+1} = \begin{cases} \dfrac{a_n}{3} & (a_n \text{이 3의 배수인 경우}) \\[2mm] \dfrac{a_n^2 + 5}{3} & (a_n \text{이 3의 배수가 아닌 경우}) \end{cases}$$

를 만족시킬 때, $a_4 + a_5 = 5$가 되도록 하는 모든 a_1의 값의 합은? [4점]

① 63　　② 66　　③ 69　　④ 72　　⑤ 75

16. 방정식

$$\log_2(x-3) = 1 - \log_2(x-4)$$

를 만족시키는 실수 x의 값을 구하시오. [3점]

17. 함수 $f(x) = (x-1)(x^3 + x^2 + 5)$에 대하여 $f'(1)$의 값을 구하시오. [3점]

18. 최고차항의 계수가 3인 이차함수 $f(x)$가 모든 실수 x에 대하여

$$\int_0^x f(t)dt = 2x^3 + \int_0^{-x} f(t)dt$$

를 만족시킨다. $f(1) = 5$일 때, $f(2)$의 값을 구하시오. [3점]

19. 집합 $U = \{x \mid -5 \le x \le 5, x$는 정수$\}$의 공집합이 아닌
부분집합 X에 대하여 두 집합 A, B를

$$A = \{a \mid a$는 x의 실수인 네제곱근, $x \in X\},$$
$$B = \{b \mid b$는 x의 실수인 세제곱근, $x \in X\}$$

라 하자. $n(A) = 9$, $n(B) = 7$이 되도록 하는 집합 X의 모든 원소의
합의 최댓값을 구하시오. [3점]

20. 두 다항함수 $f(x)$, $g(x)$가 모든 실수 x에 대하여

$$xf(x) = \left(-\frac{1}{2}x + 3\right)g(x) - x^3 + 2x^2$$

을 만족시킨다. 상수 $k(k \neq 0)$에 대하여

$$\lim_{x \to 2} \frac{g(x-1)}{f(x) - g(x)} \times \lim_{x \to \infty} \frac{\{f(x)\}^2}{g(x)} = k$$

일 때, k의 값을 구하시오. [4점]

04회

21. 그림과 같이 중심이 O, 반지름의 길이가 6이고 중심각의 크기가 $\frac{\pi}{2}$인 부채꼴 OAB가 있다. 호 AB 위에 점 C를 $\overline{AC}=4\sqrt{2}$가 되도록 잡는다. 호 AC 위의 한 점 D에 대하여 점 D를 지나고 선분 OA에 평행한 직선과 점 C를 지나고 선분 AC에 수직인 직선이 만나는 점을 E라 하자. 삼각형 CED의 외접원의 반지름의 길이가 $3\sqrt{2}$일 때, $\overline{AD}=p+q\sqrt{7}$을 만족시키는 두 유리수 p, q에 대하여 $9\times|p\times q|$의 값을 구하시오. (단, 점 D는 점 A도 아니고 점 C도 아니다.) [4점]

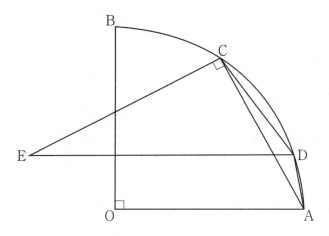

22. 최고차항의 계수가 4이고 서로 다른 세 극값을 갖는 사차함수 $f(x)$와 두 함수 $g(x)$,

$$h(x)=\begin{cases} 4x+2 & (x<a) \\ -2x-3 & (x\geq a) \end{cases}$$

가 있다. 세 함수 $f(x)$, $g(x)$, $h(x)$가 다음 조건을 만족시킨다.

(가) 모든 실수 x에 대하여

$$|g(x)|=f(x), \quad \lim_{t\to 0+}\frac{g(x+t)-g(x)}{t}=|f'(x)|$$

이다.

(나) 함수 $g(x)h(x)$는 실수 전체의 집합에서 연속이다.

$g(0)=\frac{40}{3}$일 때, $g(1)\times h(3)$의 값을 구하시오. (단, a는 상수이다.)

[4점]

5지선다형

23. 두 사건 A, B에 대하여

$$P(A \cup B) = \frac{2}{3}, \quad P(A) + P(B) = 4 \times P(A \cap B)$$

일 때, $P(A \cap B)$의 값은? [2점]

① $\frac{5}{9}$ ② $\frac{4}{9}$ ③ $\frac{1}{3}$ ④ $\frac{2}{9}$ ⑤ $\frac{1}{9}$

24. 다항식 $(ax^2 + 1)^6$의 전개식에서 x^4의 계수가 30일 때, 양수 a의 값은? [3점]

① 1 ② $\sqrt{2}$ ③ $\sqrt{3}$ ④ 2 ⑤ $\sqrt{5}$

25. $4 \leq x \leq y \leq z \leq w \leq 12$를 만족시키는 짝수 x, y, z, w의 모든 순서쌍 (x, y, z, w)의 개수는? [3점]

① 70   ② 74   ③ 78   ④ 82   ⑤ 86

26. 두 집합 $X = \{1, 2, 3, 4, 5\}$, $Y = \{1, 2, 3, 4\}$에 대하여 다음 조건을 만족시키는 함수 $f : X \to Y$의 개수는? [3점]

(가) $f(1) + f(2) = 4$
(나) 1은 함수 f의 치역의 원소이다.

① 145   ② 150   ③ 155   ④ 160   ⑤ 165

27. 다음 조건을 만족시키는 10 이하의 자연수 a, b, c, d의 모든 순서쌍 (a, b, c, d)의 개수는? [3점]

> (가) $a \times b \times c \times d = 108$
> (나) a, b, c, d 중 서로 같은 수가 있다.

① 32   ② 36   ③ 40   ④ 44   ⑤ 48

28. 그림과 같이 A열에 3개, B열에 4개로 구성된 총 7개의 좌석이 있다. 1학년 학생 2명, 2학년 학생 2명, 3학년 학생 3명 모두가 이 7개의 좌석 중 임의로 1개씩 선택하여 앉을 때, 다음 조건을 만족시키도록 앉을 확률은? (단, 한 좌석에는 한 명의 학생만 앉는다.) [4점]

> (가) A열의 좌석에는 서로 다른 두 학년의 학생들이 앉되, 같은 학년의 학생끼리는 이웃하여 앉는다.
> (나) B열의 좌석에는 같은 학년의 학생끼리 이웃하지 않도록 앉는다.

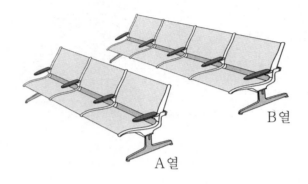

B열

A열

① $\dfrac{2}{15}$ ② $\dfrac{16}{105}$ ③ $\dfrac{6}{35}$ ④ $\dfrac{4}{21}$ ⑤ $\dfrac{22}{105}$

단 답 형

29. 다음 조건을 만족시키는 자연수 a, b, c, d, e의 모든 순서쌍 (a, b, c, d, e)의 개수를 구하시오. [4점]

(가) $a+b+c+d+e=11$
(나) $a+b$는 짝수이다.
(다) a, b, c, d, e 중에서 짝수의 개수는 2 이상이다.

30. 그림과 같이 원판에 반지름의 길이가 1인 원이 그려져 있고, 원의 둘레를 6등분하는 6개의 점과 원의 중심이 표시되어 있다. 이 7개의 점에 1부터 7까지의 숫자가 하나씩 적힌 깃발 7개를 각각 한 개씩 놓으려고 할 때, 다음 조건을 만족시키는 경우의 수를 구하시오. (단, 회전하여 일치하는 것은 같은 것으로 본다.) [4점]

깃발이 놓여 있는 7개의 점 중 3개의 점을 꼭짓점으로 하는 삼각형이 한 변의 길이가 1인 정삼각형일 때, 세 꼭짓점에 놓여 있는 깃발에 적힌 세 수의 합은 12 이하이다.

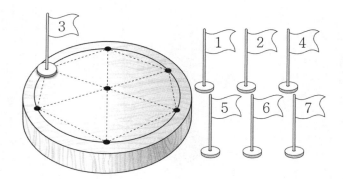

※ 확인 사항

○ 답안지의 해당란에 필요한 내용을 정확히 기입(표기)했는지 확인하시오.

○ 이어서, 「선택과목(미적분)」 문제가 제시되오니, 자신이 선택한 과목인지 확인하시오.

5지 선다 형

23. 함수 $f(x) = \sin 2x$에 대하여 $f''\left(\dfrac{\pi}{4}\right)$의 값은? [2점]

① -4　　② -2　　③ 0　　④ 2　　⑤ 4

24. 첫째항이 1이고 공차가 $d\,(d > 0)$인 등차수열 $\{a_n\}$에 대하여

$$\sum_{n=1}^{\infty}\left(\dfrac{n}{a_n} - \dfrac{n+1}{a_{n+1}}\right) = \dfrac{2}{3}$$ 일 때, d의 값은? [3점]

① 1　　② 2　　③ 3　　④ 4　　⑤ 5

25. 곡선 $y = e^{2x} - 1$ 위의 점 $P(t, e^{2t} - 1)$ $(t > 0)$에 대하여 $\overline{PQ} = \overline{OQ}$를 만족시키는 x축 위의 점 Q의 x좌표를 $f(t)$라 할 때, $\displaystyle\lim_{t \to 0+} \frac{f(t)}{t}$의 값은? (단, O는 원점이다.) [3점]

① 1   ② $\dfrac{3}{2}$ ③ 2   ④ $\dfrac{5}{2}$ ⑤ 3

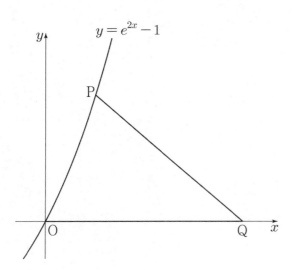

26. 열린구간 $(0, \infty)$에서 정의된 함수

$$f(x) = \lim_{n \to \infty} \frac{x^{n+1} + \left(\dfrac{4}{x}\right)^n}{x^n + \left(\dfrac{4}{x}\right)^{n+1}}$$

이 있다. $x > 0$일 때, 방정식 $f(x) = 2x - 3$의 모든 실근의 합은? [3점]

① $\dfrac{41}{7}$ ② $\dfrac{43}{7}$ ③ $\dfrac{45}{7}$ ④ $\dfrac{47}{7}$ ⑤ 7

27. 함수 $f(x)=x^3+x+1$의 역함수를 $g(x)$라 하자. 매개변수 t로 나타내어진 곡선

$$x=g(t)+t, \quad y=g(t)-t$$

에서 $t=3$일 때, $\dfrac{dy}{dx}$의 값은? [3점]

① $-\dfrac{1}{5}$ ② $-\dfrac{3}{10}$ ③ $-\dfrac{2}{5}$ ④ $-\dfrac{1}{2}$ ⑤ $-\dfrac{3}{5}$

28. 두 상수 $a\,(a>0)$, b에 대하여 두 함수 $f(x)$, $g(x)$를

$$f(x)=a\sin x-\cos x, \quad g(x)=e^{2x-b}-1$$

이라 하자. 두 함수 $f(x)$, $g(x)$가 다음 조건을 만족시킬 때, $\tan b$의 값은? [4점]

> (가) $f(k)=g(k)=0$을 만족시키는 실수 k가 열린구간 $\left(-\dfrac{\pi}{2}, \dfrac{\pi}{2}\right)$에 존재한다.
>
> (나) 열린구간 $\left(-\dfrac{\pi}{2}, \dfrac{\pi}{2}\right)$에서 방정식 $\{f(x)g(x)\}'=2f(x)$의 모든 해의 합은 $\dfrac{\pi}{4}$이다.

① $\dfrac{5}{2}$ ② 3 ③ $\dfrac{7}{2}$ ④ 4 ⑤ $\dfrac{9}{2}$

29. 그림과 같이 길이가 3인 선분 AB를 삼등분하는 점 중 A와 가까운 점을 C, B와 가까운 점을 D라 하고, 선분 BC를 지름으로 하는 원을 O라 하자. 원 O 위의 점 P를 $\angle \mathrm{BAP} = \theta \left(0 < \theta < \dfrac{\pi}{6}\right)$가 되도록 잡고, 두 점 P, D를 지나는 직선이 원 O와 만나는 점 중 P가 아닌 점을 Q라 하자. 선분 AQ의 길이를 $f(\theta)$라 할 때, $\cos \theta_0 = \dfrac{7}{8}$인 θ_0에 대하여 $f'(\theta_0) = k$이다.

k^2의 값을 구하시오. (단, $\angle \mathrm{APD} < \dfrac{\pi}{2}$이고 $0 < \theta_0 < \dfrac{\pi}{6}$이다.)

[4점]

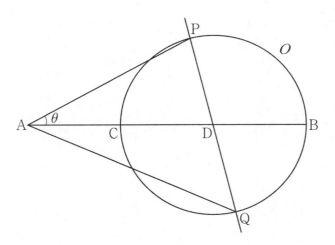

30. 수열 $\{a_n\}$은 공비가 0이 아닌 등비수열이고, 수열 $\{b_n\}$을 모든 자연수 n에 대하여

$$b_n = \begin{cases} a_n & (|a_n| < \alpha) \\ -\dfrac{5}{a_n} & (|a_n| \geq \alpha) \end{cases} \quad (\alpha는\ 양의\ 상수)$$

라 할 때, 두 수열 $\{a_n\}$, $\{b_n\}$과 자연수 p가 다음 조건을 만족시킨다.

(가) $\displaystyle\sum_{n=1}^{\infty} a_n = 4$

(나) $\displaystyle\sum_{n=1}^{m} \dfrac{a_n}{b_n}$의 값이 최소가 되도록 하는 자연수 m은 p이고,

$\displaystyle\sum_{n=1}^{p} b_n = 51$, $\displaystyle\sum_{n=p+1}^{\infty} b_n = \dfrac{1}{64}$이다.

$32 \times (a_3 + p)$의 값을 구하시오. [4점]

제 2 교시

수학 영역

● 문항수 30개 | 배점 100점 | 제한 시간 100분

● 배점은 2점, 3점 또는 4점

5 지 선 다 형

1. $\log_6 4 + \dfrac{2}{\log_3 6}$ 의 값은? [2점]

① 1 ② 2 ③ 3 ④ 4 ⑤ 5

2. 모든 항이 양수인 등비수열 $\{a_n\}$에 대하여 $a_1 = 3$, $\dfrac{a_5}{a_3} = 4$

일 때, a_4의 값은? [2점]

① 15 ② 18 ③ 21 ④ 24 ⑤ 27

3. 함수 $y = f(x)$의 그래프가 그림과 같다.

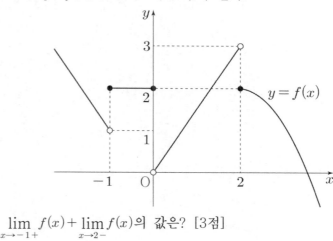

$\lim\limits_{x \to -1+} f(x) + \lim\limits_{x \to 2-} f(x)$의 값은? [3점]

① 1 ② 2 ③ 3 ④ 4 ⑤ 5

4. 함수 $f(x) = 2x^3 - 6x + a$의 극솟값이 2일 때, 상수 a의 값은?
[3점]

① 6 ② 7 ③ 8 ④ 9 ⑤ 10

5. 0이 아닌 모든 실수 h에 대하여 다항함수 $f(x)$에서 x의 값이 1에서 $1+h$까지 변할 때의 평균변화율이 h^2+2h+3일 때, $f'(1)$의 값은? [3점]

① 1　　② $\dfrac{3}{2}$　　③ 2　　④ $\dfrac{5}{2}$　　⑤ 3

6. 함수 $y=\log_{\frac{1}{2}}(x-a)+b$가 닫힌구간 $[2,\ 5]$에서 최댓값 3, 최솟값 1을 갖는다. $a+b$의 값은? (단, $a,\ b$는 상수이다.) [3점]

① 1　　② 2　　③ 3　　④ 4　　⑤ 5

7. 다항함수 $f(x)$에 대하여 곡선 $y=f(x)$ 위의 점 $(0,\ f(0))$에서의 접선의 방정식이 $y=3x-1$이다. 함수 $g(x)=(x+2)f(x)$에 대하여 $g'(0)$의 값은? [3점]

① 5　　② 6　　③ 7　　④ 8　　⑤ 9

8. 그림과 같이 함수 $y = a \tan b\pi x$의 그래프가
두 점 $(2, 3)$, $(8, 3)$을 지날 때, $a^2 \times b$의 값은?
(단, a, b는 양수이다.) [3점]

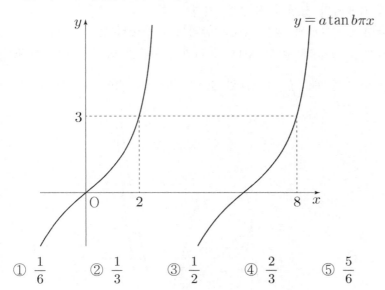

① $\dfrac{1}{6}$ ② $\dfrac{1}{3}$ ③ $\dfrac{1}{2}$ ④ $\dfrac{2}{3}$ ⑤ $\dfrac{5}{6}$

9. 함수 $f(x)$에 대하여 $f'(x) = 3x^2 - 4x + 1$이고
$\lim\limits_{x \to 0} \dfrac{1}{x} \displaystyle\int_0^x f(t) dt = 1$일 때, $f(2)$의 값은? [4점]

① 3   ② 4   ③ 5   ④ 6   ⑤ 7

10. 상수 $a(a > 1)$에 대하여 곡선 $y = a^x - 1$과
곡선 $y = \log_a(x+1)$이 원점 O를 포함한 서로 다른 두 점에서
만난다. 이 두 점 중 O가 아닌 점을 P라 하고, 점 P에서 x축에
내린 수선의 발을 H라 하자. 삼각형 OHP의 넓이가 2일 때,
a의 값은? [4점]

① $\sqrt{2}$ ② $\sqrt{3}$ ③ 2   ④ $\sqrt{5}$ ⑤ $\sqrt{6}$

수학 영역

11. $0 \le x \le 2\pi$일 때, 방정식 $2\sin^2 x - 3\cos x = k$의 서로 다른 실근의 개수가 3이다. 이 세 실근 중 가장 큰 실근을 α라 할 때, $k \times \alpha$의 값은? (단 k는 상수이다.) [4점]

① $\dfrac{7}{2}\pi$ ② 4π ③ $\dfrac{9}{2}\pi$ ④ 5π ⑤ $\dfrac{11}{2}\pi$

12. 그림과 같이 삼차함수 $f(x) = x^3 - 6x^2 + 8x + 1$의 그래프와 최고차항의 계수가 양수인 이차함수 $y = g(x)$의 그래프가 점 $A(0, 1)$, 점 $B(k, f(k))$에서 만나고, 곡선 $y = f(x)$ 위의 점 B에서의 접선이 점 A를 지난다.

곡선 $y = f(x)$와 직선 AB로 둘러싸인 부분의 넓이를 S_1, 곡선 $y = g(x)$와 직선 AB로 둘러싸인 부분의 넓이를 S_2라 하자.

$S_1 = S_2$일 때, $\displaystyle\int_0^k g(x)dx$의 값은? (단, k는 양수이다.) [4점]

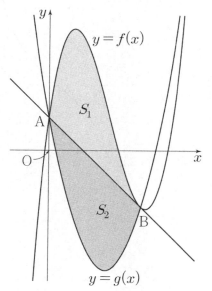

① $-\dfrac{17}{2}$ ② $-\dfrac{33}{4}$ ③ -8 ④ $-\dfrac{31}{4}$ ⑤ $-\dfrac{15}{2}$

13. 그림과 같이 닫힌구간 $[0, 2\pi]$에서 정의된 두 함수 $f(x) = k\sin x$, $g(x) = \cos x$에 대하여 곡선 $y = f(x)$와 곡선 $y = g(x)$가 만나는 서로 다른 두 점을 A, B라 하자. 선분 AB를 $3:1$로 외분하는 점을 C라 할 때, 점 C는 곡선 $y = f(x)$ 위에 있다. 점 C를 지나고 y축에 평행한 직선이 곡선 $y = g(x)$와 만나는 점을 D라 할 때, 삼각형 BCD의 넓이는? (단, k는 양수이고, 점 B의 x좌표는 점 A의 x좌표보다 크다.)

[4점]

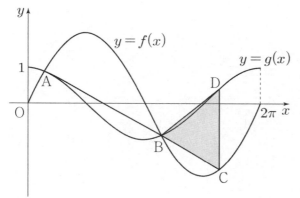

① $\dfrac{\sqrt{15}}{8}\pi$ ② $\dfrac{9\sqrt{5}}{40}\pi$ ③ $\dfrac{\sqrt{5}}{4}\pi$

④ $\dfrac{3\sqrt{10}}{16}\pi$ ⑤ $\dfrac{3\sqrt{5}}{10}\pi$

14. 양의 실수 t에 대하여 함수 $f(x)$를

$$f(x) = x^3 - 3t^2x$$

라 할 때, 닫힌구간 $[-2, 1]$에서 두 함수 $f(x)$, $|f(x)|$의 최댓값을 각각 $M_1(t)$, $M_2(t)$라 하자. 함수

$$g(t) = M_1(t) + M_2(t)$$

에 대하여 〈보기〉에서 옳은 것만을 있는 대로 고른 것은? [4점]

―――〈 보 기 〉―――

ㄱ. $g(2) = 32$

ㄴ. $g(t) = 2f(-t)$를 만족시키는 t의 최댓값과 최솟값의 합은 3이다.

ㄷ. $\displaystyle\lim_{h \to 0+} \frac{g\left(\frac{1}{2}+h\right) - g\left(\frac{1}{2}\right)}{h} - \lim_{h \to 0-} \frac{g\left(\frac{1}{2}+h\right) - g\left(\frac{1}{2}\right)}{h} = 5$

① ㄱ   ② ㄷ   ③ ㄱ, ㄴ

④ ㄴ, ㄷ   ⑤ ㄱ, ㄴ, ㄷ

15. 다음 조건을 만족시키는 모든 수열 $\{a_n\}$에 대하여 a_1의 최댓값을 M, 최솟값을 m이라 할 때, $\log_2 \dfrac{M}{m}$의 값은? [4점]

> (가) 모든 자연수 n에 대하여
> $$a_{n+1} = \begin{cases} 2^{n-2} & (a_n < 1) \\ \log_2 a_n & (a_n \geq 1) \end{cases}$$
> 이다.
> (나) $a_5 + a_6 = 1$

① 12   ② 13   ③ 14   ④ 15   ⑤ 16

단 답 형

16. $\lim\limits_{x \to 2} \dfrac{x^2 + x - 6}{x - 2}$의 값을 구하시오. [3점]

17. 함수 $y = 4^x$의 그래프를 x축의 방향으로 1만큼, y축의 방향으로 a만큼 평행이동한 그래프가 점 $\left(\dfrac{3}{2}, \ 5 \right)$를 지날 때, 상수 a의 값을 구하시오. [3점]

05회

18. 다항함수 $f(x)$가

$$\lim_{x \to \infty} \frac{xf(x) - 2x^3 + 1}{x^2} = 5, \quad f(0) = 1$$

을 만족시킬 때, $f(1)$의 값을 구하시오. [3점]

19. 수직선 위를 움직이는 점 P의 시각 $t(t > 0)$에서의 위치 $x(t)$가

$$x(t) = \frac{3}{2}t^4 - 8t^3 + 15t^2 - 12t$$

이다. 점 P의 운동 방향이 바뀌는 순간 점 P의 가속도를 구하시오. [3점]

20. 등차수열 $\{a_n\}$의 첫째항부터 제n항까지의 합을 S_n이라 하자. S_n이 다음 조건을 만족시킬 때, a_{13}의 값을 구하시오. [4점]

> (가) S_n은 $n = 7$, $n = 8$에서 최솟값을 갖는다.
>
> (나) $|S_m| = |S_{2m}| = 162$인 자연수 $m(m > 8)$이 존재한다.

21. 좌표평면 위의 두 점 $O(0, 0)$, $A(2, 0)$과 y좌표가 양수인 서로 다른 두 점 P, Q가 다음 조건을 만족시킨다.

> (가) $\overline{AP} = \overline{AQ} = 2\sqrt{15}$ 이고 $\overline{OP} > \overline{OQ}$ 이다.
>
> (나) $\cos(\angle OPA) = \cos(\angle OQA) = \dfrac{\sqrt{15}}{4}$

사각형 OAPQ의 넓이가 $\dfrac{q}{p}\sqrt{15}$ 일 때, $p \times q$의 값을 구하시오. (단, p와 q는 서로소인 자연수이다.) [4점]

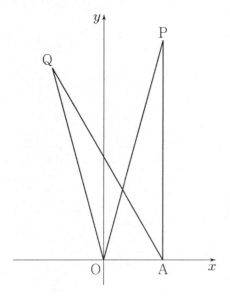

22. 두 상수 a, $b(b \neq 1)$과 이차함수 $f(x)$에 대하여 함수 $g(x)$가 다음 조건을 만족시킨다.

> (가) 함수 $g(x)$는 실수 전체의 집합에서 미분가능하고, 도함수 $g'(x)$는 실수 전체의 집합에서 연속이다.
>
> (나) $|x| < 2$일 때, $g(x) = \displaystyle\int_0^x (-t + a)dt$ 이고 $|x| \geq 2$일 때, $|g'(x)| = f(x)$이다.
>
> (다) 함수 $g(x)$는 $x = 1$, $x = b$에서 극값을 갖는다.

$g(k) = 0$을 만족시키는 모든 실수 k의 값의 합이 $p + q\sqrt{3}$일 때, $p \times q$의 값을 구하시오. (단, p와 q는 유리수이다.) [4점]

> * 확인 사항
>
> ○ 답안지의 해당란에 필요한 내용을 정확히 기입(표기)했는지 확인하시오.
>
> ○ 이어서, 「**선택과목(확률과 통계)**」 문제가 제시되오니, 자신이 선택한 과목인지 확인하시오.

제 2 교시

수학 영역(확률과 통계)

05회

5 지선 다형

23. $_3\Pi_2 + _2H_3$의 값은? [2점]

① 13   ② 14   ③ 15   ④ 16   ⑤ 17

24. 전체집합 $U = \{1,\ 2,\ 3,\ 4,\ 5,\ 6\}$의 두 부분집합 A, B에 대하여

$$n(A \cup B) = 5, \quad A \cap B = \varnothing$$

을 만족시키는 집합 A, B의 모든 순서쌍 $(A,\ B)$의 개수는? [3점]

① 168   ② 174   ③ 180   ④ 186   ⑤ 192

25. 세 학생 A, B, C를 포함한 7명의 학생이 있다. 이 7명의 학생 중에서 A, B, C를 포함하여 5명을 선택하고, 이 5명의 학생 모두를 일정한 간격으로 원 모양의 탁자에 둘러앉게 하는 경우의 수는? (단, 회전하여 일치하는 것은 같은 것으로 본다.)

[3점]

① 120 ② 132 ③ 144 ④ 156 ⑤ 168

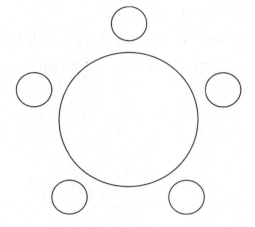

26. 방정식 $3x+y+z+w=11$을 만족시키는 자연수 x, y, z, w의 모든 순서쌍 $(x,\ y,\ z,\ w)$의 개수는? [3점]

① 24 ② 27 ③ 30 ④ 33 ⑤ 36

05회

27. 양수 a에 대하여 $\left(ax - \dfrac{2}{ax}\right)^7$의 전개식에서 각 항의 계수의

총합이 1일 때, $\dfrac{1}{x}$의 계수는? [3점]

① 70 ② 140 ③ 210 ④ 280 ⑤ 350

28. 숫자 1, 1, 2, 2, 2, 3, 3, 4가 하나씩 적혀 있는 8장의 카드가 있다. 이 8장의 카드 중에서 7장을 택하여 이 7장의 카드 모두를 일렬로 나열할 때, 서로 이웃한 2장의 카드에 적혀 있는 수의 곱 모두가 짝수가 되도록 나열하는 경우의 수는? (단, 같은 숫자가 적힌 카드끼리는 서로 구별하지 않는다.) [4점]

① 264 ② 268 ③ 272 ④ 276 ⑤ 280

29. 두 집합

$$X = \{1, 2, 3, 4, 5, 6, 7, 8\}, \quad Y = \{1, 2, 3, 4, 5\}$$

에 대하여 다음 조건을 만족시키는 X에서 Y로의 함수 f의 개수를 구하시오. [4점]

(가) $f(4) = f(1) + f(2) + f(3)$

(나) $2f(4) = f(5) + f(6) + f(7) + f(8)$

30. 세 문자 a, b, c 중에서 중복을 허락하여 각각 5개 이하씩 모두 7개를 택해 다음 조건을 만족시키는 7자리의 문자열을 만들려고 한다.

(가) 한 문자가 연달아 3개 이어지고 그 문자는 a뿐이다.

(나) 어느 한 문자도 연달아 4개 이상 이어지지 않는다.

예를 들어, *baaacca*, *ccbbaaa*는 조건을 만족시키는 문자열이고 *aabbcca*, *aaabccc*, *ccbaaaa*는 조건을 만족시키지 않는 문자열이다. 만들 수 있는 모든 문자열의 개수를 구하시오. [4점]

5 지 선 다 형

23. $\lim_{n\to\infty}(\sqrt{4n^2+3n}-\sqrt{4n^2+1})$의 값은? [2점]

① $\frac{1}{2}$　　② $\frac{3}{4}$　　③ 1　　④ $\frac{5}{4}$　　⑤ $\frac{3}{2}$

24. 함수 $f(x)=e^x(2\sin x+\cos x)$에 대하여 $f'(0)$의 값은? [3점]

① 3　　② 4　　③ 5　　④ 6　　⑤ 7

25. 수열 $\{a_n\}$에 대하여 급수 $\displaystyle\sum_{n=1}^{\infty}\left(a_n-\frac{2^{n+1}}{2^n+1}\right)$이 수렴할 때,

$\displaystyle\lim_{n\to\infty}\frac{2^n\times a_n+5\times 2^{n+1}}{2^n+3}$의 값은? [3점]

① 6   ② 8   ③ 10   ④ 12   ⑤ 14

26. 두 함수 $f(x)=a^x$, $g(x)=2\log_b x$에 대하여

$$\lim_{x\to e}\frac{f(x)-g(x)}{x-e}=0$$

일 때, $a\times b$의 값은? (단, a와 b는 1보다 큰 상수이다.) [3점]

① $e^{\frac{1}{e}}$ ② $e^{\frac{2}{e}}$ ③ $e^{\frac{3}{e}}$ ④ $e^{\frac{4}{e}}$ ⑤ $e^{\frac{5}{e}}$

27. 그림과 같이 좌표평면 위에 점 $A(0, 1)$을 중심으로 하고 반지름의 길이가 1인 원 C가 있다. 원점 O를 지나고 x축의 양의 방향과 이루는 각의 크기가 θ인 직선이 원 C와 만나는 점 중 O가 아닌 점을 P라 하고, 호 OP 위에 점 Q를 $\angle OPQ = \dfrac{\theta}{3}$가 되도록 잡는다. 삼각형 POQ의 넓이를 $f(\theta)$라 할 때, $\displaystyle\lim_{\theta \to 0+} \dfrac{f(\theta)}{\theta^3}$의 값은? (단, 점 Q는 제1사분면 위의 점이고, $0 < \theta < \pi$이다.) [3점]

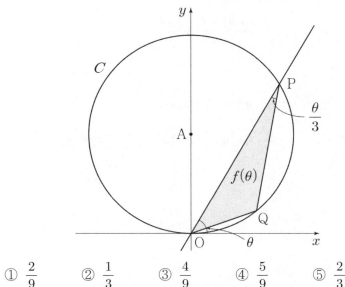

① $\dfrac{2}{9}$ ② $\dfrac{1}{3}$ ③ $\dfrac{4}{9}$ ④ $\dfrac{5}{9}$ ⑤ $\dfrac{2}{3}$

28. 그림과 같이 $\overline{AB_1} = 2$, $\overline{B_1C_1} = \sqrt{3}$, $\overline{C_1D_1} = 1$이고 $\angle C_1B_1A = \dfrac{\pi}{2}$인 사다리꼴 $AB_1C_1D_1$이 있다. 세 점 A, B_1, D_1을 지나는 원이 선분 B_1C_1과 만나는 점 중 B_1이 아닌 점을 E_1이라 할 때, 두 선분 C_1D_1, C_1E_1과 호 E_1D_1로 둘러싸인 부분과 선분 B_1E_1과 호 B_1E_1로 둘러싸인 부분인 〕모양의 도형에 색칠하여 얻은 그림을 R_1이라 하자.

그림 R_1에서 선분 AB_1 위의 점 B_2, 호 E_1D_1 위의 점 C_2, 선분 AD_1 위의 점 D_2와 점 A를 꼭짓점으로 하고 $\overline{B_2C_2} : \overline{C_2D_2} = \sqrt{3} : 1$이고 $\angle C_2B_2A = \dfrac{\pi}{2}$인 사다리꼴 $AB_2C_2D_2$를 그린다. 그림 R_1을 얻은 것과 같은 방법으로 점 E_2를 잡고, 사다리꼴 $AB_2C_2D_2$에 〕모양의 도형을 그리고 색칠하여 얻은 그림을 R_2라 하자.

이와 같은 과정을 계속하여 n번째 얻은 그림 R_n에 색칠되어 있는 부분의 넓이를 S_n이라 할 때, $\displaystyle\lim_{n \to \infty} S_n$의 값은? [4점]

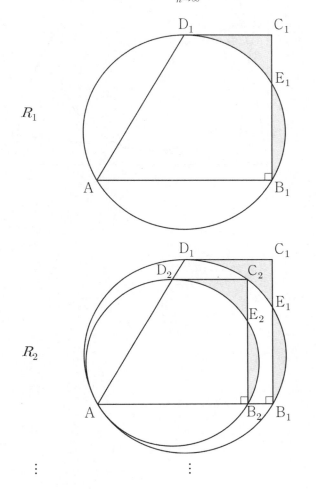

① $\dfrac{49}{144}\sqrt{3}$ ② $\dfrac{49}{122}\sqrt{3}$ ③ $\dfrac{49}{100}\sqrt{3}$

④ $\dfrac{49}{78}\sqrt{3}$ ⑤ $\dfrac{7}{8}\sqrt{3}$

단 답 형

29. 그림과 같이 중심이 O, 반지름의 길이가 8이고 중심각의 크기가 $\frac{\pi}{2}$인 부채꼴 OAB가 있다. 호 AB 위의 점 C에 대하여 점 B에서 선분 OC에 내린 수선의 발을 D라 하고, 두 선분 BD, CD와 호 BC에 동시에 접하는 원을 C라 하자. 점 O에서 원 C에 그은 접선 중 점 C를 지나지 않는 직선이 호 AB와 만나는 점을 E라 할 때, $\cos(\angle\text{COE}) = \frac{7}{25}$이다.

$\sin(\angle\text{AOE}) = p + q\sqrt{7}$일 때, $200 \times (p+q)$의 값을 구하시오. (단, p와 q는 유리수이고, 점 C는 점 B가 아니다.) [4점]

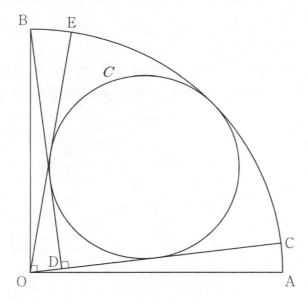

30. $x \geq 0$에서 정의된 함수 $f(x)$가 다음 조건을 만족시킨다.

(가) $f(x) = \begin{cases} 2^x - 1 & (0 \leq x \leq 1) \\ 4 \times \left(\frac{1}{2}\right)^x - 1 & (1 < x \leq 2) \end{cases}$

(나) 모든 양의 실수 x에 대하여 $f(x+2) = -\frac{1}{2}f(x)$이다.

$x > 0$에서 정의된 함수 $g(x)$를

$$g(x) = \lim_{h \to 0+} \frac{f(x+h) - f(x-h)}{h}$$

라 할 때,

$$\lim_{t \to 0+} \{g(n+t) - g(n-t)\} + 2g(n) = \frac{\ln 2}{2^{24}}$$

를 만족시키는 모든 자연수 n의 값의 합을 구하시오. [4점]

* 확인 사항
○ 답안지의 해당란에 필요한 내용을 정확히 기입(표기)했는지 확인 하시오.

수학 영역

5지선다형

1. $\left(\dfrac{5}{\sqrt[3]{25}}\right)^{\frac{3}{2}}$ 의 값은? [2점]

① $\dfrac{1}{5}$ ② $\dfrac{\sqrt{5}}{5}$ ③ 1 ④ $\sqrt{5}$ ⑤ 5

2. 함수 $f(x) = x^2 + x + 2$ 에 대하여 $\displaystyle\lim_{h \to 0}\dfrac{f(2+h) - f(2)}{h}$ 의 값은? [2점]

① 1 ② 2 ③ 3 ④ 4 ⑤ 5

3. 수열 $\{a_n\}$ 에 대하여 $\displaystyle\sum_{k=1}^{5}(a_k + 1) = 9$ 이고 $a_6 = 4$ 일 때,

$\displaystyle\sum_{k=1}^{6} a_k$ 의 값은? [3점]

① 6 ② 7 ③ 8 ④ 9 ⑤ 10

4. 함수 $y = f(x)$ 의 그래프가 그림과 같다.

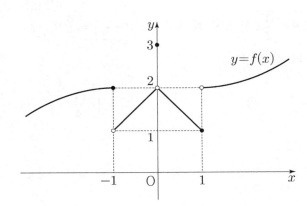

$\displaystyle\lim_{x \to 0+} f(x) + \lim_{x \to 1-} f(x)$ 의 값은? [3점]

① 1 ② 2 ③ 3 ④ 4 ⑤ 5

5. 함수 $f(x) = (x^2-1)(x^2+2x+2)$ 에 대하여 $f'(1)$ 의 값은?

[3점]

① 6   ② 7   ③ 8   ④ 9   ⑤ 10

6. $\pi < \theta < \dfrac{3}{2}\pi$ 인 θ 에 대하여 $\sin\left(\theta - \dfrac{\pi}{2}\right) = \dfrac{3}{5}$ 일 때, $\sin\theta$ 의 값은? [3점]

① $-\dfrac{4}{5}$ ② $-\dfrac{3}{5}$ ③ $\dfrac{3}{5}$ ④ $\dfrac{3}{4}$ ⑤ $\dfrac{4}{5}$

7. x 에 대한 방정식 $x^3-3x^2-9x+k=0$ 의 서로 다른 실근의 개수가 2가 되도록 하는 모든 실수 k 의 값의 합은? [3점]

① 13   ② 16   ③ 19   ④ 22   ⑤ 25

8. $a_1 a_2 < 0$인 등비수열 $\{a_n\}$에 대하여

$$a_6 = 16, \quad 2a_8 - 3a_7 = 32$$

일 때, $a_9 + a_{11}$의 값은? [3점]

① $-\dfrac{5}{2}$　② $-\dfrac{3}{2}$　③ $-\dfrac{1}{2}$　④ $\dfrac{1}{2}$　⑤ $\dfrac{3}{2}$

9. 함수

$$f(x) = \begin{cases} x - \dfrac{1}{2} & (x < 0) \\ -x^2 + 3 & (x \geq 0) \end{cases}$$

에 대하여 함수 $(f(x) + a)^2$이 실수 전체의 집합에서 연속일 때, 상수 a의 값은? [4점]

① $-\dfrac{9}{4}$　② $-\dfrac{7}{4}$　③ $-\dfrac{5}{4}$　④ $-\dfrac{3}{4}$　⑤ $-\dfrac{1}{4}$

10. 다음 조건을 만족시키는 삼각형 ABC의 외접원의 넓이가 9π일 때, 삼각형 ABC의 넓이는? [4점]

(가) $3\sin A = 2\sin B$
(나) $\cos B = \cos C$

① $\dfrac{32}{9}\sqrt{2}$　　② $\dfrac{40}{9}\sqrt{2}$　　③ $\dfrac{16}{3}\sqrt{2}$

④ $\dfrac{56}{9}\sqrt{2}$　　⑤ $\dfrac{64}{9}\sqrt{2}$

11. 최고차항의 계수가 1이고 $f(0)=0$인 삼차함수 $f(x)$가

$$\lim_{x \to a} \frac{f(x)-1}{x-a} = 3$$

을 만족시킨다. 곡선 $y=f(x)$ 위의 점 $(a,\,f(a))$에서의 접선의 y절편이 4일 때, $f(1)$의 값은? (단, a는 상수이다.) [4점]

① -1 ② -2 ③ -3 ④ -4 ⑤ -5

12. 그림과 같이 곡선 $y=1-2^{-x}$ 위의 제1사분면에 있는 점 A를 지나고 y축에 평행한 직선이 곡선 $y=2^x$과 만나는 점을 B라 하자. 점 A를 지나고 x축에 평행한 직선이 곡선 $y=2^x$과 만나는 점을 C, 점 C를 지나고 y축에 평행한 직선이 곡선 $y=1-2^{-x}$과 만나는 점을 D라 하자. $\overline{AB}=2\overline{CD}$일 때, 사각형 ABCD의 넓이는? [4점]

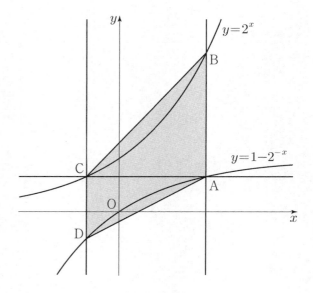

① $\dfrac{5}{2}\log_2 3 - \dfrac{5}{4}$ ② $3\log_2 3 - \dfrac{3}{2}$ ③ $\dfrac{7}{2}\log_2 3 - \dfrac{7}{4}$

④ $4\log_2 3 - 2$ ⑤ $\dfrac{9}{2}\log_2 3 - \dfrac{9}{4}$

13. 곡선 $y = \frac{1}{4}x^3 + \frac{1}{2}x$ 와 직선 $y = mx + 2$ 및 y축으로

둘러싸인 부분의 넓이를 A, 곡선 $y = \frac{1}{4}x^3 + \frac{1}{2}x$ 와 두 직선

$y = mx + 2$, $x = 2$ 로 둘러싸인 부분의 넓이를 B 라 하자.

$B - A = \frac{2}{3}$ 일 때, 상수 m 의 값은? (단, $m < -1$) [4점]

① $-\frac{3}{2}$　② $-\frac{17}{12}$　③ $-\frac{4}{3}$　④ $-\frac{5}{4}$　⑤ $-\frac{7}{6}$

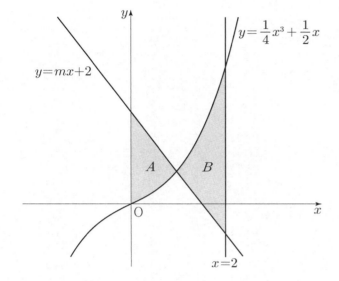

14. 다음 조건을 만족시키는 모든 자연수 k의 값의 합은? [4점]

> $\log_2 \sqrt{-n^2 + 10n + 75} - \log_4 (75 - kn)$ 의 값이 양수가
> 되도록 하는 자연수 n의 개수가 12이다.

① 6　② 7　③ 8　④ 9　⑤ 10

15. 최고차항의 계수가 1인 삼차함수 $f(x)$와 상수 $k\,(k \geq 0)$에 대하여 함수

$$g(x) = \begin{cases} 2x-k & (x \leq k) \\ f(x) & (x > k) \end{cases}$$

가 다음 조건을 만족시킨다.

(가) 함수 $g(x)$는 실수 전체의 집합에서 증가하고 미분가능하다.

(나) 모든 실수 x에 대하여

$\displaystyle\int_0^x g(t)\left\{|t(t-1)|+t(t-1)\right\}dt \geq 0$이고

$\displaystyle\int_3^x g(t)\left\{|(t-1)(t+2)|-(t-1)(t+2)\right\}dt \geq 0$이다.

$g(k+1)$의 최솟값은? [4점]

① $4-\sqrt{6}$　　② $5-\sqrt{6}$　　③ $6-\sqrt{6}$

④ $7-\sqrt{6}$　　⑤ $8-\sqrt{6}$

16. 방정식 $\log_2(x+1)-5 = \log_{\frac{1}{2}}(x-3)$을 만족시키는 실수 x의 값을 구하시오. [3점]

17. 함수 $f(x)$에 대하여 $f'(x) = 6x^2+2$이고 $f(0) = 3$일 때, $f(2)$의 값을 구하시오. [3점]

18. $\displaystyle\sum_{k=1}^{9}\left(ak^2-10k\right)=120$ 일 때, 상수 a의 값을 구하시오. [3점]

19. 시각 $t=0$일 때 원점을 출발하여 수직선 위를 움직이는 점 P의 시각 $t\,(t\geq 0)$에서의 속도 $v(t)$가

$$v(t)=\begin{cases} -t^2+t+2 & (0\leq t\leq 3)\\ k(t-3)-4 & (t>3) \end{cases}$$

이다. 출발한 후 점 P의 운동 방향이 두 번째로 바뀌는 시각에서의 점 P의 위치가 1일 때, 양수 k의 값을 구하시오.

[3점]

20. 5 이하의 두 자연수 a, b에 대하여 열린구간 $(0,\,2\pi)$에서 정의된 함수 $y=a\sin x+b$의 그래프가 직선 $x=\pi$와 만나는 점의 집합을 A라 하고, 두 직선 $y=1$, $y=3$과 만나는 점의 집합을 각각 B, C라 하자. $n(A\cup B\cup C)=3$이 되도록 하는 a, b의 순서쌍 $(a,\,b)$에 대하여 $a+b$의 최댓값을 M, 최솟값을 m이라 할 때, $M\times m$의 값을 구하시오. [4점]

21. 최고차항의 계수가 1인 사차함수 $f(x)$가 다음 조건을 만족시킨다.

> (가) $f'(a) \leq 0$인 실수 a의 최댓값은 2이다.
>
> (나) 집합 $\{x \mid f(x) = k\}$의 원소의 개수가 3 이상이 되도록 하는 실수 k의 최솟값은 $\dfrac{8}{3}$이다.

$f(0) = 0$, $f'(1) = 0$일 때, $f(3)$의 값을 구하시오. [4점]

22. 수열 $\{a_n\}$은

$$a_2 = -a_1$$

이고, $n \geq 2$인 모든 자연수 n에 대하여

$$a_{n+1} = \begin{cases} a_n - \sqrt{n} \times a_{\sqrt{n}} & (\sqrt{n} \text{이 자연수이고 } a_n > 0 \text{인 경우}) \\ a_n + 1 & (\text{그 외의 경우}) \end{cases}$$

를 만족시킨다. $a_{15} = 1$이 되도록 하는 모든 a_1의 값의 곱을 구하시오. [4점]

---

* 확인 사항

○ 답안지의 해당란에 필요한 내용을 정확히 기입(표기)했는지 확인 하시오.

○ 이어서, 「**선택과목(확률과 통계)**」 문제가 제시되오니, 자신이 선택한 과목인지 확인하시오.

제 2 교시

수학 영역(확률과 통계)

06회

5지선다형

23. 네 개의 숫자 1, 1, 2, 3을 모두 일렬로 나열하는 경우의 수는? [2점]

① 8 　　② 10 　　③ 12 　　④ 14 　　⑤ 16

24. 두 사건 A, B는 서로 배반사건이고

$$P(A^C) = \frac{5}{6}, \quad P(A \cup B) = \frac{3}{4}$$

일 때, $P(B^C)$의 값은? [3점]

① $\frac{3}{8}$ 　　② $\frac{5}{12}$ 　　③ $\frac{11}{24}$ 　　④ $\frac{1}{2}$ 　　⑤ $\frac{13}{24}$

25. 다항식 $(x^2 - 2)^5$의 전개식에서 x^6의 계수는? [3점]

① -50 ② -20 ③ 10 ④ 40 ⑤ 70

26. 문자 a, b, c, d 중에서 중복을 허락하여 4개를 택해 일렬로 나열하여 만들 수 있는 모든 문자열 중에서 임의로 하나를 선택할 때, 문자 a가 한 개만 포함되거나 문자 b가 한 개만 포함된 문자열이 선택될 확률은? [3점]

① $\dfrac{5}{8}$ ② $\dfrac{41}{64}$ ③ $\dfrac{21}{32}$ ④ $\dfrac{43}{64}$ ⑤ $\dfrac{11}{16}$

27. 1부터 6까지의 자연수가 하나씩 적혀 있는 6개의 의자가 있다. 이 6개의 의자를 일정한 간격을 두고 원형으로 배열할 때, 서로 이웃한 2개의 의자에 적혀 있는 수의 합이 11이 되지 않도록 배열하는 경우의 수는?

(단, 회전하여 일치하는 것은 같은 것으로 본다.) [3점]

① 72   ② 78   ③ 84   ④ 90   ⑤ 96

28. 탁자 위에 놓인 4개의 동전에 대하여 다음 시행을 한다.

> 4개의 동전 중 임의로 한 개의 동전을 택하여 한 번 뒤집는다.

처음에 3개의 동전은 앞면이 보이도록, 1개의 동전은 뒷면이 보이도록 놓여 있다. 위의 시행을 5번 반복한 후 4개의 동전이 모두 같은 면이 보이도록 놓여 있을 때, 모두 앞면이 보이도록 놓여 있을 확률은? [4점]

① $\dfrac{17}{32}$ ② $\dfrac{35}{64}$ ③ $\dfrac{9}{16}$ ④ $\dfrac{37}{64}$ ⑤ $\dfrac{19}{32}$

앞면   앞면   앞면   뒷면

단답형

29. 40개의 공이 들어 있는 주머니가 있다. 각각의 공은
흰 공 또는 검은 공 중 하나이다.
이 주머니에서 임의로 2개의 공을 동시에 꺼낼 때,
흰 공 2개를 꺼낼 확률을 p, 흰 공 1개와 검은 공 1개를
꺼낼 확률을 q, 검은 공 2개를 꺼낼 확률을 r이라 하자.
$p=q$일 때, $60r$의 값을 구하시오. (단, $p>0$) [4점]

30. 집합 $X=\{-2,-1,0,1,2\}$에 대하여 다음 조건을
만족시키는 함수 $f:X\to X$의 개수를 구하시오. [4점]

> (가) X의 모든 원소 x에 대하여 $x+f(x)\in X$이다.
> (나) $x=-2,-1,0,1$일 때 $f(x)\ge f(x+1)$이다.

* 확인 사항

○ 답안지의 해당란에 필요한 내용을 정확히 기입(표기)했는지 확인
하시오.

○ 이어서, 「**선택과목(미적분)**」 문제가 제시되오니, 자신이 선택한
과목인지 확인하시오.

제 2 교시 **수학 영역(미적분)** 06회

5지선다형

23. $\lim\limits_{n\to\infty}\dfrac{\left(\dfrac{1}{2}\right)^{n}+\left(\dfrac{1}{3}\right)^{n+1}}{\left(\dfrac{1}{2}\right)^{n+1}+\left(\dfrac{1}{3}\right)^{n}}$ 의 값은? [2점]

① 1   ② 2   ③ 3   ④ 4   ⑤ 5

24. 곡선 $x\sin 2y+3x=3$ 위의 점 $\left(1,\dfrac{\pi}{2}\right)$ 에서의 접선의 기울기는? [3점]

① $\dfrac{1}{2}$ ② 1   ③ $\dfrac{3}{2}$ ④ 2   ⑤ $\dfrac{5}{2}$

25. 수열 $\{a_n\}$이

$$\sum_{n=1}^{\infty}\left(a_n - \frac{3n^2-n}{2n^2+1}\right) = 2$$

를 만족시킬 때, $\lim_{n \to \infty}\left(a_n^2 + 2a_n\right)$의 값은? [3점]

① $\dfrac{17}{4}$　② $\dfrac{19}{4}$　③ $\dfrac{21}{4}$　④ $\dfrac{23}{4}$　⑤ $\dfrac{25}{4}$

26. 양수 t에 대하여 곡선 $y = e^{x^2} - 1 \, (x \geq 0)$이 두 직선 $y = t$, $y = 5t$와 만나는 점을 각각 A, B라 하고, 점 B에서 x축에 내린 수선의 발을 C라 하자. 삼각형 ABC의 넓이를 $S(t)$라 할 때, $\lim_{t \to 0+} \dfrac{S(t)}{t\sqrt{t}}$의 값은? [3점]

① $\dfrac{5}{4}\left(\sqrt{5}-1\right)$　② $\dfrac{5}{2}\left(\sqrt{5}-1\right)$　③ $5\left(\sqrt{5}-1\right)$

④ $\dfrac{5}{4}\left(\sqrt{5}+1\right)$　⑤ $\dfrac{5}{2}\left(\sqrt{5}+1\right)$

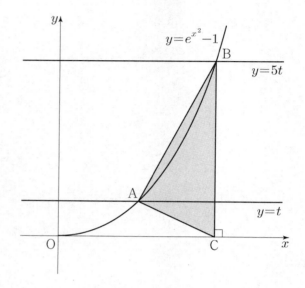

[해설편 p.064]

27. 상수 $a(a>1)$과 실수 $t(t>0)$에 대하여 곡선 $y=a^x$ 위의 점 $\mathrm{A}(t,\,a^t)$에서의 접선을 l이라 하자. 점 A를 지나고 직선 l에 수직인 직선이 x축과 만나는 점을 B, y축과 만나는 점을 C라 하자. $\dfrac{\overline{\mathrm{AC}}}{\overline{\mathrm{AB}}}$의 값이 $t=1$에서 최대일 때, a의 값은? [3점]

① $\sqrt{2}$ ② $\sqrt{e}$ ③ 2 ④ $\sqrt{2e}$ ⑤ e

28. 함수 $f(x)$가

$$f(x)=\begin{cases}(x-a-2)^2e^x & (x\ge a)\\ e^{2a}(x-a)+4e^a & (x<a)\end{cases}$$

일 때, 실수 t에 대하여 $f(x)=t$를 만족시키는 x의 최솟값을 $g(t)$라 하자.

함수 $g(t)$가 $t=12$에서만 불연속일 때, $\dfrac{g'(f(a+2))}{g'(f(a+6))}$의 값은? (단, a는 상수이다.) [4점]

① $6e^4$ ② $9e^4$ ③ $12e^4$ ④ $8e^6$ ⑤ $10e^6$

29. 함수 $f(x) = \dfrac{1}{3}x^3 - x^2 + \ln(1+x^2) + a$ (a는 상수)와

두 양수 b, c에 대하여 함수

$$g(x) = \begin{cases} f(x) & (x \geq b) \\ -f(x-c) & (x < b) \end{cases}$$

는 실수 전체의 집합에서 미분가능하다.

$a+b+c = p+q\ln 2$일 때, $30(p+q)$의 값을 구하시오.

(단, p, q는 유리수이고, $\ln 2$는 무리수이다.) [4점]

30. 함수 $y = \dfrac{\sqrt{x}}{10}$의 그래프와 함수 $y = \tan x$의 그래프가

만나는 모든 점의 x좌표를 작은 수부터 크기순으로 나열할 때,

n번째 수를 a_n이라 하자.

$$\frac{1}{\pi^2} \times \lim_{n \to \infty} a_n^3 \tan^2(a_{n+1} - a_n)$$

의 값을 구하시오. [4점]

---

* 확인 사항

○ 답안지의 해당란에 필요한 내용을 정확히 기입(표기)했는지 확인
  하시오.

[해설편 p.065]

수학 영역

● 문항수 30개 | 배점 100점 | 제한 시간 100분

● 배점은 2점, 3점 또는 4점

07회

5 지 선 다 형

1. $\sqrt[3]{27} \times 4^{-\frac{1}{2}}$ 의 값은? [2점]

① $\dfrac{1}{2}$ ② $\dfrac{3}{4}$ ③ 1 ④ $\dfrac{5}{4}$ ⑤ $\dfrac{3}{2}$

2. 함수 $f(x) = x^2 - 2x + 3$ 에 대하여 $\displaystyle\lim_{h \to 0}\dfrac{f(3+h)-f(3)}{h}$ 의 값은? [2점]

① 1 ② 2 ③ 3 ④ 4 ⑤ 5

3. 수열 $\{a_n\}$ 에 대하여 $\displaystyle\sum_{k=1}^{10}(2a_k + 3) = 60$ 일 때, $\displaystyle\sum_{k=1}^{10}a_k$ 의 값은? [3점]

① 10 ② 15 ③ 20 ④ 25 ⑤ 30

4. 실수 전체의 집합에서 연속인 함수 $f(x)$ 가

$$\lim_{x \to 1}f(x) = 4 - f(1)$$

을 만족시킬 때, $f(1)$ 의 값은? [3점]

① 1 ② 2 ③ 3 ④ 4 ⑤ 5

5. 다항함수 $f(x)$에 대하여 함수 $g(x)$를

$$g(x) = (x^3 + 1)f(x)$$

라 하자. $f(1) = 2$, $f'(1) = 3$일 때, $g'(1)$의 값은? [3점]

① 12　　② 14　　③ 16　　④ 18　　⑤ 20

6. $\cos\theta < 0$이고 $\sin(-\theta) = \dfrac{1}{7}\cos\theta$일 때, $\sin\theta$의 값은? [3점]

① $-\dfrac{3\sqrt{2}}{10}$　　② $-\dfrac{\sqrt{2}}{10}$　　③ 0

④ $\dfrac{\sqrt{2}}{10}$　　⑤ $\dfrac{3\sqrt{2}}{10}$

7. 상수 $a\,(a > 2)$에 대하여 함수 $y = \log_2(x - a)$의 그래프의 점근선이 두 곡선 $y = \log_2\dfrac{x}{4}$, $y = \log_{\frac{1}{2}}x$와 만나는 점을 각각 A, B라 하자. $\overline{AB} = 4$일 때, a의 값은? [3점]

① 4　　② 6　　③ 8　　④ 10　　⑤ 12

8. 두 곡선 $y = 2x^2 - 1$, $y = x^3 - x^2 + k$가 만나는 점의 개수가 2가 되도록 하는 양수 k의 값은? [3점]

① 1   ② 2   ③ 3   ④ 4   ⑤ 5

9. 수열 $\{a_n\}$이 모든 자연수 n에 대하여

$$\sum_{k=1}^{n} \frac{1}{(2k-1)a_k} = n^2 + 2n$$

을 만족시킬 때, $\displaystyle\sum_{n=1}^{10} a_n$의 값은? [4점]

① $\dfrac{10}{21}$ ② $\dfrac{4}{7}$ ③ $\dfrac{2}{3}$ ④ $\dfrac{16}{21}$ ⑤ $\dfrac{6}{7}$

10. 양수 k에 대하여 함수 $f(x)$는

$$f(x) = kx(x-2)(x-3)$$

이다. 곡선 $y = f(x)$와 x축이 원점 O와 두 점 P, Q($\overline{\mathrm{OP}} < \overline{\mathrm{OQ}}$)에서 만난다. 곡선 $y = f(x)$와 선분 OP로 둘러싸인 영역을 A, 곡선 $y = f(x)$와 선분 PQ로 둘러싸인 영역을 B라 하자.

$$(A\text{의 넓이}) - (B\text{의 넓이}) = 3$$

일 때, k의 값은? [4점]

① $\dfrac{7}{6}$ ② $\dfrac{4}{3}$ ③ $\dfrac{3}{2}$ ④ $\dfrac{5}{3}$ ⑤ $\dfrac{11}{6}$

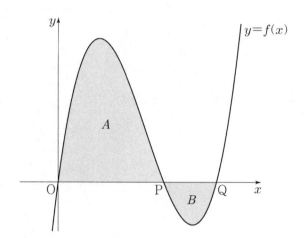

07회

11. 그림과 같이 실수 $t\,(0<t<1)$에 대하여 곡선 $y=x^2$ 위의 점 중에서 직선 $y=2tx-1$과의 거리가 최소인 점을 P라 하고, 직선 OP가 직선 $y=2tx-1$과 만나는 점을 Q라 할 때, $\lim\limits_{t\to 1^-}\dfrac{\overline{PQ}}{1-t}$ 의 값은? (단, O는 원점이다.) [4점]

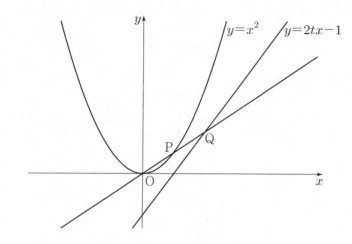

① $\sqrt{6}$　② $\sqrt{7}$　③ $2\sqrt{2}$　④ 3　⑤ $\sqrt{10}$

12. $a_2=-4$이고 공차가 0이 아닌 등차수열 $\{a_n\}$에 대하여 수열 $\{b_n\}$을 $b_n=a_n+a_{n+1}\,(n\geq 1)$이라 하고, 두 집합 A, B를

$$A=\{a_1,\,a_2,\,a_3,\,a_4,\,a_5\},\quad B=\{b_1,\,b_2,\,b_3,\,b_4,\,b_5\}$$

라 하자. $n(A\cap B)=3$이 되도록 하는 모든 수열 $\{a_n\}$에 대하여 a_{20}의 값의 합은? [4점]

① 30　② 34　③ 38　④ 42　⑤ 46

13. 그림과 같이

$$\overline{BC}=3,\ \overline{CD}=2,\ \cos(\angle BCD)=-\frac{1}{3},\ \angle DAB>\frac{\pi}{2}$$

인 사각형 ABCD에서 두 삼각형 ABC와 ACD는 모두
예각삼각형이다. 선분 AC를 1:2로 내분하는 점 E에 대하여
선분 AE를 지름으로 하는 원이 두 선분 AB, AD와 만나는
점 중 A가 아닌 점을 각각 P_1, P_2라 하고,
선분 CE를 지름으로 하는 원이 두 선분 BC, CD와 만나는
점 중 C가 아닌 점을 각각 Q_1, Q_2라 하자.
$\overline{P_1P_2}:\overline{Q_1Q_2}=3:5\sqrt{2}$ 이고 삼각형 ABD의 넓이가 2일 때,
$\overline{AB}+\overline{AD}$의 값은? (단, $\overline{AB}>\overline{AD}$) [4점]

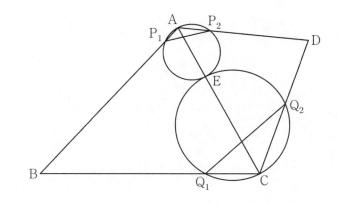

① $\sqrt{21}$ ② $\sqrt{22}$ ③ $\sqrt{23}$ ④ $2\sqrt{6}$ ⑤ 5

14. 실수 $a(a\geq0)$에 대하여 수직선 위를 움직이는 점 P의
시각 $t(t\geq0)$에서의 속도 $v(t)$를

$$v(t)=-t(t-1)(t-a)(t-2a)$$

라 하자. 점 P가 시각 $t=0$일 때 출발한 후 운동 방향을
한 번만 바꾸도록 하는 a에 대하여, 시각 $t=0$에서 $t=2$까지
점 P의 위치의 변화량의 최댓값은? [4점]

① $\frac{1}{5}$ ② $\frac{7}{30}$ ③ $\frac{4}{15}$ ④ $\frac{3}{10}$ ⑤ $\frac{1}{3}$

15. 자연수 k에 대하여 다음 조건을 만족시키는 수열 $\{a_n\}$이 있다.

$a_1 = k$이고, 모든 자연수 n에 대하여

$$a_{n+1} = \begin{cases} a_n + 2n - k & (a_n \leq 0) \\ a_n - 2n - k & (a_n > 0) \end{cases}$$

이다.

$a_3 \times a_4 \times a_5 \times a_6 < 0$이 되도록 하는 모든 k의 값의 합은? [4점]

① 10   ② 14   ③ 18   ④ 22   ⑤ 26

단답형

16. 부등식 $2^{x-6} \leq \left(\dfrac{1}{4}\right)^x$ 을 만족시키는 모든 자연수 x의 값의 합을 구하시오. [3점]

17. 함수 $f(x)$에 대하여 $f'(x) = 8x^3 - 1$이고 $f(0) = 3$일 때, $f(2)$의 값을 구하시오. [3점]

18. 두 상수 a, b에 대하여 삼차함수 $f(x) = ax^3 + bx + a$는 $x = 1$에서 극소이다. 함수 $f(x)$의 극솟값이 -2일 때, 함수 $f(x)$의 극댓값을 구하시오. [3점]

19. 두 자연수 a, b에 대하여 함수

$$f(x) = a \sin bx + 8 - a$$

가 다음 조건을 만족시킬 때, $a+b$의 값을 구하시오. [3점]

(가) 모든 실수 x에 대하여 $f(x) \geq 0$이다.

(나) $0 \leq x < 2\pi$일 때, x에 대한 방정식 $f(x) = 0$의 서로 다른 실근의 개수는 4이다.

20. 최고차항의 계수가 1인 이차함수 $f(x)$에 대하여 함수

$$g(x) = \int_0^x f(t)\,dt$$

가 다음 조건을 만족시킬 때, $f(9)$의 값을 구하시오. [4점]

$x \geq 1$인 모든 실수 x에 대하여 $g(x) \geq g(4)$이고 $|g(x)| \geq |g(3)|$이다.

21. 실수 t에 대하여 두 곡선 $y = t - \log_2 x$와 $y = 2^{x-t}$이 만나는 점의 x좌표를 $f(t)$라 하자.

<보기>의 각 명제에 대하여 다음 규칙에 따라 A, B, C의 값을 정할 때, $A + B + C$의 값을 구하시오. (단, $A + B + C \neq 0$) [4점]

- 명제 ㄱ이 참이면 $A = 100$, 거짓이면 $A = 0$이다.
- 명제 ㄴ이 참이면 $B = 10$, 거짓이면 $B = 0$이다.
- 명제 ㄷ이 참이면 $C = 1$, 거짓이면 $C = 0$이다.

―――――――――<보 기>―――――――――

ㄱ. $f(1) = 1$이고 $f(2) = 2$이다.

ㄴ. 실수 t의 값이 증가하면 $f(t)$의 값도 증가한다.

ㄷ. 모든 양의 실수 t에 대하여 $f(t) \geq t$이다.

22. 정수 $a\,(a \neq 0)$에 대하여 함수 $f(x)$를

$$f(x) = x^3 - 2ax^2$$

이라 하자. 다음 조건을 만족시키는 모든 정수 k의 값의 곱이 -12가 되도록 하는 a에 대하여 $f'(10)$의 값을 구하시오. [4점]

함수 $f(x)$에 대하여

$$\left\{ \frac{f(x_1) - f(x_2)}{x_1 - x_2} \right\} \times \left\{ \frac{f(x_2) - f(x_3)}{x_2 - x_3} \right\} < 0$$

을 만족시키는 세 실수 x_1, x_2, x_3이 열린구간 $\left(k, k + \dfrac{3}{2}\right)$에 존재한다.

* 확인 사항

○ 답안지의 해당란에 필요한 내용을 정확히 기입(표기)했는지 확인하시오.

○ 이어서, 「**선택과목(확률과 통계)**」 문제가 제시되오니, 자신이 선택한 과목인지 확인하시오.

07회

5지선다형

23. 5개의 문자 a, a, b, c, d를 모두 일렬로 나열하는 경우의 수는? [2점]

① 50   ② 55   ③ 60   ④ 65   ⑤ 70

24. 두 사건 A, B에 대하여

$$P(A \cap B^C) = \frac{1}{9}, \quad P(B^C) = \frac{7}{18}$$

일 때, $P(A \cup B)$의 값은? (단, B^C은 B의 여사건이다.) [3점]

① $\dfrac{5}{9}$ ② $\dfrac{11}{18}$ ③ $\dfrac{2}{3}$ ④ $\dfrac{13}{18}$ ⑤ $\dfrac{7}{9}$

25. 흰색 손수건 4장, 검은색 손수건 5장이 들어 있는 상자가 있다. 이 상자에서 임의로 4장의 손수건을 동시에 꺼낼 때, 꺼낸 4장의 손수건 중에서 흰색 손수건이 2장 이상일 확률은? [3점]

① $\dfrac{1}{2}$ ② $\dfrac{4}{7}$ ③ $\dfrac{9}{14}$ ④ $\dfrac{5}{7}$ ⑤ $\dfrac{11}{14}$

26. 다항식 $(x-1)^6(2x+1)^7$ 의 전개식에서 x^2 의 계수는? [3점]

① 15   ② 20   ③ 25   ④ 30   ⑤ 35

27. 한 개의 주사위를 두 번 던질 때 나오는 눈의 수를 차례로 a, b라 하자. $a \times b$가 4의 배수일 때, $a+b \le 7$일 확률은? [3점]

① $\dfrac{2}{5}$ ② $\dfrac{7}{15}$ ③ $\dfrac{8}{15}$ ④ $\dfrac{3}{5}$ ⑤ $\dfrac{2}{3}$

28. 집합 $X = \{1, 2, 3, 4, 5\}$에 대하여 다음 조건을 만족시키는 함수 $f : X \to X$의 개수는? [4점]

> (가) $f(1) \times f(3) \times f(5)$는 홀수이다.
> (나) $f(2) < f(4)$
> (다) 함수 f의 치역의 원소의 개수는 3이다.

① 128 ② 132 ③ 136 ④ 140 ⑤ 144

29. 그림과 같이 2장의 검은색 카드와 1부터 8까지의 자연수가
하나씩 적혀 있는 8장의 흰색 카드가 있다. 이 카드를 모두
한 번씩 사용하여 왼쪽에서 오른쪽으로 일렬로 배열할 때,
다음 조건을 만족시키는 경우의 수를 구하시오.
(단, 검은색 카드는 서로 구별하지 않는다.) [4점]

> (가) 흰색 카드에 적힌 수가 작은 수부터 크기순으로
> 왼쪽에서 오른쪽으로 배열되도록 카드가 놓여 있다.
>
> (나) 검은색 카드 사이에는 흰색 카드가 2장 이상 놓여 있다.
>
> (다) 검은색 카드 사이에는 3의 배수가 적힌 흰색 카드가
> 1장 이상 놓여 있다.

30. 주머니에 숫자 1, 2, 3, 4가 하나씩 적혀 있는 흰 공 4개와
숫자 4, 5, 6, 7이 하나씩 적혀 있는 검은 공 4개가 들어 있다.
이 주머니를 사용하여 다음 규칙에 따라 점수를 얻는 시행을
한다.

> 주머니에서 임의로 2개의 공을 동시에 꺼내어
> 꺼낸 공이 서로 다른 색이면 12를 점수로 얻고,
> 꺼낸 공이 서로 같은 색이면 꺼낸 두 공에 적힌 수의 곱을
> 점수로 얻는다.

이 시행을 한 번 하여 얻은 점수가 24 이하의 짝수일 확률이
$\dfrac{q}{p}$ 일 때, $p+q$의 값을 구하시오. (단, p와 q는 서로소인
자연수이다.) [4점]

---

* 확인 사항

○ 답안지의 해당란에 필요한 내용을 정확히 기입(표기)했는지 확인
하시오.

○ 이어서, 「**선택과목(미적분)**」 문제가 제시되오니, 자신이 선택한
과목인지 확인하시오.

제 2 교시

수학 영역(미적분)

07회

5 지 선 다 형

23. $\lim_{n \to \infty} \left(\sqrt{n^2 + 9n} - \sqrt{n^2 + 4n} \right)$ 의 값은? [2점]

① $\dfrac{1}{2}$　　② 1　　③ $\dfrac{3}{2}$　　④ 2　　⑤ $\dfrac{5}{2}$

24. 매개변수 t 로 나타내어진 곡선

$$x = \frac{5t}{t^2 + 1}, \quad y = 3\ln(t^2 + 1)$$

에서 $t = 2$ 일 때, $\dfrac{dy}{dx}$ 의 값은? [3점]

① -1　　② -2　　③ -3　　④ -4　　⑤ -5

25. $\lim\limits_{x \to 0} \dfrac{2^{ax+b}-8}{2^{bx}-1} = 16$ 일 때, $a+b$의 값은?

(단, a와 b는 0이 아닌 상수이다.) [3점]

① 9　　② 10　　③ 11　　④ 12　　⑤ 13

26. x에 대한 방정식 $x^2 - 5x + 2\ln x = t$의 서로 다른 실근의 개수가 2가 되도록 하는 모든 실수 t의 값의 합은? [3점]

① $-\dfrac{17}{2}$　② $-\dfrac{33}{4}$　③ -8　④ $-\dfrac{31}{4}$　⑤ $-\dfrac{15}{2}$

27. 실수 $t(0 < t < \pi)$에 대하여 곡선 $y = \sin x$ 위의 점 $\mathrm{P}(t, \sin t)$에서의 접선과 점 P를 지나고 기울기가 -1인 직선이 이루는 예각의 크기를 θ라 할 때, $\displaystyle\lim_{t \to \pi -} \frac{\tan \theta}{(\pi - t)^2}$의 값은? [3점]

① $\dfrac{1}{16}$ ② $\dfrac{1}{8}$ ③ $\dfrac{1}{4}$ ④ $\dfrac{1}{2}$ ⑤ 1

28. 두 상수 $a(a > 0)$, b에 대하여 실수 전체의 집합에서 연속인 함수 $f(x)$가 다음 조건을 만족시킬 때, $a \times b$의 값은? [4점]

> (가) 모든 실수 x에 대하여
> $$\{f(x)\}^2 + 2f(x) = a\cos^3 \pi x \times e^{\sin^2 \pi x} + b$$
> 이다.
> (나) $f(0) = f(2) + 1$

① $-\dfrac{1}{16}$ ② $-\dfrac{7}{64}$ ③ $-\dfrac{5}{32}$ ④ $-\dfrac{13}{64}$ ⑤ $-\dfrac{1}{4}$

29. 세 실수 a, b, k에 대하여 두 점 $A(a, a+k)$, $B(b, b+k)$가 곡선 $C : x^2 - 2xy + 2y^2 = 15$ 위에 있다. 곡선 C 위의 점 A에서의 접선과 곡선 C 위의 점 B에서의 접선이 서로 수직일 때, k^2의 값을 구하시오. (단, $a+2k \neq 0$, $b+2k \neq 0$) [4점]

30. 수열 $\{a_n\}$은 등비수열이고, 수열 $\{b_n\}$을 모든 자연수 n에 대하여

$$b_n = \begin{cases} -1 & (a_n \leq -1) \\ a_n & (a_n > -1) \end{cases}$$

이라 할 때, 수열 $\{b_n\}$은 다음 조건을 만족시킨다.

(가) 급수 $\displaystyle\sum_{n=1}^{\infty} b_{2n-1}$은 수렴하고 그 합은 -3이다.

(나) 급수 $\displaystyle\sum_{n=1}^{\infty} b_{2n}$은 수렴하고 그 합은 8이다.

$b_3 = -1$일 때, $\displaystyle\sum_{n=1}^{\infty} |a_n|$의 값을 구하시오. [4점]

---

* 확인 사항
○ 답안지의 해당란에 필요한 내용을 정확히 기입(표기)했는지 확인 하시오.

제 2 교시

수학 영역

08회

● 문항수 30개 | 배점 100점 | 제한 시간 100분

● 배점은 2점, 3점 또는 4점

08회

5지선다형

1. $(-\sqrt{2})^4 \times 8^{-\frac{2}{3}}$ 의 값은? [2점]

① 1   ② 2   ③ 3   ④ 4   ⑤ 5

2. 함수 $f(x) = x^3 + 9$ 에 대하여 $\lim\limits_{h \to 0} \dfrac{f(2+h) - f(2)}{h}$ 의 값은? [2점]

① 11   ② 12   ③ 13   ④ 14   ⑤ 15

3. $\dfrac{\pi}{2} < \theta < \pi$ 인 θ 에 대하여 $\cos^2\theta = \dfrac{4}{9}$ 일 때, $\sin^2\theta + \cos\theta$ 의 값은? [3점]

① $-\dfrac{4}{9}$ ② $-\dfrac{1}{3}$ ③ $-\dfrac{2}{9}$ ④ $-\dfrac{1}{9}$ ⑤ 0

4. 함수 $y = f(x)$ 의 그래프가 그림과 같다.

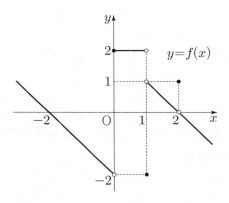

$\lim\limits_{x \to 0-} f(x) + \lim\limits_{x \to 1+} f(x)$ 의 값은? [3점]

① -2 ② -1 ③ 0   ④ 1   ⑤ 2

5. 모든 항이 양수인 등비수열 $\{a_n\}$ 에 대하여

$$a_1 = \frac{1}{4}, \quad a_2 + a_3 = \frac{3}{2}$$

일 때, $a_6 + a_7$ 의 값은? [3점]

① 16   ② 20   ③ 24   ④ 28   ⑤ 32

6. 두 양수 a, b 에 대하여 함수 $f(x)$ 가

$$f(x) = \begin{cases} x + a & (x < -1) \\ x & (-1 \le x < 3) \\ bx - 2 & (x \ge 3) \end{cases}$$

이다. 함수 $|f(x)|$ 가 실수 전체의 집합에서 연속일 때, $a + b$ 의 값은? [3점]

① $\frac{7}{3}$ ② $\frac{8}{3}$ ③ 3   ④ $\frac{10}{3}$ ⑤ $\frac{11}{3}$

7. 닫힌구간 $[0, \pi]$ 에서 정의된 함수 $f(x) = -\sin 2x$ 가 $x = a$ 에서 최댓값을 갖고 $x = b$ 에서 최솟값을 갖는다. 곡선 $y = f(x)$ 위의 두 점 $(a, f(a))$, $(b, f(b))$ 를 지나는 직선의 기울기는? [3점]

① $\frac{1}{\pi}$ ② $\frac{2}{\pi}$ ③ $\frac{3}{\pi}$ ④ $\frac{4}{\pi}$ ⑤ $\frac{5}{\pi}$

8. 실수 전체의 집합에서 미분가능하고 다음 조건을 만족시키는 모든 함수 $f(x)$에 대하여 $f(5)$의 최솟값은? [3점]

(가) $f(1) = 3$

(나) $1 < x < 5$인 모든 실수 x에 대하여 $f'(x) \geq 5$이다.

---

① 21   ② 22   ③ 23   ④ 24   ⑤ 25

9. 두 함수

$$f(x) = x^3 - x + 6, \quad g(x) = x^2 + a$$

가 있다. $x \geq 0$인 모든 실수 x에 대하여 부등식

$$f(x) \geq g(x)$$

가 성립할 때, 실수 a의 최댓값은? [4점]

① 1   ② 2   ③ 3   ④ 4   ⑤ 5

10. 그림과 같이 $\overline{AB} = 3$, $\overline{BC} = 2$, $\overline{AC} > 3$이고 $\cos(\angle BAC) = \dfrac{7}{8}$인 삼각형 ABC가 있다. 선분 AC의 중점을 M, 삼각형 ABC의 외접원이 직선 BM과 만나는 점 중 B가 아닌 점을 D라 할 때, 선분 MD의 길이는? [4점]

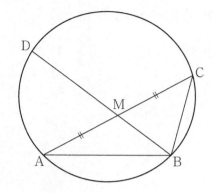

① $\dfrac{3\sqrt{10}}{5}$ ② $\dfrac{7\sqrt{10}}{10}$ ③ $\dfrac{4\sqrt{10}}{5}$

④ $\dfrac{9\sqrt{10}}{10}$ ⑤ $\sqrt{10}$

11. 시각 $t=0$일 때 동시에 원점을 출발하여 수직선 위를 움직이는 두 점 P, Q의 시각 $t(t \geq 0)$에서의 속도가 각각

$$v_1(t) = 2-t, \quad v_2(t) = 3t$$

이다. 출발한 시각부터 점 P가 원점으로 돌아올 때까지 점 Q가 움직인 거리는? [4점]

① 16 ② 18 ③ 20 ④ 22 ⑤ 24

12. 공차가 3인 등차수열 $\{a_n\}$이 다음 조건을 만족시킬 때, a_{10}의 값은? [4점]

(가) $a_5 \times a_7 < 0$

(나) $\sum_{k=1}^{6} |a_{k+6}| = 6 + \sum_{k=1}^{6} |a_{2k}|$

① $\dfrac{21}{2}$ ② 11 ③ $\dfrac{23}{2}$ ④ 12 ⑤ $\dfrac{25}{2}$

13. 두 곡선 $y=16^x$, $y=2^x$ 과 한 점 $A(64, 2^{64})$ 이 있다.

점 A를 지나며 x 축과 평행한 직선이 곡선 $y=16^x$ 과 만나는 점을 P_1 이라 하고, 점 P_1 을 지나며 y 축과 평행한 직선이 곡선 $y=2^x$ 과 만나는 점을 Q_1 이라 하자.

점 Q_1 을 지나며 x 축과 평행한 직선이 곡선 $y=16^x$ 과 만나는 점을 P_2 라 하고, 점 P_2 를 지나며 y 축과 평행한 직선이 곡선 $y=2^x$ 과 만나는 점을 Q_2 라 하자.

이와 같은 과정을 계속하여 n 번째 얻은 두 점을 각각 P_n, Q_n 이라 하고 점 Q_n 의 x 좌표를 x_n 이라 할 때, $x_n < \dfrac{1}{k}$ 을 만족시키는 n 의 최솟값이 6이 되도록 하는 자연수 k 의 개수는? [4점]

① 48   ② 51   ③ 54   ④ 57   ⑤ 60

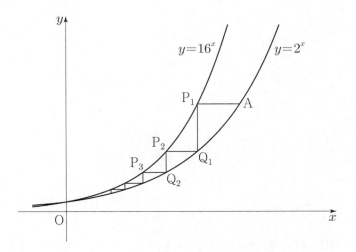

14. 실수 전체의 집합에서 연속인 함수 $f(x)$ 와 최고차항의 계수가 1인 삼차함수 $g(x)$ 가

$$g(x)=\begin{cases} -\displaystyle\int_0^x f(t)\,dt & (x<0) \\ \displaystyle\int_0^x f(t)\,dt & (x\geq 0) \end{cases}$$

을 만족시킬 때, <보기>에서 옳은 것만을 있는 대로 고른 것은? [4점]

─────── <보 기> ───────

ㄱ. $f(0)=0$

ㄴ. 함수 $f(x)$ 는 극댓값을 갖는다.

ㄷ. $2<f(1)<4$ 일 때, 방정식 $f(x)=x$ 의 서로 다른 실근의 개수는 3이다.

①　ㄱ   ②　ㄷ   ③　ㄱ, ㄴ
④　ㄱ, ㄷ   ⑤　ㄱ, ㄴ, ㄷ

15. 자연수 k에 대하여 다음 조건을 만족시키는 수열 $\{a_n\}$이 있다.

> $a_1 = 0$이고, 모든 자연수 n에 대하여
>
> $$a_{n+1} = \begin{cases} a_n + \dfrac{1}{k+1} & (a_n \leq 0) \\[2mm] a_n - \dfrac{1}{k} & (a_n > 0) \end{cases}$$
>
> 이다.

$a_{22} = 0$이 되도록 하는 모든 k의 값의 합은? [4점]

① 12   ② 14   ③ 16   ④ 18   ⑤ 20

16. 방정식 $\log_2(x+2) + \log_2(x-2) = 5$를 만족시키는 실수 x의 값을 구하시오. [3점]

17. 함수 $f(x)$에 대하여 $f'(x) = 8x^3 + 6x^2$이고 $f(0) = -1$일 때, $f(-2)$의 값을 구하시오. [3점]

18. $\displaystyle\sum_{k=1}^{10}(4k+a)=250$ 일 때, 상수 a의 값을 구하시오. [3점]

19. 함수 $f(x)=x^4+ax^2+b$는 $x=1$에서 극소이다.
함수 $f(x)$의 극댓값이 4일 때, $a+b$의 값을 구하시오.
(단, a와 b는 상수이다.) [3점]

20. 최고차항의 계수가 2인 이차함수 $f(x)$에 대하여
함수 $g(x)=\displaystyle\int_{x}^{x+1}|f(t)|dt$는 $x=1$과 $x=4$에서 극소이다.
$f(0)$의 값을 구하시오. [4점]

21. 자연수 n에 대하여 $4\log_{64}\left(\dfrac{3}{4n+16}\right)$의 값이 정수가 되도록

하는 1000 이하의 모든 n의 값의 합을 구하시오. [4점]

22. 두 양수 a, $b\,(b>3)$과 최고차항의 계수가 1인 이차함수 $f(x)$에 대하여 함수

$$g(x)=\begin{cases}(x+3)f(x) & (x<0) \\ (x+a)f(x-b) & (x\geq 0)\end{cases}$$

이 실수 전체의 집합에서 연속이고 다음 조건을 만족시킬 때, $g(4)$의 값을 구하시오. [4점]

$$\lim_{x\to-3}\frac{\sqrt{|g(x)|+\{g(t)\}^2}-|g(t)|}{(x+3)^2}$$ 의 값이 <u>존재하지 않는</u>

실수 t의 값은 -3과 6뿐이다.

---

* 확인 사항

○ 답안지의 해당란에 필요한 내용을 정확히 기입(표기)했는지 확인 하시오.

○ 이어서, 「**선택과목(확률과 통계)**」 문제가 제시되오니, 자신이 선택한 과목인지 확인하시오.

제 2 교시

수학 영역(확률과 통계)

08회

5지선다형

23. 5개의 문자 a, a, a, b, c를 모두 일렬로 나열하는 경우의 수는? [2점]

① 16   ② 20   ③ 24   ④ 28   ⑤ 32

24. 주머니 A에는 1부터 3까지의 자연수가 하나씩 적혀 있는 3장의 카드가 들어 있고, 주머니 B에는 1부터 5까지의 자연수가 하나씩 적혀 있는 5장의 카드가 들어 있다.

두 주머니 A, B에서 각각 카드를 임의로 한 장씩 꺼낼 때, 꺼낸 두 장의 카드에 적힌 수의 차가 1일 확률은? [3점]

① $\dfrac{1}{3}$ ② $\dfrac{2}{5}$ ③ $\dfrac{7}{15}$ ④ $\dfrac{8}{15}$ ⑤ $\dfrac{3}{5}$

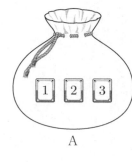

A

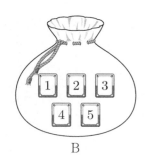

B

25. 수직선의 원점에 점 P가 있다. 한 개의 주사위를 사용하여 다음 시행을 한다.

> 주사위를 한 번 던져 나온 눈의 수가
> 6의 약수이면 점 P를 양의 방향으로 1만큼 이동시키고,
> 6의 약수가 아니면 점 P를 이동시키지 않는다.

이 시행을 4번 반복할 때, 4번째 시행 후 점 P의 좌표가 2 이상일 확률은? [3점]

① $\dfrac{13}{18}$ ② $\dfrac{7}{9}$ ③ $\dfrac{5}{6}$ ④ $\dfrac{8}{9}$ ⑤ $\dfrac{17}{18}$

26. 다항식 $(x^2+1)^4(x^3+1)^n$ 의 전개식에서 x^5 의 계수가 12일 때, x^6 의 계수는? (단, n 은 자연수이다.) [3점]

① 6　　② 7　　③ 8　　④ 9　　⑤ 10

27. 네 문자 a, b, X, Y 중에서 중복을 허락하여 6개를 택해 일렬로 나열하려고 한다. 다음 조건이 성립하도록 나열하는 경우의 수는? [3점]

> (가) 양 끝 모두에 대문자가 나온다.
>
> (나) a는 한 번만 나온다.

① 384 ② 408 ③ 432 ④ 456 ⑤ 480

28. 숫자 1, 2, 3, 4, 5 중에서 서로 다른 4개를 택해 일렬로 나열하여 만들 수 있는 모든 네 자리의 자연수 중에서 임의로 하나의 수를 택할 때, 택한 수가 5의 배수 또는 3500 이상일 확률은? [4점]

① $\dfrac{9}{20}$ ② $\dfrac{1}{2}$ ③ $\dfrac{11}{20}$ ④ $\dfrac{3}{5}$ ⑤ $\dfrac{13}{20}$

08회

단 답 형

29. 집합 $X = \{1, 2, 3, 4, 5\}$에 대하여 다음 조건을 만족시키는
함수 $f : X \rightarrow X$의 개수를 구하시오. [4점]

> (가) $f(f(1)) = 4$
>
> (나) $f(1) \le f(3) \le f(5)$

30. 주머니에 1부터 12까지의 자연수가 각각 하나씩 적혀 있는
12개의 공이 들어 있다. 이 주머니에서 임의로 3개의 공을
동시에 꺼내어 공에 적혀 있는 수를 작은 수부터 크기 순서대로
a, b, c라 하자. $b - a \ge 5$일 때, $c - a \ge 10$일 확률은 $\dfrac{q}{p}$이다.
$p + q$의 값을 구하시오. (단, p와 q는 서로소인 자연수이다.)

[4점]

* 확인 사항

○ 답안지의 해당란에 필요한 내용을 정확히 기입(표기)했는지 확인
하시오.

○ 이어서, 「**선택과목(미적분)**」 문제가 제시되오니, 자신이 선택한
과목인지 확인하시오.

[해설편 p.088]

5지선다형

23. $\lim\limits_{n \to \infty} \dfrac{1}{\sqrt{n^2+3n} - \sqrt{n^2+n}}$ 의 값은? [2점]

① 1   ② $\dfrac{3}{2}$ ③ 2   ④ $\dfrac{5}{2}$ ⑤ 3

24. 곡선 $x^2 - y\ln x + x = e$ 위의 점 (e, e^2) 에서의 접선의 기울기는? [3점]

① $e+1$ ② $e+2$ ③ $e+3$ ④ $2e+1$ ⑤ $2e+2$

25. 함수 $f(x)=x^3+2x+3$ 의 역함수를 $g(x)$ 라 할 때, $g'(3)$ 의 값은? [3점]

① 1   ② $\dfrac{1}{2}$ ③ $\dfrac{1}{3}$ ④ $\dfrac{1}{4}$ ⑤ $\dfrac{1}{5}$

26. 그림과 같이 $\overline{A_1B_1}=2$, $\overline{B_1A_2}=3$ 이고 $\angle A_1B_1A_2=\dfrac{\pi}{3}$ 인 삼각형 $A_1A_2B_1$ 과 이 삼각형의 외접원 O_1 이 있다.

점 A_2 를 지나고 직선 A_1B_1 에 평행한 직선이 원 O_1 과 만나는 점 중 A_2 가 아닌 점을 B_2 라 하자. 두 선분 A_1B_2, B_1A_2 가 만나는 점을 C_1 이라 할 때, 두 삼각형 $A_1A_2C_1$, $B_1C_1B_2$ 로 만들어진 $\gtrless$ 모양의 도형에 색칠하여 얻은 그림을 R_1 이라 하자.

그림 R_1 에서 점 B_2 를 지나고 직선 B_1A_2 에 평행한 직선이 직선 A_1A_2 와 만나는 점을 A_3 이라 할 때, 삼각형 $A_2A_3B_2$ 의 외접원을 O_2 라 하자. 그림 R_1 을 얻은 것과 같은 방법으로 두 점 B_3, C_2 를 잡아 원 O_2 에 $\gtrless$ 모양의 도형을 그리고 색칠하여 얻은 그림을 R_2 라 하자.

이와 같은 과정을 계속하여 n 번째 얻은 그림 R_n 에 색칠되어 있는 부분의 넓이를 S_n 이라 할 때, $\displaystyle\lim_{n\to\infty}S_n$ 의 값은? [3점]

R_1

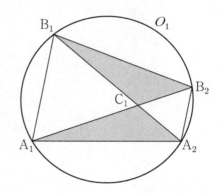

R_2

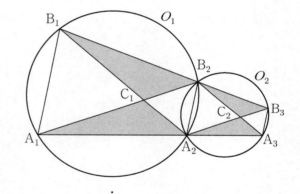

$\vdots$ $\vdots$

① $\dfrac{11\sqrt{3}}{9}$ ② $\dfrac{4\sqrt{3}}{3}$ ③ $\dfrac{13\sqrt{3}}{9}$

④ $\dfrac{14\sqrt{3}}{9}$ ⑤ $\dfrac{5\sqrt{3}}{3}$

27. 첫째항이 4인 등차수열 $\{a_n\}$에 대하여 급수

$$\sum_{n=1}^{\infty}\left(\frac{a_n}{n}-\frac{3n+7}{n+2}\right)$$

이 실수 S에 수렴할 때, S의 값은? [3점]

① $\dfrac{1}{2}$ ② 1 ③ $\dfrac{3}{2}$ ④ 2 ⑤ $\dfrac{5}{2}$

28. 최고차항의 계수가 $\dfrac{1}{2}$인 삼차함수 $f(x)$에 대하여 함수 $g(x)$가

$$g(x)=\begin{cases} \ln|f(x)| & (f(x)\neq 0) \\ 1 & (f(x)=0) \end{cases}$$

이고 다음 조건을 만족시킬 때, 함수 $g(x)$의 극솟값은? [4점]

(가) 함수 $g(x)$는 $x\neq 1$인 모든 실수 x에서 연속이다.

(나) 함수 $g(x)$는 $x=2$에서 극대이고,
함수 $|g(x)|$는 $x=2$에서 극소이다.

(다) 방정식 $g(x)=0$의 서로 다른 실근의 개수는 3이다.

① $\ln\dfrac{13}{27}$ ② $\ln\dfrac{16}{27}$ ③ $\ln\dfrac{19}{27}$ ④ $\ln\dfrac{22}{27}$ ⑤ $\ln\dfrac{25}{27}$

29. 그림과 같이 반지름의 길이가 1이고 중심각의 크기가 $\dfrac{\pi}{2}$인 부채꼴 OAB가 있다. 호 AB 위의 점 P에서 선분 OA에 내린 수선의 발을 H라 하고, ∠OAP를 이등분하는 직선과 세 선분 HP, OP, OB의 교점을 각각 Q, R, S라 하자. ∠APH$=\theta$일 때, 삼각형 AQH의 넓이를 $f(\theta)$, 삼각형 PSR의 넓이를 $g(\theta)$라 하자. $\displaystyle\lim_{\theta\to0+}\dfrac{\theta^3\times g(\theta)}{f(\theta)}=k$일 때, $100k$의 값을 구하시오. (단, $0<\theta<\dfrac{\pi}{4}$)

[4점]

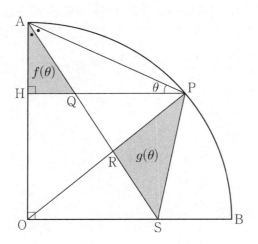

30. 양수 a에 대하여 함수 $f(x)$는

$$f(x)=\frac{x^2-ax}{e^x}$$

이다. 실수 t에 대하여 x에 대한 방정식

$$f(x)=f'(t)(x-t)+f(t)$$

의 서로 다른 실근의 개수를 $g(t)$라 하자.

$g(5)+\displaystyle\lim_{t\to5}g(t)=5$일 때, $\displaystyle\lim_{t\to k-}g(t)\neq\lim_{t\to k+}g(t)$를 만족시키는 모든 실수 k의 값의 합은 $\dfrac{q}{p}$이다. $p+q$의 값을 구하시오.

(단, p와 q는 서로소인 자연수이다.) [4점]

제 2교시

● 문항수 30개 | 배점 100점 | 제한 시간 100분

● 배점은 2점, 3점 또는 4점

5지선다형

1. $4^{1-\sqrt{3}} \times 2^{2\sqrt{3}-1}$의 값은? [2점]

① $\dfrac{1}{4}$　　② $\dfrac{1}{2}$　　③ 1　　④ 2　　⑤ 4

2. 함수 $f(x) = x^3 - 7x + 5$에 대하여 $\displaystyle\lim_{h\to 0}\dfrac{f(2+h)-f(2)}{h}$의 값은? [2점]

① 1　　② 2　　③ 3　　④ 4　　⑤ 5

3. $\sin\left(\dfrac{\pi}{2}+\theta\right) = \dfrac{3}{5}$ 이고 $\sin\theta\cos\theta < 0$일 때, $\sin\theta + 2\cos\theta$의 값은? [3점]

① $-\dfrac{2}{5}$　　② $-\dfrac{1}{5}$　　③ 0　　④ $\dfrac{1}{5}$　　⑤ $\dfrac{2}{5}$

4. 함수 $y = f(x)$의 그래프가 그림과 같다.

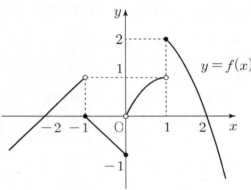

$\displaystyle\lim_{x\to -1+} f(x) + \lim_{x\to 1-} f(x)$의 값은? [3점]

① -1　　② 0　　③ 1　　④ 2　　⑤ 3

5. 함수

$$f(x)=\begin{cases} 3x+a & (x \leq 1) \\ 2x^3+bx+1 & (x > 1) \end{cases}$$

이 $x=1$에서 미분가능할 때, $a+b$의 값은?
(단, a, b는 상수이다.) [3점]

① -8　　② -6　　③ -4　　④ -2　　⑤ 0

6. 모든 항이 양수인 등비수열 $\{a_n\}$에 대하여

$$a_3{}^2 = a_6, \ a_2 - a_1 = 2$$

일 때, a_5의 값은? [3점]

① 20　　② 24　　③ 28　　④ 32　　⑤ 36

7. 함수 $f(x)=x^3+ax^2-9x+4$가 $x=1$에서 극값을 갖는다.
함수 $f(x)$의 극댓값은? (단, a는 상수이다.) [3점]

① 31　　② 33　　③ 35　　④ 37　　⑤ 39

8. 수직선 위를 움직이는 점 P의 시각 t $(t \geq 0)$에서의 속도 $v(t)$가

$$v(t) = t^2 - 4t + 3$$

이다. 점 P가 시각 $t = 1$, $t = a$ $(a > 1)$에서 운동 방향을 바꿀 때, 점 P가 시각 $t = 0$에서 $t = a$까지 움직인 거리는? [3점]

① $\dfrac{7}{3}$　　② $\dfrac{8}{3}$　　③ 3　　④ $\dfrac{10}{3}$　　⑤ $\dfrac{11}{3}$

9. 2 이상의 자연수 n에 대하여 x에 대한 방정식

$$(x^n - 8)(x^{2n} - 8) = 0$$

의 모든 실근의 곱이 -4일 때, n의 값은? [4점]

① 2　　② 3　　③ 4　　④ 5　　⑤ 6

10. $0 \leq x < 2\pi$일 때, 곡선 $y = |4\sin 3x + 2|$와 직선 $y = 2$가 만나는 서로 다른 점의 개수는? [4점]

① 3　　② 6　　③ 9　　④ 12　　⑤ 15

11. 최고차항의 계수가 1인 삼차함수 $f(x)$가 다음 조건을 만족시킨다.

> (가) 모든 실수 x에 대하여 $f(1+x)+f(1-x)=0$이다.
>
> (나) $\displaystyle\int_{-1}^{3} f'(x)dx = 12$

$f(4)$의 값은? [4점]

① 24　　　② 28　　　③ 32　　　④ 36　　　⑤ 40

12. 모든 항이 정수이고 공차가 5인 등차수열 $\{a_n\}$과 자연수 m이 다음 조건을 만족시킨다.

> (가) $\displaystyle\sum_{k=1}^{2m+1} a_k < 0$
>
> (나) $|a_m| + |a_{m+1}| + |a_{m+2}| < 13$

$24 < a_{21} < 29$일 때, m의 값은? [4점]

① 10　　　② 12　　　③ 14　　　④ 16　　　⑤ 18

13. 그림과 같이 평행사변형 ABCD가 있다. 점 A에서 선분 BD에 내린 수선의 발을 E라 하고, 직선 CE가 선분 AB와 만나는 점을 F라 하자.

$\cos(\angle \text{AFC}) = \dfrac{\sqrt{10}}{10}$, $\overline{\text{EC}} = 10$이고 삼각형 CDE의 외접원의 반지름의 길이가 $5\sqrt{2}$일 때, 삼각형 AFE의 넓이는? [4점]

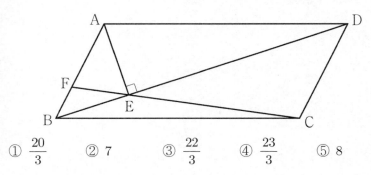

① $\dfrac{20}{3}$　　② 7　　③ $\dfrac{22}{3}$　　④ $\dfrac{23}{3}$　　⑤ 8

14. 최고차항의 계수가 1이고 $f(-3) = f(0)$인 삼차함수 $f(x)$에 대하여 함수 $g(x)$를

$$g(x) = \begin{cases} f(x) & (x < -3 \text{ 또는 } x \geq 0) \\ -f(x) & (-3 \leq x < 0) \end{cases}$$

이라 하자. 함수 $g(x)g(x-3)$이 $x = k$에서 불연속인 실수 k의 값이 한 개일 때, <보기>에서 옳은 것만을 있는 대로 고른 것은? [4점]

―――――――― < 보 기 > ――――――――

ㄱ. 함수 $g(x)g(x-3)$은 $x = 0$에서 연속이다.

ㄴ. $f(-6) \times f(3) = 0$

ㄷ. 함수 $g(x)g(x-3)$이 $x = k$에서 불연속인 실수 k가 음수일 때 집합 $\{x \mid f(x) = 0, x \text{는 실수}\}$의 모든 원소의 합이 -1이면 $g(-1) = -48$이다.

① ㄱ　　　　　② ㄱ, ㄴ　　　　　③ ㄱ, ㄷ

④ ㄴ, ㄷ　　　　　⑤ ㄱ, ㄴ, ㄷ

15. 모든 항이 자연수인 수열 $\{a_n\}$이 다음 조건을 만족시킨다.

(가) $a_1 < 300$

(나) 모든 자연수 n에 대하여

$$a_{n+1} = \begin{cases} \dfrac{1}{3}a_n & (\log_3 a_n \text{이 자연수인 경우}) \\ a_n + 6 & (\log_3 a_n \text{이 자연수가 아닌 경우}) \end{cases}$$

이다.

$\displaystyle\sum_{k=4}^{7} a_k = 40$이 되도록 하는 모든 a_1의 값의 합은? [4점]

① 315 ② 321 ③ 327 ④ 333 ⑤ 339

16. 방정식 $\log_2(x-5) = \log_4(x+7)$을 만족시키는 실수 x의 값을 구하시오. [3점]

17. 함수 $f(x)$에 대하여 $f'(x) = 9x^2 - 8x + 1$이고 $f(1) = 10$일 때, $f(2)$의 값을 구하시오. [3점]

18. 두 수열 $\{a_n\}$, $\{b_n\}$에 대하여

$$\sum_{k=1}^{10}(2a_k+3)=40, \quad \sum_{k=1}^{10}(a_k-b_k)=-10$$

일 때, $\displaystyle\sum_{k=1}^{10}(b_k+5)$의 값을 구하시오. [3점]

19. 곡선 $y=x^3-10$ 위의 점 $\mathrm{P}(-2, -18)$에서의 접선과 곡선 $y=x^3+k$ 위의 점 Q에서의 접선이 일치할 때, 양수 k의 값을 구하시오. [3점]

20. 실수 $t\left(\sqrt{3}<t<\dfrac{13}{4}\right)$에 대하여 두 함수

$$f(x)=|x^2-3|-2x, \quad g(x)=-x+t$$

의 그래프가 만나는 서로 다른 네 점의 x좌표를 작은 수부터 크기순으로 x_1, x_2, x_3, x_4라 하자. $x_4-x_1=5$일 때, 닫힌구간 $[x_3, x_4]$에서 두 함수 $y=f(x)$, $y=g(x)$의 그래프로 둘러싸인 부분의 넓이는 $p-q\sqrt{3}$이다. $p\times q$의 값을 구하시오. (단, p, q는 유리수이다.) [4점]

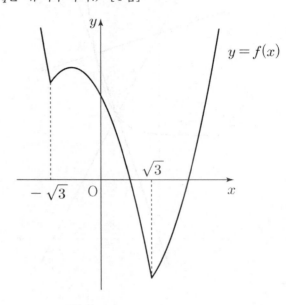

21. 그림과 같이 곡선 $y=2^{x-m}+n \ (m>0, \ n>0)$과
직선 $y=3x$가 서로 다른 두 점 A, B에서 만날 때,
점 B를 지나며 직선 $y=3x$에 수직인 직선이 y축과 만나는
점을 C라 하자. 직선 CA가 x축과 만나는 점을 D라 하면
점 D는 선분 CA를 $5:3$으로 외분하는 점이다.
삼각형 ABC의 넓이가 20일 때, $m+n$의 값을 구하시오.
(단, 점 A의 x좌표는 점 B의 x좌표보다 작다.) [4점]

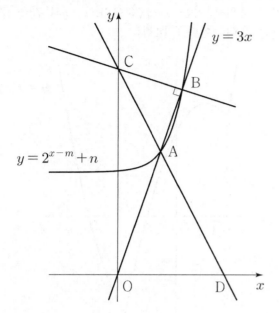

22. 최고차항의 계수가 양수인 사차함수 $f(x)$가 있다. 실수 t에
대하여 함수 $g(x)$를

$$g(x)=f(x)-x-f(t)+t$$

라 할 때, 방정식 $g(x)=0$의 서로 다른 실근의 개수를 $h(t)$라
하자. 두 함수 $f(x)$와 $h(t)$가 다음 조건을 만족시킨다.

> (가) $\displaystyle\lim_{t\to-1}\{h(t)-h(-1)\}=\lim_{t\to1}\{h(t)-h(1)\}=2$
>
> (나) $\displaystyle\int_0^\alpha f(x)dx=\int_0^\alpha |f(x)|dx$를 만족시키는
> 실수 α의 최솟값은 -1이다.
>
> (다) 모든 실수 x에 대하여 $\dfrac{d}{dx}\displaystyle\int_0^x \{f(u)-ku\}du\geq 0$이
> 되도록 하는 실수 k의 최댓값은 $f'(\sqrt2)$이다.

$f(6)$의 값을 구하시오. [4점]

★ 확인 사항

○ 답안지의 해당란에 필요한 내용을 정확히 기입(표기)했는지
확인하시오.

○ 이어서, 「선택과목(확률과 통계)」 문제가 제시되오니, 자신이
선택한 과목인지 확인하시오.

제 2 교시　　**수학 영역(확률과 통계)**　　09회

5 지 선 다 형

23. 다항식 $(x^2+2)^6$의 전개식에서 x^8의 계수는? [2점]

① 30　　② 45　　③ 60　　④ 75　　⑤ 90

24. 한 개의 주사위를 네 번 던질 때 나오는 눈의 수를 차례로 $a,\ b,\ c,\ d$라 하자. 네 수 $a,\ b,\ c,\ d$의 곱 $a\times b\times c\times d$가 27의 배수일 확률은? [3점]

① $\dfrac{1}{9}$　　② $\dfrac{4}{27}$　　③ $\dfrac{5}{27}$　　④ $\dfrac{2}{9}$　　⑤ $\dfrac{7}{27}$

25. 이산확률변수 X의 확률분포를 표로 나타내면 다음과 같다.

X	1	2	3	합계
$P(X=x)$	a	$a+b$	b	1

$E(X^2)=a+5$일 때, $b-a$의 값은? (단, a, b는 상수이다.) [3점]

① $\dfrac{1}{12}$ ② $\dfrac{1}{6}$ ③ $\dfrac{1}{4}$ ④ $\dfrac{1}{3}$ ⑤ $\dfrac{5}{12}$

26. 주머니 A에는 흰 공 1개, 검은 공 2개가 들어 있고, 주머니 B에는 흰 공 3개, 검은 공 3개가 들어 있다. 주머니 A에서 임의로 1개의 공을 꺼내어 주머니 B에 넣은 후 주머니 B에서 임의로 3개의 공을 동시에 꺼낼 때, 주머니 B에서 꺼낸 3개의 공 중에서 적어도 한 개가 흰 공일 확률은? [3점]

① $\dfrac{6}{7}$ ② $\dfrac{92}{105}$ ③ $\dfrac{94}{105}$ ④ $\dfrac{32}{35}$ ⑤ $\dfrac{14}{15}$

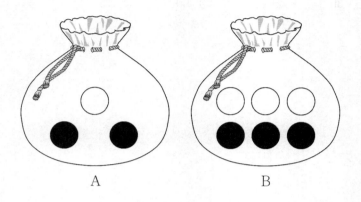

A   B

27. 숫자 0, 0, 0, 1, 1, 2, 2가 하나씩 적힌 7장의 카드가 있다. 이 7장의 카드를 모두 한 번씩 사용하여 일렬로 나열할 때, 이웃하는 두 장의 카드에 적힌 수의 곱이 모두 1 이하가 되도록 나열하는 경우의 수는? (단, 같은 숫자가 적힌 카드끼리는 서로 구별하지 않는다.) [3점]

① 14   ② 15   ③ 16   ④ 17   ⑤ 18

28. 1부터 5까지의 자연수가 하나씩 적힌 5개의 공이 들어 있는 주머니가 있다. 이 주머니에서 공을 임의로 한 개씩 5번 꺼내어 n $(1 \le n \le 5)$번째 꺼낸 공에 적혀 있는 수를 a_n이라 하자. $a_k \le k$를 만족시키는 자연수 k $(1 \le k \le 5)$의 최솟값이 3일 때, $a_1 + a_2 = a_4 + a_5$일 확률은? (단, 꺼낸 공은 다시 넣지 않는다.) [4점]

① $\dfrac{4}{19}$ ② $\dfrac{5}{19}$ ③ $\dfrac{6}{19}$ ④ $\dfrac{7}{19}$ ⑤ $\dfrac{8}{19}$

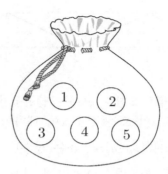

단 답 형

29. 두 연속확률변수 X와 Y가 갖는 값의 범위는 $0 \le X \le 4$, $0 \le Y \le 4$이고, X와 Y의 확률밀도함수는 각각 $f(x)$, $g(x)$이다. 확률변수 X의 확률밀도함수 $f(x)$의 그래프는 그림과 같다.

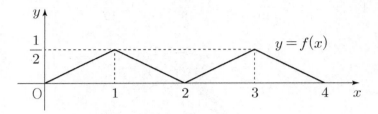

확률변수 Y의 확률밀도함수 $g(x)$는 닫힌구간 $[0, 4]$에서 연속이고 $0 \le x \le 4$인 모든 실수 x에 대하여

$$\{g(x) - f(x)\}\{g(x) - a\} = 0 \ (a는 \ 상수)$$

를 만족시킨다. 두 확률변수 X와 Y가 다음 조건을 만족시킨다.

(가) $\mathrm{P}(0 \le Y \le 1) < \mathrm{P}(0 \le X \le 1)$

(나) $\mathrm{P}(3 \le Y \le 4) < \mathrm{P}(3 \le X \le 4)$

$\mathrm{P}(0 \le Y \le 5a) = p - q\sqrt{2}$ 일 때, $p \times q$의 값을 구하시오.
(단, p, q는 자연수이다.) [4점]

30. 집합 $X = \{1, 2, 3, 4, 5, 6, 7\}$에 대하여 다음 조건을 만족시키는 함수 $f : X \to X$의 개수를 구하시오. [4점]

(가) $f(7) - f(1) = 3$

(나) 5 이하의 모든 자연수 n에 대하여 $f(n) \le f(n+2)$이다.

(다) $\dfrac{1}{3}|f(2) - f(1)|$과 $\dfrac{1}{3}\displaystyle\sum_{k=1}^{4} f(2k-1)$의 값은 모두 자연수이다.

---

* 확인 사항

○ 답안지의 해당란에 필요한 내용을 정확히 기입(표기)했는지 확인 하시오.

○ 이어서, 「**선택과목(미적분)**」 문제가 제시되오니, 자신이 선택한 과목인지 확인하시오.

제 2 교시

수학 영역(미적분)

5 지 선 다 형

23. $\lim\limits_{n \to \infty} 2n\left(\sqrt{n^2+4} - \sqrt{n^2+1}\right)$의 값은? [2점]

① 1　　② 2　　③ 3　　④ 4　　⑤ 5

24. 함수 $f(x) = \ln(x^2 - x + 2)$와 실수 전체의 집합에서 미분가능한 함수 $g(x)$가 있다. 실수 전체의 집합에서 정의된 합성함수 $h(x)$를 $h(x) = f(g(x))$라 하자.

$\lim\limits_{x \to 2} \dfrac{g(x)-4}{x-2} = 12$일 때, $h'(2)$의 값은? [3점]

① 4　　② 6　　③ 8　　④ 10　　⑤ 12

25. 곡선 $2e^{x+y-1} = 3e^x + x - y$ 위의 점 $(0, 1)$에서의 접선의 기울기는? [3점]

① $\dfrac{2}{3}$ ② 1 ③ $\dfrac{4}{3}$ ④ $\dfrac{5}{3}$ ⑤ 2

26. 함수 $f(x)$는 실수 전체의 집합에서 도함수가 연속이고

$$\int_1^2 (x-1) f'\left(\frac{x}{2}\right) dx = 2$$

를 만족시킨다. $f(1) = 4$일 때, $\displaystyle\int_{\frac{1}{2}}^1 f(x) dx$의 값은? [3점]

① $\dfrac{3}{4}$ ② 1 ③ $\dfrac{5}{4}$ ④ $\dfrac{3}{2}$ ⑤ $\dfrac{7}{4}$

27. 그림과 같이 $\overline{AB_1}=\overline{AC_1}=\sqrt{17}$, $\overline{B_1C_1}=2$인 삼각형 AB_1C_1이 있다. 선분 AB_1 위의 점 B_2, 선분 AC_1 위의 점 C_2, 삼각형 AB_1C_1의 내부의 점 D_1을

$$\overline{B_1D_1}=\overline{B_2D_1}=\overline{C_1D_1}=\overline{C_2D_1},\ \angle B_1D_1B_2=\angle C_1D_1C_2=\frac{\pi}{2}$$

가 되도록 잡고, 두 삼각형 $B_1D_1B_2$, $C_1D_1C_2$에 색칠하여 얻은 그림을 R_1이라 하자.

그림 R_1에서 선분 AB_2 위의 점 B_3, 선분 AC_2 위의 점 C_3, 삼각형 AB_2C_2의 내부의 점 D_2를

$$\overline{B_2D_2}=\overline{B_3D_2}=\overline{C_2D_2}=\overline{C_3D_2},\ \angle B_2D_2B_3=\angle C_2D_2C_3=\frac{\pi}{2}$$

가 되도록 잡고, 두 삼각형 $B_2D_2B_3$, $C_2D_2C_3$에 색칠하여 얻은 그림을 R_2라 하자.

이와 같은 과정을 계속하여 n번째 얻은 그림 R_n에 색칠되어 있는 부분의 넓이를 S_n이라 할 때, $\displaystyle\lim_{n\to\infty} S_n$의 값은? [3점]

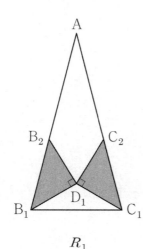
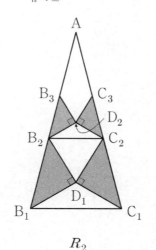

R_1 $\qquad$ R_2 $\qquad$ ...

① 2 $\qquad$ ② $\dfrac{33}{16}$ $\qquad$ ③ $\dfrac{17}{8}$ $\qquad$ ④ $\dfrac{35}{16}$ $\qquad$ ⑤ $\dfrac{9}{4}$

28. 그림과 같이 중심이 O이고 길이가 2인 선분 AB를 지름으로 하는 원이 있다. 원 위에 점 P를 $\angle PAB=\theta$가 되도록 잡고, 점 P를 포함하지 않는 호 AB 위에 점 Q를 $\angle QAB=2\theta$가 되도록 잡는다. 직선 OQ가 원과 만나는 점 중 Q가 아닌 점을 R, 두 선분 PA와 QR가 만나는 점을 S라 하자. 삼각형 BOQ의 넓이를 $f(\theta)$, 삼각형 PRS의 넓이를 $g(\theta)$라 할 때, $\displaystyle\lim_{\theta\to 0+}\frac{g(\theta)}{f(\theta)}$의 값은? $\left(\text{단, } 0<\theta<\dfrac{\pi}{6}\right)$

[4점]

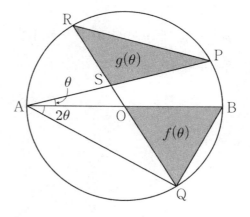

① $\dfrac{11}{10}$ $\qquad$ ② $\dfrac{6}{5}$ $\qquad$ ③ $\dfrac{13}{10}$ $\qquad$ ④ $\dfrac{7}{5}$ $\qquad$ ⑤ $\dfrac{3}{2}$

29. 함수 $f(x)$는 실수 전체의 집합에서 도함수가 연속이고 다음 조건을 만족시킨다.

> (가) $x < 1$일 때, $f'(x) = -2x + 4$이다.
>
> (나) $x \geq 0$인 모든 실수 x에 대하여
> $f(x^2 + 1) = ae^{2x} + bx$이다. (단, a, b는 상수이다.)

$\displaystyle\int_0^5 f(x)dx = pe^4 - q$일 때, $p+q$의 값을 구하시오.

(단, p, q는 유리수이다.) [4점]

30. 최고차항의 계수가 1인 삼차함수 $f(x)$에 대하여 함수 $g(x)$를

$$g(x) = \sin|\pi f(x)|$$

라 하자. 함수 $y = g(x)$의 그래프와 x축이 만나는 점의 x좌표 중 양수인 것을 작은 수부터 크기순으로 모두 나열할 때, n번째 수를 a_n이라 하자. 함수 $g(x)$와 자연수 m이 다음 조건을 만족시킨다.

> (가) 함수 $g(x)$는 $x = a_4$와 $x = a_8$에서 극대이다.
>
> (나) $f(a_m) = f(0)$

$f(a_k) \leq f(m)$을 만족시키는 자연수 k의 최댓값을 구하시오.

[4점]

2022학년도 7월 고3 전국연합학력평가 문제지

수학 영역

1

제 2 교시

10회

● 문항수 30개 | 배점 100점 | 제한 시간 100분

● 배점은 2점, 3점 또는 4점

5지선다형

1. $3^{2\sqrt{2}} \times 9^{1-\sqrt{2}}$ 의 값은? [2점]

① $\dfrac{1}{9}$ ② $\dfrac{1}{3}$ ③ 1 ④ 3 ⑤ 9

2. 등비수열 $\{a_n\}$에 대하여 $a_2 = \dfrac{1}{2}$, $a_3 = 1$일 때, a_5의 값은?

[2점]

① 2 ② 4 ③ 6 ④ 8 ⑤ 10

3. 함수 $f(x) = x^3 + 2x + 7$에 대하여 $f'(1)$의 값은? [3점]

① 5 ② 6 ③ 7 ④ 8 ⑤ 9

4. 함수 $y = f(x)$의 그래프가 그림과 같다.

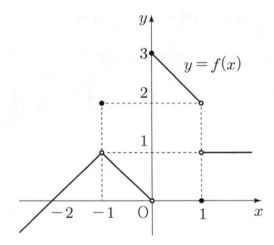

$\lim\limits_{x \to -1} f(x) + \lim\limits_{x \to 1+} f(x)$의 값은? [3점]

① 1 ② 2 ③ 3 ④ 4 ⑤ 5

5. 함수

$$f(x)=\begin{cases} x-1 & (x<2) \\ x^2-ax+3 & (x\ge 2) \end{cases}$$

가 실수 전체의 집합에서 연속일 때, 상수 a의 값은? [3점]

① 1   ② 2   ③ 3   ④ 4   ⑤ 5

6. $0<\theta<\dfrac{\pi}{2}$인 θ에 대하여 $\sin\theta=\dfrac{4}{5}$일 때,

$\sin\left(\dfrac{\pi}{2}-\theta\right)-\cos(\pi+\theta)$의 값은? [3점]

① $\dfrac{9}{10}$ ② 1   ③ $\dfrac{11}{10}$ ④ $\dfrac{6}{5}$ ⑤ $\dfrac{13}{10}$

7. 첫째항이 $\dfrac{1}{2}$인 수열 $\{a_n\}$이 모든 자연수 n에 대하여

$$a_{n+1}=\begin{cases} a_n+1 & (a_n<0) \\ -2a_n+1 & (a_n\ge 0) \end{cases}$$

일 때, $a_{10}+a_{20}$의 값은? [3점]

① -2 ② -1 ③ 0   ④ 1   ⑤ 2

8. 다항함수 $f(x)$가

$$\lim_{x \to \infty} \frac{f(x)}{x^2} = 2, \quad \lim_{x \to 1} \frac{f(x)}{x-1} = 3$$

을 만족시킬 때, $f(3)$의 값은? [3점]

① 11   ② 12   ③ 13   ④ 14   ⑤ 15

9. 최고차항의 계수가 1인 삼차함수 $f(x)$가

$$\int_0^1 f'(x)dx = \int_0^2 f'(x)dx = 0$$

을 만족시킬 때, $f'(1)$의 값은? [4점]

① -4 ② -3 ③ -2 ④ -1 ⑤ 0

10. 곡선 $y = \sin\frac{\pi}{2}x \,(0 \le x \le 5)$가 직선 $y = k\,(0 < k < 1)$과 만나는 서로 다른 세 점을 y축에서 가까운 순서대로 A, B, C라 하자. 세 점 A, B, C의 x좌표의 합이 $\frac{25}{4}$일 때, 선분 AB의 길이는? [4점]

① $\frac{5}{4}$ ② $\frac{11}{8}$ ③ $\frac{3}{2}$ ④ $\frac{13}{8}$ ⑤ $\frac{7}{4}$

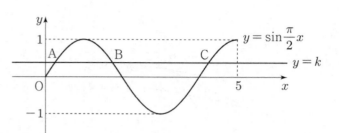

11. 기울기가 $\frac{1}{2}$인 직선 l이 곡선 $y = \log_2 2x$와 서로 다른

두 점에서 만날 때, 만나는 두 점 중 x좌표가 큰 점을 A라

하고, 직선 l이 곡선 $y = \log_2 4x$와 만나는 두 점 중 x좌표가

큰 점을 B라 하자. $\overline{AB} = 2\sqrt{5}$ 일 때, 점 A에서 x축에 내린

수선의 발 C에 대하여 삼각형 ACB의 넓이는? [4점]

① 5   ② $\frac{21}{4}$ ③ $\frac{11}{2}$ ④ $\frac{23}{4}$ ⑤ 6

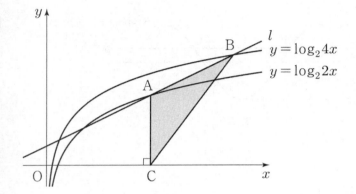

12. 첫째항이 2인 수열 $\{a_n\}$의 첫째항부터 제n항까지의 합을

S_n이라 하자. 다음은 모든 자연수 n에 대하여

$$\sum_{k=1}^{n} \frac{3S_k}{k+2} = S_n$$

이 성립할 때, a_{10}의 값을 구하는 과정이다.

$n \geq 2$인 모든 자연수 n에 대하여

$\quad a_n = S_n - S_{n-1}$

$\quad = \sum_{k=1}^{n} \frac{3S_k}{k+2} - \sum_{k=1}^{n-1} \frac{3S_k}{k+2} = \frac{3S_n}{n+2}$

이므로 $3S_n = (n+2) \times a_n \ (n \geq 2)$

이다.

$S_1 = a_1$에서 $3S_1 = 3a_1$이므로

$3S_n = (n+2) \times a_n \ (n \geq 1)$

이다.

$\quad 3a_n = 3(S_n - S_{n-1})$

$\quad\quad = (n+2) \times a_n - (\boxed{\text{(가)}}) \times a_{n-1} \ (n \geq 2)$

$\quad \frac{a_n}{a_{n-1}} = \boxed{\text{(나)}} \ (n \geq 2)$

따라서

$\quad a_{10} = a_1 \times \frac{a_2}{a_1} \times \frac{a_3}{a_2} \times \frac{a_4}{a_3} \times \cdots \times \frac{a_9}{a_8} \times \frac{a_{10}}{a_9}$

$\quad = \boxed{\text{(다)}}$

위의 (가), (나)에 알맞은 식을 각각 $f(n)$, $g(n)$이라 하고,

(다)에 알맞은 수를 p라 할 때, $\frac{f(p)}{g(p)}$의 값은? [4점]

① 109   ② 112   ③ 115   ④ 118   ⑤ 121

13. 최고차항의 계수가 1이고 $f(0) = \dfrac{1}{2}$인 삼차함수 $f(x)$에

대하여 함수 $g(x)$를

$$g(x) = \begin{cases} f(x) & (x < -2) \\ f(x) + 8 & (x \geq -2) \end{cases}$$

라 하자. 방정식 $g(x) = f(-2)$의 실근이 2뿐일 때,
함수 $f(x)$의 극댓값은? [4점]

① 3 　　② $\dfrac{7}{2}$ 　　③ 4 　　④ $\dfrac{9}{2}$ 　　⑤ 5

14. 길이가 14인 선분 AB를 지름으로 하는 반원의 호 AB
위에 점 C를 $\overline{BC} = 6$이 되도록 잡는다. 점 D가 호 AC 위의
점일 때, <보기>에서 옳은 것만을 있는 대로 고른 것은?
(단, 점 D는 점 A와 점 C가 아닌 점이다.) [4점]

───────〈보 기〉───────

ㄱ. $\sin(\angle CBA) = \dfrac{2\sqrt{10}}{7}$

ㄴ. $\overline{CD} = 7$일 때, $\overline{AD} = -3 + 2\sqrt{30}$

ㄷ. 사각형 ABCD의 넓이의 최댓값은 $20\sqrt{10}$이다.

① ㄱ　　　　② ㄱ, ㄴ　　　　③ ㄱ, ㄷ
④ ㄴ, ㄷ　　⑤ ㄱ, ㄴ, ㄷ

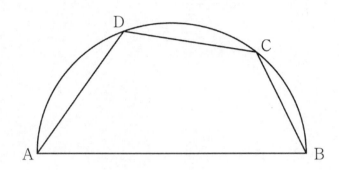

15. 최고차항의 계수가 1인 이차함수 $f(x)$에 대하여 함수

$$g(x) = \begin{cases} f(x+2) & (x < 0) \\ \displaystyle\int_0^x tf(t)dt & (x \geq 0) \end{cases}$$

이 실수 전체의 집합에서 미분가능하다. 실수 a에 대하여 함수 $h(x)$를

$$h(x) = |g(x) - g(a)|$$

라 할 때, 함수 $h(x)$가 $x = k$에서 미분가능하지 않은 실수 k의 개수가 1이 되도록 하는 모든 a의 값의 곱은? [4점]

① $-\dfrac{4\sqrt{3}}{3}$ ② $-\dfrac{7\sqrt{3}}{6}$ ③ $-\sqrt{3}$

④ $-\dfrac{5\sqrt{3}}{6}$ ⑤ $-\dfrac{2\sqrt{3}}{3}$

단 답 형

16. $\log_3 7 \times \log_7 9$의 값을 구하시오. [3점]

17. 함수 $f(x)$에 대하여 $f'(x) = 6x^2 - 2x - 1$이고 $f(1) = 3$일 때, $f(2)$의 값을 구하시오. [3점]

18. 시각 $t=0$일 때 원점을 출발하여 수직선 위를 움직이는 점 P의 시각 $t(t \geq 0)$에서의 속도 $v(t)$가

$$v(t) = 3t^2 + 6t - a$$

이다. 시각 $t=3$에서의 점 P의 위치가 6일 때, 상수 a의 값을 구하시오. [3점]

19. $n \geq 2$인 자연수 n에 대하여 $2n^2 - 9n$의 n제곱근 중에서 실수인 것의 개수를 $f(n)$이라 할 때, $f(3) + f(4) + f(5) + f(6)$의 값을 구하시오. [3점]

20. 최고차항의 계수가 3인 이차함수 $f(x)$에 대하여 함수

$$g(x) = x^2 \int_0^x f(t)dt - \int_0^x t^2 f(t)dt$$

가 다음 조건을 만족시킨다.

> (가) 함수 $g(x)$는 극값을 갖지 않는다.
> (나) 방정식 $g'(x) = 0$의 모든 실근은 0, 3이다.

$\int_0^3 |f(x)|dx$의 값을 구하시오. [4점]

10회

21. 수열 $\{a_n\}$이 모든 자연수 n에 대하여 다음 조건을 만족시킨다.

> (가) $\displaystyle\sum_{k=1}^{2n} a_k = 17n$
>
> (나) $|a_{n+1} - a_n| = 2n - 1$

$a_2 = 9$일 때, $\displaystyle\sum_{n=1}^{10} a_{2n}$의 값을 구하시오. [4점]

22. 삼차함수 $f(x)$에 대하여 곡선 $y = f(x)$ 위의 점 $(0, 0)$에서의 접선의 방정식을 $y = g(x)$라 할 때, 함수 $h(x)$를

$$h(x) = |f(x)| + g(x)$$

라 하자. 함수 $h(x)$가 다음 조건을 만족시킨다.

> (가) 곡선 $y = h(x)$ 위의 점 $(k, 0)$ $(k \neq 0)$에서의 접선의 방정식은 $y = 0$이다.
>
> (나) 방정식 $h(x) = 0$의 실근 중에서 가장 큰 값은 12이다.

$h(3) = -\dfrac{9}{2}$일 때, $k \times \{h(6) - h(11)\}$의 값을 구하시오.

(단, k는 상수이다.) [4점]

* 확인 사항

○ 답안지의 해당란에 필요한 내용을 정확히 기입(표기)했는지 확인하시오.

○ 이어서, 「선택과목(확률과 통계)」 문제가 제시되오니, 자신이 선택한 과목인지 확인하시오.

5지선다형

23. 다항식 $(4x+1)^6$의 전개식에서 x의 계수는? [2점]

① 20 　　② 24 　　③ 28 　　④ 32 　　⑤ 36

24. 확률변수 X가 이항분포 $\mathrm{B}\left(n, \frac{1}{3}\right)$을 따르고

$\mathrm{E}(3X-1)=17$일 때, $\mathrm{V}(X)$의 값은? [3점]

① 2 　　② $\frac{8}{3}$ 　　③ $\frac{10}{3}$ 　　④ 4 　　⑤ $\frac{14}{3}$

수학 영역(확률과 통계)

25. 흰 공 4개, 검은 공 4개가 들어 있는 주머니가 있다. 이 주머니에서 임의로 4개의 공을 동시에 꺼낼 때, 꺼낸 공 중 검은 공이 2개 이상일 확률은? [3점]

① $\dfrac{7}{10}$　② $\dfrac{51}{70}$　③ $\dfrac{53}{70}$　④ $\dfrac{11}{14}$　⑤ $\dfrac{57}{70}$

26. 세 문자 a, b, c 중에서 모든 문자가 한 개 이상씩 포함되도록 중복을 허락하여 5개를 택해 일렬로 나열하는 경우의 수는? [3점]

① 135　② 140　③ 145　④ 150　⑤ 155

27. 주머니 A에는 숫자 1, 1, 2, 2, 3, 3이 하나씩 적혀 있는 6장의 카드가 들어 있고, 주머니 B에는 3, 3, 4, 4, 5, 5가 하나씩 적혀 있는 6장의 카드가 들어 있다. 두 주머니 A, B와 3개의 동전을 사용하여 다음 시행을 한다.

> 3개의 동전을 동시에 던져
> 앞면이 나오는 동전의 개수가 3이면
> 주머니 A에서 임의로 2장의 카드를 동시에 꺼내고,
> 앞면이 나오는 동전의 개수가 2 이하이면
> 주머니 B에서 임의로 2장의 카드를 동시에 꺼낸다.

이 시행을 한 번 하여 주머니에서 꺼낸 2장의 카드에 적혀 있는 두 수의 합이 소수일 확률은? [3점]

① $\dfrac{5}{24}$ ② $\dfrac{7}{30}$ ③ $\dfrac{31}{120}$ ④ $\dfrac{17}{60}$ ⑤ $\dfrac{37}{120}$

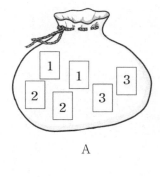
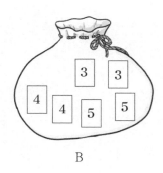

A   B

28. 두 집합 $X=\{1,\ 2,\ 3,\ 4,\ 5,\ 6\}$, $Y=\{1,\ 2,\ 3,\ 4,\ 5\}$에 대하여 다음 조건을 만족시키는 X에서 Y로의 함수 f의 개수는? [4점]

> (가) $\sqrt{f(1)\times f(2)\times f(3)}$의 값은 자연수이다.
> (나) 집합 X의 임의의 두 원소 x_1, x_2에 대하여
> $x_1 < x_2$이면 $f(x_1) \leq f(x_2)$이다.

① 84   ② 87   ③ 90   ④ 93   ⑤ 96

10회

29. 두 연속확률변수 X와 Y가 갖는 값의 범위는 각각
$0 \leq X \leq a$, $0 \leq Y \leq a$이고, X와 Y의 확률밀도함수를
각각 $f(x)$, $g(x)$라 하자. $0 \leq x \leq a$인 모든 실수 x에
대하여 두 함수 $f(x)$, $g(x)$는

$$f(x) = b, \quad g(x) = P(0 \leq X \leq x)$$

이다. $P(0 \leq Y \leq c) = \dfrac{1}{2}$일 때, $(a+b) \times c^2$의 값을 구하시오.

(단, a, b, c는 상수이다.) [4점]

30. 각 면에 숫자 1, 1, 2, 2, 2, 2가 하나씩 적혀 있는
정육면체 모양의 상자가 있다. 이 상자를 6번 던질 때,
$n(1 \leq n \leq 6)$번째에 바닥에 닿은 면에 적혀 있는 수를
a_n이라 하자. $a_1 + a_2 + a_3 > a_4 + a_5 + a_6$일 때,

$a_1 = a_4 = 1$일 확률은 $\dfrac{q}{p}$이다. $p+q$의 값을 구하시오.

(단, p와 q는 서로소인 자연수이다.) [4점]

---

* 확인 사항
○ 답안지의 해당란에 필요한 내용을 정확히 기입(표기)했는지
  확인하시오.
○ 이어서, 「선택과목(미적분)」 문제가 제시되오니, 자신이 선택한
  과목인지 확인하시오.

제 2 교시

수학 영역(미적분)

10회

5지선다형

23. $\lim_{n \to \infty} \left(\sqrt{n^4 + 5n^2 + 5} - n^2 \right)$의 값은? [2점]

① $\dfrac{7}{4}$　　② 2　　③ $\dfrac{9}{4}$　　④ $\dfrac{5}{2}$　　⑤ $\dfrac{11}{4}$

24. $\displaystyle\int_1^e \left(\frac{3}{x} + \frac{2}{x^2} \right) \ln x \, dx - \int_1^e \frac{2}{x^2} \ln x \, dx$의 값은? [3점]

① $\dfrac{1}{2}$　　② 1　　③ $\dfrac{3}{2}$　　④ 2　　⑤ $\dfrac{5}{2}$

25. 매개변수 $t(t>0)$으로 나타내어진 곡선

$$x = t^2 \ln t + 3t, \quad y = 6te^{t-1}$$

에서 $t=1$일 때, $\dfrac{dy}{dx}$의 값은? [3점]

① 1　　　② 2　　　③ 3　　　④ 4　　　⑤ 5

26. 양의 실수 전체의 집합에서 정의된 미분가능한 두 함수 $f(x)$, $g(x)$에 대하여 $f(x)$가 함수 $g(x)$의 역함수이고, $\displaystyle\lim_{x \to 2} \dfrac{f(x)-2}{x-2} = \dfrac{1}{3}$이다. 함수 $h(x) = \dfrac{g(x)}{f(x)}$라 할 때, $h'(2)$의 값은? [3점]

① $\dfrac{7}{6}$　　② $\dfrac{4}{3}$　　③ $\dfrac{3}{2}$　　④ $\dfrac{5}{3}$　　⑤ $\dfrac{11}{6}$

27. 그림과 같이 $\overline{A_1B_1}=1$, $\overline{B_1C_1}=2$인 직사각형 $A_1B_1C_1D_1$이 있다. 선분 A_1D_1의 중점 E_1에 대하여 두 선분 B_1D_1, C_1E_1이 만나는 점을 F_1이라 하자. $\overline{G_1E_1}=\overline{G_1F_1}$이 되도록 선분 B_1D_1 위에 점 G_1을 잡아 삼각형 $G_1F_1E_1$을 그린다. 두 삼각형 $C_1D_1F_1$, $G_1F_1E_1$로 만들어진 ◁▷ 모양의 도형에 색칠하여 얻은 그림을 R_1이라 하자.

그림 R_1에서 선분 B_1F_1 위의 점 A_2, 선분 B_1C_1 위의 두 점 B_2, C_2, 선분 C_1F_1 위의 점 D_2를 꼭짓점으로 하고 $\overline{A_2B_2}:\overline{B_2C_2}=1:2$인 직사각형 $A_2B_2C_2D_2$를 그린다. 직사각형 $A_2B_2C_2D_2$에 그림 R_1을 얻은 것과 같은 방법으로 ◁▷ 모양의 도형에 색칠하여 얻은 그림을 R_2라 하자.

이와 같은 과정을 계속하여 n번째 얻은 그림 R_n에 색칠되어 있는 부분의 넓이를 S_n이라 할 때, $\lim\limits_{n\to\infty}S_n$의 값은? [3점]

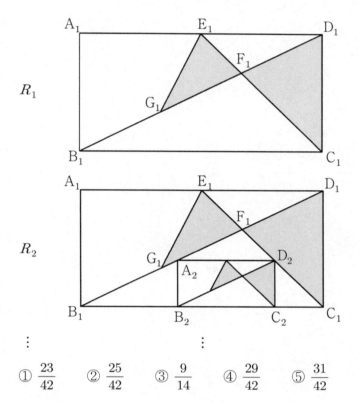

① $\dfrac{23}{42}$ ② $\dfrac{25}{42}$ ③ $\dfrac{9}{14}$ ④ $\dfrac{29}{42}$ ⑤ $\dfrac{31}{42}$

28. 실수 전체의 집합에서 도함수가 연속인 함수 $f(x)$가 모든 실수 x에 대하여 다음 조건을 만족시킨다.

(가) $f(-x)=f(x)$
(나) $f(x+2)=f(x)$

$\displaystyle\int_{-1}^{5} f(x)(x+\cos2\pi x)dx=\dfrac{47}{2}$, $\displaystyle\int_{0}^{1} f(x)dx=2$일 때,

$\displaystyle\int_{0}^{1} f'(x)\sin2\pi x\,dx$의 값은? [4점]

① $\dfrac{\pi}{6}$ ② $\dfrac{\pi}{4}$ ③ $\dfrac{\pi}{3}$ ④ $\dfrac{5}{12}\pi$ ⑤ $\dfrac{\pi}{2}$

10회

단답형

29. 그림과 같이 길이가 2인 선분 AB를 지름으로 하는 반원의
호 AB 위에 점 P가 있다. 호 AP 위에 점 Q를 호 BP와
호 PQ의 길이가 같도록 잡을 때, 두 선분 AP, BQ가 만나는
점을 R라 하고 점 B를 지나고 선분 AB에 수직인 직선이
직선 AP와 만나는 점을 S라 하자. ∠BAP $=\theta$라 할 때,
두 선분 PR, QR와 호 PQ로 둘러싸인 부분의 넓이를 $f(\theta)$,
두 선분 PS, BS와 호 BP로 둘러싸인 부분의 넓이를 $g(\theta)$
라 하자. $\displaystyle\lim_{\theta \to 0+} \frac{f(\theta)+g(\theta)}{\theta^3}$의 값을 구하시오.

(단, $0 < \theta < \dfrac{\pi}{4}$) [4점]

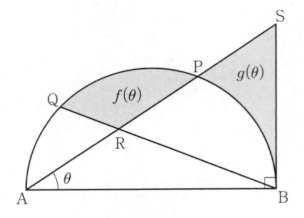

30. 최고차항의 계수가 3보다 크고 실수 전체의 집합에서
최솟값이 양수인 이차함수 $f(x)$에 대하여 함수 $g(x)$가

$$g(x) = e^x f(x)$$

이다. 양수 k에 대하여 집합 $\{x \,|\, g(x)=k,\ x$는 실수$\}$의
모든 원소의 합을 $h(k)$라 할 때, 양의 실수 전체의 집합에서
정의된 함수 $h(k)$는 다음 조건을 만족시킨다.

> (가) 함수 $h(k)$가 $k=t$에서 불연속인 t의 개수는 1이다.
> (나) $\displaystyle\lim_{k \to 3e+} h(k) - \lim_{k \to 3e-} h(k) = 2$

$g(-6) \times g(2)$의 값을 구하시오. (단, $\displaystyle\lim_{x \to -\infty} x^2 e^x = 0$) [4점]

---

* 확인 사항

○ 답안지의 해당란에 필요한 내용을 정확히 기입(표기)했는지 확인
하시오.

2025학년도 대학수학능력시험 9월 모의평가 문제지 1

제 2 교시

수학 영역

11회

● 문항수 30개 | 배점 100점 | 제한 시간 100분

● 배점은 2점, 3점 또는 4점

5지선다형

1. $\dfrac{\sqrt[4]{32}}{\sqrt[8]{4}}$ 의 값은? [2점]

① $\sqrt{2}$ ② 2 ③ $2\sqrt{2}$ ④ 4 ⑤ $4\sqrt{2}$

2. 함수 $f(x) = x^3 + 3x^2 - 5$ 에 대하여 $\displaystyle\lim_{h \to 0} \dfrac{f(1+h) - f(1)}{h}$ 의 값은? [2점]

① 5 ② 6 ③ 7 ④ 8 ⑤ 9

3. 모든 항이 실수인 등비수열 $\{a_n\}$ 에 대하여

$$a_2 a_3 = 2, \quad a_4 = 4$$

일 때, a_6 의 값은? [3점]

① 10 ② 12 ③ 14 ④ 16 ⑤ 18

4. 함수 $y = f(x)$ 의 그래프가 그림과 같다.

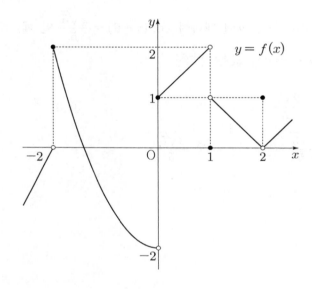

$\displaystyle\lim_{x \to 0-} f(x) + \lim_{x \to 1+} f(x)$ 의 값은? [3점]

① -2 ② -1 ③ 0 ④ 1 ⑤ 2

5. 함수 $f(x) = (x+1)(x^2+x-5)$에 대하여 $f'(2)$의 값은? [3점]

① 15   ② 16   ③ 17   ④ 18   ⑤ 19

6. $\dfrac{\pi}{2} < \theta < \pi$인 θ에 대하여 $\cos(\pi+\theta) = \dfrac{2\sqrt{5}}{5}$일 때, $\sin\theta + \cos\theta$의 값은? [3점]

① $-\dfrac{2\sqrt{5}}{5}$ ② $-\dfrac{\sqrt{5}}{5}$ ③ 0

④ $\dfrac{\sqrt{5}}{5}$ ⑤ $\dfrac{2\sqrt{5}}{5}$

7. 함수

$$f(x) = \begin{cases} (x-a)^2 & (x < 4) \\ 2x-4 & (x \geq 4) \end{cases}$$

가 실수 전체의 집합에서 연속이 되도록 하는 모든 상수 a의 값의 곱은? [3점]

① 6   ② 9   ③ 12   ④ 15   ⑤ 18

8. $a > 2$인 상수 a에 대하여 두 수 $\log_2 a$, $\log_a 8$의 합과 곱이 각각 4, k일 때, $a+k$의 값은? [3점]

① 11 ② 12 ③ 13 ④ 14 ⑤ 15

9. 함수 $f(x) = x^2 + x$에 대하여

$$5\int_0^1 f(x)\,dx - \int_0^1 \left(5x + f(x)\right)dx$$

의 값은? [4점]

① $\dfrac{1}{6}$ ② $\dfrac{1}{3}$ ③ $\dfrac{1}{2}$ ④ $\dfrac{2}{3}$ ⑤ $\dfrac{5}{6}$

10. $\angle A > \dfrac{\pi}{2}$인 삼각형 ABC의 꼭짓점 A에서 선분 BC에 내린 수선의 발을 H라 하자.

$$\overline{AB} : \overline{AC} = \sqrt{2} : 1, \quad \overline{AH} = 2$$

이고, 삼각형 ABC의 외접원의 넓이가 50π일 때, 선분 BH의 길이는? [4점]

① 6 ② $\dfrac{25}{4}$ ③ $\dfrac{13}{2}$ ④ $\dfrac{27}{4}$ ⑤ 7

11. 수직선 위를 움직이는 두 점 P, Q의 시각 t ($t \geq 0$)에서의 위치가 각각

$$x_1 = t^2 + t - 6, \quad x_2 = -t^3 + 7t^2$$

이다. 두 점 P, Q의 위치가 같아지는 순간 두 점 P, Q의 가속도를 각각 p, q라 할 때, $p-q$의 값은? [4점]

① 24   ② 27   ③ 30   ④ 33   ⑤ 36

12. 수열 $\{a_n\}$은 등차수열이고, 수열 $\{b_n\}$은 모든 자연수 n에 대하여

$$b_n = \sum_{k=1}^{n} (-1)^{k+1} a_k$$

를 만족시킨다. $b_2 = -2$, $b_3 + b_7 = 0$일 때, 수열 $\{b_n\}$의 첫째항부터 제9항까지의 합은? [4점]

① -22 ② -20 ③ -18 ④ -16 ⑤ -14

13. 함수

$$f(x) = \begin{cases} -x^2 - 2x + 6 & (x < 0) \\ -x^2 + 2x + 6 & (x \geq 0) \end{cases}$$

의 그래프가 x축과 만나는 서로 다른 두 점을 P, Q라 하고, 상수 $k(k>4)$에 대하여 직선 $x=k$가 x축과 만나는 점을 R이라 하자. 곡선 $y=f(x)$와 선분 PQ로 둘러싸인 부분의 넓이를 A, 곡선 $y=f(x)$와 직선 $x=k$ 및 선분 QR로 둘러싸인 부분의 넓이를 B라 하자. $A=2B$일 때, k의 값은? (단, 점 P의 x좌표는 음수이다.) [4점]

① $\dfrac{9}{2}$　　② 5　　③ $\dfrac{11}{2}$　　④ 6　　⑤ $\dfrac{13}{2}$

14. 자연수 n에 대하여 곡선 $y=2^x$ 위의 두 점 A_n, B_n이 다음 조건을 만족시킨다.

(가) 직선 A_nB_n의 기울기는 3이다.

(나) $\overline{A_nB_n} = n \times \sqrt{10}$

중심이 직선 $y=x$ 위에 있고 두 점 A_n, B_n을 지나는 원이 곡선 $y=\log_2 x$와 만나는 두 점의 x좌표 중 큰 값을 x_n이라 하자. $x_1 + x_2 + x_3$의 값은? [4점]

① $\dfrac{150}{7}$　　② $\dfrac{155}{7}$　　③ $\dfrac{160}{7}$　　④ $\dfrac{165}{7}$　　⑤ $\dfrac{170}{7}$

11회

15. 두 다항함수 $f(x)$, $g(x)$는 모든 실수 x에 대하여 다음 조건을 만족시킨다.

> (가) $\int_1^x tf(t)\,dt + \int_{-1}^x tg(t)\,dt = 3x^4 + 8x^3 - 3x^2$
>
> (나) $f(x) = xg'(x)$

$\int_0^3 g(x)\,dx$의 값은? [4점]

① 72   ② 76   ③ 80   ④ 84   ⑤ 88

단답형

16. 방정식

$$\log_3(x+2) - \log_{\frac{1}{3}}(x-4) = 3$$

을 만족시키는 실수 x의 값을 구하시오. [3점]

17. 함수 $f(x)$에 대하여 $f'(x) = 6x^2 + 2x + 1$이고 $f(0) = 1$일 때, $f(1)$의 값을 구하시오. [3점]

18. 수열 $\{a_n\}$에 대하여

$$\sum_{k=1}^{10} ka_k = 36, \quad \sum_{k=1}^{9} ka_{k+1} = 7$$

일 때, $\displaystyle\sum_{k=1}^{10} a_k$의 값을 구하시오. [3점]

19. 함수 $f(x) = x^3 + ax^2 - 9x + b$는 $x = 1$에서 극소이다. 함수 $f(x)$의 극댓값이 28일 때, $a+b$의 값을 구하시오. (단, a와 b는 상수이다.) [3점]

20. 닫힌구간 $[0, 2\pi]$에서 정의된 함수

$$f(x) = \begin{cases} \sin x - 1 & (0 \le x < \pi) \\ -\sqrt{2}\sin x - 1 & (\pi \le x \le 2\pi) \end{cases}$$

가 있다. $0 \le t \le 2\pi$인 실수 t에 대하여 x에 대한 방정식 $f(x) = f(t)$의 서로 다른 실근의 개수가 3이 되도록 하는 모든 t의 값의 합은 $\dfrac{q}{p}\pi$이다. $p+q$의 값을 구하시오. (단, p와 q는 서로소인 자연수이다.) [4점]

21. 최고차항의 계수가 1인 삼차함수 $f(x)$가 모든 정수 k에 대하여

$$2k-8 \le \frac{f(k+2)-f(k)}{2} \le 4k^2+14k$$

를 만족시킬 때, $f'(3)$의 값을 구하시오. [4점]

22. 양수 k에 대하여 $a_1 = k$인 수열 $\{a_n\}$이 다음 조건을 만족시킨다.

> (가) $a_2 \times a_3 < 0$
>
> (나) 모든 자연수 n에 대하여
> $$\left(a_{n+1}-a_n+\frac{2}{3}k\right)\left(a_{n+1}+ka_n\right)=0$$이다.

$a_5 = 0$이 되도록 하는 서로 다른 모든 양수 k에 대하여 k^2의 값의 합을 구하시오. [4점]

---

* 확인 사항

○ 답안지의 해당란에 필요한 내용을 정확히 기입(표기)했는지 확인 하시오.

○ 이어서, 「**선택과목(확률과 통계)**」 문제가 제시되오니, 자신이 선택한 과목인지 확인하시오.

제 2 교시

수학 영역(확률과 통계)

5지선다 형

23. 다섯 개의 숫자 1, 2, 2, 3, 3을 모두 일렬로 나열하는 경우의 수는? [2점]

① 10   ② 15   ③ 20   ④ 25   ⑤ 30

24. 두 사건 A, B는 서로 독립이고

$$P(A) = \frac{2}{3}, \quad P(A \cap B) = \frac{1}{6}$$

일 때, $P(A \cup B)$의 값은? [3점]

① $\frac{3}{4}$ ② $\frac{19}{24}$ ③ $\frac{5}{6}$ ④ $\frac{7}{8}$ ⑤ $\frac{11}{12}$

25. 1부터 11까지의 자연수 중에서 임의로 서로 다른 2개의 수를 선택한다. 선택한 2개의 수 중 적어도 하나가 7 이상의 홀수일 확률은? [3점]

① $\dfrac{23}{55}$ ② $\dfrac{24}{55}$ ③ $\dfrac{5}{11}$ ④ $\dfrac{26}{55}$ ⑤ $\dfrac{27}{55}$

26. 정규분포 $N(m, 6^2)$을 따르는 모집단에서 크기가 9인 표본을 임의추출하여 구한 표본평균을 $\overline{X}$, 정규분포 $N(6, 2^2)$을 따르는 모집단에서 크기가 4인 표본을 임의추출하여 구한 표본평균을 $\overline{Y}$라 하자. $P(\overline{X} \le 12) + P(\overline{Y} \ge 8) = 1$이 되도록 하는 m의 값은? [3점]

① 5 ② $\dfrac{13}{2}$ ③ 8 ④ $\dfrac{19}{2}$ ⑤ 11

27. 이산확률변수 X가 가지는 값이 0부터 4까지의 정수이고

$$P(X=k)=P(X=k+2) \ (k=0,\ 1,\ 2)$$

이다. $E(X^2)=\dfrac{35}{6}$ 일 때, $P(X=0)$의 값은? [3점]

① $\dfrac{1}{24}$ ② $\dfrac{1}{12}$ ③ $\dfrac{1}{8}$ ④ $\dfrac{1}{6}$ ⑤ $\dfrac{5}{24}$

28. 집합 $X=\{1,2,3,4\}$에 대하여 $f:X\to X$인 모든 함수 f 중에서 임의로 하나를 선택하는 시행을 한다. 이 시행에서 선택한 함수 f가 다음 조건을 만족시킬 때, $f(4)$가 짝수일 확률은? [4점]

> $a\in X,\ b\in X$에 대하여
> a가 b의 약수이면 $f(a)$는 $f(b)$의 약수이다.

① $\dfrac{9}{19}$ ② $\dfrac{8}{15}$ ③ $\dfrac{3}{5}$ ④ $\dfrac{27}{40}$ ⑤ $\dfrac{19}{25}$

11회

단답형

29. 수직선의 원점에 점 A가 있다. 한 개의 주사위를 사용하여 다음 시행을 한다.

> 주사위를 한 번 던져 나온 눈의 수가
> 4 이하이면 점 A를 양의 방향으로 1만큼 이동시키고,
> 5 이상이면 점 A를 음의 방향으로 1만큼 이동시킨다.

이 시행을 16200번 반복하여 이동된 점 A의 위치가 5700 이하일 확률을 오른쪽 표준정규분포표를 이용하여 구한 값을 k라 하자. $1000 \times k$의 값을 구하시오. [4점]

z	$P(0 \leq Z \leq z)$
1.0	0.341
1.5	0.433
2.0	0.477
2.5	0.494

30. 흰 공 4개와 검은 공 4개를 세 명의 학생 A, B, C에게 다음 규칙에 따라 남김없이 나누어 주는 경우의 수를 구하시오. (단, 같은 색 공끼리는 서로 구별하지 않고, 공을 받지 못하는 학생이 있을 수 있다.) [4점]

> (가) 학생 A가 받는 공의 개수는 0 이상 2 이하이다.
>
> (나) 학생 B가 받는 공의 개수는 2 이상이다.

---

* 확인 사항

○ 답안지의 해당란에 필요한 내용을 정확히 기입(표기)했는지 확인 하시오.

○ 이어서, 「**선택과목(미적분)**」 문제가 제시되오니, 자신이 선택한 과목인지 확인하시오.

5지선다형

23. $\lim\limits_{x \to 0} \dfrac{\sin 5x}{x}$ 의 값은? [2점]

① 1   ② 2   ③ 3   ④ 4   ⑤ 5

24. 양의 실수 전체의 집합에서 정의된 미분가능한 함수 $f(x)$가 있다. 양수 t에 대하여 곡선 $y = f(x)$ 위의 점 $(t, f(t))$에서의 접선의 기울기는 $\dfrac{1}{t} + 4e^{2t}$이다. $f(1) = 2e^2 + 1$일 때, $f(e)$의 값은? [3점]

① $2e^{2e} - 1$ ② $2e^{2e}$ ③ $2e^{2e} + 1$

④ $2e^{2e} + 2$ ⑤ $2e^{2e} + 3$

25. 등비수열 $\{a_n\}$에 대하여

$$\lim_{n \to \infty} \frac{4^n \times a_n - 1}{3 \times 2^{n+1}} = 1$$

일 때, $a_1 + a_2$의 값은? [3점]

① $\dfrac{3}{2}$ ② $\dfrac{5}{2}$ ③ $\dfrac{7}{2}$ ④ $\dfrac{9}{2}$ ⑤ $\dfrac{11}{2}$

26. 그림과 같이 곡선 $y = 2x\sqrt{x \sin x^2}$ $(0 \le x \le \sqrt{\pi})$와 x축 및 두 직선 $x = \sqrt{\dfrac{\pi}{6}}$, $x = \sqrt{\dfrac{\pi}{2}}$ 로 둘러싸인 부분을 밑면으로 하는 입체도형이 있다. 이 입체도형을 x축에 수직인 평면으로 자른 단면이 모두 반원일 때, 이 입체도형의 부피는? [3점]

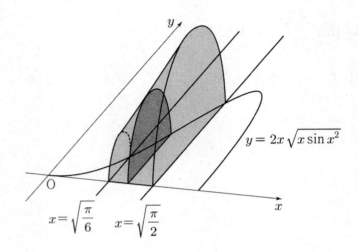

① $\dfrac{\pi^2 + 6\pi}{48}$ ② $\dfrac{\sqrt{2}\,\pi^2 + 6\pi}{48}$ ③ $\dfrac{\sqrt{3}\,\pi^2 + 6\pi}{48}$

④ $\dfrac{\sqrt{2}\,\pi^2 + 12\pi}{48}$ ⑤ $\dfrac{\sqrt{3}\,\pi^2 + 12\pi}{48}$

27. 실수 전체의 집합에서 미분가능한 함수 $f(x)$가 모든 실수 x에 대하여

$$f(x) + f\left(\frac{1}{2}\sin x\right) = \sin x$$

를 만족시킬 때, $f'(\pi)$의 값은? [3점]

① $-\dfrac{5}{6}$ ② $-\dfrac{2}{3}$ ③ $-\dfrac{1}{2}$ ④ $-\dfrac{1}{3}$ ⑤ $-\dfrac{1}{6}$

28. 함수 $f(x)$는 실수 전체의 집합에서 연속인 이계도함수를 갖고, 실수 전체의 집합에서 정의된 함수 $g(x)$를

$$g(x) = f'(2x)\sin \pi x + x$$

라 하자. 함수 $g(x)$는 역함수 $g^{-1}(x)$를 갖고,

$$\int_0^1 g^{-1}(x)\,dx = 2\int_0^1 f'(2x)\sin \pi x\,dx + \frac{1}{4}$$

을 만족시킬 때, $\displaystyle\int_0^2 f(x)\cos\frac{\pi}{2}x\,dx$ 의 값은? [4점]

① $-\dfrac{1}{\pi}$ ② $-\dfrac{1}{2\pi}$ ③ $-\dfrac{1}{3\pi}$ ④ $-\dfrac{1}{4\pi}$ ⑤ $-\dfrac{1}{5\pi}$

29. 수열 $\{a_n\}$의 첫째항부터 제m항까지의 합을 S_m이라 하자. 모든 자연수 m에 대하여

$$S_m = \sum_{n=1}^{\infty} \frac{m+1}{n(n+m+1)}$$

일 때, $a_1 + a_{10} = \dfrac{q}{p}$이다. $p+q$의 값을 구하시오.

(단, p와 q는 서로소인 자연수이다.) [4점]

30. 양수 k에 대하여 함수 $f(x)$를

$$f(x) = (k - |x|)e^{-x}$$

이라 하자. 실수 전체의 집합에서 미분가능하고 다음 조건을 만족시키는 모든 함수 $F(x)$에 대하여 $F(0)$의 최솟값을 $g(k)$라 하자.

모든 실수 x에 대하여 $F'(x) = f(x)$이고 $F(x) \geq f(x)$이다.

$g\left(\dfrac{1}{4}\right) + g\left(\dfrac{3}{2}\right) = pe + q$일 때, $100(p+q)$의 값을 구하시오.

(단, $\displaystyle\lim_{x \to \infty} xe^{-x} = 0$이고, p와 q는 유리수이다.) [4점]

∗ 확인 사항

○ 답안지의 해당란에 필요한 내용을 정확히 기입(표기)했는지 확인 하시오.

수학 영역

제 2 교시

12회

● 문항수 30개 | 배점 100점 | 제한 시간 100분

● 배점은 2점, 3점 또는 4점

5지선다형

1. $3^{1-\sqrt{5}} \times 3^{1+\sqrt{5}}$ 의 값은? [2점]

① $\dfrac{1}{9}$　② $\dfrac{1}{3}$　③ 1　④ 3　⑤ 9

2. 함수 $f(x) = 2x^2 - x$ 에 대하여 $\displaystyle\lim_{x \to 1} \dfrac{f(x)-1}{x-1}$ 의 값은? [2점]

① 1　② 2　③ 3　④ 4　⑤ 5

3. $\dfrac{3}{2}\pi < \theta < 2\pi$ 인 θ 에 대하여 $\cos\theta = \dfrac{\sqrt{6}}{3}$ 일 때, $\tan\theta$ 의 값은? [3점]

① $-\sqrt{2}$　② $-\dfrac{\sqrt{2}}{2}$　③ 0　④ $\dfrac{\sqrt{2}}{2}$　⑤ $\sqrt{2}$

4. 함수 $y = f(x)$ 의 그래프가 그림과 같다.

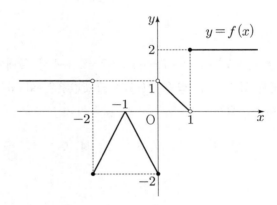

$\displaystyle\lim_{x \to -2+} f(x) + \lim_{x \to 1-} f(x)$ 의 값은? [3점]

① -2　② -1　③ 0　④ 1　⑤ 2

5. 모든 항이 양수인 등비수열 $\{a_n\}$에 대하여

$$\frac{a_3 a_8}{a_6} = 12, \quad a_5 + a_7 = 36$$

일 때, a_{11}의 값은? [3점]

① 72   ② 78   ③ 84   ④ 90   ⑤ 96

6. 함수 $f(x) = x^3 + ax^2 + bx + 1$은 $x = -1$에서 극대이고, $x = 3$에서 극소이다. 함수 $f(x)$의 극댓값은? (단, a, b는 상수이다.) [3점]

① 0   ② 3   ③ 6   ④ 9   ⑤ 12

7. 두 실수 a, b가

$$3a + 2b = \log_3 32, \quad ab = \log_9 2$$

를 만족시킬 때, $\dfrac{1}{3a} + \dfrac{1}{2b}$의 값은? [3점]

① $\dfrac{5}{12}$ ② $\dfrac{5}{6}$ ③ $\dfrac{5}{4}$ ④ $\dfrac{5}{3}$ ⑤ $\dfrac{25}{12}$

8. 다항함수 $f(x)$가

$$f'(x) = 6x^2 - 2f(1)x, \quad f(0) = 4$$

를 만족시킬 때, $f(2)$의 값은? [3점]

① 5   ② 6   ③ 7   ④ 8   ⑤ 9

9. $0 \le x \le 2\pi$일 때, 부등식

$$\cos x \le \sin \frac{\pi}{7}$$

를 만족시키는 모든 x의 값의 범위는 $\alpha \le x \le \beta$이다. $\beta - \alpha$의 값은? [4점]

① $\dfrac{8}{7}\pi$ ② $\dfrac{17}{14}\pi$ ③ $\dfrac{9}{7}\pi$ ④ $\dfrac{19}{14}\pi$ ⑤ $\dfrac{10}{7}\pi$

10. 최고차항의 계수가 1인 삼차함수 $f(x)$에 대하여 곡선 $y = f(x)$ 위의 점 $(-2, f(-2))$에서의 접선과 곡선 $y = f(x)$ 위의 점 $(2, 3)$에서의 접선이 점 $(1, 3)$에서 만날 때, $f(0)$의 값은? [4점]

① 31   ② 33   ③ 35   ④ 37   ⑤ 39

12회

11. 두 점 P와 Q는 시각 $t=0$일 때 각각 점 A(1)과 점 B(8)에서 출발하여 수직선 위를 움직인다. 두 점 P, Q의 시각 $t\,(t \geq 0)$에서의 속도는 각각

$$v_1(t) = 3t^2 + 4t - 7, \quad v_2(t) = 2t + 4$$

이다. 출발한 시각부터 두 점 P, Q 사이의 거리가 처음으로 4가 될 때까지 점 P가 움직인 거리는? [4점]

① 10　　② 14　　③ 19　　④ 25　　⑤ 32

12. 첫째항이 자연수인 수열 $\{a_n\}$이 모든 자연수 n에 대하여

$$a_{n+1} = \begin{cases} a_n + 1 & (a_n \text{이 홀수인 경우}) \\ \dfrac{1}{2}a_n & (a_n \text{이 짝수인 경우}) \end{cases}$$

를 만족시킬 때, $a_2 + a_4 = 40$이 되도록 하는 모든 a_1의 값의 합은? [4점]

① 172　　② 175　　③ 178　　④ 181　　⑤ 184

13. 두 실수 a, b에 대하여 함수

$$f(x) = \begin{cases} -\dfrac{1}{3}x^3 - ax^2 - bx & (x < 0) \\[2mm] \dfrac{1}{3}x^3 + ax^2 - bx & (x \geq 0) \end{cases}$$

이 구간 $(-\infty, -1]$에서 감소하고 구간 $[-1, \infty)$에서 증가할 때, $a+b$의 최댓값을 M, 최솟값을 m이라 하자. $M-m$의 값은? [4점]

① $\dfrac{3}{2} + 3\sqrt{2}$ ② $3 + 3\sqrt{2}$ ③ $\dfrac{9}{2} + 3\sqrt{2}$

④ $6 + 3\sqrt{2}$ ⑤ $\dfrac{15}{2} + 3\sqrt{2}$

14. 두 자연수 a, b에 대하여 함수

$$f(x) = \begin{cases} 2^{x+a} + b & (x \leq -8) \\[2mm] -3^{x-3} + 8 & (x > -8) \end{cases}$$

이 다음 조건을 만족시킬 때, $a+b$의 값은? [4점]

> 집합 $\{f(x) \,|\, x \leq k\}$의 원소 중 정수인 것의 개수가 2가 되도록 하는 모든 실수 k의 값의 범위는 $3 \leq k < 4$이다.

① 11   ② 13   ③ 15   ④ 17   ⑤ 19

12회

15. 최고차항의 계수가 1인 삼차함수 $f(x)$에 대하여 함수 $g(x)$를

$$g(x) = \begin{cases} \dfrac{f(x+3)\{f(x)+1\}}{f(x)} & (f(x) \neq 0) \\ 3 & (f(x) = 0) \end{cases}$$

이라 하자. $\lim\limits_{x \to 3} g(x) = g(3) - 1$일 때, $g(5)$의 값은? [4점]

① 14   ② 16   ③ 18   ④ 20   ⑤ 22

단답형

16. 방정식 $\log_2(x-1) = \log_4(13+2x)$를 만족시키는 실수 x의 값을 구하시오. [3점]

17. 두 수열 $\{a_n\}$, $\{b_n\}$에 대하여

$$\sum_{k=1}^{10}(2a_k - b_k) = 34, \quad \sum_{k=1}^{10} a_k = 10$$

일 때, $\sum\limits_{k=1}^{10}(a_k - b_k)$의 값을 구하시오. [3점]

18. 함수 $f(x) = (x^2+1)(x^2+ax+3)$에 대하여 $f'(1) = 32$일 때, 상수 a의 값을 구하시오. [3점]

19. 두 곡선 $y = 3x^3 - 7x^2$과 $y = -x^2$으로 둘러싸인 부분의 넓이를 구하시오. [3점]

20. 그림과 같이

$$\overline{AB} = 2, \quad \overline{AD} = 1, \quad \angle DAB = \frac{2}{3}\pi, \quad \angle BCD = \frac{3}{4}\pi$$

인 사각형 ABCD가 있다. 삼각형 BCD의 외접원의 반지름의 길이를 R_1, 삼각형 ABD의 외접원의 반지름의 길이를 R_2라 하자.

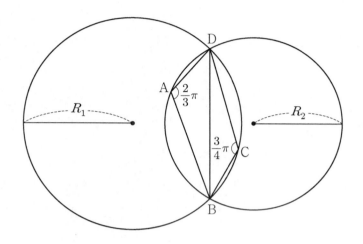

다음은 $R_1 \times R_2$의 값을 구하는 과정이다.

삼각형 BCD에서 사인법칙에 의하여
$$R_1 = \frac{\sqrt{2}}{2} \times \overline{BD}$$
이고, 삼각형 ABD에서 사인법칙에 의하여
$$R_2 = \boxed{\ (가)\ } \times \overline{BD}$$
이다. 삼각형 ABD에서 코사인법칙에 의하여
$$\overline{BD}^2 = 2^2 + 1^2 - (\boxed{\ (나)\ })$$
이므로
$$R_1 \times R_2 = \boxed{\ (다)\ }$$
이다.

위의 (가), (나), (다)에 알맞은 수를 각각 p, q, r이라 할 때, $9 \times (p \times q \times r)^2$의 값을 구하시오. [4점]

21. 모든 항이 자연수인 등차수열 $\{a_n\}$의 첫째항부터 제n항까지의 합을 S_n이라 하자. a_7이 13의 배수이고

$$\sum_{k=1}^{7} S_k = 644$$ 일 때, a_2의 값을 구하시오. [4점]

22. 두 다항함수 $f(x)$, $g(x)$에 대하여 $f(x)$의 한 부정적분을 $F(x)$라 하고 $g(x)$의 한 부정적분을 $G(x)$라 할 때, 이 함수들은 모든 실수 x에 대하여 다음 조건을 만족시킨다.

> (가) $\displaystyle\int_1^x f(t)\,dt = xf(x) - 2x^2 - 1$
>
> (나) $f(x)G(x) + F(x)g(x) = 8x^3 + 3x^2 + 1$

$\displaystyle\int_1^3 g(x)\,dx$ 의 값을 구하시오. [4점]

---

* 확인 사항

○ 답안지의 해당란에 필요한 내용을 정확히 기입(표기)했는지 확인 하시오.

○ 이어서, 「**선택과목(확률과 통계)**」 문제가 제시되오니, 자신이 선택한 과목인지 확인하시오.

제 2 교시

수학 영역(확률과 통계)

12회

5지선다형

23. 확률변수 X가 이항분포 $B\left(30, \dfrac{1}{5}\right)$을 따를 때, $E(X)$의 값은? [2점]

① 6   ② 7   ③ 8   ④ 9   ⑤ 10

24. 그림과 같이 직사각형 모양으로 연결된 도로망이 있다. 이 도로망을 따라 A 지점에서 출발하여 P 지점을 거쳐 B 지점까지 최단 거리로 가는 경우의 수는? [3점]

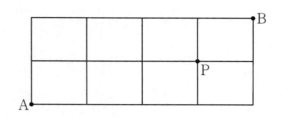

① 6   ② 7   ③ 8   ④ 9   ⑤ 10

25. 두 사건 A, B에 대하여 A와 B^C은 서로 배반사건이고

$$\mathrm{P}(A \cap B) = \frac{1}{5}, \quad \mathrm{P}(A) + \mathrm{P}(B) = \frac{7}{10}$$

일 때, $\mathrm{P}(A^C \cap B)$의 값은? (단, A^C은 A의 여사건이다.) [3점]

① $\dfrac{1}{10}$ ② $\dfrac{1}{5}$ ③ $\dfrac{3}{10}$ ④ $\dfrac{2}{5}$ ⑤ $\dfrac{1}{2}$

26. 어느 고등학교의 수학 시험에 응시한 수험생의 시험 점수는 평균이 68점, 표준편차가 10점인 정규분포를 따른다고 한다. 이 수학 시험에 응시한 수험생 중 임의로 선택한 수험생 한 명의 시험 점수가 55점 이상이고 78점 이하일 확률을 오른쪽 표준정규분포표를 이용하여 구한 것은? [3점]

z	$\mathrm{P}(0 \leq Z \leq z)$
1.0	0.3413
1.1	0.3643
1.2	0.3849
1.3	0.4032

① 0.7262   ② 0.7445   ③ 0.7492   ④ 0.7675   ⑤ 0.7881

27. 두 집합 $X = \{1, 2, 3, 4\}$, $Y = \{1, 2, 3, 4, 5, 6, 7\}$에 대하여 X에서 Y로의 모든 일대일함수 f 중에서 임의로 하나를 선택할 때, 이 함수가 다음 조건을 만족시킬 확률은? [3점]

> (가) $f(2) = 2$
>
> (나) $f(1) \times f(2) \times f(3) \times f(4)$는 4의 배수이다.

① $\dfrac{1}{14}$ ② $\dfrac{3}{35}$ ③ $\dfrac{1}{10}$ ④ $\dfrac{4}{35}$ ⑤ $\dfrac{9}{70}$

28. 주머니 A에는 숫자 1, 2, 3이 하나씩 적힌 3개의 공이 들어 있고, 주머니 B에는 숫자 1, 2, 3, 4가 하나씩 적힌 4개의 공이 들어 있다. 두 주머니 A, B와 한 개의 주사위를 사용하여 다음 시행을 한다.

> 주사위를 한 번 던져
> 나온 눈의 수가 3의 배수이면
> 주머니 A에서 임의로 2개의 공을 동시에 꺼내고,
> 나온 눈의 수가 3의 배수가 아니면
> 주머니 B에서 임의로 2개의 공을 동시에 꺼낸다.
> 꺼낸 2개의 공에 적혀 있는 수의 차를 기록한 후,
> 공을 꺼낸 주머니에 이 2개의 공을 다시 넣는다.

이 시행을 2번 반복하여 기록한 두 개의 수의 평균을 $\overline{X}$라 할 때, $\mathrm{P}(\overline{X} = 2)$의 값은? [4점]

① $\dfrac{11}{81}$ ② $\dfrac{13}{81}$ ③ $\dfrac{5}{27}$ ④ $\dfrac{17}{81}$ ⑤ $\dfrac{19}{81}$

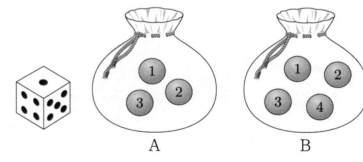

29. 앞면에는 문자 A, 뒷면에는 문자 B가 적힌 한 장의 카드가 있다. 이 카드와 한 개의 동전을 사용하여 다음 시행을 한다.

> 동전을 두 번 던져
> 앞면이 나온 횟수가 2이면 카드를 한 번 뒤집고,
> 앞면이 나온 횟수가 0 또는 1이면 카드를 그대로 둔다.

처음에 문자 A가 보이도록 카드가 놓여 있을 때, 이 시행을 5번 반복한 후 문자 B가 보이도록 카드가 놓일 확률은 p이다. $128 \times p$의 값을 구하시오. [4점]

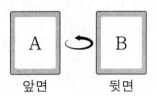

앞면   뒷면

30. 다음 조건을 만족시키는 13 이하의 자연수 a, b, c, d의 모든 순서쌍 (a, b, c, d)의 개수를 구하시오. [4점]

> (가) $a \leq b \leq c \leq d$
>
> (나) $a \times d$는 홀수이고, $b+c$는 짝수이다.

* 확인 사항

○ 답안지의 해당란에 필요한 내용을 정확히 기입(표기)했는지 확인하시오.

○ 이어서, 「**선택과목(미적분)**」 문제가 제시되오니, 자신이 선택한 과목인지 확인하시오.

5지선다형

23. $\lim\limits_{x \to 0} \dfrac{e^{7x}-1}{e^{2x}-1}$ 의 값은? [2점]

① $\dfrac{1}{2}$ ② $\dfrac{3}{2}$ ③ $\dfrac{5}{2}$ ④ $\dfrac{7}{2}$ ⑤ $\dfrac{9}{2}$

24. 매개변수 t 로 나타내어진 곡선

$$x = t + \cos 2t, \quad y = \sin^2 t$$

에서 $t = \dfrac{\pi}{4}$ 일 때, $\dfrac{dy}{dx}$ 의 값은? [3점]

① -2 ② -1 ③ 0 ④ 1 ⑤ 2

25. 함수 $f(x) = x + \ln x$ 에 대하여 $\int_1^e \left(1 + \dfrac{1}{x}\right) f(x)\, dx$ 의 값은?

[3점]

① $\dfrac{e^2}{2} + \dfrac{e}{2}$ ② $\dfrac{e^2}{2} + e$ ③ $\dfrac{e^2}{2} + 2e$

④ $e^2 + e$ ⑤ $e^2 + 2e$

26. 공차가 양수인 등차수열 $\{a_n\}$ 과 등비수열 $\{b_n\}$ 에 대하여 $a_1 = b_1 = 1$, $a_2 b_2 = 1$ 이고

$$\sum_{n=1}^{\infty} \left(\frac{1}{a_n a_{n+1}} + b_n \right) = 2$$

일 때, $\displaystyle\sum_{n=1}^{\infty} b_n$ 의 값은? [3점]

① $\dfrac{7}{6}$ ② $\dfrac{6}{5}$ ③ $\dfrac{5}{4}$ ④ $\dfrac{4}{3}$ ⑤ $\dfrac{3}{2}$

27. $x = -\ln 4$ 에서 $x = 1$ 까지의 곡선 $y = \dfrac{1}{2}(|e^x - 1| - e^{|x|} + 1)$ 의 길이는? [3점]

① $\dfrac{23}{8}$ ② $\dfrac{13}{4}$ ③ $\dfrac{29}{8}$ ④ 4 ⑤ $\dfrac{35}{8}$

28. 실수 $a\,(0 < a < 2)$에 대하여 함수 $f(x)$를

$$f(x) = \begin{cases} 2|\sin 4x| & (x < 0) \\ -\sin ax & (x \geq 0) \end{cases}$$

이라 하자. 함수

$$g(x) = \left| \int_{-a\pi}^{x} f(t)\,dt \right|$$

가 실수 전체의 집합에서 미분가능할 때, a의 최솟값은? [4점]

① $\dfrac{1}{2}$ ② $\dfrac{3}{4}$ ③ 1 ④ $\dfrac{5}{4}$ ⑤ $\dfrac{3}{2}$

수학 영역(미적분)

29. 두 실수 a, b $(a>1,\ b>1)$이

$$\lim_{n\to\infty}\frac{3^n+a^{n+1}}{3^{n+1}+a^n}=a, \quad \lim_{n\to\infty}\frac{a^n+b^{n+1}}{a^{n+1}+b^n}=\frac{9}{a}$$

를 만족시킬 때, $a+b$의 값을 구하시오. [4점]

30. 길이가 10인 선분 AB를 지름으로 하는 원과 선분 AB 위에 $\overline{\text{AC}}=4$인 점 C가 있다. 이 원 위의 점 P를 $\angle\text{PCB}=\theta$가 되도록 잡고, 점 P를 지나고 선분 AB에 수직인 직선이 이 원과 만나는 점 중 P가 아닌 점을 Q라 하자. 삼각형 PCQ의 넓이를 $S(\theta)$라 할 때, $-7\times S'\!\left(\dfrac{\pi}{4}\right)$의 값을 구하시오. (단, $0<\theta<\dfrac{\pi}{2}$) [4점]

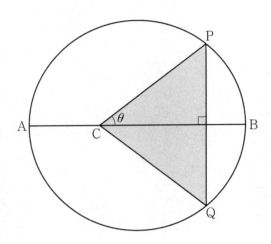

---

* 확인 사항

○ 답안지의 해당란에 필요한 내용을 정확히 기입(표기)했는지 확인하시오.

수학 영역

5지선다형

1. $\left(\dfrac{2^{\sqrt{3}}}{2}\right)^{\sqrt{3}+1}$ 의 값은? [2점]

① $\dfrac{1}{16}$　② $\dfrac{1}{4}$　③ 1　④ 4　⑤ 16

2. 함수 $f(x)=2x^2+5$ 에 대하여 $\displaystyle\lim_{x\to 2}\dfrac{f(x)-f(2)}{x-2}$ 의 값은? [2점]

① 8　② 9　③ 10　④ 11　⑤ 12

3. $\sin(\pi-\theta)=\dfrac{5}{13}$ 이고 $\cos\theta<0$ 일 때, $\tan\theta$ 의 값은? [3점]

① $-\dfrac{12}{13}$　② $-\dfrac{5}{12}$　③ 0　④ $\dfrac{5}{12}$　⑤ $\dfrac{12}{13}$

4. 함수

$$f(x)=\begin{cases}-2x+a & (x\le a)\\ ax-6 & (x>a)\end{cases}$$

가 실수 전체의 집합에서 연속이 되도록 하는 모든 상수 a의 값의 합은? [3점]

① -1　② -2　③ -3　④ -4　⑤ -5

5. 등차수열 $\{a_n\}$에 대하여

$$a_1 = 2a_5, \quad a_8 + a_{12} = -6$$

일 때, a_2의 값은? [3점]

① 17   ② 19   ③ 21   ④ 23   ⑤ 25

6. 함수 $f(x) = x^3 - 3x^2 + k$의 극댓값이 9일 때, 함수 $f(x)$의 극솟값은? (단, k는 상수이다.) [3점]

① 1   ② 2   ③ 3   ④ 4   ⑤ 5

7. 수열 $\{a_n\}$의 첫째항부터 제 n항까지의 합을 S_n이라 하자.

$S_n = \dfrac{1}{n(n+1)}$일 때, $\displaystyle\sum_{k=1}^{10}(S_k - a_k)$의 값은? [3점]

① $\dfrac{1}{2}$ ② $\dfrac{3}{5}$ ③ $\dfrac{7}{10}$ ④ $\dfrac{4}{5}$ ⑤ $\dfrac{9}{10}$

8. 곡선 $y = x^3 - 4x + 5$ 위의 점 $(1, 2)$에서의 접선이
곡선 $y = x^4 + 3x + a$에 접할 때, 상수 a의 값은? [3점]

① 6   ② 7   ③ 8   ④ 9   ⑤ 10

9. 닫힌구간 $[0, 12]$에서 정의된 두 함수

$$f(x) = \cos \frac{\pi x}{6}, \quad g(x) = -3\cos \frac{\pi x}{6} - 1$$

이 있다. 곡선 $y = f(x)$와 직선 $y = k$가 만나는 두 점의
x좌표를 α_1, α_2라 할 때, $|\alpha_1 - \alpha_2| = 8$이다. 곡선 $y = g(x)$와
직선 $y = k$가 만나는 두 점의 x좌표를 β_1, β_2라 할 때,
$|\beta_1 - \beta_2|$의 값은? (단, k는 $-1 < k < 1$인 상수이다.) [4점]

① 3   ② $\dfrac{7}{2}$ ③ 4   ④ $\dfrac{9}{2}$ ⑤ 5

10. 수직선 위의 점 $A(6)$과 시각 $t = 0$일 때 원점을 출발하여
이 수직선 위를 움직이는 점 P가 있다. 시각 $t\,(t \geq 0)$에서의
점 P의 속도 $v(t)$를

$$v(t) = 3t^2 + at \quad (a > 0)$$

이라 하자. 시각 $t = 2$에서 점 P와 점 A 사이의 거리가 10일 때,
상수 a의 값은? [4점]

① 1   ② 2   ③ 3   ④ 4   ⑤ 5

11. 함수 $f(x) = -(x-2)^2 + k$에 대하여 다음 조건을 만족시키는 자연수 n의 개수가 2일 때, 상수 k의 값은? [4점]

$\sqrt{3}^{f(n)}$ 의 네제곱근 중 실수인 것을 모두 곱한 값이 -9이다.

① 8　　　② 9　　　③ 10　　　④ 11　　　⑤ 12

12. 실수 $t\,(t>0)$에 대하여 직선 $y=x+t$와 곡선 $y=x^2$이 만나는 두 점을 A, B라 하자. 점 A를 지나고 x축에 평행한 직선이 곡선 $y=x^2$과 만나는 점 중 A가 아닌 점을 C, 점 B에서 선분 AC에 내린 수선의 발을 H라 하자.

$\displaystyle\lim_{t\to 0+} \frac{\overline{\text{AH}} - \overline{\text{CH}}}{t}$ 의 값은? (단, 점 A의 x좌표는 양수이다.) [4점]

① 1　　　② 2　　　③ 3　　　④ 4　　　⑤ 5

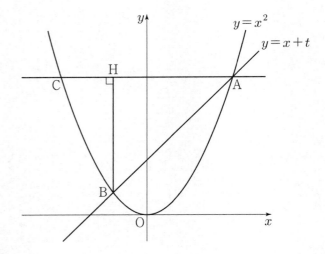

13. 그림과 같이 선분 AB를 지름으로 하는 반원의 호 AB 위에 두 점 C, D가 있다. 선분 AB의 중점 O에 대하여 두 선분 AD, CO가 점 E에서 만나고,

$$\overline{CE} = 4, \quad \overline{ED} = 3\sqrt{2}, \quad \angle CEA = \frac{3}{4}\pi$$

이다. $\overline{AC} \times \overline{CD}$ 의 값은? [4점]

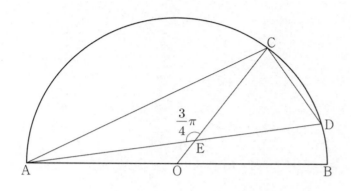

① $6\sqrt{10}$ ② $10\sqrt{5}$ ③ $16\sqrt{2}$

④ $12\sqrt{5}$ ⑤ $20\sqrt{2}$

14. 최고차항의 계수가 1이고 $f(0) = 0$, $f(1) = 0$인 삼차함수 $f(x)$에 대하여 함수 $g(t)$를

$$g(t) = \int_{t}^{t+1} f(x)\,dx - \int_{0}^{1} |f(x)|\,dx$$

라 할 때, <보기>에서 옳은 것만을 있는 대로 고른 것은? [4점]

<보 기>

ㄱ. $g(0) = 0$이면 $g(-1) < 0$이다.

ㄴ. $g(-1) > 0$이면 $f(k) = 0$을 만족시키는 $k < -1$인 실수 k가 존재한다.

ㄷ. $g(-1) > 1$이면 $g(0) < -1$이다.

① ㄱ   ② ㄱ, ㄴ   ③ ㄱ, ㄷ

④ ㄴ, ㄷ   ⑤ ㄱ, ㄴ, ㄷ

13회

15. 수열 $\{a_n\}$이 다음 조건을 만족시킨다.

(가) 모든 자연수 k에 대하여 $a_{4k} = r^k$이다.
  (단, r는 $0 < |r| < 1$인 상수이다.)

(나) $a_1 < 0$이고, 모든 자연수 n에 대하여

$$a_{n+1} = \begin{cases} a_n + 3 & (|a_n| < 5) \\[2mm] -\dfrac{1}{2}a_n & (|a_n| \geq 5) \end{cases}$$

이다.

$|a_m| \geq 5$를 만족시키는 100 이하의 자연수 m의 개수를 p라 할 때, $p + a_1$의 값은? [4점]

① 8   ② 10   ③ 12   ④ 14   ⑤ 16

16. 방정식 $\log_3(x-4) = \log_9(x+2)$를 만족시키는 실수 x의 값을 구하시오. [3점]

17. 함수 $f(x)$에 대하여 $f'(x) = 6x^2 - 4x + 3$이고 $f(1) = 5$일 때, $f(2)$의 값을 구하시오. [3점]

18. 수열 $\{a_n\}$에 대하여 $\sum\limits_{k=1}^{5} a_k = 10$일 때,

$$\sum_{k=1}^{5} c a_k = 65 + \sum_{k=1}^{5} c$$

를 만족시키는 상수 c의 값을 구하시오. [3점]

19. 방정식 $3x^4 - 4x^3 - 12x^2 + k = 0$이 서로 다른 4개의 실근을 갖도록 하는 자연수 k의 개수를 구하시오. [3점]

20. 상수 $k\,(k < 0)$에 대하여 두 함수

$$f(x) = x^3 + x^2 - x, \quad g(x) = 4|x| + k$$

의 그래프가 만나는 점의 개수가 2일 때, 두 함수의 그래프로 둘러싸인 부분의 넓이를 S라 하자. $30 \times S$의 값을 구하시오. [4점]

13회

21. 그림과 같이 곡선 $y=2^x$ 위에 두 점 $P(a, 2^a)$, $Q(b, 2^b)$이
있다. 직선 PQ의 기울기를 m이라 할 때, 점 P를 지나며
기울기가 $-m$인 직선이 x축, y축과 만나는 점을 각각
A, B라 하고, 점 Q를 지나며 기울기가 $-m$인 직선이
x축과 만나는 점을 C라 하자.

$$\overline{AB}=4\overline{PB}, \quad \overline{CQ}=3\overline{AB}$$

일 때, $90 \times (a+b)$의 값을 구하시오. (단, $0 < a < b$) [4점]

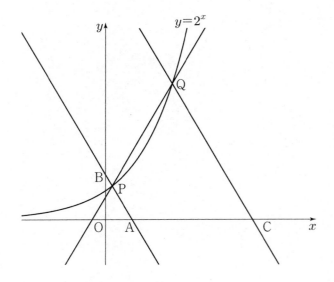

22. 최고차항의 계수가 1이고 $x=3$에서 극댓값 8을 갖는
삼차함수 $f(x)$가 있다. 실수 t에 대하여 함수 $g(x)$를

$$g(x) = \begin{cases} f(x) & (x \geq t) \\ -f(x)+2f(t) & (x < t) \end{cases}$$

라 할 때, 방정식 $g(x)=0$의 서로 다른 실근의 개수를 $h(t)$라
하자. 함수 $h(t)$가 $t=a$에서 불연속인 a의 값이 두 개일 때,
$f(8)$의 값을 구하시오. [4점]

5지선다형

23. 다항식 $(x^2+2)^6$의 전개식에서 x^4의 계수는? [2점]

① 240   ② 270   ③ 300   ④ 330   ⑤ 360

24. 두 사건 A, B에 대하여

$$P(A\cup B)=1, \quad P(A\cap B)=\frac{1}{4}, \quad P(A|B)=P(B|A)$$

일 때, $P(A)$의 값은? [3점]

① $\frac{1}{2}$ ② $\frac{9}{16}$ ③ $\frac{5}{8}$ ④ $\frac{11}{16}$ ⑤ $\frac{3}{4}$

25. 어느 인스턴트 커피 제조 회사에서 생산하는 A 제품 1개의 중량은 평균이 9, 표준편차가 0.4인 정규분포를 따르고, B 제품 1개의 중량은 평균이 20, 표준편차가 1인 정규분포를 따른다고 한다. 이 회사에서 생산한 A 제품 중에서 임의로 선택한 1개의 중량이 8.9 이상 9.4 이하일 확률과 B 제품 중에서 임의로 선택한 1개의 중량이 19 이상 k 이하일 확률이 서로 같다. 상수 k의 값은? (단, 중량의 단위는 g이다.) [3점]

① 19.5　　② 19.75　　③ 20　　④ 20.25　　⑤ 20.5

26. 세 학생 A, B, C를 포함한 7명의 학생이 원 모양의 탁자에 일정한 간격을 두고 임의로 모두 둘러앉았을 때, A가 B 또는 C와 이웃하게 될 확률은? [3점]

① $\dfrac{1}{2}$　　② $\dfrac{3}{5}$　　③ $\dfrac{7}{10}$　　④ $\dfrac{4}{5}$　　⑤ $\dfrac{9}{10}$

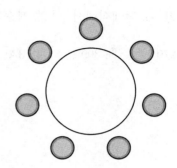

27. 이산확률변수 X의 확률분포를 표로 나타내면 다음과 같다.

X	0	1	a	합계
$P(X=x)$	$\dfrac{1}{10}$	$\dfrac{1}{2}$	$\dfrac{2}{5}$	1

$\sigma(X)=E(X)$일 때, $E(X^2)+E(X)$의 값은? (단, $a>1$) [3점]

① 29　　② 33　　③ 37　　④ 41　　⑤ 45

28. 1부터 10까지의 자연수 중에서 임의로 서로 다른 3개의 수를 선택한다. 선택된 세 개의 수의 곱이 5의 배수이고 합은 3의 배수일 확률은? [4점]

① $\dfrac{3}{20}$　　② $\dfrac{1}{6}$　　③ $\dfrac{11}{60}$　　④ $\dfrac{1}{5}$　　⑤ $\dfrac{13}{60}$

단답형

29. 1부터 6까지의 자연수가 하나씩 적힌 6장의 카드가 들어 있는 주머니가 있다. 이 주머니에서 임의로 한 장의 카드를 꺼내어 카드에 적힌 수를 확인한 후 다시 넣는 시행을 한다. 이 시행을 4번 반복하여 확인한 네 개의 수의 평균을 $\overline{X}$ 라 할 때, $\mathrm{P}\left(\overline{X} = \dfrac{11}{4}\right) = \dfrac{q}{p}$ 이다. $p+q$의 값을 구하시오. (단, p와 q는 서로소인 자연수이다.) [4점]

30. 집합 $X = \{1, 2, 3, 4, 5\}$와 함수 $f : X \rightarrow X$에 대하여 함수 f의 치역을 A, 합성함수 $f \circ f$의 치역을 B라 할 때, 다음 조건을 만족시키는 함수 f의 개수를 구하시오. [4점]

(가) $n(A) \le 3$

(나) $n(A) = n(B)$

(다) 집합 X의 모든 원소 x에 대하여 $f(x) \ne x$이다.

---

* 확인 사항

○ 답안지의 해당란에 필요한 내용을 정확히 기입(표기)했는지 확인 하시오.

○ 이어서, 「**선택과목(미적분)**」 문제가 제시되오니, 자신이 선택한 과목인지 확인하시오.

수학 영역(미적분)

5 지 선 다 형

23. $\lim\limits_{x \to 0} \dfrac{4^x - 2^x}{x}$ 의 값은? [2점]

① $\ln 2$　　② 1　　③ $2\ln 2$　　④ 2　　⑤ $3\ln 2$

24. $\displaystyle\int_0^\pi x\cos\left(\dfrac{\pi}{2} - x\right)dx$ 의 값은? [3점]

① $\dfrac{\pi}{2}$　　② π　　③ $\dfrac{3\pi}{2}$　　④ 2π　　⑤ $\dfrac{5\pi}{2}$

25. 수열 $\{a_n\}$에 대하여 $\displaystyle\lim_{n \to \infty} \dfrac{a_n+2}{2} = 6$일 때,

$\displaystyle\lim_{n \to \infty} \dfrac{na_n+1}{a_n+2n}$ 의 값은? [3점]

① 1   ② 2   ③ 3   ④ 4   ⑤ 5

26. 그림과 같이 양수 k에 대하여 곡선 $y=\sqrt{\dfrac{kx}{2x^2+1}}$ 와

x축 및 두 직선 $x=1$, $x=2$로 둘러싸인 부분을 밑면으로 하고 x축에 수직인 평면으로 자른 단면이 모두 정사각형인 입체도형의 부피가 $2\ln 3$일 때, k의 값은? [3점]

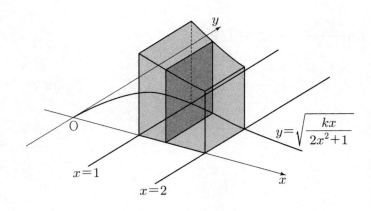

① 6   ② 7   ③ 8   ④ 9   ⑤ 10

27. 그림과 같이 $\overline{A_1B_1}=4$, $\overline{A_1D_1}=1$인 직사각형 $A_1B_1C_1D_1$에서 두 대각선의 교점을 E_1이라 하자.

$\overline{A_2D_1}=\overline{D_1E_1}$, $\angle A_2D_1E_1=\dfrac{\pi}{2}$이고 선분 D_1C_1과 선분 A_2E_1이 만나도록 점 A_2를 잡고, $\overline{B_2C_1}=\overline{C_1E_1}$, $\angle B_2C_1E_1=\dfrac{\pi}{2}$이고 선분 D_1C_1과 선분 B_2E_1이 만나도록 점 B_2를 잡는다. 두 삼각형 $A_2D_1E_1$, $B_2C_1E_1$을 그린 후 ⋈ 모양의 도형에 색칠하여 얻은 그림을 R_1이라 하자.

그림 R_1에서 $\overline{A_2B_2}:\overline{A_2D_2}=4:1$이고 선분 D_2C_2가 두 선분 A_2E_1, B_2E_1과 만나지 않도록 직사각형 $A_2B_2C_2D_2$를 그린다. 그림 R_1을 얻은 것과 같은 방법으로 세 점 E_2, A_3, B_3을 잡고 두 삼각형 $A_3D_2E_2$, $B_3C_2E_2$를 그린 후 ⋈ 모양의 도형에 색칠하여 얻은 그림을 R_2라 하자.

이와 같은 과정을 계속하여 n번째 얻은 그림 R_n에 색칠되어 있는 부분의 넓이를 S_n이라 할 때, $\lim\limits_{n\to\infty}S_n$의 값은? [3점]

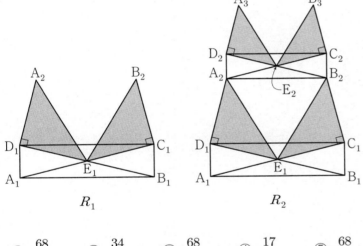

R_1 $\qquad$ R_2 $\qquad$ ...

① $\dfrac{68}{5}$ ② $\dfrac{34}{3}$ ③ $\dfrac{68}{7}$ ④ $\dfrac{17}{2}$ ⑤ $\dfrac{68}{9}$

28. 그림과 같이 반지름의 길이가 1이고 중심각의 크기가 $\dfrac{\pi}{2}$인 부채꼴 OAB가 있다. 호 AB 위의 점 P에 대하여 $\overline{PA}=\overline{PC}=\overline{PD}$가 되도록 호 PB 위에 점 C와 선분 OA 위에 점 D를 잡는다. 점 D를 지나고 선분 OP와 평행한 직선이 선분 PA와 만나는 점을 E라 하자. $\angle POA=\theta$일 때, 삼각형 CDP의 넓이를 $f(\theta)$, 삼각형 EDA의 넓이를 $g(\theta)$라 하자.

$\lim\limits_{\theta\to 0+}\dfrac{g(\theta)}{\theta^2\times f(\theta)}$의 값은? (단, $0<\theta<\dfrac{\pi}{4}$) [4점]

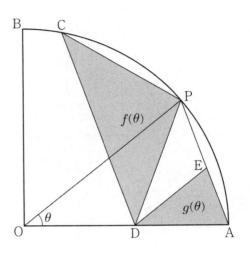

① $\dfrac{1}{8}$ ② $\dfrac{1}{4}$ ③ $\dfrac{3}{8}$ ④ $\dfrac{1}{2}$ ⑤ $\dfrac{5}{8}$

┌─────────┐
│ 단답형 │
└─────────┘

29. 함수 $f(x) = e^x + x$가 있다. 양수 t에 대하여 점 $(t, 0)$과 점 $(x, f(x))$ 사이의 거리가 $x = s$에서 최소일 때, 실수 $f(s)$의 값을 $g(t)$라 하자. 함수 $g(t)$의 역함수를 $h(t)$라 할 때, $h'(1)$의 값을 구하시오. [4점]

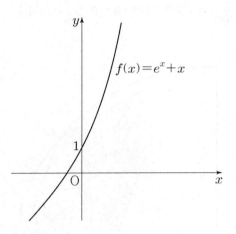

30. 최고차항의 계수가 1인 사차함수 $f(x)$와 구간 $(0, \infty)$에서 $g(x) \geq 0$인 함수 $g(x)$가 다음 조건을 만족시킨다.

┌──┐
│ (가) $x \leq -3$인 모든 실수 x에 대하여   │
│ $f(x) \geq f(-3)$이다.   │
│ (나) $x > -3$인 모든 실수 x에 대하여   │
│ $g(x+3)\{f(x) - f(0)\}^2 = f'(x)$이다.   │
└──┘

$\displaystyle\int_4^5 g(x)\,dx = \dfrac{q}{p}$ 일 때, $p+q$의 값을 구하시오.
(단, p와 q는 서로소인 자연수이다.) [4점]

---

* 확인 사항

○ 답안지의 해당란에 필요한 내용을 정확히 기입(표기)했는지 확인 하시오.

수학 영역

제 2 교시

● 문항수 30개 | 배점 100점 | 제한 시간 100분

● 배점은 2점, 3점 또는 4점

5 지 선 다 형

1. $2^{\sqrt{2}} \times \left(\dfrac{1}{2}\right)^{\sqrt{2}-1}$ 의 값은? [2점]

① 1 ② $\sqrt{2}$ ③ 2 ④ $2\sqrt{2}$ ⑤ 4

2. 함수 $f(x) = 2x^3 + 3x$ 에 대하여 $\lim\limits_{h \to 0} \dfrac{f(2h) - f(0)}{h}$ 의 값은?

[2점]

① 0 ② 2 ③ 4 ④ 6 ⑤ 8

3. 공차가 3인 등차수열 $\{a_n\}$과 공비가 2인 등비수열 $\{b_n\}$이

$$a_2 = b_2, \quad a_4 = b_4$$

를 만족시킬 때, $a_1 + b_1$의 값은? [3점]

① -2 ② -1 ③ 0 ④ 1 ⑤ 2

4. 두 자연수 m, n에 대하여 함수 $f(x) = x(x-m)(x-n)$이

$$f(1)f(3) < 0, \quad f(3)f(5) < 0$$

을 만족시킬 때, $f(6)$의 값은? [3점]

① 30 ② 36 ③ 42 ④ 48 ⑤ 54

5. $\pi < \theta < \dfrac{3}{2}\pi$ 인 θ에 대하여

$$\frac{1}{1-\cos\theta} + \frac{1}{1+\cos\theta} = 18$$

일 때, $\sin\theta$의 값은? [3점]

① $-\dfrac{2}{3}$　　② $-\dfrac{1}{3}$　　③ 0　　④ $\dfrac{1}{3}$　　⑤ $\dfrac{2}{3}$

6. 곡선 $y=\dfrac{1}{3}x^2+1$과 x축, y축 및 직선 $x=3$으로 둘러싸인

부분의 넓이는? [3점]

① 6　　② $\dfrac{20}{3}$　　③ $\dfrac{22}{3}$　　④ 8　　⑤ $\dfrac{26}{3}$

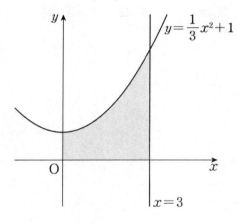

7. 등차수열 $\{a_n\}$의 첫째항부터 제n항까지의 합을 S_n이라 할 때,

$$S_7 - S_4 = 0, \quad S_6 = 30$$

이다. a_2의 값은? [3점]

① 6　　② 8　　③ 10　　④ 12　　⑤ 14

8. 두 함수

$$f(x) = -x^4 - x^3 + 2x^2, \quad g(x) = \frac{1}{3}x^3 - 2x^2 + a$$

가 있다. 모든 실수 x에 대하여 부등식

$$f(x) \leq g(x)$$

가 성립할 때, 실수 a의 최솟값은? [3점]

① 8 ② $\frac{26}{3}$ ③ $\frac{28}{3}$ ④ 10 ⑤ $\frac{32}{3}$

9. 자연수 $n\,(n \geq 2)$에 대하여 $n^2 - 16n + 48$의 n제곱근 중

실수인 것의 개수를 $f(n)$이라 할 때, $\displaystyle\sum_{n=2}^{10} f(n)$의 값은? [4점]

① 7 ② 9 ③ 11 ④ 13 ⑤ 15

10. 실수 $t\,(t > 0)$에 대하여 직선 $y = tx + t + 1$과

곡선 $y = x^2 - tx - 1$이 만나는 두 점을 A, B라 할 때,

$\displaystyle\lim_{t \to \infty} \frac{\overline{AB}}{t^2}$의 값은? [4점]

① $\frac{\sqrt{2}}{2}$ ② 1 ③ $\sqrt{2}$ ④ 2 ⑤ $2\sqrt{2}$

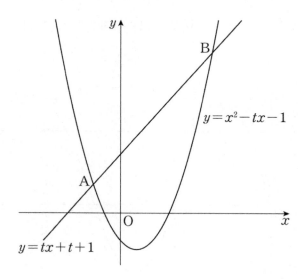

11. 그림과 같이 두 상수 a, b에 대하여 함수

$$f(x) = a\sin\frac{\pi x}{b} + 1\left(0 \le x \le \frac{5}{2}b\right)$$

의 그래프와 직선 $y = 5$가 만나는 점을 x좌표가 작은 것부터 차례로 A, B, C라 하자.

$\overline{BC} = \overline{AB} + 6$이고 삼각형 AOB의 넓이가 $\dfrac{15}{2}$일 때, $a^2 + b^2$의 값은? (단, $a > 4$, $b > 0$이고, O는 원점이다.) [4점]

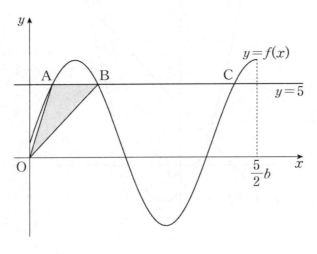

① 68   ② 70   ③ 72   ④ 74   ⑤ 76

12. 양수 k에 대하여 함수 $f(x)$를

$$f(x) = |x^3 - 12x + k|$$

라 하자. 함수 $y = f(x)$의 그래프와 직선 $y = a\,(a \ge 0)$이 만나는 서로 다른 점의 개수가 홀수가 되도록 하는 실수 a의 값이 오직 하나일 때, k의 값은? [4점]

① 8   ② 10   ③ 12   ④ 14   ⑤ 16

13. 그림과 같이 두 상수 $a(a>1)$, k에 대하여 두 함수

$$y=a^{x+1}+1, \quad y=a^{x-3}-\frac{7}{4}$$

의 그래프와 직선 $y=-2x+k$가 만나는 점을 각각 P, Q라 하자. 점 Q를 지나고 x축에 평행한 직선이 함수 $y=-a^{x+4}+\frac{3}{2}$의 그래프와 점 R에서 만나고 $\overline{\mathrm{PR}}=\overline{\mathrm{QR}}=5$일 때, $a+k$의 값은? [4점]

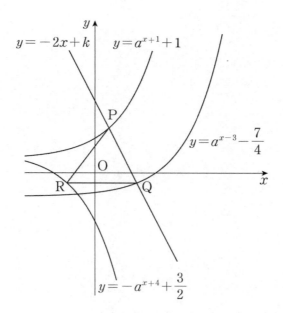

① $\dfrac{13}{2}$ ② $\dfrac{27}{4}$ ③ 7 ④ $\dfrac{29}{4}$ ⑤ $\dfrac{15}{2}$

14. 최고차항의 계수가 1이고 $f'(2)=0$인 이차함수 $f(x)$가 모든 자연수 n에 대하여

$$\int_4^n f(x)dx \geq 0$$

을 만족시킬 때, <보기>에서 옳은 것만을 있는 대로 고른 것은? [4점]

─────── < 보 기 > ───────

ㄱ. $f(2)<0$

ㄴ. $\displaystyle\int_4^3 f(x)dx > \int_4^2 f(x)dx$

ㄷ. $6 \leq \displaystyle\int_4^6 f(x)dx \leq 14$

① ㄱ   ② ㄱ, ㄴ   ③ ㄱ, ㄷ
④ ㄴ, ㄷ   ⑤ ㄱ, ㄴ, ㄷ

14회

15. 모든 항이 자연수인 수열 $\{a_n\}$이 다음 조건을 만족시킨다.

> (가) 모든 자연수 n에 대하여
> $$a_{n+1} = \begin{cases} \dfrac{1}{2}a_n + 2n & (a_n\text{이 }4\text{의 배수인 경우}) \\ a_n + 2n & (a_n\text{이 }4\text{의 배수가 아닌 경우}) \end{cases}$$
> 이다.
> (나) $a_3 > a_5$

$50 < a_4 + a_5 < 60$이 되도록 하는 a_1의 최댓값과 최솟값을 각각 M, m이라 할 때, $M+m$의 값은? [4점]

① 224　　② 228　　③ 232　　④ 236　　⑤ 240

16. 방정식
$$\log_2(x-2) = 1 + \log_4(x+6)$$
을 만족시키는 실수 x의 값을 구하시오. [3점]

17. 삼차함수 $f(x)$에 대하여 함수 $g(x)$를
$$g(x) = (x+2)f(x)$$
라 하자. 곡선 $y = f(x)$ 위의 점 $(3, 2)$에서의 접선의 기울기가 4일 때, $g'(3)$의 값을 구하시오. [3점]

18. 두 수열 $\{a_n\}$, $\{b_n\}$에 대하여

$$\sum_{k=1}^{10}(a_k-b_k+2)=50, \quad \sum_{k=1}^{10}(a_k-2b_k)=-10$$

일 때, $\sum_{k=1}^{10}(a_k+b_k)$의 값을 구하시오. [3점]

19. 시각 $t=0$일 때 동시에 원점을 출발하여 수직선 위를 움직이는 두 점 P, Q의 시각 $t\,(t\geq0)$에서의 속도가 각각

$$v_1(t)=12t-12, \quad v_2(t)=3t^2+2t-12$$

이다. 시각 $t=k\,(k>0)$에서 두 점 P, Q의 위치가 같을 때, 시각 $t=0$에서 $t=k$까지 점 P가 움직인 거리를 구하시오.
[3점]

20. 다항함수 $f(x)$가 모든 실수 x에 대하여

$$2x^2f(x)=3\int_0^x(x-t)\{f(x)+f(t)\}\,dt$$

를 만족시킨다. $f'(2)=4$일 때, $f(6)$의 값을 구하시오. [4점]

14회

21. 그림과 같이 선분 BC를 지름으로 하는 원에 두 삼각형 ABC와 ADE가 모두 내접한다. 두 선분 AD와 BC가 점 F에서 만나고

$$\overline{BC} = \overline{DE} = 4, \quad \overline{BF} = \overline{CE}, \quad \sin(\angle CAE) = \frac{1}{4}$$

이다. $\overline{AF} = k$일 때, k^2의 값을 구하시오. [4점]

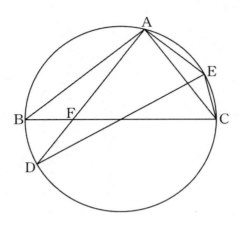

22. 삼차함수 $f(x)$에 대하여 구간 $(0, \infty)$에서 정의된 함수 $g(x)$를

$$g(x) = \begin{cases} x^3 - 8x^2 + 16x & (0 < x \le 4) \\ f(x) & (x > 4) \end{cases}$$

라 하자. 함수 $g(x)$가 구간 $(0, \infty)$에서 미분가능하고 다음 조건을 만족시킬 때, $g(10) = \dfrac{q}{p}$이다. $p+q$의 값을 구하시오. (단, p와 q는 서로소인 자연수이다.) [4점]

(가) $g\left(\dfrac{21}{2}\right) = 0$

(나) 점 $(-2, 0)$에서 곡선 $y = g(x)$에 그은, 기울기가 0이 아닌 접선이 오직 하나 존재한다.

---

* 확인 사항

○ 답안지의 해당란에 필요한 내용을 정확히 기입(표기)했는지 확인 하시오.

○ 이어서, 「**선택과목(확률과 통계)**」 문제가 제시되오니, 자신이 선택한 과목인지 확인하시오.

제 2 교시

수학 영역(확률과 통계)

14회

5 지 선 다 형

23. 확률변수 X가 이항분포 $B(45, p)$를 따르고 $E(X) = 15$일 때, p의 값은? [2점]

① $\dfrac{4}{15}$ ② $\dfrac{1}{3}$ ③ $\dfrac{2}{5}$ ④ $\dfrac{7}{15}$ ⑤ $\dfrac{8}{15}$

24. 두 사건 A, B가 서로 배반사건이고

$$P(A \cup B) = \frac{5}{6}, \ P(A^C) = \frac{3}{4}$$

일 때, $P(B)$의 값은? (단, A^C은 A의 여사건이다.) [3점]

① $\dfrac{1}{3}$ ② $\dfrac{5}{12}$ ③ $\dfrac{1}{2}$ ④ $\dfrac{7}{12}$ ⑤ $\dfrac{2}{3}$

25. 숫자 0, 1, 2 중에서 중복을 허락하여 4개를 택해 일렬로 나열하여 만들 수 있는 네 자리의 자연수 중 각 자리의 수의 합이 7 이하인 자연수의 개수는? [3점]

① 45　　② 47　　③ 49　　④ 51　　⑤ 53

26. 어느 지역에서 수확하는 양파의 무게는 평균이 m, 표준편차가 16인 정규분포를 따른다고 한다. 이 지역에서 수확한 양파 64개를 임의추출하여 얻은 양파의 무게의 표본평균이 $\bar{x}$일 때, 모평균 m에 대한 신뢰도 95%의 신뢰구간이 $240.12 \leq m \leq a$이다. $\bar{x}+a$의 값은?
(단, 무게의 단위는 g이고, Z가 표준정규분포를 따르는 확률변수일 때, $P(|Z| \leq 1.96) = 0.95$로 계산한다.) [3점]

① 486　　② 489　　③ 492　　④ 495　　⑤ 498

27. 1부터 8까지의 자연수가 하나씩 적혀 있는 8개의 의자가 있다. 이 8개의 의자를 일정한 간격을 두고 원형으로 배열할 때, 서로 이웃한 2개의 의자에 적혀 있는 두 수가 서로소가 되도록 배열하는 경우의 수는?

(단, 회전하여 일치하는 것은 같은 것으로 본다.) [3점]

① 72   ② 78   ③ 84   ④ 90   ⑤ 96

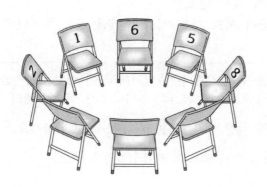

28. 정규분포를 따르는 두 확률변수 X, Y의 확률밀도함수는 각각 $f(x)$, $g(x)$이다. $V(X) = V(Y)$이고, 양수 a에 대하여

$$f(a) = f(3a) = g(2a),$$

$$P(Y \leq 2a) = 0.6915$$

일 때, $P(0 \leq X \leq 3a)$의 값을 오른쪽 표준정규분포표를 이용하여 구한 것은? [4점]

z	$P(0 \leq Z \leq z)$
0.5	0.1915
1.0	0.3413
1.5	0.4332
2.0	0.4772

① 0.5328   ② 0.6247   ③ 0.6687

④ 0.7745   ⑤ 0.8185

단답형

29. 다음 조건을 만족시키는 자연수 a, b, c의 모든 순서쌍 (a, b, c)의 개수를 구하시오. [4점]

(가) $a \leq b \leq c \leq 8$
(나) $(a-b)(b-c) = 0$

30. 주머니에 숫자 1, 2가 하나씩 적혀 있는 흰 공 2개와 숫자 1, 2, 3이 하나씩 적혀 있는 검은 공 3개가 들어 있다. 이 주머니를 사용하여 다음 시행을 한다.

주머니에서 임의로 2개의 공을 동시에 꺼내어
꺼낸 공이 서로 같은 색이면 꺼낸 공 중 임의로 1개의 공을 주머니에 다시 넣고,
꺼낸 공이 서로 다른 색이면 꺼낸 공을 주머니에 다시 넣지 않는다.

이 시행을 한 번 한 후 주머니에 들어 있는 모든 공에 적힌 수의 합이 3의 배수일 때, 주머니에서 꺼낸 2개의 공이 서로 다른 색일 확률은 $\dfrac{q}{p}$ 이다. $p+q$의 값을 구하시오.
(단, p와 q는 서로소인 자연수이다.) [4점]

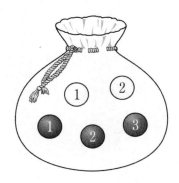

수학 영역(미적분)

5 지 선 다 형

23. $\lim\limits_{n \to \infty} \dfrac{2n^2 + 3n - 5}{n^2 + 1}$ 의 값은? [2점]

① $\dfrac{1}{2}$ ② 1 ③ $\dfrac{3}{2}$ ④ 2 ⑤ $\dfrac{5}{2}$

24. $\lim\limits_{n \to \infty} \dfrac{2\pi}{n} \sum\limits_{k=1}^{n} \sin \dfrac{\pi k}{3n}$ 의 값은? [3점]

① $\dfrac{5}{2}$ ② 3 ③ $\dfrac{7}{2}$ ④ 4 ⑤ $\dfrac{9}{2}$

25. 그림과 같이 곡선 $y = \dfrac{2}{\sqrt{x}}$ 와 x축 및 두 직선 $x=1$, $x=4$로 둘러싸인 부분을 밑면으로 하고 x축에 수직인 평면으로 자른 단면이 모두 정사각형인 입체도형의 부피는? [3점]

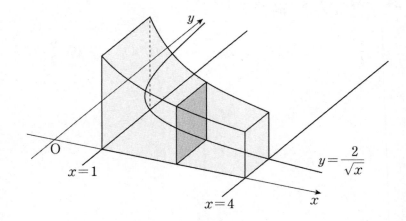

① $6\ln 2$ ② $7\ln 2$ ③ $8\ln 2$ ④ $9\ln 2$ ⑤ $10\ln 2$

26. 함수 $f(x) = e^{2x} + e^x - 1$의 역함수를 $g(x)$라 할 때, 함수 $g(5f(x))$의 $x=0$에서의 미분계수는? [3점]

① $\dfrac{1}{2}$ ② $\dfrac{3}{4}$ ③ 1 ④ $\dfrac{5}{4}$ ⑤ $\dfrac{3}{2}$

27. 모든 항이 자연수인 등비수열 $\{a_n\}$에 대하여

$$\sum_{n=1}^{\infty} \frac{a_n}{3^n} = 4$$

이고 급수 $\displaystyle\sum_{n=1}^{\infty} \frac{1}{a_{2n}}$ 이 실수 S에 수렴할 때, S의 값은? [3점]

① $\dfrac{1}{6}$ ② $\dfrac{1}{5}$ ③ $\dfrac{1}{4}$ ④ $\dfrac{1}{3}$ ⑤ $\dfrac{1}{2}$

28. 함수

$$f(x) = \sin x \cos x \times e^{a\sin x + b\cos x}$$

이 다음 조건을 만족시키도록 하는 서로 다른 두 실수 a, b의 순서쌍 (a, b)에 대하여 $a - b$의 최솟값은? [4점]

(가) $ab = 0$
(나) $\displaystyle\int_0^{\frac{\pi}{2}} f(x)\,dx = \dfrac{1}{a^2 + b^2} - 2e^{a+b}$

① $-\dfrac{5}{2}$ ② -2 ③ $-\dfrac{3}{2}$ ④ -1 ⑤ $-\dfrac{1}{2}$

29. 그림과 같이 $\overline{AB}=\overline{AC}$, $\overline{BC}=2$인 삼각형 ABC에 대하여 선분 AB를 지름으로 하는 원이 선분 AC와 만나는 점 중 A가 아닌 점을 D라 하고, 선분 AB의 중점을 E라 하자. $\angle BAC=\theta$일 때, 삼각형 CDE의 넓이를 $S(\theta)$라 하자. $60 \times \lim\limits_{\theta \to 0+} \dfrac{S(\theta)}{\theta}$의 값을 구하시오. (단, $0 < \theta < \dfrac{\pi}{2}$) [4점]

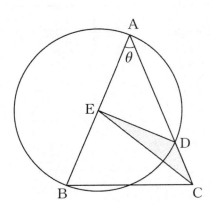

30. 두 정수 a, b에 대하여 함수

$$f(x) = (x^2 + ax + b)e^{-x}$$

이 다음 조건을 만족시킨다.

(가) 함수 $f(x)$는 극값을 갖는다.

(나) 함수 $|f(x)|$가 $x=k$에서 극대 또는 극소인 모든 k의 값의 합은 3이다.

$f(10) = pe^{-10}$일 때, p의 값을 구하시오. [4점]

수학 영역

제 2 교시

15회

● 문항수 30개 | 배점 100점 | 제한 시간 100분

● 배점은 2점, 3점 또는 4점

5지선다형

1. $\sqrt{8} \times 4^{\frac{1}{4}}$의 값은? [2점]

① 2 ② $2\sqrt{2}$ ③ 4 ④ $4\sqrt{2}$ ⑤ 8

2. $\int_0^2 (2x^3 + 3x^2)dx$의 값은? [2점]

① 14 ② 16 ③ 18 ④ 20 ⑤ 22

3. 모든 항이 양수인 등비수열 $\{a_n\}$에 대하여

$$a_1 a_3 = 4, \ a_3 a_5 = 64$$

일 때, a_6의 값은? [3점]

① 16 ② $16\sqrt{2}$ ③ 32 ④ $32\sqrt{2}$ ⑤ 64

4. 함수 $y = f(x)$의 그래프가 그림과 같다.

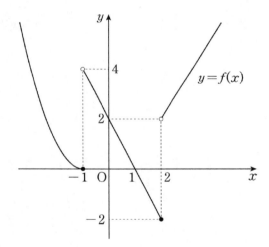

$$\lim_{x \to -1+} f(x) + \lim_{x \to 2-} f(x)$$의 값은? [3점]

① -4 ② -2 ③ 0 ④ 2 ⑤ 4

5. $\dfrac{\pi}{2}<\theta<\pi$인 θ에 대하여 $\sin\theta=2\cos(\pi-\theta)$일 때, $\cos\theta\tan\theta$의 값은? [3점]

① $-\dfrac{2\sqrt5}{5}$ ② $-\dfrac{\sqrt5}{5}$ ③ $\dfrac15$

④ $\dfrac{\sqrt5}{5}$ ⑤ $\dfrac{2\sqrt5}{5}$

6. 함수 $f(x)=x^3-2x^2+2x+a$에 대하여 곡선 $y=f(x)$ 위의 점 $(1,\ f(1))$에서의 접선이 x축, y축과 만나는 점을 각각 P, Q라 하자. $\overline{PQ}=6$일 때, 양수 a의 값은? [3점]

① $2\sqrt2$ ② $\dfrac{5\sqrt2}{2}$ ③ $3\sqrt2$ ④ $\dfrac{7\sqrt2}{2}$ ⑤ $4\sqrt2$

7. 두 함수

$$f(x)=x^2-4x,\ \ g(x)=\begin{cases}-x^2+2x & (x<2)\\ -x^2+6x-8 & (x\geq2)\end{cases}$$

의 그래프로 둘러싸인 부분의 넓이는? [3점]

① $\dfrac{40}{3}$ ② 14 ③ $\dfrac{44}{3}$ ④ $\dfrac{46}{3}$ ⑤ 16

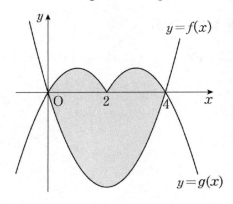

8. 첫째항이 20인 수열 $\{a_n\}$이 모든 자연수 n에 대하여

$$a_{n+1} = |a_n| - 2$$

를 만족시킬 때, $\displaystyle\sum_{n=1}^{30} a_n$의 값은? [3점]

① 88　　② 90　　③ 92　　④ 94　　⑤ 96

9. 최고차항의 계수가 1인 다항함수 $f(x)$가 모든 실수 x에 대하여

$$xf'(x) - 3f(x) = 2x^2 - 8x$$

를 만족시킬 때, $f(1)$의 값은? [4점]

① 1　　② 2　　③ 3　　④ 4　　⑤ 5

10. $a > 1$인 실수 a에 대하여 두 곡선

$$y = -\log_2(-x), \ y = \log_2(x + 2a)$$

가 만나는 두 점을 A, B라 하자. 선분 AB의 중점이 직선 $4x + 3y + 5 = 0$ 위에 있을 때, 선분 AB의 길이는? [4점]

① $\dfrac{3}{2}$　　② $\dfrac{7}{4}$　　③ 2　　④ $\dfrac{9}{4}$　　⑤ $\dfrac{5}{2}$

11. 두 정수 a, b에 대하여 실수 전체의 집합에서 연속인 함수 $f(x)$가 다음 조건을 만족시킨다.

(가) $0 \le x < 4$에서 $f(x) = ax^2 + bx - 24$이다.
(나) 모든 실수 x에 대하여 $f(x+4) = f(x)$이다.

$1 < x < 10$일 때, 방정식 $f(x) = 0$의 서로 다른 실근의 개수가 5이다. $a+b$의 값은? [4점]

① 18   ② 19   ③ 20   ④ 21   ⑤ 22

12. 양수 a에 대하여 함수

$$f(x) = \left| 4\sin\left(ax - \frac{\pi}{3}\right) + 2 \right| \quad \left(0 \le x < \frac{4\pi}{a}\right)$$

의 그래프가 직선 $y = 2$와 만나는 서로 다른 점의 개수는 n이다. 이 n개의 점의 x좌표의 합이 39일 때, $n \times a$의 값은? [4점]

① $\frac{\pi}{2}$ ② π ③ $\frac{3\pi}{2}$ ④ 2π ⑤ $\frac{5\pi}{2}$

13. 그림과 같이 $\overline{AB}=2$, $\overline{BC}=3\sqrt{3}$, $\overline{CA}=\sqrt{13}$ 인 삼각형 ABC가 있다. 선분 BC 위에 점 B가 아닌 점 D를 $\overline{AD}=2$가 되도록 잡고, 선분 AC 위에 양 끝점 A, C가 아닌 점 E를 사각형 ABDE가 원에 내접하도록 잡는다.

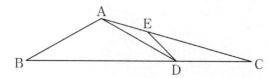

다음은 선분 DE의 길이를 구하는 과정이다.

삼각형 ABC에서 코사인법칙에 의하여
$$\cos(\angle ABC)= \boxed{\text{(가)}}$$
이다. 삼각형 ABD에서 $\sin(\angle ABD)=\sqrt{1-\left(\boxed{\text{(가)}}\right)^2}$
이므로 사인법칙에 의하여 삼각형 ABD의 외접원의 반지름의 길이는 $\boxed{\text{(나)}}$ 이다.

삼각형 ADC에서 사인법칙에 의하여
$$\frac{\overline{CD}}{\sin(\angle CAD)}=\frac{\overline{AD}}{\sin(\angle ACD)}$$
이므로 $\sin(\angle CAD)=\dfrac{\overline{CD}}{\overline{AD}}\times\sin(\angle ACD)$이다.

삼각형 ADE에서 사인법칙에 의하여
$$\overline{DE}= \boxed{\text{(다)}}$$
이다.

위의 (가), (나), (다)에 알맞은 수를 각각 p, q, r라 할 때, $p\times q\times r$의 값은? [4점]

① $\dfrac{6\sqrt{13}}{13}$ ② $\dfrac{7\sqrt{13}}{13}$ ③ $\dfrac{8\sqrt{13}}{13}$ ④ $\dfrac{9\sqrt{13}}{13}$ ⑤ $\dfrac{10\sqrt{13}}{13}$

14. 최고차항의 계수가 1인 삼차함수 $f(x)$와 실수 t에 대하여 x에 대한 방정식
$$\int_t^x f(s)ds=0$$
의 서로 다른 실근의 개수를 $g(t)$라 할 때, <보기>에서 옳은 것만을 있는 대로 고른 것은? [4점]

<보 기>

ㄱ. $f(x)=x^2(x-1)$일 때, $g(1)=1$이다

ㄴ. 방정식 $f(x)=0$의 서로 다른 실근의 개수가 3이면 $g(a)=3$인 실수 a가 존재한다.

ㄷ. $\displaystyle\lim_{t\to b}g(t)+g(b)=6$을 만족시키는 실수 b의 값이 0과 3뿐이면 $f(4)=12$이다.

---

① ㄱ ② ㄱ, ㄴ ③ ㄱ, ㄷ
④ ㄴ, ㄷ ⑤ ㄱ, ㄴ, ㄷ

15. 수열 $\{a_n\}$의 첫째항부터 제n항까지의 합을 S_n이라 하자. 두 자연수 p, q에 대하여 $S_n = pn^2 - 36n + q$일 때, S_n이 다음 조건을 만족시키도록 하는 p의 최솟값을 p_1이라 하자.

> 임의의 두 자연수 i, j에 대하여 $i \ne j$이면 $S_i \ne S_j$이다.

$p = p_1$일 때, $|a_k| < a_1$을 만족시키는 자연수 k의 개수가 3이 되도록 하는 모든 q의 값의 합은? [4점]

① 372 ② 377 ③ 382 ④ 387 ⑤ 392

단 답 형

16. $\log_2 96 + \log_{\frac{1}{4}} 9$의 값을 구하시오. [3점]

17. 함수 $f(x) = x^3 - 3x^2 + ax + 10$이 $x = 3$에서 극소일 때, 함수 $f(x)$의 극댓값을 구하시오. (단, a는 상수이다.) [3점]

18. $\sum\limits_{k=1}^{6}(k+1)^2 - \sum\limits_{k=1}^{5}(k-1)^2$ 의 값을 구하시오. [3점]

20. 최고차항의 계수가 1이고 다음 조건을 만족시키는 모든 삼차함수 $f(x)$에 대하여 $f(5)$의 최댓값을 구하시오. [4점]

(가) $\lim\limits_{x \to 0} \dfrac{|f(x)-1|}{x}$ 의 값이 존재한다.

(나) 모든 실수 x에 대하여 $xf(x) \geq -4x^2 + x$이다.

---

19. 수직선 위를 움직이는 점 P의 시각 $t(t \geq 0)$에서의 속도 $v(t)$가

$$v(t) = 4t^3 - 48t$$

이다. 시각 $t = k(k > 0)$에서 점 P의 가속도가 0일 때, 시각 $t = 0$에서 $t = k$까지 점 P가 움직인 거리를 구하시오. (단, k는 상수이다.) [3점]

21. 그림과 같이 $a > 1$인 실수 a에 대하여 두 곡선

$$y = a^{-2x} - 1, \quad y = a^x - 1$$

이 있다. 곡선 $y = a^{-2x} - 1$과 직선 $y = -\sqrt{3}\,x$가 서로 다른 두 점 O, A에서 만난다. 점 A를 지나고 직선 OA에 수직인 직선이 곡선 $y = a^x - 1$과 제1사분면에서 만나는 점을 B라 하자. $\overline{OA} : \overline{OB} = \sqrt{3} : \sqrt{19}$ 일 때, 선분 AB의 길이를 구하시오. (단, O는 원점이다.) [4점]

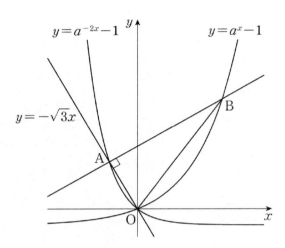

22. 최고차항의 계수가 1인 사차함수 $f(x)$와 실수 t에 대하여 구간 $(-\infty, t]$에서 함수 $f(x)$의 최솟값을 m_1이라 하고, 구간 $[t, \infty)$에서 함수 $f(x)$의 최솟값을 m_2라 할 때,

$$g(t) = m_1 - m_2$$

라 하자. $k > 0$인 상수 k와 함수 $g(t)$가 다음 조건을 만족시킨다.

$g(t) = k$를 만족시키는 모든 실수 t의 값의 집합은 $\{t \mid 0 \le t \le 2\}$이다.

$g(4) = 0$일 때, $k + g(-1)$의 값을 구하시오. [4점]

* 확인 사항
○ 답안지의 해당란에 필요한 내용을 정확히 기입(표기)했는지 확인하시오.
○ 이어서, 「선택과목(확률과 통계)」 문제가 제시되오니, 자신이 선택한 과목인지 확인하시오.

5지선다형

23. 표준편차가 12인 정규분포를 따르는 모집단에서 크기가 36인 표본을 임의추출하여 구한 표본평균을 $\overline{X}$라 할 때, $\sigma(\overline{X})$의 값은? [2점]

① 1   ② 2   ③ 3   ④ 4   ⑤ 5

24. 다항식 $(x^2+1)(x-2)^5$의 전개식에서 x^6의 계수는? [3점]

① -10 ② -8 ③ -6 ④ -4 ⑤ -2

25. 이산확률변수 X의 확률분포를 표로 나타내면 다음과 같다.

X	-3	0	a	합계
$\mathrm{P}(X=x)$	$\dfrac{1}{2}$	$\dfrac{1}{4}$	$\dfrac{1}{4}$	1

$\mathrm{E}(X)=-1$일 때, $\mathrm{V}(aX)$의 값은? (단, a는 상수이다.) [3점]

① 12　　② 15　　③ 18　　④ 21　　⑤ 24

26. 다음 조건을 만족시키는 자연수 a, b, c, d의 모든 순서쌍 $(a,\ b,\ c,\ d)$의 개수는? [3점]

> (가) $a \times b \times c \times d = 8$
> (나) $a + b + c + d < 10$

① 10　　② 12　　③ 14　　④ 16　　⑤ 18

27. 1부터 10까지의 자연수가 하나씩 적혀 있는 10장의 카드가 들어 있는 주머니가 있다. 이 주머니에서 임의로 카드 4장을 동시에 꺼내어 카드에 적혀 있는 수를 작은 수부터 크기 순서대로 a_1, a_2, a_3, a_4라 하자. $a_1 \times a_2$의 값이 홀수이고, $a_3 + a_4 \geq 16$일 확률은? [3점]

① $\dfrac{1}{14}$ ② $\dfrac{3}{35}$ ③ $\dfrac{1}{10}$ ④ $\dfrac{4}{35}$ ⑤ $\dfrac{9}{70}$

28. 정규분포를 따르는 두 확률변수 X, Y의 확률밀도함수를 각각 $f(x)$, $g(x)$라 할 때, 모든 실수 x에 대하여

$$g(x) = f(x+6)$$

이다. 두 확률변수 X, Y와 상수 k가 다음 조건을 만족시킨다.

| (가) $P(X \leq 11) = P(Y \geq 23)$ |
| (나) $P(X \leq k) + P(Y \leq k) = 1$ |

z	$P(0 \leq Z \leq z)$
0.5	0.1915
1.0	0.3413
1.5	0.4332
2.0	0.4772

오른쪽 표준정규분포표를 이용하여 구한 $P(X \leq k) + P(Y \geq k)$의 값이 0.1336일 때, $E(X) + \sigma(Y)$의 값은? [4점]

① $\dfrac{41}{2}$ ② 21 ③ $\dfrac{43}{2}$ ④ 22 ⑤ $\dfrac{45}{2}$

단 답 형

29. 두 집합 $X=\{1,\ 2,\ 3,\ 4\}$, $Y=\{1,\ 2,\ 3,\ 4,\ 5,\ 6\}$에 대하여 다음 조건을 만족시키는 함수 $f:X \to Y$의 개수를 구하시오. [4점]

(가) 집합 X의 임의의 두 원소 x_1, x_2에 대하여
　　$x_1 < x_2$이면 $f(x_1) \le f(x_2)$이다.

(나) $f(1) \le 3$

(다) $f(3) \le f(1)+4$

---

30. 주머니 A에 흰 공 3개, 검은 공 1개가 들어 있고, 주머니 B에도 흰 공 3개, 검은 공 1개가 들어 있다. 한 개의 동전을 사용하여 [실행 1]과 [실행 2]를 순서대로 하려고 한다.

[실행 1] 한 개의 동전을 던져
　　　　 앞면이 나오면 주머니 A에서 임의로 2개의 공을
　　　　 꺼내어 주머니 B에 넣고,
　　　　 뒷면이 나오면 주머니 A에서 임의로 3개의 공을
　　　　 꺼내어 주머니 B에 넣는다.

[실행 2] 주머니 B에서 임의로 5개의 공을 꺼내어
　　　　 주머니 A에 넣는다.

[실행 2]가 끝난 후 주머니 B에 흰 공이 남아 있지 않을 때, [실행 1]에서 주머니 B에 넣은 공 중 흰 공이 2개이었을 확률은 $\dfrac{q}{p}$이다. $p+q$의 값을 구하시오. (단, p와 q는 서로소인 자연수이다.) [4점]

※ 확인 사항

◦ 답안지의 해당란에 필요한 내용을 정확히 기입(표기)했는지 확인 하시오.

◦ 이어서, 「**선택과목(미적분)**」 문제가 제시되오니, 자신이 선택한 과목인지 확인하시오.

제 2 교시

수학 영역(미적분)

15회

5지선다형

23. 첫째항이 1이고 공차가 2인 등차수열 $\{a_n\}$에 대하여

$\lim\limits_{n\to\infty}\dfrac{a_n}{3n+1}$의 값은? [2점]

① $\dfrac{2}{3}$ ② 1   ③ $\dfrac{4}{3}$ ④ $\dfrac{5}{3}$ ⑤ 2

24. 미분가능한 함수 $f(x)$에 대하여

$$\lim_{x\to 0}\frac{f(x)-f(0)}{\ln(1+3x)}=2$$

일 때, $f'(0)$의 값은? [3점]

① 4   ② 5   ③ 6   ④ 7   ⑤ 8

15회

25. 매개변수 $t(0 < t < \pi)$로 나타내어진 곡선

$$x = \sin t - \cos t, \ y = 3\cos t + \sin t$$

위의 점 (a, b)에서의 접선의 기울기가 3일 때, $a+b$의 값은?

[3점]

① 0   ② $-\dfrac{\sqrt{10}}{10}$ ③ $-\dfrac{\sqrt{10}}{5}$

④ $-\dfrac{3\sqrt{10}}{10}$ ⑤ $-\dfrac{2\sqrt{10}}{5}$

26. $\displaystyle\lim_{n\to\infty}\sum_{k=1}^{n}\frac{k}{(2n-k)^2}$ 의 값은? [3점]

① $\dfrac{3}{2} - 2\ln 2$ ② $1 - \ln 2$ ③ $\dfrac{3}{2} - \ln 3$

④ $\ln 2$ ⑤ $2 - \ln 3$

27. 그림과 같이 $\overline{A_1B_1}=1$, $\overline{B_1C_1}=2\sqrt{6}$ 인 직사각형 $A_1B_1C_1D_1$이 있다. 중심이 B_1이고 반지름의 길이가 1인 원이 선분 B_1C_1과 만나는 점을 E_1이라 하고, 중심이 D_1이고 반지름의 길이가 1인 원이 선분 A_1D_1과 만나는 점을 F_1이라 하자. 선분 B_1D_1이 호 A_1E_1, 호 C_1F_1과 만나는 점을 각각 B_2, D_2라 하고, 두 선분 B_1B_2, D_1D_2의 중점을 각각 G_1, H_1이라 하자.

두 선분 A_1G_1, G_1B_2와 호 B_2A_1로 둘러싸인 부분인 ◠ 모양의 도형과 두 선분 D_2H_1, H_1F_1과 호 F_1D_2로 둘러싸인 부분인 ▷ 모양의 도형에 색칠하여 얻은 그림을 R_1이라 하자.

그림 R_1에서 선분 B_2D_2가 대각선이고 모든 변이 선분 A_1B_1 또는 선분 B_1C_1에 평행한 직사각형 $A_2B_2C_2D_2$를 그린다.

직사각형 $A_2B_2C_2D_2$에 그림 R_1을 얻은 것과 같은 방법으로 ◠ 모양의 도형과 ▷ 모양의 도형을 그리고 색칠하여 얻은 그림을 R_2라 하자.

이와 같은 과정을 계속하여 n번째 얻은 그림 R_n에 색칠되어 있는 부분의 넓이를 S_n이라 할 때, $\lim\limits_{n\to\infty}S_n$의 값은? [3점]

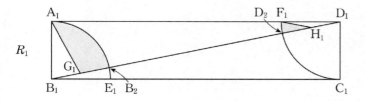

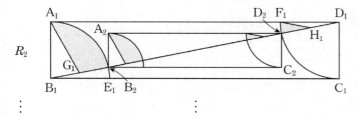

① $\dfrac{25\pi-12\sqrt{6}-5}{64}$

② $\dfrac{25\pi-12\sqrt{6}-4}{64}$

③ $\dfrac{25\pi-10\sqrt{6}-6}{64}$

④ $\dfrac{25\pi-10\sqrt{6}-5}{64}$

⑤ $\dfrac{25\pi-10\sqrt{6}-4}{64}$

28. 닫힌구간 $[0,\ 4\pi]$에서 연속이고 다음 조건을 만족시키는 모든 함수 $f(x)$에 대하여 $\displaystyle\int_0^{4\pi}|f(x)|\,dx$의 최솟값은? [4점]

> (가) $0\le x\le\pi$일 때, $f(x)=1-\cos x$이다.
> (나) $1\le n\le 3$인 각각의 자연수 n에 대하여
> $$f(n\pi+t)=f(n\pi)+f(t)\ (0<t\le\pi)$$
> 또는
> $$f(n\pi+t)=f(n\pi)-f(t)\ (0<t\le\pi)$$
> 이다.
> (다) $0<x<4\pi$에서 곡선 $y=f(x)$의 변곡점의 개수는 6이다.

① 4π　　② 6π　　③ 8π　　④ 10π　　⑤ 12π

단 답 형

29. 그림과 같이 길이가 2인 선분 AB를 지름으로 하는 반원이 있다. 선분 AB의 중점을 O라 하고 호 AB 위에 두 점 P, Q를

$$\angle BOP = \theta, \ \angle BOQ = 2\theta$$

가 되도록 잡는다. 점 Q를 지나고 선분 AB에 평행한 직선이 호 AB와 만나는 점 중 Q가 아닌 점을 R라 하고, 선분 BR가 두 선분 OP, OQ와 만나는 점을 각각 S, T라 하자. 세 선분 AO, OT, TR와 호 RA로 둘러싸인 부분의 넓이를 $f(\theta)$라 하고, 세 선분 QT, TS, SP와 호 PQ로 둘러싸인 부분의 넓이를 $g(\theta)$라 하자. $\displaystyle\lim_{\theta \to 0+} \frac{g(\theta)}{f(\theta)} = a$일 때, $80a$의 값을 구하시오. (단, $0 < \theta < \dfrac{\pi}{4}$) [4점]

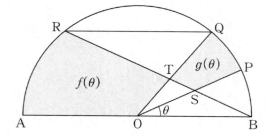

30. 최고차항의 계수가 1인 이차함수 $f(x)$에 대하여 실수 전체의 집합에서 정의된 함수

$$g(x) = \ln\{f(x) + f'(x) + 1\}$$

이 있다. 상수 a와 함수 $g(x)$가 다음 조건을 만족시킨다.

> (가) 모든 실수 x에 대하여 $g(x) > 0$이고
> $$\int_{2a}^{3a+x} g(t)dt = \int_{3a-x}^{2a+2} g(t)dt$$
> 이다.
> (나) $g(4) = \ln 5$

$\displaystyle\int_{3}^{5} \{f'(x) + 2a\}g(x)dx = m + n\ln 2$일 때, $m+n$의 값을 구하시오. (단, m, n은 정수이고, $\ln 2$는 무리수이다.) [4점]

* 확인 사항

○ 답안지의 해당란에 필요한 내용을 정확히 기입(표기)했는지 확인 하시오.

제 2 교시

● 문항수 30개 | 배점 100점 | 제한 시간 100분

● 배점은 2점, 3점 또는 4점

5지선다형

1. $\sqrt[3]{5} \times 25^{\frac{1}{3}}$ 의 값은? [2점]

① 1　　　② 2　　　③ 3　　　④ 4　　　⑤ 5

2. 함수 $f(x) = x^3 - 8x + 7$ 에 대하여 $\lim\limits_{h \to 0} \dfrac{f(2+h) - f(2)}{h}$ 의 값은? [2점]

① 1　　　② 2　　　③ 3　　　④ 4　　　⑤ 5

3. 첫째항과 공비가 모두 양수 k인 등비수열 $\{a_n\}$이

$$\frac{a_4}{a_2} + \frac{a_2}{a_1} = 30$$

을 만족시킬 때, k의 값은? [3점]

① 1　　　② 2　　　③ 3　　　④ 4　　　⑤ 5

4. 함수

$$f(x) = \begin{cases} 5x + a & (x < -2) \\ x^2 - a & (x \geq -2) \end{cases}$$

가 실수 전체의 집합에서 연속일 때, 상수 a의 값은? [3점]

① 6　　　② 7　　　③ 8　　　④ 9　　　⑤ 10

5. 함수 $f(x) = (x^2+1)(3x^2-x)$ 에 대하여 $f'(1)$ 의 값은? [3점]

① 8   ② 10   ③ 12   ④ 14   ⑤ 16

6. $\cos\left(\dfrac{\pi}{2}+\theta\right) = -\dfrac{1}{5}$ 일 때, $\dfrac{\sin\theta}{1-\cos^2\theta}$ 의 값은? [3점]

① -5 ② $-\sqrt{5}$ ③ 0 ④ $\sqrt{5}$ ⑤ 5

7. 다항함수 $f(x)$ 가 모든 실수 x 에 대하여

$$\int_0^x f(t)\,dt = 3x^3 + 2x$$

를 만족시킬 때, $f(1)$ 의 값은? [3점]

① 7   ② 9   ③ 11   ④ 13   ⑤ 15

8. 두 실수 $a = 2\log\dfrac{1}{\sqrt{10}} + \log_2 20$, $b = \log 2$ 에 대하여 $a \times b$ 의 값은? [3점]

① 1　　② 2　　③ 3　　④ 4　　⑤ 5

9. 함수 $f(x) = 3x^2 - 16x - 20$ 에 대하여

$$\int_{-2}^{a} f(x)\,dx = \int_{-2}^{0} f(x)\,dx$$

일 때, 양수 a의 값은? [4점]

① 16　　② 14　　③ 12　　④ 10　　⑤ 8

10. 닫힌구간 $[0, 2\pi]$ 에서 정의된 함수 $f(x) = a\cos bx + 3$ 이 $x = \dfrac{\pi}{3}$ 에서 최댓값 13을 갖도록 하는 두 자연수 a, b의 순서쌍 (a, b)에 대하여 $a + b$의 최솟값은? [4점]

① 12　　② 14　　③ 16　　④ 18　　⑤ 20

11. 시각 $t=0$일 때 출발하여 수직선 위를 움직이는 점 P의 시각 $t\,(t \geq 0)$에서의 위치 x가

$$x = t^3 - \frac{3}{2}t^2 - 6t$$

이다. 출발한 후 점 P의 운동 방향이 바뀌는 시각에서의 점 P의 가속도는? [4점]

① 6   ② 9   ③ 12   ④ 15   ⑤ 18

12. $a_1 = 2$인 수열 $\{a_n\}$과 $b_1 = 2$인 등차수열 $\{b_n\}$이 모든 자연수 n에 대하여

$$\sum_{k=1}^{n} \frac{a_k}{b_{k+1}} = \frac{1}{2}n^2$$

을 만족시킬 때, $\displaystyle\sum_{k=1}^{5} a_k$의 값은? [4점]

① 120   ② 125   ③ 130   ④ 135   ⑤ 140

13. 최고차항의 계수가 1인 삼차함수 $f(x)$가

$$f(1) = f(2) = 0, \quad f'(0) = -7$$

을 만족시킨다. 원점 O와 점 $P(3, f(3))$에 대하여 선분 OP가 곡선 $y = f(x)$와 만나는 점 중 P가 아닌 점을 Q라 하자. 곡선 $y = f(x)$와 y축 및 선분 OQ로 둘러싸인 부분의 넓이를 A, 곡선 $y = f(x)$와 선분 PQ로 둘러싸인 부분의 넓이를 B라 할 때, $B - A$의 값은? [4점]

① $\dfrac{37}{4}$ ② $\dfrac{39}{4}$ ③ $\dfrac{41}{4}$ ④ $\dfrac{43}{4}$ ⑤ $\dfrac{45}{4}$

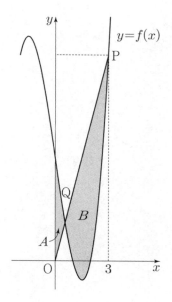

14. 그림과 같이 삼각형 ABC에서 선분 AB 위에 $\overline{AD} : \overline{DB} = 3 : 2$인 점 D를 잡고, 점 A를 중심으로 하고 점 D를 지나는 원을 O, 원 O와 선분 AC가 만나는 점을 E라 하자.

$\sin A : \sin C = 8 : 5$이고, 삼각형 ADE와 삼각형 ABC의 넓이의 비가 $9 : 35$이다. 삼각형 ABC의 외접원의 반지름의 길이가 7일 때, 원 O 위의 점 P에 대하여 삼각형 PBC의 넓이의 최댓값은? (단, $\overline{AB} < \overline{AC}$) [4점]

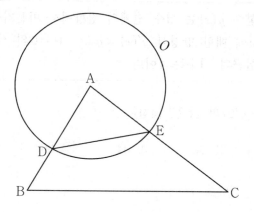

① $18 + 15\sqrt{3}$ ② $24 + 20\sqrt{3}$ ③ $30 + 25\sqrt{3}$

④ $36 + 30\sqrt{3}$ ⑤ $42 + 35\sqrt{3}$

15. 상수 $a\,(a \neq 3\sqrt{5}\,)$와 최고차항의 계수가 음수인 이차함수 $f(x)$에 대하여 함수

$$g(x) = \begin{cases} x^3 + ax^2 + 15x + 7 & (x \leq 0) \\ f(x) & (x > 0) \end{cases}$$

이 다음 조건을 만족시킨다.

> (가) 함수 $g(x)$는 실수 전체의 집합에서 미분가능하다.
> (나) x에 대한 방정식 $g'(x) \times g'(x-4) = 0$의 서로 다른 실근의 개수는 4이다.

$g(-2) + g(2)$의 값은? [4점]

① 30　　② 32　　③ 34　　④ 36　　⑤ 38

16. 방정식

$$\log_2(x-3) = \log_4(3x-5)$$

를 만족시키는 실수 x의 값을 구하시오. [3점]

17. 다항함수 $f(x)$에 대하여 $f'(x) = 9x^2 + 4x$이고 $f(1) = 6$일 때, $f(2)$의 값을 구하시오. [3점]

18. 수열 $\{a_n\}$이 모든 자연수 n에 대하여

$$a_n + a_{n+4} = 12$$

를 만족시킬 때, $\sum_{n=1}^{16} a_n$의 값을 구하시오. [3점]

19. 양수 a에 대하여 함수 $f(x)$를

$$f(x) = 2x^3 - 3ax^2 - 12a^2x$$

라 하자. 함수 $f(x)$의 극댓값이 $\frac{7}{27}$일 때, $f(3)$의 값을 구하시오. [3점]

20. 곡선 $y = \left(\frac{1}{5}\right)^{x-3}$과 직선 $y = x$가 만나는 점의 x좌표를 k라 하자. 실수 전체의 집합에서 정의된 함수 $f(x)$가 다음 조건을 만족시킨다.

> $x > k$인 모든 실수 x에 대하여
> $f(x) = \left(\frac{1}{5}\right)^{x-3}$이고 $f(f(x)) = 3x$이다.

$f\left(\dfrac{1}{k^3 \times 5^{3k}}\right)$의 값을 구하시오. [4점]

16회

21. 함수 $f(x) = x^3 + ax^2 + bx + 4$가 다음 조건을 만족시키도록 하는 두 정수 a, b에 대하여 $f(1)$의 최댓값을 구하시오. [4점]

모든 실수 α에 대하여 $\displaystyle\lim_{x \to \alpha} \frac{f(2x+1)}{f(x)}$의 값이 존재한다.

22. 모든 항이 정수이고 다음 조건을 만족시키는 모든 수열 $\{a_n\}$에 대하여 $|a_1|$의 값의 합을 구하시오. [4점]

(가) 모든 자연수 n에 대하여

$$a_{n+1} = \begin{cases} a_n - 3 & (|a_n| \text{이 홀수인 경우}) \\ \dfrac{1}{2}a_n & (a_n = 0 \text{ 또는 } |a_n| \text{이 짝수인 경우}) \end{cases}$$

이다.

(나) $|a_m| = |a_{m+2}|$인 자연수 m의 최솟값은 3이다.

* 확인 사항

○ 답안지의 해당란에 필요한 내용을 정확히 기입(표기)했는지 확인하시오.

○ 이어서, 「선택과목(확률과 통계)」 문제가 제시되오니, 자신이 선택한 과목인지 확인하시오.

제 2 교시

수학 영역(확률과 통계)

5지선다형

23. 다항식 $(x^3+2)^5$의 전개식에서 x^6의 계수는? [2점]

① 40　　② 50　　③ 60　　④ 70　　⑤ 80

24. 두 사건 A, B에 대하여

$$P(A\,|\,B)=P(A)=\frac{1}{2},\quad P(A\cap B)=\frac{1}{5}$$

일 때, $P(A\cup B)$의 값은? [3점]

① $\frac{1}{2}$　　② $\frac{3}{5}$　　③ $\frac{7}{10}$　　④ $\frac{4}{5}$　　⑤ $\frac{9}{10}$

25. 정규분포 $N(m, 2^2)$을 따르는 모집단에서 크기가 256인 표본을 임의추출하여 얻은 표본평균을 이용하여 구한 m에 대한 신뢰도 95%의 신뢰구간이 $a \le m \le b$이다. $b-a$의 값은? (단, Z가 표준정규분포를 따르는 확률변수일 때, $P(|Z| \le 1.96) = 0.95$로 계산한다.) [3점]

① 0.49   ② 0.52   ③ 0.55   ④ 0.58   ⑤ 0.61

26. 어느 학급의 학생 16명을 대상으로 과목 A와 과목 B에 대한 선호도를 조사하였다. 이 조사에 참여한 학생은 과목 A와 과목 B 중 하나를 선택하였고, 과목 A를 선택한 학생은 9명, 과목 B를 선택한 학생은 7명이다. 이 조사에 참여한 학생 16명 중에서 임의로 3명을 선택할 때, 선택한 3명의 학생 중에서 적어도 한 명이 과목 B를 선택한 학생일 확률은? [3점]

① $\dfrac{3}{4}$ ② $\dfrac{4}{5}$ ③ $\dfrac{17}{20}$ ④ $\dfrac{9}{10}$ ⑤ $\dfrac{19}{20}$

27. 숫자 1, 3, 5, 7, 9가 각각 하나씩 적혀 있는 5장의 카드가 들어 있는 주머니가 있다. 이 주머니에서 임의로 1장의 카드를 꺼내어 카드에 적혀 있는 수를 확인한 후 다시 넣는 시행을 한다. 이 시행을 3번 반복하여 확인한 세 개의 수의 평균을 $\overline{X}$ 라 하자. $V(a\overline{X}+6)=24$ 일 때, 양수 a의 값은? [3점]

① 1   ② 2   ③ 3   ④ 4   ⑤ 5

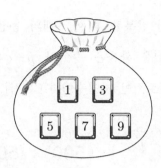

28. 집합 $X=\{1, 2, 3, 4, 5, 6\}$ 에 대하여 다음 조건을 만족시키는 함수 $f:X\rightarrow X$ 의 개수는? [4점]

> (가) $f(1)\times f(6)$의 값이 6의 약수이다.
> (나) $2f(1)\leq f(2)\leq f(3)\leq f(4)\leq f(5)\leq 2f(6)$

① 166   ② 171   ③ 176   ④ 181   ⑤ 186

16회

29. 정규분포 $N(m_1,\ \sigma_1^{\,2})$을 따르는 확률변수 X와 정규분포 $N(m_2,\ \sigma_2^{\,2})$을 따르는 확률변수 Y가 다음 조건을 만족시킨다.

모든 실수 x에 대하여
$P(X \le x) = P(X \ge 40 - x)$이고
$P(Y \le x) = P(X \le x + 10)$이다.

$P(15 \le X \le 20) + P(15 \le Y \le 20)$의 값을 오른쪽 표준정규분포표를 이용하여 구한 것이 0.4772일 때, $m_1 + \sigma_2$의 값을 구하시오.
(단, σ_1과 σ_2는 양수이다.) [4점]

z	$P(0 \le Z \le z)$
0.5	0.1915
1.0	0.3413
1.5	0.4332
2.0	0.4772

30. 탁자 위에 5개의 동전이 일렬로 놓여 있다. 이 5개의 동전 중 1번째 자리와 2번째 자리의 동전은 앞면이 보이도록 놓여 있고, 나머지 자리의 3개의 동전은 뒷면이 보이도록 놓여 있다. 이 5개의 동전과 한 개의 주사위를 사용하여 다음 시행을 한다.

주사위를 한 번 던져 나온 눈의 수가 k일 때,
$k \le 5$이면 k번째 자리의 동전을 한 번 뒤집어 제자리에 놓고,
$k = 6$이면 모든 동전을 한 번씩 뒤집어 제자리에 놓는다.

위의 시행을 3번 반복한 후 이 5개의 동전이 모두 앞면이 보이도록 놓여 있을 확률은 $\dfrac{q}{p}$이다. $p+q$의 값을 구하시오.
(단, p와 q는 서로소인 자연수이다.) [4점]

앞면	앞면	뒷면	뒷면	뒷면
↑	↑	↑	↑	↑
1번째 자리	2번째 자리	3번째 자리	4번째 자리	5번째 자리

제2교시

수학 영역(미적분)

5지선다형

23. $\lim\limits_{x \to 0} \dfrac{3x^2}{\sin^2 x}$ 의 값은? [2점]

① 1 ② 2 ③ 3 ④ 4 ⑤ 5

24. $\displaystyle\int_0^{10} \dfrac{x+2}{x+1}\, dx$ 의 값은? [3점]

① $10 + \ln 5$ ② $10 + \ln 7$ ③ $10 + 2\ln 3$
④ $10 + \ln 11$ ⑤ $10 + \ln 13$

25. 수열 $\{a_n\}$에 대하여 $\lim\limits_{n \to \infty} \dfrac{na_n}{n^2+3} = 1$일 때,

$\lim\limits_{n \to \infty} \left(\sqrt{a_n{}^2 + n} - a_n \right)$의 값은? [3점]

① $\dfrac{1}{3}$ ② $\dfrac{1}{2}$ ③ 1   ④ 2   ⑤ 3

26. 그림과 같이 곡선 $y = \sqrt{\dfrac{x+1}{x(x+\ln x)}}$ 과 x축 및 두 직선 $x=1$, $x=e$로 둘러싸인 부분을 밑면으로 하는 입체도형이 있다. 이 입체도형을 x축에 수직인 평면으로 자른 단면이 모두 정사각형일 때, 이 입체도형의 부피는? [3점]

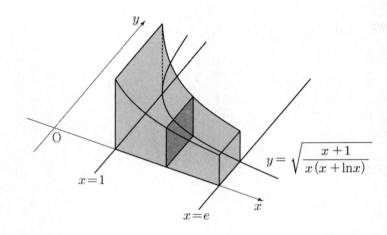

① $\ln(e+1)$ ② $\ln(e+2)$ ③ $\ln(e+3)$

④ $\ln(2e+1)$ ⑤ $\ln(2e+2)$

27. 최고차항의 계수가 1인 삼차함수 $f(x)$에 대하여 함수 $g(x)$를

$$g(x) = f(e^x) + e^x$$

이라 하자. 곡선 $y = g(x)$ 위의 점 $(0, g(0))$에서의 접선이 x축이고 함수 $g(x)$가 역함수 $h(x)$를 가질 때, $h'(8)$의 값은? [3점]

① $\dfrac{1}{36}$　　② $\dfrac{1}{18}$　　③ $\dfrac{1}{12}$　　④ $\dfrac{1}{9}$　　⑤ $\dfrac{5}{36}$

28. 실수 전체의 집합에서 미분가능한 함수 $f(x)$의 도함수 $f'(x)$가

$$f'(x) = -x + e^{1-x^2}$$

이다. 양수 t에 대하여 곡선 $y = f(x)$ 위의 점 $(t, f(t))$에서의 접선과 곡선 $y = f(x)$ 및 y축으로 둘러싸인 부분의 넓이를 $g(t)$라 하자. $g(1) + g'(1)$의 값은? [4점]

① $\dfrac{1}{2}e + \dfrac{1}{2}$　　　② $\dfrac{1}{2}e + \dfrac{2}{3}$　　　③ $\dfrac{1}{2}e + \dfrac{5}{6}$

④ $\dfrac{2}{3}e + \dfrac{1}{2}$　　　⑤ $\dfrac{2}{3}e + \dfrac{2}{3}$

단답형

29. 등비수열 $\{a_n\}$ 이

$$\sum_{n=1}^{\infty}(|a_n|+a_n)=\frac{40}{3}, \quad \sum_{n=1}^{\infty}(|a_n|-a_n)=\frac{20}{3}$$

을 만족시킨다. 부등식

$$\lim_{n \to \infty}\sum_{k=1}^{2n}\left((-1)^{\frac{k(k+1)}{2}} \times a_{m+k}\right) > \frac{1}{700}$$

을 만족시키는 모든 자연수 m 의 값의 합을 구하시오. [4점]

30. 두 상수 $a\,(1 \leq a \leq 2)$, b 에 대하여 함수
$f(x)=\sin(ax+b+\sin x)$ 가 다음 조건을 만족시킨다.

(가) $f(0)=0$, $f(2\pi)=2\pi a+b$

(나) $f'(0)=f'(t)$ 인 양수 t 의 최솟값은 4π 이다.

함수 $f(x)$ 가 $x=\alpha$ 에서 극대인 α 의 값 중 열린구간 $(0, 4\pi)$ 에 속하는 모든 값의 집합을 A 라 하자. 집합 A 의 원소의 개수를 n, 집합 A 의 원소 중 가장 작은 값을 α_1 이라 하면,

$n\alpha_1-ab=\dfrac{q}{p}\pi$ 이다. $p+q$ 의 값을 구하시오.

(단, p 와 q 는 서로소인 자연수이다.) [4점]

---

* 확인 사항

o 답안지의 해당란에 필요한 내용을 정확히 기입(표기)했는지 확인
하시오.

수학 영역

● 문항수 30개 | 배점 100점 | 제한 시간 100분

● 배점은 2점, 3점 또는 4점

5지선다형

1. $\sqrt[3]{24} \times 3^{\frac{2}{3}}$ 의 값은? [2점]

① 6　　② 7　　③ 8　　④ 9　　⑤ 10

2. 함수 $f(x) = 2x^3 - 5x^2 + 3$ 에 대하여 $\lim\limits_{h \to 0} \dfrac{f(2+h) - f(2)}{h}$ 의 값은? [2점]

① 1　　② 2　　③ 3　　④ 4　　⑤ 5

3. $\dfrac{3}{2}\pi < \theta < 2\pi$ 인 θ 에 대하여 $\sin(-\theta) = \dfrac{1}{3}$ 일 때, $\tan\theta$ 의 값은? [3점]

① $-\dfrac{\sqrt{2}}{2}$　② $-\dfrac{\sqrt{2}}{4}$　③ $-\dfrac{1}{4}$　④ $\dfrac{1}{4}$　⑤ $\dfrac{\sqrt{2}}{4}$

4. 함수

$$f(x) = \begin{cases} 3x - a & (x < 2) \\ x^2 + a & (x \geq 2) \end{cases}$$

가 실수 전체의 집합에서 연속일 때, 상수 a의 값은? [3점]

① 1　　② 2　　③ 3　　④ 4　　⑤ 5

5. 다항함수 $f(x)$가

$$f'(x) = 3x(x-2), \quad f(1) = 6$$

을 만족시킬 때, $f(2)$의 값은? [3점]

① 1　　　② 2　　　③ 3　　　④ 4　　　⑤ 5

6. 등비수열 $\{a_n\}$의 첫째항부터 제n항까지의 합을 S_n이라 하자.

$$S_4 - S_2 = 3a_4, \quad a_5 = \frac{3}{4}$$

일 때, $a_1 + a_2$의 값은? [3점]

① 27　　② 24　　③ 21　　④ 18　　⑤ 15

7. 함수 $f(x) = \frac{1}{3}x^3 - 2x^2 - 12x + 4$가 $x = \alpha$에서 극대이고 $x = \beta$에서 극소일 때, $\beta - \alpha$의 값은? (단, α와 β는 상수이다.) [3점]

① -4　　② -1　　③ 2　　④ 5　　⑤ 8

8. 삼차함수 $f(x)$가 모든 실수 x에 대하여

$$xf(x) - f(x) = 3x^4 - 3x$$

를 만족시킬 때, $\displaystyle\int_{-2}^{2} f(x)dx$의 값은? [3점]

① 12　　② 16　　③ 20　　④ 24　　⑤ 28

9. 수직선 위의 두 점 $\mathrm{P}(\log_5 3)$, $\mathrm{Q}(\log_5 12)$에 대하여
선분 PQ를 $m:(1-m)$으로 내분하는 점의 좌표가 1일 때,
4^m의 값은? (단, m은 $0 < m < 1$인 상수이다.) [4점]

① $\dfrac{7}{6}$　　② $\dfrac{4}{3}$　　③ $\dfrac{3}{2}$　　④ $\dfrac{5}{3}$　　⑤ $\dfrac{11}{6}$

10. 시각 $t=0$일 때 동시에 원점을 출발하여 수직선 위를
움직이는 두 점 P, Q의 시각 $t\,(t \geq 0)$에서의 속도가 각각

$$v_1(t) = t^2 - 6t + 5, \quad v_2(t) = 2t - 7$$

이다. 시각 t에서의 두 점 P, Q 사이의 거리를 $f(t)$라 할 때,
함수 $f(t)$는 구간 $[0, a]$에서 증가하고, 구간 $[a, b]$에서
감소하고, 구간 $[b, \infty)$에서 증가한다. 시각 $t=a$에서
$t=b$까지 점 Q가 움직인 거리는? (단, $0 < a < b$) [4점]

① $\dfrac{15}{2}$　　② $\dfrac{17}{2}$　　③ $\dfrac{19}{2}$　　④ $\dfrac{21}{2}$　　⑤ $\dfrac{23}{2}$

수학 영역

11. 공차가 0이 아닌 등차수열 $\{a_n\}$에 대하여

$$|a_6| = a_8, \quad \sum_{k=1}^{5} \frac{1}{a_k a_{k+1}} = \frac{5}{96}$$

일 때, $\displaystyle\sum_{k=1}^{15} a_k$의 값은? [4점]

① 60   ② 65   ③ 70   ④ 75   ⑤ 80

12. 함수 $f(x) = \dfrac{1}{9} x(x-6)(x-9)$와 실수 $t\,(0 < t < 6)$에 대하여 함수 $g(x)$는

$$g(x) = \begin{cases} f(x) & (x < t) \\ -(x-t) + f(t) & (x \ge t) \end{cases}$$

이다. 함수 $y = g(x)$의 그래프와 x축으로 둘러싸인 영역의 넓이의 최댓값은? [4점]

① $\dfrac{125}{4}$ ② $\dfrac{127}{4}$ ③ $\dfrac{129}{4}$ ④ $\dfrac{131}{4}$ ⑤ $\dfrac{133}{4}$

13. 그림과 같이

$$\overline{AB} = 3, \quad \overline{BC} = \sqrt{13}, \quad \overline{AD} \times \overline{CD} = 9, \quad \angle BAC = \frac{\pi}{3}$$

인 사각형 ABCD가 있다. 삼각형 ABC의 넓이를 S_1, 삼각형 ACD의 넓이를 S_2라 하고, 삼각형 ACD의 외접원의 반지름의 길이를 R이라 하자.

$S_2 = \dfrac{5}{6}S_1$일 때, $\dfrac{R}{\sin(\angle ADC)}$의 값은? [4점]

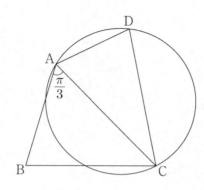

① $\dfrac{54}{25}$ ② $\dfrac{117}{50}$ ③ $\dfrac{63}{25}$ ④ $\dfrac{27}{10}$ ⑤ $\dfrac{72}{25}$

14. 두 자연수 a, b에 대하여 함수 $f(x)$는

$$f(x) = \begin{cases} 2x^3 - 6x + 1 & (x \le 2) \\ a(x-2)(x-b) + 9 & (x > 2) \end{cases}$$

이다. 실수 t에 대하여 함수 $y = f(x)$의 그래프와 직선 $y = t$가 만나는 점의 개수를 $g(t)$라 하자.

$$g(k) + \lim_{t \to k-} g(t) + \lim_{t \to k+} g(t) = 9$$

를 만족시키는 실수 k의 개수가 1이 되도록 하는 두 자연수 a, b의 순서쌍 (a, b)에 대하여 $a+b$의 최댓값은? [4점]

① 51 ② 52 ③ 53 ④ 54 ⑤ 55

15. 첫째항이 자연수인 수열 $\{a_n\}$이 모든 자연수 n에 대하여

$$a_{n+1} = \begin{cases} 2^{a_n} & (a_n \text{이 홀수인 경우}) \\ \dfrac{1}{2}a_n & (a_n \text{이 짝수인 경우}) \end{cases}$$

를 만족시킬 때, $a_6 + a_7 = 3$이 되도록 하는 모든 a_1의 값의 합은? [4점]

① 139   ② 146   ③ 153   ④ 160   ⑤ 167

단답형

16. 방정식 $3^{x-8} = \left(\dfrac{1}{27}\right)^x$ 을 만족시키는 실수 x의 값을 구하시오.

[3점]

17. 함수 $f(x) = (x+1)(x^2+3)$에 대하여 $f'(1)$의 값을 구하시오.

[3점]

18. 두 수열 $\{a_n\}$, $\{b_n\}$에 대하여

$$\sum_{k=1}^{10} a_k = \sum_{k=1}^{10} (2b_k - 1), \quad \sum_{k=1}^{10} (3a_k + b_k) = 33$$

일 때, $\displaystyle\sum_{k=1}^{10} b_k$의 값을 구하시오. [3점]

19. 함수 $f(x) = \sin\dfrac{\pi}{4}x$라 할 때, $0 < x < 16$에서 부등식

$$f(2+x)f(2-x) < \frac{1}{4}$$

을 만족시키는 모든 자연수 x의 값의 합을 구하시오. [3점]

20. $a > \sqrt{2}$인 실수 a에 대하여 함수 $f(x)$를

$$f(x) = -x^3 + ax^2 + 2x$$

라 하자. 곡선 $y = f(x)$ 위의 점 $O(0, 0)$에서의 접선이 곡선 $y = f(x)$와 만나는 점 중 O가 아닌 점을 A라 하고, 곡선 $y = f(x)$ 위의 점 A에서의 접선이 x축과 만나는 점을 B라 하자. 점 A가 선분 OB를 지름으로 하는 원 위의 점일 때, $\overline{OA} \times \overline{AB}$의 값을 구하시오. [4점]

21. 양수 a에 대하여 $x \geq -1$에서 정의된 함수 $f(x)$는

$$f(x) = \begin{cases} -x^2 + 6x & (-1 \leq x < 6) \\ a\log_4(x-5) & (x \geq 6) \end{cases}$$

이다. $t \geq 0$인 실수 t에 대하여 닫힌구간 $[t-1, t+1]$에서의 $f(x)$의 최댓값을 $g(t)$라 하자. 구간 $[0, \infty)$에서 함수 $g(t)$의 최솟값이 5가 되도록 하는 양수 a의 최솟값을 구하시오. [4점]

22. 최고차항의 계수가 1인 삼차함수 $f(x)$가 다음 조건을 만족시킨다.

> 함수 $f(x)$에 대하여
> $$f(k-1)f(k+1) < 0$$
> 을 만족시키는 정수 k는 존재하지 않는다.

$f'\left(-\dfrac{1}{4}\right) = -\dfrac{1}{4}$, $f'\left(\dfrac{1}{4}\right) < 0$일 때, $f(8)$의 값을 구하시오. [4점]

---

* 확인 사항

○ 답안지의 해당란에 필요한 내용을 정확히 기입(표기)했는지 확인하시오.

○ 이어서, 「**선택과목(확률과 통계)**」 문제가 제시되오니, 자신이 선택한 과목인지 확인하시오.

5지선다형

23. 5개의 문자 x, x, y, y, z를 모두 일렬로 나열하는 경우의 수는? [2점]

① 10　　② 20　　③ 30　　④ 40　　⑤ 50

24. 두 사건 A, B는 서로 독립이고

$$P(A \cap B) = \frac{1}{4}, \quad P(A^C) = 2P(A)$$

일 때, $P(B)$의 값은? (단, A^C은 A의 여사건이다.) [3점]

① $\frac{3}{8}$　　② $\frac{1}{2}$　　③ $\frac{5}{8}$　　④ $\frac{3}{4}$　　⑤ $\frac{7}{8}$

25. 숫자 1, 2, 3, 4, 5, 6이 하나씩 적혀 있는 6장의 카드가 있다. 이 6장의 카드를 모두 한 번씩 사용하여 일렬로 임의로 나열할 때, 양 끝에 놓인 카드에 적힌 두 수의 합이 10 이하가 되도록 카드가 놓일 확률은? [3점]

① $\dfrac{8}{15}$　② $\dfrac{19}{30}$　③ $\dfrac{11}{15}$　④ $\dfrac{5}{6}$　⑤ $\dfrac{14}{15}$

26. 4개의 동전을 동시에 던져서 앞면이 나오는 동전의 개수를 확률변수 X라 하고, 이산확률변수 Y를

$$Y = \begin{cases} X & (X가\ 0\ 또는\ 1의\ 값을\ 가지는\ 경우) \\ 2 & (X가\ 2\ 이상의\ 값을\ 가지는\ 경우) \end{cases}$$

라 하자. $\mathrm{E}(Y)$의 값은? [3점]

① $\dfrac{25}{16}$　② $\dfrac{13}{8}$　③ $\dfrac{27}{16}$　④ $\dfrac{7}{4}$　⑤ $\dfrac{29}{16}$

27. 정규분포 $\mathrm{N}(m, 5^2)$을 따르는 모집단에서 크기가 49인 표본을 임의추출하여 얻은 표본평균이 $\overline{x}$일 때, 모평균 m에 대한 신뢰도 95%의 신뢰구간이 $a \le m \le \dfrac{6}{5}a$이다. $\overline{x}$의 값은?

(단, Z가 표준정규분포를 따르는 확률변수일 때, $\mathrm{P}(|Z| \le 1.96) = 0.95$로 계산한다.) [3점]

① 15.2　　② 15.4　　③ 15.6　　④ 15.8　　⑤ 16.0

28. 하나의 주머니와 두 상자 A, B가 있다. 주머니에는 숫자 1, 2, 3, 4가 하나씩 적힌 4장의 카드가 들어 있고, 상자 A에는 흰 공과 검은 공이 각각 8개 이상 들어 있고, 상자 B는 비어 있다. 이 주머니와 두 상자 A, B를 사용하여 다음 시행을 한다.

주머니에서 임의로 한 장의 카드를 꺼내어 카드에 적힌 수를 확인한 후 다시 주머니에 넣는다.

확인한 수가 1이면
상자 A에 있는 흰 공 1개를 상자 B에 넣고,

확인한 수가 2 또는 3이면
상자 A에 있는 흰 공 1개와 검은 공 1개를 상자 B에 넣고,

확인한 수가 4이면
상자 A에 있는 흰 공 2개와 검은 공 1개를 상자 B에 넣는다.

이 시행을 4번 반복한 후 상자 B에 들어 있는 공의 개수가 8일 때, 상자 B에 들어 있는 검은 공의 개수가 2일 확률은? [4점]

① $\dfrac{3}{70}$　　② $\dfrac{2}{35}$　　③ $\dfrac{1}{14}$　　④ $\dfrac{3}{35}$　　⑤ $\dfrac{1}{10}$

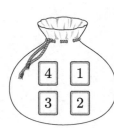
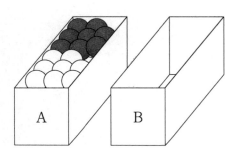

17회

단답형

29. 다음 조건을 만족시키는 6 이하의 자연수 a, b, c, d의 모든 순서쌍 (a, b, c, d)의 개수를 구하시오. [4점]

> $a \leq c \leq d$이고 $b \leq c \leq d$이다.

30. 양수 t에 대하여 확률변수 X가 정규분포 $N(1, t^2)$을 따른다.

$$P(X \leq 5t) \geq \frac{1}{2}$$

이 되도록 하는 모든 양수 t에 대하여 $P(t^2 - t + 1 \leq X \leq t^2 + t + 1)$의 최댓값을 오른쪽 표준정규분포표를 이용하여 구한 값을 k라 하자. $1000 \times k$의 값을 구하시오. [4점]

z	$P(0 \leq Z \leq z)$
0.6	0.226
0.8	0.288
1.0	0.341
1.2	0.385
1.4	0.419

---

* 확인 사항

○ 답안지의 해당란에 필요한 내용을 정확히 기입(표기)했는지 확인 하시오.

○ 이어서, 「**선택과목(미적분)**」 문제가 제시되오니, 자신이 선택한 과목인지 확인하시오.

5지선다형

23. $\lim\limits_{x\to 0}\dfrac{\ln(1+3x)}{\ln(1+5x)}$ 의 값은? [2점]

① $\dfrac{1}{5}$　② $\dfrac{2}{5}$　③ $\dfrac{3}{5}$　④ $\dfrac{4}{5}$　⑤ 1

24. 매개변수 $t\,(t>0)$으로 나타내어진 곡선

$$x=\ln(t^3+1),\quad y=\sin\pi t$$

에서 $t=1$일 때, $\dfrac{dy}{dx}$ 의 값은? [3점]

① $-\dfrac{1}{3}\pi$　② $-\dfrac{2}{3}\pi$　③ $-\pi$　④ $-\dfrac{4}{3}\pi$　⑤ $-\dfrac{5}{3}\pi$

25. 양의 실수 전체의 집합에서 정의되고 미분가능한 두 함수 $f(x)$, $g(x)$가 있다. $g(x)$는 $f(x)$의 역함수이고, $g'(x)$는 양의 실수 전체의 집합에서 연속이다.

모든 양수 a에 대하여

$$\int_1^a \frac{1}{g'(f(x))f(x)} \, dx = 2\ln a + \ln(a+1) - \ln 2$$

이고 $f(1) = 8$일 때, $f(2)$의 값은? [3점]

① 36   ② 40   ③ 44   ④ 48   ⑤ 52

26. 그림과 같이 곡선 $y = \sqrt{(1-2x)\cos x}$ $\left(\frac{3}{4}\pi \le x \le \frac{5}{4}\pi\right)$와 x축 및 두 직선 $x = \frac{3}{4}\pi$, $x = \frac{5}{4}\pi$로 둘러싸인 부분을 밑면으로 하는 입체도형이 있다. 이 입체도형을 x축에 수직인 평면으로 자른 단면이 모두 정사각형일 때, 이 입체도형의 부피는? [3점]

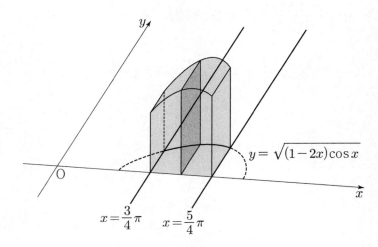

① $\sqrt{2}\pi - \sqrt{2}$ ② $\sqrt{2}\pi - 1$ ③ $2\sqrt{2}\pi - \sqrt{2}$

④ $2\sqrt{2}\pi - 1$ ⑤ $2\sqrt{2}\pi$

27. 실수 t 에 대하여 원점을 지나고 곡선 $y = \dfrac{1}{e^x} + e^t$ 에 접하는

직선의 기울기를 $f(t)$ 라 하자. $f(a) = -e\sqrt{e}$ 를 만족시키는

상수 a 에 대하여 $f'(a)$ 의 값은? [3점]

① $-\dfrac{1}{3}e\sqrt{e}$ ② $-\dfrac{1}{2}e\sqrt{e}$ ③ $-\dfrac{2}{3}e\sqrt{e}$

④ $-\dfrac{5}{6}e\sqrt{e}$ ⑤ $-e\sqrt{e}$

28. 실수 전체의 집합에서 연속인 함수 $f(x)$ 가 모든 실수 x 에

대하여 $f(x) \geq 0$ 이고, $x < 0$ 일 때 $f(x) = -4xe^{4x^2}$ 이다.

모든 양수 t 에 대하여 x 에 대한 방정식 $f(x) = t$ 의 서로 다른

실근의 개수는 2 이고, 이 방정식의 두 실근 중 작은 값을 $g(t)$,

큰 값을 $h(t)$ 라 하자.

두 함수 $g(t)$, $h(t)$ 는 모든 양수 t 에 대하여

$$2g(t) + h(t) = k \ (k \text{는 상수})$$

를 만족시킨다. $\displaystyle\int_0^7 f(x)\,dx = e^4 - 1$ 일 때, $\dfrac{f(9)}{f(8)}$ 의 값은? [4점]

① $\dfrac{3}{2}e^5$ ② $\dfrac{4}{3}e^7$ ③ $\dfrac{5}{4}e^9$ ④ $\dfrac{6}{5}e^{11}$ ⑤ $\dfrac{7}{6}e^{13}$

29. 첫째항과 공비가 각각 0이 아닌 두 등비수열

$\{a_n\}$, $\{b_n\}$에 대하여 두 급수 $\displaystyle\sum_{n=1}^{\infty} a_n$, $\displaystyle\sum_{n=1}^{\infty} b_n$이 각각 수렴하고

$$\sum_{n=1}^{\infty} a_n b_n = \left(\sum_{n=1}^{\infty} a_n\right) \times \left(\sum_{n=1}^{\infty} b_n\right),$$

$$3 \times \sum_{n=1}^{\infty} |a_{2n}| = 7 \times \sum_{n=1}^{\infty} |a_{3n}|$$

이 성립한다. $\displaystyle\sum_{n=1}^{\infty} \dfrac{b_{2n-1}+b_{3n+1}}{b_n} = S$일 때, $120S$의 값을

구하시오. [4점]

30. 실수 전체의 집합에서 미분가능한 함수 $f(x)$의 도함수
$f'(x)$가

$$f'(x) = |\sin x|\cos x$$

이다. 양수 a에 대하여 곡선 $y = f(x)$ 위의 점 $(a, f(a))$에서의
접선의 방정식을 $y = g(x)$라 하자. 함수

$$h(x) = \int_0^x \{f(t) - g(t)\} dt$$

가 $x = a$에서 극대 또는 극소가 되도록 하는 모든 양수 a를
작은 수부터 크기순으로 나열할 때, n번째 수를 a_n이라 하자.

$\dfrac{100}{\pi} \times (a_6 - a_2)$의 값을 구하시오. [4점]

* 확인 사항

o 답안지의 해당란에 필요한 내용을 정확히 기입(표기)했는지 확인
하시오.

하루 20분
루틴으로 1등급 Fix!
30일 완성
[미니 모의고사]

하루 20분! 30일 완성으로 국어·영어 1등급 Fix!

하루 20분 30일 완성 | 수능기출 미니 모의고사

고1 국어   고2 국어   고1 영어   고2 영어   고3 영어

가볍게 '하루 20분'
하루 12문제씩 20분을 학습하는
매일 루틴(Routine)은 수능에 대한 감을 잡아주기 때문에
꾸준한 '수능 대비'가 가능합니다.

• 수능기출 미니 모의고사 [30일 완성] 특징

- 고1 국어, 고2 국어 | 고1 영어, 고2 영어, 고3 영어
- 최근 7개년 수능기출 학력평가 문제 중 [우수 문항 선별] 후 총 360문항 수록
- 매일 정기적인 학습으로 **수능의 감을 잡는** 꾸준한 연습
- 하루 12문제를 20분씩 학습하는 효율적인 **30일 완성 PLAN**
- 과목별로 매일 전 유형을 골고루 풀어 볼 수 있는 체계적인 문항 배치
- **A4 사이즈로 제작**해 간편한 휴대와 편리한 학습

01회 2024학년도 3월 전국연합학력평가

공통 | 수학
01 ⑤ 02 ③ 03 ② 04 ① 05 ④ 06 ⑤ 07 ① 08 ② 09 ③ 10 ④
11 ② 12 ⑤ 13 ② 14 ③ 15 ③ 16 3 17 16 18 113 19 80 20 36
21 13 22 2

선택 | 확률과 통계
23 ① 24 ⑤ 25 ② 26 ④ 27 ② 28 ② 29 117 30 90

선택 | 미적분
23 ① 24 ③ 25 ⑤ 26 ④ 27 ② 28 ③ 29 270 30 84

02회 2023학년도 3월 전국연합학력평가

공통 | 수학
01 ① 02 ④ 03 ① 04 ② 05 ⑤ 06 ① 07 ③ 08 ⑤ 09 ② 10 ②
11 ③ 12 ④ 13 ④ 14 ⑤ 15 ③ 16 4 17 11 18 427 19 18 20 66
21 12 22 729

선택 | 확률과 통계
23 ① 24 ③ 25 ④ 26 ⑤ 27 ② 28 ⑤ 29 120 30 45

선택 | 미적분
23 ④ 24 ② 25 ③ 26 ⑤ 27 ① 28 ② 29 50 30 25

03회 2022학년도 3월 전국연합학력평가

공통 | 수학
01 ⑤ 02 ② 03 ④ 04 ④ 05 ① 06 ③ 07 ② 08 ③ 09 ① 10 ⑤
11 ⑤ 12 ③ 13 ① 14 ② 15 ④ 16 5 17 24 18 105 19 32 20 70
21 12 22 4

선택 | 확률과 통계
23 ① 24 ② 25 ⑤ 26 ① 27 ③ 28 ④ 29 65 30 708

선택 | 미적분
23 ② 24 ⑤ 25 ④ 26 ③ 27 ① 28 ① 29 28 30 80

04회 2024학년도 5월 전국연합학력평가

공통 | 수학
01 ④ 02 ② 03 ③ 04 ③ 05 ④ 06 ⑤ 07 ② 08 ⑤ 09 ① 10 ⑤
11 ① 12 ⑤ 13 ① 14 ② 15 ④ 16 5 17 7 18 16 19 11 20 25
21 64 22 114

선택 | 확률과 통계
23 ④ 24 ② 25 ① 26 ⑤ 27 ③ 28 ② 29 75 30 40

선택 | 미적분
23 ① 24 ③ 25 ④ 26 ④ 27 ⑤ 28 ② 29 40 30 138

05회 2023학년도 4월 전국연합학력평가

공통 | 수학
01 ② 02 ④ 03 ⑤ 04 ① 05 ⑤ 06 ④ 07 ① 08 ③ 09 ① 10 ②
11 ① 12 ② 13 ③ 14 ③ 15 ④ 16 5 17 3 18 8 19 6 20 30
21 22 22 32

선택 | 확률과 통계
23 ① 24 ⑤ 25 ③ 26 ② 27 ④ 28 ① 29 523 30 188

선택 | 미적분
23 ② 24 ① 25 ④ 26 ③ 27 ① 28 ④ 29 79 30 107

06회 2025학년도 6월 모의평가

공통 | 수학
01 ④ 02 ⑤ 03 ② 04 ③ 05 ⑤ 06 ① 07 ④ 08 ① 09 ③ 10 ⑤
11 ⑤ 12 ③ 13 ③ 14 ④ 15 ② 16 7 17 23 18 2 19 16 20 24
21 15 22 231

선택 | 확률과 통계
23 ④ 24 ② 25 ④ 26 ③ 27 ① 28 ① 29 6 30 108

선택 | 미적분
23 ② 24 ⑤ 25 ② 26 ② 27 ② 28 ④ 29 55 30 25

07회 2024학년도 6월 모의평가

공통 | 수학
01 ⑤ 02 ④ 03 ② 04 ② 05 ① 06 ④ 07 ③ 08 ③ 09 ① 10 ②
11 ③ 12 ⑤ 13 ① 14 ③ 15 ② 16 3 17 33 18 6 19 8 20 39
21 110 22 380

선택 | 확률과 통계
23 ③ 24 ④ 25 ② 26 ① 27 ② 28 ⑤ 29 25 30 51

선택 | 미적분
23 ⑤ 24 ④ 25 ① 26 ② 27 ③ 28 ② 29 5 30 24

08회 2023학년도 6월 모의평가

공통 | 수학
01 ① 02 ② 03 ④ 04 ② 05 ③ 06 ⑤ 07 ④ 08 ③ 09 ⑤ 10 ③
11 ⑤ 12 ③ 13 ① 14 ④ 15 ② 16 6 17 15 18 3 19 2 20 13
21 426 22 19

선택 | 확률과 통계
23 ② 24 ① 25 ④ 26 ② 27 ③ 28 ④ 29 115 30 9

선택 | 미적분
23 ① 24 ① 25 ② 26 ② 27 ③ 28 ⑤ 29 50 30 16

09회 2023학년도 7월 전국연합학력평가

공통 | 수학
01 ④ 02 ⑤ 03 ⑤ 04 ③ 05 ② 06 ④ 07 ① 08 ② 09 ② 10 ③
11 ① 12 ③ 13 ① 14 ⑤ 15 ④ 16 9 17 20 18 65 19 22 20 54
21 13 22 182

선택 | 확률과 통계
23 ③ 24 ① 25 ② 26 ④ 27 ③ 28 ① 29 24 30 150

선택 | 미적분
23 ③ 24 ② 25 ① 26 ④ 27 ③ 28 ② 29 12 30 208

10회 2022학년도 7월 전국연합학력평가

공통 | 수학
01 ⑤ 02 ② 03 ① 04 ② 05 ③ 06 ④ 07 ② 08 ④ 09 ④ 10 ③
11 ⑤ 12 ① 13 ③ 14 ⑤ 15 ① 16 2 17 13 18 16 19 4 20 8
21 180 22 121

선택 | 확률과 통계
23 ② 24 ④ 25 ③ 26 ④ 27 ⑤ 28 ② 29 5 30 133

선택 | 미적분
23 ④ 24 ③ 25 ③ 26 ② 27 ② 28 ① 29 4 30 129

11회 2025학년도 9월 모의평가

공통 | 수학
01 ② 02 ⑤ 03 ④ 04 ② 05 ② 06 ② 07 ③ 08 ① 09 ⑤ 10 ①
11 ① 12 ② 13 ④ 14 ⑤ 15 ① 16 7 17 5 18 29 19 4 20 15
21 31 22 8

선택 | 확률과 통계
23 ⑤ 24 ① 25 ⑤ 26 ③ 27 ④ 28 ④ 29 994 30 93

선택 | 미적분
23 ⑤ 24 ④ 25 ④ 26 ③ 27 ② 28 ⑤ 29 57 30 25

12회 2024학년도 9월 모의평가

공통 | 수학
01 ⑤ 02 ⑤ 03 ① 04 ⑤ 05 ⑤ 06 ③ 07 ④ 08 ④ 09 ③ 10 ③
11 ⑤ 12 ① 13 ③ 14 ④ 15 ④ 16 6 17 24 18 5 19 4 20 98
21 19 22 10

선택 | 확률과 통계
23 ① 24 ② 25 ② 26 ② 27 ⑤ 28 ⑤ 29 62 30 336

선택 | 미적분
23 ④ 24 ② 25 ② 26 ⑤ 27 ① 28 ② 29 18 30 32

13회 2023학년도 9월 모의평가

공통 | 수학
01 ④ 02 ① 03 ① 04 ① 05 ③ 06 ⑤ 07 ⑤ 08 ① 09 ③ 10 ④
11 ② 12 ② 13 ⑤ 14 ⑤ 15 ③ 16 7 17 16 18 13 19 4 20 80
21 220 22 58

선택 | 확률과 통계
23 ① 24 ④ 25 ④ 26 ② 27 ⑤ 28 ③ 29 175 30 260

선택 | 미적분
23 ① 24 ② 25 ⑤ 26 ③ 27 ③ 28 ④ 29 3 30 283

14회 2023학년도 10월 전국연합학력평가

공통 | 수학
01 ③ 02 ④ 03 ③ 04 ④ 05 ② 06 ① 07 ② 08 ⑤ 09 ① 10 ④
11 ① 12 ⑤ 13 ② 14 ③ 15 ② 16 10 17 22 18 110 19 102 20 24
21 6 22 29

선택 | 확률과 통계
23 ② 24 ④ 25 ④ 26 ③ 27 ① 28 ① 29 64 30 5

선택 | 미적분
23 ④ 24 ② 25 ③ 26 ⑤ 27 ① 28 ④ 29 30 30 91

15회 2022학년도 10월 전국연합학력평가

공통 | 수학
01 ③ 02 ② 03 ③ 04 ④ 05 ⑤ 06 ③ 07 ① 08 ② 09 ③ 10 ⑤
11 ④ 12 ④ 13 ① 14 ② 15 ① 16 5 17 15 18 109 19 80 20 226
21 8 22 82

선택 | 확률과 통계
23 ② 24 ① 25 ③ 26 ④ 27 ⑤ 28 ④ 29 105 30 17

선택 | 미적분
23 ① 24 ③ 25 ⑤ 26 ② 27 ④ 28 ② 29 20 30 12

16회 2025학년도 대학수학능력시험

공통 | 수학
01 ⑤ 02 ④ 03 ⑤ 04 ② 05 ④ 06 ⑤ 07 ③ 08 ① 09 ④ 10 ③
11 ② 12 ① 13 ⑤ 14 ④ 15 ② 16 7 17 33 18 96 19 41 20 36
21 16 22 64

선택 | 확률과 통계
23 ⑤ 24 ④ 25 ① 26 ③ 27 ② 28 ② 29 25 30 19

선택 | 미적분
23 ③ 24 ④ 25 ② 26 ① 27 ① 28 ② 29 25 30 17

17회 2024학년도 대학수학능력시험

공통 | 수학
01 ① 02 ④ 03 ② 04 ① 05 ④ 06 ④ 07 ⑤ 08 ② 09 ④ 10 ②
11 ① 12 ③ 13 ① 14 ④ 15 ③ 16 2 17 8 18 9 19 32 20 25
21 10 22 483

선택 | 확률과 통계
23 ③ 24 ④ 25 ⑤ 26 ② 27 ② 28 ④ 29 196 30 673

선택 | 미적분
23 ③ 24 ② 25 ④ 26 ③ 27 ① 28 ② 29 162 30 125

REAL
REAL ORIGINAL

수능기출학력평가
3개년 모의고사

고3 수학 17회 | 해설편
공통+선택 [확률과 통계·미적분]

Contents

REAL ORIGINAL

※ 수록된 정답률은 실제와 차이가 있을 수 있습니다.
문제 난도를 파악하는데 참고용으로 활용하시기
바랍니다.

수능 모의고사 전문 출판
입시플라이

•정답•

공통 | 수학

01 ⑤ 02 ③ 03 ② 04 ① 05 ④ 06 ⑤ 07 ① 08 ② 09 ③ 10 ④ 11 ② 12 ⑤ 13 ② 14 ③ 15 ③
16 3 17 16 18 113 19 80 20 36 21 13 22 2

선택 | 확률과 통계

23 ① 24 ⑤ 25 ② 26 ④ 27 ③ 28 ② 29 117 30 90

선택 | 미적분

23 ① 24 ④ 25 ⑤ 26 ④ 27 ② 28 ② 29 270 30 84

---

01 지수법칙 | 정답률 85% | 정답 ⑤

$\sqrt[3]{54} \times 2^{\frac{5}{3}}$ 의 값은? [2점]

① 4   ② 6   ③ 8   ④ 10   ⑤ 12

| 문제 풀이 |

$$\sqrt[3]{54} \times 2^{\frac{5}{3}} = (3^3 \times 2)^{\frac{1}{3}} \times 2^{\frac{5}{3}} = (3^3)^{\frac{1}{3}} \times 2^{\frac{1}{3}} \times 2^{\frac{5}{3}}$$
$$= 3^1 \times 2^{\frac{1}{3}+\frac{5}{3}} = 3 \times 2^2 = 12$$

---

02 미분계수 | 정답률 81% | 정답 ③

함수 $f(x) = x^3 - 3x^2 + x$ 에 대하여 $\lim\limits_{h \to 0} \dfrac{f(3+h)-f(3)}{2h}$ 의 값은? [2점]

① 1   ② 3   ③ 5   ④ 7   ⑤ 9

| 문제 풀이 |

$f'(x) = 3x^2 - 6x + 1$ 이므로 $f'(3) = 27 - 18 + 1 = 10$

$$\lim_{h \to 0} \frac{f(3+h)-f(3)}{2h} = \frac{1}{2} \times \lim_{h \to 0} \frac{f(3+h)-f(3)}{h}$$
$$= \frac{1}{2} \times f'(3) = \frac{1}{2} \times 10 = 5$$

---

03 삼각함수 | 정답률 76% | 정답 ②

$\cos\theta > 0$ 이고 $\sin\theta + \cos\theta\tan\theta = -1$ 일 때, $\tan\theta$ 의 값은? [3점]

① $-\sqrt{3}$ ② $-\dfrac{\sqrt{3}}{3}$ ③ $\dfrac{\sqrt{3}}{3}$ ④ 1   ⑤ $\sqrt{3}$

| 문제 풀이 |

$\sin\theta + \cos\theta\tan\theta = -1$ 에서

$\sin\theta + \cos\theta \times \dfrac{\sin\theta}{\cos\theta} = -1$ 이므로 $\sin\theta = -\dfrac{1}{2}$

$\cos^2\theta = 1 - \sin^2\theta = \dfrac{3}{4}$ 이고 $\cos\theta > 0$ 이므로 $\cos\theta = \dfrac{\sqrt{3}}{2}$

따라서 $\tan\theta = \dfrac{\sin\theta}{\cos\theta} = \dfrac{-\dfrac{1}{2}}{\dfrac{\sqrt{3}}{2}} = -\dfrac{\sqrt{3}}{3}$

---

04 함수의 연속 | 정답률 85% | 정답 ①

함수

$$f(x) = \begin{cases} 2x + a & (x < 3) \\ \sqrt{x+1} - a & (x \geq 3) \end{cases}$$

이 $x = 3$ 에서 연속일 때, 상수 a 의 값은? [3점]

① -2 ② -1 ③ 0   ④ 1   ⑤ 2

| 문제 풀이 |

함수 $f(x)$ 가 $x = 3$ 에서 연속이므로

$$\lim_{x \to 3-} f(x) = \lim_{x \to 3+} f(x) = f(3)$$
$$\lim_{x \to 3-} f(x) = \lim_{x \to 3-} (2x + a) = 6 + a,$$

$\lim\limits_{x \to 3+} f(x) = f(3) = 2 - a$ 이므로

$6 + a = 2 - a$, $a = -2$

---

05 정적분으로 정의된 함수 | 정답률 85% | 정답 ④

다항함수 $f(x)$ 가

$$f'(x) = x(3x+2), \quad f(1) = 6$$

을 만족시킬 때, $f(0)$ 의 값은? [3점]

① 1   ② 2   ③ 3   ④ 4   ⑤ 5

| 문제 풀이 |

$f'(x) = 3x^2 + 2x$ 에서

$f(x) = \displaystyle\int f'(x)dx = \int (3x^2 + 2x)dx = x^3 + x^2 + C$ (단, C 는 적분상수)

$f(1) = 1 + 1 + C = 6$ 이므로 $C = 4$ 이다.

따라서 $f(0) = C = 4$

---

06 등비수열 | 정답률 72% | 정답 ⑤

공비가 1보다 큰 등비수열 $\{a_n\}$ 의 첫째항부터 제n항까지의 합을 S_n 이라 하자.

$$\frac{S_4}{S_2} = 5, \quad a_5 = 48$$

일 때, $a_1 + a_4$ 의 값은? [3점]

① 39   ② 36   ③ 33   ④ 30   ⑤ 27

| 문제 풀이 |

등비수열 $\{a_n\}$ 의 공비를 $r(r > 1)$ 이라 하면

$S_4 = \dfrac{a_1(r^4 - 1)}{r - 1}$, $S_2 = \dfrac{a_1(r^2 - 1)}{r - 1}$ 이므로

$\dfrac{S_4}{S_2} = \dfrac{r^4 - 1}{r^2 - 1} = r^2 + 1 = 5$, $r^2 = 4$

$r > 1$ 이므로 $r = 2$

$a_5 = a_1 \times r^4 = a_1 \times 16 = 48$ 이므로 $a_1 = 3$

$a_4 = a_1 \times r^3 = 3 \times 8 = 24$

따라서 $a_1 + a_4 = 3 + 24 = 27$

---

07 함수의 증가와 감소 | 정답률 80% | 정답 ①

함수 $f(x) = \dfrac{1}{3}x^3 - 2x^2 - 5x + 1$ 이 닫힌구간 $[a, b]$ 에서 감소할 때, $b - a$ 의 최댓값은? (단, a, b 는 $a < b$ 인 실수이다.) [3점]

① 6   ② 7   ③ 8   ④ 9   ⑤ 10

| 문제 풀이 |

$f'(x) = x^2 - 4x - 5 = (x+1)(x-5)$

$f'(x) = 0$ 에서 $x = -1$ 또는 $x = 5$

$f(x)$ 의 증가와 감소를 표로 나타내면 다음과 같다.

x	$\cdots$	-1	$\cdots$	5	$\cdots$
$f'(x)$	$+$	0	$-$	0	$+$
$f(x)$	↗	극대	↘	극소	↗

$-1 \leq a < b \leq 5$ 일 때, 함수 $f(x)$ 는 닫힌구간 $[a, b]$ 에서 감소한다.

따라서 $b - a$ 의 최댓값은 $5 - (-1) = 6$

---

08 곱의 미분법 | 정답률 70% | 정답 ②

두 다항함수 $f(x)$, $g(x)$ 에 대하여

$$(x+1)f(x) + (1-x)g(x) = x^3 + 9x + 1, \quad f(0) = 4$$

일 때, $f'(0) + g'(0)$ 의 값은? [3점]

① 1   ② 2   ③ 3   ④ 4   ⑤ 5

| 문제 풀이 |

$(x+1)f(x) + (1-x)g(x) = x^3 + 9x + 1$ ····· ㉠

㉠에 $x = 0$ 을 대입하면

$f(0)+g(0)=1$

$f(0)=4$이므로 $g(0)=-3$이다.

㉠의 양변을 미분하면

$f(x)+(x+1)f'(x)-g(x)+(1-x)g'(x)=3x^2+9$ ⋯ ㉡

㉡에 $x=0$을 대입하면

$f(0)+f'(0)-g(0)+g'(0)=9$

따라서 $f'(0)+g'(0)=9-f(0)+g(0)=9-4+(-3)=2$

---

09 로그의 성질 | 정답률 73% | 정답 ③

좌표평면 위의 두 점 $(0,0)$, $(\log_2 9, k)$를 지나는 직선이

직선 $(\log_4 3)x+(\log_9 8)y-2=0$에 수직일 때, 3^k의 값은?

(단, k는 상수이다.) [4점]

① 16　② 32　③ 64　④ 128　⑤ 256

| 문제 풀이 |

두 점 $(0,0)$, $(\log_2 9, k)$를 지나는 직선의 기울기는

$$\frac{k-0}{\log_2 9-0}=\frac{k}{2\log_2 3}$$

직선 $(\log_4 3)x+(\log_9 8)y-2=0$의 기울기는

$$-\frac{\log_4 3}{\log_9 8}=-\frac{\frac{1}{2}\log_2 3}{\frac{3}{2}\log_3 2}=-\frac{\log_2 3}{3\log_3 2}$$

두 직선이 서로 수직이므로

$$\frac{k}{2\log_2 3}\times\left(-\frac{\log_2 3}{3\log_3 2}\right)=-1,\ k=6\log_3 2$$

따라서 $3^k=3^{6\log_3 2}=3^{\log_3 2^6}=2^6=64$

---

10 적분의 활용 | 정답률 40% | 정답 ④

시각 $t=0$일 때 동시에 원점을 출발하여 수직선 위를 움직이는 두 점 P, Q의 시각 $t(t\geq 0)$에서의 속도가 각각

$$v_1(t)=3t^2-6t-2,\ v_2(t)=-2t+6$$

이다. 출발한 시각부터 두 점 P, Q가 다시 만날 때까지 점 Q가 움직인 거리는? [4점]

① 7　② 8　③ 9　④ 10　⑤ 11

| 문제 풀이 |

시각 $t(t\geq 0)$에서 두 점 P, Q의 위치를 각각 $x_1(t)$, $x_2(t)$라 하면

$x_1(t)=t^3-3t^2-2t$, $x_2(t)=-t^2+6t$

$x_1(t)-x_2(t)=t^3-2t^2-8t=t(t+2)(t-4)=0$에서

두 점 P, Q가 다시 만날 때의 시각은 $t=4$이다.

점 Q가 시각 $t=0$에서 $t=4$까지 움직인 거리는

$$\int_0^4 |v_2(t)|dt=\int_0^4 |-2t+6|dt$$
$$=\int_0^3 |-2t+6|dt+\int_3^4 |-2t+6|dt$$
$$=\int_0^3 (-2t+6)dt+\int_3^4 (2t-6)dt$$
$$=\left[-t^2+6t\right]_0^3+\left[t^2-6t\right]_3^4$$
$$=9+1=10$$

---

11 등차수열 | 정답률 52% | 정답 ②

공차가 음의 정수인 등차수열 $\{a_n\}$에 대하여

$$a_6=-2,\ \sum_{k=1}^{8}|a_k|=\sum_{k=1}^{8}a_k+42$$

일 때, $\sum_{k=1}^{8}a_k$의 값은? [4점]

① 40　② 44　③ 48　④ 52　⑤ 56

| 문제 풀이 |

등차수열 $\{a_n\}$의 공차를 $d(d<0)$이라 하자.

---

a_6, d가 모두 정수이므로 등차수열 $\{a_n\}$의 모든 항은 정수이다.

$d=a_6-a_5=-2-a_5$이고 $d<0$이므로 $a_5>-2$

즉, $a_5=-1$ 또는 a_5는 음이 아닌 정수이다.

(i) $a_5=-1$일 때

$d=-2-a_5=-1$이므로 $a_n=-n+4$

$\sum_{k=1}^{8}a_k=-4$, $\sum_{k=1}^{8}|a_k|=16$이므로

$$\sum_{k=1}^{8}|a_k|=\sum_{k=1}^{8}a_k+42 \ \cdots ㉠$$

이 성립하지 않는다.

(ii) a_5는 음이 아닌 정수일 때

$n\leq 5$일 때 $a_n\geq 0$이고 $|a_n|=a_n$

$n\geq 6$일 때 $a_n<0$이고 $|a_n|=-a_n$

㉠에서 $-a_6-a_7-a_8=a_6+a_7+a_8+42$

$a_6+a_7+a_8=-21$

$a_6+(a_6+d)+(a_6+2d)=-21$, $a_6+d=-7$

$a_6=-2$이므로 $d=-5$

(i), (ii)에서 $d=-5$이고

$a_1=a_6-5d=-2+25=23$이다.

따라서 $\sum_{k=1}^{8}a_k=\frac{8\times\{2\times 23+7\times(-5)\}}{2}=44$

---

12 함수의 극대와 극소 | 정답률 45% | 정답 ⑤

실수 a에 대하여 함수 $f(x)$는

$$f(x)=\begin{cases}3x^2+3x+a & (x<0)\\ 3x+a & (x\geq 0)\end{cases}$$

이다. 함수

$$g(x)=\int_{-4}^{x}f(t)dt$$

가 $x=2$에서 극솟값을 가질 때, 함수 $g(x)$의 극댓값은? [4점]

① 18　② 20　③ 22　④ 24　⑤ 26

| 문제 풀이 |

$g(x)=\int_{-4}^{x}f(t)dt$의 양변을 x에 대하여 미분하면

$g'(x)=f(x)$이므로

$$g'(x)=\begin{cases}3x^2+3x+a & (x<0)\\ 3x+a & (x\geq 0)\end{cases}$$

함수 $g(x)$는 $x=2$에서 극솟값을 가지므로

$g'(2)=6+a=0$에서 $a=-6$이다.

$$g'(x)=\begin{cases}3(x+2)(x-1) & (x<0)\\ 3(x-2) & (x\geq 0)\end{cases}$$

$g(x)$의 증가와 감소를 표로 나타내면 다음과 같다.

x	⋯	-2	⋯	2	⋯
$g'(x)$	+	0	−	0	+
$g(x)$	↗	극대	↘	극소	↗

따라서 함수 $g(x)$의 극댓값은

$$g(-2)=\int_{-4}^{-2}(3t^2+3t-6)dt$$
$$=\left[t^3+\frac{3}{2}t^2-6t\right]_{-4}^{-2}=26$$

---

13 사인법칙과 코사인법칙 | 정답률 32% | 정답 ②

그림과 같이

$$2\overline{AB}=\overline{BC},\ \cos(\angle ABC)=-\frac{5}{8}$$

인 삼각형 ABC의 외접원을 O라 하자. 원 O 위의 점 P에 대하여 삼각형 PAC의 넓이가 최대가 되도록 하는 점 P를 Q라 할 때,

$\overline{QA}=6\sqrt{10}$이다. 선분 AC 위의 점 D에 대하여 $\angle CDB=\frac{2}{3}\pi$일 때,

삼각형 CDB의 외접원의 반지름의 길이는? [4점]

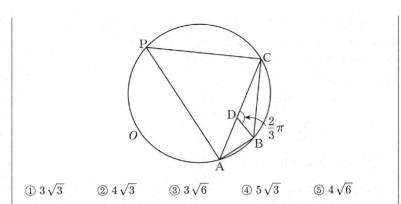

① $3\sqrt{3}$ ② $4\sqrt{3}$ ③ $3\sqrt{6}$ ④ $5\sqrt{3}$ ⑤ $4\sqrt{6}$

| 문제 풀이 |

점 B를 포함하지 않는 호 AC와 선분 AC의 수직이등분선의 교점을 R이라
하자.

P = R일 때, 삼각형 PAC의 넓이가 최대가 되므로 Q = R이다.

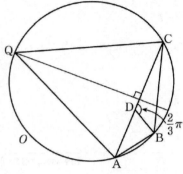

$\cos(\angle ABC) = -\dfrac{5}{8}$ 이므로

$\cos(\angle CQA) = \cos(\pi - \angle ABC)$

$\qquad\qquad = -\cos(\angle ABC) = \dfrac{5}{8}$

$\overline{QA} = \overline{QC} = 6\sqrt{10}$ 이므로

삼각형 QAC에서 코사인법칙에 의하여

$\overline{AC}^2 = \overline{QA}^2 + \overline{QC}^2 - 2 \times \overline{QA} \times \overline{QC} \times \cos(\angle CQA)$

$\qquad = (6\sqrt{10})^2 + (6\sqrt{10})^2 - 2 \times 6\sqrt{10} \times 6\sqrt{10} \times \dfrac{5}{8}$

$\qquad = 270$

$\overline{AB} = a \,(a > 0)$ 이라 하면

$2\overline{AB} = \overline{BC}$ 에서 $\overline{BC} = 2a$ 이다.

삼각형 ABC에서 코사인법칙에 의하여

$\overline{AC}^2 = \overline{AB}^2 + \overline{BC}^2 - 2 \times \overline{AB} \times \overline{BC} \times \cos(\angle ABC)$

$\qquad = a^2 + (2a)^2 - 2 \times a \times 2a \times \left(-\dfrac{5}{8}\right)$

$\qquad = \dfrac{15}{2}a^2$

$\dfrac{15}{2}a^2 = 270$ 에서 $a = 6$

삼각형 CDB의 외접원의 반지름의 길이를 R이라 하면
삼각형 CDB에서 사인법칙에 의하여

$2R = \dfrac{\overline{BC}}{\sin(\angle CDB)} = \dfrac{2a}{\sin \dfrac{2}{3}\pi} = \dfrac{12}{\dfrac{\sqrt{3}}{2}} = 8\sqrt{3}$

따라서 $R = 4\sqrt{3}$

---

14 함수의 그래프   정답률 28% | 정답 ③

두 정수 a, b에 대하여 함수 $f(x)$는

$$f(x) = \begin{cases} x^2 - 2ax + \dfrac{a^2}{4} + b^2 & (x \le 0) \\ x^3 - 3x^2 + 5 & (x > 0) \end{cases}$$

이다. 실수 t에 대하여 함수 $y = f(x)$의 그래프와 직선 $y = t$가 만나는 점의
개수를 $g(t)$라 하자. 함수 $g(t)$가 $t = k$에서 불연속인 실수 k의 개수가 2가
되도록 하는 두 정수 a, b의 모든 순서쌍 (a, b)의 개수는? [4점]

① 3 ② 4 ③ 5 ④ 6 ⑤ 7

| 문제 풀이 |

$x > 0$에서 $f(x) = x^3 - 3x^2 + 5$이므로 $\displaystyle\lim_{x \to 0+} f(x) = 5$이고

$f'(x) = 3x^2 - 6x = 3x(x-2)$이다.

$f'(2) = 0$이고 $x = 2$의 좌우에서 $f'(x)$의 부호가 음에서 양으로 바뀌므로
$f(x)$의 극솟값은 $f(2) = 1$이다.

$x \le 0$에서 $f(x) = x^2 - 2ax + \dfrac{a^2}{4} + b^2 = (x-a)^2 - \dfrac{3}{4}a^2 + b^2$이고

$f(0) = \dfrac{a^2}{4} + b^2$

(i) $a \ge 0$인 경우

　① $f(0) = 5$인 경우

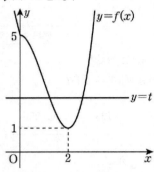

함수 $g(t)$는 $t = 1$에서만 불연속이므로
함수 $g(t)$가 $t = k$에서 불연속인 실수 k의 개수는 1이다.

　② $f(0) \ne 5$인 경우

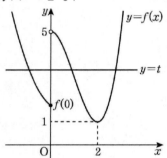

함수 $g(t)$는 $t = 1$, $t = 5$, $t = f(0)$에서 불연속이다.
함수 $g(t)$가 $t = k$에서 불연속인 실수 k의 개수가 2가 되려면

$f(0) = \dfrac{a^2}{4} + b^2 = 1$이다.

$\dfrac{a^2}{4} = 0$, $b^2 = 1$ 또는 $\dfrac{a^2}{4} = 1$, $b^2 = 0$

을 만족시키는 두 정수 a, b의 순서쌍 (a, b)는

$(0, 1)$, $(0, -1)$, $(2, 0)$

(ii) $a < 0$인 경우

　① $f(0) = 5$인 경우

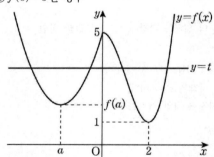

함수 $g(t)$, $t = 1$, $t = 5$, $t = f(a)$에서 불연속이다.
함수 $g(t)$가 $t = k$에서 불연속인 실수 k의 개수가 2가 되려면

$f(a) = -\dfrac{3}{4}a^2 + b^2 = 1$, $f(0) = \dfrac{a^2}{4} + b^2 = 5$이다.

$a^2 = 4$, $b^2 = 4$를 만족시키는 두 정수 a, b의
순서쌍 (a, b)는 $(-2, 2)$, $(-2, -2)$

　② $f(0) = 1$인 경우

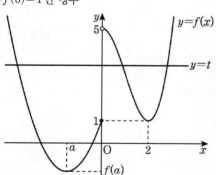

$f(a) < 1 < 5$이고 함수 $g(t)$는 $t = f(a)$, $t = 1$, $t = 5$에서 불연속이므로
함수 $g(t)$가 $t = k$에서 불연속인 실수 k의 개수가 3이다.

③ $f(0) \neq 1$이고 $f(0) \neq 5$인 경우

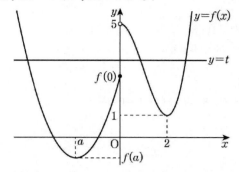

$g(t)$는 $t=1$, $t=5$, $t=f(0)$에서 불연속이므로
함수 $g(t)$가 $t=k$에서 불연속인 실수 k의 개수가 3 이상이다.
(i), (ii)에서 구하는 두 정수 a, b의 모든 순서쌍 (a, b)의 개수는
$(0, 1)$, $(0, -1)$, $(2, 0)$, $(-2, 2)$, $(-2, -2)$로 5

---

15 귀납적으로 정의된 수열 　　　　　정답률 49% | 정답 ③

수열 $\{a_n\}$이 모든 자연수 n에 대하여

$$a_{n+1} = \begin{cases} a_n & (a_n > n) \\ 3n-2-a_n & (a_n \le n) \end{cases}$$

을 만족시킬 때, $a_5 = 5$가 되도록 하는 모든 a_1의 값의 곱은? [4점]

① 20　　② 30　　③ 40　　④ 50　　⑤ 60

| 문제 풀이 |

$a_4 \le 4$이면 $a_5 = 10 - a_4 = 5$에서 $a_4 = 5$이므로
$a_4 \le 4$를 만족시키지 않는다.
그러므로 $a_4 > 4$이고 $a_4 = a_5$에서 $a_4 = 5$이다.
$a_3 > 3$일 때, $a_3 = a_4$에서 $a_3 = 5$이고
$a_3 \le 3$일 때, $a_4 = 7 - a_3 = 5$에서 $a_3 = 2$이다.
(i) $a_3 = 5$인 경우
　① $a_2 > 2$이면 $a_2 = a_3$에서 $a_2 = 5$이다.
　　$a_1 > 1$일 때, $a_1 = a_2$에서 $a_1 = 5$이고
　　$a_1 \le 1$일 때, $a_2 = 1 - a_1 = 5$에서 $a_1 = -4$이다.
　② $a_2 \le 2$이면 $a_3 = 4 - a_2 = 5$에서 $a_2 = -1$이다.
　　$a_1 > 1$일 때, $a_1 = a_2 = -1$이므로
　　$a_1 > 1$을 만족시키지 않는다.
　　$a_1 \le 1$일 때, $a_2 = 1 - a_1 = -1$에서 $a_1 = 2$이므로
　　$a_1 \le 1$을 만족시키지 않는다.
(ii) $a_3 = 2$인 경우
　① $a_2 > 2$이면 $a_2 = a_3$에서 $a_2 = 2$이므로
　　$a_2 > 2$를 만족시키지 않는다.
　② $a_2 \le 2$이면 $a_3 = 4 - a_2 = 2$에서 $a_2 = 2$이다.
　　$a_1 > 1$일 때, $a_1 = a_2$에서 $a_1 = 2$이고
　　$a_1 \le 1$일 때, $a_2 = 1 - a_1 = 2$에서 $a_1 = -1$이다.
(i), (ii)에서 $a_1 = 5$ 또는 $a_1 = -4$ 또는 $a_1 = 2$ 또는 $a_1 = -1$이다.
따라서 구하는 모든 a_1의 값의 곱은
$5 \times (-4) \times 2 \times (-1) = 40$

---

16 지수함수 　　　　　정답률 85% | 정답 3

방정식 $4^x = \left(\dfrac{1}{2}\right)^{x-9}$을 만족시키는 실수 x의 값을 구하시오. [3점]

| 문제 풀이 |

$4^x = \left(\dfrac{1}{2}\right)^{x-9}$에서 $2^{2x} = (2^{-1})^{x-9}$, $2^{2x} = 2^{-x+9}$

지수함수의 성질에 의하여
$2x = -x + 9$, $x = 3$

---

17 정적분의 성질 　　　　　정답률 66% | 정답 16

$\displaystyle\int_0^2 (3x^2 - 2x + 3)dx - \int_2^0 (2x+1)dx$의 값을 구하시오. [3점]

| 문제 풀이 |

$$\int_0^2 (3x^2 - 2x + 3)dx - \int_2^0 (2x+1)dx$$
$$= \int_0^2 (3x^2 - 2x + 3)dx + \int_0^2 (2x+1)dx$$
$$= \int_0^2 \{(3x^2 - 2x + 3) + (2x+1)\}dx$$
$$= \int_0^2 (3x^2 + 4)dx = \Big[x^3 + 4x\Big]_0^2$$
$$= 2^3 + 4 \times 2 = 16$$

---

18 수열의 합 　　　　　정답률 59% | 정답 113

수열 $\{a_n\}$에 대하여

$$\sum_{k=1}^{10} a_k + \sum_{k=1}^{9} a_k = 137, \quad \sum_{k=1}^{10} a_k - \sum_{k=1}^{9} 2a_k = 101$$

일 때, a_{10}의 값을 구하시오. [3점]

| 문제 풀이 |

$\displaystyle\sum_{k=1}^{10} a_k = A$, $\displaystyle\sum_{k=1}^{9} a_k = B$라 하면 $\displaystyle\sum_{k=1}^{9} 2a_k = 2\sum_{k=1}^{9} a_k = 2B$
$A + B = 137$, $A - 2B = 101$
에서 $A = 125$, $B = 12$이다.
따라서 $a_{10} = \displaystyle\sum_{k=1}^{10} a_k - \sum_{k=1}^{9} a_k = A - B = 113$

---

19 접선의 방정식 　　　　　정답률 42% | 정답 80

실수 a에 대하여 함수 $f(x) = x^3 - \dfrac{5}{2}x^2 + ax + 2$이다. 곡선 $y = f(x)$ 위의
두 점 $A(0, 2)$, $B(2, f(2))$에서의 접선을 각각 l, m이라 하자.
두 직선 l, m이 만나는 점이 x축 위에 있을 때, $60 \times |f(2)|$의 값을
구하시오. [3점]

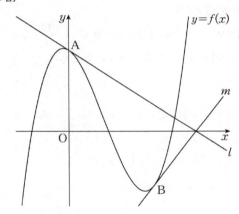

| 문제 풀이 |

$f(0) = 2$, $f(2) = 2a$
$f'(x) = 3x^2 - 5x + a$에서 $f'(0) = a$, $f'(2) = a + 2$
직선 l의 방정식은 $y = f'(0)x + f(0)$
$y = ax + 2$ ······ ㉠
직선 m의 방정식은 $y = f'(2)(x-2) + f(2)$
$y = (a+2)x - 4$ ······㉡
㉠, ㉡에서 두 직선 l, m이 만나는 점의 좌표는 $(3, 3a+2)$이고
이 점이 x축 위에 있으므로 $3a + 2 = 0$
$a = -\dfrac{2}{3}$이므로 $f(2) = 2 \times \left(-\dfrac{2}{3}\right) = -\dfrac{4}{3}$
따라서 $60 \times |f(2)| = 60 \times \left|-\dfrac{4}{3}\right| = 80$

---

20 삼각함수의 그래프의 성질 　　　　　정답률 30% | 정답 36

두 함수 $f(x) = 2x^2 + 2x - 1$, $g(x) = \cos\dfrac{\pi}{3}x$에 대하여 $0 \le x < 12$에서
방정식
　　$f(g(x)) = g(x)$
를 만족시키는 모든 실수 x의 값의 합을 구하시오. [4점]

| 문제 풀이 |

$f(g(x))=g(x)$에서 $g(x)=t(-1 \le t \le 1)$이라 하면

$f(t)=t$에서 $2t^2+2t-1=t$, $(2t-1)(t+1)=0$

$t=\dfrac{1}{2}$ 또는 $t=-1$이므로 $g(x)=\dfrac{1}{2}$ 또는 $g(x)=-1$

함수 $g(x)=\cos\dfrac{\pi}{3}x$의 주기는 6이고,

$g(1)=g(5)=\dfrac{1}{2}$, $g(3)=-1$이다.

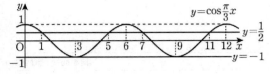

그러므로 $0 \le x < 12$에서 $g(7)=g(11)=\dfrac{1}{2}$, $g(9)=-1$이다.

따라서 구하는 모든 실수 x의 값의 합은

$1+3+5+7+9+11=36$

---

21 지수함수와 로그함수의 그래프   정답률 18% | 정답 13

$a > 2$인 실수 a에 대하여 기울기가 -1인 직선이 두 곡선

$\quad y=a^x+2$, $y=\log_a x+2$

와 만나는 점을 각각 A, B라 하자. 선분 AB를 지름으로 하는 원의 중심의 y좌표가 $\dfrac{19}{2}$이고 넓이가 $\dfrac{121}{2}\pi$일 때, a^2의 값을 구하시오. [4점]

| 문제 풀이 |

선분 AB를 지름으로 하는 원의 중심을 점 $C\left(k, \dfrac{19}{2}\right)$라 할 때,

점 C는 선분 AB의 중점이다.

두 곡선 $y=a^x+2$, $y=\log_a x+2$를 y축의 방향으로 각각 -2만큼

평행이동한 두 곡선 $y=a^x$, $y=\log_a x$가 직선 $y=x$에 대하여 대칭이므로

두 점 A, B를 y축의 방향으로 각각 -2만큼 평행이동한 점 A′, B′도

직선 $y=x$에 대하여 대칭이다.

점 C를 y축의 방향으로 -2만큼 평행이동한 점 $C'\left(k, \dfrac{15}{2}\right)$가

선분 A′B′의 중점이므로 점 C′은 직선 $y=x$ 위에 있다.

그러므로 $k=\dfrac{15}{2}$이다.

넓이가 $\dfrac{121}{2}\pi$인 원의 반지름의 길이는 $\overline{A'C'}=\dfrac{11\sqrt{2}}{2}$이고

직선 A′B′의 기울기가 -1이므로

점 A′의 좌표는 $\left(\dfrac{15}{2}-\dfrac{11}{2}, \dfrac{15}{2}+\dfrac{11}{2}\right)=(2, 13)$

점 A′$(2, 13)$이 곡선 $y=a^x$ 위의 점이므로 $a^2=13$

---

22 함수의 그래프   정답률 8% | 정답 2

함수 $f(x)=|x^3-3x+8|$과 실수 t에 대하여 닫힌구간 $[t, t+2]$에서의 $f(x)$의 최댓값을 $g(t)$라 하자. 서로 다른 두 실수 α, β에 대하여 함수 $g(t)$는 $t=\alpha$와 $t=\beta$에서만 미분가능하지 않다. $\alpha\beta=m+n\sqrt{6}$일 때, $m+n$의 값을 구하시오. (단, m, n은 정수이다.) [4점]

| 문제 풀이 |

$h(x)=x^3-3x+8$이라 하면 $f(x)=|h(x)|$

$h'(x)=3x^2-3=3(x+1)(x-1)$

$h'(x)=0$에서 $x=-1$ 또는 $x=1$

$h(x)$의 증가와 감소를 표로 나타내면 다음과 같다.

x	$\cdots$	-1	$\cdots$	1	$\cdots$
$h'(x)$	$+$	0	$-$	0	$+$
$h(x)$	$\nearrow$	극대	$\searrow$	극소	$\nearrow$

극댓값은 $h(-1)=10$이고 극솟값은 $h(1)=6$이다.

$y=h(x)$의 극솟값이 양수이므로 함수 $y=h(x)$의 그래프는 x축과 한 점에서 만난다.

즉 방정식 $h(x)=0$은 한 개의 실근 $x=a$를 갖고,

$f(x)=\begin{cases} -h(x) & (x<a) \\ h(x) & (x \ge a) \end{cases}$이다.

방정식 $f(t)=f(t+2)$의 해를 구하자.

$a-2 < t < a$일 때,

$-t^3+3t-8=(t+2)^3-3(t+2)+8$

$t^3+3t^2+3t+9=(t+3)(t^2+3)=0$에서

$t=-3$

$t \le a-2$ 또는 $t \ge a$일 때,

$t^3-3t+8=(t+2)^3-3(t+2)+8$, $3t^2+6t+1=0$에서

$t=\dfrac{-3\pm\sqrt{6}}{3}$이다.

$\dfrac{-3+\sqrt{6}}{3}=b$라 하면 $b>-1$

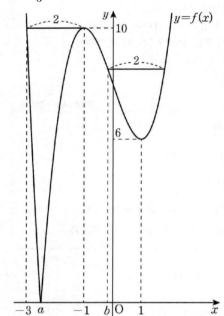

$t<-3$일 때,

닫힌구간 $[t, t+2]$에서의 $f(x)$의 최댓값이 $f(t)$이므로

$g(t)=f(t)$이다.

$-3 \le t \le -1$일 때,

닫힌구간 $[t, t+2]$에서의 $f(x)$의 최댓값이 $f(-1)=10$이므로

$g(t)=10$이다.

$-1 < t \le b$일 때,

닫힌구간 $[t, t+2]$에서의 $f(x)$의 최댓값이 $f(t)$이므로

$g(t)=f(t)$이다.

$b<t$일 때,

닫힌구간 $[t, t+2]$에서의 $f(x)$의 최댓값이 $f(t+2)$이므로

$g(t)=f(t+2)$이다.

즉 함수 $g(t)$는 다음과 같다.

$g(t)=\begin{cases} -t^3+3t-8 & (t<-3) \\ 10 & (-3 \le t \le -1) \\ t^3-3t+8 & (-1 < t \le b) \\ t^3+6t^2+9t+10 & (b<t) \end{cases}$

$\displaystyle\lim_{t\to-3-}g(t)=10=g(-3)=\lim_{t\to-3+}g(t)$

$\displaystyle\lim_{t\to-1-}g(t)=10=g(-1)=\lim_{t\to-1+}g(t)$

$\displaystyle\lim_{t\to b-}g(t)=g(b)=\lim_{t\to b+}g(t)$

이므로 $g(t)$는 실수 전체의 집합에서 연속이다.

$\displaystyle\lim_{t\to-3-}\dfrac{g(t)-g(-3)}{t-(-3)}=\lim_{t\to-3-}\dfrac{(t+3)(-t^2+3t-6)}{t+3}$

$\displaystyle\qquad\qquad = \lim_{t\to-3-}(-t^2+3t-6)=-24$

$\displaystyle\lim_{t\to-3+}\dfrac{g(t)-g(-3)}{t-(-3)}=0$

이므로 $g(t)$는 $t=-3$에서 미분가능하지 않다.

$\displaystyle\lim_{t\to-1-}\dfrac{g(t)-g(-1)}{t-(-1)}=0$

$\displaystyle\lim_{t\to-1+}\dfrac{g(t)-g(-1)}{t-(-1)}=\lim_{t\to-1+}\dfrac{(t+1)(t^2-t-2)}{t+1}$

$\displaystyle\qquad\qquad = \lim_{t\to-1+}(t^2-t-2)=0$

이므로 $g(t)$는 $t=-1$에서 미분가능하다.

$\displaystyle\lim_{t\to b-}\dfrac{g(t)-g(b)}{t-b}=\lim_{t\to b-}\dfrac{(t-b)(t^2+bt+b^2-3)}{t-b}$

$\displaystyle\qquad\qquad = \lim_{t\to b-}(t^2+bt+b^2-3)=3b^2-3$

$$\lim_{t \to b+} \frac{g(t)-g(b)}{t-b} = \lim_{t \to b+} \frac{(t-b)\{t^2+(6+b)t+b^2+6b+9\}}{t-b}$$
$$= \lim_{t \to b+} \{t^2+(6+b)t+b^2+6b+9\} = 3b^2+12b+9$$

$b > -1$이므로 $3b^2-3 \neq 3b^2+12b+9$

즉 $g(t)$는 $t=b$에서 미분가능하지 않다.

그러므로 $\alpha = -3$, $\beta = \dfrac{-3+\sqrt{6}}{3}$이고 $\alpha\beta = 3-\sqrt{6}$

따라서 $m=3$, $n=-1$이므로

$m+n=2$

확률과 통계

23 중복조합   정답률 79% | 정답 ①

$_3H_3$의 값은? [2점]

① 10   ② 12   ③ 14   ④ 16   ⑤ 18

| 문제 풀이 |

$_3H_3 = {}_{3+3-1}C_3 = {}_5C_3 = 10$

24 중복순열   정답률 80% | 정답 ⑤

숫자 1, 2, 3 중에서 중복을 허락하여 4개를 택해 일렬로 나열하여 만들 수 있는 네 자리 자연수 중 홀수의 개수는? [3점]

① 30   ② 36   ③ 42   ④ 48   ⑤ 54

| 문제 풀이 |

일의 자리에 올 수 있는 숫자는 1, 3이므로 2가지,

남은 세 자리에 올 수 있는 숫자는 각각 3가지이므로 $_3\Pi_3 = 27$

홀수의 개수는 $2 \times 27 = 54$

25 원순열   정답률 83% | 정답 ②

남학생 5명, 여학생 2명이 있다. 이 7명의 학생이 일정한 간격을 두고 원 모양의 탁자에 모두 둘러앉을 때, 여학생끼리 이웃하여 앉는 경우의 수는? (단, 회전하여 일치하는 것은 같은 것으로 본다.) [3점]

① 200   ② 240   ③ 280   ④ 320   ⑤ 360

| 문제 풀이 |

여학생 2명을 한 사람으로 보고 6명을 배열하는 원순열의 수는 $(6-1)! = 120$

여학생 2명의 자리를 정하는 방법의 수는 $2!$

구하는 경우의 수는 $120 \times 2! = 240$

26 같은 것이 있는 순열   정답률 62% | 정답 ④

그림과 같이 직사각형 모양으로 연결된 도로망이 있다. 이 도로망을 따라 A 지점에서 출발하여 B 지점까지 최단 거리로 갈 때, P 지점을 지나면서 Q 지점을 지나지 않는 경우의 수는? [3점]

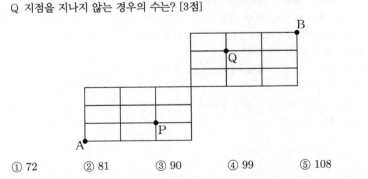

① 72   ② 81   ③ 90   ④ 99   ⑤ 108

| 문제 풀이 |

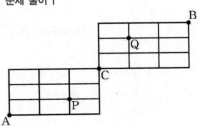

오른쪽으로 한 칸 가는 것을 a, 위쪽으로 한 칸 가는 것을 b라 하자.

A 지점에서 P 지점까지 최단 거리로 가는 경우의 수는 2개의 a와 1개의 b를 일렬로 나열하는 경우의 수와 같으므로 $\dfrac{3!}{2!1!} = 3$

마찬가지 방법으로 P 지점에서 C 지점까지 최단 거리로 가는 경우의 수는 $\dfrac{3!}{1!2!} = 3$

A 지점에서 P 지점을 지나 C 지점까지 최단 거리로 가는 경우의 수는 $3 \times 3 = 9$ ……㉠

마찬가지 방법으로 C 지점에서 B 지점까지 최단 거리로 가는 경우의 수는 $\dfrac{6!}{3!3!} = 20$

C 지점에서 Q 지점을 지나 B 지점까지 최단 거리로 가는 경우의 수는 A 지점에서 P 지점을 지나 C 지점까지 최단 거리로 가는 경우의 수와 같으므로 9

C 지점에서 B 지점까지 Q 지점을 지나지 않고 최단 거리로 가는 경우의 수는 $20-9 = 11$ ……㉡

㉠, ㉡에 의해 구하는 경우의 수는 $9 \times 11 = 99$

27 같은 것이 있는 순열   정답률 61% | 정답 ③

그림과 같이 문자 A, A, A, B, B, C, D가 각각 하나씩 적혀 있는 7장의 카드와 1부터 7까지의 자연수가 각각 하나씩 적혀 있는 7개의 빈 상자가 있다.

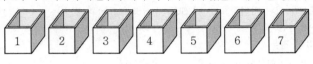

각 상자에 한 장의 카드만 들어가도록 7장의 카드를 나누어 넣을 때, 문자 A가 적혀 있는 카드가 들어간 3개의 상자에 적힌 수의 합이 홀수가 되도록 나누어 넣는 경우의 수는? (단, 같은 문자가 적힌 카드끼리는 서로 구별하지 않는다.) [3점]

① 144   ② 168   ③ 192   ④ 216   ⑤ 240

| 문제 풀이 |

문자 A가 적혀 있는 카드가 들어간 3개의 상자에 적힌 수의 합이 홀수가 되는 경우는 3개의 상자에 적힌 수 중 홀수가 1개이거나 홀수가 3개인 경우이다.

(ⅰ) 홀수가 적힌 상자가 1개인 경우

홀수가 적힌 상자 1개와 짝수가 적힌 상자 2개를 선택하는 경우의 수는

$_4C_1 \times {}_3C_2 = 4 \times 3 = 12$

선택한 상자에 문자 A가 적혀 있는 카드를 나누어 넣는 경우의 수는

$\dfrac{3!}{3!} = 1$

나머지 4개의 상자에 남은 4장의 카드를 나누어 넣는 경우의 수는

$\dfrac{4!}{2!1!1!} = 12$이므로

$12 \times 1 \times 12 = 144$

(ⅱ) 홀수가 적힌 상자가 3개인 경우

홀수가 적힌 상자 3개를 선택하는 경우의 수는

$_4C_3 = 4$

선택한 상자에 문자 A가 적혀 있는 카드를 나누어 넣는 경우의 수는

$\dfrac{3!}{3!} = 1$

나머지 4개의 상자에 남은 4장의 카드를 나누어 넣는 경우의 수는

$\dfrac{4!}{2!1!1!} = 12$이므로

$4 \times 1 \times 12 = 48$

(ⅰ), (ⅱ)에 의하여 구하는 경우의 수는 $144+48 = 192$

28 중복순열   정답률 28% | 정답 ②

다음 조건을 만족시키는 자연수 a, b, c의 모든 순서쌍 (a, b, c)의 개수는? [4점]

(가) $ab^2c = 720$

(나) a와 c는 서로소가 아니다.

① 38   ② 42   ③ 46   ④ 50   ⑤ 54

| 문제 풀이 |

$720 = 2^4 \times 3^2 \times 5$이다.

(i) $b = 1$인 경우

$ac = 2^4 \times 3^2 \times 5$이므로 a, c는 $2^4 \times 3^2 \times 5$의 약수이다.

가능한 순서쌍 (a, c)의 개수는 $2^4 \times 3^2 \times 5$의 약수의 개수와 같으므로

$(4+1) \times (2+1) \times (1+1) = 5 \times 3 \times 2 = 30$

이 중 a와 c가 서로소인 경우는 a와 c의 공약수가 1뿐인 경우이므로

2^4이 a 또는 c의 약수이고

3^2이 a 또는 c의 약수이고

5가 a 또는 c의 약수인 순서쌍 (a, c)의 개수는

$_2\Pi_3 = 8$

서로소가 아닌 자연수 a, c의 모든 순서쌍 (a, c)의 개수는

$30 - 8 = 22$

(ii) $b = 2$인 경우

$ac = 2^2 \times 3^2 \times 5$이므로 a, c는 $2^2 \times 3^2 \times 5$의 약수이다.

가능한 순서쌍 (a, c)의 개수는 $2^2 \times 3^2 \times 5$의 약수의 개수와 같으므로

$(2+1) \times (2+1) \times (1+1) = 3 \times 3 \times 2 = 18$

이 중 a와 c가 서로소인 경우는 a와 c의 공약수가 1뿐인 경우이므로

2^2이 a 또는 c의 약수이고

3^2이 a 또는 c의 약수이고

5가 a 또는 c의 약수인 순서쌍 (a, c)의 개수는

$_2\Pi_3 = 8$

서로소가 아닌 자연수 a, c의 모든 순서쌍 (a, c)의 개수는

$18 - 8 = 10$

(iii) $b = 3$인 경우

$ac = 2^4 \times 5$이므로 a, c는 $2^4 \times 5$의 약수이다.

가능한 순서쌍 (a, c)의 개수는 $2^4 \times 5$의 약수의 개수와 같으므로

$(4+1) \times (1+1) = 5 \times 2 = 10$

이 중 a와 c가 서로소인 경우는 a와 c의 공약수가 1뿐인 경우이므로

2^4이 a 또는 c의 약수이고

5가 a 또는 c의 약수인 순서쌍 (a, c)의 개수는

$_2\Pi_2 = 4$

서로소가 아닌 자연수 a, c의 모든 순서쌍 (a, c)의 개수는

$10 - 4 = 6$

(iv) $b = 4$인 경우

$ac = 3^2 \times 5$이므로 a와 c가 서로소가 아닌 모든 순서쌍 (a, c)는

$(3, 15)$ 또는 $(15, 3)$이므로 순서쌍의 개수는 2

(v) $b = 6$인 경우

$ac = 2^2 \times 5$이므로 a와 c가 서로소가 아닌 모든 순서쌍 (a, c)는

$(2, 10)$ 또는 $(10, 2)$ 이므로 순서쌍의 개수는 2

(vi) $b = 12$인 경우

조건을 만족하는 순서쌍 (a, b)는 존재하지 않는다.

(i)~(vi)에 의하여 구하는 경우의 수는

$22 + 10 + 6 + 2 + 2 = 42$

---

29 중복조합 정답률 12% | 정답 117

세 명의 학생에게 서로 다른 종류의 초콜릿 3개와 같은 종류의 사탕 5개를 다음 규칙에 따라 남김없이 나누어 주는 경우의 수를 구하시오. (단, 사탕을 받지 못하는 학생이 있을 수 있다.) [4점]

> (가) 적어도 한 명의 학생은 초콜릿을 받지 못한다.
> (나) 각 학생이 받는 초콜릿의 개수와 사탕의 개수의 합은 2 이상이다.

| 문제 풀이 |

(i) 1명의 학생이 초콜릿을 받지 못하는 경우

초콜릿을 받지 못하는 1명을 선택하는 경우의 수

$_3C_1 = 3$

남은 2명의 학생에게 초콜릿을 각각 2개, 1개씩 나누어 주는 경우의 수는

$_3C_2 \times _1C_1 \times 2! = 6$

조건 (나)를 만족시키도록 초콜릿을 받지 못한 1명의 학생에게 사탕 2개, 초콜릿 1개를 받은 1명에게 사탕 1개를 나누어주고,

남은 사탕 2개를 3명의 학생에게 나누어 주는 경우의 수는

$_3H_2 = _4C_2 = 6$이므로 $3 \times 6 \times 6 = 108$

(ii) 2명의 학생이 초콜릿을 받지 못하는 경우

초콜릿을 받지 못하는 2명을 선택하는 경우의 수는

$_3C_2 = 3$

남은 1명의 학생에게 초콜릿 3개를 나누어 주는 경우의 수는

$_3C_3 = 1$

조건 (나)를 만족시키도록 초콜릿을 받지 못한 2명의 학생에게 사탕을 각각 2개씩 나누어 주고,

남은 사탕 1개를 3명의 학생에게 나누어 주는 경우의 수는

$_3H_1 = _3C_1 = 3$

이므로 $3 \times 1 \times 3 = 9$

(i), (ii)에 의하여 구하는 경우의 수는

$108 + 9 = 117$

---

30 중복조합을 이용한 함수의 개수 정답률 7% | 정답 90

집합 $X = \{1, 2, 3, 4, 5\}$에 대하여 다음 조건을 만족시키는 함수 $f : X \to X$의 개수를 구하시오. [4점]

> (가) $f(1) \leq f(2) \leq f(3)$
> (나) $1 < f(5) < f(4)$
> (다) $f(a) = b$, $f(b) = a$를 만족시키는 집합 X의 서로 다른 두 원소 a, b가 존재한다.

| 문제 풀이 |

조건 (다)를 만족시키는 a, b에 대하여 $a < b$라고 하자.

(i) $a \in \{1, 2, 3\}$, $b \in \{1, 2, 3\}$인 경우

$f(a) > f(b)$이므로 조건 (가)에 모순이다.

(ii) $a \in \{1, 2, 3\}$, $b \in \{4, 5\}$인 경우

가능한 (a, b)의 순서쌍은

$(1, 4)$, $(1, 5)$, $(2, 4)$, $(2, 5)$, $(3, 4)$, $(3, 5)$

이 중 조건 (나)를 만족시키는 순서쌍은

$(2, 5)$, $(3, 4)$, $(3, 5)$뿐이다.

① $f(2) = 5$, $f(5) = 2$인 경우

조건 (가)를 만족시키도록 $f(1)$, $f(3)$의 값을 정하는 경우의 수는

$_5H_1 \times _1H_1 = 5$

조건 (나)를 만족시키도록 $f(4)$의 값을 정하는 경우의 수는

$_3C_1 = 3$이므로 함수 f의 개수는

$5 \times 3 = 15$

② $f(3) = 4$, $f(4) = 3$인 경우

조건 (가)를 만족시키도록 $f(1)$, $f(2)$의 값을 정하는 경우의 수는

$_4H_2 = _5C_2 = 10$

조건 (나)에 의하여 $f(5) = 2$이므로 함수 f의 개수는

$10 \times 1 = 10$

③ $f(3) = 5$, $f(5) = 3$인 경우

조건 (가)를 만족시키도록 $f(1)$, $f(2)$의 값을 정하는 경우의 수는

$_5H_2 = _6C_2 = 15$

조건 (나)를 만족시키도록 $f(4)$의 값을 정하는 경우의 수는

$_2C_1 = 2$이므로 함수 f의 개수는

$15 \times 2 = 30$

$f(2) = 5$, $f(5) = 2$이고 $f(3) = 4$, $f(4) = 3$이면

조건 (가)에 모순이므로

①과 ②의 경우에서 중복되는 경우는 없다.

(iii) $a \in \{4, 5\}$, $b \in \{4, 5\}$인 경우

$f(4) = 5$, $f(5) = 4$이므로 조건 (나)를 만족시킨다.

조건 (가)를 만족시키도록

$f(1)$, $f(2)$, $f(3)$의 값을 정하는 경우의 수는

$_5H_3 = _7C_3 = 35$

(i), (ii), (iii)에 의하여 구하는 함수의 개수는

$15 + 10 + 30 + 35 = 90$

미적분

23 수열의 극한값 정답률 90% | 정답 ①

$\displaystyle \lim_{n \to \infty} \frac{2^{n+1} + 3^{n-1}}{2^n - 3^n}$의 값은? [2점]

① $-\dfrac{1}{3}$ ② $-\dfrac{1}{6}$ ③ 0 ④ $\dfrac{1}{6}$ ⑤ $\dfrac{1}{3}$

| 문제 풀이 |

$$\lim_{n\to\infty}\frac{2^{n+1}+3^{n-1}}{2^n-3^n}=\lim_{n\to\infty}\frac{2\times\left(\frac{2}{3}\right)^n+\frac{1}{3}}{\left(\frac{2}{3}\right)^n-1}=\frac{\frac{1}{3}}{-1}=-\frac{1}{3}$$

---

24 수열의 극한   정답률 91% | 정답 ③

두 수열 $\{a_n\}$, $\{b_n\}$이

$$\lim_{n\to\infty}na_n=1,\quad \lim_{n\to\infty}\frac{b_n}{n}=3$$

을 만족시킬 때, $\lim_{n\to\infty}\dfrac{n^2a_n+b_n}{1+2b_n}$의 값은? [3점]

① $\dfrac{1}{3}$ ② $\dfrac{1}{2}$ ③ $\dfrac{2}{3}$ ④ $\dfrac{5}{6}$ ⑤ 1

| 문제 풀이 |

$\lim\limits_{n\to\infty}na_n=1$, $\lim\limits_{n\to\infty}\dfrac{b_n}{n}=3$이므로

$$\lim_{n\to\infty}\frac{n^2a_n+b_n}{1+2b_n}=\lim_{n\to\infty}\frac{na_n+\frac{b_n}{n}}{\frac{1}{n}+\frac{2b_n}{n}}=\frac{1+3}{2\times3}=\frac{4}{6}=\frac{2}{3}$$

---

25 극한의 대소 관계   정답률 88% | 정답 ⑤

수열 $\{a_n\}$이 모든 자연수 n에 대하여

$$2n+3<a_n<2n+4$$

를 만족시킬 때, $\lim\limits_{n\to\infty}\dfrac{(a_n+1)^2+6n^2}{na_n}$의 값은? [3점]

① 1   ② 2   ③ 3   ④ 4   ⑤ 5

| 문제 풀이 |

$2n+3<a_n<2n+4$에서

$$\frac{2n+3}{n}<\frac{a_n}{n}<\frac{2n+4}{n}$$

$$\lim_{n\to\infty}\frac{2n+3}{n}=\lim_{n\to\infty}\frac{2+\frac{3}{n}}{1}=\frac{2}{1}=2$$

$$\lim_{n\to\infty}\frac{2n+4}{n}=\lim_{n\to\infty}\frac{2+\frac{4}{n}}{1}=\frac{2}{1}=2$$

수열의 극한의 대소 관계에 의하여

$$\lim_{n\to\infty}\frac{a_n}{n}=2$$

$$\lim_{n\to\infty}\frac{(a_n+1)^2+6n^2}{na_n}=\lim_{n\to\infty}\frac{\left(\frac{a_n}{n}+\frac{1}{n}\right)^2+6}{\frac{a_n}{n}}=\frac{2^2+6}{2}=5$$

---

26 수열의 극한   정답률 79% | 정답 ④

수열 $\{a_n\}$이 모든 자연수 n에 대하여

$$a_{n+1}-a_n=a_1+2$$

를 만족시킨다. $\lim\limits_{n\to\infty}\dfrac{2a_n+n}{a_n-n+1}=3$일 때, a_{10}의 값은? (단, $a_1>0$) [3점]

① 35   ② 36   ③ 37   ④ 38   ⑤ 39

| 문제 풀이 |

$a_{n+1}-a_n=a_1+2$이므로 수열 $\{a_n\}$은 공차가 (a_1+2)인 등차수열이다.

$a_n=a_1+(n-1)\times(a_1+2)=(a_1+2)n-2$

$$\lim_{n\to\infty}\frac{2a_n+n}{a_n-n+1}=\lim_{n\to\infty}\frac{(2a_1+5)n-4}{(a_1+1)n-1}=\lim_{n\to\infty}\frac{2a_1+5-\frac{4}{n}}{a_1+1-\frac{1}{n}}=\frac{2a_1+5}{a_1+1}=3$$

이므로 $a_1=2$

$a_{10}=(2+2)\times10-2=38$

---

27 수열의 합과 일반항 사이의 관계   정답률 65% | 정답 ②

$a_1=3$, $a_2=6$인 등차수열 $\{a_n\}$과 모든 항이 양수인 수열 $\{b_n\}$이 모든 자연수 n에 대하여

$$\sum_{k=1}^{n}a_k(b_k)^2=n^3-n+3$$

을 만족시킬 때, $\lim\limits_{n\to\infty}\dfrac{a_n}{b_nb_{2n}}$의 값은? [3점]

① $\dfrac{3}{2}$ ② $\dfrac{3\sqrt{2}}{2}$ ③ 3   ④ $3\sqrt{2}$ ⑤ 6

| 문제 풀이 |

등차수열 $\{a_n\}$의 공차는 3이므로

$a_n=3+(n-1)\times3=3n$

$S_n=\sum\limits_{k=1}^{n}a_k(b_k)^2=n^3-n+3$이라 하면 $n\geq2$일 때,

$$a_n(b_n)^2=S_n-S_{n-1}=(n^3-n+3)-\{(n-1)^3-(n-1)+3\}$$
$$=3n^2-3n=3n(n-1)$$

$(b_n)^2=n-1$

$n=1$일 때, $S_1=a_1(b_1)^2=3$에서 $(b_1)^2=1$

수열 $\{b_n\}$의 모든 항이 양수이므로

$b_n=\sqrt{n-1}$ $(n\geq2)$, $b_1=1$

$$\lim_{n\to\infty}\frac{a_n}{b_nb_{2n}}=\lim_{n\to\infty}\frac{3n}{\sqrt{n-1}\sqrt{2n-1}}=\lim_{n\to\infty}\frac{3}{\sqrt{1-\frac{1}{n}}\sqrt{2-\frac{1}{n}}}=\frac{3\sqrt{2}}{2}$$

---

28 도형의 성질을 이용한 극한값   정답률 42% | 정답 ③

자연수 n에 대하여 직선 $y=2nx$가 곡선 $y=x^2+n^2-1$과 만나는 두 점을 각각 A_n, B_n이라 하자. 원 $(x-2)^2+y^2=1$ 위의 점 P에 대하여 삼각형 A_nB_nP의 넓이가 최대가 되도록 하는 점 P를 P_n이라 할 때, 삼각형 $A_nB_nP_n$의 넓이를 S_n이라 하자. $\lim\limits_{n\to\infty}\dfrac{S_n}{n}$의 값은? [4점]

① 2   ② 4   ③ 6   ④ 8   ⑤ 10

| 문제 풀이 |

$x^2+n^2-1=2nx$에서

$x^2-2nx+(n+1)(n-1)=0$

$(x-n-1)(x-n+1)=0$이므로

$A_n(n-1,\ 2n^2-2n)$, $B_n(n+1,\ 2n^2+2n)$이라 하자.

$$\overline{A_nB_n}=\sqrt{2^2+(4n)^2}=\sqrt{16n^2+4}=2\sqrt{4n^2+1}$$

원의 중심 $(2,0)$과 직선 $2nx-y=0$ 사이의 거리는 $\dfrac{4n}{\sqrt{4n^2+1}}$이므로

점 P와 직선 $2nx-y=0$ 사이의 거리를 h라 하면

$$\frac{4n}{\sqrt{4n^2+1}}-1\leq h\leq\frac{4n}{\sqrt{4n^2+1}}+1$$

$$S_n=\frac{1}{2}\times\overline{A_nB_n}\times\left(\frac{4n}{\sqrt{4n^2+1}}+1\right)$$
$$=\frac{1}{2}\times2\sqrt{4n^2+1}\times\left(\frac{4n}{\sqrt{4n^2+1}}+1\right)$$
$$=4n+\sqrt{4n^2+1}$$ 이므로

$$\lim_{n\to\infty}\frac{S_n}{n}=\lim_{n\to\infty}\frac{4n+\sqrt{4n^2+1}}{n}=\lim_{n\to\infty}\frac{4+\sqrt{4+\frac{1}{n^2}}}{1}=4+\sqrt{4}=6$$

---

29 도형의 성질을 활용한 수열의 극한   정답률 12% | 정답 270

자연수 n에 대하여 함수 $f(x)$를

$$f(x)=\frac{4}{n^3}x^3+1$$

이라 하자. 원점에서 곡선 $y=f(x)$에 그은 접선을 l_n, 접선 l_n의 접점을 P_n이라 하자. x축과 직선 l_n에 동시에 접하고 점 P_n을 지나는 원 중 중심의 x좌표가 양수인 것을 C_n이라 하자. 원 C_n의 반지름의 길이를 r_n이라 할 때, $40\times\lim\limits_{n\to\infty}n^2(4r_n-3)$의 값을 구하시오. [4점]

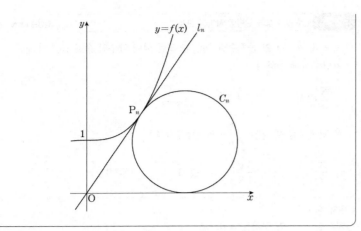

| 문제 풀이 |

양의 실수 t에 대하여 점 $P_n(t,\ f(t))$라 하면

$$f'(t)=\frac{f(t)}{t},\quad \frac{12t^3}{n^3}=\frac{4t^3}{n^3}+1,\quad t^3=\frac{n^3}{8},\quad t=\frac{n}{2}$$

$P_n\left(\dfrac{n}{2},\ \dfrac{3}{2}\right)$이므로 직선 l_n의 방정식은 $y=\dfrac{3}{n}x$

원 C_n의 중심을 C라 하고 두 점 P_n, C에서 x축에 내린 수선의 발을 각각 Q_n, R_n이라 하자. 점 C에서 선분 P_nQ_n에 내린 수선의 발을 H_n이라 하자.

$\angle CP_nO=\angle OQ_nP_n=\dfrac{\pi}{2}$이므로 $\angle P_nOQ=\angle CP_nH_n$

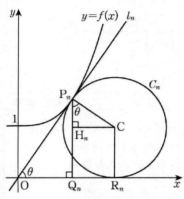

$\overline{OP_n}=\sqrt{\left(\dfrac{n}{2}\right)^2+\left(\dfrac{3}{2}\right)^2}=\dfrac{\sqrt{n^2+9}}{2}$이고,

$\angle P_nOQ_n=\theta$라 하면 $\cos\theta=\dfrac{\overline{OQ_n}}{\overline{OP_n}}=\dfrac{n}{\sqrt{n^2+9}}$

$\overline{P_nC}=\overline{CR_n}=\overline{H_nQ_n}=r_n$, $\overline{P_nQ_n}=\dfrac{3}{2}$이므로

$\overline{P_nQ_n}=\overline{P_nH_n}+\overline{H_nQ_n}=r_n\times\cos\theta+r_n=\dfrac{3}{2}$

$r_n=\dfrac{3}{2(1+\cos\theta)}=\dfrac{3\sqrt{n^2+9}}{2(\sqrt{n^2+9}+n)}$

$\displaystyle\lim_{n\to\infty}n^2(4r_n-3)=\lim_{n\to\infty}n^2\times\left(\dfrac{6\sqrt{n^2+9}}{\sqrt{n^2+9}+n}-3\right)=\lim_{n\to\infty}n^2\left(\dfrac{3\sqrt{n^2+9}-3n}{\sqrt{n^2+9}+n}\right)$

$\qquad=\displaystyle\lim_{n\to\infty}3n^2\left\{\dfrac{9}{(\sqrt{n^2+9}+n)^2}\right\}=\lim_{n\to\infty}\dfrac{27}{\left(\sqrt{1+\dfrac{9}{n^2}}+1\right)^2}=\dfrac{27}{4}$

이므로 $40\times\displaystyle\lim_{n\to\infty}n^2(4r_n-3)=270$

30　수열의 극한으로 정의된 함수의 추론　　정답률 8% | 정답 84

최고차항의 계수가 1인 삼차함수 $f(x)$와 자연수 m에 대하여 구간 $(0,\infty)$에서 정의된 함수 $g(x)$를

$$g(x)=\lim_{n\to\infty}\dfrac{f(x)\left(\dfrac{x}{m}\right)^n+x}{\left(\dfrac{x}{m}\right)^n+1}$$

라 하자. 함수 $g(x)$는 다음 조건을 만족시킨다.

> (가) 함수 $g(x)$는 구간 $(0,\infty)$에서 미분가능하고, $g'(m+1)\le 0$이다.
> (나) $g(k)g(k+1)=0$을 만족시키는 자연수 k의 개수는 3이다.
> (다) $g(l)\ge g(l+1)$을 만족시키는 자연수 l의 개수는 3이다.

$g(12)$의 값을 구하시오. [4점]

| 문제 풀이 |

$x>0$일 때, 함수 $g(x)$를 구하면 다음과 같다.

(ⅰ) $0<x<m$이면 $\displaystyle\lim_{n\to\infty}\left(\dfrac{x}{m}\right)^n=0$이므로

$\qquad g(x)=x$

(ⅱ) $x=m$이면 $\displaystyle\lim_{n\to\infty}\left(\dfrac{x}{m}\right)^n=1$이므로

$\qquad g(m)=\dfrac{f(m)+m}{2}$

(ⅲ) $x>m$이면 $\displaystyle\lim_{n\to\infty}\left(\dfrac{m}{x}\right)^n=0$이므로

$\qquad g(x)=\displaystyle\lim_{n\to\infty}\dfrac{f(x)+x\times\left(\dfrac{m}{x}\right)^n}{1+\left(\dfrac{m}{x}\right)^n}=f(x)$

(ⅰ), (ⅱ), (ⅲ)에 의하여

$$g(x)=\begin{cases} x & (0<x<m)\\[4pt] \dfrac{f(m)+m}{2} & (x=m)\\[4pt] f(x) & (x>m)\end{cases}$$

조건 (가)에서 함수 $g(x)$가 $x=m$에서 미분가능하고 연속이므로

$1=f'(m),\quad m=f(m)$

조건 (나)에서 $g(k)g(k+1)=0$을 만족시키는 자연수 k의 개수가 3이므로 $g(x)=0$을 만족시키는 자연수 x는 연속된 2개의 자연수이다.

이 두 자연수를 α, $\alpha+1$이라 하면 함수 $g(x)$의 그래프의 개형은 다음과 같다.

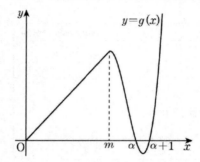

방정식 $f(x)=0$의 세 근을 α, $\alpha+1$, β라 하자.

(ⅰ) $g(m)<g(m+1)$일 때,

$g'(m+1)\le 0$이므로 조건 (다)에서 $g(l)\ge g(l+1)$을 만족시키는 세 자연수 l은

$m+1,\ m+2,\ m+3$

이므로 $\alpha=m+3$

$f(x)=(x-\alpha)(x-\alpha-1)(x-\beta)$

$\quad=(x-m-3)(x-m-4)(x-\beta)$

$\quad=\{x^2-(2m+7)x+m^2+7m+12\}(x-\beta)$

$f'(x)=(2x-2m-7)(x-\beta)+\{x^2-(2m+7)x+m^2+7m+12\}$

$f'(m)=-7(m-\beta)+12$

$f'(m)=1$이므로

$-7(m-p)+12=1,\quad m-\beta=\dfrac{11}{7}$

$m=f(m)=12(m-\beta)=\dfrac{132}{7}$이므로 모순이다.

(ⅱ) $g(m)\ge g(m+1)$일 때,

조건 (다)에서 $g(l)\ge g(l+1)$을 만족시키는 세 자연수 l은

$m,\ m+1,\ m+2$이므로 $\alpha=m+2$

$f(x)=(x-\alpha)(x-\alpha-1)(x-\beta)$

$\quad=(x-m-2)(x-m-3)(x-\beta)$

$\quad=\{x^2-(2m+5)x+m^2+5m+6\}(x-\beta)$

$f'(x)=(2x-2m-5)(x-\beta)+\{x^2-(2m+5)x+m^2+5m+6\}$

$f'(m)=-5(m-\beta)+6$

$f'(m)=1$이므로

$-5(m-\beta)+6=1,\quad m-\beta=1$

$m=f(m)=6(m-\beta)=6$

$m=6$일 때, $f(x)=(x-5)(x-8)(x-9)$에서

$g'(m+1)=f'(m+1)=-4$이므로 조건 (가)를 만족시키고,

$g(m)=f(m)\ge f(m+1)=g(m+1)$이다.

(ⅰ), (ⅱ)에 의하여 $f(x)=(x-5)(x-8)(x-9)$이므로

$g(12)=f(12)=7\times4\times3=84$

•정답•

공통 | 수학
01 ① 02 ④ 03 ① 04 ② 05 ⑤ 06 ① 07 ③ 08 ⑤ 09 ② 10 ② 11 ③ 12 ④ 13 ④ 14 ⑤ 15 ③
16 4 17 11 18 42 ★19 18 20 66 ★21 12 22 729
선택 | 확률과 통계
23 ① 24 ③ 25 ④ 26 ⑤ 27 ② 28 ⑤ ★29 12030 45
선택 | 미적분
23 ④ 24 ② 25 ③ 26 ⑤ 27 ① ★28 ② 29 50 30 25

★ 표기된 문항은 [등급을 가르는 문항]에 해당하는 문제입니다.

---

01 지수법칙 정답률 81% | 정답 ①

❶ $\sqrt[3]{8} \times \dfrac{2^{\sqrt{2}}}{2^{1+\sqrt{2}}}$ 의 값은? [2점]

① 1 ② 2 ③ 4 ④ 8 ⑤ 16

STEP 01 지수법칙을 이용하여 ❶의 값을 구한다.

$$\sqrt[3]{8} \times \frac{2^{\sqrt{2}}}{2^{1+\sqrt{2}}} = (2^3)^{\frac{1}{3}} \times 2^{\sqrt{2}-(1+\sqrt{2})} = 2 \times 2^{-1} = 1$$

●핵심 공식

▶ 지수법칙

$a>0$, $b>0$이고, m, n이 실수일 때

(1) $a^m a^n = a^{m+n}$ (2) $(a^m)^n = a^{mn}$ (3) $(ab)^n = a^n b^n$

(4) $a^m \div a^n = a^{m-n}$ (5) $\sqrt[m]{a^n} = a^{\frac{n}{m}}$ (6) $\dfrac{1}{a^n} = a^{-n}$

(7) $a^0 = 1$

---

02 미분계수 정답률 89% | 정답 ④

함수 $f(x) = 2x^3 - x^2 + 6$에 대하여 $f'(1)$의 값은? [2점]

① 1 ② 2 ③ 3 ④ 4 ⑤ 5

STEP 01 $f(x)$를 미분한 후 $f'(1)$의 값을 구한다.

$f'(x) = 6x^2 - 2x$이므로 $f'(1) = 6 - 2 = 4$

---

03 등비수열 정답률 76% | 정답 ①

등비수열 $\{a_n\}$이

❶ $a_5 = 4$, $a_7 = 4a_6 - 16$

을 만족시킬 때, a_8의 값은? [3점]

① 32 ② 34 ③ 36 ④ 38 ⑤ 40

STEP 01 ❶에서 공비를 구한 후 a_8의 값을 구한다.

등비수열 $\{a_n\}$의 공비를 r라 하면

$a_7 = 4a_6 - 16$에서 $a_5 r^2 = 4a_5 r - 16$이므로

$4r^2 = 4 \times 4r - 16$, $r^2 - 4r + 4 = 0$, $(r-2)^2 = 0$

따라서 $r = 2$

$a_8 = a_5 r^3 = 4 \times 2^3 = 32$

●핵심 공식

▶ 등비수열

첫째항이 a, 공비가 r인 등비수열에서 일반항 a_n은 $a_n = ar^{n-1}$ $(n=1, 2, 3, \cdots)$

---

04 정적분으로 정의된 함수 정답률 68% | 정답 ②

다항함수 $f(x)$가 모든 실수 x에 대하여

❶ $\displaystyle\int_1^x f(t)dt = x^3 - ax + 1$

을 만족시킬 때, $f(2)$의 값은? (단, a는 상수이다.) [3점]

① 8 ② 10 ③ 12 ④ 14 ⑤ 16

STEP 01 ❶의 양변에 $x=1$을 대입하여 a를 구한 다음 양변을 x에 대하여 미분하여 $f(2)$의 값을 구한다.

$$\int_1^x f(t)dt = x^3 - ax + 1 \qquad \cdots\cdots\ \text{㉠}$$

㉠의 양변에 $x=1$을 대입하면 $1 - a + 1 = 0$, $a = 2$

㉠의 양변을 x에 대하여 미분하고 $a = 2$를 대입하면

$f(x) = 3x^2 - 2$이므로

$f(2) = 12 - 2 = 10$

---

05 삼각함수의 성질 정답률 63% | 정답 ⑤

❶ $\cos(\pi + \theta) = \dfrac{1}{3}$이고 ❷ $\sin(\pi + \theta) > 0$일 때, $\tan\theta$의 값은? [3점]

① $-2\sqrt{2}$ ② $-\dfrac{\sqrt{2}}{4}$ ③ 1 ④ $\dfrac{\sqrt{2}}{4}$ ⑤ $2\sqrt{2}$

STEP 01 ❶에서 $\cos\theta$를 구한 후 ❷에서 $\sin\theta$를 구한 다음 $\tan\theta$의 값을 구한다.

$\cos(\pi + \theta) = -\cos\theta = \dfrac{1}{3}$에서 $\cos\theta = -\dfrac{1}{3}$

$\sin(\pi + \theta) = -\sin\theta > 0$에서 $\sin\theta < 0$

θ는 제 3사분면의 각이고

$$\sin\theta = -\sqrt{1 - \left(-\dfrac{1}{3}\right)^2} = -\dfrac{2\sqrt{2}}{3}$$

따라서 $\tan\theta = \dfrac{\sin\theta}{\cos\theta} = \dfrac{-\dfrac{2\sqrt{2}}{3}}{-\dfrac{1}{3}} = 2\sqrt{2}$

---

06 함수의 연속 정답률 63% | 정답 ①

함수

$$f(x) = \begin{cases} x^2 - ax + 1 & (x < 2) \\ -x + 1 & (x \geq 2) \end{cases}$$

에 대하여 함수 $\{f(x)\}^2$이 실수 전체의 집합에서 연속이 되도록 하는 모든 상수 a의 값의 합은? [3점]

① 5 ② 6 ③ 7 ④ 8 ⑤ 9

STEP 01 $x=2$에서 $\{f(x)\}^2$이 연속일 조건으로 a를 구한 다음 합을 구한다.

함수 $\{f(x)\}^2$이 실수 전체의 집합에서 연속이 되려면 $x=2$에서 연속이어야 한다.

$\displaystyle\lim_{x \to 2-}\{f(x)\}^2 = \lim_{x \to 2+}\{f(x)\}^2 = \{f(2)\}^2$이어야 하므로

$\displaystyle\lim_{x \to 2-}\{f(x)\}^2 = (5-2a)^2$, $\lim_{x \to 2+}\{f(x)\}^2 = 1$, $\{f(2)\}^2 = 1$에서

$(5-2a)^2 = 1$, $a = 2$ 또는 $a = 3$

따라서 모든 상수 a의 값의 합은 $2 + 3 = 5$

●핵심 공식

▶ 함수의 연속

$x = n$에서 연속이려면 함수값 =좌극한 =우극한이어야 한다.

$$f(n) = \lim_{x \to n-} f(x) = \lim_{x \to n+} f(x)$$

---

07 정적분의 활용 정답률 72% | 정답 ③

함수 $y = |x^2 - 2x| + 1$의 그래프와 x축, y축 및 직선 $x=2$로 둘러싸인 부분의 넓이는? [3점]

① $\dfrac{8}{3}$ ② 3 ③ $\dfrac{10}{3}$ ④ $\dfrac{11}{3}$ ⑤ 4

구하는 부분의 넓이는

$$\int_0^2 (|x^2-2x|+1)dx = \int_0^2 (-x^2+2x+1)dx = \left[-\frac{1}{3}x^3+x^2+x\right]_0^2 = \frac{10}{3}$$

---

08 선분의 내분점 　　　　　　　정답률 61% | 정답 ⑤

❶ 두 점 $A(m, m+3)$, $B(m+3, m-3)$에 대하여 선분 AB를 $2:1$로 내분하는 점이 곡선 ❷ $y=\log_4(x+8)+m-3$ 위에 있을 때, 상수 m의 값은? [3점]

① 4　　② $\frac{9}{2}$　　③ 5　　④ $\frac{11}{2}$　　⑤ 6

STEP 01 ❶의 좌표를 구한 후 ❷에 대입하여 m의 값을 구한다.

선분 AB를 $2:1$로 내분하는 점의 좌표는

$$\left(\frac{2(m+3)+m}{2+1}, \frac{2(m-3)+(m+3)}{2+1}\right) \text{ 즉, } (m+2, m-1)$$

점 $(m+2, m-1)$이 곡선 $y=\log_4(x+8)+m-3$ 위에 있으므로

$m-1=\log_4(m+10)+m-3$에서 $\log_4(m+10)=2$

$m+10=16$이므로 $m=6$

●핵심 공식

▶ 내분점과 외분점

좌표평면 위의 두 점 $A(x_1, y_1)$, $B(x_2, y_2)$를 연결한 선분 AB에 대하여 (단, $m>0$, $n>0$)

(1) $\overline{AB}$를 $m:n$으로 내분하는 점 P의 좌표 : $P\left(\dfrac{mx_2+nx_1}{m+n}, \dfrac{my_2+ny_1}{m+n}\right)$

(2) $\overline{AB}$를 $m:n$으로 외분하는 점 Q의 좌표 : $Q\left(\dfrac{mx_2-nx_1}{m-n}, \dfrac{my_2-ny_1}{m-n}\right)$

---

09 함수의 극대와 극소 　　　　　정답률 66% | 정답 ②

함수 $f(x)=|x^3-3x^2+p|$는 $x=a$와 $x=b$에서 극대이다.
❶ $f(a)=f(b)$일 때, 실수 p의 값은? (단, a, b는 $a \ne b$인 상수이다.) [4점]

① $\frac{3}{2}$　　② 2　　③ $\frac{5}{2}$　　④ 3　　⑤ $\frac{7}{2}$

STEP 01 $f(x)$를 미분하여 극값을 갖는 x를 구한 후 ❶이 모두 극대값임을 이용하여 p의 값을 구한다.

$g(x)=x^3-3x^2+p$라 하면 $f(x)=|g(x)|$

$g'(x)=3x^2-6x=3x(x-2)$

$g'(x)=0$에서 $x=0$ 또는 $x=2$

$g(x)$의 증가와 감소를 표로 나타내면 다음과 같다.

x	$\cdots$	0	$\cdots$	2	$\cdots$
$g'(x)$	+	0	−	0	+
$g(x)$	↗	극대	↘	극소	↗

따라서 함수 $f(x)=|g(x)|$가 극대가 되는 x가 2개가 되려면
$g(0)=p>0$, $g(2)=p-4<0$ 즉, $0<p<4$
$f(0)=|p|=p$, $f(2)=|p-4|=4-p$
$f(0)=f(2)$이므로 $p=4-p$
따라서 $p=2$

---

10 등차수열의 성질 　　　　　　정답률 61% | 정답 ②

공차가 양수인 등차수열 $\{a_n\}$이 다음 조건을 만족시킬 때, a_{10}의 값은? [4점]

(가) $|a_4|+|a_6|=8$

(나) $\displaystyle\sum_{k=1}^{9} a_k = 27$

① 21　　② 23　　③ 25　　④ 27　　⑤ 29

STEP 01 조건 (나)에서 a_5를 구한 후 a_4의 범위를 나누어 조건 (가)를 만족하는 공차를 구한 다음 a_{10}의 값을 구한다.

등차수열 $\{a_n\}$의 첫째항을 a, 공차를 d라고 하면

조건 (나)에서 $\displaystyle\sum_{k=1}^{9} a_k = \frac{9(2a+8d)}{2}=27$

$a+4d=3$ 즉, $a_5=3$ 　　　　　　……㉠

$a_5>0$이고 $d>0$이므로 $a_6>0$

(i) $a_4 \ge 0$인 경우

$|a_4|+|a_6|=(a+3d)+(a+5d)=2a+8d=8$

$a+4d=4$이므로 ㉠에 모순이다.

(ii) $a_4<0$인 경우

$|a_4|+|a_6|=-(a+3d)+a+5d=2d=8$, $d=4$

(i), (ii)에서 $d=4$이므로

$a_{10}=a_5+5d=3+5\times4=23$

●핵심 공식

▶ 등차수열의 일반항과 합

(1) 등차수열의 일반항
첫째항이 a, 공차가 d인 등차수열의 일반항 a_n은

$$a_n=a+(n-1)d \ (n=1, 2, 3, \cdots)$$

(2) 등차수열의 합
첫째항이 a, 공차가 d, 제n항이 l인 등차수열의 첫째항부터 제n항까지의 합을 S_n이라 하면

$$S_n=\frac{n(a+l)}{2}=\frac{n\{2a+(n-1)d\}}{2}$$

---

11 사인법칙과 코사인법칙 　　　　정답률 50% | 정답 ③

그림과 같이 $\angle BAC=60°$, $\overline{AB}=2\sqrt{2}$, $\overline{BC}=2\sqrt{3}$인 삼각형 ABC가 있다. 삼각형 ABC의 내부의 점 P에 대하여 $\angle PBC=30°$, $\angle PCB=15°$일 때, 삼각형 APC의 넓이는? [4점]

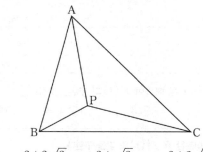

① $\frac{3+\sqrt{3}}{4}$　② $\frac{3+2\sqrt{3}}{4}$　③ $\frac{3+\sqrt{3}}{2}$　④ $\frac{3+2\sqrt{3}}{2}$　⑤ $2+\sqrt{3}$

STEP 01 삼각형 PBC에서 사인법칙에 의하여 $\overline{PC}$를 구한다.

삼각형 PBC에서
$\angle BPC=180°-(30°+15°)=135°$
삼각형 PBC에서 사인법칙에 의하여

$$\frac{2\sqrt{3}}{\sin 135°}=\frac{\overline{PC}}{\sin 30°}$$이므로

$$\overline{PC}=2\sqrt{3}\times\frac{\sin 30°}{\sin 135°}=\sqrt{6}$$

STEP 02 삼각형 ABC에서 코사인법칙에 의하여 $\overline{AC}$를 구한다.

$\overline{AC}=b$라 하면 삼각형 ABC에서 코사인법칙에 의하여

$$(2\sqrt{3})^2=(2\sqrt{2})^2+b^2-2\times2\sqrt{2}\times b\times\cos 60°$$

$b^2-2\sqrt{2}b-4=0$

$b>0$이므로 $b=\sqrt{2}+\sqrt{6}$

STEP 03 삼각형 ABC에서 사인법칙에 의하여 $\angle C$를 구한 후 $\angle PCA$를 구한 다음 삼각형 APC의 넓이를 구한다.

삼각형 ABC에서 사인법칙에 의하여

$$\frac{2\sqrt{3}}{\sin 60°}=\frac{2\sqrt{2}}{\sin C}$$이므로 $\sin C=\frac{\sqrt{2}}{2}$

$A=60°$에서 $C<120°$이므로 $C=45°$

$\angle PCA=45°-15°=30°$이므로 삼각형 APC의 넓이는

$$\frac{1}{2}\times\sqrt{6}\times(\sqrt{2}+\sqrt{6})\times\sin 30°=\frac{3+\sqrt{3}}{2}$$

●핵심 공식

▶ 사인법칙

$\triangle ABC$에 대하여 $\triangle ABC$의 외접원의 반지름 길이를 R라고 할 때,

$$\frac{a}{\sin A}=\frac{b}{\sin B}=\frac{c}{\sin C}=2R$$

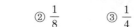

▶ 코사인법칙

세 변의 길이를 각각 a, b, c라 하고 b, c 사이의 끼인각을 A라 하면

$a^2 = b^2 + c^2 - 2bc\cos A$, $\left(\cos A = \dfrac{b^2 + c^2 - a^2}{2bc}\right)$

▶ 삼각형의 넓이

두 변 b, c와 끼인각 A가 주어졌을 때 △ABC의 넓이 S는 $S = \dfrac{1}{2}bc\sin A$

---

12 함수의 극한 　　　　　정답률 46% | 정답 ④

곡선 $y = x^2$과 ❶ 기울기가 1인 직선 l이 서로 다른 두 점 A, B에서 만난다. 양의 실수 t에 대하여 ❷ 선분 AB의 길이가 $2t$가 되도록 하는 직선 l의 y절편을 $g(t)$라 할 때, ❸ $\displaystyle\lim_{t \to \infty} \dfrac{g(t)}{t^2}$의 값은? [4점]

① $\dfrac{1}{16}$　② $\dfrac{1}{8}$　③ $\dfrac{1}{4}$　④ $\dfrac{1}{2}$　⑤ 1

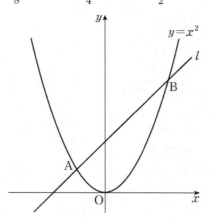

STEP 01 ❶의 방정식을 구한 후 $y = x^2$과 연립하여 근과 계수의 관계에 의하여 두 점 A, B의 x좌표의 관계를 구한다.

직선 l의 기울기가 1이고 y절편은 $g(t)$이므로 직선 l의 방정식은
$y = x + g(t)$이다.
두 점 A, B의 x좌표를 각각 α, β라 하면
α, β는 이차방정식 $x^2 = x + g(t)$ 즉, $x^2 - x - g(t) = 0$의 두 근이다.
이차방정식의 근과 계수의 관계에 의하여
$\alpha + \beta = 1$, $\alpha\beta = -g(t)$　　　　……㉠

STEP 02 ❷에서 $g(t)$를 구한 다음 ❸의 값을 구한다.

한편 A$(\alpha, \alpha + g(t))$, B$(\beta, \beta + g(t))$이므로
$\overline{AB}^2 = (\alpha - \beta)^2 + (\alpha - \beta)^2 = 2(\alpha - \beta)^2$
이고 ㉠에서 $(\alpha - \beta)^2 = (\alpha + \beta)^2 - 4\alpha\beta = 1 + 4g(t)$이므로
$\overline{AB}^2 = 2 + 8g(t)$에서 $4t^2 = 2 + 8g(t)$

$g(t) = \dfrac{2t^2 - 1}{4}$

따라서 $\displaystyle\lim_{t \to \infty} \dfrac{g(t)}{t^2} = \lim_{t \to \infty} \dfrac{2t^2 - 1}{4t^2} = \dfrac{1}{2}$

●핵심 공식

▶ 이차방정식의 근과 계수의 관계

이차방정식 $ax^2 + bx + c = 0$ (단, $a \neq 0$)의 두 근을 α, β라고 하면
$\alpha + \beta = -\dfrac{b}{a}$, $\alpha\beta = \dfrac{c}{a}$

---

13 삼각함수의 그래프 　　　　　정답률 44% | 정답 ④

두 함수
$f(x) = x^2 + ax + b$, $g(x) = \sin x$
가 다음 조건을 만족시킬 때, $f(2)$의 값은? (단, a, b는 상수이고, $0 \le a \le 2$이다.) [4점]

(가) $\{g(a\pi)\}^2 = 1$

(나) $0 \le x \le 2\pi$일 때, 방정식 $f(g(x)) = 0$의 모든 해의 합은 $\dfrac{5}{2}\pi$이다.

① 3　② $\dfrac{7}{2}$　③ 4　④ $\dfrac{9}{2}$　⑤ 5

STEP 01 조건 (가)를 만족하는 a를 구한다. t의 범위를 나누어 $y = g(x)$와 직선 $y = t$를 연립한 식의 모든 해의 합을 구한다.

(가)에서 $g(a\pi) = -1$ 또는 $g(a\pi) = 1$이다.

$\sin(a\pi) = -1$에서 $a = \dfrac{3}{2}$, $\sin(a\pi) = 1$에서 $a = \dfrac{1}{2}$

(나)에서 방정식 $f(g(x)) = 0$의 해가 존재하므로
$-1 \le t \le 1$이고 $f(t) = 0$인 실수 t가 존재한다.

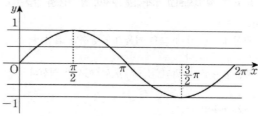

$0 \le x \le 2\pi$에서 방정식 $g(x) = t$의 모든 해의 합은
$t = -1$일 때 $\dfrac{3}{2}\pi$, $-1 < t \le 0$일 때 3π,

$0 < t < 1$일 때 π, $t = 1$일 때 $\dfrac{\pi}{2}$이다.

STEP 02 각 a에 대하여 조건 (나)를 만족하는지 확인하여 b를 구한 다음 $f(2)$의 값을 구한다.

$0 \le x \le 2\pi$일 때, 방정식 $f(g(x)) = 0$의 모든 해의 합이 $\dfrac{5}{2}\pi$이므로
방정식 $f(x) = 0$은 두 실근 -1, α를 가지고 $0 < \alpha < 1$이다.

(i) $a = \dfrac{3}{2}$인 경우

$f(x) = x^2 + \dfrac{3}{2}x + b$에서 $f(-1) = 0$이므로

$f(-1) = b - \dfrac{1}{2} = 0$ 즉, $b = \dfrac{1}{2}$

$f(x) = x^2 + \dfrac{3}{2}x + \dfrac{1}{2} = (x+1)\left(x + \dfrac{1}{2}\right)$에서

방정식 $f(x) = 0$의 두 근은 $x = -1$ 또는 $x = -\dfrac{1}{2}$
이므로 조건을 만족시키지 못한다.

(ii) $a = \dfrac{1}{2}$인 경우

$f(x) = x^2 + \dfrac{1}{2}x + b$에서 $f(-1) = 0$이므로

$f(-1) = b + \dfrac{1}{2} = 0$ 즉, $b = -\dfrac{1}{2}$

$f(x) = x^2 + \dfrac{1}{2}x - \dfrac{1}{2} = (x+1)\left(x - \dfrac{1}{2}\right)$에서

방정식 $f(x) = 0$의 두 근은 $x = -1$ 또는 $x = \dfrac{1}{2}$
이므로 조건을 만족시킨다.

(i), (ii)에서 $f(x) = x^2 + \dfrac{1}{2}x - \dfrac{1}{2}$이고 $f(2) = \dfrac{9}{2}$이다.

---

14 함수의 미분가능성과 그래프의 활용 　　　　　정답률 43% | 정답 ⑤

세 양수 a, b, k에 대하여 함수 $f(x)$를
$$f(x) = \begin{cases} ax & (x < k) \\ -x^2 + 4bx - 3b^2 & (x \ge k) \end{cases}$$
라 하자. 함수 $f(x)$가 실수 전체의 집합에서 미분가능할 때, 〈보기〉에서 옳은 것만을 있는 대로 고른 것은? [4점]

――― 〈보기〉 ―――

ㄱ. $a = 1$이면 $f'(k) = 1$이다.

ㄴ. $k = 3$이면 $a = -6 + 4\sqrt{3}$이다.

ㄷ. ❶ $f(k) = f'(k)$이면 함수 $y = f(x)$의 그래프와 x축으로 둘러싸인 부분의 넓이는 $\dfrac{1}{3}$이다.

① ㄱ　② ㄱ, ㄴ　③ ㄱ, ㄷ　④ ㄴ, ㄷ　⑤ ㄱ, ㄴ, ㄷ

STEP 01 ㄱ. $f(x)$가 $x = k$에서 연속일 조건과 미분가능일 조건으로 $f(k)$와 $f'(k)$를 구한 다음 $a = 1$을 대입하여 참, 거짓을 판별한다.

함수 $f(x)$가 실수 전체의 집합에서 미분가능하므로
함수 $f(x)$는 $x = k$에서 미분가능하다.
이때 함수 $f(x)$는 $x = k$에서 연속이므로

$$f(k)=\lim_{x\to k-}f(x)=ak$$

한편, 함수 $f(x)$가 $x=k$에서 미분가능하므로

$$f'(k)=\lim_{x\to k-}\frac{f(x)-f(k)}{x-k}=\lim_{x\to k-}\frac{ax-ak}{x-k}=a$$

ㄱ. $f'(k)=a$이고 $a=1$이므로 $f'(k)=1$이다.   ∴ 참

STEP 02 ㄴ. $y=ax$와 $y=-x^2+4bx-3b^2$이 $x=k$일 때 접하는 성질을 이용하여 k, b의 관계식을 구한 후 $k=3$을 대입하고 a의 값을 구하여 참, 거짓을 판별한다.

ㄴ. $g(x)=-x^2+4bx-3b^2$이라 하자.

직선 $y=ax$는 원점에서 곡선 $y=g(x)$에 그은 기울기가 양수인 접선 중 하나이고, 접점의 좌표는 $(k,\ g(k))$이다.

$g'(x)=-2x+4b$이므로 곡선 $y=g(x)$ 위의 점 $(k,\ g(k))$에서의 접선의 방정식은

$$y-(-k^2+4bk-3b^2)=(-2k+4b)(x-k)$$

이 직선이 원점을 지나므로

$$0-(-k^2+4bk-3b^2)=(-2k+4b)(0-k)$$

$$k^2-3b^2=0$$

$k>0$, $b>0$이므로 $k=\sqrt{3}\,b$

$k=3$이므로 $b=\sqrt{3}$이고

$a=g'(k)=-2k+4b=-2\times3+4\times\sqrt{3}=-6+4\sqrt{3}$ ∴ 참

STEP 03 ㄷ. ❶에서 모든 미지수를 구한 후 $y=f(x)$의 그래프를 그려 x축과의 교점을 찾아 구하는 넓이를 구하여 참, 거짓을 판별한다.

ㄷ. $f(k)=f'(k)$이므로 $ak=a$, $k=1$

ㄴ에서 $k=\sqrt{3}\,b$이므로 $b=\dfrac{\sqrt{3}}{3}$

$a=g'(k)=-2k+4b=-2+\dfrac{4\sqrt{3}}{3}=\dfrac{4\sqrt{3}-6}{3}$

$$f(x)=\begin{cases}\dfrac{4\sqrt{3}-6}{3}x & (x<1)\\[2mm]-x^2+\dfrac{4\sqrt{3}}{3}x-1 & (x\geq1)\end{cases}$$

함수 $y=f(x)$의 그래프는 다음과 같다.

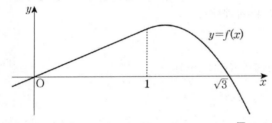

함수 $y=f(x)$의 그래프와 x축은 $x=0$, $x=\sqrt{3}$에서 만나므로 구하는 넓이는

$$\int_0^{\sqrt{3}}f(x)dx=\frac{1}{2}\times1\times\frac{4\sqrt{3}-6}{3}+\int_1^{\sqrt{3}}\left(-x^2+\frac{4\sqrt{3}}{3}x-1\right)dx$$

$$=\frac{2\sqrt{3}-3}{3}+\left[-\frac{x^3}{3}+\frac{2\sqrt{3}}{3}x^2-x\right]_1^{\sqrt{3}}$$

$$=\frac{2\sqrt{3}-3}{3}+\frac{4-2\sqrt{3}}{3}=\frac{1}{3}$$ ∴ 참

이상에서 옳은 것은 ㄱ, ㄴ, ㄷ이다.

● 핵심 공식

▶ 미분가능일 조건

$f(x)=\begin{cases}g(x)&(x\leq a)\\h(x)&(x>a)\end{cases}$가 $x=a$에서 미분가능일 조건

(1) $x=a$에서 연속이다. 즉, $g(a)=h(a)$

(2) $x=a$에서의 좌미분계수와 우미분계수가 같아야 한다. 즉, $g'(a)=h'(a)$

▶ 접선의 방정식

곡선 $y=f(x)$ 위의 점 $(a, f(a))$에서의 접선의 방정식은 $y-f(a)=f'(a)(x-a)$

▶ 미분계수의 기하학적 의미

함수 $y=f(x)$의 $x=a$에서의 미분계수 $f'(a)$는 $x=a$인 점 $(a, f(a))$에서의 접선의 기울기이다.

---

15 수열의 귀납적 정의   정답률 39% | 정답 ③

모든 항이 자연수인 수열 $\{a_n\}$이 모든 자연수 n에 대하여

$$a_{n+2}=\begin{cases}a_{n+1}+a_n & (a_{n+1}+a_n\text{이 홀수인 경우})\\[1mm]\dfrac{1}{2}(a_{n+1}+a_n) & (a_{n+1}+a_n\text{이 짝수인 경우})\end{cases}$$

를 만족시킨다. ❶ $a_1=1$일 때, $a_6=34$가 되도록 하는 모든 a_2의 값의 합은?   [4점]

① 60   ② 64   ③ 68   ④ 72   ⑤ 76

STEP 01 ❶을 이용하여 a_4, a_5가 홀수인지 짝수인지를 파악한다.

a_5+a_4가 홀수이면 a_6이 홀수이므로 $a_6=34$에 모순이다.

따라서 a_5+a_4는 짝수이고 a_4, a_5는 모두 짝수이거나 모두 홀수이다.

a_4, a_5가 모두 짝수이면 a_3도 짝수이고 마찬가지로 a_2, a_1도 모두 짝수이다.

이는 $a_1=1$에 모순이므로 a_4, a_5는 모두 홀수이다.

STEP 02 a_2, a_3의 홀수, 짝수의 경우를 나누어 만족하는 a_2를 구하여 합을 구한다.

따라서 a_1, a_4는 모두 홀수이므로 가능한 a_2, a_3의 값은 다음과 같다.

(i) a_2, a_3이 모두 홀수인 경우

$a_2=2l-1$(l은 자연수)라 하자.

$a_3=\dfrac{1}{2}(a_2+a_1)=l$

$a_4=\dfrac{1}{2}(a_3+a_2)=\dfrac{3}{2}l-\dfrac{1}{2}$

$a_5=\dfrac{1}{2}(a_4+a_3)=\dfrac{5}{4}l-\dfrac{1}{4}$

$a_6=\dfrac{1}{2}(a_5+a_4)=\dfrac{11}{8}l-\dfrac{3}{8}=34$

이므로 $l=25$이다.

따라서 $a_2=2\times25-1=49$

(ii) a_2는 짝수, a_3은 홀수인 경우

$a_2=2m$(m은 자연수)라 하자.

$a_3=a_2+a_1=2m+1$

$a_4=a_3+a_2=4m+1$

$a_5=\dfrac{1}{2}(a_4+a_3)=3m+1$

$a_6=\dfrac{1}{2}(a_5+a_4)=\dfrac{7}{2}m+1=34$

이므로 m은 자연수가 아니다.

(iii) a_2는 홀수, a_3은 짝수인 경우

$a_2=2n-1$(n은 자연수)라 하자.

$a_3=\dfrac{1}{2}(a_2+a_1)=n$

$a_4=a_3+a_2=3n-1$

$a_5=a_4+a_3=4n-1$

$a_6=\dfrac{1}{2}(a_5+a_4)=\dfrac{7}{2}n-1=34$

이므로 $n=10$이다.

따라서 $a_2=2\times10-1=19$

(i), (ii), (iii)에서 모든 a_2의 값의 합은

$49+19=68$

---

16 로그의 성질   정답률 77% | 정답 4

❶ $\log_2 96-\dfrac{1}{\log_6 2}$의 값을 구하시오. [3점]

STEP 01 로그의 성질을 이용하여 ❶의 값을 구한다.

$$\log_2 96-\frac{1}{\log_6 2}=\log_2 96-\log_2 6$$

$$=\log_2\frac{96}{6}$$

$$=\log_2 16=\log_2 2^4=4$$

● 핵심 공식

▶ 로그의 성질

$a>0$, $a\neq1$, $x>0$, $y>0$, $c>0$, $c\neq1$

n이 임의의 실수일 때

(1) $\log_a a=1$, $\log_a 1=0$

(2) $\log_a xy=\log_a x+\log_a y$

(3) $\log_a\dfrac{x}{y}=\log_a x-\log_a y$

(4) $\log_a x^n=n\log_a x$

(5) $\log_a x=\dfrac{\log_c x}{\log_c a}$ (밑변환공식)

(6) $\log_a x=\dfrac{1}{\log_x a}$ (단, $x\neq1$)

(7) $a^{\log_a x}=x$

(8) $a^{\log_c x}=x^{\log_c a}$

17 접선의 방정식
정답률 58% | 정답 11

직선 $y=4x+5$가 곡선 ❶ $y=2x^4-4x+k$에 접할 때, 상수 k의 값을 구하시오. [3점]

STEP 01 ❶의 미분을 이용하여 접점의 좌표를 구한 다음 ❶에 대입하여 k의 값을 구한다.

직선 $y=4x+5$와 곡선 $y=2x^4-4x+k$가 점 $P(a,b)$에서 접한다고 하자.
$f(x)=2x^4-4x+k$라 하면 $f'(x)=8x^3-4$
곡선 위의 점 P에서의 접선의 기울기가 4이므로
$f'(a)=8a^3-4=4$, $a^3=1$ 즉, $a=1$
점 P는 직선 $y=4x+5$ 위의 점이므로
$b=4\times1+5=9$
이때 $f(1)=2-4+k=k-2=9$
따라서 $k=11$

● **핵심 공식**

▶ **접선의 방정식**
곡선 $y=f(x)$ 위의 점 $(a,f(a))$에서의 접선의 방정식은
$y-f(a)=f'(a)(x-a)$

▶ **미분계수의 기하학적 의미**
함수 $y=f(x)$의 $x=a$에서의 미분계수 $f'(a)$는 $x=a$인 점 $(a,f(a))$에서의 접선의 기울기이다.

18 $\sum$의 성질
정답률 51% | 정답 427

n이 자연수일 때, x에 대한 이차방정식
❶ $x^2-5nx+4n^2=0$
의 두 근을 α_n, β_n이라 하자. ❷ $\sum_{n=1}^{7}(1-\alpha_n)(1-\beta_n)$의 값을 구하시오.
[3점]

STEP 01 ❶의 근을 구한 후 ❷에 대입하고 식을 전개한 다음 $\sum$의 성질을 이용하여 값을 구한다.

$x^2-5nx+4n^2=(x-n)(x-4n)=0$에서
$x=n$ 또는 $x=4n$
$$\sum_{n=1}^{7}(1-\alpha_n)(1-\beta_n)=\sum_{n=1}^{7}(1-n)(1-4n)=\sum_{n=1}^{7}(1-5n+4n^2)$$
$$=7-5\times\frac{7\times8}{2}+4\times\frac{7\times8\times15}{6}=427$$

● **핵심 공식**

▶ **자연수의 거듭제곱의 합**
(1) $\sum_{k=1}^{n}k=\dfrac{n(n+1)}{2}$ (2) $\sum_{k=1}^{n}k^2=\dfrac{n(n+1)(2n+1)}{6}$
(3) $\sum_{k=1}^{n}c=cn$

19 속도와 위치의 관계
정답률 38% | 정답 18

시각 $t=0$일 때 동시에 원점을 출발하여 수직선 위를 움직이는 두 점 P, Q의 시각 $t(t\geq0)$에서의 속도가 각각
❶ $v_1(t)=3t^2-15t+k$, $v_2(t)=-3t^2+9t$
이다. 점 P와 점 Q가 출발한 후 한 번만 만날 때, 양수 k의 값을 구하시오.
[3점]

STEP 01 ❶을 적분하여 두 점 P, Q의 위치를 구한 다음 두 식을 연립하고 판별식을 이용하여 k의 값을 구한다.

시각 t에서 두 점 P, Q의 위치를 각각 $x_1(t)$, $x_2(t)$라 하면
$x_1(t)=t^3-\dfrac{15}{2}t^2+kt$, $x_2(t)=-t^3+\dfrac{9}{2}t^2$
두 점 P, Q가 출발한 후 한 번만 만나므로 $t>0$에서
방정식 $x_1(t)=x_2(t)$의 서로 다른 실근의 개수는 1이다.
$x_1(t)-x_2(t)=t(2t^2-12t+k)=0$에서 $k>0$이고 $t>0$이므로
이차방정식 $2t^2-12t+k=0$은 중근을 가져야 한다.
이 이차방정식의 판별식을 D라 하면
$D=(-12)^2-4\times2\times k=0$
따라서 $k=18$

● **핵심 공식**

▶ **속도와 이동거리 및 위치**
수직선 위를 움직이는 점 P의 시각 t에서의 속도를 $v(t)$라 할 때,
$t=a$에서 $t=b\,(a<b)$까지의 실제 이동거리 s는 $s=\displaystyle\int_a^b|v(t)|dt$이고
점 P가 원점을 출발하여 $t=a$에서의 점 P의 위치는 $\displaystyle\int_0^a v(t)dt$ 이다.

★★★ 등급을 가르는 문제!

20 정적분의 활용
정답률 10% | 정답 66

최고차항의 계수가 1이고 $f(0)=1$인 삼차함수 $f(x)$와 양의 실수 p에 대하여 함수 $g(x)$가 다음 조건을 만족시킨다.

(가) $g'(0)=0$
(나) $g(x)=\begin{cases} f(x-p)-f(-p) & (x<0) \\ f(x+p)-f(p) & (x\geq0) \end{cases}$

❶ $\displaystyle\int_0^p g(x)dx=20$일 때, $f(5)$의 값을 구하시오. [4점]

STEP 01 $f'(x)$를 구한 후 $f(x)$를 구한다.

$g(0)=0$이므로
$\displaystyle\lim_{x\to0-}\frac{g(x)-g(0)}{x-0}=\lim_{x\to0-}\frac{f(x-p)-f(-p)}{x}=f'(-p)$
$\displaystyle\lim_{x\to0+}\frac{g(x)-g(0)}{x-0}=\lim_{x\to0+}\frac{f(x+p)-f(p)}{x}=f'(p)$
$g'(0)=0$이므로
$f'(-p)=f'(p)=0$
$f'(x)$는 이차항의 계수가 3인 이차식이므로
$f'(x)=3(x+p)(x-p)=3x^2-3p^2$
따라서 $f(x)=x^3-3p^2x+C$ (단, C는 적분상수)
$f(0)=1$이므로
$f(x)=x^3-3p^2x+1$

STEP 02 ❶을 이용하여 p, $f(x)$를 구한 후 $f(5)$의 값을 구한다.

$x\geq0$에서 $g(x)=f(x+p)-f(p)$이므로
$$\int_0^p g(x)dx=\int_0^p\{f(x+p)-f(p)\}dx$$
$$=\int_0^p(x^3+3px^2)dx$$
$$=\left[\frac{x^4}{4}+px^3\right]_0^p$$
$$=\frac{5}{4}p^4=20$$
$p>0$이므로 $p=2$이고, $f(x)=x^3-12x+1$
따라서 $f(5)=66$

★★ 문제 해결 꿀~팁 ★★

▶ **문제 해결 방법**
$g(0)=0$, $g'(0)=0$이므로 $f'(-p)=f'(p)=0$이고 $f(x)=x^3-3p^2x+1$이다. 조건 (가)에서 $f(x)$를 구한 셈이다. $g'(0)=0$임을 알려주었고 $x=0$을 기준으로 $g(x)$의 식이 달라지므로 $x=0$에서 좌극한과 우극한을 구하여 같다는 식이 나와야 한다. 그렇지 않으면 $f(x)$를 구하기가 어렵다. 이제 구한 $f(x)$에서 $g(x)$를 구하고 $\displaystyle\int_0^p g(x)dx$에 대입하여 적분하면 답을 구할 수 있다.
주어진 조건을 활용하여 원하는 식을 유도할 수 있는지가 문제풀이의 핵심이라 할 수 있겠다. $f(x)$만 구할 수 있으면 그 다음 과정은 그다지 어렵지 않다.

★★★ 등급을 가르는 문제!

21 지수함수와 로그함수
정답률 15% | 정답 12

그림과 같이 1보다 큰 두 실수 a, k에 대하여 직선 $y=k$가 두 곡선 $y=2\log_a x+k$, $y=a^{x-k}$과 만나는 점을 각각 A, B 라 하고, 직선 $x=k$가 두 곡선 $y=2\log_a x+k$, $y=a^{x-k}$과 만나는 점을 각각 C, D 라 하자. ❶ $\overline{AB}\times\overline{CD}=85$이고 삼각형 CAD의 넓이가 35일 때, $a+k$의 값을 구하시오. [4점]

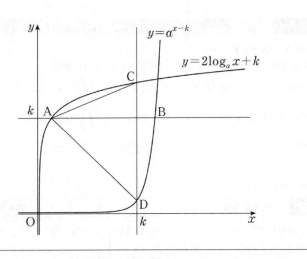

STEP 01 네 점 A, B, C, D의 좌표를 구한 후 사각형 ADBC의 내부의 네 선분의 길이를 구한다.

두 점 A와 B의 y좌표는 모두 k이므로
$A(1,\ k)$, $B(\log_a k+k,\ k)$이다.
두 점 C와 D의 x좌표는 모두 k이므로
$C(k,\ 2\log_a k+k)$, $D(k,\ 1)$이다.
두 선분 AB와 CD가 만나는 점을 E라 하면
$E(k,\ k)$이므로
$\overline{AE}=k-1$, $\overline{BE}=\log_a k$, $\overline{CE}=2\log_a k$, $\overline{DE}=k-1$

STEP 02 ❶을 이용하여 두 선분 AE와 BE의 비를 구한다.

사각형 ADBC의 넓이는 $\dfrac{1}{2}\times\overline{AB}\times\overline{CD}=\dfrac{85}{2}$이고,
삼각형 CAD의 넓이는 35이므로
삼각형 CBD의 넓이는 $\dfrac{85}{2}-35=\dfrac{15}{2}$이다.
$\overline{AE}=p$, $\overline{BE}=q$라 하면 두 삼각형 CAD, CBD의 넓이의 비는
$p:q=35:\dfrac{15}{2}=14:3$ 즉, $q=\dfrac{3}{14}p$

STEP 03 p, q의 비를 삼각형 CAD의 넓이에 이용하여 p, q를 구한 후 k, a를 구하여 $a+k$의 값을 구한다.

이때 $\overline{CE}=2q$, $\overline{DE}=p$이므로 삼각형 CAD의 넓이는
$\dfrac{1}{2}\times\overline{AE}\times\overline{CD}=\dfrac{1}{2}\times\overline{AE}\times(\overline{CE}+\overline{DE})$
$\qquad\qquad=\dfrac{1}{2}\times p\times(2q+p)=\dfrac{p}{2}\times\left(\dfrac{3}{7}p+p\right)=\dfrac{5}{7}p^2=35$

$p^2=49$이고 $p>0$이므로
$p=7$, $q=\dfrac{3}{2}$
$k-1=p$, $\log_a k=q$이므로
$k=p+1=8$
$q=\log_a k=\log_a 8=\dfrac{3}{2}$, $a^{\frac{3}{2}}=8$ 즉, $a=4$
따라서 $a+k=12$

STEP 03의 다른 풀이

$\overline{AE}=p=14t$, $\overline{BE}=q=3t$ ($t>0$인 실수)라 하면
$\overline{CE}=2q=6t$, $\overline{DE}=p=14t$이므로
$\overline{AB}\times\overline{CD}=17t\times20t=85$에서 $t=\dfrac{1}{2}$
그러므로
$\overline{AE}=k-1=7$, $k=8$
$\overline{BE}=\log_a k=\dfrac{3}{2}$, $\log_a 8=3\log_a 2=\dfrac{3}{2}$, $a=4$
따라서 $a+k=12$

★★ 문제 해결 꿀~팁 ★★

▶ **문제 해결 방법**

먼저 네 점 A, B, C, D의 좌표를 구한 후 사각형 ADBC의 내부의 네 선분의 길이를 구하면 네 선분의 길이가 공통된 식으로 이루어져 있다. 주어진 조건을 이용하여 사각형 ADBC의 넓이와 삼각형 CAD의 넓이를 구하면 p, q의 비를 구할 수 있다. 주어진 조건인 $\overline{AB}\times\overline{CD}=85$에서 $\overline{AB}$, $\overline{CD}$를 구하여 그대로 식을 세우면 식이 복잡하여 이용하기가 어렵다. 이 조건을 사각형 ADBC의 넓이에 이용하는 것이 보다 효과적이다. 주어진 조건으로 식을 세웠을 때 식이 복잡하다면 다르게 이용할 수 있는 방법을 생각해보는 것이 좋다.

---

p, q의 비를 구했으므로 사각형 ADBC 내부의 네 선분의 길이를 모두 한 문자에 대하여 나타낼 수 있다. 이제 문제에서 주어진 두 조건 중 한 조건에 대입하여 p, q를 구하고 나머지 미지수들을 구하면 된다.

★★★ 등급을 가르는 문제!

22 도함수의 활용 　　　　　　정답률 3% | 정답 729

최고차항의 계수가 1인 사차함수 $f(x)$가 있다. 실수 t에 대하여 함수 $g(x)$를 $g(x)=|f(x)-t|$라 할 때, ❶$\displaystyle\lim_{x\to k}\dfrac{g(x)-g(k)}{|x-k|}$의 값이 존재하는 서로 다른 실수 k의 개수를 $h(t)$라 하자. 함수 $h(t)$는 다음 조건을 만족시킨다.

> (가) $\displaystyle\lim_{t\to 4+}h(t)=5$
> (나) 함수 $h(t)$는 $t=-60$과 $t=4$에서만 불연속이다.

$f(2)=4$이고 $f'(2)>0$일 때, $f(4)+h(4)$의 값을 구하시오. [4점]

STEP 01 ❶을 성립할 조건을 구한다.

$\displaystyle\lim_{x\to k}\dfrac{g(x)-g(k)}{|x-k|}$의 값이 존재할 때,
$\displaystyle\lim_{x\to k-}\dfrac{g(x)-g(k)}{|x-k|}=\lim_{x\to k+}\dfrac{g(x)-g(k)}{|x-k|}$이다.
$\displaystyle\lim_{x\to k-}\dfrac{g(x)-g(k)}{|x-k|}=\lim_{x\to k-}\left(\dfrac{g(x)-g(k)}{x-k}\times\dfrac{x-k}{|x-k|}\right)$
$\qquad\qquad=\displaystyle\lim_{x\to k-}\dfrac{g(x)-g(k)}{x-k}\times(-1)$ ……㉠
$\displaystyle\lim_{x\to k+}\dfrac{g(x)-g(k)}{|x-k|}=\lim_{x\to k+}\left(\dfrac{g(x)-g(k)}{x-k}\times\dfrac{x-k}{|x-k|}\right)$
$\qquad\qquad=\displaystyle\lim_{x\to k+}\dfrac{g(x)-g(k)}{x-k}\times 1$ ……㉡

㉠과 ㉡이 같아야 하므로 $\displaystyle\lim_{x\to k}\dfrac{g(x)-g(k)}{x-k}=0$이거나
$\displaystyle\lim_{x\to k-}\dfrac{g(x)-g(k)}{x-k}$와 $\displaystyle\lim_{x\to k+}\dfrac{g(x)-g(k)}{x-k}$의 절댓값이 같고 부호가 반대이어야 한다.
따라서 $g'(k)=0$ 즉, $f'(k)=0$이거나 $g(k)=0$ 즉, $f(k)=t$이다.

STEP 02 $f'(x)=0$의 서로 다른 실근의 개수에 따라 경우를 나누어 두 조건을 성립하는 그래프의 개형을 구한다.

방정식 $f'(x)=0$의 서로 다른 실근의 개수에 따라 다음과 같이 경우를 나누어 생각할 수 있다.

(i) $f'(x)=0$의 서로 다른 실근의 개수가 1인 경우

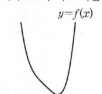

함수 $h(t)$가 불연속이 되는 실수 t가 오직 하나만 존재하므로 조건 (나)를 만족시키지 못한다.

(ii) $f'(x)=0$의 서로 다른 실근의 개수가 2인 경우

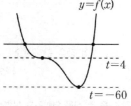

함수 $h(t)$가 $t=-60$과 $t=4$에서 불연속이므로
$f'(\alpha)=0$일 때 $f(\alpha)$의 값은 -60과 4이다.
이때 $\displaystyle\lim_{t\to 4+}h(t)=4$가 되어 조건 (가)를 만족시키지 못한다.

(iii) $f'(x)=0$의 서로 다른 실근의 개수가 3인 경우

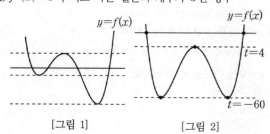

[그림 1]　　　　　　　[그림 2]

[그림 1]과 같이 두 극솟값의 크기가 다르면 함수 $h(t)$가 불연속이 되는 서로 다른 실수 t가 3개 존재하므로 조건 (나)를 만족시키지 못한다.

[그림 2]와 같이 두 극솟값의 크기가 같은 경우 조건 (나)를 만족시키고, 함수 $f(x)$의 극댓값이 4이면 $\lim\limits_{t \to 4+} h(t) = 5$이므로 조건 (가)를 만족시킨다.

이때 $h(4) = 5$

(i), (ii), (iii)에서 사차함수 $f(x)$는 최고차항의 계수가 1이고 두 극솟값은 모두 -60, 극댓값은 4이다.

$f(2) = 4$이고 $f'(2) > 0$이므로 방정식 $f(x) = 4$의 가장 큰 실근이 2가 된다.

STEP 03 $f(x)$의 그래프를 극대인 점이 원점에 오도록 평행이동한 그래프의 식을 구한 후 $f(x)$를 구한 다음 $f(4) + h(4)$의 값을 구한다.

함수 $f(x)$의 그래프를 극대인 점이 원점에 오도록 평행이동한 그래프를 나타내는 함수를 $p(x)$라 하면,

$p(0) = 0$이고 $p'(0) = 0$이므로 $p(x)$는 x^2을 인수로 갖는다.

또한 함수 $p(x)$의 그래프는 y축에 대하여 대칭이므로 양수 a에 대하여

$p(a) = p(-a) = 0$이라 하면

$p(x) = x^2(x-a)(x+a) = x^4 - a^2 x^2$

$p'(x) = 4x^3 - 2a^2 x = 2x(2x^2 - a^2)$

이므로 $p'(x) = 0$에서

$x = 0$ 또는 $x = \dfrac{a}{\sqrt{2}}$ 또는 $x = -\dfrac{a}{\sqrt{2}}$

$p\left(\dfrac{a}{\sqrt{2}}\right) = p\left(-\dfrac{a}{\sqrt{2}}\right) = -64$이므로

$p\left(\dfrac{a}{\sqrt{2}}\right) = \left(\dfrac{a}{\sqrt{2}}\right)^4 - a^2 \left(\dfrac{a}{\sqrt{2}}\right)^2 = -\dfrac{a^4}{4} = -64$

즉, $a^4 = 256 = 4^4$이므로 $a = 4$이다.

따라서 $p(x) = x^2(x-4)(x+4)$

방정식 $p(x) = 0$의 가장 큰 실근이 4이므로

함수 $y = p(x)$의 그래프를 x축의 방향으로 -2만큼, y축의 방향으로 4만큼 평행이동하면 함수 $y = f(x)$의 그래프와 일치한다.

따라서

$f(x) = (x+2)^2(x-2)(x+6) + 4$

$f(4) = 724$, $h(4) = 5$이므로

$f(4) + h(4) = 724 + 5 = 729$

★★ 문제 해결 꿀~팁 ★★

▶ **문제 해결 방법**

가장 먼저 이용해야 할 조건은 $\lim\limits_{x \to k} \dfrac{g(x) - g(k)}{|x - k|}$의 값이 존재한다는 것이다. 극한값이 존재하므로 좌극한과 우극한이 같아야 한다. 좌극한과 우극한을 각각 구하여 일치할 조건을 구하면 $f'(k) = 0$ 또는 $f(k) = t$이다.

$f(x)$는 최고차항이 양수인 사차함수이므로 그래프의 개형에 따라 $f'(k) = 0$을 만족하는 경우가 다르게 나타난다.

가능한 사차함수의 그래프를 그려 두 조건 (가), (나)를 성립하는 경우를 찾아야 한다. 조건 (나)에서 먼저 극값이 2개이어야 하는데 이를 만족하는 경우는 (iii)의 [그림 2]와 같은 경우이다. 이는 또한 조건 (가)도 만족하며 $h(4) = 5$이다.

이 그래프의 식을 구하는 것은 쉽지 않다. 그러므로 극대점을 원점으로 하는 그래프의 식을 구하면 $p(x) = x^2(x-a)(x+a) = x^4 - a^2 x^2$이고 $p'(x)$는 $x = \dfrac{a}{\sqrt{2}}$에서 극솟값 -64를 갖는다. 여기서 a를 구하면 $a = 4$이다.

$p(x) = 0$의 가장 큰 실근이 4이고 $f(x) = 4$의 가장 큰 실근이 2이므로 $y = p(x)$의 그래프를 x축의 방향으로 -2만큼, y축의 방향으로 4만큼 평행이동하면 함수 $y = f(x)$의 그래프와 일치한다.

그러므로 $f(x) = (x+2)^2(x-2)(x+6) + 4$이다.

그래프에서 $f(x)$의 식을 바로 구하기가 어려우므로 어떠한 점을 원점으로 했을 때 그래프의 식을 구하기가 가장 수월한가를 파악하여 평행이동으로 그래프의 식을 구하는 것이 유리하다. 또한 다항함수의 그래프의 개형과 극값에 대하여 정확하게 알고 있어야 한다.

확률과 통계

23 순열과 중복순열의 계산 | 정답률 82% | 정답 ①

❶ ${}_3\mathrm{P}_2 + {}_3\Pi_2$ 의 값은? [2점]

① 15 ② 16 ③ 17 ④ 18 ⑤ 19

STEP 01 순열과 중복순열의 계산으로 ❶의 값을 구한다.

${}_3\mathrm{P}_2 + {}_3\Pi_2 = 3 \times 2 + 3^2 = 15$

● **핵심 공식**

▶ **순열**

서로 다른 n개에서 r개를 택하여 일렬로 나열하는 방법을 n개에서 r개를 택하는 순열이라 하고, 이 순열의 수를 기호 ${}_n\mathrm{P}_r$로 나타낸다.

$${}_n\mathrm{P}_r = \dfrac{n!}{(n-r)!} \quad (단,\ 0 \le r \le n)$$

▶ **중복순열**

서로 다른 n개의 물건에서 중복을 허락하여, r개를 택해 일렬로 배열한 것을 서로 다른 n개에서 중복을 허락하여 r개를 택한 중복순열이라 하고, 중복순열의 총갯수는 ${}_n\Pi_r$로 나타낸다.

$$\therefore {}_n\Pi_r = \underbrace{n \times n \times n \times \cdots \times n}_{r개} = n^r$$

---

24 원순열 | 정답률 88% | 정답 ③

5명의 학생이 일정한 간격을 두고 원 모양의 탁자에 모두 둘러앉는 경우의 수는? (단, 회전하여 일치하는 것은 같은 것으로 본다.) [3점]

① 16 ② 20 ③ 24 ④ 28 ⑤ 32

STEP 01 원순열을 이용하여 구하는 경우의 수를 구한다.

학생 5명을 배열하는 원순열의 수는 $(5-1)! = 24$

● **핵심 공식**

▶ **원순열**

서로 다른 n개의 원형으로 배열하는 원순열의 수는 $(n-1)!$

---

25 같은 것이 있는 순열 | 정답률 84% | 정답 ④

문자 A, A, A, B, B, B, C, C 가 하나씩 적혀 있는 8장의 카드를 모두 일렬로 나열할 때, 양 끝 모두에 B가 적힌 카드가 놓이도록 나열하는 경우의 수는? (단, 같은 문자가 적혀 있는 카드끼리는 서로 구별하지 않는다.) [3점]

① 45 ② 50 ③ 55 ④ 60 ⑤ 65

A A A B B B C C

STEP 01 양 끝 모두에 B가 적힌 카드를 놓고 같은 것이 있는 순열을 이용하여 그 사이에 나머지 카드를 일렬로 나열하는 경우의 수를 구한다.

양 끝 모두에 B가 적힌 카드를 놓고 그 사이에 A, A, A, B, C, C 가 하나씩 적혀 있는 나머지 6장의 카드를 일렬로 나열하는 경우의 수는

$\dfrac{6!}{3! \times 2!} = 60$

● **핵심 공식**

▶ **같은 것이 있는 순열**

n개 중에서 같은 것이 각각 p개, q개, r개, $\cdots$, s개가 있을 때, n개를 택하여 만든 순열의 수는

$$\dfrac{n!}{p! \cdot q! \cdot r! \cdots s!} \quad (n = p + q + r + \cdots + s)$$

---

26 중복순열 | 정답률 62% | 정답 ⑤

서로 다른 공 6개를 남김없이 세 주머니 A, B, C 에 나누어 넣을 때,
❶ 주머니 A에 넣은 공의 개수가 3이 되도록 나누어 넣는 경우의 수는?
(단, 공을 넣지 않는 주머니가 있을 수 있다.) [3점]

① 120 ② 130 ③ 140 ④ 150 ⑤ 160

STEP 01 조합으로 ❶의 경우의 수를 구한 후 중복순열로 남은 공 3개를 남은 두 주머니에 넣는 경우의 수를 구하여 구하는 경우의 수를 구한다.

주머니 A에 넣을 3개의 공을 선택하는 경우의 수는

${}_6\mathrm{C}_3 = 20$

남은 3개의 공을 두 주머니 B, C 에 나누어 넣는 경우의 수는

${}_2\Pi_3 = 2^3 = 8$

따라서 구하는 경우의 수는

$20 \times 8 = 160$

27 중복조합

정답률 63% | 정답 ②

방정식 $a+b+c+3d=10$을 만족시키는 자연수 a, b, c, d의 모든 순서쌍 (a, b, c, d)의 개수는? [3점]

① 15 ② 18 ③ 21 ④ 24 ⑤ 27

STEP 01 음이 아닌 정수 a', b', c', d' 에 대하여 $a'+b'+c'+3d'$ 의 값을 구한 후 d' 의 경우를 나누어 각각 중복조합으로 만족하는 순서쌍의 개수를 구한다.

$a'=a-1$, $b'=b-1$, $c'=c-1$, $d'=d-1$이라 하면
$a+b+c+3d=10$에서
$(a'+1)+(b'+1)+(c'+1)+3(d'+1)=10$
$a'+b'+c'+3d'=4$
이때 a', b', c', d'은 모두 음이 아닌 정수이다.
(i) $d'=0$인 경우
　$a'+b'+c'=4$를 만족시키는 음이 아닌 정수 a', b', c'의 모든 순서쌍의 개수는
　$_3H_4={}_{3+4-1}C_4={}_6C_4=15$
(ii) $d'=1$인 경우
　$a'+b'+c'=1$을 만족시키는 음이 아닌 정수 a', b', c'의 모든 순서쌍의 개수는
　$_3H_1={}_{3+1-1}C_1={}_3C_1=3$
(i), (ii)에 의하여 구하는 모든 순서쌍의 개수는
$15+3=18$

● 핵심 공식

▶ 중복조합
$_nH_r$은 서로 다른 n개의 원소에서 r개를 뽑는 경우의 수이다.
$_nH_r={}_{n+r-1}C_r$

28 여러 가지 순열

정답률 32% | 정답 ⑤

원 모양의 식탁에 같은 종류의 비어 있는 4개의 접시가 일정한 간격을 두고 원형으로 놓여 있다. 이 4개의 접시에 서로 다른 종류의 빵 5개와 같은 종류의 사탕 5개를 다음 조건을 만족시키도록 남김없이 나누어 담는 경우의 수는? (단, 회전하여 일치하는 것은 같은 것으로 본다.) [4점]

(가) 각 접시에는 1개 이상의 빵을 담는다.
(나) 각 접시에 담는 빵의 개수와 사탕의 개수의 합은 3이하이다.

① 420 ② 450 ③ 480 ④ 510 ⑤ 540

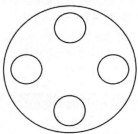

STEP 01 조합으로 한 접시에 담을 2개의 빵을 선택하는 경우의 수를 구한다.

조건 (가)를 만족시키려면 한 접시에는 빵을 2개 담고, 나머지 세 접시에는 빵을 1개씩 담아야 한다.
한 접시에 담을 2개의 빵을 선택하는 경우의 수는
$_5C_2=10$

STEP 02 2개의 빵이 담긴 접시에 담는 사탕의 개수에 따라 경우를 나누어 각각 나머지 접시에 나머지 사탕을 담는 경우의 수를 구한다.

2개의 빵이 담긴 접시를 A, 1개의 빵이 담긴 세 접시를 각각 B, C, D라 하자.
(i) 접시 A에 사탕을 담지 않는 경우
　접시 B, C, D 중 2개에 사탕을 2개씩 담고 나머지 접시에 사탕 1개를 담는 경우의 수는
　$_3C_2=3$
(ii) 접시 A에 사탕 1개를 담는 경우
　접시 B, C, D 중 2개에 사탕을 2개씩 담는 경우의 수는
　$_3C_2=3$
　접시 B, C, D 중 2개에 사탕을 1개씩 담고 나머지 접시에 사탕 2개를 담는 경우의 수는
　$_3C_2=3$
(i), (ii)에 의하여 접시 A, B, C, D에 사탕을 담는 경우의 수는
$3+3+3=9$

STEP 03 원순열로 4개의 접시를 식탁에 놓는 경우의 수를 구한 후 모든 경우의 수를 구한다.

접시 A, B, C, D를 원 모양의 식탁에 놓는 원순열의 수는
$(4-1)!=6$
따라서 구하는 경우의 수는
$10×9×6=540$

● 핵심 공식

▶ 조합
서로 다른 n개에서 순서를 고려하지 않고 r개를 택하는 것을 n개에서 r개를 택하는 조합이라 하고, 이 조합의 수를 기호로 $_nC_r$와 같이 나타낸다.
$_nC_r=\dfrac{_nP_r}{r!}=\dfrac{n!}{r!(n-r)!}$ (단, $0 \le r \le n$)

29 같은 것이 있는 순열

정답률 32% | 정답 120

숫자 1, 2, 3 중에서 중복을 허락하여 다음 조건을 만족시키도록 여섯 개를 선택한 후, 선택한 숫자 여섯 개를 모두 일렬로 나열하는 경우의 수를 구하시오. [4점]

(가) 숫자 1, 2, 3을 각각 한 개 이상씩 선택한다.
(나) 선택한 여섯 개의 수의 합이 4의 배수이다.

STEP 01 두 조건을 만족하도록 1, 2, 3 한 개씩을 제외한 나머지 세 수를 선택하는 경우를 나누어 각각 같은 것이 있는 순열로 선택한 6개의 숫자를 일렬로 나열하는 경우의 수를 구한다.

조건 (가)를 만족시키도록 선택한 6개의 수를 각각
1, 2, 3, a, b, c(a, b, c는 3이하의 자연수)라 하자.
$3 \le a+b+c \le 9$에서
$9 \le 1+2+3+a+b+c \le 15$
이므로 조건 (나)를 만족시키려면
$1+2+3+a+b+c=12$
$a+b+c=6$
(i) 1, 2, 3을 제외한 3개의 숫자가 1, 2, 3인 경우
　6개의 숫자 1, 1, 2, 2, 3, 3을 일렬로 나열하는 경우의 수는
　$\dfrac{6!}{2!×2!×2!}=90$
(ii) 1, 2, 3을 제외한 3개의 숫자가 2, 2, 2인 경우
　6개의 숫자 1, 2, 2, 2, 2, 3을 일렬로 나열하는 경우의 수는
　$\dfrac{6!}{4!}=30$
(i), (ii)에 의하여 구하는 경우의 수는
$90+30=120$

★★★ 등급을 가르는 문제!

30 중복조합을 이용한 함수의 개수

정답률 13% | 정답 45

집합 $X=\{1, 2, 3, 4, 5\}$에 대하여 다음 조건을 만족시키는 함수 $f:X \to X$의 개수를 구하시오. [4점]

(가) 집합 X의 임의의 두 원소 x_1, x_2에 대하여 $x_1 < x_2$이면 $f(x_1) \le f(x_2)$이다.
(나) $f(2) \ne 1$이고 $f(4)×f(5)<20$이다.

STEP 01 중복조합으로 조건 (가)를 만족시키는 함수 f의 개수를 구한다.

조건 (가)를 만족시키는 함수 f의 개수는
$_5H_5={}_{5+5-1}C_5={}_9C_5=126$

STEP 02 조건 (나)의 부정을 구한 후 중복조합으로 각 경우의 경우의 수를 구한다.

조건 (나)의 부정은
$f(2)=1$ 또는 $f(4)×f(5) \ge 20$　……㉠
이다.
(i) $f(2)=1$인 경우
　$f(1)=1$이고 $1 \le f(3) \le f(4) \le f(5) \le 5$이므로
　$f(3)$, $f(4)$, $f(5)$의 값을 정하는 경우의 수는
　$_5H_3={}_{5+3-1}C_3={}_7C_3=35$
(ii) $f(4)×f(5) \ge 20$인 경우

i) $f(4)=4$, $f(5)=5$일 때

$1 \le f(1) \le f(2) \le f(3) \le 4$이므로

$f(1)$, $f(2)$, $f(3)$의 값을 정하는 경우의 수는

$_4H_3 = _{4+3-1}C_3 = _6C_3 = 20$

ii) $f(4)=5$, $f(5)=5$일 때

$1 \le f(1) \le f(2) \le f(3) \le 5$이므로

$f(1)$, $f(2)$, $f(3)$의 값을 정하는 경우의 수는

$_5H_3 = _{5+3-1}C_3 = _7C_3 = 35$

i), ii)에 의하여 구하는 함수 f의 개수는

$20+35 = 55$

(iii) $f(2)=1$이고 $f(4) \times f(5) \ge 20$인 경우

i) $f(1)=1$이고 $f(4)=4$, $f(5)=5$일 때

$1 \le f(3) \le 4$에서 $f(3)$의 값을 정하는 경우의 수는

$_4C_1 = 4$

ii) $f(1)=1$이고 $f(4)=5$, $f(5)=5$일 때

$1 \le f(3) \le 5$에서 $f(3)$의 값을 정하는 경우의 수는

$_5C_1 = 5$

i), ii)에 의하여 구하는 함수 f의 개수는

$4+5 = 9$

STEP 03 ㉠을 만족시키는 함수 f의 개수를 구한 후 구하는 함수 f의 개수를 구한다.

(ⅰ), (ⅱ), (ⅲ)에 의하여 ㉠을 만족시키는 함수 f의 개수는

$35+55-9 = 81$

따라서 구하는 함수 f의 개수는

$126-81 = 45$

★★ 문제 해결 꿀~팁 ★★

▶ 문제 해결 방법

먼저 조건 (가)를 만족하는 함수의 개수는 $_5H_5$이다. 이외에도 다른 종류의 함수의 개수를 구하는 방법도 모두 알아두어야 한다.

다음으로 조건 (나)를 만족하는 경우를 생각해보면 $f(2) \ne 1$인 경우도 많지만 $f(4) \times f(5) < 20$인 경우는 너무 많다. 그러므로 여사건을 고려해야 한다.

조건 (나)의 부정은 $f(2)=1$ 또는 $f(4) \times f(5) \ge 20$이다.

$f(2)=1$인 경우와 $f(4) \times f(5) \ge 20$인 경우의 경우의 수를 각각 구하여 더하고 두 사건의 교집합인 사건의 경우의 수를 구하여 빼면 된다.

어떠한 경우든 하나의 함숫값이 정해지면 나머지 함숫값들의 범위가 정해지므로 중복조합으로 경우의 수를 구할 수 있다.

일부의 함숫값이 정해지고 조건 (가)를 만족하도록 나머지 함숫값들을 정할 때 빠트리거나 잘못된 경우가 없도록 주의하여 값의 범위들을 정해야 한다.

조건 (나)의 부정의 함수의 개수를 구할 때 경우가 매우 여러번 나누어지고 있다. 각각의 경우에 대하여 주의하여 만족하는 함수의 개수를 구해야 한다.

앞서 말했듯이 각 종류의 기본적인 함수의 개수를 구하는 공식을 모두 알아두어야 하고 이외에도 여러 가지 다른 함수의 개수를 구하는 문제를 충분히 다루어 익혀두는 것이 좋다.

미적분

23 수열의 극한값
정답률 95% | 정답 ④

❶ $\lim\limits_{n \to \infty} \dfrac{(2n+1)(3n-1)}{n^2+1}$의 값은? [2점]

① 3 　② 4 　③ 5 　④ 6 　⑤ 7

STEP 01 ❶의 분자와 분모를 각각 n^2으로 나누어 극한값을 구한다.

$$\lim\limits_{n \to \infty} \dfrac{(2n+1)(3n-1)}{n^2+1} = \lim\limits_{n \to \infty} \dfrac{\left(2+\dfrac{1}{n}\right)\left(3-\dfrac{1}{n}\right)}{1+\dfrac{1}{n^2}} = \dfrac{2 \times 3}{1} = 6$$

24 극한의 대소 관계
정답률 93% | 정답 ②

수열 $\{a_n\}$이 모든 자연수 n에 대하여

❶ $3^n - 2^n < a_n < 3^n + 2^n$

을 만족시킬 때, ❷ $\lim\limits_{n \to \infty} \dfrac{a_n}{3^{n+1}+2^n}$의 값은? [3점]

① $\dfrac{1}{6}$ 　② $\dfrac{1}{3}$ 　③ $\dfrac{1}{2}$ 　④ $\dfrac{2}{3}$ 　⑤ $\dfrac{5}{6}$

STEP 01 ❶의 각 항을 $3^{n+1}+2^n$으로 나누어 양 끝항의 극한값을 구한 후 극한의 대소 관계에 의하여 ❷의 값을 구한다.

$3^n - 2^n < a_n < 3^n + 2^n$에서

$$\dfrac{3^n-2^n}{3^{n+1}+2^n} < \dfrac{a_n}{3^{n+1}+2^n} < \dfrac{3^n+2^n}{3^{n+1}+2^n}$$

$$\lim\limits_{n \to \infty} \dfrac{3^n-2^n}{3^{n+1}+2^n} = \lim\limits_{n \to \infty} \dfrac{1-\left(\dfrac{2}{3}\right)^n}{3+\left(\dfrac{2}{3}\right)^n} = \dfrac{1}{3}$$

$$\lim\limits_{n \to \infty} \dfrac{3^n+2^n}{3^{n+1}+2^n} = \lim\limits_{n \to \infty} \dfrac{1+\left(\dfrac{2}{3}\right)^n}{3+\left(\dfrac{2}{3}\right)^n} = \dfrac{1}{3}$$

따라서 수열의 극한의 대소 관계에 의하여

$$\lim\limits_{n \to \infty} \dfrac{a_n}{3^{n+1}+2^n} = \dfrac{1}{3}$$

● 핵심 공식

▶ 함수의 극한의 대소 관계

$f(x) \le h(x) \le g(x)$ 또는 $f(x) < h(x) < g(x)$이고

$\lim\limits_{x \to a} f(x) = \lim\limits_{x \to a} g(x) = \alpha$이면 $\lim\limits_{x \to a} h(x) = \alpha$이다.

25 수열의 극한
정답률 78% | 정답 ③

등차수열 $\{a_n\}$에 대하여

❶ $\lim\limits_{n \to \infty} \dfrac{a_{2n}-6n}{a_n+5} = 4$

일 때, $a_2 - a_1$의 값은? [3점]

① -1 　② -2 　③ -3 　④ -4 　⑤ -5

STEP 01 등차수열의 일반항을 이용하여 ❶을 정리하고 극한값을 구하여 공차를 구한 다음 $a_2 - a_1$의 값을 구한다.

등차수열 $\{a_n\}$의 공차를 d라 하면

$a_n = a_1 + (n-1)d$

$$\lim\limits_{n \to \infty} \dfrac{a_{2n}-6n}{a_n+5} = \lim\limits_{n \to \infty} \dfrac{a_1+(2n-1)d-6n}{a_1+(n-1)d+5} = \lim\limits_{n \to \infty} \dfrac{(2d-6)n+a_1-d}{dn+a_1-d+5}$$

$$= \lim\limits_{n \to \infty} \dfrac{2d-6+\dfrac{a_1-d}{n}}{d+\dfrac{a_1-d+5}{n}} = \dfrac{2d-6}{d}$$

$\dfrac{2d-6}{d} = 4$에서 $d = -3$

$a_2 - a_1 = d$이므로 $a_2 - a_1 = -3$

● 핵심 공식

▶ 등차수열

첫째항이 a, 공차가 d인 등차수열의 일반항 a_n은 $a_n = a+(n-1)d$ $(n=1, 2, 3, \cdots)$

26 수열의 극한의 성질
정답률 72% | 정답 ⑤

두 수열 $\{a_n\}$, $\{b_n\}$에 대하여

❶ $\lim\limits_{n \to \infty}(n^2+1)a_n = 3$, $\lim\limits_{n \to \infty}(4n^2+1)(a_n+b_n) = 1$

일 때, ❷ $\lim\limits_{n \to \infty}(2n^2+1)(a_n+2b_n)$의 값은? [3점]

① -3 　② $-\dfrac{7}{2}$ 　③ -4 　④ $-\dfrac{9}{2}$ 　⑤ -5

STEP 01 ❶에서 a_n, b_n을 각각 구한 뒤 ❷에 대입하여 극한값을 구한다.

$\lim\limits_{n \to \infty}(n^2+1)a_n = 3$, $\lim\limits_{n \to \infty}(4n^2+1)(a_n+b_n) = 1$에서

$c_n = (n^2+1)a_n$, $d_n = (4n^2+1)(a_n+b_n)$이라 하면

$\lim\limits_{n \to \infty} c_n = 3$, $\lim\limits_{n \to \infty} d_n = 1$이고

$a_n = \dfrac{c_n}{n^2+1}$, $b_n = \dfrac{d_n}{4n^2+1} - \dfrac{c_n}{n^2+1}$

$$\lim\limits_{n \to \infty}(2n^2+1)(a_n+2b_n) = \lim\limits_{n \to \infty}(2n^2+1)\left(\dfrac{2d_n}{4n^2+1} - \dfrac{c_n}{n^2+1}\right)$$

$$= \lim_{n \to \infty} \left\{ \frac{2(2n^2+1)}{4n^2+1} \times d_n - \frac{2n^2+1}{n^2+1} \times c_n \right\}$$
$$= 1 \times 1 - 2 \times 3 = -5$$

---

27 수열의 합과 일반항 사이의 관계   정답률 48% | 정답 ①

$a_1 = 3$, $a_2 = -4$인 수열 $\{a_n\}$과 등차수열 $\{b_n\}$이 모든 자연수 n에 대하여

❶ $\displaystyle\sum_{k=1}^{n} \frac{a_k}{b_k} = \frac{6}{n+1}$

을 만족시킬 때, $\displaystyle\lim_{n \to \infty} a_n b_n$의 값은? [3점]

① -54 ② $-\dfrac{75}{2}$ ③ -24 ④ $-\dfrac{27}{2}$ ⑤ -6

STEP 01 ❶에 $n=1$, 2를 대입하여 등차수열 b_n의 공차를 구한 후 b_n을 구한다.

등차수열 $\{b_n\}$의 공차를 d라 하면

$b_n = b_1 + (n-1)d$

$\dfrac{a_1}{b_1} = 3$에서 $\dfrac{3}{b_1} = 3$, $b_1 = 1$

$\dfrac{a_1}{b_1} + \dfrac{a_2}{b_2} = 2$에서 $\dfrac{a_2}{b_2} = -1$

$-\dfrac{4}{1+d} = -1$에서 $d = 3$

$b_n = 1 + (n-1) \times 3 = 3n - 2$

STEP 02 ❶에서 $\dfrac{a_n}{b_n}$을 구한 후 a_n, $a_n b_n$을 구한 다음 극한값을 구한다.

$n \geq 2$일 때

$\dfrac{a_n}{b_n} = \displaystyle\sum_{k=1}^{n} \frac{a_k}{b_k} - \sum_{k=1}^{n-1} \frac{a_k}{b_k} = \frac{6}{n+1} - \frac{6}{n} = -\frac{6}{n(n+1)}$ 이므로

$a_n = -\dfrac{6(3n-2)}{n^2+n}$ $(n \geq 2)$, $a_n b_n = -\dfrac{6(3n-2)^2}{n^2+n}$ $(n \geq 2)$

따라서 $\displaystyle\lim_{n \to \infty} \left\{ -\frac{6(3n-2)^2}{n^2+n} \right\} = -54$이므로

$\displaystyle\lim_{n \to \infty} a_n b_n = -54$

● 핵심 공식

▶ 수열의 합과 일반항의 관계
수열 $\{a_n\}$에서 첫째항부터 제 n항 까지의 합을 S_n이라 할 때
$a_1 = S_1$, $a_n = S_n - S_{n-1}$ $(n \geq 2)$

---

28 로그함수와 극한값   정답률 31% | 정답 ②

$a > 0$, $a \neq 1$인 실수 a와 자연수 n에 대하여 직선 $y = n$이 y축과 만나는 점을 A_n, 직선 $y = n$이 곡선 $y = \log_a(x-1)$과 만나는 점을 B_n이라 하자. 사각형 $A_n B_n B_{n+1} A_{n+1}$의 넓이를 S_n이라 할 때,

❶ $\displaystyle\lim_{n \to \infty} \frac{\overline{B_n B_{n+1}}}{S_n} = \frac{3}{2a+2}$

을 만족시키는 모든 a의 값의 합은? [4점]

① 2 ② $\dfrac{9}{4}$ ③ $\dfrac{5}{2}$ ④ $\dfrac{11}{4}$ ⑤ 3

STEP 01 점 A_n, B_n의 좌표를 구한 후 $\overline{B_n B_{n+1}}$, S_n을 구한다.

점 A_n좌표는 $(0, n)$이다.

$\log_a(x-1) = n$에서 $x = a^n + 1$이므로 점 B_n의 좌표는 $(a^n + 1, n)$이다.

$\overline{B_n B_{n+1}} = \sqrt{\{(a^{n+1}+1) - (a^n+1)\}^2 + 1} = \sqrt{(a-1)^2 a^{2n} + 1}$

사각형 $A_n B_n B_{n+1} A_{n+1}$은 사다리꼴이므로

$S_n = \dfrac{1}{2} \times 1 \times \{(a^n+1) + (a^{n+1}+1)\} = \dfrac{(a+1)a^n + 2}{2}$

STEP 02 ❶에 $\overline{B_n B_{n+1}}$, S_n을 대입하고 a의 범위를 나누어 각각 극한값을 구하여 만족하는 a를 구한 다음 합을 구한다.

$\displaystyle\lim_{n \to \infty} \frac{\overline{B_n B_{n+1}}}{S_n} = \lim_{n \to \infty} \frac{2\sqrt{(a-1)^2 a^n + 1}}{(a+1)a^n + 2}$

(ⅰ) $0 < a < 1$일 때

$\displaystyle\lim_{n \to \infty} a^n = 0$이므로 $\displaystyle\lim_{n \to \infty} \frac{\overline{B_n B_{n+1}}}{S_n} = \frac{2 \times 1}{2} = 1$

$\dfrac{3}{2a+2} = 1$에서 $a = \dfrac{1}{2}$

(ⅱ) $a > 1$일 때

$\displaystyle\lim_{n \to \infty} \frac{1}{a^n} = 0$이므로

$\displaystyle\lim_{n \to \infty} \frac{\overline{B_n B_{n+1}}}{S_n} = \lim_{n \to \infty} \frac{2\sqrt{(a-1)^2 + \dfrac{1}{a^{2n}}}}{(a+1) + \dfrac{2}{a^n}} = \frac{2|a-1|}{a+1} = \frac{2(a-1)}{a+1}$

$\dfrac{2(a-1)}{a+1} = \dfrac{3}{2a+2}$에서 $a = \dfrac{7}{4}$

(ⅰ), (ⅱ)에 의하여 모든 a의 값의 합은 $\dfrac{1}{2} + \dfrac{7}{4} = \dfrac{9}{4}$

---

29 수열의 극한값   정답률 28% | 정답 50

자연수 n에 대하여 x에 대한 부등식 **❶** $x^2 - 4nx - n < 0$을 만족시키는 정수 x의 개수를 a_n이라 하자. 두 상수 p, q에 대하여

❷ $\displaystyle\lim_{n \to \infty} (\sqrt{na_n} - pn) = q$

일 때, $100pq$의 값을 구하시오. [4점]

STEP 01 ❶의 부등식을 풀어 a_n을 구한다.

x에 대한 부등식 $x^2 - 4nx - n < 0$의 해는

$2n - \sqrt{4n^2 + n} < x < 2n + \sqrt{4n^2 + n}$

$2n < \sqrt{4n^2 + n} < 2n+1$에서

$-1 < 2n - \sqrt{4n^2 + n} < 0$, $4n < 2n + \sqrt{4n^2 + n} < 4n+1$

부등식 $x^2 - 4nx - n < 0$을 만족시키는 정수 x는 $0, 1, 2, \cdots, 4n$이므로 그 개수는 $4n+1$이다.

STEP 02 a_n을 ❷에 대입하고 분자를 유리화하여 극한값이 존재할 조건으로 p를 구한 다음 극한값을 구하여 q를 구한다.

$a_n = 4n+1$에서 $\displaystyle\lim_{n \to \infty} \sqrt{na_n} = \infty$이다.

$p \leq 0$이면 $\displaystyle\lim_{n \to \infty} (\sqrt{na_n} - pn) = \infty$이므로 $p > 0$이다.

$\displaystyle\lim_{n \to \infty} (\sqrt{na_n} - pn) = \lim_{n \to \infty} (\sqrt{4n^2 + n} - pn) = \lim_{n \to \infty} \frac{(4-p^2)n^2 + n}{\sqrt{4n^2 + n} + pn}$

$\displaystyle\lim_{n \to \infty} \frac{(4-p^2)n^2 + n}{\sqrt{4n^2 + n} + pn} = q$이려면 $4 - p^2 = 0$에서 $p > 0$이므로 $p = 2$

$q = \displaystyle\lim_{n \to \infty} \frac{n}{\sqrt{4n^2 + n} + 2n} = \frac{1}{\sqrt{4} + 2} = \frac{1}{4}$

따라서 $100pq = 100 \times 2 \times \dfrac{1}{4} = 50$

★★★ 등급을 가르는 문제!

30 수열의 극한으로 정의된 함수의 그래프   정답률 8% | 정답 25

함수

$$f(x) = \lim_{n \to \infty} \frac{x^{2n+1} - x}{x^{2n} + 1}$$

에 대하여 실수 전체의 집합에서 정의된 함수 $g(x)$가 다음 조건을 만족시킨다.

> $2k-2 \leq |x| < 2k$일 때,
> $g(x) = (2k-1) \times f\left(\dfrac{x}{2k-1}\right)$
> 이다. (단, k는 자연수이다.)

❶ $0 < t < 10$인 실수 t에 대하여 직선 $y = t$가 함수 $y = g(x)$의 그래프와 만나지 않도록 하는 모든 t의 값의 합을 구하시오. [4점]

STEP 01 x의 범위를 나누어 $f(x)$를 구한다.

$f(x) = \displaystyle\lim_{n \to \infty} \frac{x^{2n+1} - x}{x^{2n} + 1}$에서 $|x| < 1$이면 $\displaystyle\lim_{n \to \infty} x^{2n} = 0$이므로

$f(x) = -x$

$|x|=1$이면 $\lim_{n\to\infty}x^{2n}=1$이므로

$$f(x)=\lim_{n\to\infty}\frac{x(x^{2n}-1)}{x^{2n}+1}=0$$

$|x|>1$이면 $\lim_{n\to\infty}\left(\dfrac{1}{x}\right)^{2n}=0$이므로

$$f(x)=\lim_{n\to\infty}\frac{x-x\left(\dfrac{1}{x}\right)^{2n}}{1+\left(\dfrac{1}{x}\right)^{2n}}=x$$

그러므로 $f(x)=\begin{cases} -x & (|x|<1) \\ 0 & (|x|=1) \\ x & (|x|>1) \end{cases}$

STEP 01 $|x|$를 $2k-1$을 기준으로 범위를 나누어 $g(x)$를 구하고 그래프를 그려 **❶**을 구한다.

자연수 k에 대하여

(i) $2k-2 \le |x| < 2k-1$일 때

$\left|\dfrac{x}{2k-1}\right| < 1$이므로

$g(x)=(2k-1)\times\left(-\dfrac{x}{2k-1}\right)=-x$

(ii) $|x|=2k-1$일 때

$\left|\dfrac{x}{2k-1}\right|=1$이므로

$g(x)=(2k-1)\times 0=0$

(iii) $2k-1 < |x| < 2k$일 때

$\left|\dfrac{x}{2k-1}\right|>1$이므로

$g(x)=(2k-1)\times\left(\dfrac{x}{2k-1}\right)=x$

(i), (ii), (iii)에 의하여 함수 $y=g(x)$의 그래프는 다음과 같다.

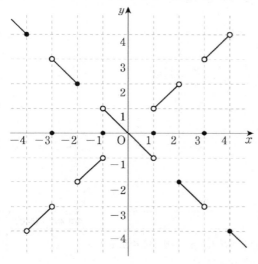

$t=2m-1(m$은 정수)일 때 직선 $y=t$는 함수 $y=g(x)$의 그래프와 만나지 않는다.

따라서 $0<t<10$인 모든 t의 값의 합은 $1+3+5+7+9=25$

●핵심 공식

▶ 무한등비수열 $\{r^n\}$의 수렴과 발산

(1) $r>1$일 때, $\lim_{n\to\infty}r^n=\infty$ (발산)

(2) $r=1$일 때, $\lim_{n\to\infty}r^n=1$ (수렴)

(3) $|r|<1$일 때, $\lim_{n\to\infty}r^n=0$ (수렴)

(4) $r\le -1$일 때, 수열 $\{r^n\}$은 진동한다. (발산)

★★ 문제 해결 꿀~팁 ★★

▶ 문제 해결 방법

x의 범위에 따라 $f(x)$가 달라지므로 x의 범위를 나누어 $f(x)$를 구하여야 한다. $f(x)$가 $|x|=1$을 기준으로 값이 달라지므로 $f\left(\dfrac{x}{2k-1}\right)$는 $|x|=2k-1$을 기준으로 값이 달라진다. 따라서 $|x|=2k-1$을 기준으로 범위를 나누어 $f\left(\dfrac{x}{2k-1}\right)$ 및 $g(x)$를 구해야 한다. $g(x)$를 구하여 그래프를 그린 다음 직선 $y=t$와 만나지 않는 t를 찾으면 된다. 각 함수에 맞게 기준을 잡고 범위를 나누어 값을 구할 수 있어야 한다. 식은 다소 복잡해 보이나 범위에 맞게 함수를 구하면 함수식이나 풀이과정은 그다지 복잡하지 않다.

03 회 | 2022학년도 3월 학력평가 [고3]

●정답●

공통 | 수학

01 ⑤ 02 ② 03 ④ 04 ④ 05 ① 06 ③ 07 ② 08 ③ 09 ① 10 ⑤ 11 ⑤ 12 ③ 13 ① 14 ② 15 ④

16 5 17 24 18 105 19 32 20 70 21 12 22 4

선택 | 확률과 통계

23 ④ 24 ② 25 ⑤ 26 ① 27 ③ 28 ④ 29 65 30 708

선택 | 미적분

23 ② 24 ⑤ 25 ④ 26 ③ 27 ① 28 ① 29 28 30 80

★ 표기된 문항은 [등급을 가르는 문항]에 해당하는 문제입니다.

01 지수법칙 정답률 82% | 정답 ⑤

❶ $\left(3\sqrt{3}\right)^{\frac{1}{3}}\times 3^{\frac{3}{2}}$의 값은? [2점]

① 1 ② $\sqrt{3}$ ③ 3 ④ $3\sqrt{3}$ ⑤ 9

STEP 01 지수법칙으로 **❶**의 값을 구한다.

$$\left(3\sqrt{3}\right)^{\frac{1}{3}}\times 3^{\frac{3}{2}}=\left(3^{\frac{3}{2}}\right)^{\frac{1}{3}}\times 3^{\frac{3}{2}}=3^{\frac{3}{2}\times\frac{1}{3}+\frac{3}{2}}=3^2=9$$

02 미분계수 정답률 92% | 정답 ②

함수 $f(x)=x^3+2x^2+3x+4$에 대하여 $f'(-1)$의 값은? [2점]

① 1 ② 2 ③ 3 ④ 4 ⑤ 5

STEP 01 $f(x)$를 미분하여 $f'(-1)$의 값을 구한다.

$f'(x)=3x^2+4x+3$이므로 $f'(-1)=3-4+3=2$

03 등차수열 정답률 81% | 정답 ④

등차수열 $\{a_n\}$에 대하여

❶ $a_4=6$, $2a_7=a_{19}$

일 때, a_1의 값은? [3점]

① 1 ② 2 ③ 3 ④ 4 ⑤ 5

STEP 01 **❶**을 등차수열의 일반항을 이용하여 나타낸 후 연립하여 a_1의 값을 구한다.

등차수열 $\{a_n\}$의 공차를 d하면

$a_4=6$에서 $a_1+3d=6$ ······ ㉠

$2a_7=a_{19}$에서 $2(a_1+6d)=a_1+18d$

$a_1-6d=0$ ······ ㉡

㉠, ㉡을 연립하여 풀면 $a_1=4$

●핵심 공식

▶ 등차수열

첫째항이 a, 공차가 d인 등차수열의 일반항 a_n은

$a_n=a+(n-1)d$ $(n=1, 2, 3, \cdots)$

04 함수의 극한 정답률 80% | 정답 ④

함수 $y=f(x)$의 그래프가 그림과 같다.

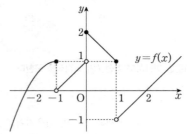

❶ $\lim_{x\to -1+}f(x)+\lim_{x\to 1-}f(x)$의 값은? [3점]

① -2 ② -1 ③ 0 ④ 1 ⑤ 2

STEP 01 그래프에서 **❶**의 극한값을 각각 구한 후 합을 구한다.

$$\lim_{x \to -1+} f(x) + \lim_{x \to 1-} f(x) = 0 + 1 = 1$$

$$\int_0^3 \{x^2 - 4x + 6 - (2x - 3)\}dx = \int_0^3 (x^2 - 6x + 9)dx$$
$$= \left[\frac{1}{3}x^3 - 3x^2 + 9x\right]_0^3 = 9$$

---

05 | 삼각함수의 성질 | 정답률 70% | 정답 ①

$\dfrac{\pi}{2} < \theta < \pi$인 θ에 대하여 ❶ $\cos\theta\tan\theta = \dfrac{1}{2}$일 때, ❷ $\cos\theta + \tan\theta$의 값은?

[3점]

① $-\dfrac{5\sqrt{3}}{6}$ ② $-\dfrac{2\sqrt{3}}{3}$ ③ $-\dfrac{\sqrt{3}}{2}$ ④ $-\dfrac{\sqrt{3}}{3}$ ⑤ $-\dfrac{\sqrt{3}}{6}$

STEP 01 ❶에서 $\sin\theta$를 구한 후 범위에 맞는 θ를 구한 다음 ❷의 값을 구한다.

$$\cos\theta\tan\theta = \cos\theta \times \frac{\sin\theta}{\cos\theta} = \sin\theta = \frac{1}{2}$$

$\dfrac{\pi}{2} < \theta < \pi$이므로 $\theta = \dfrac{5}{6}\pi$

따라서 $\cos\theta + \tan\theta = -\dfrac{\sqrt{3}}{2} + \left(-\dfrac{\sqrt{3}}{3}\right) = -\dfrac{5\sqrt{3}}{6}$

---

06 | 평균변화율과 미분계수 | 정답률 65% | 정답 ③

함수 ❶ $f(x) = 2x^2 - 3x + 5$에서 x의 값이 a에서 $a+1$까지 변할때의 평균변화율이 7이다. ❷ $\displaystyle\lim_{h \to 0} \dfrac{f(a+2h) - f(a)}{h}$의 값은? (단, a는 상수이다.)

[3점]

① 6 ② 8 ③ 10 ④ 12 ⑤ 14

STEP 01 ❶에서 a를 구한 후 $f'(x)$를 구한 다음 미분계수의 정의를 이용하여 ❷를 정리하여 값을 구한다.

$$\frac{f(a+1) - f(a)}{(a+1) - a} = 4a - 1 = 7$$에서 $a = 2$이다.

한편 $f'(x) = 4x - 3$이므로

$$\lim_{h \to 0} \frac{f(a+2h) - f(a)}{h} = 2\lim_{h \to 0} \frac{f(a+2h) - f(a)}{2h} = 2f'(a) = 2f'(2) = 10$$

● 핵심 공식

▶ 미분계수의 정의를 이용한 극한값의 계산

① $\displaystyle\lim_{h \to 0} \dfrac{f(a+h) - f(a)}{h} = f'(a)$
② $\displaystyle\lim_{h \to 0} \dfrac{f(a+ph) - f(a)}{h} = pf'(a)$
③ $\displaystyle\lim_{x \to a} \dfrac{f(x) - f(a)}{x - a} = f'(a)$
④ $\displaystyle\lim_{x \to a} \dfrac{af(x) - xf(a)}{x - a} = af'(a) - f(a)$

---

07 | 정적분을 이용한 넓이 | 정답률 64% | 정답 ②

그림과 같이 곡선 ❶ $y = x^2 - 4x + 6$ 위의 점 $A(3, 3)$에서의 접선을 l이라 할 때, 곡선 $y = x^2 - 4x + 6$과 직선 l 및 y축으로 둘러싸인 부분의 넓이는?

[3점]

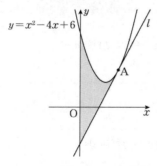

① $\dfrac{26}{3}$ ② 9 ③ $\dfrac{28}{3}$ ④ $\dfrac{29}{3}$ ⑤ 10

STEP 01 ❶의 미분을 이용하여 접선 l의 방정식을 구한다.

$f(x) = x^2 - 4x + 6$이라 하면
$f'(x) = 2x - 4$
곡선 $y = f(x)$ 위의 점 $A(3, 3)$에서의 접선의 기울기가
$f'(3) = 2$이므로
접선 l의 방정식은
$y - 3 = 2(x - 3)$, $y = 2x - 3$

STEP 02 적분을 이용하여 구하는 넓이를 구한다.

따라서 곡선 $y = f(x)$와 직선 l 및 y축으로 둘러싸인 부분의 넓이는

---

08 | 삼각함수의 그래프 | 정답률 61% | 정답 ③

그림과 같이 양의 상수 a에 대하여 곡선 $y = 2\cos ax\left(0 \le x \le \dfrac{2\pi}{a}\right)$와 직선 $y = 1$이 만나는 두 점을 각각 A, B라 하자. ❶ $\overline{AB} = \dfrac{8}{3}$일 때, a의 값은?

[3점]

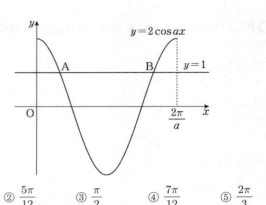

① $\dfrac{\pi}{3}$ ② $\dfrac{5\pi}{12}$ ③ $\dfrac{\pi}{2}$ ④ $\dfrac{7\pi}{12}$ ⑤ $\dfrac{2\pi}{3}$

STEP 01 두 점 A, B의 좌표를 구한 다음 ❶을 이용하여 a의 값을 구한다.

$0 \le x \le \dfrac{2\pi}{a}$에서 $0 \le ax \le 2\pi$이므로

$2\cos ax = 1$, 즉 $\cos ax = \dfrac{1}{2}$에서

$ax = \dfrac{\pi}{3}$ 또는 $ax = \dfrac{5\pi}{3}$

즉, $x = \dfrac{\pi}{3a}$ 또는 $x = \dfrac{5\pi}{3a}$

두 점 A, B의 좌표가 각각 $\left(\dfrac{\pi}{3a}, 1\right)$, $\left(\dfrac{5\pi}{3a}, 1\right)$이고

$\overline{AB} = \dfrac{8}{3}$이므로

$$\frac{5\pi}{3a} - \frac{\pi}{3a} = \frac{4\pi}{3a} = \frac{8}{3}$$

$$a = \frac{4\pi}{3} \times \frac{3}{8} = \frac{\pi}{2}$$

---

09 | 속도와 위치의 변화량 | 정답률 43% | 정답 ①

수직선 위를 움직이는 점 P의 시각 $t(t \ge 0)$에서의 속도 $v(t)$가
❶ $v(t) = 3t^2 + at$
이다. ❷ 시각 $t = 0$에서의 점 P의 위치와 시각 $t = 6$에서의 점 P의 위치가 서로 같을 때, ❸ 점 P가 시각 $t = 0$에서 $t = 6$까지 움직인 거리는? (단, a는 상수이다.) [4점]

① 64 ② 66 ③ 68 ④ 70 ⑤ 72

STEP 01 ❶의 적분에 ❷를 이용하여 a를 구한다.

시각 $t = 0$에서의 점 P의 위치와
시각 $t = 6$에서의 점 P의 위치가 서로 같으므로
시각 $t = 0$에서 $t = 6$까지 점 P의 위치의 변화량이 0이다.
점 P의 시각 $t(t \ge 0)$에서의 속도 $v(t)$가 $v(t) = 3t^2 + at$이므로

$$\int_0^6 v(t)dt = \int_0^6 (3t^2 + at)dt = \left[t^3 + \frac{a}{2}t^2\right]_0^6 = 36\left(6 + \frac{a}{2}\right) = 0$$

$a = -12$

STEP 02 ❶의 적분으로 ❸을 구한다.

$v(t) = 3t^2 - 12t$이므로 점 P가 시각 $t = 0$에서 $t = 6$까지 움직인 거리는

$$\int_0^6 |v(t)|dt = \int_0^6 |3t^2 - 12t|dt$$
$$= \int_0^4 (-3t^2 + 12t)dt + \int_4^6 (3t^2 - 12t)dt$$
$$= \left[-t^3 + 6t^2\right]_0^4 + \left[t^3 - 6t^2\right]_4^6$$
$$= 32 + 32 = 64$$

●핵심 공식

▶ 속도와 이동거리 및 위치

수직선 위를 움직이는 점 p의 시각 t에서의 속도를 $v(t)$라 할 때,

$t=a$에서 $t=b$ $(a<b)$까지의 실제 이동거리 s는 $s=\displaystyle\int_a^b |v(t)|dt$ 이고, 점 p가 원점

을 출발하여 $t=a$에서의 점 p의 위치는 $\displaystyle\int_0^a v(t)dt$ 이다.

---

10 함수의 증가와 감소 · 정답률 43% | 정답 ⑤

두 함수

$$f(x)=x^2+2x+k,\quad g(x)=2x^3-9x^2+12x-2$$

에 대하여 함수 ❶ $(g\circ f)(x)$의 최솟값이 2가 되도록 하는 실수 k의 최솟값은? [4점]

① 1 ② $\dfrac{9}{8}$ ③ $\dfrac{5}{4}$ ④ $\dfrac{11}{8}$ ⑤ $\dfrac{3}{2}$

STEP 01 $f(x)$의 최솟값을 구한 후 $g(x)$의 미분을 이용하여 $y=(g\circ f)(x)$의 그래프를 그려 ❶을 만족하는 k의 범위를 구한 다음 k의 최솟값을 구한다.

$f(x)=x^2+2x+k=(x+1)^2+k-1$이므로

함수 $f(x)$는 모든 실수 x에 대하여

$f(x)\geq k-1$이다.

함수 $g(f(x))$에서 $f(x)=t$라 하면 $t\geq k-1$이므로

함수 $g(t)$는 구간 $[k-1,\infty)$에서 정의된 함수이다.

한편 $g(x)=2x^3-9x^2+12x-2$에서

$g'(x)=6x^2-18x+12=6(x-1)(x-2)$이므로

$g'(x)=0$에서 $x=1$ 또는 $x=2$이다.

함수 $g(x)$는 $x=1$에서 극대, $x=2$에서 극소이다.

$g(t)=2$에서

$2t^3-9t^2+12t-2=2$, $(2t-1)(t-2)^2=0$

즉, 함수 $y=g(t)$의 그래프와 직선 $y=2$는 그림과 같다.

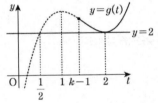

따라서 $\dfrac{1}{2}\leq k-1\leq 2$, $\dfrac{3}{2}\leq k\leq 3$이므로

조건을 만족시키는 실수 k의 최솟값은

$\dfrac{3}{2}$이다.

---

11 지수함수와 로그함수의 그래프 · 정답률 35% | 정답 ⑤

그림과 같이 두 상수 a, k에 대하여 직선 $x=k$가 두 곡선

$y=2^{x-1}+1$, $y=\log_2(x-a)$와 만나는 점을 각각 A, B 라 하고, 점 B를 지나고 기울기가 -1인 직선이 곡선 $y=2^{x-1}+1$과 만나는 점을 C 라 하자. $\overline{AB}=8$, $\overline{BC}=2\sqrt{2}$ 일 때, 곡선 $y=\log_2(x-a)$가 x축과 만나는 점 D에 대하여 사각형 ACDB의 넓이는? (단, $0<a<k$) [4점]

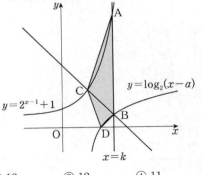

① 14 ② 13 ③ 12 ④ 11 ⑤ 10

STEP 01 네 점 A, B, C, D의 좌표를 구한다.

점 A의 좌표는 $(k,\ 2^{k-1}+1)$이고 $\overline{AB}=8$이므로

점 B의 좌표는 $(k,\ 2^{k-1}-7)$이다.

직선 BC의 기울기가 -1이고 $\overline{BC}=2\sqrt{2}$이므로

두 점 B, C의 x좌표의 차와 y좌표의 차는 모두 2이다.

따라서 점 C의 좌표는 $(k-2,\ 2^{k-1}-5)$이다.

한편 점 C는 곡선 $y=2^{x-1}+1$ 위의 점이므로

$2^{k-3}+1=2^{k-1}-5$

$\dfrac{1}{2}\times 2^k-\dfrac{1}{8}\times 2^k=6$, $2^k=16$, $k=4$

즉, A$(4,9)$, B$(4,1)$, C$(2,3)$이다.

점 B가 곡선 $y=\log_2(x-a)$ 위의 점이므로

$1=\log_2(4-a)$, $4-a=2$, $a=2$

점 D의 x좌표는 $x-2=1$에서 3

즉, D$(3,0)$

STEP 02 두 삼각형 ACB, CDB의 넓이의 합으로 사각형 ACDB의 넓이를 구한다.

사각형 ACDB의 넓이는 두 삼각형 ACB, CDB의 넓이의 합이고 $\overline{BC}\perp\overline{BD}$이므로

$\dfrac{1}{2}\times 8\times 2+\dfrac{1}{2}\times 2\sqrt{2}\times\sqrt{2}=10$

---

12 함수의 연속 · 정답률 42% | 정답 ③

$a>2$인 상수 a에 대하여 함수 $f(x)$를

$$f(x)=\begin{cases} x^2-4x+3 & (x\leq 2) \\ -x^2+ax & (x>2) \end{cases}$$

라 하자. 최고차항의 계수가 1인 삼차함수 $g(x)$에 대하여 ❶ 실수전체의 집합에서 연속인 함수 $h(x)$가 다음 조건을 만족시킬 때, $h(1)+h(3)$의 값은? [4점]

> (가) $x\neq 1$, $x\neq a$일 때, $h(x)=\dfrac{g(x)}{f(x)}$이다.
>
> (나) $h(1)=h(a)$

① $-\dfrac{15}{6}$ ② $-\dfrac{7}{3}$ ③ $-\dfrac{13}{6}$ ④ -2 ⑤ $-\dfrac{11}{6}$

STEP 01 $f(x)$가 $x=2$에서 연속인지를 확인하고 ❶과 조건 (가)에서 $g(x)$를 구한다.

함수 $f(x)$는 $f(1)=0$, $f(a)=0$이고, $\displaystyle\lim_{x\to 2^-}f(x)=-1$

$\displaystyle\lim_{x\to 2^+}f(x)=-4+2a$에서 $\displaystyle\lim_{x\to 2^-}f(x)\neq\lim_{x\to 2^+}f(x)$이므로

$x=2$에서 불연속이다.

함수 $h(x)$가 실수 전체의 집합에서 연속이므로

함수 $h(x)$는 $x=1$, $x=a$, $x=2$에서 연속이어야 한다.

$\displaystyle\lim_{x\to 1}\dfrac{g(x)}{f(x)}=h(1)$, $\displaystyle\lim_{x\to a}\dfrac{g(x)}{f(x)}=h(a)$에서

$\displaystyle\lim_{x\to 1}f(x)=f(1)=0$, $\displaystyle\lim_{x\to a}f(x)=f(a)=0$이므로

$\displaystyle\lim_{x\to 1}g(x)=0$, $\displaystyle\lim_{x\to a}g(x)=0$

즉, $g(1)=0$, $g(a)=0$

또, $\displaystyle\lim_{x\to 2^-}\dfrac{g(x)}{f(x)}=\lim_{x\to 2^+}\dfrac{g(x)}{f(x)}$, $\dfrac{g(2)}{-1}=\dfrac{g(2)}{-4+2a}$이므로

$g(2)=0$이고

$g(x)=(x-1)(x-2)(x-a)$이다.

STEP 02 $x=1$, $x=a$에서 $h(x)$의 극한값을 구한 후 조건 (나)를 이용하여 a를 구한 다음 $h(x)$ 및 $h(1)+h(3)$의 값을 구한다.

$\displaystyle\lim_{x\to 1}h(x)=\lim_{x\to 1}\dfrac{(x-1)(x-2)(x-a)}{(x-1)(x-3)}$

$\qquad =\displaystyle\lim_{x\to 1}\dfrac{(x-2)(x-a)}{x-3}=\dfrac{1-a}{2}$

$\displaystyle\lim_{x\to a}h(x)=\lim_{x\to a}\dfrac{(x-1)(x-2)(x-a)}{-x(x-a)}$

$\qquad =\displaystyle\lim_{x\to a}\dfrac{(x-1)(x-2)}{-x}$

$\qquad =-\dfrac{(a-1)(a-2)}{a}$

$h(1)=h(a)$이므로

$\dfrac{1-a}{2}=-\dfrac{(a-1)(a-2)}{a}$

$a>2$이므로 $a=4$

따라서

$$h(x) = \frac{g(x)}{f(x)} = \begin{cases} \dfrac{(x-2)(x-4)}{x-3} & (x \le 2) \\ -\dfrac{(x-1)(x-2)}{x} & (x > 2) \end{cases}$$

이므로

$$h(1) + h(3) = -\frac{3}{2} + \left(-\frac{2}{3}\right) = -\frac{13}{6}$$

●핵심 공식

▶ 함수의 연속

$x = n$에서 연속이려면 '함수값 =좌극한 =우극한'이어야 한다.

$$f(n) = \lim_{x \to n-} f(x) = \lim_{x \to n+} f(x)$$

---

13 등차수열의 합   정답률 25% | 정답 ①

첫째항이 양수인 등차수열 $\{a_n\}$의 첫째항부터 제n항까지의 합을 S_n이라 하자.

❶ $|S_3| = |S_6| = |S_{11}| - 3$

을 만족시키는 모든 수열 $\{a_n\}$의 첫째항의 합은? [4점]

① $\dfrac{31}{5}$ ② $\dfrac{33}{5}$ ③ 7 ④ $\dfrac{37}{5}$ ⑤ $\dfrac{39}{5}$

STEP 01 $|S_3| = |S_6|$인 경우를 나누어 ❶을 만족하도록 하는 첫째항을 각각 구한 후 합을 구한다.

수열 $\{a_n\}$의 공차를 d라 하자.

$d \ge 0$이면 수열 $\{a_n\}$의 첫째항이 양수이므로 모든 자연수 n에 대하여 $a_n > 0$이 되어 조건을 만족시키지 않는다.

따라서 $d < 0$이어야 한다.

(i) $S_3 = S_6$인 경우

$$\frac{3(2a_1 + 2d)}{2} = \frac{6(2a_1 + 5d)}{2}$$ 에서

$a_1 = -4d$이므로

$$S_3 = S_6 = -9d > 0, \quad S_{11} = \frac{11(2a_1 + 10d)}{2} = 11d < 0$$

즉, $S_3 = -S_{11} - 3$에서

$$-9d = -11d - 3, \quad d = -\frac{3}{2}$$

$$a_1 = -4d = 6$$

(ii) $S_3 = -S_6$인 경우

$$\frac{3(2a_1 + 2d)}{2} = -\frac{6(2a_1 + 5d)}{2}$$ 에서

$a_1 = -2d$이므로

$$S_3 = -S_6 = -3d > 0, \quad S_{11} = \frac{11(2a_1 + 10d)}{2} = 33d < 0$$

즉, $S_3 = -S_{11} - 3$에서

$$-3d = -33d - 3, \quad d = -\frac{1}{10}$$

$$a_1 = -2d = \frac{1}{5}$$

(i), (ii)에서

조건을 만족시키는 모든 수열 $\{a_n\}$의 첫째항의 합은 $6 + \dfrac{1}{5} = \dfrac{31}{5}$ 이다.

●핵심 공식

▶ 등차수열

첫째항이 a, 공차가 d인 등차수열의 일반항 a_n은 $a_n = a + (n-1)d$ $(n = 1, 2, 3, \cdots)$

▶ 등차수열의 합

첫째항이 a, 공차가 d, 제n항이 l인 등차수열의 첫째항부터 제n항까지의 합을 S_n이라 하면

$$S_n = \frac{n(a+l)}{2} = \frac{n\{2a + (n-1)d\}}{2}$$

★★★ 등급을 가르는 문제!

14 함수의 그래프의 활용   정답률 23% | 정답 ②

두 함수

$$f(x) = x^3 - kx + 6, \quad g(x) = 2x^2 - 2$$

에 대하여 〈보기〉에서 옳은 것만을 있는 대로 고른 것은? [4점]

─〈보기〉─

ㄱ. $k = 0$일 때, 방정식 $f(x) + g(x) = 0$은 오직 하나의 실근을 갖는다.

ㄴ. 방정식 ❶ $f(x) - g(x) = 0$의 서로 다른 실근의 개수가 2가 되도록 하는 실수 k의 값은 4뿐이다.

ㄷ. ❷ 방정식 $|f(x)| = g(x)$의 서로 다른 실근의 개수가 5가 되도록 하는 실수 k가 존재한다.

① ㄱ   ② ㄱ, ㄴ   ③ ㄱ, ㄷ   ④ ㄴ, ㄷ   ⑤ ㄱ, ㄴ, ㄷ

STEP 01 ㄱ. $k = 0$일 때 $f(x) + g(x)$를 구한 후 미분으로 극솟값을 구하여 참, 거짓을 판별한다.

ㄱ. $k = 0$일 때,

$$f(x) + g(x) = x^3 + 2x^2 + 4$$

$h_1(x) = x^3 + 2x^2 + 4$라 하면

$$h_1'(x) = 3x^2 + 4x = x(3x + 4) = 0$$ 에서

함수 $h_1(x)$는 $x = -\dfrac{4}{3}$에서 극대, $x = 0$에서 극소이다.

$h_1(0) = 4 > 0$이므로 방정식 $h_1(x) = 0$은 오직 하나의 실근을 갖는다.   ∴ 참

STEP 02 ㄴ. $f(x) - g(x)$를 구한 후 ❶을 만족할 조건을 구한다.

ㄴ. $f(x) - g(x) = 0$에서

$$x^3 - kx + 6 - (2x^2 - 2) = 0, \quad x^3 - 2x^2 + 8 = kx$$

$h_2(x) = x^3 - 2x^2 + 8$이라 하면

곡선 $y = h_2(x)$에 직선 $y = kx$가 접할 때만 방정식 $h_2(x) = kx$의 서로 다른 실근의 개수가 2이다.

STEP 03 $h_2(x)$의 미분으로 접선의 방정식을 구한 후 접점의 개수를 구하여 참, 거짓을 판별한다.

접점의 좌표를 $(a, a^3 - 2a^2 + 8)$이라 하면

$h_2'(x) = 3x^2 - 4x$에서 접선의 방정식은

$$y - (a^3 - 2a^2 + 8) = (3a^2 - 4a)(x - a)$$ 이 접선이 원점을 지나므로

$$0 - (a^3 - 2a^2 + 8) = (3a^2 - 4a)(0 - a),$$

$$(a-2)(a^2 + a + 2) = 0, \quad a = 2$$

따라서 구하는 k의 값은 $h_2'(2) = 4$뿐이다.   ∴ 참

STEP 04 ㄷ. ❷가 어떤 그래프들의 교점의 개수와 같은지를 파악한다.

ㄷ. $|x^3 - kx + 6| = 2x^2 - 2$에서

$2x^2 - 2 \ge 0$이므로

x의 값의 범위는 $x \le -1$ 또는 $x \ge 1$이고,

주어진 방정식은

$$x^3 - kx + 6 = -(2x^2 - 2)$$

또는 $x^3 - kx + 6 = 2x^2 - 2$,

즉, $x^3 + 2x^2 + 4 = kx$ 또는 $x^3 - 2x^2 + 8 = kx$

$h_1(x) = x^3 + 2x^2 + 4$, $h_2(x) = x^3 - 2x^2 + 8$ 이라 하면

주어진 방정식의 실근의 개수는 $x \le -1$ 또는 $x \ge 1$일 때

직선 $y = kx$와 두 곡선 $y = h_1(x)$, $y = h_2(x)$의 교점의 개수와 같다.

STEP 05 만족하는 x의 범위에서 직선 $y = kx$와 두 곡선 $y = h_1(x)$, $y = h_2(x)$를 그리고 직선이 두 곡선에 각각 접할 때의 k를 구한 다음 k의 범위에 따른 서로 다른 교점의 개수를 파악하여 참, 거짓을 판별한다.

ㄴ에서 $k = 4$일 때 직선 $y = kx$와 곡선 $y = h_2(x)$가 접하므로

$k \le 4$일 때 $x \le -1$ 또는 $x \ge 1$에서

직선 $y = kx$와 두 곡선 $y = h_1(x)$, $y = h_2(x)$의 교점의 개수의 최댓값은 3이다.

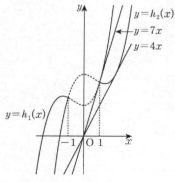

$k > 4$일 때, $x \le -1$에서

직선 $y = kx$와 두 곡선 $y = h_1(x)$, $y = h_2(x)$의 서로 다른 교점의 개수는 2이다.

원점에서 곡선 $y = h_1(x)$에 그은 접선의 방정식은 $y = 7x$이고

접점의 좌표는 $(1, 7)$이므로

$k > 4$일 때, $x \geq 1$에서

직선 $y = kx$와 두 곡선 $y = h_1(x)$, $y = h_2(x)$의 서로 다른 교점의 개수는 2이다.

즉, $k > 4$일 때, $x \leq -1$ 또는 $x \geq 1$에서

직선 $y = kx$와 두 곡선 $y = h_1(x)$, $y = h_2(x)$의 서로 다른 교점의 개수는 4이다.

따라서 방정식 $|f(x)| = g(x)$의 서로 다른 실근의 개수의 최댓값은 4이다.

$\therefore$ 거짓

이상에서 옳은 것은 ㄱ, ㄴ

★★ 문제 해결 꿀~팁 ★★

▶ 문제 해결 방법

ㄱ은 $k = 0$일 때 $f(x) + g(x)$를 구하고 미분하여 극솟값을 구하면 극솟값이 4로 0보다 크므로 오직 하나의 실근을 가짐을 쉽게 알 수 있다. ㄴ에서는 이번에는 실근이 2개일 조건을 구하는 것이다. 마찬가지로 $f(x) - g(x) = 0$을 정리하면 $x^3 - 2x^2 + 8 = kx$이고 두 그래프가 접할 때만 서로 다른 실근의 개수가 2이다. $h_2(x) = x^3 - 2x^2 + 8$의 접점을 미지수로 놓고 접선의 방정식을 구한 후 접선이 원점을 지나야 하므로 접선의 방정식에 $(0, 0)$을 대입하여 만족하는 접점의 좌표를 구하면 접점의 x좌표인 $a = 2$로 하나뿐이고 그 때 $k = 4$이다.

ㄷ에서 ㄱ, ㄴ에 나왔던 두 식이 다시 이용된다.

보기에서 준 식이 $|x^3 - kx + 6| = 2x^2 - 2$이고 이는 $|f(x)| = g(x)$이고 이를 정리하면 $\{f(x) + g(x)\}\{f(x) - g(x)\} = 0$으로 위의 두 보기에서 다룬 식이다. 다만 주의해야 할 점은 $|x^3 - kx + 6| = 2x^2 - 2$를 성립하려면 $2x^2 - 2 \geq 0$이어야 하므로 x의 값의 범위는 $x \leq -1$ 또는 $x \geq 1$이라는 것이다. 그래프를 그려 교점의 개수를 셀 때 $-1 < x < 1$인 범위는 무시하여야 한다.

k의 범위에 따른 두 곡선 $y = h_1(x)$, $y = h_2(x)$와 직선 $y = kx$의 서로 다른 교점의 개수를 구하면 된다. 두 곡선과 직선이 접할 때 $k = 4$, $k = 7$이고 이때를 기준으로 직선의 기울기를 변화시켜 가며 두 곡선과의 교점의 개수를 구해 보면 서로 다른 교점의 개수의 최댓값은 4이다.

---

15 코사인법칙과 사인법칙

정답률 42% | 정답 ④

그림과 같이 원에 내접하는 사각형 ABCD에 대하여

$$\overline{AB} = \overline{BC} = 2, \quad \overline{AD} = 3, \quad \angle BAD = \frac{\pi}{3}$$

이다. 두 직선 AD, BC 의 교점을 E 라 하자.

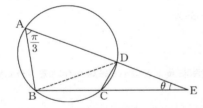

다음은 $\angle AEB = \theta$일 때, $\sin \theta$의 값을 구하는 과정이다.

삼각형 ABD 와 삼각형 BCD 에서 코사인법칙을 이용하면
$$\overline{CD} = \boxed{(가)}$$
이다. 삼각형 EAB 와 삼각형 ECD 에서
$$\angle AEB \text{는 공통}, \quad \angle EAB = \angle ECD$$
이므로 삼각형 EAB 와 삼각형 ECD 는 닮음이다.
이를 이용하면
$$\overline{ED} = \boxed{(나)}$$
이다. ❶ 삼각형 ECD 에서 사인법칙을 이용하면
$$\sin \theta = \boxed{(다)}$$
이다.

위의 (가), (나), (다)에 알맞은 수를 각각 p, q, r 라 할 때, $(p+q) \times r$의 값은? [4점]

① $\dfrac{\sqrt{3}}{2}$ ② $\dfrac{4\sqrt{3}}{7}$ ③ $\dfrac{9\sqrt{3}}{14}$ ④ $\dfrac{5\sqrt{3}}{7}$ ⑤ $\dfrac{11\sqrt{3}}{14}$

STEP 01 삼각형 ABD 에서 코사인법칙을 이용하여 $\overline{BD}$ 를 구한 뒤 삼각형 BCD 에서 코사인법칙을 이용하여 (가)를 구한다.

삼각형 ABD 와 삼각형 BCD 에서 코사인법칙을 이용하여 선분 CD 의 길이를 구하자.

삼각형 ABD 에서 코사인법칙에 의하여
$$\overline{BD}^2 = 3^2 + 2^2 - 2 \times 3 \times 2 \times \cos\frac{\pi}{3} = 7$$

이므로 $\overline{BD} = \sqrt{7}$이다.

$\angle BAD + \angle BCD = \pi$이므로 삼각형 BCD 에서 코사인법칙에 의하여
$$2^2 + \overline{CD}^2 - 2 \times 2 \times \overline{CD} \times \cos\frac{2\pi}{3} = 7$$

이므로 $\overline{CD} = \boxed{1}$이다.

STEP 02 두 삼각형 EAB 와 ECD 의 닮음비를 이용하여 (나)를 구한다.

삼각형 EAB 와 삼각형 ECD 에서

$\angle AEB$는 공통이고 $\angle EAB = \angle ECD$이므로

삼각형 EAB 와 삼각형 ECD 는 닮음이다.

따라서 $\dfrac{\overline{EA}}{\overline{EC}} = \dfrac{\overline{EB}}{\overline{ED}} = \dfrac{\overline{AB}}{\overline{CD}}$이다. 즉,

$$\frac{3 + \overline{ED}}{\overline{EC}} = \frac{2 + \overline{EC}}{\overline{ED}} = \frac{2}{1}$$

에서 $\overline{ED} = \boxed{\dfrac{7}{3}}$이다.

STEP 03 ❶에 의하여 (다)를 구한 다음 $(p+q) \times r$의 값을 구한다.

$$\angle DCE = \pi - \angle BCD = \angle BAD = \frac{\pi}{3}$$

이므로 삼각형 ECD 에서 사인법칙을 이용하면

$$\frac{\frac{7}{3}}{\sin\frac{\pi}{3}} = \frac{1}{\sin\theta} \text{ 에서 } \sin\theta = \boxed{\frac{3\sqrt{3}}{14}} \text{이다.}$$

$p = 1$, $q = \dfrac{7}{3}$, $r = \dfrac{3\sqrt{3}}{14}$이므로

$$(p+q) \times r = \left(1 + \frac{7}{3}\right) \times \frac{3\sqrt{3}}{14} = \frac{5\sqrt{3}}{7}$$

●핵심 공식

▶ 코사인법칙

세 변의 길이를 각각 a, b, c라 하고 b, c 사이의 끼인각을 A라 하면
$$a^2 = b^2 + c^2 - 2bc\cos A$$
$$\left(\cos A = \frac{b^2 + c^2 - a^2}{2bc}\right)$$

▶ 사인법칙

△ABC에 대하여 △ABC의 외접원의 반지름 길이를 R라고 할 때,
$$\frac{a}{\sin A} = \frac{b}{\sin B} = \frac{c}{\sin C} = 2R$$

---

16 로그의 성질

정답률 59% | 정답 5

❶ $\dfrac{\log_5 72}{\log_5 2} - 4\log_2 \dfrac{\sqrt{6}}{2}$ 의 값을 구하시오. [3점]

STEP 01 로그의 성질을 이용하여 ❶의 값을 구한다.

$$\frac{\log_5 72}{\log_5 2} - 4\log_2 \frac{\sqrt{6}}{2} = \log_2 72 - \log_2 \left(\frac{\sqrt{6}}{2}\right)^4$$
$$= \log_2 \left(72 \times \frac{4}{9}\right) = \log_2 2^5 = 5$$

●핵심 공식

▶ 로그의 기본 성질

$a > 0$, $a \neq 1$, $x > 0$, $y > 0$일 때,

① $\log_a 1 = 0$, $\log_a a = 1$

② $\log_a xy = \log_a x + \log_a y$

③ $\log_a \dfrac{x}{y} = \log_a x - \log_a y$

---

17 정적분의 성질

정답률 37% | 정답 24

❶ $\displaystyle\int_{-3}^{2}(2x^3 + 6|x|)dx - \int_{-3}^{-2}(2x^3 - 6x)dx$ 의 값을 구하시오. [3점]

STEP 01 정적분의 성질을 이용하여 ❶을 정리하고 적분하여 값을 구한다.

$$\int_{-3}^{2}(2x^3 + 6|x|)dx - \int_{-3}^{-2}(2x^3 - 6x)dx$$
$$= \int_{-3}^{-2}(2x^3 + 6|x|)dx + \int_{-2}^{2}(2x^3 + 6|x|)dx - \int_{-3}^{-2}(2x^3 - 6x)dx$$

$$= \int_{-2}^{2} (2x^3 + 6|x|)dx$$
$$= 2 \int_{0}^{2} 6x\,dx = 2 \left[3x^2 \right]_{0}^{2} = 24$$

---

18 등차수열과 등비수열의 합 　　　정답률 37% | 정답 105

부등식 ❶ $\sum_{k=1}^{5} 2^{k-1} < \sum_{k=1}^{n} (2k-1) < \sum_{k=1}^{5} (2 \times 3^{k-1})$ 을 만족시키는

모든 자연수 n의 값의 합을 구하시오. [3점]

STEP 01 등차수열과 등비수열의 합으로 ❶의 식을 정리하고 부등식을 풀어 만족하는
자연수 n의 값을 구한 뒤 등차수열의 합으로 만족하는 자연수 n의 값의 합을 구한다.

$$\sum_{k=1}^{5} 2^{k-1} = \frac{2^5 - 1}{2 - 1} = 31$$

$$\sum_{k=1}^{n} (2k-1) = 2 \times \frac{n(n+1)}{2} - n = n^2$$

$$\sum_{k=1}^{5} (2 \times 3^{k-1}) = \frac{2 \times (3^5 - 1)}{3 - 1} = 242$$

이므로 주어진 부등식에서 $31 < n^2 < 242$이다.
따라서 부등식을 만족시키는 자연수 n의 값은 6, 7, 8, ⋯, 15이고

그 합은 $\dfrac{10 \times (6 + 15)}{2} = 105$이다.

● 핵심 공식

▶ 등차수열의 합

첫째항이 a, 공차가 d, 제n항이 l인 등차수열의 첫째항부터 제n항까지의 합을 S_n이라
하면

$$S_n = \frac{n(a+l)}{2} = \frac{n\{2a + (n-1)d\}}{2}$$

▶ 등비수열의 합

첫째항이 a, 등비가 r인 등비수열의 첫째항부터 제n항까지의 합 S_n은

(1) $r \neq 1$일 때, $S_n = \dfrac{a(1 - r^n)}{1 - r} = \dfrac{a(r^n - 1)}{r - 1}$

(2) $r = 1$일 때, $S_n = na$

---

19 함수의 그래프 　　　정답률 50% | 정답 32

모든 실수 x에 대하여 부등식

❶ $3x^4 - 4x^3 - 12x^2 + k \geq 0$

이 항상 성립하도록 하는 실수 k의 최솟값을 구하시오. [3점]

STEP 01 ❶을 미분하고 극솟값을 구하여 k의 최솟값을 구한다.

$f(x) = 3x^4 - 4x^3 - 12x^2 + k$하면
$f'(x) = 12x^3 - 12x^2 - 24x = 12x(x+1)(x-2)$
$f'(x) = 0$에서 $x = -1$ 또는 $x = 0$ 또는 $x = 2$
함수 $f(x)$는 $x = -1$, $x = 2$에서 극소, $x = 0$에서 극대이다.
이때 $f(-1) = -5 + k$, $f(2) = -32 + k$이므로
$f(-1) > f(2)$
모든 실수 x에 대하여 주어진 부등식이 항상 성립하려면
$f(2) = -32 + k \geq 0$, $k \geq 32$이어야 한다.
따라서 실수 k의 최솟값은 32

---

20 귀납적으로 정의된 수열 　　　정답률 26% | 정답 70

수열 $\{a_n\}$은 ❶ $1 < a_1 < 2$이고, 모든 자연수 n에 대하여

$$a_{n+1} = \begin{cases} -2a_n & (a_n < 0) \\ a_n - 2 & (a_n \geq 0) \end{cases}$$

을 만족시킨다. ❷ $a_7 = -1$일 때, $40 \times a_1$의 값을 구하시오. [4점]

STEP 01 ❶을 이용하여 a_2부터 a_6까지 차례로 a_n을 구한 후 ❷를 이용하여 a_6의
부호를 결정하여 a_1을 구한 다음 $40 \times a_1$의 값을 구한다.

$$a_{n+1} = \begin{cases} -2a_n & (a_n < 0) \\ a_n - 2 & (a_n \geq 0) \end{cases} \qquad \cdots\cdots ㉠$$

이고 $1 < a_1 < 2$에서 $a_1 \geq 0$이므로
$a_2 = a_1 - 2 < 0$

$a_3 = -2a_2 = -2(a_1 - 2) > 0$
$a_4 = a_3 - 2 = -2(a_1 - 2) - 2 = -2(a_1 - 1) < 0$
$a_5 = -2a_4 = 4(a_1 - 1) > 0$
$a_6 = a_5 - 2 = 4(a_1 - 1) - 2 = 4a_1 - 6$
이때 ㉠에서 $a_6 < 0$이면 $a_7 = -2a_6 > 0$이므로
$a_7 = -1 \leq 0$에서 $a_6 \geq 0$이다.
$a_7 = a_6 - 2 = (4a_1 - 6) - 2 = 4a_1 - 8 = -1$
$a_1 = \dfrac{7}{4}$

따라서 $40 \times a_1 = 40 \times \dfrac{7}{4} = 70$

★★★ 등급을 가르는 문제!

21 지수함수와 로그함수 　　　정답률 10% | 정답 12

상수 k에 대하여 다음 조건을 만족시키는 좌표평면의 ❶ 점 $A(a, b)$가 오직
하나 존재한다.

(가) 점 A는 곡선 $y = \log_2(x+2) + k$ 위의 점이다.

(나) 점 A를 직선 $y = x$에 대하여 대칭이동한 점은 곡선 $y = 4^{x+k} + 2$
위에 있다.

$a \times b$의 값을 구하시오. (단, $a \neq b$) [4점]

STEP 01 두 조건에서 각 점의 좌표를 각각 지나는 곡선의 식에 대입하여 구한 식을
연립하여 식을 정리한다.

점 $A(a, b)$를 직선 $y = x$에 대하여 대칭이동한 점을 B라 하면
$B(b, a)$이다.
조건 (가)에서 점 $A(a, b)$가
곡선 $y = \log_2(x+2) + k$ 위의 점이므로
$b = \log_2(a+2) + k$ 　　　　 $\cdots\cdots ㉠$
조건 (나)에서 점 $B(b, a)$가
곡선 $y = 4^{x+k} + 2$ 위의 점이므로
$a = 4^{b+k} + 2$ 　　　　 $\cdots\cdots ㉡$
㉠에서
$b - k = \log_2(a+2)$, $2^{b-k} = a + 2$
$a = 2^{b-k} - 2$ 　　　　 $\cdots\cdots ㉢$
㉡, ㉢을 연립하여 정리하면
$4^{b+k} + 2 = 2^{b-k} - 2$
$4^k \times 4^b - 2^{-k} \times 2^b + 4 = 0$ 　　　　 $\cdots\cdots ㉣$

STEP 02 ❶을 만족하도록 판별식을 이용하여 미지수들을 구한 다음 $a \times b$의 값을
구한다.

조건을 만족시키는 점 A가 오직 하나이므로
방정식 ㉣을 만족시키는 실수 b는 오직 하나이고
$2^b = t(t > 0)$으로 놓으면 t에 대한 이차방정식
$4^k t^2 - 2^{-k} t + 4 = 0$ 　　　　 $\cdots\cdots ㉤$
은 오직 하나의 양의 실근을 갖는다.
t에 대한 이차방정식 ㉤의 두 근의 곱은

$$\frac{4}{4^k} = 4^{1-k} > 0$$ 이므로

t에 대한 이차방정식 ㉤이 오직 하나의 양의 실근을 가지려면
㉤의 판별식을 D라 할 때 $D = 0$이어야 한다.
$D = (-2^{-k})^2 - 4 \times 4^k \times 4 = 4^{-k} - 16 \times 4^k = 0$
위의 방정식의 양변에 4^k을 곱하여 정리하면
$2^{4k+4} = 1$, $k = -1$
㉤에 대입하여 정리하면

$$\frac{1}{4} t^2 - 2t + 4 = 0, \quad \frac{1}{4}(t-4)^2 = 0$$

$t = 4$
즉, $2^b = 4$에서 $b = 2$이다.
$k = -1$, $b = 2$를 ㉡에 대입하여 정리하면
$a = 4^{2+(-1)} + 2 = 6$
따라서 $a \times b = 6 \times 2 = 12$

★★ 문제 해결 꿀~팁 ★★

▶ 문제 해결 방법

두 조건에서 각 점이 주어진 곡선 위의 점이므로 각 점의 좌표를 지나는 곡선에 대입하여

나온 두 식을 연립해야 한다. 미지수는 3개이고 주어진 식은 2개이므로 미지수들을 바로 구할 수는 없으나 연립하여 최대한 식을 간단하게 정리하여야 한다. 두 식이 각각 로그와 지수의 식으로 정리하는 과정에서 한 가지 식으로 통일하여야 한다.

지수의 식으로 정리하면 $4^k \times 4^b - 2^{-k} \times 2^b + 4 = 0$이고 여기서 $2^b = t(t > 0)$로 치환하면 $4^k t^2 - 2^{-k} t + 4 = 0$이다. 만족하는 점 A가 오직 하나이므로 b도 오직 하나이고 t도 오직 하나이다. 그러므로 판별식 $D = 0$이다. 이 성질을 이용하여 식을 세우면 미지수들을 차례로 구할 수 있다.

$4^k \times 4^b - 2^{-k} \times 2^b + 4 = 0$에서 치환할 때 2^b를 치환해야지 자칫 잘못되어 2^k를 치환해서는 안 된다. 점 A, 즉 b가 오직 하나라고 했지 k가 오직 하나라고 하지 않았으므로 2^k를 치환한 식으로는 다음 단계로 넘어갈 수가 없다.

식이 다소 복잡하여 계산하거나 정리할 때 실수하는 일이 없도록 주의하여야 한다.

★★★ 등급을 가르는 문제!

22 정적분으로 정의된 함수
정답률 3% | 정답 ④

❶ 실수 전체의 집합에서 연속인 함수 $f(x)$와 최고차항의 계수가 1이고 상수항이 0인 삼차함수 $g(x)$가 있다.
양의 상수 a에 대하여 두 함수 $f(x)$, $g(x)$가 다음 조건을 만족시킨다.

> (가) 모든 실수 x에 대하여 ❷ $x|g(x)| = \int_{2a}^{x}(a-t)f(t)dt$ 이다.
>
> (나) 방정식 $g(f(x)) = 0$의 서로 다른 실근의 개수는 4이다.

❸ $\int_{-2a}^{2a} f(x)dx$의 값을 구하시오. [4점]

STEP 01 ❷에 $x = 2a$를 대입하여 $g(x)$의 인수를 찾고 미지수를 이용하여 $g(x)$를 놓는다.

삼차함수 $g(x)$의 상수항이 0이므로 $g(x)$는 x를 인수로 갖는다. ······ ㉠

조건 (가)의 $x|g(x)| = \int_{2a}^{x}(a-t)f(t)dt$에 $x = 2a$를 대입하면

$2a|g(2a)| = 0$

a가 양수이므로 $g(2a) = 0$이고 $g(x)$는 $(x - 2a)$를 인수로 갖는다. ······ ㉡

㉠, ㉡에서 $g(x) = x(x-2a)(x-b)$ (단, b는 실수)

STEP 02 ❶에 의하여 $x|g(x)|$가 $x = 2a$에서 미분가능할 조건으로 식을 세워 a, b의 관계식을 구하여 $g(x)$ 및 $x|g(x)|$를 구한다.

함수 $(a-x)f(x)$가 실수 전체의 집합에서 연속이므로

함수 $\int_{2a}^{x}(a-t)f(t)dt$는 실수 전체의 집합에서 미분가능하고,

$\dfrac{d}{dx}\int_{2a}^{x}(a-t)f(t)dt = (a-x)f(x)$이다.

즉, 함수 $x|g(x)|$는 $x = 2a$에서 미분가능하다.

$\displaystyle\lim_{x \to 2a+} \dfrac{x|g(x)| - 2a|g(2a)|}{x-2a} = \lim_{x \to 2a+} \dfrac{x|x(x-2a)(x-b)|}{x-2a}$
$= \displaystyle\lim_{x \to 2a+} x^2|x-b|$
$= 4a^2|2a-b|$

$\displaystyle\lim_{x \to 2a-} \dfrac{x|g(x)| - 2a|g(2a)|}{x-2a} = \lim_{x \to 2a-} \dfrac{x|x(x-2a)(x-b)|}{x-2a}$
$= \displaystyle\lim_{x \to 2a-} (-x^2|x-b|)$
$= -4a^2|2a-b|$

이므로 $4a^2|2a-b| = -4a^2|2a-b|$에서 $b = 2a$이다.

따라서 $g(x) = x(x-2a)^2$

$\int_{2a}^{x}(a-t)f(t)dt = \begin{cases} -x^2(x-2a)^2 & (x < 0) \\ x^2(x-2a)^2 & (x \geq 0) \end{cases}$

STEP 03 위 식의 양변을 미분하여 $f(x)$를 구한 뒤 $g(f(x)) = 0$을 만족하는 $f(x)$의 값을 구하여 조건 (나)를 만족하도록 하는 a를 구한다.

함수 $f(x)$가 실수 전체의 집합에서 연속이므로

$(a-x)f(x) = \begin{cases} -4x(x-a)(x-2a) & (x < 0) \\ 4x(x-a)(x-2a) & (x \geq 0) \end{cases}$

$f(x) = \begin{cases} 4x(x-2a) & (x < 0) \\ -4x(x-2a) & (x \geq 0) \end{cases}$

방정식 $g(f(x)) = 0$에서

$f(x) = 0$ 또는 $f(x) = 2a$

방정식 $f(x) = 0$은 서로 다른 두 실근 0, $2a$를 가지므로

조건 (나)에 의해 방정식 $f(x) = 2a$는

서로 다른 두 실근을 가져야 한다.

곡선 $y = f(x)$와 직선 $y = 2a$의 교점의 개수가 2이어야 하므로

$f(a) = -4a(a-2a) = 4a^2 = 2a$

$a = \dfrac{1}{2}$

STEP 04 ❸에 a, $f(x)$를 대입하고 적분하여 값을 구한다.

$\int_{-2a}^{2a} f(x)dx = \int_{-1}^{1} f(x)dx$
$= \int_{-1}^{0}(4x^2 - 4x)dx + \int_{0}^{1}(-4x^2 + 4x)dx$
$= \left[\dfrac{4}{3}x^3 - 2x^2\right]_{-1}^{0} + \left[-\dfrac{4}{3}x^3 + 2x^2\right]_{0}^{1} = 4$

★★ 문제 해결 꿀~팁 ★★

▶ 문제 해결 방법

삼차함수 $g(x)$의 최고차항과 상수항을 알려주었다. 여기서 $g(x)$를 구하라는 의미임을 알아챌 수 있다. 그런데 조건 (가)에서 $x = 2a$를 대입하면 $g(2a) = 0$으로 $g(x)$의 인수 중 하나를 구했으므로 $g(x) = x(x-2a)(x-b)$라 할 수 있다.

다음으로 이용할 수 있는 조건은 함수 $f(x)$가 실수 전체의 집합에서 연속이므로 함수 $(a-x)f(x)$도 실수 전체의 집합에서 연속이고 함수 $\int_{2a}^{x}(a-t)f(t)dt$가 실수 전체의 집합에서 미분가능하므로 함수 $x|g(x)|$도 $x = 2a$에서 미분가능하다. 그러므로 $x|g(x)|$는 $x = 2a$에서의 좌극한과 우극한이 같아야 한다. 여기서 $b = 2a$를 구할 수 있다.

자칫 무심코 지나칠 수 있는 문장이다. 더군다나 문제 첫 줄에 '실수 전체의 집합에서 연속인 함수 $f(x)$와'로 나와 있어 그냥 아무 생각 없이 지나치기 쉬운 문장이다. 이 문장에서 논리를 발전시켜 '$x|g(x)|$가 $x = 2a$에서 미분가능하다.'라는 식을 세우지 못하면 문제풀이에 한계가 생기게 된다. 주어진 조건을 꼼꼼하게 읽고 필요한 부분을 찾을 수 있도록 하는 훈련이 필요하다.

$b = 2a$이므로 $g(x) = x(x-2a)^2$이고 범위를 나누어 조건 (가)의 식을 구한 뒤 양변을 미분하면 $f(x)$를 구할 수 있다. $f(x)$와 $g(x)$를 모두 구하였고 이제 마지막으로 조건 (나)를 이용하여 미지수 a를 구해야 한다.

$g(f(x)) = 0$에서 $f(x) = 0$ 또는 $f(x) = 2a$이고 $f(x) = 0$의 근은 0, $2a$로 2개이므로 $f(x) = 2a$는 서로 다른 두 실근을 가져야 한다.

$y = f(x)$의 그래프와 직선 $y = 2a$의 교점의 개수가 2일 때는 $f(a) = 2a$일 때이다.

함수에 대하여 미분과 적분등 여러 가지 성질에 대하여 잘 알고 있어야 풀이가 가능하다.

확률과 통계

23 중복순열
정답률 89% | 정답 ④

❶ $_3\Pi_4$의 값은? [2점]

① 63　　② 69　　③ 75　　④ 81　　⑤ 87

STEP 01 중복순열의 계산으로 ❶의 값을 구한다.

$_3\Pi_4 = 3^4 = 81$

24 같은 것이 있는 순열
정답률 71% | 정답 ②

6개의 숫자 1, 1, 2, 2, 2, 3을 일렬로 나열하여 만들 수 있는 여섯 자리의 자연수 중 홀수의 개수는? [3점]

① 20　　② 30　　③ 40　　④ 50　　⑤ 60

STEP 01 일의 자리에 올 수 있는 숫자에 따라 경우를 나누고 각각 같은 것이 있는 순열을 이용하여 나열하는 경우의 수를 구한다.

(i) 일의 자리의 수가 1인 경우
1, 2, 2, 2, 3을 일렬로 나열하는 경우의 수는
$\dfrac{5!}{3!} = 20$

(ii) 일의 자리의 수가 3인 경우
1, 1, 2, 2, 2를 일렬로 나열하는 경우의 수는
$\dfrac{5!}{2! \times 3!} = 10$

따라서 구하는 홀수의 개수는 $20+10=30$

●핵심 공식

▶ 같은 것이 있는 순열

n개 중에서 같은 것이 각각 p개, q개, r개, $\cdots$, s개가 있을 때, n개를 택하여 만든 순열의 수는

$$\frac{n!}{p! \cdot q! \cdot r! \cdots s!} \quad (n=p+q+r+\cdots+s)$$

---

25 원순열   정답률 75% | 정답 ⑤

A 학교 학생 5명, B 학교 학생 2명이 일정한 간격을 두고 원 모양의 탁자에 모두 둘러앉을 때, B 학교 학생끼리는 이웃하지 않도록 앉는 경우의 수는? (단, 회전하여 일치하는 것은 같은 것으로 본다.) [3점]

① 320   ② 360   ③ 400   ④ 440   ⑤ 480

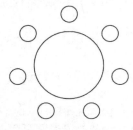

STEP 01   A학교 학생 5명을 원순열을 이용하여 원탁에 배열하는 경우의 수를 구한 다음 A학교 학생 사이에 B학교 학생 2명의 자리를 정하는 경우의 수를 구한다.

A학교 학생 5명을 배열하는 원순열의 수는
$(5-1)! = 24$
A학교 학생 사이에 B학교 학생 2명의 자리를 정하는 경우의 수는
$_5P_2 = 20$
따라서 구하는 경우의 수는 $24 \times 20 = 480$

●핵심 공식

▶ 원순열

서로 다른 n개의 원형으로 배열하는 원순열의 수는 $(n-1)!$

---

26 같은 것이 있는 순열   정답률 77% | 정답 ①

그림과 같이 직사각형 모양으로 연결된 도로망이 있다. 이 도로망을 따라 A 지점에서 출발하여 P 지점을 지나 B 지점까지 최단 거리로 가는 경우의 수는? (단, 한 번 지난 도로를 다시 지날 수 있다.) [3점]

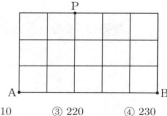

① 200   ② 210   ③ 220   ④ 230   ⑤ 240

STEP 01   같은 것이 있는 순열을 이용하여 A 지점에서 P 지점까지 최단 거리로 가는 경우의 수를 구한 후 같은 방법으로 P 지점에서 B 지점까지 최단 거리로 가는 경우의 수를 구하여 곱의 법칙으로 구하는 경우의 수를 구한다.

오른쪽으로 한 칸 가는 것을 a, 위쪽으로 한 칸 가는 것을 b, 아래쪽으로 한 칸 가는 것을 c라 하자.
A 지점에서 P 지점까지 최단 거리로 가는 경우의 수는
2개의 a와 3개의 b를 일렬로 나열하는 경우의 수와 같으므로
$$\frac{5!}{2! \times 3!} = 10$$이다.
P 지점에서 B지점까지 최단 거리로 가는 경우의 수는
3개의 a와 3개의 c를 일렬로 나열하는 경우의 수와 같으므로
$$\frac{6!}{3! \times 3!} = 20$$이다.
따라서 구하는 경우의 수는 $10 \times 20 = 200$

---

27 중복조합   정답률 54% | 정답 ③

그림과 같이 같은 종류의 책 8권과 이 책을 각 칸에 최대 5권, 5권, 8권을 꽂을 수 있는 3개의 칸으로 이루어진 책장이 있다. 이 책 8권을 책장에 남김없이 나누어 꽂는 경우의 수는? (단, 비어 있는 칸이 있을 수 있다.) [3점]

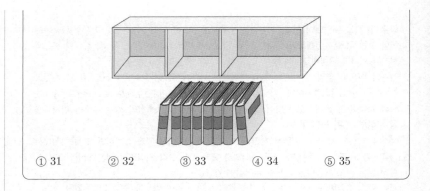

① 31   ② 32   ③ 33   ④ 34   ⑤ 35

STEP 01   중복조합으로 8권의 책을 3개의 칸에 남김없이 나누어 꽂는 경우의 수를 구한 후 같은 방법으로 만족하지 않는 경우의 수를 구한 다음 차를 구하여 구하는 경우의 수를 구한다.

8권의 책을 3개의 칸에 남김없이 나누어 꽂는 경우의 수는
서로 다른 3개에서 중복을 허락하여 8개를 선택하는 중복조합의 수와 같으므로
$_3H_8 = {}_{3+8-1}C_8 = {}_{10}C_8 = {}_{10}C_2 = 45$
첫 번째 칸에 6권 이상의 책을 꽂는 경우의 수는
먼저 첫 번째 칸에 6권의 책을 꽂고 남은 2권의 책을 3개의 칸에 남김없이 나누어 꽂는 경우의 수와 같으므로
$_3H_2 = {}_{3+2-1}C_2 = {}_4C_2 = 6$
마찬가지로 두 번째 칸에 6권 이상의 책을 꽂는 경우의 수도 6이다.
따라서 구하는 경우의 수는 $45-6-6=33$

●핵심 공식

▶ 중복조합

$_nH_r$은 서로 다른 n개의 원소에서 r개를 뽑는 경우의 수이다.
$_nH_r = {}_{n+r-1}C_r$

---

28 중복순열   정답률 47% | 정답 ④

세 명의 학생 A, B, C 에게 서로 다른 종류의 사탕 5개를 다음 규칙에 따라 남김없이 나누어 주는 경우의 수는? (단, 사탕을 받지 못하는 학생이 있을 수 있다.) [4점]

> (가) 학생 A는 적어도 하나의 사탕을 받는다.
> (나) 학생 B가 받는 사탕의 개수는 2 이하이다.

① 167   ② 170   ③ 173   ④ 176   ⑤ 179

STEP 01   학생 B가 받는 사탕의 개수에 따라 경우를 나누고 각각 중복순열을 이용하여 나머지 사탕을 나누어 주는 경우의 수를 구한다.

(i) 학생 B가 2개의 사탕을 받는 경우
학생 B가 받는 사탕을 정하는 경우의 수는
$_5C_2 = 10$
남은 3개의 사탕을 두 명의 학생 A, C에게 나누어 주는 경우의 수는
서로 다른 2개에서 중복을 허락하여 3개를 선택하는 중복순열의 수와 같으므로
$_2\Pi_3 = 2^3 = 8$
이때 학생 A가 사탕을 받지 못하는 경우를 제외해야 하므로
구하는 경우의 수는
$10 \times (8-1) = 70$
(ii) 학생 B가 1개의 사탕을 받는 경우
학생 B가 받는 사탕을 정하는 경우의 수는
$_5C_1 = 5$
남은 4개의 사탕을 두 명의 학생 A, C에게 나누어 주는 경우의 수는
$_2\Pi_4 = 2^4 = 16$
이때 학생 A가 사탕을 받지 못하는 경우를 제외해야 하므로
구하는 경우의 수는
$5 \times (16-1) = 75$
(iii) 학생 B가 사탕을 받지 못하는 경우
5개의 사탕을 두 명의 학생 A, C에게 나누어 주는 경우의 수는
$_2\Pi_5 = 2^5 = 32$
이때 학생 A가 사탕을 받지 못하는 경우를 제외해야 하므로
구하는 경우의 수는
$32 - 1 = 31$
(i), (ii), (iii)에 의하여 구하는 경우의 수는

$70+75+31=176$

●핵심 공식

▶ 중복순열

서로 다른 n개의 물건에서 중복을 허락하여, r개를 택해 일렬로 배열한 것을 서로 다른 n개에서 중복을 허락하여 r개를 택한 중복순열이라 하고, 중복순열의 총갯수는 $_n\Pi_r$로 나타낸다.

$_n\Pi_r=n\times n\times n\times\cdots\times n=n^r$

29 중복조합   정답률 6% | 정답 65

두 집합 $X=\{1, 2, 3, 4, 5\}$, $Y=\{-1, 0, 1, 2, 3\}$에 대하여 다음 조건을 만족시키는 함수 $f: X\to Y$의 개수를 구하시오. [4점]

(가) $f(1)\leq f(2)\leq f(3)\leq f(4)\leq f(5)$
(나) $f(a)+f(b)=0$을 만족시키는 집합 X의 서로 다른 두 원소 a, b가 존재한다.

STEP 01 조건 (나)를 만족시키는 경우를 구한 후 각 경우에 대하여 중복조합을 이용하여 조건 (가)를 만족하도록 나머지 원소를 선택하는 경우의 수를 구한다.

조건 (가)를 만족시키는 함수 f의 개수는
Y의 원소 중에서 중복을 허락하여 5개를 선택하는 중복조합의 수와 같다.
이때 조건 (나)를 만족시키기 위해서는
-1과 1을 적어도 1개씩 선택하거나, 0을 적어도 2개 선택해야 한다.
(i) -1과 1을 적어도 1개씩 선택하는 경우
    -1과 1을 1개씩 선택한 후 Y의 원소 중에서 중복을 허락하여 3개를 선택하는 경우의 수는
    서로 다른 5개에서 중복을 허락하여 3개를 선택하는 중복조합의 수와 같으므로
    $_5H_3=_{5+3-1}C_3=_7C_3=35$
(ii) 0을 적어도 2개 선택하는 경우
    0을 2개 선택한 후 Y의 원소 중에서 중복을 허락하여 3개를 선택하는 경우의 수는
    $_5H_3=_{5+3-1}C_3=_7C_3=35$
(iii) 위의 (i), (ii)를 동시에 만족시키는 경우
    -1을 1개, 0을 2개, 1을 1개 선택한 후 Y의 원소 중에서 중복을 허락하여 1개를 선택하는 경우의 수는
    $_5H_1=_{5+1-1}C_1=_5C_1=5$
(i), (ii), (iii)에 의하여 구하는 경우의 수는
$35+35-5=65$

★★★ 등급을 가르는 문제!

30 같은 것이 있는 순열   정답률 4% | 정답 708

흰색 원판 4개와 검은색 원판 4개에 각각 A, B, C, D의 문자가 하나씩 적혀 있다. 이 8개의 원판 중에서 4개를 택하여 다음 규칙에 따라 원기둥 모양으로 쌓는 경우의 수를 구하시오. (단, 원판의 크기는 모두 같고, 원판의 두 밑면은 서로 구별하지 않는다.) [4점]

(가) 선택된 4개의 원판 중 같은 문자가 적힌 원판이 있으면 같은 문자가 적힌 원판끼리는 검은색 원판이 흰색 원판보다 아래쪽에 놓이도록 쌓는다.
(나) 선택된 4개의 원판 중 같은 문자가 적힌 원판이 없으면 D가 적힌 원판이 맨 아래에 놓이도록 쌓는다.

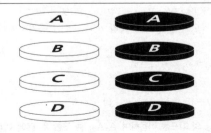

STEP 01 택한 4개의 원판에 적힌 문자의 종류의 개수에 따라 경우를 나누어 각각 조합과 순열을 이용하여 문자를 선택한 후 쌓는 경우의 수를 구한다.

(i) 4개의 원판에 적힌 문자가 X X Y Y 꼴인 경우
    4개의 문자 중 X, Y에 해당하는 문자를 선택하는 경우의 수는
    $_4C_2=6$

    4개의 원판을 쌓는 경우의 수는
    $\dfrac{4!}{2!\times 2!}=6$
    그러므로 구하는 경우의 수는 $6\times 6=36$
(ii) 4개의 원판에 적힌 문자가 X X Y Z 꼴인 경우
    4개의 문자 중 X에 해당하는 문자를 선택하는 경우의 수는
    $_4C_1=4$
    Y, Z에 해당하는 문자를 선택하는 경우의 수는
    $_3C_2=3$
    Y, Z에 해당하는 원판의 색을 정하는 경우의 수는
    $_2\Pi_2=4$
    4개의 원판을 쌓는 경우의 수는
    $\dfrac{4!}{2!}=12$
    그러므로 구하는 경우의 수는 $4\times 3\times 4\times 12=576$
(iii) 4개의 원판에 적힌 문자가 모두 다른 경우
    각각의 원판의 색을 정하는 경우의 수는
    $_2\Pi_4=16$
    D가 적힌 원판이 맨 아래에 놓이도록 4개의 원판을 쌓는 경우의 수는
    $3!=6$
    그러므로 구하는 경우의 수는
    $16\times 6=96$
(i), (ii), (iii)에 의하여 구하는 경우의 수는
$36+576+96=708$

★★ 문제 해결 꿀~팁 ★★

▶ 문제 해결 방법

먼저 4개의 원판에 적힌 문자의 종류에 따라 경우를 나누어야 한다.
경우를 나누면 $aabb$, $aabc$, $abcd$의 세 가지 경우가 있다.
첫 번째 경우 4개의 문자 중 두 개의 문자를 선택한 후 원판을 쌓는 경우의 수는
$_4C_2\times\dfrac{4!}{2!\times 2!}=6$이다. 이 경우는 특별히 주의해야 할 사항은 없다.
$aabc$인 경우는 a에 해당하는 문자를 선택하고 b, c에 해당하는 문자를 선택한 뒤 색도 정해야 한다. 그러므로 구하는 경우의 수는 $_4C_1\times_3C_2\times_2\Pi_2\times\dfrac{4!}{2!}$이다.
$abcd$인 경우는 4개의 원판 모두 색을 정해야 하고 이 경우는 같은 문자가 적힌 원판이 없으므로 D가 적힌 원판이 맨 아래에 놓이도록 쌓아야 한다. 그러므로 구하는 경우의 수는 $_2\Pi_4\times 3!$이다.
각 경우에 주의해야 하는 부분을 놓치지 않도록 주의하여 경우의 수를 구해야 한다.

미적분

23 등비수열의 극한값   정답률 89% | 정답 ②

❶ $\lim\limits_{n\to\infty}\dfrac{2^{n+1}+3^{n-1}}{(-2)^n+3^n}$ 의 값은? [2점]

① $\dfrac{1}{9}$ ② $\dfrac{1}{3}$ ③ 1 ④ 3 ⑤ 9

STEP 01 ❶의 분자와 분모를 각각 3^n으로 나눈 후 극한값을 구한다.

$\lim\limits_{n\to\infty}\dfrac{2^{n+1}+3^{n-1}}{(-2)^n+3^n}=\lim\limits_{n\to\infty}\dfrac{2\times\left(\dfrac{2}{3}\right)^n+\dfrac{1}{3}}{\left(-\dfrac{2}{3}\right)^n+1}=\dfrac{2\times 0+\dfrac{1}{3}}{0+1}=\dfrac{1}{3}$

24 수열의 극한   정답률 84% | 정답 ⑤

수열 $\{a_n\}$이 ❶ $\lim\limits_{n\to\infty}(3a_n-5n)=2$를 만족시킬 때, ❷ $\lim\limits_{n\to\infty}\dfrac{(2n+1)a_n}{4n^2}$의 값은? [3점]

① $\dfrac{1}{6}$ ② $\dfrac{1}{3}$ ③ $\dfrac{1}{2}$ ④ $\dfrac{2}{3}$ ⑤ $\dfrac{5}{6}$

STEP 01 ❶에서 a_n을 구한 후 ❷에 이용하여 값을 구한다.

$b_n=3a_n-5n$이라 하면
$\lim\limits_{n\to\infty}b_n=2$, $a_n=\dfrac{b_n+5n}{3}$이므로

$$\lim_{n \to \infty} \frac{(2n+1)a_n}{4n^2} = \lim_{n \to \infty} \left(\frac{2n+1}{4n^2} \times \frac{b_n+5n}{3} \right)$$
$$= \lim_{n \to \infty} \frac{\left(2+\dfrac{1}{n}\right)\left(b_n \times \dfrac{1}{n}+5\right)}{12}$$
$$= \frac{(2+0)(2\times 0+5)}{12} = \frac{5}{6}$$

---

25 수열의 극한 　　　　　　　정답률 78% | 정답 ④

❶ $\lim\limits_{n \to \infty}\left(\sqrt{an^2+n}-\sqrt{an^2-an}\right)=\dfrac{5}{4}$ 를 만족시키는 모든 양수 a 의 값의 합은? [3점]

① $\dfrac{7}{2}$　　② $\dfrac{15}{4}$　　③ 4　　④ $\dfrac{17}{4}$　　⑤ $\dfrac{9}{2}$

STEP 01 ❶의 좌변의 분자를 유리화하여 극한값을 구하여 a의 값을 구한 후 양수 a의 값의 합을 구한다.

$$\lim_{n \to \infty}\left(\sqrt{an^2+n}-\sqrt{an^2-an}\right)=\lim_{n \to \infty}\frac{(an^2+n)-(an^2-an)}{\sqrt{an^2+n}+\sqrt{an^2-an}}$$
$$=\lim_{n \to \infty}\frac{(a+1)n}{\sqrt{an^2+n}+\sqrt{an^2-an}}$$
$$=\lim_{n \to \infty}\frac{a+1}{\sqrt{a+\dfrac{1}{n}}+\sqrt{a-\dfrac{a}{n}}}$$
$$=\frac{a+1}{2\sqrt{a}}$$

$\lim\limits_{n \to \infty}\left(\sqrt{an^2+n}-\sqrt{an^2-an}\right)=\dfrac{5}{4}$ 에서

$$\frac{a+1}{2\sqrt{a}}=\frac{5}{4}$$

양변을 제곱하여 정리하면
$$4a^2-17a+4=0, \ (4a-1)(a-4)=0,$$
$$a=\frac{1}{4} \ \text{또는} \ a=4$$

따라서 모든 양수 a의 값의 합은
$$\frac{1}{4}+4=\frac{17}{4}$$

---

26 수열의 합과 극한값 　　　　　　정답률 79% | 정답 ③

첫째항이 1인 두 수열 $\{a_n\}$, $\{b_n\}$이 모든 자연수 n에 대하여

❶ $a_{n+1}-a_n=3$, $\sum\limits_{k=1}^{n}\dfrac{1}{b_k}=n^2$

을 만족시킬 때, ❷ $\lim\limits_{n \to \infty}a_n b_n$의 값은? [3점]

① $\dfrac{7}{6}$　　② $\dfrac{4}{3}$　　③ $\dfrac{3}{2}$　　④ $\dfrac{5}{3}$　　⑤ $\dfrac{11}{6}$

STEP 01 ❶에서 a_n, b_n을 구한 후 ❷에 대입하여 극한값을 구한다.

수열 $\{a_n\}$은 $a_1=1$이고 공차가 3인 등차수열이므로
$$a_n=1+(n-1)\times 3=3n-2$$

수열 $\{b_n\}$은 $n \geq 2$일 때,
$$\frac{1}{b_n}=\sum_{k=1}^{n}\frac{1}{b_k}-\sum_{k=1}^{n-1}\frac{1}{b_k}=n^2-(n-1)^2=2n-1$$

에서 $b_n=\dfrac{1}{2n-1}$이고 $b_1=1$이므로 모든 자연수 n에 대하여
$$b_n=\frac{1}{2n-1}$$

따라서
$$\lim_{n \to \infty}a_n b_n=\lim_{n \to \infty}\frac{3n-2}{2n-1}=\lim_{n \to \infty}\frac{3-\dfrac{2}{n}}{2-\dfrac{1}{n}}=\frac{3}{2}$$

● 핵심 공식

▶ 수열의 합 S_n과 일반항 a_n의 관계
수열 $\{a_n\}$에서 첫째항부터 제 n항 까지의 합을 S_n 이라 할 때
$$a_1=S_1, \ a_n=S_n-S_{n-1} \ (n \geq 2)$$

---

27 수열의 극한의 대소 관계 　　　　정답률 61% | 정답 ①

수열 $\{a_n\}$이 모든 자연수 n에 대하여

❶ $a_n{}^2 < 4na_n+n-4n^2$

을 만족시킬 때, ❷ $\lim\limits_{n \to \infty}\dfrac{a_n+3n}{2n+4}$ 의 값은? [3점]

① $\dfrac{5}{2}$　　② 3　　③ $\dfrac{7}{2}$　　④ 4　　⑤ $\dfrac{9}{2}$

STEP 01 ❶의 부등식을 풀고 수열의 극한의 대소 관계에 의하여 $\lim\limits_{n \to \infty}\dfrac{a_n}{n}$ 을 구한 후 ❷에 이용하여 값을 구한다.

$a_n{}^2 < 4na_n+n-4n^2$에서
$$a_n{}^2-4na_n+4n^2 < n$$
$$(a_n-2n)^2 < n, \ 2n-\sqrt{n} < a_n < 2n+\sqrt{n},$$
$$2-\frac{1}{\sqrt{n}} < \frac{a_n}{n} < 2+\frac{1}{\sqrt{n}}$$
$$\lim_{n \to \infty}\left(2-\frac{1}{\sqrt{n}}\right)=\lim_{n \to \infty}\left(2+\frac{1}{\sqrt{n}}\right)=2 \ \text{이므로}$$

수열의 극한의 대소 관계에 의하여 $\lim\limits_{n \to \infty}\dfrac{a_n}{n}=2$

따라서
$$\lim_{n \to \infty}\frac{a_n+3n}{2n+4}=\lim_{n \to \infty}\frac{\dfrac{a_n}{n}+3}{2+\dfrac{4}{n}}=\frac{2+3}{2+0}=\frac{5}{2}$$

● 핵심 공식

▶ 함수의 극한의 대소 관계
$f(x) \leq h(x) \leq g(x)$ 또는 $f(x) < h(x) < g(x)$이고
$\lim\limits_{x \to a}f(x)=\lim\limits_{x \to a}g(x)=\alpha$이면 $\lim\limits_{x \to a}h(x)=\alpha$이다.

---

28 귀납적으로 정의된 수열 　　　　정답률 50% | 정답 ①

자연수 n에 대하여 좌표평면 위의 점 A_n을 다음 규칙에 따라 정한다.

(가) A_1은 원점이다.
(나) n이 홀수이면 A_{n+1}은 점 A_n을 x축의 방향으로 a만큼 평행이동한 점이다.
(다) n이 짝수이면 A_{n+1}은 점 A_n을 y축의 방향으로 $a+1$만큼 평행이동한 점이다.

❶ $\lim\limits_{n \to \infty}\dfrac{\overline{A_1 A_{2n}}}{n}=\dfrac{\sqrt{34}}{2}$ 일 때, 양수 a의 값은? [4점]

① $\dfrac{3}{2}$　　② $\dfrac{7}{4}$　　③ 2　　④ $\dfrac{9}{4}$　　⑤ $\dfrac{5}{2}$

STEP 01 규칙에 의해 점 A_{2n}의 좌표를 구한다.

점 A_n의 좌표를 (x_n, y_n)이라 하면
규칙 (나)에서
$$x_{2n}=x_{2n-1}+a, \ y_{2n}=y_{2n-1}$$
규칙 (다)에서
$$x_{2n+1}=x_{2n}, \ y_{2n+1}=y_{2n}+(a+1)$$
$$x_{2n+2}=x_{2n+1}+a=x_{2n}+a, \ y_{2n+2}=y_{2n+1}=y_{2n}+(a+1)$$
즉 두 수열 $\{x_{2n}\}$, $\{y_{2n}\}$은 공차가 각각 a, $a+1$인 등차수열이고,
규칙 (가)에서
$$x_2=x_1+a=a, \ y_2=y_1=0$$이므로
$$x_{2n}=a+(n-1)a=an,$$
$$y_{2n}=0+(n-1)(a+1)=(a+1)(n-1)$$

STEP 02 점 A_{2n}의 좌표를 이용하여 $\overline{A_1 A_{2n}}$을 구한 후 ❶에 대입하여 극한값을 구하여 양수 a의 값을 구한다.

그러므로
$$\overline{A_1 A_{2n}}{}^2=x_{2n}{}^2+y_{2n}{}^2=a^2n^2+(a+1)^2(n-1)^2$$
$$\lim_{n \to \infty}\frac{\overline{A_1 A_{2n}}}{n}=\lim_{n \to \infty}\frac{\sqrt{a^2n^2+(a+1)^2(n-1)^2}}{n}$$

$$= \lim_{n \to \infty} \sqrt{a^2 + (a+1)^2 \left(1 - \frac{1}{n}\right)^2}$$

$$= \sqrt{2a^2 + 2a + 1}$$

$\lim_{n \to \infty} \dfrac{\overline{A_1 A_{2n}}}{n} = \dfrac{\sqrt{34}}{2}$ 에서

$$\sqrt{2a^2 + 2a + 1} = \frac{\sqrt{34}}{2}$$

양변을 제곱하여 정리하면

$$4a^2 + 4a - 15 = 0, \ (2a+5)(2a-3) = 0$$

$$a = -\frac{5}{2} \ \text{또는} \ a = \frac{3}{2}$$

따라서 양수 a의 값은 $\dfrac{3}{2}$

---

29 수열의 극한으로 정의된 함수   정답률 17% | 정답 28

실수 t에 대하여 직선 $y = tx - 2$가 함수

$$f(x) = \lim_{n \to \infty} \frac{2x^{2n+1} - 1}{x^{2n} + 1}$$

의 그래프와 만나는 점의 개수를 $g(t)$라 하자. 함수 $g(t)$가 $t = a$에서 불연속인 모든 a의 값을 작은 수부터 크기순으로 나열한 것을 $a_1, a_2, \cdots, a_m$ (m은 자연수)라 할 때, $m \times a_m$의 값을 구하시오. [4점]

STEP 01 x의 범위를 나누어 $f(x)$를 구하고 그래프를 그린다.

함수 $f(x)$를 구하면 다음과 같다.

(i) $|x| < 1$이면 $\lim_{n \to \infty} x^n = 0$이므로

    $f(x) = -1$

(ii) $x = 1$이면 $\lim_{n \to \infty} x^n = 1$이므로

    $f(x) = \dfrac{1}{2}$

(iii) $x = -1$이면 $\lim_{n \to \infty} x^{2n+1} = -1$이고 $\lim_{n \to \infty} x^{2n} = 1$이므로

    $f(x) = -\dfrac{3}{2}$

(iv) $|x| > 1$이면 $\lim_{n \to \infty} \left(\dfrac{1}{x}\right)^n = 0$이므로

    $f(x) = \lim_{n \to \infty} \dfrac{2x - \left(\dfrac{1}{x}\right)^{2n}}{1 + \left(\dfrac{1}{x}\right)^{2n}} = 2x$

그러므로 $f(x) = \begin{cases} -1 & (-1 < x < 1) \\ \dfrac{1}{2} & (x = 1) \\ -\dfrac{3}{2} & (x = -1) \\ 2x & (x < -1 \ \text{또는} \ x > 1) \end{cases}$

함수 $y = f(x)$의 그래프는 그림과 같다.

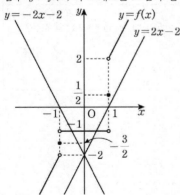

STEP 02 기울기를 변화시켜 가며 직선 $y = tx - 2$를 그려 $y = f(x)$와의 교점의 개수를 구하고 $g(t)$가 불연속인 점을 찾아 $m \times a_m$의 값을 구한다.

직선 $y = tx - 2$는 점 $(0, -2)$를 지나므로 기울기 t의 값에 따른 교점의 개수 $g(t)$를 구해 보면

$-1 \leq t < \dfrac{1}{2}$ 또는 $-\dfrac{1}{2} < t \leq 0$일 때 $g(t) = 0$

$t < -1$ 또는 $t = -\dfrac{1}{2}$ 또는 $0 < t \leq 1$ 또는 $t = 2$ 또는 $t \geq 4$일 때 $g(t) = 1$

$1 < t < 2$ 또는 $2 < t < \dfrac{5}{2}$ 또는 $\dfrac{5}{2} < t < 4$일 때 $g(t) = 2$

$t = \dfrac{5}{2}$ 일 때 $g(t) = 3$

즉 함수 $g(t)$가 $t = a$에서 불연속인 a의 값은

$$-1, \ -\frac{1}{2}, \ 0, \ 1, \ 2, \ \frac{5}{2}, \ 4$$

이므로 $m = 7$, $a_m = 4$

따라서

$$m \times a_m = 7 \times 4 = 28$$

★★★ 등급을 가르는 문제!

30 도형의 성질을 이용한 극한값   정답률 10% | 정답 80

그림과 같이 자연수 n에 대하여 곡선

$$T_n : y = \frac{\sqrt{3}}{n+1} x^2 \ (x \geq 0)$$

위에 있고 ❶ 원점 O와의 거리가 $2n+2$인 점을 P_n이라 하고, 점 P_n에서 x축에 내린 수선의 발을 H_n이라 하자.

중심이 P_n이고 점 H_n을 지나는 원을 C_n이라 할 때, 곡선 T_n과 원 C_n의 교점 중 원점에 가까운 점을 Q_n, 원점에서 원 C_n에 그은 두 접선의 접점 중 H_n이 아닌 점을 R_n이라 하자.

점 R_n을 포함하지 않는 호 $Q_n H_n$과 선분 $P_n H_n$, 곡선 T_n으로 둘러싸인 부분의 넓이를 $f(n)$, 점 H_n을 포함하지 않는 호 $R_n Q_n$과 선분 OR_n, 곡선 T_n으로 둘러싸인 부분의 넓이를 $g(n)$이라 할 때,

$$\lim_{n \to \infty} \frac{f(n) - g(n)}{n^2} = \frac{\pi}{2} + k$$

이다. $60k^2$의 값을 구하시오. (단, k는 상수이다.)

[4점]

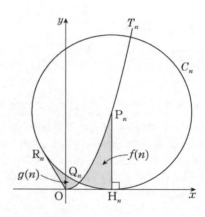

STEP 01 ❶에서 점 P_n의 좌표를 구한다.

점 P_n의 x좌표를 t라 하면 y좌표는 $\dfrac{\sqrt{3}}{n+1} t^2$

$\overline{OP_n} = 2n + 2$이므로 $\sqrt{t^2 + \left(\dfrac{\sqrt{3}}{n+1} t^2\right)^2} = 2n + 2$에서

$$t = n + 1$$

점 R_n을 포함하지 않는 호 $Q_n H_n$과 선분 OH_n, 곡선 T_n으로 둘러싸인 부분의 넓이를 $h(n)$이라 하자.

STEP 02 적분으로 $f(n) + h(n)$을 구한다.

(i) 곡선 T_n과 x축 및 선분 $P_n H_n$으로 둘러싸인 부분의 넓이는 $f(n) + h(n)$이므로

$$f(n) + h(n) = \int_0^{n+1} \frac{\sqrt{3}}{n+1} x^2 dx$$

$$= \left[\frac{\sqrt{3}}{3(n+1)} x^3 \right]_0^{n+1}$$

$$= \frac{\sqrt{3}}{3} (n+1)^2 \quad \cdots\cdots \ominus$$

STEP 03 사각형 $OH_n P_n R_n$의 넓이와 부채꼴 $P_n R_n H_n$의 넓이의 차로 $g(n) + h(n)$을 구한다.

(ii) 점 Q_n을 포함하는 호 $R_n H_n$과 두 선분 OR_n, OH_n으로 둘러싸인 부분의 넓이는 $g(n) + h(n)$이고,

이 값은 사각형 $OH_n P_n R_n$의 넓이에서 부채꼴 $P_n R_n H_n$의 넓이를 뺀 값과 같다.

직각삼각형 $P_n OH_n$에서 $\overline{OH_n} : \overline{P_n H_n} = 1 : \sqrt{3}$ 이므로

$$\tan(\angle P_n OH_n) = \sqrt{3}$$

즉, $\angle P_n OH_n = \dfrac{\pi}{3}$

$\angle R_nP_nH_n = 2 \times \angle OP_nH_n = 2 \times \dfrac{\pi}{6} = \dfrac{\pi}{3}$ 이고,

$\overline{OR_n} = \overline{OH_n}$ 이므로

두 삼각형 P_nOR_n과 P_nOH_n은 합동으로

사각형 $OH_nP_nR_n$의 넓이는

직각삼각형 P_nOH_n의 넓이의 2배이므로

$$g(n) + h(n) = 2 \times \left(\dfrac{1}{2} \times \overline{OH_n} \times \overline{P_nH_n}\right) - \dfrac{1}{2} \times \overline{P_nH_n}^2 \times \dfrac{\pi}{3}$$

$$= \sqrt{3}(n+1)^2 - \dfrac{\pi(n+1)^2}{2}$$

$$= \left(\sqrt{3} - \dfrac{\pi}{2}\right)(n+1)^2 \qquad \cdots\cdots \text{ⓛ}$$

STEP 04 ㉠, ㉡에서 $f(n) - g(n)$을 구한 다음 $\displaystyle\lim_{n\to\infty}\dfrac{f(n)-g(n)}{n^2}$ 을 구하여 k를 구한다.

㉠, ㉡에서

$f(n) - g(n) = \left(\dfrac{\pi}{2} - \dfrac{2\sqrt{3}}{3}\right)(n+1)^2$ 이므로

$$\lim_{n\to\infty}\dfrac{f(n)-g(n)}{n^2} = \lim_{n\to\infty}\dfrac{\left(\dfrac{\pi}{2} - \dfrac{2\sqrt{3}}{3}\right)(n+1)^2}{n^2}$$

$$= \lim_{n\to\infty}\left(\dfrac{\pi}{2} - \dfrac{2\sqrt{3}}{3}\right)\left(1 + \dfrac{1}{n}\right)^2$$

$$= \dfrac{\pi}{2} - \dfrac{2\sqrt{3}}{3}$$

그러므로 $k = -\dfrac{2\sqrt{3}}{3}$

따라서 $60k^2 = 60 \times \left(-\dfrac{2\sqrt{3}}{3}\right)^2 = 80$

★★ 문제 해결 꿀~팁 ★★

▶ **문제 해결 방법**

가장 먼저 주어진 조건이 점 P_n이 $T_n : y = \dfrac{\sqrt{3}}{n+1}x^2 \ (x \geq 0)$ 위에 있고 $\overline{OP_n} = 2n+2$, 즉 원의 반지름의 길이도 $2n+2$이다. 여기서 점 P_n의 좌표를 구할 수 있다. 궁극적으로 $f(n)$, $g(n)$을 구해야 하는데 두 도형의 넓이만 따로 구하는 것이 수월하지가 않다. 그러므로 두 도형과 모두 이웃하고 있는 부분의 넓이 $h(n)$을 함께 고려해야 한다. $f(n) + h(n)$은 T_n을 적분하면 구할 수 있고 $g(n) + h(n)$은 사각형 $OH_nP_nR_n$의 넓이에서 부채꼴 $P_nR_nH_n$의 넓이를 빼면 된다.

한편 사각형 $OH_nP_nR_n$의 넓이는 직각삼각형 P_nOH_n의 넓이의 2배이고 점들의 좌표를 이용하면 필요한 선분들의 길이를 구할 수 있다. 두 도형의 넓이를 구하여 차를 구하면 극한값을 구하는 과정은 그다지 어렵지 않다.

$\overline{OP_n} = 2n+2$에서 점 P_n의 좌표를 구하고 풀이를 시작해야 하는데 혹시라도 이 부분을 놓치게 되면 풀이에 어려움이 있어 중간에라도 구해야 한다. 원하는 도형의 넓이만 단독으로 구하기 어려울 때는 이웃한 도형과 합한 도형을 넓이를 구하는 방법을 고려해 보아야 한다.

•**정답**•

공통 | 수학
01④ 02② 03③ 04③ 05④ 06⑤ 07② 08⑤ 09① 10⑤ 11① 12⑤ 13① 14② 15④
16 5   17 7   18 16   19 11   20 25   21 64   22 114

선택 | 확률과 통계
23④ 24② 25① 26⑤ 27③ 28② 29 75   30 40

선택 | 미적분
23① 24③ 25④ 26④ 27⑤ 28② 29 40   30 138

---

01 지수법칙 정답률 91% | 정답 ④

$4^{1-\sqrt{3}} \times 2^{1+2\sqrt{3}}$ 의 값은? [2점]

① 1   ② 2   ③ 4   ④ 8   ⑤ 16

| **문제 풀이** |

$4^{1-\sqrt{3}} \times 2^{1+2\sqrt{3}} = (2^2)^{1-\sqrt{3}} \times 2^{1+2\sqrt{3}}$

$= 2^{(2-2\sqrt{3})+(1+2\sqrt{3})}$

$= 2^3 = 8$

---

02 함수의 극한 정답률 77% | 정답 ②

$\displaystyle\lim_{x\to\infty}\left(\sqrt{x^2+4x} - x\right)$ 의 값은? [2점]

① 1   ② 2   ③ 3   ④ 4   ⑤ 5

| **문제 풀이** |

$\displaystyle\lim_{x\to\infty}\left(\sqrt{x^2+4x} - x\right) = \lim_{x\to\infty}\dfrac{4x}{\sqrt{x^2+4x}+x} = \lim_{x\to\infty}\dfrac{4x}{\sqrt{1+\dfrac{4}{x}}+1} = 2$

---

03 등차수열 정답률 87% | 정답 ③

첫째항이 1인 등차수열 $\{a_n\}$에 대하여 $a_5 - a_3 = 8$일 때, a_2의 값은? [3점]

① 3   ② 4   ③ 5   ④ 6   ⑤ 7

| **문제 풀이** |

등차수열 $\{a_n\}$의 공차를 d라 하자.

$a_5 - a_3 = (a_3 + 2d) - a_3 = 2d = 8$에서

$d = 4$

따라서 $a_2 = 1 + 4 = 5$

---

04 미분계수 정답률 77% | 정답 ③

다항함수 $f(x)$에 대하여 $\displaystyle\lim_{h\to0}\dfrac{f(1+2h)-4}{h} = 6$일 때, $f(1) + f'(1)$의 값은?

[3점]

① 5   ② 6   ③ 7   ④ 8   ⑤ 9

| **문제 풀이** |

$\displaystyle\lim_{h\to0}\dfrac{f(1+2h)-4}{h} = 6$이고 $\displaystyle\lim_{h\to0}h = 0$이므로

$\displaystyle\lim_{h\to0}\{f(1+2h)-4\} = 0$, $f(1) = 4$

$\displaystyle\lim_{h\to0}\dfrac{f(1+2h)-4}{h} = \lim_{h\to0}\dfrac{f(1+2h)-f(1)}{2h} \times 2 = f'(1) \times 2 = 6$

이므로 $f'(1) = 3$

따라서 $f(1) + f'(1) = 4 + 3 = 7$

---

05 삼각함수의 성질 정답률 72% | 정답 ④

$\sin(-\theta) + \cos\left(\dfrac{\pi}{2}+\theta\right) = \dfrac{8}{5}$ 이고 $\cos\theta < 0$일 때, $\tan\theta$의 값은? [3점]

① $-\dfrac{5}{3}$ ② $-\dfrac{4}{3}$ ③ 0   ④ $\dfrac{4}{3}$ ⑤ $\dfrac{5}{3}$

| 문제 풀이 |

$$\sin(-\theta)+\cos\left(\frac{\pi}{2}+\theta\right)=-\sin\theta+(-\sin\theta)=-2\sin\theta=\frac{8}{5}$$

에서 $\sin\theta=-\frac{4}{5}$ 이고 $\cos\theta<0$ 이므로

$$\cos\theta=-\sqrt{1-\left(-\frac{4}{5}\right)^2}=-\frac{3}{5}$$

따라서 $\tan\theta=\frac{4}{3}$

---

06 함수의 극대와 극소　　　　정답률 77% | 정답 ⑤

함수 $f(x)=x^3+ax^2+3a$ 가 $x=-2$ 에서 극대일 때, 함수 $f(x)$ 의 극솟값은?
(단, a는 상수이다.) [3점]

① 5　　② 6　　③ 7　　④ 8　　⑤ 9

| 문제 풀이 |

$f(x)=x^3+ax^2+3a$ 에서 $f'(x)=3x^2+2ax$
함수 $f(x)$ 가 $x=-2$ 에서 극대이므로
$f'(-2)=12-4a=0$, $a=3$
$f'(x)=3x^2+6x=3x(x+2)$
$f'(x)=0$ 에서 $x=-2$ 또는 $x=0$
함수 $f(x)$ 의 증가와 감소를 표로 나타내면

x	$\cdots$	-2	$\cdots$	0	$\cdots$
$f'(x)$	$+$	0	$-$	0	$+$
$f(x)$	$\nearrow$	극대	$\searrow$	극소	$\nearrow$

따라서 함수 $f(x)$ 의 극솟값은 $f(0)=3a=9$

---

07 부정적분　　　　정답률 55% | 정답 ②

다항함수 $f(x)$ 가 실수 전체의 집합에서 증가하고
$$f'(x)=\{3x-f(1)\}(x-1)$$
을 만족시킬 때, $f(2)$ 의 값은? [3점]

① 3　　② 4　　③ 5　　④ 6　　⑤ 7

| 문제 풀이 |

다항함수 $f(x)$ 가 실수 전체의 집합에서 증가하므로 모든 실수 x 에 대하여
$f'(x)\geq 0$ 이다.
그러므로
$f'(x)=\{3x-f(1)\}(x-1)=3(x-1)^2$ 에서 $f(1)=3$
$f(x)=\int(3x^2-6x+3)dx=x^3-3x^2+3x+C$ (C는 적분상수)
$f(1)=1+C=3$ 에서 $C=2$
따라서 $f(x)=x^3-3x^2+3x+2$ 이므로
$f(2)=4$

---

08 삼각함수의 그래프　　　　정답률 68% | 정답 ⑤

두 양수 a, b에 대하여 함수 $f(x)=a\cos bx$ 의 주기가 6π 이고 닫힌구간 $[\pi,4\pi]$ 에서 함수 $f(x)$ 의 최댓값이 1일 때, $a+b$의 값은? [3점]

① $\frac{5}{3}$　　② $\frac{11}{6}$　　③ 2　　④ $\frac{13}{6}$　　⑤ $\frac{7}{3}$

| 문제 풀이 |

함수 $f(x)=a\cos bx$ 의 주기는 $\frac{2\pi}{|b|}=6\pi$ 이므로

$b=\frac{1}{3}$, $f(x)=a\cos\frac{x}{3}$

함수 $y=f(x)$ 의 그래프는 그림과 같다.

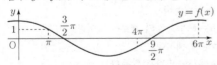

닫힌구간 $[\pi,4\pi]$ 에서 함수 $f(x)$ 의 최댓값은

$f(\pi)=a\cos\frac{\pi}{3}=\frac{a}{2}=1$ 이므로

$a=2$

따라서 $a+b=2+\frac{1}{3}=\frac{7}{3}$

---

09 등비수열　　　　정답률 51% | 정답 ①

수열 $\{a_n\}$ 의 첫째항부터 제n항까지의 합을 S_n이라 하자. 모든 자연수 n에 대하여
$$a_{n+1}=1-4\times S_n$$
이고 $a_4=4$일 때, $a_1\times a_6$의 값은? [4점]

① 5　　② 10　　③ 15　　④ 20　　⑤ 25

| 문제 풀이 |

$a_{n+1}=1-4\times S_n$에서 $S_n=\frac{1}{4}-\frac{1}{4}a_{n+1}$

$n=1$일 때, $a_1=S_1=\frac{1}{4}-\frac{1}{4}a_2$ $\cdots\cdots$ ㉠

$n\geq 2$일 때, $a_n=S_n-S_{n-1}$

$$=\left(\frac{1}{4}-\frac{1}{4}a_{n+1}\right)-\left(\frac{1}{4}-\frac{1}{4}a_n\right)$$

$$=-\frac{1}{4}a_{n+1}+\frac{1}{4}a_n$$

이므로 $a_{n+1}=-3a_n$ ($n\geq 2$)
즉, 수열 $\{a_{n+1}\}$ 은 첫째항이 a_2이고 공비가 -3인 등비수열이다.

$a_4=a_2\times(-3)^2=4$에서 $a_2=\frac{4}{9}$ $\cdots\cdots$ ㉡

$a_6=a_4\times(-3)^2=4\times 9=36$

㉠, ㉡에서 $a_1=\frac{5}{36}$

따라서

$$a_1\times a_6=\frac{5}{36}\times 36=5$$

---

10 정적분　　　　정답률 39% | 정답 ⑤

실수 m 에 대하여 수직선 위를 움직이는 두 점 P, Q의 시각 $t(t\geq 0)$ 에서의 속도를 각각
$$v_1(t)=3t^2+1, \quad v_2(t)=mt-4$$
라 하자. 시각 $t=0$에서 $t=2$까지 두 점 P, Q가 움직인 거리가 같도록 하는 모든 m의 값의 합은? [4점]

① 3　　② 4　　③ 5　　④ 6　　⑤ 7

| 문제 풀이 |

시각 $t=0$에서 $t=2$까지 점 P가 움직인 거리는
$$\int_0^2|v_1(t)|dt=\int_0^2|3t^2+1|dt=\left[t^3+t\right]_0^2=10$$
시각 $t=0$에서 $t=2$까지 점 Q가 움직인 거리는
$$\int_0^2|v_2(t)|dt=\int_0^2|mt-4|dt$$

(i) $m\leq 2$일 때
$$\int_0^2|mt-4|dt=\int_0^2(-mt+4)dt=\left[-\frac{1}{2}mt^2+4t\right]_0^2$$
$$=-2m+8$$
이므로
$-2m+8=10$, $m=-1$

(ii) $m>2$일 때
$$\int_0^2|mt-4|dt=\int_0^{\frac{4}{m}}|mt-4|dt+\int_{\frac{4}{m}}^2|mt-4|dt$$
$$=\int_0^{\frac{4}{m}}(-mt+4)dt+\int_{\frac{4}{m}}^2(mt-4)dt$$
$$=\left[-\frac{1}{2}mt^2+4t\right]_0^{\frac{4}{m}}+\left[\frac{1}{2}mt^2-4t\right]_{\frac{4}{m}}^2$$
$$=2m-8+\frac{16}{m}$$
이므로
$2m-8+\frac{16}{m}=10$
$m^2-9m+8=(m-1)(m-8)=0$
$m>2$이므로 $m=8$

(i), (ii)에 의하여 구하는 모든 m의 값의 합은
$-1+8=7$

공차가 정수인 두 등차수열 $\{a_n\}$, $\{b_n\}$과 자연수 $m(m \geq 3)$이 다음 조건을 만족시킨다.

> (가) $|a_1 - b_1| = 5$
> (나) $a_m = b_m$, $a_{m+1} < b_{m+1}$

$\sum_{k=1}^{m} a_k = 9$일 때, $\sum_{k=1}^{m} b_k$의 값은? [4점]

① -6 ② -5 ③ -4 ④ -3 ⑤ -2

| 문제 풀이 |

두 등차수열 $\{a_n\}$, $\{b_n\}$의 공차를 각각 d, d'이라 하자.

조건 (나)에 의하여

$a_{m+1} - b_{m+1} = (a_m + d) - (b_m + d') = d - d' < 0$

$a_m - b_m = \{a_1 + (m-1)d\} - \{b_1 + (m-1)d'\}$
$\qquad\qquad = (a_1 - b_1) + (m-1)(d - d') = 0$

에서 $a_1 - b_1 = (m-1)(d' - d)$이고,

$m - 1 > 0$, $d' - d > 0$이므로

$a_1 - b_1 > 0$

그러므로 조건 (가)에서 $a_1 - b_1 = 5$

$(m-1)(d' - d) = 5$

$m - 1$, $d' - d$가 모두 자연수이고 $m \geq 3$이므로

$m = 6$

따라서

$\sum_{k=1}^{m} b_k = \sum_{k=1}^{6} b_k = \dfrac{6 \times (b_1 + b_6)}{2} = \dfrac{6\{(a_1 - 5) + a_6\}}{2}$

$\qquad = \dfrac{6(a_1 + a_6)}{2} - 15 = \sum_{k=1}^{6} a_k - 15$

$\qquad = 9 - 15 = -6$

최고차항의 계수가 1인 사차함수 $f(x)$에 대하여 곡선 $y = f(x)$와 직선 $y = \dfrac{1}{2}x$가 원점 O에서 접하고 x좌표가 양수인 두 점 A, B$(\overline{OA} < \overline{OB})$에서 만난다. 곡선 $y = f(x)$와 선분 OA로 둘러싸인 영역의 넓이를 S_1, 곡선 $y = f(x)$와 선분 AB로 둘러싸인 영역의 넓이를 S_2라 하자. $\overline{AB} = \sqrt{5}$이고 $S_1 = S_2$일 때, $f(1)$의 값은? [4점]

① $\dfrac{9}{2}$ ② $\dfrac{11}{2}$ ③ $\dfrac{13}{2}$ ④ $\dfrac{15}{2}$ ⑤ $\dfrac{17}{2}$

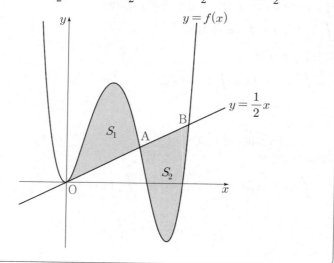

| 문제 풀이 |

두 점 A, B의 좌표를 각각 $\left(a, \dfrac{a}{2}\right)$, $\left(b, \dfrac{b}{2}\right)$ $(0 < a < b)$라 하자.

곡선 $y = f(x)$와 직선 $y = \dfrac{1}{2}x$가 원점 O에서 접하고 두 점 A, B에서 만나므로

$f(x) - \dfrac{1}{2}x = x^2(x - a)(x - b) = x^4 - (a+b)x^3 + abx^2$

$S_1 - S_2 = \int_0^a \left| f(x) - \dfrac{1}{2}x \right| dx - \int_a^b \left| f(x) - \dfrac{1}{2}x \right| dx$

$\qquad = \int_0^a \left\{ f(x) - \dfrac{1}{2}x \right\} dx + \int_a^b \left\{ f(x) - \dfrac{1}{2}x \right\} dx$

$\qquad = \int_0^b \left\{ f(x) - \dfrac{1}{2}x \right\} dx$

$\qquad = \int_0^b \left\{ x^4 - (a+b)x^3 + abx^2 \right\} dx$

$\qquad = \left[\dfrac{1}{5}x^5 - \dfrac{a+b}{4}x^4 + \dfrac{ab}{3}x^3 \right]_0^b$

$\qquad = -\dfrac{b^5}{20} + \dfrac{ab^4}{12}$

$\qquad = 0$

에서 $5a - 3b = 0$이고,

$\overline{AB} = \sqrt{(b-a)^2 + \left(\dfrac{b}{2} - \dfrac{a}{2}\right)^2} = \dfrac{\sqrt{5}}{2}(b-a) = \sqrt{5}$

에서 $b - a = 2$이므로 두 식을 연립하여 계산하면

$a = 3$, $b = 5$

그러므로 $f(x) = x^4 - 8x^3 + 15x^2 + \dfrac{1}{2}x$

따라서 $f(1) = \dfrac{17}{2}$

두 상수 a, $b(b > 0)$에 대하여 함수 $f(x)$를

$f(x) = \begin{cases} 2^{x+3} + b & (x \leq a) \\ 2^{-x+5} + 3b & (x > a) \end{cases}$

라 하자. 다음 조건을 만족시키는 실수 k의 최댓값이 $4b + 8$일 때, $a + b$의 값은? (단, $k > b$) [4점]

> $b < t < k$인 모든 실수 t에 대하여 함수 $y = f(x)$의 그래프와 직선 $y = t$의 교점의 개수는 1이다.

① 9   ② 10   ③ 11   ④ 12   ⑤ 13

| 문제 풀이 |

두 함수 $f_1(x)$, $f_2(x)$를 $f_1(x) = 2^{x+3} + b$, $f_2(x) = 2^{-x+5} + 3b$라 하자.

함수 $y = f_1(x)$는 x의 값이 증가하면 y의 값도 증가하고,

함수 $y = f_2(x)$는 x의 값이 증가하면 y의 값은 감소한다.

또한 두 함수 $y = f_1(x)$, $y = f_2(x)$의 그래프의 점근선이 각각 $y = b$, $y = 3b$이므로

$\{f_1(x) | x \leq a\} = \{y | b < y \leq 2^{a+3} + b\}$,

$\{f_2(x) | x > a\} = \{y | 3b < y \leq 2^{-a+5} + 3b\}$

$2^{a+3} + b$와 $3b$, $2^{-a+5} + 3b$의 대소 관계에 따라 함수 $y = f(x)$의 그래프는 그림과 같다.

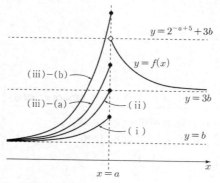

(i) $2^{a+3} + b < 3b$일 때

$2^{a+3} + b < t < 3b$인 모든 실수 t에 대하여 함수 $y = f(x)$의 그래프와 직선 $y = t$는 만나지 않으므로 조건을 만족시키는 실수 k의 최댓값은 $4b + 8$이 아니다.

(ii) $2^{a+3} + b = 3b$일 때

$b < t < 2^{-a+5} + 3b$인 모든 실수 t에 대하여 함수 $y = f(x)$의 그래프와 직선 $y = t$의 교점의 개수는 1이다.

또한 $t \geq 2^{-a+5} + 3b$인 모든 실수 t에 대하여 함수 $y = f(x)$의 그래프와 직선 $y = t$는 만나지 않는다.

(iii) $2^{a+3} + b > 3b$일 때

(a) $2^{a+3} + b \leq 2^{-a+5} + 3b$일 때

$3b < t < 2^{a+3} + b$인 모든 실수 t에 대하여 함수 $y = f(x)$의 그래프와 직선 $y = t$의 교점의 개수는 2이므로 조건을 만족시키는 실수 k의 최댓값은 $4b + 8$이 아니다.

(b) $2^{a+3}+b>2^{-a+5}+3b$일 때

$3b<t<2^{-a+5}+3b$인 모든 실수 t에 대하여

함수 $y=f(x)$의 그래프와 직선 $y=t$의 교점의 개수는 2이므로

조건을 만족시키는 실수 k의 최댓값은 $4b+8$이 아니다.

조건을 만족시키는 실수 k의 최댓값은 $4b+8$이므로

(ⅰ), (ⅱ), (ⅲ)에 의하여

$2^{a+3}+b=3b$, $2^{-a+5}+3b=4b+8$이다.

두 식을 연립하여 계산하면

$2^a-2^{-a+3}+2=0$

$(2^a)^2+2\times 2^a-8=0$

$(2^a+4)(2^a-2)=0$

$2^a>0$이므로 $2^a=2$, $a=1$이고

$b=8$

따라서 $a+b=9$

---

14 도함수   정답률 26% | 정답 ②

최고차항의 계수가 1인 삼차함수 $f(x)$와 실수 t에 대하여 곡선 $y=f(x)$ 위의 점 $(t,\,f(t))$에서의 접선의 y절편을 $g(t)$라 하자. 두 함수 $f(x)$, $g(t)$가 다음 조건을 만족시킨다.

> $|f(k)|+|g(k)|=0$을 만족시키는 실수 k의 개수는 2이다.

$4f(1)+2g(1)=-1$일 때, $f(4)$의 값은? [4점]

① 46   ② 49   ③ 52   ④ 55   ⑤ 58

| 문제 풀이 |

$|f(k)|+|g(k)|=0$이려면 $f(k)=g(k)=0$이어야 한다.

$f(k)=0$을 만족시키는 실수 k에 대하여

(ⅰ) $k=0$인 경우

곡선 $y=f(x)$ 위의 점 $(0,\,0)$에서의 접선의 y절편 $g(k)$의 값은 0이다.

(ⅱ) $k\neq 0$인 경우

곡선 $y=f(x)$ 위의 점 $(k,\,0)$에서의 접선의 y절편 $g(k)$의 값이 0이려면 $f'(k)=0$이어야 한다.

$|f(k)|+|g(k)|=0$을 만족시키는 실수 k의 개수가 2이므로

(ⅰ), (ⅱ)에 의하여 함수 $y=f(x)$의 그래프의 개형은 그림과 같다.

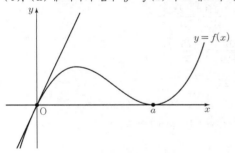

$f(x)=x(x-a)^2=x^3-2ax^2+a^2x\ (a\neq 0)$

$f'(x)=3x^2-4ax+a^2$

곡선 $y=f(x)$ 위의 점 $(t,\,f(t))$에서의 접선의 방정식은

$y-(t^3-2at^2+a^2t)=(3t^2-4at+a^2)(x-t)$

이 직선의 y절편이 $-2t^3+2at^2$이므로

$g(t)=-2t^3+2at^2$

$4f(1)+2g(1)=-1$에서

$4(1-2a+a^2)+2(-2+2a)=-1$

$4a^2-4a+1=(2a-1)^2=0$, $a=\dfrac{1}{2}$

따라서 $f(4)=4\times\left(4-\dfrac{1}{2}\right)^2=49$

---

15 수열의 귀납적 정의   정답률 45% | 정답 ④

첫째항이 자연수인 수열 $\{a_n\}$이 모든 자연수 n에 대하여

$$a_{n+1}=\begin{cases}\dfrac{a_n}{3} & (a_n\text{이 }3\text{의 배수인 경우})\\[2mm]\dfrac{a_n^2+5}{3} & (a_n\text{이 }3\text{의 배수가 아닌 경우})\end{cases}$$

를 만족시킬 때, $a_4+a_5=5$가 되도록 하는 모든 a_1의 값의 합은? [4점]

① 63   ② 66   ③ 69   ④ 72   ⑤ 75

| 문제 풀이 |

a_n이 자연수라 하자. 자연수 k에 대하여

$a_n=3k-2$이면

$$a_{n+1}=\dfrac{(3k-2)^2+5}{3}=\dfrac{9k^2-12k+9}{3}=3k^2-4k+3,$$

$a_n=3k-1$이면

$$a_{n+1}=\dfrac{(3k-1)^2+5}{3}=\dfrac{9k^2-6k+6}{3}=3k^2-2k+2,$$

$a_n=3k$이면 $a_{n+1}=\dfrac{3k}{3}=k$

이므로 a_n이 자연수이면 a_{n+1}도 자연수이다.

a_1이 자연수이므로 모든 자연수 n에 대하여 a_n은 자연수이다. …… ㉠

a_4가 3의 배수이면 $a_5=\dfrac{a_4}{3}$이므로

$a_4+a_5=5$에서 $a_4+\dfrac{a_4}{3}=5$, $a_4=\dfrac{15}{4}$가 되어 ㉠을 만족시키지 않는다.

그러므로 a_4는 3의 배수가 아니다.

$a_5=\dfrac{a_4^2+5}{3}$이므로 $a_4+a_5=5$에서

$a_4+\dfrac{a_4^2+5}{3}=5$

$a_4^2+3a_4-10=(a_4+5)(a_4-2)=0$

㉠에 의하여 $a_4=2$

(ⅰ) a_3이 3의 배수인 경우

$a_4=\dfrac{a_3}{3}=2$이므로 $a_3=6$

a_2의 값을 구하면

(a) a_2가 3의 배수인 경우

$a_3=\dfrac{a_2}{3}=6$이므로 $a_2=18$

(b) a_2가 3의 배수가 아닌 경우

$a_3=\dfrac{a_2^2+5}{3}=6$이므로 $a_2^2=13$이 되어 ㉠을 만족시키지 않는다.

그러므로 $a_2=18$

a_1의 값을 구하면

(a) a_1이 3의 배수인 경우

$a_2=\dfrac{a_1}{3}=18$이므로 $a_1=54$

(b) a_1이 3의 배수가 아닌 경우

$a_2=\dfrac{a_1^2+5}{3}=18$이므로 $a_1^2=49$

㉠에 의하여 $a_1=7$

(ⅱ) a_3이 3의 배수가 아닌 경우

$a_4=\dfrac{a_3^2+5}{3}=2$이므로 $a_3^2=1$

㉠에 의하여 $a_3=1$

a_2의 값을 구하면

(a) a_2가 3의 배수인 경우

$a_3=\dfrac{a_2}{3}=1$이므로 $a_2=3$

(b) a_2가 3의 배수가 아닌 경우

$a_3=\dfrac{a_2^2+5}{3}=1$이므로 $a_2^2=-2$가 되어

㉠을 만족시키지 않는다.

그러므로 $a_2=3$

a_1의 값을 구하면

(a) a_1이 3의 배수인 경우

$a_2=\dfrac{a_1}{3}=3$이므로 $a_2=9$

(b) a_1이 3의 배수가 아닌 경우

$a_2=\dfrac{a_1^2+5}{3}=3$이므로 $a_1^2=4$

㉠에 의하여 $a_1=2$

(ⅰ), (ⅱ)에 의하여 모든 a_1의 값의 합은

$54+7+9+2=72$

16 로그함수의 성질 정답률 78% | 정답 5

방정식

$$\log_2(x-3)=1-\log_2(x-4)$$

를 만족시키는 실수 x의 값을 구하시오. [3점]

| 문제 풀이 |

$x-3$, $x-4$는 로그의 진수이므로

$x-3>0$, $x-4>0$에서 $x>4$

방정식 $\log_2(x-3)+\log_2(x-4)=1$ 에서

$\log_2(x-3)(x-4)=1$

$(x-3)(x-4)=2$

$x^2-7x+10=(x-2)(x-5)=0$

$x>4$이므로 $x=5$

---

17 곱의 미분법 정답률 82% | 정답 7

함수 $f(x)=(x-1)(x^3+x^2+5)$ 에 대하여 $f'(1)$의 값을 구하시오. [3점]

| 문제 풀이 |

$f'(x)=1\times(x^3+x^2+5)+(x-1)(3x^2+2x)$ 이므로

$f'(1)=7$

---

18 정적분 정답률 40% | 정답 16

최고차항의 계수가 3인 이차함수 $f(x)$가 모든 실수 x에 대하여

$$\int_0^x f(t)dt=2x^3+\int_0^{-x} f(t)dt$$

를 만족시킨다. $f(1)=5$일 때, $f(2)$의 값을 구하시오. [3점]

| 문제 풀이 |

$f(x)=3x^2+ax+b$라 하자.

$\int_0^x f(t)dt=2x^3+\int_0^{-x} f(t)dt$에서

$2x^3=-\int_0^{-x} f(t)dt+\int_0^x f(t)dt=\int_{-x}^0 f(t)dt+\int_0^x f(t)dt$

$=\int_{-x}^x f(t)dt=\left[t^3+\dfrac{a}{2}t^2+bt\right]_{-x}^x$

$=2x^3+2bx$

모든 실수 x에 대하여 $2x^3=2x^3+2bx$이므로 $b=0$이고,

$f(1)=3+a+b=5$에서 $a=2$

따라서 $f(2)=12+2a+b=16$

---

19 거듭제곱근의 정의 정답률 23% | 정답 11

집합 $U=\{x|-5\le x\le 5,\ x는 정수\}$의 공집합이 아닌 부분집합 X에 대하여 두 집합 A, B를

$A=\{a|a는 x의 실수인 네제곱근,\ x\in X\}$,

$B=\{b|b는 x의 실수인 세제곱근,\ x\in X\}$

라 하자. $n(A)=9$, $n(B)=7$이 되도록 하는 집합 X의 모든 원소의 합의 최댓값을 구하시오. [3점]

| 문제 풀이 |

집합 X의 원소 중 양수의 개수를 p, 음수의 개수를 q라 하자.

$0\notin X$이면 $n(A)=2p$이므로 $n(A)=9$를 만족시키지 않는다.

그러므로 $0\in X$

$n(A)=2p+1=9$에서 $p=4$

$n(B)=p+q+1=7$에서 $q=2$

따라서 집합 X의 모든 원소의 합은

$X=\{-2,\ -1,\ 0,\ 2,\ 3,\ 4,\ 5\}$일 때 최대이고 그 값은

$-2+(-1)+0+2+3+4+5=11$

---

20 함수의 극한 정답률 12% | 정답 25

두 다항함수 $f(x)$, $g(x)$가 모든 실수 x에 대하여

$$xf(x)=\left(-\frac{1}{2}x+3\right)g(x)-x^3+2x^2$$

을 만족시킨다. 상수 $k(k\ne 0)$에 대하여

$$\lim_{x\to 2}\frac{g(x-1)}{f(x)-g(x)}\times\lim_{x\to\infty}\frac{\{f(x)\}^2}{g(x)}=k$$

일 때, k의 값을 구하시오. [4점]

| 문제 풀이 |

$xf(x)=\left(-\dfrac{1}{2}x+3\right)g(x)-x^3+2x^2$ $\cdots\cdots$ ㉠

㉠에 $x=0$을 대입하면 $g(0)=0$

㉠에 $x=2$를 대입하면 $f(2)=g(2)$

$\lim\limits_{x\to 2}\dfrac{g(x-1)}{f(x)-g(x)}$ 의 값이 0이 아닌 실수이고

$\lim\limits_{x\to 2}\{f(x)-g(x)\}=f(2)-g(2)=0$이므로

$\lim\limits_{x\to 2}g(x-1)=g(1)=0$

$g(0)=g(1)=0$이므로

함수 $g(x)$는 상수함수이거나 차수가 2 이상이다.

함수 $g(x)$가 상수함수이면 $g(x)=0$이므로

$\lim\limits_{x\to\infty}\dfrac{\{f(x)\}^2}{g(x)}$ 의 값이 존재하지 않는다.

그러므로 함수 $g(x)$의 차수는 2 이상이다.

또한 $\lim\limits_{x\to\infty}\dfrac{\{f(x)\}^2}{g(x)}$ 의 값이 0이 아닌 실수이므로

함수 $\{f(x)\}^2$의 차수는 함수 $g(x)$의 차수와 같다.

두 함수 $f(x)$, $g(x)$의 차수를 각각 n, $2n$이라 하자.

(ⅰ) $n=1$일 때

함수 $g(x)$의 차수가 2이고 $g(0)=g(1)=0$이므로

$g(x)=ax(x-1)$ $(a\ne 0)$

㉠에서 양변의 x^3의 계수가 같아야 하므로

$0=-\dfrac{1}{2}\times a-1$, $a=-2$이고 $g(x)=-2x^2+2x$

또한 ㉠에서

$xf(x)=\left(-\dfrac{1}{2}x+3\right)\times(-2x^2+2x)-x^3+2x^2=-5x^2+6x$

이므로

$f(x)=-5x+6$

$\lim\limits_{x\to 2}\dfrac{g(x-1)}{f(x)-g(x)}=\lim\limits_{x\to 2}\dfrac{-2(x-1)(x-2)}{(2x-3)(x-2)}=-2$

$\lim\limits_{x\to\infty}\dfrac{\{f(x)\}^2}{g(x)}=\lim\limits_{x\to\infty}\dfrac{(-5x+6)^2}{-2x^2+2x}=-\dfrac{25}{2}$

그러므로 $k=-2\times\left(-\dfrac{25}{2}\right)=25$

(ⅱ) $n\ge 2$일 때

㉠의 좌변과 우변의 차수가 각각 $n+1$, $2n+1$이고

$n+1\ne 2n+1$이므로

㉠이 성립하지 않는다.

(ⅰ), (ⅱ)에 의하여 구하는 k의 값은 25

---

21 사인법칙과 코사인법칙 정답률 3% | 정답 64

그림과 같이 중심이 O, 반지름의 길이가 6이고 중심각의 크기가 $\dfrac{\pi}{2}$인 부채꼴 OAB가 있다. 호 AB 위에 점 C를 $\overline{AC}=4\sqrt{2}$ 가 되도록 잡는다. 호 AC 위의 한 점 D에 대하여 점 D를 지나고 선분 OA에 평행한 직선과 점 C를 지나고 선분 AC에 수직인 직선이 만나는 점을 E라 하자. 삼각형 CED의 외접원의 반지름의 길이가 $3\sqrt{2}$ 일 때, $\overline{AD}=p+q\sqrt{7}$ 을 만족시키는 두 유리수 p, q에 대하여 $9\times|p\times q|$ 의 값을 구하시오.
(단, 점 D는 점 A도 아니고 점 C도 아니다.) [4점]

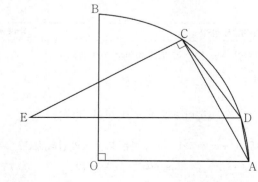

| 문제 풀이 |

중심이 O이고 반지름의 길이가 6인 원을 C라 하고,
원 C와 직선 OA가 만나는 점 중 A가 아닌 점을 F라 하자.

선분 FA는 원 C의 지름이므로 $\angle \text{FCA} = \dfrac{\pi}{2}$ 이다.

또한 $\angle \text{ECA} = \dfrac{\pi}{2}$ 이므로 세 점 C, E, F는 한 직선 위에 있다.

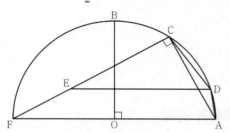

직선 ED가 직선 OA에 평행하므로

$$\sin(\angle \text{DEC}) = \sin(\angle \text{AFC}) = \frac{\overline{\text{AC}}}{\overline{\text{AF}}} = \frac{\sqrt{2}}{3}$$

삼각형 CED에서 사인법칙에 의하여

$$\frac{\overline{\text{CD}}}{\sin(\angle \text{DEC})} = 2 \times 3\sqrt{2} = 6\sqrt{2}, \quad \overline{\text{CD}} = 4$$

사각형 ADCF가 원 C에 내접하므로

$$\cos(\angle \text{CDA}) = \cos(\pi - \angle \text{AFC})$$
$$= -\cos(\angle \text{AFC})$$
$$= -\sqrt{1 - \left(\frac{\sqrt{2}}{3}\right)^2}$$
$$= -\frac{\sqrt{7}}{3}$$

삼각형 ADC에서 코사인법칙에 의하여

$$(4\sqrt{2})^2 = 4^2 + \overline{\text{AD}}^2 - 2 \times 4 \times \overline{\text{AD}} \times \left(-\frac{\sqrt{7}}{3}\right)$$
$$3 \times \overline{\text{AD}}^2 + 8\sqrt{7} \times \overline{\text{AD}} - 48 = 0$$

$\overline{\text{AD}} > 0$ 이므로 $\overline{\text{AD}} = \dfrac{16}{3} - \dfrac{4}{3}\sqrt{7}$

따라서 $p = \dfrac{16}{3}$, $q = -\dfrac{4}{3}$ 이므로

$9 \times |p \times q| = 64$

---

22 함수의 연속   정답률 1% | 정답 114

최고차항의 계수가 4이고 서로 다른 세 극값을 갖는 사차함수 $f(x)$와
두 함수 $g(x)$,

$$h(x) = \begin{cases} 4x + 2 & (x < a) \\ -2x - 3 & (x \geq a) \end{cases}$$

가 있다. 세 함수 $f(x)$, $g(x)$, $h(x)$가 다음 조건을 만족시킨다.

(가) 모든 실수 x에 대하여
$$|g(x)| = f(x), \quad \lim_{t \to 0+} \frac{g(x+t) - g(x)}{t} = |f'(x)|$$
이다.
(나) 함수 $g(x)h(x)$는 실수 전체의 집합에서 연속이다.

$g(0) = \dfrac{40}{3}$ 일 때, $g(1) \times h(3)$의 값을 구하시오. (단, a는 상수이다.) [4점]

| 문제 풀이 |

함수 $f(x)$가 극대 또는 극소가 되는 x의 값을 α_1, α_2, α_3 $(\alpha_1 < \alpha_2 < \alpha_3)$ 이라 하자.

함수 $f(x)$의 증가와 감소를 표로 나타내면

x	$\cdots$	α_1	$\cdots$	α_2	$\cdots$	α_3	$\cdots$
$f'(x)$	$-$	0	$+$	0	$-$	0	$+$
$f(x)$	$\searrow$	극소	$\nearrow$	극대	$\searrow$	극소	$\nearrow$

조건 (가)에서 모든 실수 x에 대하여 $|g(x)| = f(x)$ 이므로
모든 실수 x에 대하여 $f(x) \geq 0$ 이고,
임의의 실수 k에 대하여 $g(k) = f(k)$ 또는 $g(k) = -f(k)$ 이다.

또한 $\displaystyle\lim_{t \to 0+} \frac{g(k+t) - g(k)}{t} = |f'(k)|$ 이고 $\displaystyle\lim_{t \to 0+} t = 0$ 이므로

$\displaystyle\lim_{t \to 0+} \{g(k+t) - g(k)\} = 0$, $g(k) = \lim_{t \to 0+} g(k+t)$ $\cdots\cdots$ ㉠

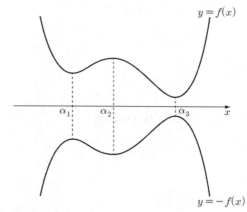

실수 k에 대하여

(i) $k < \alpha_1$ 또는 $\alpha_2 \leq k < \alpha_3$ 일 때

  (a) $k < \alpha_1$ 또는 $\alpha_2 < k < \alpha_3$ 일 때

    $g(k) = f(k)$ 이면 ㉠에 의하여

$$\lim_{t \to 0+} \frac{g(k+t) - g(k)}{t} = f'(k) < 0$$ 이므로

$$\lim_{t \to 0+} \frac{g(k+t) - g(k)}{t} = |f'(k)|$$ 를 만족시키지 않는다.

    그러므로 $g(k) = -f(k)$

  (b) $k < \alpha_2$ 일 때

    (a)와 ㉠에 의하여
$$g(\alpha_2) = \lim_{t \to 0+} g(\alpha_2 + t) = -f(\alpha_2)$$

(ii) $\alpha_1 \leq k < \alpha_2$ 또는 $k \geq \alpha_3$ 일 때

  (a) $\alpha_1 < k < \alpha_2$ 또는 $k > \alpha_3$ 일 때

    $g(k) = -f(k)$ 이면 ㉠에 의하여

$$\lim_{t \to 0+} \frac{g(k+t) - g(k)}{t} = -f'(k) < 0$$ 이므로

$$\lim_{t \to 0+} \frac{g(k+t) - g(k)}{t} = |f'(k)|$$ 를 만족시키지 않는다.

    그러므로 $g(k) = f(k)$

  (b) $k = \alpha_1$ 또는 $k = \alpha_3$ 일 때

    $g(k) = -f(k)$ 이면 ㉠에 의하여
$$g(\alpha_1) = \lim_{t \to 0+} g(\alpha_1 + t) = f(\alpha_1),$$
$$g(\alpha_3) = \lim_{t \to 0+} g(\alpha_3 + t) = f(\alpha_3)$$

그러므로

$$g(x) = \begin{cases} -f(x) & (x < \alpha_1 \text{ 또는 } \alpha_2 \leq x < \alpha_3) \\ f(x) & (\alpha_1 \leq x < \alpha_2 \text{ 또는 } x \geq \alpha_3) \end{cases}$$

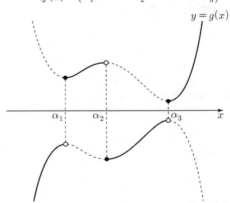

함수 $g(x)$가 $x = k$에서 불연속이면
$f'(k) = 0$ 이고 $f(k) \neq 0$ 이다.
함수 $f(x)$의 최솟값은 $f(\alpha_1)$ 또는 $f(\alpha_3)$ 이고
$f(\alpha_1) \neq f(\alpha_3)$ 이므로
함수 $g(x)$가 $x = k$에서 불연속인 실수 k의 개수는 $f(\alpha_1) > 0$ 이고
$f(\alpha_3) > 0$ 이면 3, $f(\alpha_1) = 0$ 또는 $f(\alpha_3) = 0$ 이면 2 이다.
함수 $g(x)$가 $x = k$에서 불연속이라 하자.
조건 (나)에 의하여 함수 $g(x)h(x)$는 $x = k$에서 연속이므로
$$g(k)h(k) = \lim_{x \to k+} g(x)h(x) = \lim_{x \to k-} g(x)h(x)$$

그러므로
$$h(k) = \lim_{x \to k+} h(x) = \lim_{x \to k-} h(x) = 0 \cdots\cdots ㉡$$
또는
$$h(k) \neq 0 \text{ 이고 } h(k) = \lim_{x \to k+} h(x) = -\lim_{x \to k-} h(x) \cdots\cdots ㉢$$

©을 만족시키는 실수 k의 값은

$a \leq -\dfrac{3}{2}$ 이면 $-\dfrac{3}{2}$ 이고

$-\dfrac{3}{2} < a \leq -\dfrac{1}{2}$ 이면 존재하지 않으며

$a > -\dfrac{1}{2}$ 이면 $-\dfrac{1}{2}$ 이다.

실수 k가 ©을 만족시키면 함수 $h(x)$는 $x=k$에서 불연속이므로

$k=a$ 이고

$4k+2 = -(-2k-3)$ 에서

$k=a=\dfrac{1}{2}$

그러므로 © 또는 ©을 만족시키는 실수 k의 개수는

실수 a의 값에 따라서 최대 2 이다.

그러므로 $a=\dfrac{1}{2}$ 이고 $f(\alpha_1)=0$ 또는 $f(\alpha_3)=0$ 이며

함수 $g(x)$는 $x=-\dfrac{1}{2}$, $x=\dfrac{1}{2}$ 에서만 불연속이다.

(i) $f(\alpha_1)=0$ 일 때

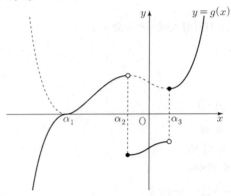

함수 $g(x)$가 $x=\alpha_2$, $x=\alpha_3$에서 불연속이므로

$\alpha_2 = -\dfrac{1}{2}$, $\alpha_3 = \dfrac{1}{2}$

$g(0) < 0$ 이므로 $g(0) = \dfrac{40}{3}$ 을 만족시키지 않는다.

(ii) $f(\alpha_3)=0$ 일 때

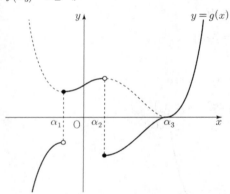

함수 $g(x)$가 $x=\alpha_1$, $x=\alpha_2$에서 불연속이므로

$\alpha_1 = -\dfrac{1}{2}$, $\alpha_2 = \dfrac{1}{2}$

$f'(x) = 16\left(x+\dfrac{1}{2}\right)\left(x-\dfrac{1}{2}\right)(x-\alpha_3)$

$\quad = 16x^3 - 16\alpha_3 x^2 - 4x + 4\alpha_3$ 에서

$f(x) = \displaystyle\int \left(16x^3 - 16\alpha_3 x^2 - 4x + 4\alpha_3\right)dx$

$\quad = 4x^4 - \dfrac{16}{3}\alpha_3 x^3 - 2x^2 + 4\alpha_3 x + C$ (C는 적분상수)

$f(0) = g(0) = \dfrac{40}{3}$ 이므로

$C = \dfrac{40}{3}$

$f(\alpha_3) = -\dfrac{4}{3}\alpha_3{}^4 + 2\alpha_3{}^2 + \dfrac{40}{3} = 0$

$2\alpha_3{}^4 - 3\alpha_3{}^2 - 20 = 0$

$(\alpha_3 + 2)(\alpha_3 - 2)(2\alpha_3{}^2 + 5) = 0$

$\alpha_3 > \dfrac{1}{2}$ 이므로 $\alpha_3 = 2$

그러므로

$f(x) = 4x^4 - \dfrac{32}{3}x^3 - 2x^2 + 8x + \dfrac{40}{3}$,

$g(x) = \begin{cases} -f(x) & \left(x < -\dfrac{1}{2} \text{ 또는 } \dfrac{1}{2} \leq x < 2\right) \\ f(x) & \left(-\dfrac{1}{2} \leq x < \dfrac{1}{2} \text{ 또는 } x \geq 2\right) \end{cases}$,

$h(x) = \begin{cases} 4x+2 & \left(x < \dfrac{1}{2}\right) \\ -2x-3 & \left(x \geq \dfrac{1}{2}\right) \end{cases}$

따라서 $g(1) \times h(3) = \left(-\dfrac{38}{3}\right) \times (-9) = 114$

확률과 통계

23 확률의 덧셈정리　　　　　　정답률 79% | 정답 ④

두 사건 A, B에 대하여

$$P(A \cup B) = \dfrac{2}{3}, \quad P(A) + P(B) = 4 \times P(A \cap B)$$

일 때, $P(A \cap B)$의 값은? [2점]

① $\dfrac{5}{9}$　　② $\dfrac{4}{9}$　　③ $\dfrac{1}{3}$　　④ $\dfrac{2}{9}$　　⑤ $\dfrac{1}{9}$

| 문제 풀이 |

$P(A \cup B) = P(A) + P(B) - P(A \cap B)$

$\quad\quad\quad\quad = 4 \times P(A \cap B) - P(A \cap B)$

$\quad\quad\quad\quad = 3 \times P(A \cap B)$

$\dfrac{2}{3} = 3 \times P(A \cap B)$ 에서 $P(A \cap B) = \dfrac{2}{9}$

24 이항정리　　　　　　정답률 73% | 정답 ②

다항식 $(ax^2+1)^6$의 전개식에서 x^4의 계수가 30일 때, 양수 a의 값은? [3점]

① 1　　② $\sqrt{2}$　　③ $\sqrt{3}$　　④ 2　　⑤ $\sqrt{5}$

| 문제 풀이 |

다항식 $(ax^2+1)^6$의 전개식에서 일반항은 ${}_6C_r (ax^2)^r = {}_6C_r a^r x^{2r}$

x^4의 계수는 $r=2$일 때이므로 ${}_6C_2 \times a^2$

$15 \times a^2 = 30$ 에서 $a^2 = 2$

$a > 0$ 이므로 $a = \sqrt{2}$

25 중복조합　　　　　　정답률 63% | 정답 ①

$4 \leq x \leq y \leq z \leq w \leq 12$를 만족시키는 짝수 x, y, z, w의 모든 순서쌍 (x, y, z, w)의 개수는? [3점]

① 70　　② 74　　③ 78　　④ 82　　⑤ 86

| 문제 풀이 |

4 이상 12 이하인 짝수는 4, 6, 8, 10, 12이므로

구하는 모든 순서쌍 (x, y, z, w)의 개수는

서로 다른 5개에서 중복을 허용하여 4개를 택하는 중복조합의 수와 같다.

따라서 ${}_5H_4 = {}_8C_4 = 70$

26 중복순열　　　　　　정답률 47% | 정답 ⑤

두 집합 $X = \{1, 2, 3, 4, 5\}$, $Y = \{1, 2, 3, 4\}$에 대하여 다음 조건을 만족시키는 함수 $f : X \to Y$의 개수는? [3점]

(가) $f(1) + f(2) = 4$
(나) 1은 함수 f의 치역의 원소이다.

① 145　　② 150　　③ 155　　④ 160　　⑤ 165

| 문제 풀이 |

$f(1) + f(2) = 4$를 만족시키는 경우는

$f(1) = 1$, $f(2) = 3$ 또는 $f(1) = f(2) = 2$

또는 $f(1) = 3$, $f(2) = 1$의 3가지이다.

(ⅰ) $f(1)=1$, $f(2)=3$ 또는 $f(1)=3$, $f(2)=1$인 경우
$f(3)$, $f(4)$, $f(5)$의 값을 정하는 경우의 수는
1, 2, 3, 4 중에서 3개를 택하는 중복순열의 수와 같으므로
$_4\Pi_3=64$
그러므로 함수 f의 개수는 $2\times64=128$

(ⅱ) $f(1)=f(2)=2$인 경우
$f(3)$, $f(4)$, $f(5)$의 값 중 적어도 하나는 1이어야 하므로
$f(3)$, $f(4)$, $f(5)$의 값을 정하는 경우의 수는
1, 2, 3, 4 중에서 3개를 택하는 중복순열의 수에서
2, 3, 4 중에서 3개를 택하는 중복순열의 수를 뺀 것과 같다.
그러므로 함수 f의 개수는
$_4\Pi_3-_3\Pi_3=64-27=37$

(ⅰ), (ⅱ)에 의하여 구하는 모든 함수 f의 개수는
$128+37=165$

---

27 순열 정답률 47% | 정답 ③

다음 조건을 만족시키는 10 이하의 자연수 a, b, c, d의 모든 순서쌍 (a, b, c, d)의 개수는? [3점]

(가) $a\times b\times c\times d=108$
(나) a, b, c, d 중 서로 같은 수가 있다.

① 32　② 36　③ 40　④ 44　⑤ 48

| 문제 풀이 |

$108=2^2\times3^3$이므로 조건을 만족시키는 a, b, c, d 중
2개의 수가 서로 같거나 3개의 수가 서로 같아야 한다.

(ⅰ) 2개의 수가 서로 같은 경우
$108=2\times2\times3\times9=3\times3\times2\times6=6\times6\times1\times3$의 3가지이다.
이 각각에 대하여 순서쌍 (a, b, c, d)의 개수는
곱해진 4개의 수를 일렬로 나열하는 경우의 수와 같으므로
$\dfrac{4!}{2!}=12$
그러므로 구하는 순서쌍 (a, b, c, d)의 개수는
$3\times12=36$

(ⅱ) 3개의 수가 서로 같은 경우
$108=3\times3\times3\times4$의 1가지이다.
순서쌍 (a, b, c, d)의 개수는
3, 3, 3, 4를 일렬로 나열하는 경우의 수와 같으므로
$\dfrac{4!}{3!}=4$

(ⅰ), (ⅱ)에 의하여 구하는 모든 순서쌍 (a, b, c, d)의 개수는
$36+4=40$

---

28 확률 정답률 31% | 정답 ②

그림과 같이 A열에 3개, B열에 4개로 구성된 총 7개의 좌석이 있다.
1학년 학생 2명, 2학년 학생 2명, 3학년 학생 3명 모두가 이 7개의 좌석 중
임의로 1개씩 선택하여 앉을 때, 다음 조건을 만족시키도록 앉을 확률은?
(단, 한 좌석에는 한 명의 학생만 앉는다.) [4점]

(가) A열의 좌석에는 서로 다른 두 학년의 학생이 앉되, 같은 학년의 학생끼리는 이웃하여 앉는다.
(나) B열의 좌석에는 같은 학년의 학생끼리 이웃하지 않도록 앉는다.

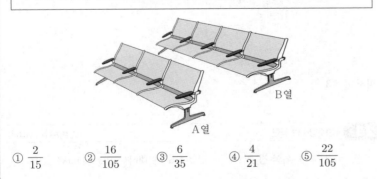

① $\dfrac{2}{15}$　② $\dfrac{16}{105}$　③ $\dfrac{6}{35}$　④ $\dfrac{4}{21}$　⑤ $\dfrac{22}{105}$

| 문제 풀이 |

총 7명의 학생이 7개의 좌석 중 임의로 1개씩 선택하여 앉는 경우의 수는 7!
A열의 좌석에 1학년 학생들이 이웃하여 앉거나 2학년 학생들이 이웃하여 앉는
사건을 X, A열의 좌석에 3학년 학생들이 이웃하여 앉는 사건을 Y라 하자.

(ⅰ) A열의 좌석에 1학년 학생들이 이웃하여 앉거나 2학년 학생들이 이웃하여 앉는 경우
조건 (나)에 의하여 3학년 학생 3명 모두 B열의 좌석에 앉을 수 없으므로
3학년 학생 중 1명은 반드시 A열의 좌석에 앉아야 한다.
A열의 좌석에 이웃하여 앉는 학생들의 학년을 정하는 경우의 수는
$_2C_1$
이 정해진 학년의 두 학생이 A열의 두 좌석에 이웃하여 앉는 경우의 수는
$2\times2!$
A열의 남은 한 좌석에 앉을 3학년 학생 한 명을 정하는 경우의 수는
$_3C_1$
그러므로 A열의 3개의 좌석에 학생들이 앉는 경우의 수는
$_2C_1\times(2\times2!)\times_3C_1=24$ …… ㉠
B열에는 1, 2학년 중 A열에 앉지 않은 한 개 학년의 학생 2명과 3학년
학생 2명이 앉아야 한다.
이제 남은 2개 학년의 학생들이 앉는 자리를 △, □라 하면
같은 학년의 학생끼리 이웃하지 않도록 앉는 상황은
△□△□, □△□△의 2가지이다.
이 각각에 대하여 2개 학년의 학생 두 명씩 총 4명의 학생이 앉는 경우의
수는
$2!\times2!$
그러므로 B열의 4개의 좌석에 학생들이 앉는 경우의 수는
$2\times(2!\times2!)=8$ …… ㉡

㉠, ㉡에 의하여 $P(X)=\dfrac{24\times8}{7!}$

(ⅱ) A열의 좌석에 3학년 학생들이 이웃하여 앉는 경우
A열의 좌석에 앉을 3학년 학생 2명을 선택하는 경우의 수는
$_3C_2$
선택된 3학년 학생 2명이 A열의 두 좌석에 이웃하여 앉는 경우의 수는
$2\times2!$
A열의 남은 한 좌석에 앉을 학생 한 명을 정하는 경우의 수는
$_4C_1$
그러므로 A열의 3개의 좌석에 학생들이 앉는 경우의 수는
$_3C_2\times(2\times2!)\times_4C_1=48$ …… ㉢
A열에 학생 3명이 앉은 후 남은 4명의 학생은
1학년 1명, 2학년 2명, 3학년 1명으로 구성되거나
1학년 2명, 2학년 1명, 3학년 1명으로 구성된다.
어느 경우라도 학년이 같은 학생이 2명이므로 남은 4명의 학생들이 조건
(나)를 만족시키면서 B열의 4개의 좌석에 앉는 경우의 수는 같다.
4명의 학생이 B열의 4개의 좌석에 조건과 상관없이 앉는 경우의 수는
4!
이 4명의 학생이 B열의 4개의 좌석에 앉되 같은 학년의 학생 2명이
이웃하면서 앉는 경우의 수는
$2\times3!$
그러므로 B열의 4개의 좌석에 학생들이 앉는 경우의 수는
$4!-2\times3!=12$ …… ㉣

㉢, ㉣에 의하여 $P(Y)=\dfrac{48\times12}{7!}$

이때 두 사건 X와 Y는 서로 배반사건이므로 (ⅰ), (ⅱ)에 의하여 구하는 확률은
$P(X\cup Y)=P(X)+P(Y)$
$=\dfrac{24\times8}{7!}+\dfrac{48\times12}{7!}$
$=\dfrac{16}{105}$

---

29 중복조합 정답률 9% | 정답 75

다음 조건을 만족시키는 자연수 a, b, c, d, e의 모든 순서쌍 (a, b, c, d, e)의 개수를 구하시오. [4점]

(가) $a+b+c+d+e=11$
(나) $a+b$는 짝수이다.
(다) a, b, c, d, e 중에서 짝수의 개수는 2 이상이다.

| 문제 풀이 |

구하는 a, b, c, d, e의 모든 순서쌍 (a, b, c, d, e)의 개수는
조건 (가), (나)를 모두 만족시키는 순서쌍 (a, b, c, d, e)에서
a, b, c, d, e 중 짝수가 2개 미만인 순서쌍 (a, b, c, d, e)를 제외한 것의
개수와 같다.

(ⅰ) $a+b+c+d+e=11$, $a+b$는 짝수인 경우

$c=c'+1$, $d=d'+1$, $e=e'+1$ (c', d', e'은 음이 아닌 정수)라 하면
$a+b+(c'+1)+(d'+1)+(e'+1)=11$
$a+b+c'+d'+e'=8$

  (a) $a+b=2$인 경우
    순서쌍 (a, b)는 $(1, 1)$의 1가지이고,
    $c'+d'+e'=6$인 순서쌍 (c', d', e')의 개수는
    $_3H_6 = {_8C_6} = 28$
    그러므로 구하는 경우의 수는 $1 \times 28 = 28$

  (b) $a+b=4$인 경우
    순서쌍 (a, b)는 $(1, 3)$, $(2, 2)$, $(3, 1)$의 3가지이고,
    $c'+d'+e'=4$인 순서쌍 (c', d', e')의 개수는
    $_3H_4 = {_6C_4} = 15$
    그러므로 구하는 경우의 수는 $3 \times 15 = 45$

  (c) $a+b=6$인 경우
    순서쌍 (a, b)는 $(1, 5)$, $(2, 4)$, $(3, 3)$, $(4, 2)$, $(5, 1)$의 5가지이고,
    $c'+d'+e'=2$인 순서쌍 (c', d', e')의 개수는
    $_3H_2 = {_4C_2} = 6$
    그러므로 구하는 경우의 수는 $5 \times 6 = 30$

  (d) $a+b=8$인 경우
    순서쌍 (a, b)는 $(1, 7)$, $(2, 6)$, $(3, 5)$, $(4, 4)$, $(5, 3)$, $(6, 2)$, $(7, 1)$의 7가지이고,
    $c'+d'+e'=0$인 순서쌍 (c', d', e')의 개수는 1
    그러므로 구하는 경우의 수는 $7 \times 1 = 7$

  (a)~(d)에 의하여 구하는 순서쌍 (a, b, c, d, e)의 개수는
  $28 + 45 + 30 + 7 = 110$

(ⅱ) a, b, c, d, e 중 짝수가 2개 미만이면서
$a+b+c+d+e=11$이고 $a+b$는 짝수인 경우
a, b, c, d, e는 모두 홀수이어야 하므로
$a+b+c+d+e=11$에서
$a=2a'+1$, $b=2b'+1$, $c=2c'+1$, $d=2d'+1$,
$e=2e'+1$(a', b', c', d', e'은 음이 아닌 정수)라 하면
$a'+b'+c'+d'+e'=3$인 순서쌍 (a', b', c', d', e')의 개수는
$_5H_3 = {_7C_3} = 35$

(ⅰ), (ⅱ)에 의하여 구하는 모든 순서쌍 (a, b, c, d, e)의 개수는
$110 - 35 = 75$

---

30   원순열   정답률 5% | 정답 **40**

그림과 같이 원판에 반지름의 길이가 1인 원이 그려져 있고, 원의 둘레를 6등분하는 6개의 점과 원의 중심이 표시되어 있다. 이 7개의 점에 1부터 7까지의 숫자가 하나씩 적힌 깃발 7개를 각각 한 개씩 놓으려고 할 때, 다음 조건을 만족시키는 경우의 수를 구하시오. (단, 회전하여 일치하는 것은 같은 것으로 본다.) [4점]

> 깃발이 놓여 있는 7개의 점 중 3개의 점을 꼭짓점으로 하는 삼각형이 한 변의 길이가 1인 정삼각형일 때, 세 꼭짓점에 놓여 있는 깃발에 적힌 세 수의 합은 12 이하이다.

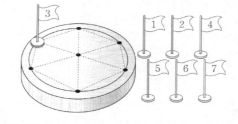

| 문제 풀이 |

문제에서 깃발을 놓는 상황은 1부터 7까지의 숫자 중 하나를 원의 중심에 놓고, 나머지 6개의 숫자를 일정한 간격을 두고 원형으로 배열하는 것과 같다.
이제 원의 중심에 놓인 깃발에 적힌 수를 c라 하자.

(ⅰ) $c=1$인 경우
  나머지 6개의 숫자는 2, 3, 4, 5, 6, 7이다.
  6개의 수 중 서로 이웃하는 두 수의 합이 11 이하이어야 하므로
  7과 이웃하는 두 수는 2, 3, 4 중 두 개이어야 하고,
  7과 이웃하지 않는 세 수는 어떤 수이어도 조건을 만족시킨다.
  2, 3, 4 중 두 개의 수를 선택하는 경우의 수는 $_3C_2$
  7과 이웃하는 두 수를 a, b라 할 때, 7, a, b를 하나로 보고
  나머지 세 수와 합친 4개의 수를 원형으로 배열하는 경우의 수는 $(4-1)!$

이 각각에 대하여 a, b가 서로 자리를 바꾸는 경우의 수는 $2!$
그러므로 구하는 경우의 수는 $_3C_2 \times (4-1)! \times 2! = 36$

(ⅱ) $c=2$인 경우
  나머지 6개의 숫자는 1, 3, 4, 5, 6, 7이다.
  6개의 수 중 서로 이웃하는 두 수의 합이 10 이하이어야 하므로
  7과 이웃하는 두 수는 1, 3이어야 한다.
  또한 5, 6은 서로 이웃할 수 없으므로 4는 5와 6 사이에 배열되어야 한다.
  7의 양 옆에 1, 3을 배열하는 경우의 수는 $2!$
  4의 양 옆에 5, 6을 배열하는 경우의 수는 $2!$
  그러므로 구하는 경우의 수는 $2! \times 2! = 4$

(ⅲ) $c=3$인 경우
  나머지 6개의 숫자는 1, 2, 4, 5, 6, 7이다.
  6개의 수 중 서로 이웃하는 두 수의 합이 9 이하이어야 하므로
  7과 이웃하는 두 수는 1, 2이어야 한다.
  이때 6은 4, 5 중 하나의 수와 반드시 이웃할 수밖에 없으므로
  조건을 만족시키지 않는다.

(ⅳ) $c \ge 4$인 경우
  c를 제외한 6개의 숫자 중 가장 큰 수를 k라 하면 $c+k \ge 11$이다.
  k와 이웃하는 두 수가 동시에 1 이하일 수 없으므로
  조건을 만족시키지 않는다.

(ⅰ)~(ⅳ)에 의하여 구하는 모든 경우의 수는 $36 + 4 = 40$

미적분

23   이계도함수   정답률 83% | 정답 ①

함수 $f(x) = \sin 2x$에 대하여 $f''\left(\dfrac{\pi}{4}\right)$의 값은? [2점]

① -4 ② -2 ③ 0 ④ 2 ⑤ 4

| 문제 풀이 |

$f'(x) = 2\cos 2x$, $f''(x) = -4\sin 2x$

$f''\left(\dfrac{\pi}{4}\right) = -4\sin\dfrac{\pi}{2} = -4 \times 1 = -4$

---

24   급수   정답률 77% | 정답 ③

첫째항이 1이고 공차가 $d(d>0)$인 등차수열 $\{a_n\}$에 대하여

$$\sum_{n=1}^{\infty}\left(\frac{n}{a_n} - \frac{n+1}{a_{n+1}}\right) = \frac{2}{3}$$ 일 때, d의 값은? [3점]

① 1 ② 2 ③ 3 ④ 4 ⑤ 5

| 문제 풀이 |

등차수열 $\{a_n\}$의 일반항은 $a_n = 1 + (n-1)d$

$$\sum_{n=1}^{\infty}\left(\frac{n}{a_n} - \frac{n+1}{a_{n+1}}\right) = \lim_{n\to\infty}\sum_{k=1}^{n}\left(\frac{k}{a_k} - \frac{k+1}{a_{k+1}}\right)$$
$$= \lim_{n\to\infty}\left\{\left(\frac{1}{a_1} - \frac{2}{a_2}\right) + \left(\frac{2}{a_2} - \frac{3}{a_3}\right) + \cdots + \left(\frac{n}{a_n} - \frac{n+1}{a_{n+1}}\right)\right\}$$
$$= \lim_{n\to\infty}\left(1 - \frac{n+1}{a_{n+1}}\right)$$
$$= \lim_{n\to\infty}\left(1 - \frac{n+1}{dn+1}\right)$$
$$= \lim_{n\to\infty}\left(1 - \frac{1+\dfrac{1}{n}}{d+\dfrac{1}{n}}\right)$$
$$= 1 - \frac{1}{d} = \frac{2}{3}$$

따라서 $d = 3$

---

25   지수함수의 극한   정답률 58% | 정답 ④

곡선 $y = e^{2x} - 1$ 위의 점 $P(t, e^{2t}-1)(t>0)$에 대하여 $\overline{PQ} = \overline{OQ}$를 만족시키는 x축 위의 점 Q의 x좌표를 $f(t)$라 할 때, $\lim\limits_{t\to 0+}\dfrac{f(t)}{t}$의 값은? (단, O는 원점이다.) [3점]

① 1 ② $\dfrac{3}{2}$ ③ 2 ④ $\dfrac{5}{2}$ ⑤ 3

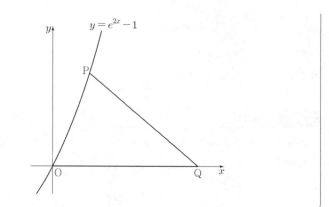

$$y = e^{2x} - 1$$

| 문제 풀이 |

두 점 P, Q의 좌표는 각각 $P(t,\ e^{2t}-1)$, $Q(f(t),\ 0)$
$\overline{PQ}^2 = \overline{OQ}^2$이므로
$\{f(t)-t\}^2 + (e^{2t}-1)^2 = \{f(t)\}^2$에서
$$f(t) = \frac{t}{2} + \frac{(e^{2t}-1)^2}{2t}$$

$$\lim_{t \to 0+} \frac{f(t)}{t} = \lim_{t \to 0+} \left\{ \frac{1}{2} + \frac{1}{2}\left(\frac{e^{2t}-1}{t}\right)^2 \right\}$$
$$= \lim_{t \to 0+} \left\{ \frac{1}{2} + \frac{1}{2}\left(\frac{e^{2t}-1}{2t} \times 2\right)^2 \right\}$$
$$= \frac{1}{2} + \frac{1}{2} \times (1 \times 2)^2 = \frac{5}{2}$$

---

26 수열의 극한   정답률 67% | 정답 ④

열린구간 $(0, \infty)$에서 정의된 함수

$$f(x) = \lim_{n \to \infty} \frac{x^{n+1} + \left(\dfrac{4}{x}\right)^n}{x^n + \left(\dfrac{4}{x}\right)^{n+1}}$$

이 있다. $x > 0$일 때, 방정식 $f(x) = 2x - 3$의 모든 실근의 합은? [3점]

① $\dfrac{41}{7}$ ② $\dfrac{43}{7}$ ③ $\dfrac{45}{7}$ ④ $\dfrac{47}{7}$ ⑤ 7

| 문제 풀이 |

(i) $0 < x < \dfrac{4}{x}$일 때,

$0 < x < 2$이므로 $\lim\limits_{n \to \infty}\left(\dfrac{x^2}{4}\right)^n = 0$

$$f(x) = \lim_{n \to \infty} \frac{x \times \left(\dfrac{x^2}{4}\right)^n + 1}{\left(\dfrac{x^2}{4}\right)^n + \dfrac{4}{x}} = \frac{x}{4}$$

$f(x) = 2x - 3$에서 $x = \dfrac{12}{7}$

(ii) $x = \dfrac{4}{x}$일 때,

$x = 2$이므로 $f(x) = \lim\limits_{n \to \infty} \dfrac{2^{n+1} + 2^n}{2^n + 2^{n+1}} = 1$

그러므로 $x = 2$는 방정식 $f(x) = 2x - 3$의 실근이다.

(iii) $0 < \dfrac{4}{x} < x$일 때,

$x > 2$이므로 $\lim\limits_{n \to \infty}\left(\dfrac{4}{x^2}\right)^n = 0$

$$f(x) = \lim_{n \to \infty} \frac{x + \left(\dfrac{4}{x^2}\right)^n}{1 + \dfrac{4}{x} \times \left(\dfrac{4}{x^2}\right)^n} = x$$

$f(x) = 2x - 3$에서 $x = 3$

(i), (ii), (iii)에 의하여 모든 실근의 합은 $\dfrac{12}{7} + 2 + 3 = \dfrac{47}{7}$

---

27 여러 가지 미분법   정답률 74% | 정답 ⑤

함수 $f(x) = x^3 + x + 1$의 역함수를 $g(x)$라 하자. 매개변수 t로 나타내어진
곡선

$$x = g(t) + t,\ y = g(t) - t$$

에서 $t = 3$일 때, $\dfrac{dy}{dx}$의 값은? [3점]

① $-\dfrac{1}{5}$ ② $-\dfrac{3}{10}$ ③ $-\dfrac{2}{5}$ ④ $-\dfrac{1}{2}$ ⑤ $-\dfrac{3}{5}$

| 문제 풀이 |

$g(3) = k$라 하면 $f(k) = k^3 + k + 1 = 3$에서 $k = 1$
$f'(x) = 3x^2 + 1$이므로 $f'(1) = 4$
$$g'(3) = g'(f(1)) = \frac{1}{f'(1)} = \frac{1}{4}$$

$\dfrac{dx}{dt} = g'(t) + 1$, $\dfrac{dy}{dt} = g'(t) - 1$이므로

$$\frac{dy}{dx} = \frac{\dfrac{dy}{dt}}{\dfrac{dx}{dt}} = \frac{g'(t) - 1}{g'(t) + 1}$$

따라서 $t = 3$일 때, $\dfrac{dy}{dx}$의 값은

$$\frac{g'(3) - 1}{g'(3) + 1} = \frac{\dfrac{1}{4} - 1}{\dfrac{1}{4} + 1} = -\frac{3}{5}$$

---

28 삼각함수의 덧셈정리   정답률 42% | 정답 ②

두 상수 $a(a > 0)$, b에 대하여 두 함수 $f(x)$, $g(x)$를
$$f(x) = a\sin x - \cos x,\ g(x) = e^{2x-b} - 1$$
이라 하자. 두 함수 $f(x)$, $g(x)$가 다음 조건을 만족시킬 때, $\tan b$의 값은?
[4점]

  (가) $f(k) = g(k) = 0$을 만족시키는 실수 k가 열린구간 $\left(-\dfrac{\pi}{2},\ \dfrac{\pi}{2}\right)$에 존재한다.

  (나) 열린구간 $\left(-\dfrac{\pi}{2},\ \dfrac{\pi}{2}\right)$에서 방정식 $\{f(x)g(x)\}' = 2f(x)$의 모든 해의 합은 $\dfrac{\pi}{4}$이다.

① $\dfrac{5}{2}$ ② 3   ③ $\dfrac{7}{2}$ ④ 4   ⑤ $\dfrac{9}{2}$

| 문제 풀이 |

$f(x) = 0$에서 $a\sin x - \cos x = 0$, $\tan x = \dfrac{1}{a}$

$\tan x = \dfrac{1}{a}$을 만족시키는 실수 x는 열린구간

$\left(-\dfrac{\pi}{2},\ \dfrac{\pi}{2}\right)$에서 오직 하나뿐이므로

$\tan k = \dfrac{1}{a}$ $\cdots\cdots$ ㉠

$g(k) = 0$이므로 $e^{2k-b} - 1 = 0$에서 $2k = b$ $\cdots\cdots$ ㉡
$\{f(x)g(x)\}' = 2f(x)$에서
$f'(x)g(x) + f(x)g'(x) - 2f(x) = 0$
$f'(x)g(x) + f(x)\{g'(x) - 2\} = 0$
$f'(x) = a\cos x + \sin x$, $g'(x) = 2e^{2x-b}$이므로
$(a\cos x + \sin x)(e^{2x-b} - 1) + (a\sin x - \cos x)(2e^{2x-b} - 2) = 0$
$(e^{2x-b} - 1)\{(2a+1)\sin x + (a-2)\cos x\} = 0$
$e^{2x-b} - 1 = 0$ 또는 $(2a+1)\sin x + (a-2)\cos x = 0$
$x = \dfrac{b}{2}$ 또는 $\tan x = \dfrac{2-a}{2a+1}$

㉠, ㉡에 의하여 $\tan \dfrac{b}{2} = \tan k = \dfrac{1}{a}$이고,

$\tan x = \dfrac{2-a}{2a+1}$인 실수 x를 $\alpha\left(-\dfrac{\pi}{2} < \alpha < \dfrac{\pi}{2}\right)$라 하면

$\dfrac{1}{a} \neq \dfrac{2-a}{2a+1}$이므로 $\dfrac{b}{2} \neq \alpha$이다.

그러므로 열린구간 $\left(-\dfrac{\pi}{2},\ \dfrac{\pi}{2}\right)$에서

방정식 $\{f(x)g(x)\}' = 2f(x)$의 모든 해는 $\dfrac{b}{2}$, α이다.

$\dfrac{b}{2}+\alpha=\dfrac{\pi}{4}$ 이므로

$$\tan\alpha=\tan\left(\dfrac{\pi}{4}-\dfrac{b}{2}\right)=\dfrac{\tan\dfrac{\pi}{4}-\tan\dfrac{b}{2}}{1+\tan\dfrac{\pi}{4}\times\tan\dfrac{b}{2}}=\dfrac{1-\dfrac{1}{a}}{1+\dfrac{1}{a}}=\dfrac{a-1}{a+1}$$

$\tan\alpha=\dfrac{2-a}{2a+1}$ 이므로

$\dfrac{a-1}{a+1}=\dfrac{2-a}{2a+1}$ 에서 $3a^2-2a-3=0$

$2a=3(a^2-1),\ a^2-1=\dfrac{2}{3}a$

따라서

$$\tan b=\tan\left(\dfrac{b}{2}+\dfrac{b}{2}\right)=\dfrac{2\tan\dfrac{b}{2}}{1-\tan^2\dfrac{b}{2}}=\dfrac{2\times\dfrac{1}{a}}{1-\left(\dfrac{1}{a}\right)^2}=\dfrac{2a}{a^2-1}=\dfrac{2a}{\dfrac{2}{3}a}=3$$

---

29 음함수 미분   정답률 5% | 정답 40

그림과 같이 길이가 3인 선분 AB를 삼등분하는 점 중 A와 가까운 점을 C, B와 가까운 점을 D라 하고, 선분 BC를 지름으로 하는 원을 O라 하자.

원 O 위의 점 P를 $\angle \mathrm{BAP}=\theta\left(0<\theta<\dfrac{\pi}{6}\right)$가 되도록 잡고, 두 점 P, D를 지나는 직선이 원 O와 만나는 점 중 P가 아닌 점을 Q라 하자.

선분 AQ의 길이를 $f(\theta)$라 할 때, $\cos\theta_0=\dfrac{7}{8}$인 θ_0에 대하여 $f'(\theta_0)=k$이다.

k^2의 값을 구하시오. (단, $\angle \mathrm{APD}<\dfrac{\pi}{2}$이고 $0<\theta_0<\dfrac{\pi}{6}$이다.) [4점]

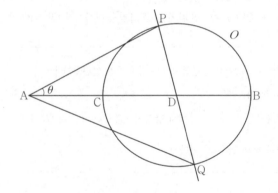

| 문제 풀이 |

$\angle \mathrm{APD}=\alpha\left(0<\alpha<\dfrac{\pi}{2}\right)$라 하면 $\angle \mathrm{ADQ}=\theta+\alpha$

삼각형 AQD에서 코사인법칙에 의하여
$\{f(\theta)\}^2=2^2+1^2-2\times2\times1\times\cos(\theta+\alpha)$
$\{f(\theta)\}^2=5-4\cos(\theta+\alpha)$ ...... ㉠

삼각형 ADP에서 사인법칙에 의하여
$\dfrac{1}{\sin\theta}=\dfrac{2}{\sin\alpha}$ 에서 $\sin\alpha=2\sin\theta$

이 식의 양변을 θ에 대하여 미분하면
$\cos\alpha\dfrac{d\alpha}{d\theta}=2\cos\theta$ 에서 $\dfrac{d\alpha}{d\theta}=\dfrac{2\cos\theta}{\cos\alpha}$

㉠의 양변을 θ에 대하여 미분하면
$2f(\theta)f'(\theta)=4\sin(\theta+\alpha)\left(1+\dfrac{d\alpha}{d\theta}\right)$

$f(\theta)f'(\theta)=2\sin(\theta+\alpha)\left(1+\dfrac{2\cos\theta}{\cos\alpha}\right)$

$\theta=\theta_0$일 때 α의 값을 α_0이라 하면
$\cos\theta_0=\dfrac{7}{8}$이므로 $\sin\theta_0=\dfrac{\sqrt{15}}{8}$이고,

$\sin\alpha_0=2\sin\theta_0=\dfrac{\sqrt{15}}{4},\ \cos\alpha_0=\dfrac{1}{4}$

$\cos(\theta_0+\alpha_0)=\cos\theta_0\cos\alpha_0-\sin\theta_0\sin\alpha_0$
$\qquad\qquad=\dfrac{7}{8}\times\dfrac{1}{4}-\dfrac{\sqrt{15}}{8}\times\dfrac{\sqrt{15}}{4}=-\dfrac{1}{4}$

이므로 $\sin(\theta_0+\alpha_0)=\dfrac{\sqrt{15}}{4}$

㉠에 의하여 $\{f(\theta_0)\}^2=5-4\times\left(-\dfrac{1}{4}\right)=6$에서

$f(\theta_0)=\sqrt{6}$

$\sqrt{6}\,f'(\theta_0)=2\times\dfrac{\sqrt{15}}{4}\times(1+7)$

그러므로 $k=f'(\theta_0)=2\sqrt{10}$

따라서 $k^2=40$

---

30 등비급수   정답률 4% | 정답 138

수열 $\{a_n\}$은 공비가 0이 아닌 등비수열이고, 수열 $\{b_n\}$을 모든 자연수 n에 대하여

$$b_n=\begin{cases}a_n & (|a_n|<\alpha)\\ -\dfrac{5}{a_n} & (|a_n|\geq\alpha)\end{cases}(\alpha\text{는 양의 상수})$$

라 할 때, 두 수열 $\{a_n\}$, $\{b_n\}$과 자연수 p가 다음 조건을 만족시킨다.

(가) $\displaystyle\sum_{n=1}^{\infty}a_n=4$

(나) $\displaystyle\sum_{n=1}^{m}\dfrac{a_n}{b_n}$ 의 값이 최소가 되도록 하는 자연수 m은 p이고,

$\displaystyle\sum_{n=1}^{p}b_n=51,\ \sum_{n=p+1}^{\infty}b_n=\dfrac{1}{64}$ 이다.

$32\times(a_3+p)$의 값을 구하시오. [4점]

| 문제 풀이 |

등비수열 $\{a_n\}$의 첫째항을 a, 공비를 r이라 하면 조건 (가)에 의하여
$\dfrac{a}{1-r}=4$ ...... ㉠

수열 $\left\{\dfrac{a_n}{b_n}\right\}$은 모든 자연수 n에 대하여

$$\dfrac{a_n}{b_n}=\begin{cases}1 & (|a_n|<\alpha)\\ -\dfrac{a_n{}^2}{5} & (|a_n|\geq\alpha)\end{cases}$$

모든 자연수 n에 대하여 $|a_n|<\alpha$라 하면
$\displaystyle\sum_{n=1}^{m}\dfrac{a_n}{b_n}=\sum_{n=1}^{m}1=m$의 값이 최소가 되도록 하는 자연수 m의 값은 1이므로

조건 (나)에 의하여
$\displaystyle\sum_{n=1}^{1}b_n=\sum_{n=1}^{1}a_n=a=51$

㉠에 의하여 $r=-\dfrac{47}{4}<-1$이므로

$\displaystyle\sum_{n=1}^{\infty}a_n$이 수렴한다는 조건을 만족시키지 않는다.

그러므로 $|a_k|\geq\alpha$, $|a_{k+1}|<\alpha$인 자연수 k가 존재한다.

$1\leq n\leq k$일 때, $\dfrac{a_n}{b_n}=-\dfrac{a_n{}^2}{5}<0$

$n\geq k+1$일 때, $\dfrac{a_n}{b_n}=1>0$

그러므로 $\displaystyle\sum_{n=1}^{m}\dfrac{a_n}{b_n}$의 값이 최소가 되도록 하는 자연수 m은 k이고

$\displaystyle\sum_{n=k+1}^{\infty}b_n=\sum_{n=k+1}^{\infty}a_n=\dfrac{ar^k}{1-r}=\dfrac{1}{64}$

㉠에 의하여 $r^k=\dfrac{1}{256}$

$\displaystyle\sum_{n=1}^{k}b_n=\sum_{n=1}^{k}\left(-\dfrac{5}{a_n}\right)=\sum_{n=1}^{k}\left\{-\dfrac{5}{a}\left(\dfrac{1}{r}\right)^{n-1}\right\}=\dfrac{-\dfrac{5}{a}\left\{1-\left(\dfrac{1}{r}\right)^k\right\}}{1-\dfrac{1}{r}}=51$

$r^k=\dfrac{1}{256}$이므로 $a(r-1)=25r$

㉠에 의하여 $4(1-r)(r-1)=25r$, $4r^2+17r+4=0$

$-1<r<1$이므로 $r=-\dfrac{1}{4}$, $a=5$

그러므로 $p=k=4$

따라서 $32\times(a_3+p)=32\times\left\{5\times\left(-\dfrac{1}{4}\right)^2+4\right\}=138$

•정답•

공통 | 수학
01 ② 02 ④ 03 ⑤ 04 ① 05 ⑤ 06 ④ 07 ① 08 ③ 09 ① 10 ② 11 ② 12 ② 13 ③ 14 ③ 15 ④
16 5 17 3 18 8 19 6 20 30 ★ 21 22 ★ 22 32 ★
선택 | 확률과 통계
23 ① 24 ⑤ 25 ③ 26 ② 27 ④ 28 ① 29 52 30 188 ★
선택 | 미적분
23 ② 24 ① 25 ④ 26 ③ 27 ③ 28 ④ 29 79 30 107

★ 표기된 문항은 [등급을 가르는 문항]에 해당하는 문제입니다.

01 로그의 성질 | 정답률 79% | 정답 ②

❶ $\log_6 4 + \dfrac{2}{\log_3 6}$ 의 값은? [2점]

① 1 ② 2 ③ 3 ④ 4 ⑤ 5

STEP 01 로그의 성질을 이용하여 ❶의 값을 구한다.

$$\log_6 4 + \frac{2}{\log_3 6} = \log_6 4 + 2\log_6 3 = \log_6(4 \times 9) = 2$$

● 핵심 공식

▶ 로그의 성질

$a > 0$, $a \neq 1$, $x > 0$, $y > 0$, $c > 0$, $c \neq 1$
n이 임의의 실수일 때
(1) $\log_a a = 1$, $\log_a 1 = 0$
(2) $\log_a xy = \log_a x + \log_a y$
(3) $\log_a \dfrac{x}{y} = \log_a x - \log_a y$
(4) $\log_a x^n = n\log_a x$
(5) $\log_a x = \dfrac{\log_c x}{\log_c a}$ (밑변환공식)
(6) $\log_a x = \dfrac{1}{\log_x a}$ (단, $x \neq 1$)
(7) $a^{\log_a x} = x$
(8) $a^{\log_c x} = x^{\log_c a}$

02 등비수열 | 정답률 88% | 정답 ④

모든 항이 양수인 등비수열 $\{a_n\}$에 대하여 $a_1 = 3$, ❶ $\dfrac{a_5}{a_3} = 4$일 때, a_4의 값은? [2점]

① 15 ② 18 ③ 21 ④ 24 ⑤ 27

STEP 01 ❶에서 공비를 구한 후 a_4의 값을 구한다.

등비수열 $\{a_n\}$의 공비를 r라 하자. 수열 $\{a_n\}$의 모든 항이 양수이므로 $r > 0$

$$\frac{a_5}{a_3} = \frac{3r^4}{3r^2} = r^2 = 4, \quad r = 2$$

따라서 $a_4 = 3r^3 = 24$

● 핵심 공식

▶ 등비수열

첫째항이 a, 공비가 r인 등비수열에서 일반항 a_n은 $a_n = ar^{n-1}$ $(n=1, 2, 3, \cdots)$

03 함수의 극한 | 정답률 83% | 정답 ⑤

함수 $y = f(x)$의 그래프가 그림과 같다.

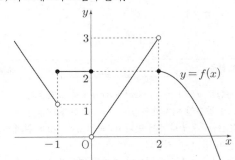

❶ $\lim\limits_{x \to -1+} f(x) + \lim\limits_{x \to 2-} f(x)$ 의 값은? [3점]

① 1 ② 2 ③ 3 ④ 4 ⑤ 5

STEP 01 그래프에서 ❶의 두 극한값을 각각 구한 후 합을 구한다.

$$\lim_{x \to -1+} f(x) + \lim_{x \to 2-} f(x) = 2 + 3 = 5$$

04 함수의 극대와 극소 | 정답률 82% | 정답 ①

함수 $f(x) = 2x^3 - 6x + a$의 극솟값이 2일 때, 상수 a의 값은? [3점]

① 6 ② 7 ③ 8 ④ 9 ⑤ 10

STEP 01 $f(x)$를 미분하여 극솟값을 구하여 a의 값을 구한다.

$f'(x) = 6x^2 - 6 = 6(x+1)(x-1)$
$f'(x) = 0$에서 $x = -1$ 또는 $x = 1$
함수 $f(x)$의 증가와 감소를 표로 나타내면

x	$\cdots$	-1	$\cdots$	1	$\cdots$
$f'(x)$	$+$	0	$-$	0	$+$
$f(x)$	$\nearrow$	$a+4$	$\searrow$	$a-4$	$\nearrow$

함수 $f(x)$는 $x = 1$에서 극솟값 $a-4$를 갖는다.
따라서 $a - 4 = 2$, $a = 6$

05 평균변화율과 미분계수 | 정답률 59% | 정답 ⑤

0이 아닌 모든 실수 h에 대하여 다항함수 ❶ $f(x)$에서 x의 값이 1에서 $1+h$까지 변할 때의 평균변화율이 $h^2 + 2h + 3$일 때, $f'(1)$의 값은? [3점]

① 1 ② $\dfrac{3}{2}$ ③ 2 ④ $\dfrac{5}{2}$ ⑤ 3

STEP 01 ❶에서 미분계수의 정의를 이용하여 $f'(1)$의 값을 구한다.

평균변화율 $\dfrac{f(1+h) - f(1)}{h} = h^2 + 2h + 3$에서

$$f'(1) = \lim_{h \to 0} \frac{f(1+h) - f(1)}{h} = \lim_{h \to 0}(h^2 + 2h + 3) = 3$$

● 핵심 공식

▶ 미분계수의 정의를 이용한 극한값의 계산

① $\lim\limits_{h \to 0} \dfrac{f(a+h) - f(a)}{h} = f'(a)$
② $\lim\limits_{h \to 0} \dfrac{f(a+ph) - f(a)}{h} = pf'(a)$
③ $\lim\limits_{x \to a} \dfrac{f(x) - f(a)}{x-a} = f'(a)$
④ $\lim\limits_{x \to a} \dfrac{af(x) - xf(a)}{x-a} = af'(a) - f(a)$

06 로그함수의 그래프 | 정답률 74% | 정답 ④

함수 ❶ $y = \log_{\frac{1}{2}}(x-a) + b$가 ❷ 닫힌구간 $[2, 5]$에서 최댓값 3, 최솟값 1을 갖는다. $a+b$의 값은? (단, a, b는 상수이다.) [3점]

① 1 ② 2 ③ 3 ④ 4 ⑤ 5

STEP 01 ❶의 그래프의 개형을 추론하여 ❷에서 최댓값과 최솟값을 갖는 점의 좌표를 구한 후 ❶에 대입한 뒤 a, b를 구한 다음 $a+b$의 값을 구한다.

함수 $y = \log_{\frac{1}{2}}(x-a) + b$는 x의 값이 증가하면 y의 값은 감소하므로

$x = 2$일 때 최댓값 3, $x = 5$일 때 최솟값 1을 갖는다.
$\log_{\frac{1}{2}}(2-a) + b = 3$, $\log_{\frac{1}{2}}(5-a) + b = 1$

두 식을 연립하면

$\log_{\frac{1}{2}}(2-a) - \log_{\frac{1}{2}}(5-a) = 2$

$\log_{\frac{1}{2}} \dfrac{2-a}{5-a} = 2$에서 $\dfrac{2-a}{5-a} = \dfrac{1}{4}$이므로

$4(2-a) = 5-a$, $a = 1$이고 $b = 3$
따라서 $a + b = 4$

07 곱의 미분법 | 정답률 68% | 정답 ①

다항함수 $f(x)$에 대하여 곡선 ❶ $y = f(x)$ 위의 점 $(0, f(0))$에서의 접선의 방정식이 $y = 3x - 1$이다. 함수 $g(x) = (x+2)f(x)$에 대하여 $g'(0)$의 값은? [3점]

① 5 ② 6 ③ 7 ④ 8 ⑤ 9

STEP 01 ❶을 이용하여 $f(0)$, $f'(0)$을 구한 후 $g'(0)$에 대입하여 값을 구한다.

곡선 $y=f(x)$ 위의 점 $(0, f(0))$에서의 접선의 방정식이
$y-f(0)=f'(0)(x-0)$이므로
$f'(0)=3$, $f(0)=-1$
$g'(x)=f(x)+(x+2)f'(x)$
따라서 $g'(0)=f(0)+2f'(0)=-1+2\times3=5$

● 핵심 공식

▶ 접선의 방정식
곡선 $y=f(x)$ 위의 점 $(a, f(a))$에서의 접선의 방정식은
$y-f(a)=f'(a)(x-a)$

---

08 삼각함수의 뜻과 그래프 　　　　　 정답률 67% | 정답 ③

그림과 같이 함수 $y=a\tan b\pi x$의 그래프가 ❶ 두 점 $(2, 3)$, $(8, 3)$을 지날 때, $a^2\times b$의 값은? (단, a, b는 양수이다.) [3점]

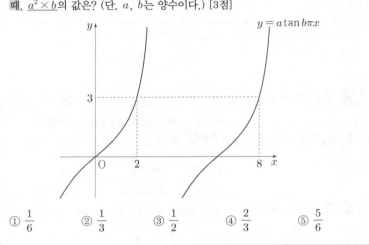

① $\dfrac{1}{6}$　　② $\dfrac{1}{3}$　　③ $\dfrac{1}{2}$　　④ $\dfrac{2}{3}$　　⑤ $\dfrac{5}{6}$

STEP 01 ❶을 이용하여 $y=a\tan b\pi x$의 주기를 구한 후 a, b를 구한 다음 $a^2\times b$의 값을 구한다.

함수 $y=a\tan b\pi x$의 그래프에서 함수 $y=a\tan b\pi x$의 주기는 $8-2=6$이므로
$\dfrac{\pi}{|b\pi|}=\dfrac{1}{b}=6$, $b=\dfrac{1}{6}$

함수 $y=a\tan\dfrac{\pi}{6}x$의 그래프는 점 $(2, 3)$을 지나므로
$a\tan\left(\dfrac{\pi}{6}\times2\right)=3$에서 $a=\sqrt{3}$

따라서 $a^2\times b=3\times\dfrac{1}{6}=\dfrac{1}{2}$

● 핵심 공식

▶ 삼각함수의 주기
$y=a\sin(bx+c)\Rightarrow$ 주기 : $\dfrac{2\pi}{|b|}$

$y=a\cos(bx+c)\Rightarrow$ 주기 : $\dfrac{2\pi}{|b|}$

$y=a\tan(bx+c)\Rightarrow$ 주기 : $\dfrac{\pi}{|b|}$

---

09 부정적분 　　　　　 정답률 69% | 정답 ①

함수 $f(x)$에 대하여 $f'(x)=3x^2-4x+1$이고 ❶ $\displaystyle\lim_{x\to0}\dfrac{1}{x}\int_0^x f(t)dt=1$일 때, $f(2)$의 값은? [4점]

① 3　　② 4　　③ 5　　④ 6　　⑤ 7

STEP 01 $f'(x)$를 적분하여 $f(x)$를 구한 후 ❶에서 $f(0)$을 구하여 적분상수를 구한 다음 $f(2)$의 값을 구한다.

$f(x)=\displaystyle\int(3x^2-4x+1)dx=x^3-2x^2+x+C$ (C는 적분상수)

함수 $f(t)$의 한 부정적분을 $F(t)$라 하면
$\displaystyle\int_0^x f(t)dt=\Big[F(t)\Big]_0^x=F(x)-F(0)$에서
$\displaystyle\lim_{x\to0}\dfrac{1}{x}\int_0^x f(t)dt=\lim_{x\to0}\dfrac{F(x)-F(0)}{x}=F'(0)=f(0)$

$f(0)=1$이므로 $C=1$
따라서 $f(2)=8-8+2+1=3$

---

10 지수함수 　　　　　 정답률 60% | 정답 ②

상수 a ($a>1$)에 대하여 ❶ 곡선 $y=a^x-1$과 곡선 $y=\log_a(x+1)$이 원점 O를 포함한 서로 다른 두 점에서 만난다. 이 두 점 중 O가 아닌 점을 P라 하고, 점 P에서 x축에 내린 수선의 발을 H라 하자. ❷ 삼각형 OHP의 넓이가 2일 때, a의 값은? [4점]

① $\sqrt{2}$　　② $\sqrt{3}$　　③ 2　　④ $\sqrt{5}$　　⑤ $\sqrt{6}$

STEP 01 ❶의 두 함수의 관계와 ❷를 이용하여 교점의 좌표를 구한 후 $y=a^x-1$에 대입하여 a의 값을 구한다.

곡선 $y=a^x-1$을 직선 $y=x$에 대하여 대칭이동하면 곡선 $y=\log_a(x+1)$이고 $a>1$이므로 점 P는 직선 $y=x$ 위의 점이다.
점 P의 좌표를 (k, k)라 하면 점 P는 곡선 $y=\log_a(x+1)$ 위의 점이므로
$k>-1$

삼각형 OHP의 넓이가 2이므로
$\dfrac{1}{2}\times\overline{\mathrm{OH}}\times\overline{\mathrm{PH}}=\dfrac{k^2}{2}=2$

에서 $k^2=4$, $k=2$
곡선 $y=a^x-1$이 점 P$(2, 2)$를 지나므로
$2=a^2-1$, $a^2=3$
따라서 $a=\sqrt{3}$

---

11 삼각함수 　　　　　 정답률 33% | 정답 ②

$0\leq x\leq2\pi$일 때, 방정식 ❶ $2\sin^2 x-3\cos x=k$의 서로 다른 실근의 개수가 3이다. 이 세 실근 중 가장 큰 실근을 α라 할 때, $k\times\alpha$의 값은? (단 k는 상수이다.) [4점]

① $\dfrac{7}{2}\pi$　　② 4π　　③ $\dfrac{9}{2}\pi$　　④ 5π　　⑤ $\dfrac{11}{2}\pi$

STEP 01 ❶에서 세 실근 중 한근을 구하여 k를 구한 후 나머지 근을 구한 다음 $k\times\alpha$의 값을 구한다.

$2(1-\cos^2 x)-3\cos x=k$
$2\cos^2 x+3\cos x+k-2=0$
$0\leq x\leq2\pi$에서 함수 $y=\cos x$의 그래프는 그림과 같다.

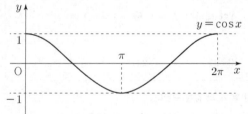

상수 a에 대하여
$0\leq x\leq2\pi$에서 곡선 $y=\cos x$와 직선 $y=a$가 만나는 서로 다른 점의 개수는
$a=-1$일 때 1이고, $-1<a\leq1$일 때 2이므로
$0\leq x\leq2\pi$일 때
방정식 $2\cos^2 x+3\cos x+k-2=0$의 서로 다른 실근의 개수가 3이려면
$x=\pi$가 이 방정식의 실근이어야 한다.
$2\times(-1)^2+3\times(-1)+k-2=0$에서 $k=3$
$2\cos^2 x+3\cos x+1=(2\cos x+1)(\cos x+1)=0$
에서 $\cos x=-\dfrac{1}{2}$ 또는 $\cos x=-1$
$x=\dfrac{2}{3}\pi$ 또는 $x=\dfrac{4}{3}\pi$ 또는 $x=\pi$
따라서 $k\times\alpha=3\times\dfrac{4}{3}\pi=4\pi$

---

12 정적분의 활용 　　　　　 정답률 41% | 정답 ②

그림과 같이 삼차함수 $f(x)=x^3-6x^2+8x+1$의 그래프와 최고차항의 계수가 양수인 이차함수 $y=g(x)$의 그래프가 점 A$(0, 1)$, 점 B$(k, f(k))$에서 만나고, 곡선 $y=f(x)$ 위의 점 B에서의 접선이 점 A를 지난다.
곡선 $y=f(x)$와 직선 AB로 둘러싸인 부분의 넓이를 S_1,
곡선 $y=g(x)$와 직선 AB로 둘러싸인 부분의 넓이를 S_2라 하자.
$S_1=S_2$일 때, $\displaystyle\int_0^k g(x)dx$의 값은? (단, k는 양수이다.) [4점]

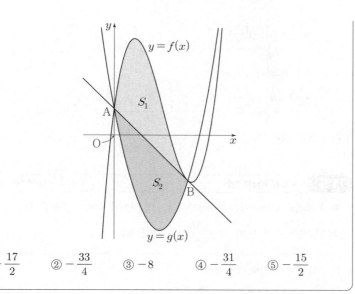

① $-\dfrac{17}{2}$ ② $-\dfrac{33}{4}$ ③ -8 ④ $-\dfrac{31}{4}$ ⑤ $-\dfrac{15}{2}$

STEP 01 $f(x)$의 미분으로 점 B에서의 접선의 방정식을 구하여 k를 구한 후 직선 AB의 방정식을 구한다.

$f'(x)=3x^2-12x+8$이므로
곡선 $y=f(x)$ 위의 점 $B(k,\ f(k))$에서의 접선의 방정식은
$y-(k^3-6k^2+8k+1)=(3k^2-12k+8)(x-k)$
이 직선이 점 $A(0,\ 1)$을 지나므로
$2k^3-6k^2=2k^2(k-3)=0$
에서 $k>0$이므로 $k=3$이고 직선 AB의 방정식은 $y=-x+1$

STEP 02 적분으로 S_1, S_2를 나타낸 후 $S_1=S_2$를 이용하여 $\displaystyle\int_0^k g(x)dx$의 값을 구한다.

$S_1=\displaystyle\int_0^3 |f(x)-(-x+1)|dx=\int_0^3 \{f(x)+x-1\}dx$

$S_2=\displaystyle\int_0^3 |g(x)-(-x+1)|dx=\int_0^3 \{-g(x)-x+1\}dx$

$S_1=S_2$에서

$\displaystyle\int_0^3 \{f(x)+x-1\}dx=\int_0^3 \{-g(x)-x+1\}dx$

$\displaystyle\int_0^3 g(x)dx=\int_0^3 \{-f(x)-2x+2\}dx=\int_0^3 (-x^3+6x^2-10x+1)dx$

$=\left[-\dfrac{1}{4}x^4+2x^3-5x^2+x\right]_0^3$

$=-\dfrac{81}{4}+54-45+3$

$=-\dfrac{33}{4}$

---

13 삼각함수의 그래프 정답률 40% | 정답 ③

그림과 같이 닫힌구간 $[0,\ 2\pi]$에서 정의된 두 함수 $f(x)=k\sin x$, $g(x)=\cos x$에 대하여 곡선 ❶ $y=f(x)$와 곡선 $y=g(x)$가 만나는 서로 다른 두 점을 A, B라 하자. ❷ 선분 AB를 $3:1$로 외분하는 점을 C라 할 때, 점 C는 곡선 $y=f(x)$ 위에 있다. 점 C를 지나고 y축에 평행한 직선이 곡선 $y=g(x)$와 만나는 점을 D라 할 때, 삼각형 BCD의 넓이는? (단, k는 양수이고, 점 B의 x좌표는 점 A의 x좌표보다 크다.) [4점]

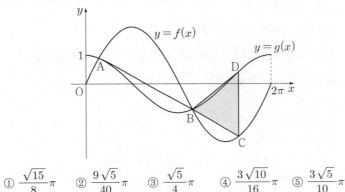

① $\dfrac{\sqrt{15}}{8}\pi$ ② $\dfrac{9\sqrt{5}}{40}\pi$ ③ $\dfrac{\sqrt{5}}{4}\pi$ ④ $\dfrac{3\sqrt{10}}{16}\pi$ ⑤ $\dfrac{3\sqrt{5}}{10}\pi$

STEP 01 ❶에서 미지수를 이용하여 두 점 A, B의 좌표를 놓고 ❷에서 점 C의 좌표를 구한다.

$0 \le x \le 2\pi$일 때, 방정식 $f(x)=g(x)$에서
$k\sin x=\cos x$

$\dfrac{\sin x}{\cos x}=\tan x=\dfrac{1}{k}\ (\cos x \ne 0)$

그러므로 점 A의 x좌표를 $\alpha\left(0<\alpha<\dfrac{\pi}{2}\right)$라 하면
함수 $y=\tan x$의 주기는 π이므로
점 B의 x좌표는 $\alpha+\pi$이고 두 점 A, B의 좌표는 각각
$A(\alpha,\ \cos\alpha)$, $B(\alpha+\pi,\ -\cos\alpha)$
선분 AB를 $3:1$로 외분하는 점 C의 좌표는
$\left(\dfrac{3\times(\alpha+\pi)-1\times\alpha}{3-1},\ \dfrac{3\times(-\cos\alpha)-1\times\cos\alpha}{3-1}\right)$
이므로 $C\left(\alpha+\dfrac{3}{2}\pi,\ -2\cos\alpha\right)$

STEP 02 점 C의 좌표를 $f(x)$에 대입하여 k를 구한 후 점 D의 좌표를 구한다.

점 C는 곡선 $y=f(x)$ 위의 점이므로
$-2\cos\alpha=k\sin\left(\alpha+\dfrac{3}{2}\pi\right)$
$-2\cos\alpha=k\times(-\cos\alpha)$에서 $k=2$이므로
$\tan\alpha=\dfrac{1}{2}$이고, $\cos\alpha=\dfrac{2\sqrt{5}}{5}$, $\sin\alpha=\dfrac{\sqrt{5}}{5}$
$\cos\left(\alpha+\dfrac{3}{2}\pi\right)=\sin\alpha=\dfrac{\sqrt{5}}{5}$에서 점 D의 좌표는
$D\left(\alpha+\dfrac{3}{2}\pi,\ \dfrac{\sqrt{5}}{5}\right)$

STEP 03 $\overline{CD}$를 구한 후 점 B와 직선 CD 사이의 거리를 구하여 삼각형 BCD의 넓이를 구한다.

$\overline{CD}=\dfrac{\sqrt{5}}{5}-\left(-2\times\dfrac{2\sqrt{5}}{5}\right)=\sqrt{5}$

점 B와 직선 CD 사이의 거리는
$\left(\alpha+\dfrac{3}{2}\pi\right)-(\alpha+\pi)=\dfrac{\pi}{2}$

따라서 삼각형 BCD의 넓이는
$\dfrac{1}{2}\times\sqrt{5}\times\dfrac{\pi}{2}=\dfrac{\sqrt{5}}{4}\pi$

● **핵심 공식**

▶ 내분점과 외분점
좌표평면 위의 두 점 $A(x_1,\ y_1)$, $B(x_2,\ y_2)$를 연결한 선분 AB에 대하여 (단, $m>0$, $n>0$)

(1) $\overline{AB}$를 $m:n$으로 내분하는 점 P의 좌표 : $P\left(\dfrac{mx_2+nx_1}{m+n},\ \dfrac{my_2+ny_1}{m+n}\right)$

(2) $\overline{AB}$를 $m:n$으로 외분하는 점 Q의 좌표 : $Q\left(\dfrac{mx_2-nx_1}{m-n},\ \dfrac{my_2-ny_1}{m-n}\right)$

▶ 점과 직선 사이의 거리
점 $A(x_1,\ y_1)$에서 직선 $ax+by+c=0$에 이르는 거리 d는
$d=\dfrac{|ax_1+by_1+c|}{\sqrt{a^2+b^2}}$이다.

---

14 도함수의 활용 정답률 37% | 정답 ③

양의 실수 t에 대하여 함수 $f(x)$를
$f(x)=x^3-3t^2x$
라 할 때, 닫힌구간 $[-2,\ 1]$에서 두 함수 $f(x)$, $|f(x)|$의 최댓값을 각각 $M_1(t)$, $M_2(t)$라 하자. 함수
$g(t)=M_1(t)+M_2(t)$
에 대하여 〈보기〉에서 옳은 것만을 있는 대로 고른 것은? [4점]

─── 〈보기〉 ───

ㄱ. $g(2)=32$

ㄴ. $g(t)=2f(-t)$를 만족시키는 t의 최댓값과 최솟값의 합은 3이다.

ㄷ. $\displaystyle\lim_{h\to 0+}\dfrac{g\left(\frac{1}{2}+h\right)-g\left(\frac{1}{2}\right)}{h}-\lim_{h\to 0-}\dfrac{g\left(\frac{1}{2}+h\right)-g\left(\frac{1}{2}\right)}{h}=5$

① ㄱ ② ㄷ ③ ㄱ, ㄴ ④ ㄴ, ㄷ ⑤ ㄱ, ㄴ, ㄷ

STEP 01 ㄱ. $f'(x)$를 구하여 $f(x)$의 그래프를 추론한 후 $g(2)$를 구하여 참, 거짓을 판별한다.

ㄱ. $f'(x)=3x^2-3t^2=3(x+t)(x-t)$

$f'(x)=0$에서 $x=-t$ 또는 $x=t$

함수 $f(x)$의 증가와 감소를 표로 나타내면

x	$\cdots$	$-t$	$\cdots$	t	$\cdots$
$f'(x)$	$+$	0	$-$	0	$+$
$f(x)$	$\nearrow$	$2t^3$	$\searrow$	$-2t^3$	$\nearrow$

$t=2$일 때, 닫힌구간 $[-2,\ 1]$에서 두 함수 $f(x),\ |f(x)|$의 최댓값은 모두

$f(-2)=16$이므로

$M_1(2)=M_2(2)=16$

$g(2)=32$　　　　　　　　　　　　　　　　　　　　　∴ 참

STEP 02 ㄴ. $y=f(x),\ y=|f(x)|$의 그래프를 그린 후 t의 범위를 나누어 $g(t)=2f(-t)$를 만족하는 경우를 찾아 t의 최댓값과 최솟값의 합을 구하여 참, 거짓을 판별한다.

ㄴ. 방정식 $f(x)=2t^3$에서 $(x+t)^2(x-2t)=0$,

방정식 $f(x)=-2t^3$에서 $(x-t)^2(x+2t)=0$이므로

두 함수 $y=f(x),\ y=|f(x)|$의 그래프는 그림과 같다.

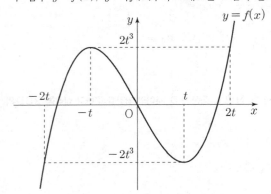

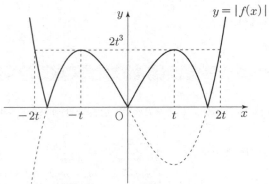

(ⅰ) $-t<-2,\ 1<t$일 때

$t>2$이고, $M_1(t)=M_2(t)=f(-2)<f(-t)$

이므로 $g(t)=2f(-2)\neq 2f(-t)$

(ⅱ) $-2t\leq-2\leq-t,\ 1\leq t$일 때

$1\leq t\leq 2$이고, $M_1(t)=M_2(t)=f(-t)$

이므로 $g(t)=2f(-t)$

(ⅲ) $-2<-2t,\ t<1\leq 2t$일 때

$\dfrac{1}{2}\leq t<1$이고,

$M_1(t)=f(-t),\ M_2(t)=-f(-2)>f(-t)$

이므로 $g(t)=f(-t)-f(-2)\neq 2f(-t)$

(ⅳ) $-2<-2t,\ 2t<1$일 때

$0<t<\dfrac{1}{2}$이고,

$M_1(t)=f(1)>f(-t),\ M_2(t)=-f(-2)>f(-t)$

이므로 $g(t)=f(1)-f(-2)\neq 2f(-t)$

(ⅰ)~(ⅳ)에 의하여 $g(t)=2f(-t)$를 만족시키는 t의 최댓값과 최솟값의 합은

$2+1=3$　　　　　　　　　　　　　　　　　　　　∴ 참

STEP 03 ㄷ. t의 범위를 나누어 구하여 $g(t)$를 구한 후 ㄷ을 구하여 참, 거짓을 판별한다.

ㄷ. (ⅰ) $\dfrac{1}{2}\leq t<1$일 때

$g(t)=f(-t)-f(-2)=2t^3-6t^2+8$이므로

$\displaystyle\lim_{h\to0+}\dfrac{g\left(\dfrac{1}{2}+h\right)-g\left(\dfrac{1}{2}\right)}{h}=\lim_{h\to0+}\left(2h^2-3h-\dfrac{9}{2}\right)=-\dfrac{9}{2}$

(ⅱ) $0<t<\dfrac{1}{2}$일 때

$g(t)=f(1)-f(-2)=-9t^2+9$이므로

$\displaystyle\lim_{h\to0-}\dfrac{g\left(\dfrac{1}{2}+h\right)-g\left(\dfrac{1}{2}\right)}{h}=\lim_{h\to0-}(-9h-9)=-9$

(ⅰ), (ⅱ)에 의하여

$\displaystyle\lim_{h\to0+}\dfrac{g\left(\dfrac{1}{2}+h\right)-g\left(\dfrac{1}{2}\right)}{h}-\lim_{h\to0-}\dfrac{g\left(\dfrac{1}{2}+h\right)-g\left(\dfrac{1}{2}\right)}{h}=-\dfrac{9}{2}-(-9)=\dfrac{9}{2}$　∴ 거짓

따라서 옳은 것은 ㄱ, ㄴ

---

15 수열의 귀납적 정의　　　　　　　　　정답률 30% | 정답 ④

다음 조건을 만족시키는 모든 수열 $\{a_n\}$에 대하여 a_1의 최댓값을 M,

최솟값을 m이라 할 때, $\log_2\dfrac{M}{m}$의 값은? [4점]

> (가) 모든 자연수 n에 대하여
>
> $$a_{n+1}=\begin{cases}2^{n-2} & (a_n<1)\\ \log_2 a_n & (a_n\geq1)\end{cases}$$
>
> 이다.
>
> (나) $a_5+a_6=1$

① 12　　　② 13　　　③ 14　　　④ 15　　　⑤ 16

STEP 01 a_5의 범위를 나누어 두 조건에서 a_6을 구한 후 차례로 $a_4,\ a_3,\ a_2,\ a_1$의 범위를 나누어 각항의 값을 구하여 $M,\ m$을 구한 다음 $\log_2\dfrac{M}{m}$의 값을 구한다.

조건 (가)에서 자연수 n에 대하여

$a_n<1$이면 $a_{n+1}=2^{n-2}>0$이고

$a_n\geq1$이면 $a_{n+1}=\log_2 a_n\geq0$이므로

2 이상의 모든 자연수 n에 대하여 $a_n\geq0$이다.

조건 (가), (나)에서 $a_5,\ a_6$의 값을 구하면

(ⅰ) $0\leq a_5<1$일 때

$a_6=2^{5-2}$에서 $a_5+a_6\geq8$이므로

$a_5+a_6=1$을 만족시키지 않는다.

(ⅱ) $a_5\geq1$일 때

$a_6=\log_2 a_5\geq0$에서 $a_5+a_6\geq1$

$a_5+a_6=1$을 만족시키려면 $a_5=1,\ a_6=0$

그러므로 $a_5=1,\ a_6=0$

a_4의 값을 구하면

(ⅰ) $0\leq a_4<1$일 때

$a_5=2^{4-2}=4$이므로 $a_5=1$을 만족시키지 않는다.

(ⅱ) $a_4\geq1$일 때

$a_5=\log_2 a_4=1$이므로 $a_4=2$

그러므로 $a_4=2$

$a_1,\ a_2,\ a_3$의 값을 구하면

(ⅰ) $0\leq a_3<1$일 때

$a_4=2^{3-2}=2$이므로 $0\leq a_3<1$

ⅰ) $0\leq a_2<1$일 때

$a_3=2^{2-2}=1$이므로 $0\leq a_3<1$을 만족시키지 않는다.

ⅱ) $a_2\geq1$일 때

$a_3=\log_2 a_2$에서 $1\leq a_2<2$

$a_1<1$이면 $a_2=2^{1-2}=\dfrac{1}{2}$이므로 $1\leq a_2<2$를 만족시키지 않는다.

$a_1\geq1$이면 $a_2=\log_2 a_1$에서 $2\leq a_1<4$

(ⅱ) $a_3\geq1$일 때

$a_4=\log_2 a_3$에서 $a_3=2^2=4$

ⅰ) $0\leq a_2<1$일 때

$a_3=2^{2-2}=1$이므로 $a_3=4$를 만족시키지 않는다.

ⅱ) $a_2\geq1$일 때

$a_3=\log_2 a_2$에서 $a_2=2^4=16$

$a_1<1$이면 $a_2=2^{1-2}=\dfrac{1}{2}$이므로 $a_2=16$을 만족시키지 않는다.

$a_1\geq1$이면 $a_2=\log_2 a_1$에서 $a_1=2^{16}$

따라서 a_1의 값은 $2\leq a_1<4$ 또는 $a_1=2^{16}$이므로

$M = 2^{16}$, $m = 2$이고 $\log_2 \dfrac{M}{m} = \log_2 2^{15} = 15$

---

16 함수의 극한 　　　　　　　정답률 87% | 정답 5

❶ $\displaystyle\lim_{x \to 2} \dfrac{x^2 + x - 6}{x - 2}$ 의 값을 구하시오. [3점]

STEP 01 ❶의 분자를 인수분해하여 약분한 후 극한값을 구한다.

$\displaystyle\lim_{x \to 2} \dfrac{x^2 + x - 6}{x - 2} = \lim_{x \to 2} \dfrac{(x-2)(x+3)}{x-2} = \lim_{x \to 2}(x+3) = 5$

---

17 지수함수의 그래프 　　　　　　정답률 82% | 정답 3

함수 ❶ $y = 4^x$ 의 그래프를 x축의 방향으로 1만큼, y축의 방향으로 a만큼 평행이동한 그래프가 점 $\left(\dfrac{3}{2},\ 5\right)$ 를 지날 때, 상수 a의 값을 구하시오. [3점]

STEP 01 ❶의 식을 구한 후 점 $\left(\dfrac{3}{2},\ 5\right)$ 를 대입하여 a의 값을 구한다.

함수 $y = 4^x$ 의 그래프를 x축의 방향으로 1만큼, y축의 방향으로 a만큼 평행이동하면 함수 $y = 4^{x-1} + a$ 의 그래프와 일치한다.

함수 $y = 4^{x-1} + a$ 의 그래프가 점 $\left(\dfrac{3}{2},\ 5\right)$ 를 지나므로

$5 = 4^{\frac{3}{2} - 1} + a$

따라서 $a = 3$

---

18 함수의 극한과 연속 　　　　　　정답률 70% | 정답 8

다항함수 $f(x)$ 가

❶ $\displaystyle\lim_{x \to \infty} \dfrac{xf(x) - 2x^3 + 1}{x^2} = 5$, ❷ $f(0) = 1$

을 만족시킬 때, $f(1)$ 의 값을 구하시오. [3점]

STEP 01 ❶에서 미지수를 이용하여 $f(x)$ 를 구한 후 ❷에서 미지수를 구한 다음 $f(1)$ 의 값을 구한다.

$f(x)$ 가 다항함수이고

$\displaystyle\lim_{x \to \infty} \dfrac{xf(x) - 2x^3 + 1}{x^2} = 5$ 이므로

$xf(x) = 2x^3 + 5x^2 + ax$ (a는 실수)

$x \neq 0$ 일 때 $f(x) = 2x^2 + 5x + a$ 이고

함수 $f(x)$ 는 $x = 0$ 에서 연속이므로

$f(0) = \displaystyle\lim_{x \to 0} f(x) = a = 1$

따라서 $f(1) = 2 + 5 + 1 = 8$

---

19 도함수의 활용 　　　　　　정답률 52% | 정답 6

수직선 위를 움직이는 점 P의 시각 $t(t > 0)$ 에서의 위치 $x(t)$ 가

$x(t) = \dfrac{3}{2}t^4 - 8t^3 + 15t^2 - 12t$

이다. ❶ 점 P의 운동 방향이 바뀌는 순간 점 P의 가속도를 구하시오. [3점]

STEP 01 $x(t)$ 를 미분하여 속도를 구하여 ❶을 구한 다음 속도를 미분하여 가속도를 구한다.

점 P의 시각 $t(t > 0)$ 에서의 속도를 $v(t)$ 라 하면

$v(t) = 6t^3 - 24t^2 + 30t - 12 = 6(t-1)^2(t-2)$

$v(t) = 0$ 에서 $t = 1$ 또는 $t = 2$

함수 $x(t)$ 의 증가와 감소를 표로 나타내면

t	0	$\cdots$	1	$\cdots$	2	$\cdots$
$v(t)$		$-$	0	$-$	0	$+$
$x(t)$		$\searrow$	$-\dfrac{7}{2}$	$\searrow$	-4	$\nearrow$

점 P는 $0 < t < 2$ 에서 운동 방향이 음의 방향이고

$t > 2$ 에서 운동방향이 양의 방향이므로

점 P는 시각 $t = 2$ 에서 운동 방향이 바뀐다.

점 P의 시각 $t(t > 0)$ 에서의 가속도를 $a(t)$ 라 하면

$a(t) = v'(t) = 18t^2 - 48t + 30$

따라서 점 P의 운동 방향이 바뀌는 순간 점 P의 가속도는

$a(2) = 18 \times 2^2 - 48 \times 2 + 30 = 6$

●**핵심 공식**

▶ **속도와 가속도의 관계**

수직선 위를 움직이는 점 P의 시각 t에서의 좌표 x가 $x = f(t)$일 때, 점 P의

(1) 시각 t에서의 속도 V는 $V = \dfrac{dx}{dt} = f'(t)$

(2) 시각 t에서의 가속도 a는 $a = \dfrac{dV}{dt} = f''(t)$

★★★ 등급을 가르는 문제!

20 등차수열의 합 　　　　　　정답률 20% | 정답 30

등차수열 $\{a_n\}$ 의 첫째항부터 제n항까지의 합을 S_n 이라 하자. S_n 이 다음 조건을 만족시킬 때, a_{13} 의 값을 구하시오. [4점]

> (가) S_n은 $n = 7$, $n = 8$에서 최솟값을 갖는다.
> (나) $|S_m| = |S_{2m}| = 162$ 인 자연수 $m(m > 8)$이 존재한다.

STEP 01 조건 (가)에서 a_8을 구한 후 조건 (나)에서 S_m, S_{2m}을 구한다. 등차수열의 합에 조건 (나)를 이용하여 첫째항과 공차를 구한 후 a_{13}의 값을 구한다.

등차수열 $\{a_n\}$ 의 공차를 d라 하면

조건 (가)에 의하여 $a_8 = S_8 - S_7 = 0$이므로

$a_8 = a_1 + 7d = 0$에서 $a_1 = -7d$

S_n의 값은 $n = 8$에서 최소이므로 $S_9 \geq S_8$

$a_9 = a_8 + d = d \geq 0$

$d = 0$이면 $a_1 = 0$에서 모든 자연수 n에 대하여 $S_n = 0$이므로 조건 (나)를 만족시키지 않는다.

그러므로 $d > 0$

$n \geq 9$인 모든 자연수 n에 대하여 $a_n > 0$이므로

$m > 8$일 때 $S_{2m} > S_m$

조건 (나)에 의하여 $-S_m = S_{2m} = 162$

$-\dfrac{m\{2a_1 + (m-1)d\}}{2} = \dfrac{2m\{2a_1 + (2m-1)d\}}{2}$

$14d - (m-1)d = -28d + 2(2m-1)d$

$-m + 15 = 4m - 30$에서 $m = 9$

$S_9 = \dfrac{9(-14d + 8d)}{2} = -162$에서

$d = 6$, $a_1 = -42$

따라서 $a_{13} = a_1 + 12d = -42 + 12 \times 6 = 30$

●**핵심 공식**

▶ **등차수열의 일반항**

첫째항이 a, 공차가 d인 등차수열의 일반항 a_n은

$a_n = a + (n-1)d$ ($n = 1, 2, 3, \cdots$)

▶ **등차수열의 합**

첫째항이 a, 공차가 d, 제n항이 l인 등차수열의 첫째항부터 제n항까지의 합을 S_n이라 하면

$S_n = \dfrac{n(a+l)}{2} = \dfrac{n\{2a + (n-1)d\}}{2}$

★★ **문제 해결 꿀~팁** ★★

▶ **문제 해결 방법**

조건 (가)에서 $S_8 = S_7$이므로 $a_8 = 0$이고 S_n은 S_7일 때 최소이므로 $d > 0$이다.

즉, 수열 a_n은 첫째항이 음수이고 공차가 양수로 항의 값이 점점 커지다가 $a_8 = 0$이고 제9항부터는 값이 양수이다.

그러므로 조건 (나)에서 $S_m = -162$, $S_{2m} = 162$이다.

여기에 등차수열의 합을 이용하여 식을 정리하면 첫째항과 공차를 구할 수 있다.

등차수열의 항의 값들의 흐름을 유추할 수 있으면 조건 (가)에서 바로 a_n의 값이 음수에서 시작하여 $a_8 = 0$이고 이후 값이 양수이며, 조건 (나)에서 $S_m = -162$, $S_{2m} = 162$임을 알 수 있다.

이 사실을 바로 알아챌 수 있으면 문제를 보다 쉽게 해결할 수 있다. 등차수열이나 등비수열의 값들이 공차나 공비의 부호에 따라 어떠한 특징을 가지며 전개되는지 잘 파악하여 두는 것이 좋다.

21 사인법칙과 코사인법칙

좌표평면 위의 두 점 $O(0, 0)$, $A(2, 0)$과 y좌표가 양수인 서로 다른 두 점 P, Q가 다음 조건을 만족시킨다.

(가) $\overline{AP}=\overline{AQ}=2\sqrt{15}$ 이고 $\overline{OP}>\overline{OQ}$ 이다.

(나) $\cos(\angle OPA)=\cos(\angle OQA)=\dfrac{\sqrt{15}}{4}$

사각형 OAPQ의 넓이가 $\dfrac{q}{p}\sqrt{15}$ 일 때, $p\times q$의 값을 구하시오.
(단, p와 q는 서로소인 자연수이다.) [4점]

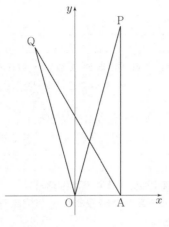

STEP 01 두 삼각형 OAP와 OAQ에서 코사인법칙에 의하여 $\overline{OP}$, $\overline{OQ}$ 를 구한다.

$\overline{OP}=k_1$, $\overline{OQ}=k_2$라 하자.

삼각형 OAP에서 코사인법칙에 의하여

$$2^2=k_1^2+(2\sqrt{15})^2-2\times k_1\times 2\sqrt{15}\times\frac{\sqrt{15}}{4}$$

삼각형 OAQ에서 코사인법칙에 의하여

$$2^2=k_2^2+(2\sqrt{15})^2-2\times k_2\times 2\sqrt{15}\times\frac{\sqrt{15}}{4}$$

이므로 두 실수 k_1, k_2는 이차방정식

$$2^2=x^2+(2\sqrt{15})^2-2\times x\times 2\sqrt{15}\times\frac{\sqrt{15}}{4}$$

의 서로 다른 두 실근이다.
$x^2-15x+56=(x-7)(x-8)=0$
에서 $k_1>k_2$이므로 $k_1=8$, $k_2=7$

STEP 02 조건 (나)에서 $\sin(\angle OPA)$를 구한 후 삼각형 OAP에서 사인법칙에 의하여 외접원의 반지름의 길이를 구한다.

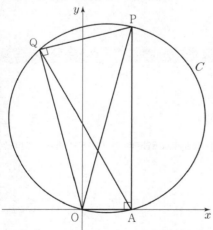

$\cos(\angle OPA)=\cos(\angle OQA)$이므로 $\angle OPA=\angle OQA$
삼각형 OAP의 외접원을 C라 하면 두 점 P, Q의 y좌표가 양수이므로 점 Q도 원 C 위의 점이다.

$$\sin(\angle OPA)=\sqrt{1-\left(\frac{\sqrt{15}}{4}\right)^2}=\frac{1}{4}$$

이므로 원 C의 반지름의 길이를 R라 하면 삼각형 OAP에서 사인법칙에 의하여

$$\frac{\overline{OA}}{\sin(\angle OPA)}=8=2R$$

그러므로 선분 OP는 원 C의 지름이다.

STEP 03 두 직각삼각형 OAP와 OPQ의 넓이의 합으로 사각형 OAPQ의 넓이를 구한 후 $p\times q$의 값을 구한다.

$\angle PAO=\angle OQP=\dfrac{\pi}{2}$이므로

직각삼각형 OPQ에서
$$\overline{PQ}=\sqrt{8^2-7^2}=\sqrt{15}$$
사각형 OAPQ의 넓이는 두 직각삼각형 OAP, OPQ의 넓이의 합과 같으므로
$$\frac{1}{2}\times 2\times 2\sqrt{15}+\frac{1}{2}\times 7\times\sqrt{15}=\frac{11}{2}\sqrt{15}$$
에서 $p=2$, $q=11$
따라서 $p\times q=22$

●핵심 공식

▶ 코사인법칙

세 변의 길이를 각각 a, b, c라 하고 b, c 사이의 끼인각을 A라 하면

$a^2=b^2+c^2-2bc\cos A$, $\left(\cos A=\dfrac{b^2+c^2-a^2}{2bc}\right)$

▶ 사인법칙

△ABC에 대하여 △ABC의 외접원의 반지름 길이를 R라 할 때,

$$\frac{a}{\sin A}=\frac{b}{\sin B}=\frac{c}{\sin C}=2R$$

★★ 문제 해결 꿀~팁 ★★

▶ 문제 해결 방법

점 A의 좌표와 $\overline{AP}$, $\overline{AQ}$의 길이를 알려주었고 조건 (나)에서 $\cos$값을 알려주었으므로 두 삼각형 OAP와 OAQ에서 코사인법칙을 이용하면 $\overline{OP}$, $\overline{OQ}$ 를 구할 수 있다. 문제에서 주어진 조건만 보아도 코사인법칙을 이용해야 함을 알 수 있다.
또한, 주어진 코사인값에서 해당 각의 사인값을 구할 수 있으므로 여기서 사인법칙을 이용할 수 있다.
삼각형 OAP에서 사인법칙을 이용하면 외접원의 지름의 길이가 8이므로 $\overline{OP}$가 외접원의 지름으로 $\angle PAO=\angle OQP$는 직각으로 사각형 OAPQ의 넓이는 두 직각삼각형 OAP, OPQ의 넓이의 합으로 구하면 된다.
코사인법칙과 사인법칙도 알고 있어야 하지만 기본적인 원과 내접하는 삼각형, 사각형 또는 외접원의 특성을 알고 있어야 한다.
$\angle OPA=\angle OQA$에서 호 OA에 대한 원주각의 크기가 같으므로 사각형 OAPQ는 원에 내접하는 사각형이며 $\overline{OP}$가 외접원의 지름이므로 두 삼각형 OAP, OPQ가 직각삼각형임을 알 수 있어야 한다.
도형에 관련된 성질 중에서도 자주 이용되는 성질들이므로 정확하게 알아두는 것이 좋다.

22 정적분의 활용

두 상수 a, $b(b\neq 1)$과 이차함수 $f(x)$에 대하여 함수 $g(x)$가 다음 조건을 만족시킨다.

(가) 함수 $g(x)$는 실수 전체의 집합에서 미분가능하고, 도함수 $g'(x)$는 실수 전체의 집합에서 연속이다.

(나) $|x|<2$일 때, $g(x)=\displaystyle\int_0^x(-t+a)dt$이고
$|x|\geq 2$일 때, $|g'(x)|=f(x)$이다.

(다) 함수 $g(x)$는 $x=1$, $x=b$에서 극값을 갖는다.

$g(k)=0$을 만족시키는 모든 실수 k의 값의 합이 $p+q\sqrt{3}$일 때, $p\times q$의 값을 구하시오. (단, p와 q는 유리수이다.) [4점]

STEP 01 주어진 세 조건으로 a와 $f(x)$를 구한 후 $g'(x)$를 구하여 그래프의 개형을 그린다.

조건 (나)에서 $|x|<2$일 때 $g'(x)=-x+a$이고
조건 (다)에서 함수 $g(x)$가 $x=1$에서 극값을 가지므로
$g'(1)=-1+a=0$, $a=1$
$|x|<2$일 때 $g'(x)=-x+1$에서 함수 $g(x)$는 $x=1$에서만 극값을 가지므로
$|b|\geq 2$
함수 $g'(x)$가 $x=-2$, $x=2$에서 연속이므로

$g'(-2)=\displaystyle\lim_{x\to -2+}g'(x)=\lim_{x\to -2+}(-x+1)=3$ ……㉠

$g'(2)=\displaystyle\lim_{x\to 2-}g'(x)=\lim_{x\to 2-}(-x+1)=-1$ ……㉡

에서 $b\neq\pm 2$이므로 $|b|>2$ ……㉢

조건 (나)에서 $|g'(b)|=f(b)=0$이고
$|x|\geq 2$인 모든 실수 x에 대하여 이차함수 $f(x)$는
$f(x)=|g'(x)|\geq 0$이므로
$f(x)=m(x-b)^2$ $(m>0)$
㉠, ㉡에 의하여
$f(-2)=|g'(-2)|=3$, $f(2)=|g'(2)|=1$ ……㉣

이고 $f(-2) > f(2)$에서

$m(-2-b)^2 > m(2-b)^2$

$b^2 + 4b + 4 > b^2 - 4b + 4$에서 $b > 0$

ⓒ에 의하여 $b > 2$이고

조건을 만족시키는 함수 $g'(x)$는

$$g'(x) = \begin{cases} m(x-b)^2 & (x \le -2) \\ -x+1 & (-2 < x < 2) \\ -m(x-b)^2 & (2 \le x < b) \\ m(x-b)^2 & (x \ge b) \end{cases}$$

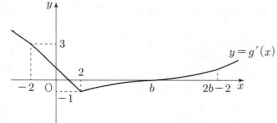

STEP 02 k의 범위를 나누어 $g(k)=0$을 만족하는 k의 값들을 구한 후 합을 구한 다음 $p \times q$의 값을 구한다.

ⓓ에 의하여 $f(-2) = m(-2-b)^2 = 3$, $f(2) = m(2-b)^2 = 1$

두 식을 연립하면

$m(-2-b)^2 = 3m(2-b)^2$

$b^2 - 8b + 4 = 0$

에서 $b > 2$이므로 $b = 4 + 2\sqrt{3}$

조건 (나)에서 $g(0) = \displaystyle\int_0^0 (-t+1)dt = 0$이므로

$g(k) = \displaystyle\int_0^k g'(t)dt$에서

(ⅰ) $k < 0$일 때

$x \le 0$에서 $g'(x) > 0$이므로

$g(k) = \displaystyle\int_0^k g'(t)dt = -\int_k^0 g'(t)dt < 0$

그러므로 $g(k) = 0$을 만족시키지 않는다.

(ⅱ) $k = 0$일 때

$g(0) = \displaystyle\int_0^0 g'(t)dt = 0$이므로

$g(k) = 0$을 만족시킨다.

(ⅲ) $0 < k \le 2$일 때

$\displaystyle\int_0^k g'(t)dt = \int_0^k (-t+1)dt = \left[-\frac{t^2}{2} + t\right]_0^k = -\frac{k^2}{2} + k = 0$

에서 $k = 2$일 때 $g(k) = 0$을 만족시킨다.

(ⅳ) $k > 2$일 때

$2 < x < b$에서 $g'(x) < 0$이므로

$\displaystyle\int_0^k g'(t)dt = 0$이려면 $k > b$

$\displaystyle\int_0^k g'(t)dt = \int_0^2 g'(t)dt + \int_2^b g'(t)dt + \int_b^k g'(t)dt$

$= 0 - \displaystyle\int_2^b m(t-b)^2 dt + \int_b^k m(t-b)^2 dt$

$= -m \displaystyle\int_2^b (t^2 - 2bt + b^2)dt + m\int_b^k (t^2 - 2bt + b^2)dt$

$= -m \left[\dfrac{t^3}{3} - bt^2 + b^2 t\right]_2^b + m\left[\dfrac{t^3}{3} - bt^2 + b^2 t\right]_b^k$

$= -\dfrac{m}{3}(b^3 - 6b^2 + 12b - 8) + \dfrac{m}{3}(k^3 - 3k^2 b + 3kb^2 - b^3)$

$= -\dfrac{m}{3}(b-2)^3 + \dfrac{m}{3}(k-b)^3 = 0$

에서 $(k-b)^3 = (b-2)^3$

$k-b$, $b-2$는 모두 실수이므로 $k-b = b-2$

그러므로 $k = 2b-2 = 6+4\sqrt{3}$일 때 $g(k) = 0$을 만족시킨다.

(ⅰ)~(ⅳ)에 의하여 $g(k) = 0$을 만족시키는 모든 실수 k의 값의 합은

$0 + 2 + (6 + 4\sqrt{3}) = 8 + 4\sqrt{3}$이므로 $p = 8$, $q = 4$

따라서 $p \times q = 32$

★★ 문제 해결 꿀~팁 ★★

▶ 문제 해결 방법

궁극적으로 구하라고 하는 것이 $g(k) = 0$을 만족하는 k의 값이고 x의 범위에 따라

$g'(x)$가 달라지므로 k의 범위를 나누고 각 범위에 맞는 $g'(x)$를 적분하여 $g(k) = 0$을 만족하는 k의 값을 구해야 한다.

$g(k) = 0$의 의미는 $g'(x)$의 그래프에서 $x = 0$부터 $x = k$까지의 넓이가 0임을 의미하므로 $g'(x)$의 그래프에서 $g(k) = 0$을 만족하는 k의 위치를 파악할 수 있다.

그래프에서 $k = 0$, $k = 2$일 때 $g(k) = 0$임을 바로 알 수 있고 $k = 2b-2$일 때도 $g(k) = 0$임을 의심할 수 있으므로 $k > 2$인 경우에만 $g'(x)$를 적분하여 $g(k) = 0$을 만족하는 k를 구하면 된다.

이처럼 적분을 식 그대로만 풀이하려고 하지 말고 넓이의 의미로 파악하여 풀이하는 것이 문제를 보다 쉽고 수월하게 해결할 수 있는 방법이다.

확률과 통계

23 중복조합 · 정답률 77% | 정답 ①

❶ $_3\Pi_2 + _2H_3$의 값은? [2점]

① 13 ② 14 ③ 15 ④ 16 ⑤ 17

STEP 01 중복순열과 중복조합의 계산으로 ❶의 값을 구한다.

$_3\Pi_2 + _2H_3 = 3^2 + _4C_3 = 9 + 4 = 13$

● 핵심 공식

▶ 중복조합

$_nH_r$은 서로 다른 n개의 원소에서 r개를 뽑는 경우의 수이다.

$_nH_r = _{n+r-1}C_r$

24 중복순열 · 정답률 53% | 정답 ⑤

전체집합 $U = \{1, 2, 3, 4, 5, 6\}$의 두 부분집합 A, B에 대하여

$n(A \cup B) = 5$, $A \cap B = \varnothing$

을 만족시키는 ❶ 집합 A, B의 모든 순서쌍 (A, B)의 개수는? [3점]

① 168 ② 174 ③ 180 ④ 186 ⑤ 192

STEP 01 조합으로 $A \cup B$의 원소 5개를 정하는 경우의 수를 구한 후 중복순열을 이용하여 ❶을 구한다.

전체집합 U의 6개의 원소 중에서 집합 $A \cup B$의 원소 5개를 정하는 경우의 수는

$_6C_5 = 6$

$A \cap B = \varnothing$에서 두 집합 A, B의 원소를 정하는 경우의 수는 서로 다른 2개에서 5개를 택하는 중복순열의 수와 같으므로

$_2\Pi_5 = 32$

따라서 구하는 모든 순서쌍 (A, B)의 개수는

$6 \times 32 = 192$

● 핵심 공식

▶ 중복순열

서로 다른 n개의 물건에서 중복을 허락하여, r개를 택해 일렬로 배열한 것을 서로 다른 n개에서 중복을 허락하여 r개를 택한 중복순열이라 하고, 중복순열의 총갯수는 $_n\Pi_r$로 나타낸다.

$\therefore _n\Pi_r = n \times n \times n \times \cdots \times n = n^r$

25 원순열 · 정답률 84% | 정답 ③

세 학생 A, B, C를 포함한 7명의 학생이 있다. 이 7명의 학생 중에서 A, B, C를 포함하여 5명을 선택하고, 이 5명의 학생 모두를 일정한 간격으로 원 모양의 탁자에 둘러앉게 하는 경우의 수는? (단, 회전하여 일치하는 것은 같은 것으로 본다.) [3점]

① 120 ② 132 ③ 144 ④ 156 ⑤ 168

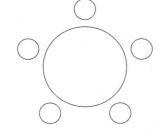

STEP 01 조합으로 A, B, C를 제외한 두 명을 선택하는 경우의 수를 구한 후 원순열을 이용하여 5명을 원 모양의 탁자에 둘러앉게 하는 경우의 수를 구한 다음 구하는 경우의 수를 구한다.

7명의 학생 중 A, B, C를 제외한 두 명을 선택하는 경우의 수는
$_4C_2=6$
A, B, C를 포함한 5명의 학생 모두를 일정한 간격으로 원 모양의 탁자에 둘러앉게 하는 경우의 수는
$(5-1)!=4!=24$
따라서 구하는 경우의 수는
$6\times24=144$

●핵심 공식

▶ 원순열
서로 다른 n개의 원형으로 배열하는 원순열의 수는 $(n-1)!$

26 중복조합 　　　　정답률 71% | 정답 ②

방정식 $3x+y+z+w=11$을 만족시키는 자연수 x, y, z, w의 모든 순서쌍 $(x,\ y,\ z,\ w)$의 개수는? [3점]

① 24　　② 27　　③ 30　　④ 33　　⑤ 36

STEP 01 x의 값에 따라 경우를 나누고 중복조합을 이용하여 구하는 순서쌍의 개수를 구한다.

$3x+y+z+w=11$에서 $y+z+w=11-3x$
$y'=y-1$, $z'=z-1$, $w'=w-1(y',\ z',\ w'$은 음이 아닌 정수)라 하면
$(y'+1)+(z'+1)+(w'+1)=11-3x$
$y'+z'+w'=8-3x$
(i) $x=1$일 때
방정식 $y'+z'+w'=5$를 만족시키는 음이 아닌 정수 y', z', w'의 순서쌍 $(y',\ z',\ w')$의 개수는 서로 다른 3개에서 5개를 택하는 중복조합의 수와 같으므로
$_3H_5=_7C_5=21$
(ii) $x=2$일 때
방정식 $y'+z'+w'=2$를 만족시키는 음이 아닌 정수 y', z', w'의 순서쌍 $(y',\ z',\ w')$의 개수는 서로 다른 3개에서 2개를 택하는 중복조합의 수와 같으므로
$_3H_2=_4C_2=6$
(iii) $x\geq3$일 때
방정식 $y'+z'+w'=8-3x$를 만족시키는 음이 아닌 정수 y', z', w'의 순서쌍 $(y',\ z',\ w')$은 존재하지 않는다.
(i), (ii), (iii)에 의하여
구하는 모든 순서쌍 $(x,\ y,\ z,\ w)$의 개수는
$21+6=27$

27 이항정리 　　　　정답률 58% | 정답 ④

양수 a에 대하여 ❶ $\left(ax-\dfrac{2}{ax}\right)^7$의 전개식에서 각 항의 계수의 총합이 1일 때, $\dfrac{1}{x}$의 계수는? [3점]

① 70　　② 140　　③ 210　　④ 280　　⑤ 350

STEP 01 ❶에 의해 $\left(ax-\dfrac{2}{ax}\right)^7$에 $x=1$을 대입하여 양수 a를 구한 후 이항정리에 의해 $\dfrac{1}{x}$의 계수를 구한다.

$\left(ax-\dfrac{2}{ax}\right)^7$의 전개식의 일반항은
$_7C_r(ax)^r\left(-\dfrac{2}{ax}\right)^{7-r}=_7C_r(-2)^{7-r}a^{2r-7}x^{2r-7}$
$\left(ax-\dfrac{2}{ax}\right)^7$의 전개식에서 각 항의 계수의 총합 1은
$\left(ax-\dfrac{2}{ax}\right)^7$에 $x=1$을 대입한 값과 같으므로
$\left(a-\dfrac{2}{a}\right)^7=1$, $a-\dfrac{2}{a}=1$
$a^2-a-2=0$에서 $(a+1)(a-2)=0$

$a>0$이므로 $a=2$
$\left(2x-\dfrac{1}{x}\right)^7$의 전개식의 일반항은
$_7C_r(-1)^{7-r}2^rx^{2r-7}$
$2r-7=-1$에서 $r=3$
따라서 $\dfrac{1}{x}$의 계수는
$_7C_3\times(-1)^4\times2^3=35\times1\times8=280$

●핵심 공식

▶ 이항정리
이항정리는 이항 다항식 $x+y$의 거듭제곱 $(x+y)^n$에 대해서, 전개한 각 항 x^ky^{n-k}의 계수 값을 구하는 정리이다.
구체적으로 x^ky^{n-k}의 계수는 n개에서 k개를 고르는 조합의 가짓수인 $_nC_k$이고, 이를 이항계수라고 부른다. 따라서 다음의 식이 성립한다.
$$(x+y)^n=\sum_{k=0}^n {}_nC_kx^ky^{n-k}$$

28 같은 것이 있는 순열 　　　　정답률 29% | 정답 ①

숫자 1, 1, 2, 2, 2, 3, 3, 4가 하나씩 적혀 있는 8장의 카드가 있다. 이 8장의 카드 중에서 7장을 택하여 이 7장의 카드 모두를 일렬로 나열할 때, 서로 이웃한 2장의 카드에 적혀 있는 수의 곱 모두가 짝수가 되도록 나열하는 경우의 수는? (단, 같은 숫자가 적힌 카드끼리는 서로 구별하지 않는다.) [4점]

① 264　　② 268　　③ 272　　④ 276　　⑤ 280

$\boxed{1}\boxed{1}\boxed{2}\boxed{2}\boxed{2}\boxed{3}\boxed{3}\boxed{4}$

STEP 01 선택된 카드 중 짝수가 적혀 있는 카드의 개수에 따라 경우를 나눈 다음 각 경우에 대하여 같은 것이 있는 순열로 짝수가 적힌 카드를 먼저 나열한 후 홀수가 적혀 있는 카드를 나열하는 경우의 수를 구하여 구하는 경우의 수를 구한다.

8장의 카드에서 7장의 카드를 택하는 경우는
짝수가 적혀 있는 카드가 4장 또는 3장 선택되는 경우이다.
(i) 짝수가 적혀 있는 카드가 4장 선택된 경우
짝수 2, 2, 2, 4가 적혀 있는 4장의 카드를 일렬로 나열하는 경우의 수는
$\dfrac{4!}{3!}=4$
짝수가 적힌 4장의 카드를 □로 나타내면 홀수가 적힌 카드끼리는 서로 이웃하지 않아야 하므로 그림과 같이 ∨로 표시된 다섯 곳 중 세 곳에 홀수가 적힌 3장의 카드가 나열되어야 한다.
∨□∨□∨□∨□∨
홀수가 적혀 있는 3장의 카드는 1, 3, 3이 적힌 카드이거나 1, 1, 3이 적힌 카드이므로 홀수가 적힌 3장의 카드를 일렬로 나열하는 경우의 수는
$_5C_3\times2\times\dfrac{3!}{2!}=60$
구하는 경우의 수는 $4\times60=240$
(ii) 짝수가 적혀 있는 카드가 3장 선택된 경우
짝수가 적혀 있는 3장의 카드는 2, 2, 2가 적힌 카드이거나 2, 2, 4가 적힌 카드이므로 짝수가 적힌 3장의 카드를 일렬로 나열하는 경우의 수는
$1+\dfrac{3!}{2!}=4$
이 각각에 대하여 짝수가 적힌 3장의 카드를 □로 나타내면 홀수가 적힌 카드끼리는 서로 이웃하지 않아야 하므로 그림과 같이 ∨로 표시된 네 곳에 홀수가 적힌 4장의 카드가 나열되어야 한다.
∨□∨□∨□∨
홀수 1, 1, 3, 3이 적혀 있는 4장의 카드를 일렬로 나열하는 경우의 수는
$\dfrac{4!}{2!2!}=6$
구하는 경우의 수는 $4\times6=24$
(i), (ii)에 의하여 구하는 경우의 수는
$240+24=264$

●핵심 공식

▶ 같은 것이 있는 순열
n개 중에서 같은 것이 각각 p개, q개, r개, $\cdots$, s개가 있을 때, n개를 택하여 만든 순열의 수는
$\dfrac{n!}{p!q!r!\cdots s!}$ $(n=p+q+r+\cdots+s)$

29 중복조합　　　　　　　　　　　　정답률 9% | 정답 523

두 집합

$X = \{1, 2, 3, 4, 5, 6, 7, 8\}$, $Y = \{1, 2, 3, 4, 5\}$

에 대하여 다음 조건을 만족시키는 X에서 Y로의 함수 f의 개수를 구하시오.
[4점]

(가) $f(4) = f(1) + f(2) + f(3)$
(나) $2f(4) = f(5) + f(6) + f(7) + f(8)$

STEP 01　x_4의 값에 따라 경우를 나눈 다음 각 경우에 대하여 중복조합으로 (x_1, x_2, x_3)과 (x_5, x_6, x_7, x_8)의 개수를 구하여 구하는 함수의 개수를 구한다.

$f(k) = x_k (k = 1, 2, \cdots, 8)$이라 하면 x_k는 5 이하의 자연수이다.

구하는 함수 f의 개수는 두 방정식

$x_4 = x_1 + x_2 + x_3$, $2x_4 = x_5 + x_6 + x_7 + x_8$을 만족시키는 5 이하의 자연수

$x_1, x_2, \cdots, x_8$의 모든 순서쌍 $(x_1, x_2, \cdots, x_8)$의 개수와 같다.

$x_1 + x_2 + x_3 \geq 3$이므로 조건 (가)에 의하여

$3 \leq x_4 \leq 5$

(i) $x_4 = 3$인 경우

　방정식 $x_1 + x_2 + x_3 = 3$을 만족시키는 5 이하의 자연수

　x_1, x_2, x_3의 순서쌍 (x_1, x_2, x_3)은 $(1, 1, 1)$의 1가지이다.

　방정식 $x_5 + x_6 + x_7 + x_8 = 6$을 만족시키는 5 이하의 자연수

　x_5, x_6, x_7, x_8의 모든 순서쌍 (x_5, x_6, x_7, x_8)의 개수는

　서로 다른 4개에서 2개를 택하는 중복조합의 수와 같으므로

　$_4H_2 = {}_5C_2 = 10$

　그러므로 함수 f의 개수는 $1 \times 10 = 10$

(ii) $x_4 = 4$인 경우

　방정식 $x_1 + x_2 + x_3 = 4$를 만족시키는 5 이하의 자연수

　x_1, x_2, x_3의 순서쌍 (x_1, x_2, x_3)은 $(1, 1, 2)$, $(1, 2, 1)$, $(2, 1, 1)$의 3가지이다.

　방정식 $x_5 + x_6 + x_7 + x_8 = 8$을 만족시키는 5 이하의 자연수

　x_5, x_6, x_7, x_8의 모든 순서쌍 (x_5, x_6, x_7, x_8)의 개수는

　서로 다른 4개에서 4개를 택하는 중복조합의 수와 같으므로

　$_4H_4 = {}_7C_4 = 35$

　그러므로 함수 f의 개수는 $3 \times 35 = 105$

(iii) $x_4 = 5$인 경우

　방정식 $x_1 + x_2 + x_3 = 5$를 만족시키는 5 이하의 자연수

　x_1, x_2, x_3의 모든 순서쌍 (x_1, x_2, x_3)의 개수는

　서로 다른 3개에서 2개를 택하는 중복조합의 수와 같으므로

　$_3H_2 = {}_4C_2 = 6$

　방정식 $x_5 + x_6 + x_7 + x_8 = 10$을 만족시키는 5 이하의 자연수

　x_5, x_6, x_7, x_8의 모든 순서쌍 (x_5, x_6, x_7, x_8)의 개수는

　방정식 $x_5 + x_6 + x_7 + x_8 = 10$을 만족시키는 자연수 x_5, x_6, x_7, x_8의 모든

　순서쌍 (x_5, x_6, x_7, x_8)에서 $x_k \geq 6$인 자연수 $k (k = 5, 6, 7, 8)$이 존재하는

　모든 순서쌍 (x_5, x_6, x_7, x_8)을 제외한 개수와 같다.

　방정식 $x_5 + x_6 + x_7 + x_8 = 10$을 만족시키는 자연수 x_5, x_6, x_7, x_8의

　모든 순서쌍 (x_5, x_6, x_7, x_8)의 개수는

　서로 다른 4개에서 6개를 택하는 중복조합의 수와 같으므로

　$_4H_6 = {}_9C_6 = 84$

　방정식 $x_5 + x_6 + x_7 + x_8 = 10$을 만족시키는 자연수 x_5, x_6, x_7, x_8 중

　6 이상의 자연수가 존재하는 모든 순서쌍 (x_5, x_6, x_7, x_8)의 개수는

　네 수 6, 2, 1, 1을 일렬로 나열하는 경우의 수와 네 수 7, 1, 1, 1을

　일렬로 나열하는 경우의 수의 합과 같으므로

　$\dfrac{4!}{2!} + \dfrac{4!}{3!} = 16$

　그러므로 함수 f의 개수는 $6 \times (84 - 16) = 408$

(i), (ii), (iii)에 의하여

구하는 함수 f의 개수는 $10 + 105 + 408 = 523$

★★★ 등급을 가르는 문제!

30 중복순열　　　　　　　　　　　　정답률 3% | 정답 188

세 문자 a, b, c 중에서 중복을 허락하여 각각 5개 이하씩 모두 7개를 택해 다음 조건을 만족시키는 7자리의 문자열을 만들려고 한다.

(가) 한 문자가 연달아 3개 이어지고 그 문자는 a뿐이다.
(나) 어느 한 문자도 연달아 4개 이상 이어지지 않는다.

예를 들어, $baaacca$, $ccbbaaa$는 조건을 만족시키는 문자열이고 $aabbcca$, $aaabccc$, $ccbaaaa$는 조건을 만족시키지 않는 문자열이다.

만들 수 있는 **모든 문자열의 개수**를 구하시오. [4점]

STEP 01　7자리의 문자열에서 aaa의 위치에 따라 경우를 나눈 다음 각 경우에 대하여 중복순열을 이용하여 aaa와 이웃한 자리와 이웃하지 않는 자리에 올 수 있는 문자를 각각 택하는 경우의 수를 구하여 구하는 경우의 수를 구한다.

문자열 aaa와 이웃한 자리를 $\triangle$, 문자열 aaa와 이웃하지 않는 자리를 $\square$로 나타내면 조건 (가)를 만족시키는 문자열의 형태는

$aaa\triangle\square\square\square$, $\triangle aaa\triangle\square\square$, $\square\triangle aaa\triangle\square$, $\square\square\triangle aaa\triangle$, $\square\square\square\triangle aaa$의

5가지이고

조건 (나)에 의하여 $\triangle$에 나열될 수 있는 문자는 b 또는 c이다.

(i) $aaa\triangle\square\square\square$일 때

　i) $\triangle$에 b가 나열된 경우

　　3개의 $\square$에 세 문자를 나열하는 경우의 수는

　　서로 다른 3개에서 3개를 택하는 중복순열의 수와 같으므로

　　$_3\Pi_3 = 27$

　　이때 조건을 만족시키지 않는 문자열은

　　$aaabbba$, $aaabbbb$, $aaabbbc$, $aaabaaa$, $aaabccc$의 5가지이다.

　　그러므로 만들 수 있는 문자열의 개수는 $27 - 5 = 22$

　ii) $\triangle$에 c가 나열된 경우

　　i)과 같은 방법으로 구하면 만들 수 있는 문자열의 개수는 22

　i), ii)에 의하여 만들 수 있는 문자열의 개수는 $22 + 22 = 44$

(ii) $\triangle aaa\triangle\square\square$일 때

　2개의 $\triangle$에 a가 아닌 두 문자를 나열하는 경우의 수는

　서로 다른 2개에서 2개를 택하는 중복순열의 수와 같으므로

　$_2\Pi_2 = 4$

　2개의 $\square$에 세 문자를 나열하는 경우의 수는

　서로 다른 3개에서 2개를 택하는 중복순열의 수와 같으므로

　$_3\Pi_2 = 9$

　이때 조건을 만족시키지 않는 문자열은

　$baaabbb$, $baaaccc$, $caaabbb$, $caaaccc$의 4가지이다.

　그러므로 만들 수 있는 문자열의 개수는 $4 \times 9 - 4 = 32$

(iii) $\square\triangle aaa\triangle\square$일 때

　2개의 $\triangle$에 a가 아닌 두 문자를 나열하는 경우의 수는

　서로 다른 2개에서 2개를 택하는 중복순열의 수와 같으므로

　$_2\Pi_2 = 4$

　2개의 $\square$에 세 문자를 나열하는 경우의 수는

　서로 다른 3개에서 2개를 택하는 중복순열의 수와 같으므로

　$_3\Pi_2 = 9$

　그러므로 만들 수 있는 문자열의 개수는 $4 \times 9 = 36$

(iv) $\square\square\triangle aaa\triangle$일 때

　(ii)와 같은 방법으로 구하면 만들 수 있는 문자열의 개수는 32

(v) $\square\square\square\triangle aaa$일 때

　(i)과 같은 방법으로 구하면 만들 수 있는 문자열의 개수는 44

(i)~(v)에 의하여 만들 수 있는 모든 문자열의 개수는

$44 + 32 + 36 + 32 + 44 = 188$

★★ 문제 해결 꿀~팁 ★★

▶ 문제 해결 방법

7자리의 문자열에 aaa는 반드시 포함되어야 하며 aaa와 다른 a는 이웃하면 안된다. 그러므로 aaa의 위치에 따라 선택할 수 있는 문자의 종류와 경우가 달라지므로 aaa의 위치에 따라 경우를 나누는 것이 좋다.

아니면 aaa를 제외한 나머지 4개의 문자의 구성에 따라 경우를 나누거나 본인이 세운 규칙에 의하여 다른 방법으로 경우를 나누어도 무방하다.

어떠한 경우든 나누는 기준을 정확하게 하여 경우를 나누고 중복되거나 빠지는 경우가 없는지 또는 만족하지 않는 경우가 없는지 정확하게 구분할 수 있어야 한다.

경우를 나누면 각 경우에 대하여 aaa와 이웃하는 자리에는 a가 올 수 없으므로 다른 문자를 택하고, 나머지 자리에 올 수 있는 문자를 택하여 나열하는 경우의 수를 구하면 된다. 이때 aaa를 제외한 나머지 문자는 3개 이상 연속되지 않도록 주의하여야 한다. 문자를 택하여 나열할 때 aaa를 제외한 나머지 문자가 3개 이상 연속되는 경우를 제외하고 경우의 수를 구하거나, aaa를 제외한 나머지 문자가 3개 이상 연속되는 경우를 포함하여 나열한 후 이 경우의 수를 빼야 한다. 마찬가지로 어떠한 방법으로든 제외되는 경우는 반드시 제외하여야 한다. 각 경우에 대하여 만족하는 경우를 꼼꼼히 살피는 습관을 들여야 한다.

23 수열의 극한 | 정답률 92% | 정답 ②

❶ $\lim\limits_{n \to \infty}\left(\sqrt{4n^2+3n}-\sqrt{4n^2+1}\right)$ 의 값은? [2점]

① $\dfrac{1}{2}$　　② $\dfrac{3}{4}$　　③ 1　　④ $\dfrac{5}{4}$　　⑤ $\dfrac{3}{2}$

STEP 01 ❶을 유리화하여 극한값을 구한다.

$$\lim_{n \to \infty}\left(\sqrt{4n^2+3n}-\sqrt{4n^2+1}\right)=\lim_{n \to \infty}\frac{3n-1}{\sqrt{4n^2+3n}+\sqrt{4n^2+1}}$$

$$=\lim_{n \to \infty}\frac{3-\dfrac{1}{n}}{\sqrt{4+\dfrac{3}{n}}+\sqrt{4+\dfrac{1}{n^2}}}$$

$$=\frac{3}{2+2}=\frac{3}{4}$$

24 삼각함수의 미분 | 정답률 92% | 정답 ①

함수 $f(x)=e^x(2\sin x+\cos x)$ 에 대하여 $f'(0)$의 값은? [3점]

① 3　　② 4　　③ 5　　④ 6　　⑤ 7

STEP 01 삼각함수의 미분으로 $f'(x)$를 구한 후 $f'(0)$의 값을 구한다.

$$f'(x)=e^x(2\sin x+\cos x)+e^x(2\cos x-\sin x)$$
$$=e^x(\sin x+3\cos x)$$

따라서 $f'(0)=1\times 3=3$

●핵심 공식

▶ 삼각함수의 도함수

$(\sin x)'=\cos x$

$(\cos x)'=-\sin x$

$(\tan x)'=\sec^2 x$

25 급수의 성질 | 정답률 84% | 정답 ④

수열 $\{a_n\}$에 대하여 급수 ❶ $\displaystyle\sum_{n=1}^{\infty}\left(a_n-\dfrac{2^{n+1}}{2^n+1}\right)$이 수렴할 때,

❷ $\lim\limits_{n \to \infty}\dfrac{2^n\times a_n+5\times 2^{n+1}}{2^n+3}$ 의 값은? [3점]

① 6　　② 8　　③ 10　　④ 12　　⑤ 14

STEP 01 ❶에서 $\lim\limits_{n \to \infty}a_n$을 구한 후 ❷에 이용하여 값을 구한다.

$b_n=a_n-\dfrac{2^{n+1}}{2^n+1}$ 이라 하면 급수 $\displaystyle\sum_{n=1}^{\infty}b_n$이 수렴하므로 $\lim\limits_{n \to \infty}b_n=0$

$$\lim_{n \to \infty}a_n=\lim_{n \to \infty}\left(b_n+\frac{2^{n+1}}{2^n+1}\right)$$

$$=\lim_{n \to \infty}b_n+\lim_{n \to \infty}\frac{2^{n+1}}{2^n+1}$$

$$=0+\lim_{n \to \infty}\frac{2}{1+\dfrac{1}{2^n}}$$

$$=0+\frac{2}{1+0}=2$$

따라서

$$\lim_{n \to \infty}\frac{2^n\times a_n+5\times 2^{n+1}}{2^n+3}=\lim_{n \to \infty}\frac{a_n+5\times 2}{1+\dfrac{3}{2^n}}$$

$$=\frac{2+10}{1+0}=12$$

●핵심 공식

▶ 무한급수와 일반항 사이의 관계

무한급수 $\displaystyle\sum_{n=1}^{\infty}a_n$이 수렴하면 $\lim\limits_{n \to \infty}a_n=0$이다. 그러나 역은 성립하지 않는다.

26 로그함수의 미분 | 정답률 62% | 정답 ③

두 함수 $f(x)=a^x$, $g(x)=2\log_b x$ 에 대하여

❶ $\lim\limits_{x \to e}\dfrac{f(x)-g(x)}{x-e}=0$

일 때, $a\times b$의 값은? (단, a와 b는 1보다 큰 상수이다.) [3점]

① $e^{\frac{1}{e}}$　② $e^{\frac{2}{e}}$　③ $e^{\frac{3}{e}}$　④ $e^{\frac{4}{e}}$　⑤ $e^{\frac{5}{e}}$

STEP 01 ❶의 극한값과 $f(x)$, $g(x)$가 $x=e$에서 연속일 조건으로 a, b를 구한 후 $a\times b$의 값을 구한다.

$\lim\limits_{x \to e}\dfrac{f(x)-g(x)}{x-e}=0$에서

$\lim\limits_{x \to e}(x-e)=0$이므로

$\lim\limits_{x \to e}\{f(x)-g(x)\}=0$

두 함수 $f(x)$, $g(x)$가 $x=e$에서 연속이므로

$f(e)=g(e)$

$a^e=2\log_b e=\dfrac{2}{\ln b}$　　⋯⋯ ㉠

$f'(x)=a^x\ln a$,

$g'(x)=\dfrac{2}{x\ln b}$이므로

$$\lim_{x \to e}\frac{f(x)-g(x)}{x-e}=\lim_{x \to e}\frac{\{f(x)-f(e)\}-\{g(x)-g(e)\}}{x-e}$$

$$=f'(e)-g'(e)$$

$$=a^e\ln a-\frac{2}{e\ln b}=0$$

㉠에 의하여 $a^e\ln a-\dfrac{a^e}{e}=0$에서

$\ln a=\dfrac{1}{e}$

$a=e^{\frac{1}{e}}$, $b=e^{\frac{2}{e}}$

따라서

$a\times b=e^{\frac{3}{e}}$

●핵심 공식

▶ 로그함수의 도함수

$(\ln x)'=\dfrac{1}{x}$

$(\log_a x)'=\dfrac{1}{x\ln a}$　$(a>0,\ a\neq 1,\ x>0)$

27 삼각함수의 극한 | 정답률 57% | 정답 ③

그림과 같이 좌표평면 위에 점 $A(0,\ 1)$을 중심으로 하고 반지름의 길이가 1인 원 C가 있다. 원점 O를 지나고 x축의 양의 방향과 이루는 각의 크기가 θ인 직선이 원 C와 만나는 점 중 O가 아닌 점을 P라 하고, 호 OP 위에 점 Q를 $\angle OPQ=\dfrac{\theta}{3}$가 되도록 잡는다. 삼각형 POQ의 넓이를 $f(\theta)$라 할 때,

❶ $\lim\limits_{\theta \to 0+}\dfrac{f(\theta)}{\theta^3}$ 의 값은? (단, 점 Q는 제1사분면 위의 점이고, $0<\theta<\pi$이다.)

[3점]

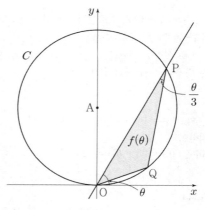

① $\dfrac{2}{9}$　② $\dfrac{1}{3}$　③ $\dfrac{4}{9}$　④ $\dfrac{5}{9}$　⑤ $\dfrac{2}{3}$

STEP 01 $\overline{OP}$, $\overline{OQ}$를 구한 후 $f(\theta)$를 구한다.

원 C와 y축과의 교점 중 O가 아닌 점을 R 라 하면

$\angle ORP = \dfrac{\pi}{2} - \angle POR = \theta$

직각삼각형 OPR 에서 $\overline{OP} = 2\sin\theta$

$\angle ORQ$, $\angle OPQ$는 호 OQ 에 대한 원주각이므로

$\angle ORQ = \angle OPQ = \dfrac{\theta}{3}$

직각삼각형 OQR 에서 $\overline{OQ} = 2\sin\dfrac{\theta}{3}$

$\angle QOP$, $\angle QRP$는 호 PQ 에 대한 원주각이므로

$\angle QOP = \angle QRP$

$\qquad = \theta - \dfrac{\theta}{3} = \dfrac{2}{3}\theta$

$f(\theta) = \dfrac{1}{2} \times \overline{OP} \times \overline{OQ} \times \sin(\angle QOP)$

$\qquad = \dfrac{1}{2} \times 2\sin\theta \times 2\sin\dfrac{\theta}{3} \times \sin\dfrac{2}{3}\theta$

$\qquad = 2\sin\theta \sin\dfrac{\theta}{3} \sin\dfrac{2}{3}\theta$

STEP 02 $f(\theta)$를 ❶에 대입하고 삼각함수의 극한으로 값을 구한다.

$\displaystyle\lim_{\theta \to 0+} \dfrac{f(\theta)}{\theta^3} = \lim_{\theta \to 0+} \dfrac{2\sin\theta \sin\dfrac{\theta}{3} \sin\dfrac{2}{3}\theta}{\theta^3}$

$\qquad = 2 \times \dfrac{1}{3} \times \dfrac{2}{3} \times \lim_{\theta \to 0+} \left(\dfrac{\sin\theta}{\theta} \times \dfrac{\sin\dfrac{\theta}{3}}{\dfrac{\theta}{3}} \times \dfrac{\sin\dfrac{2}{3}\theta}{\dfrac{2}{3}\theta} \right)$

$\qquad = 2 \times \dfrac{1}{3} \times \dfrac{2}{3} \times 1 = \dfrac{4}{9}$

● 핵심 공식

▶ $\dfrac{0}{0}$꼴의 삼각함수의 극한

x의 단위는 라디안일 때

① $\displaystyle\lim_{x \to 0} \dfrac{\sin x}{x} = 1$　② $\displaystyle\lim_{x \to 0} \dfrac{\tan x}{x} = 1$　③ $\displaystyle\lim_{x \to 0} \dfrac{\sin bx}{ax} = \dfrac{b}{a}$

④ $\displaystyle\lim_{x \to 0} \dfrac{\tan bx}{ax} = \dfrac{b}{a}$　⑤ $\displaystyle\lim_{x \to 0} \dfrac{\sin bx}{\tan ax} = \dfrac{b}{a}$

---

28 등비급수의 활용　　정답률 28% | 정답 ④

그림과 같이 $\overline{AB_1} = 2$, $\overline{B_1C_1} = \sqrt{3}$, $\overline{C_1D_1} = 1$이고

$\angle C_1B_1A = \dfrac{\pi}{2}$인 사다리꼴 $AB_1C_1D_1$이 있다. 세 점 A, B_1, D_1을

지나는 원이 선분 B_1C_1과 만나는 점 중 B_1이 아닌 점을 E_1이라

할 때, 두 선분 C_1D_1, C_1E_1과 호 E_1D_1로 둘러싸인 부분과

선분 B_1E_1과 호 B_1E_1로 둘러싸인 부분인 ◢모양의 도형에

색칠하여 얻은 그림을 R_1이라 하자.

그림 R_1에서 선분 AB_1 위의 점 B_2, 호 E_1D_1 위의 점 C_2,

선분 AD_1 위의 점 D_2와 점 A를 꼭짓점으로 하고

$\overline{B_2C_2} : \overline{C_2D_2} = \sqrt{3} : 1$이고 $\angle C_2B_2A = \dfrac{\pi}{2}$인 사다리꼴

$AB_2C_2D_2$를 그린다. 그림 R_1을 얻은 것과 같은 방법으로 점 E_2를

잡고, 사다리꼴 $AB_2C_2D_2$에 ◢모양의 도형을 그리고 색칠하여

얻은 그림을 R_2라 하자.

이와 같은 과정을 계속하여 n번째 얻은 그림 R_n에 색칠되어 있는 부분의

넓이를 S_n이라 할 때, $\displaystyle\lim_{n \to \infty} S_n$의 값은? [4점]

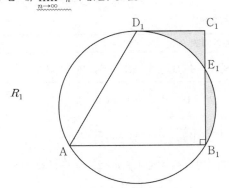

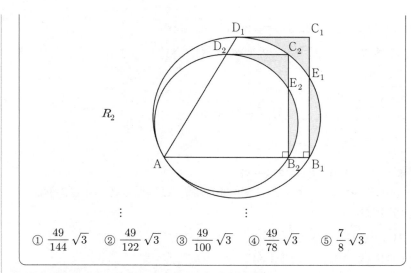

① $\dfrac{49}{144}\sqrt{3}$　② $\dfrac{49}{122}\sqrt{3}$　③ $\dfrac{49}{100}\sqrt{3}$　④ $\dfrac{49}{78}\sqrt{3}$　⑤ $\dfrac{7}{8}\sqrt{3}$

STEP 01 S_1과 넓이가 같은 도형을 찾아 넓이를 구한다.

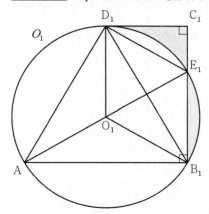

$\overline{B_1C_1} = \sqrt{3}$, $\overline{C_1D_1} = 1$, $\angle D_1C_1B_1 = \dfrac{\pi}{2}$이므로

$\overline{B_1D_1} = 2$, $\angle D_1B_1A = \dfrac{\pi}{3}$

삼각형 AB_1D_1은 한 변의 길이가 2인 정삼각형이다.

삼각형 AB_1D_1의 외접원을 O_1이라 하면

$\angle E_1B_1A = \dfrac{\pi}{2}$이므로

선분 AE_1은 원 O_1의 지름이고 원 O_1의 반지름의 길이는 $\dfrac{2}{3}\sqrt{3}$이다.

원 O_1의 중심을 O_1이라 하면

$\angle B_1AE_1 = \dfrac{\pi}{6}$에서 $\angle B_1O_1E_1 = \dfrac{\pi}{3}$이고

$\overline{O_1B_1} = \overline{O_1E_1}$이므로 삼각형 $O_1B_1E_1$은 정삼각형이다.

$\overline{C_1E_1} = \overline{B_1C_1} - \overline{B_1E_1} = \overline{B_1C_1} - \overline{O_1B_1} = \dfrac{\sqrt{3}}{3}$

$\angle E_1O_1D_1 = \dfrac{\pi}{3}$이므로 두 부채꼴 $O_1E_1D_1$, $O_1B_1E_1$은 서로 합동이다.

S_1은 삼각형 $E_1C_1D_1$의 넓이와 같으므로

$S_1 = \dfrac{1}{2} \times \overline{C_1E_1} \times \overline{C_1D_1} = \dfrac{1}{2} \times \dfrac{\sqrt{3}}{3} \times 1 = \dfrac{\sqrt{3}}{6}$

STEP 02 두 사다리꼴 $AB_nC_nD_n$과 $AB_{n+1}C_{n+1}D_{n+1}$의 닮음에서 공비를 구한 후 등비급수로 $\displaystyle\lim_{n \to \infty} S_n$의 값을 구한다.

다음은 그림 R_{n+1}의 일부이다.

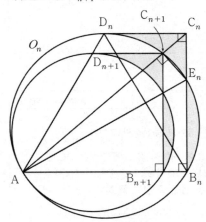

$\overline{C_nD_n} = a_n$이라 하면 $\overline{B_nC_n} = \sqrt{3}\,a_n$

직각삼각형 $B_nC_nD_n$에서 $\overline{B_nD_n} = 2a_n$

$\angle D_n B_n A = \dfrac{\pi}{3}$, $\angle B_n A D_n = \angle B_1 A D_1 = \dfrac{\pi}{3}$ 이므로

삼각형 $AB_n D_n$은 한 변의 길이가 $2a_n$인 정삼각형이다.

그러므로 $\overline{AB_n} = 2a_n$

$\overline{C_{n+1}D_{n+1}} = a_{n+1}$이라 하면

$\overline{B_{n+1}C_{n+1}} = \sqrt{3}\,a_{n+1}$, $\overline{AB_{n+1}} = 2a_{n+1}$

$\dfrac{\overline{B_n C_n}}{\overline{AB_n}} = \dfrac{\overline{B_{n+1}C_{n+1}}}{\overline{AB_{n+1}}}$이므로

점 C_{n+1}은 직선 AC_n 위의 점이다.

그러므로 사다리꼴 $AB_n C_n D_n$과 사다리꼴 $AB_{n+1}C_{n+1}D_{n+1}$은 서로 닮음이다.

직각삼각형 $AB_n C_n$에서

$\overline{AC_n} = \sqrt{\overline{AB_n}^2 + \overline{B_n C_n}^2} = \sqrt{7}\,a_n$

직각삼각형 $AB_{n+1}C_{n+1}$에서 $\overline{AC_{n+1}} = \sqrt{7}\,a_{n+1}$이므로

$\overline{C_n C_{n+1}} = \overline{AC_n} - \overline{AC_{n+1}} = \sqrt{7}\,(a_n - a_{n+1})$

정삼각형 $AB_n D_n$의 외접원을 O_n이라 하면

$\angle E_n B_n A = \dfrac{\pi}{2}$이므로 선분 AE_n은 원 O_n의 지름이다.

$\overline{B_n E_n} = \overline{AB_n} \times \tan\dfrac{\pi}{6} = \dfrac{2\sqrt{3}}{3}a_n$에서

$\overline{C_n E_n} = \overline{B_n C_n} - \overline{B_n E_n} = \dfrac{\sqrt{3}}{3}a_n$

선분 AE_n을 지름으로 하는 반원에 대한 원주각의 크기는 $\dfrac{\pi}{2}$이므로

$\angle AC_{n+1}E_n = \dfrac{\pi}{2}$

$\angle E_n C_{n+1} C_n = \pi - \angle AC_{n+1}E_n = \dfrac{\pi}{2}$

두 삼각형 $C_n AB_n$, $C_n E_n C_{n+1}$은 서로 닮음이므로

$\overline{AC_n} : \overline{E_n C_n} = \overline{B_n C_n} : \overline{C_{n+1}C_n}$

$\sqrt{7}\,a_n : \dfrac{\sqrt{3}}{3}a_n = \sqrt{3}\,a_n : \sqrt{7}\,(a_n - a_{n+1})$

$a_n^2 = 7a_n(a_n - a_{n+1})$

$7a_{n+1} = 6a_n$

$a_{n+1} = \dfrac{6}{7}a_n$이므로

사다리꼴 $AB_n C_n D_n$과 사다리꼴 $AB_{n+1}C_{n+1}D_{n+1}$의 닮음비가 $7:6$이고 넓이의 비는 $49:36$이다.

따라서 S_n은 첫째항이 $\dfrac{\sqrt{3}}{6}$이고 공비가 $\dfrac{36}{49}$인 등비수열의 첫째항부터 제n항까지의 합이므로

$\displaystyle\lim_{n\to\infty} S_n = \dfrac{\dfrac{\sqrt{3}}{6}}{1 - \dfrac{36}{49}} = \dfrac{49}{78}\sqrt{3}$

●핵심 공식

▶ 무한등비급수의 도형에의 활용

(1) 문제를 잘 파악하고 첫째항을 구한다.

(2) 닮음, 피타고라스의 정리, 원의 성질 등을 이용하여 공비를 구한다.

(3) 첫째항과 공비를 찾아서 무한등비급수의 합을 구한다.

▶ 무한등비급수

무한등비급수 $\displaystyle\sum_{n=1}^{\infty} ar^{n-1} = a + ar + ar^2 + \cdots + ar^{n-1} + \cdots$ $(a \neq 0)$

에서 $|r| < 1$이면 수렴하고 그 합은 $\dfrac{a}{1-r}$이다.

---

29 삼각함수의 덧셈정리 　　　정답률 4% | 정답 79

그림과 같이 중심이 O, 반지름의 길이가 8이고 중심각의 크기가 $\dfrac{\pi}{2}$인 부채꼴 OAB가 있다. 호 AB 위의 점 C에 대하여 점 B에서 선분 OC에 내린 수선의 발을 D라 하고, 두 선분 BD, CD와 호 BC에 동시에 접하는 원을 C라 하자. 점 O에서 원 C에 그은 접선 중 점 C를 지나지 않는 직선이 호 AB와 만나는 점을 E라 할 때, ❶ $\cos(\angle COE) = \dfrac{7}{25}$이다.

$\sin(\angle AOE) = p + q\sqrt{7}$일 때, $200 \times (p \pm q)$의 값을 구하시오. (단, p와 q는 유리수이고, 점 C는 점 B가 아니다.) [4점]

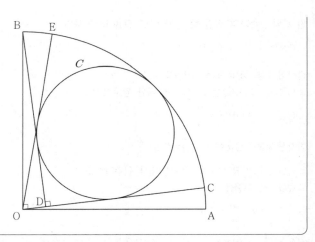

STEP 01 ❶에서 삼각함수의 덧셈정리를 이용하여 $\cos\alpha$, $\sin\alpha$를 구한 뒤 직각삼각형 OHF에서 $\sin\alpha$를 이용하여 $\overline{OH}$를 구한 다음 $\overline{OD}$를 구한다.

원 C의 중심을 F라 하고 $\angle COF = \alpha$라 하자.

$\angle COF = \angle FOE$이므로

$\cos(\angle COE) = \cos(\alpha + \alpha) = \cos\alpha\cos\alpha - \sin\alpha\sin\alpha = 2\cos^2\alpha - 1 = \dfrac{7}{25}$

에서 $\cos^2\alpha = \dfrac{16}{25}$

$0 < \alpha < \dfrac{\pi}{4}$이므로 $\cos\alpha = \dfrac{4}{5}$, $\sin\alpha = \dfrac{3}{5}$

두 직선 BD, CD가 원 C와 접하는 점을 각각 G, H라 하자.

원 C의 반지름의 길이를 r이라 하면

$\overline{OF} = 8 - r$, $\overline{FH} = r$이므로

직각삼각형 OHF에서 $\sin\alpha = \dfrac{r}{8-r} = \dfrac{3}{5}$, $r = 3$

$\overline{OH} = \overline{OF} \times \cos\alpha = 5 \times \dfrac{4}{5} = 4$

사각형 $DHFG$는 한 변의 길이가 3인 정사각형이므로

$\overline{OD} = \overline{OH} - \overline{DH} = 4 - 3 = 1$

STEP 02 삼각형 BOD에서 $\sin\beta$, $\cos\beta$를 구한 뒤 삼각함수의 덧셈정리를 이용하여 $\sin(\angle AOE)$를 구한 다음 $200 \times (p+q)$의 값을 구한다.

$\angle AOC = \beta$라 하면 $\angle OBD = \dfrac{\pi}{2} - \angle DOB = \angle AOC$이므로

삼각형 BOD에서 $\sin\beta = \dfrac{1}{8}$, $\cos\beta = \dfrac{3}{8}\sqrt{7}$

또한 $\sin 2\alpha = \sqrt{1 - \cos^2 2\alpha} = \sqrt{1 - \left(\dfrac{7}{25}\right)^2} = \dfrac{24}{25}$

$\sin(\angle AOE) = \sin(2\alpha + \beta) = \sin 2\alpha\cos\beta + \cos 2\alpha\sin\beta$

$= \dfrac{24}{25} \times \dfrac{3}{8}\sqrt{7} + \dfrac{7}{25} \times \dfrac{1}{8} = \dfrac{7}{200} + \dfrac{9}{25}\sqrt{7}$

에서 $p = \dfrac{7}{200}$, $q = \dfrac{9}{25}$

따라서 $200 \times (p+q) = 200 \times \left(\dfrac{7}{200} + \dfrac{9}{25}\right) = 79$

●핵심 공식

▶ 삼각함수의 덧셈정리

$\sin(\alpha + \beta) = \sin\alpha\cos\beta + \cos\alpha\sin\beta$

$\sin(\alpha - \beta) = \sin\alpha\cos\beta - \cos\alpha\sin\beta$

$\cos(\alpha + \beta) = \cos\alpha\cos\beta - \sin\alpha\sin\beta$

$\cos(\alpha - \beta) = \cos\alpha\cos\beta + \sin\alpha\sin\beta$

$\tan(\alpha + \beta) = \dfrac{\tan\alpha + \tan\beta}{1 - \tan\alpha\tan\beta}$

$\tan(\alpha - \beta) = \dfrac{\tan\alpha - \tan\beta}{1 + \tan\alpha\tan\beta}$

★★★ 등급을 가르는 문제!

30 지수함수의 미분 　　　정답률 1% | 정답 107

$x \geq 0$에서 정의된 함수 $f(x)$가 다음 조건을 만족시킨다.

(가) $f(x) = \begin{cases} 2^x - 1 & (0 \leq x \leq 1) \\ 4 \times \left(\dfrac{1}{2}\right)^x - 1 & (1 < x \leq 2) \end{cases}$

(나) 모든 양의 실수 x에 대하여 $f(x+2) = -\dfrac{1}{2}f(x)$이다.

$x > 0$에서 정의된 함수 $g(x)$를

$$g(x) = \lim_{h \to 0+} \frac{f(x+h) - f(x-h)}{h}$$

라 할 때,

❶ $\lim_{t \to 0+} \{g(n+t) - g(n-t)\} + 2g(n) = \dfrac{\ln 2}{2^{24}}$

를 만족시키는 모든 자연수 n의 값의 합을 구하시오. [4점]

STEP 01 조건 (나)에서 $f(x)$를 구한 후 미분하여 $f'(x)$를 구한다.

조건 (나)에 의하여

$$f(x+2k) = -\frac{1}{2} f(x + 2(k-1))$$
$$= \left(-\frac{1}{2}\right)^2 f(x + 2(k-2))$$
$$\vdots$$
$$= \left(-\frac{1}{2}\right)^k f(x) \, (k는 \, 자연수)$$

자연수 m에 대하여
$2m-2 \le x \le 2m-1$일 때

$$f(x) = f(x - 2(m-1) + 2(m-1))$$
$$= \left(-\frac{1}{2}\right)^{m-1} \times f(x - 2(m-1))$$
$$= \left(-\frac{1}{2}\right)^{m-1} \times \{2^{x-2(m-1)} - 1\}$$
$$= \left(-\frac{1}{2}\right)^{m-1} \times \{2^{-2(m-1)} \times 2^x - 1\}$$

$2m-1 < x \le 2m$일 때

$$f(x) = f(x - 2(m-1) + 2(m-1))$$
$$= \left(-\frac{1}{2}\right)^{m-1} \times f(x - 2(m-1))$$
$$= \left(-\frac{1}{2}\right)^{m-1} \times \left\{4 \times \left(\frac{1}{2}\right)^{x-2(m-1)} - 1\right\}$$
$$= \left(-\frac{1}{2}\right)^{m-1} \times \left\{2^{2m} \times \left(\frac{1}{2}\right)^x - 1\right\}$$

이므로
$2m-2 < x < 2m-1$에서

$$f'(x) = \left(-\frac{1}{2}\right)^{m-1} \times 2^{-2(m-1)} \times 2^x \ln 2$$

$2m-1 < x < 2m$에서

$$f'(x) = -\left(-\frac{1}{2}\right)^{m-1} \times 2^{2m} \times \left(\frac{1}{2}\right)^x \ln 2$$

STEP 02 x가 홀수일 때와 짝수일 때를 나누어 각각 $g(x)$를 구한다.

자연수 l에 대하여
$2l-2 < x < 2l-1$ 또는 $2l-1 < x < 2l$일 때

$$g(x) = \lim_{h \to 0+} \frac{f(x+h) - f(x) - \{f(x-h) - f(x)\}}{h} = 2f'(x)$$

$x = 2l-1$일 때

$$g(x) = \lim_{h \to 0+} \frac{f(2l-1+h) - f(2l-1-h)}{h}$$
$$= \lim_{h \to 0+} \left[\frac{\left(-\frac{1}{2}\right)^{l-1}\left\{2^{2l} \times \left(\frac{1}{2}\right)^{2l-1+h} - 1\right\}}{h}\right.$$
$$\left. - \frac{\left(-\frac{1}{2}\right)^{l-1}\{2^{-2(l-1)} \times 2^{2l-1-h} - 1\}}{h}\right]$$
$$= \left(-\frac{1}{2}\right)^{l-1} \times \lim_{h \to 0+} \frac{(2^{-h+1} - 1) - (2^{-h+1} - 1)}{h} = 0$$

$x = 2l$일 때

$$g(x) = \lim_{h \to 0+} \frac{f(2l+h) - f(2l-h)}{h}$$
$$= \lim_{h \to 0+} \left[\frac{\left(-\frac{1}{2}\right)^l (2^{-2l} \times 2^{2l+h} - 1)}{h} - \frac{\left(-\frac{1}{2}\right)^{l-1}\left\{2^{2l} \times \left(\frac{1}{2}\right)^{2l-h} - 1\right\}}{h}\right]$$
$$= 3 \times \left(-\frac{1}{2}\right)^l \times \lim_{h \to 0+} \frac{2^h - 1}{h} = 3 \times \left(-\frac{1}{2}\right)^l \ln 2$$

STEP 03 n이 홀수일 때와 짝수일 때를 나누어 각각 $\lim_{t \to 0+} g(n+t)$와

$\lim_{t \to 0+} g(n-t)$를 구한 후 ❶을 만족하는 n을 구한 다음 합을 구한다.

이제 $\lim_{t \to 0+} \{g(n+t) - g(n-t)\} + 2g(n) = \dfrac{\ln 2}{2^{24}}$를 만족시키는 자연수 n의 값을
n이 홀수일 때와 n이 짝수일 때로 나누어 구하면 다음과 같다.

(i) $n = 2s-1$ (s는 자연수)일 때

$$\lim_{t \to 0+} g(n+t) = \lim_{t \to 0+} g(2s-1+t) = \lim_{t \to 0+} 2f'(2s-1+t)$$
$$= 2 \times \left\{-\left(-\frac{1}{2}\right)^{s-1}\right\} \times 2^{2s} \times \left(\frac{1}{2}\right)^{2s-1} \ln 2$$
$$= 8 \times \left(-\frac{1}{2}\right)^s \ln 2$$

$$\lim_{t \to 0+} g(n-t) = \lim_{t \to 0+} g(2s-1-t) = \lim_{t \to 0+} 2f'(2s-1-t)$$
$$= 2 \times \left(-\frac{1}{2}\right)^{s-1} \times 2^{-2(s-1)} \times 2^{2s-1} \ln 2$$
$$= -8 \times \left(-\frac{1}{2}\right)^s \ln 2$$

그러므로

$$\lim_{t \to 0+} \{g(n+t) - g(n-t)\} + 2g(n) = 8 \times \left(-\frac{1}{2}\right)^s \ln 2 - \left\{-8 \times \left(-\frac{1}{2}\right)^s \ln 2\right\} + 0$$
$$= 16 \times \left(-\frac{1}{2}\right)^s \ln 2$$

$$16 \times \left(-\frac{1}{2}\right)^s \ln 2 = \frac{\ln 2}{2^{24}}, \quad \left(-\frac{1}{2}\right)^s = \left(\frac{1}{2}\right)^{28}$$

$s = 28$이므로 $n = 2 \times 28 - 1 = 55$

(ii) $n = 2s$ (s는 자연수)일 때

$$\lim_{t \to 0+} g(n+t) = \lim_{t \to 0+} g(2s+t)$$
$$= \lim_{t \to 0+} 2f'(2s+t)$$
$$= 2 \times \left(-\frac{1}{2}\right)^s \times 2^{-2s} \times 2^{2s} \ln 2$$
$$= 2 \times \left(-\frac{1}{2}\right)^s \ln 2$$

$$\lim_{t \to 0+} g(n-t) = \lim_{t \to 0+} g(2s-t)$$
$$= \lim_{t \to 0+} 2f'(2s-t)$$
$$= 2 \times \left\{-\left(-\frac{1}{2}\right)^{s-1}\right\} \times 2^{2s} \times \left(\frac{1}{2}\right)^{2s} \ln 2$$
$$= 4 \times \left(-\frac{1}{2}\right)^s \ln 2$$

그러므로

$$\lim_{t \to 0+} \{g(n+t) - g(n-t)\} + 2g(n)$$
$$= 2 \times \left(-\frac{1}{2}\right)^s \ln 2 - 4 \times \left(-\frac{1}{2}\right)^s \ln 2 + 6 \times \left(-\frac{1}{2}\right)^s \ln 2$$
$$= 4 \times \left(-\frac{1}{2}\right)^s \ln 2$$

$$4 \times \left(-\frac{1}{2}\right)^s \ln 2 = \frac{\ln 2}{2^{24}}, \quad \left(-\frac{1}{2}\right)^s = \left(\frac{1}{2}\right)^{26}$$

$s = 26$이므로 $n = 2 \times 26 = 52$

(i), (ii)에 의하여 모든 자연수 n의 값의 합은
$55 + 52 = 107$

★★ 문제 해결 꿀~팁 ★★

▶ **문제 해결 방법**

$f(x)$가 x의 범위에 따라 함수가 달라지며 정수 x만 고려할 경우는 x가 홀수일 때와 짝수일 때 함수가 달라지는 결과와 같다. 또한 조건 (나)에서 $f(x)$는 주기가 2로 같은 함수가 반복되는 것은 아니지만 일정한 규칙으로 계속 반복되는 함수이다. 그러므로 각 범위에서 $f(x)$를 구할 수 있다. $f(x)$를 구한 후 $g(x)$의 식에 대입하여 $g(x)$를 구한 다음 $\lim_{t \to 0+} \{g(n+t) - g(n-t)\} + 2g(n) = \dfrac{\ln 2}{2^{24}}$에 대입하여 만족하는 n을 구하면 된다. 물론 모든 단계마다 x 및 n의 범위를 나누어서 구해야 한다.

각 단계마다 범위를 나누어서 구해야 하므로 식이 서로 혼돈되지 않도록 주의하여 각각의 함수 및 극한값을 구하면 된다.

범위를 나누어서 $f(x)$, $g(x)$, $\lim_{t \to 0+} g(n+t)$와 $\lim_{t \to 0+} g(n-t)$를 구해야 하므로 식이 여러 개이고, 식이 길고 복잡해 보이는 경향이 있어서 풀이 과정이 복잡해 보이나 식만 잘 구분하고 극한값을 구할 수 있으면 사실상 풀이 과정이 그다지 복잡하지는 않다.

주어진 조건에서 $f(x)$를 구할 수 있느냐가 가장 중요하다고 할 수 있다. $f(x)$만 구하면 다음 과정들은 큰 어려움없이 순서대로 차분히 따라가며 구하면 된다. 물론 범위를 나누어 두 개의 식으로 모든 풀이 과정이 진행됨에 주의하여야 한다.

| 정답과 해설 |

•정답•

공통 | 수학
01 ④ 02 ⑤ 03 ④ 04 ③ 05 ⑤ 06 ① 07 ④ 08 ① 09 ③ 10 ⑤ 11 ⑤ 12 ③ 13 ③ 14 ④ 15 ②
16 7 17 23 18 2 19 16 20 24 21 15 22 231
선택 | 확률과 통계
23 ③ 24 ② 25 ④ 26 ③ 27 ① 28 ① 29 6 30 108
선택 | 미적분
23 ② 24 ② 25 ③ 26 ② 27 ② 28 ④ 29 55 30 25

---

01 지수법칙   정답률 80% | 정답 ④

$\left(\dfrac{5}{\sqrt[3]{25}}\right)^{\frac{3}{2}}$ 의 값은? [2점]

① $\dfrac{1}{5}$ ② $\dfrac{\sqrt{5}}{5}$ ③ 1   ④ $\sqrt{5}$ ⑤ 5

| 문제 풀이 |

$\left(\dfrac{5}{\sqrt[3]{25}}\right)^{\frac{3}{2}}=\left(\dfrac{5}{5^{\frac{2}{3}}}\right)^{\frac{3}{2}}=\left(5^{\frac{1}{3}}\right)^{\frac{3}{2}}=5^{\frac{1}{3}\times\frac{3}{2}}=5^{\frac{1}{2}}=\sqrt{5}$

---

02 미분계수   정답률 83% | 정답 ⑤

함수 $f(x)=x^2+x+2$ 에 대하여 $\displaystyle\lim_{h\to0}\dfrac{f(2+h)-f(2)}{h}$ 의 값은? [2점]

① 1   ② 2   ③ 3   ④ 4   ⑤ 5

| 문제 풀이 |

$f(x)=x^2+x+2$ 에서 $f'(x)=2x+1$
따라서
$\displaystyle\lim_{h\to0}\dfrac{f(2+h)-f(2)}{h}=f'(2)=2\times2+1=5$

---

03 수열의 합   정답률 85% | 정답 ③

수열 $\{a_n\}$ 에 대하여 $\displaystyle\sum_{k=1}^{5}(a_k+1)=9$ 이고 $a_6=4$ 일 때, $\displaystyle\sum_{k=1}^{6}a_k$ 의 값은? [3점]

① 6   ② 7   ③ 8   ④ 9   ⑤ 10

| 문제 풀이 |

$\displaystyle\sum_{k=1}^{5}(a_k+1)=\sum_{k=1}^{5}a_k+\sum_{k=1}^{5}1=\sum_{k=1}^{5}a_k+1\times5=9$ 에서

$\displaystyle\sum_{k=1}^{5}a_k=9-5=4$

따라서 $\displaystyle\sum_{k=1}^{6}a_k=\sum_{k=1}^{5}a_k+a_6=4+4=8$

---

04 함수의 좌극한과 우극한   정답률 84% | 정답 ③

함수 $y=f(x)$ 의 그래프가 그림과 같다.

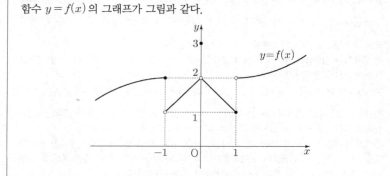

$\displaystyle\lim_{x\to0+}f(x)+\lim_{x\to1-}f(x)$ 의 값은? [3점]

① 1   ② 2   ③ 3   ④ 4   ⑤ 5

| 문제 풀이 |

$\displaystyle\lim_{x\to0+}f(x)=2$, $\displaystyle\lim_{x\to1-}f(x)=1$ 이므로

$\displaystyle\lim_{x\to0+}f(x)+\lim_{x\to1-}f(x)=2+1=3$

---

05 미분계수   정답률 86% | 정답 ⑤

함수 $f(x)=(x^2-1)(x^2+2x+2)$ 에 대하여 $f'(1)$ 의 값은? [3점]

① 6   ② 7   ③ 8   ④ 9   ⑤ 10

| 문제 풀이 |

$f(x)=(x^2-1)(x^2+2x+2)$ 에서
$f'(x)=2x(x^2+2x+2)+(x^2-1)(2x+2)$ 이므로
$f'(1)=2\times5=10$

---

06 삼각함수   정답률 61% | 정답 ①

$\pi<\theta<\dfrac{3}{2}\pi$ 인 θ 에 대하여 $\sin\left(\theta-\dfrac{\pi}{2}\right)=\dfrac{3}{5}$ 일 때, $\sin\theta$ 의 값은? [3점]

① $-\dfrac{4}{5}$ ② $-\dfrac{3}{5}$ ③ $\dfrac{3}{5}$ ④ $\dfrac{3}{4}$ ⑤ $\dfrac{4}{5}$

| 문제 풀이 |

$\sin\left(\theta-\dfrac{\pi}{2}\right)=\dfrac{3}{5}$ 에서

$\sin\left(\theta-\dfrac{\pi}{2}\right)=\sin\left\{-\left(\dfrac{\pi}{2}-\theta\right)\right\}=-\sin\left(\dfrac{\pi}{2}-\theta\right)=-\cos\theta$ 이므로

$-\cos\theta=\dfrac{3}{5}$

즉 $\cos\theta=-\dfrac{3}{5}$

한편, $\pi<\theta<\dfrac{3}{2}\pi$ 에서 $\sin\theta<0$

따라서 $\sin\theta=-\sqrt{1-\cos^2\theta}=-\sqrt{1-\left(-\dfrac{3}{5}\right)^2}=-\sqrt{\dfrac{16}{25}}=-\dfrac{4}{5}$

---

07 다항함수의 미분   정답률 82% | 정답 ④

x 에 대한 방정식 $x^3-3x^2-9x+k=0$ 의 서로 다른 실근의 개수가 2가 되도록 하는 모든 실수 k 의 값의 합은? [3점]

① 13   ② 16   ③ 19   ④ 22   ⑤ 25

| 문제 풀이 |

$f(x)=x^3-3x^2-9x+k$ 로 놓으면
$f'(x)=3x^2-6x-9=3(x+1)(x-3)$
$f'(x)=0$ 에서 $x=-1$, $x=3$
$f(-1)=k+5$, $f(3)=k-27$
삼차함수 $y=f(x)$ 의 그래프는
$x=-1$ 에서 극댓값 $k+5$ 를 갖고, $x=3$ 에서 극솟값 $k-27$ 을 갖는다.
이때 방정식 $f(x)=0$ 의 서로 다른 실근의 개수가 2가 되려면
극댓값 또는 극솟값이 0이어야 하므로
$k+5=0$ 또는 $k-27=0$
즉 $k=-5$ 또는 $k=27$
따라서 조건을 만족시키는 모든 실수 k 의 값의 합은
$-5+27=22$

---

08 등비수열   정답률 72% | 정답 ①

$a_1a_2<0$ 인 등비수열 $\{a_n\}$ 에 대하여
$a_6=16$, $2a_8-3a_7=32$
일 때, a_9+a_{11} 의 값은? [3점]

① $-\dfrac{5}{2}$ ② $-\dfrac{3}{2}$ ③ $-\dfrac{1}{2}$ ④ $\dfrac{1}{2}$ ⑤ $\dfrac{3}{2}$

| 문제 풀이 |

등비수열 $\{a_n\}$ 의 공비를 r 이라 하면 $a_6=16$ 이므로
$a_8=a_6\times r^2=16r^2$, $a_7=a_6\times r=16r$

$2a_8 - 3a_7 = 32$이므로

$2 \times 16r^2 - 3 \times 16r = 32$

$2r^2 - 3r - 2 = 0$, $(2r+1)(r-2) = 0$

$a_1 a_2 < 0$에서 $r < 0$이므로 $r = -\dfrac{1}{2}$

따라서

$a_9 + a_{11} = a_6 \times r^3 + a_6 \times r^5$

$\qquad = 16 \times \left(-\dfrac{1}{8}\right) + 16 \times \left(-\dfrac{1}{32}\right)$

$\qquad = -2 + \left(-\dfrac{1}{2}\right) = -\dfrac{5}{2}$

삼각형 ABC에서 코사인법칙에 의하여

$\cos A = \dfrac{b^2 + c^2 - a^2}{2bc} = \dfrac{(3k)^2 + (3k)^2 - (2k)^2}{2 \times 3k \times 3k} = \dfrac{7}{9}$

$\sin A = \sqrt{1 - \cos^2 A} = \sqrt{1 - \left(\dfrac{7}{9}\right)^2} = \dfrac{4}{9}\sqrt{2}$

$\dfrac{a}{\sin A} = 2R = 2 \times 3 = 6$에서

$a = 6\sin A = 6 \times \dfrac{4}{9}\sqrt{2} = \dfrac{8}{3}\sqrt{2}$

$b = c = \dfrac{3}{2}a = \dfrac{3}{2} \times \dfrac{8}{3}\sqrt{2} = 4\sqrt{2}$

따라서 구하는 삼각형 ABC의 넓이는

$\dfrac{1}{2}bc\sin A = \dfrac{1}{2} \times 4\sqrt{2} \times 4\sqrt{2} \times \dfrac{4}{9}\sqrt{2} = \dfrac{64}{9}\sqrt{2}$

---

09 함수의 연속성　　　　　　　　정답률 71% | 정답 ③

함수

$$f(x) = \begin{cases} x - \dfrac{1}{2} & (x < 0) \\ -x^2 + 3 & (x \geq 0) \end{cases}$$

에 대하여 함수 $(f(x) + a)^2$이 실수 전체의 집합에서 연속일 때, 상수 a의 값은? [4점]

① $-\dfrac{9}{4}$　　② $-\dfrac{7}{4}$　　③ $-\dfrac{5}{4}$　　④ $-\dfrac{3}{4}$　　⑤ $-\dfrac{1}{4}$

| 문제 풀이 |

함수 $f(x)$는 $x = 0$에서만 불연속이므로

함수 $(f(x) + a)^2$이 $x = 0$에서 연속이 되도록 a의 값을 정한다.

$\displaystyle \lim_{x \to 0-} (f(x) + a)^2 = (f(0) + a)^2$

$\displaystyle \lim_{x \to 0-} \left(x - \dfrac{1}{2} + a\right)^2 = (3 + a)^2$

$\left(-\dfrac{1}{2} + a\right)^2 = (3 + a)^2$

$a^2 - a + \dfrac{1}{4} = a^2 + 6a + 9$

$7a = -\dfrac{35}{4}$

따라서 $a = -\dfrac{5}{4}$

---

10 사인법칙, 코사인법칙　　　　　정답률 35% | 정답 ⑤

다음 조건을 만족시키는 삼각형 ABC의 외접원의 넓이가 9π일 때, 삼각형 ABC의 넓이는? [4점]

> (가) $3\sin A = 2\sin B$
> (나) $\cos B = \cos C$

① $\dfrac{32}{9}\sqrt{2}$　　② $\dfrac{40}{9}\sqrt{2}$　　③ $\dfrac{16}{3}\sqrt{2}$

④ $\dfrac{56}{9}\sqrt{2}$　　⑤ $\dfrac{64}{9}\sqrt{2}$

| 문제 풀이 |

삼각형 ABC에서 $\overline{BC} = a$, $\overline{CA} = b$, $\overline{AB} = c$라 하고,

삼각형 ABC의 외접원의 반지름의 길이를 R이라 하자.

삼각형 ABC의 외접원의 넓이가 9π이므로

$\pi R^2 = 9\pi$에서 $R = 3$

삼각형 ABC에서 사인법칙에 의하여

$\dfrac{a}{\sin A} = \dfrac{b}{\sin B} = \dfrac{c}{\sin C} = 2R$

조건 (가)에서 $3\sin A = 2\sin B$이므로

$3 \times \dfrac{a}{2R} = 2 \times \dfrac{b}{2R}$

$b = \dfrac{3}{2}a$ ······ ㉠

조건 (나)에서 $\cos B = \cos C$이므로

$b = c$ ······ ㉡

㉠, ㉡에서 양수 k에 대하여 $a = 2k$라 하면

$b = c = 3k$

---

11 삼차함수의 그래프의 접선의 방정식　　정답률 54% | 정답 ⑤

최고차항의 계수가 1이고 $f(0) = 0$인 삼차함수 $f(x)$가

$$\lim_{x \to a} \dfrac{f(x) - 1}{x - a} = 3$$

을 만족시킨다. 곡선 $y = f(x)$ 위의 점 $(a, f(a))$에서의 접선의 y절편이 4일 때, $f(1)$의 값은? (단, a는 상수이다.) [4점]

① -1　　② -2　　③ -3　　④ -4　　⑤ -5

| 문제 풀이 |

삼차함수 $f(x)$의 최고차항의 계수가 1이고

$f(0) = 0$이므로

$f(x) = x^3 + px^2 + qx$ (p, q는 상수)로 놓을 수 있다.

이때 $f'(x) = 3x^2 + 2px + q$이다.

삼차함수 $f(x)$는 실수 전체의 집합에서 연속이고 미분가능하므로

$\displaystyle \lim_{x \to a} \dfrac{f(x) - 1}{x - a} = 3$에서 $f(a) = 1$이고 $f'(a) = 3$이다.

한편, 곡선 $y = f(x)$ 위의 점 $(a, f(a))$에서의 접선의 방정식은

$y - f(a) = f'(a)(x - a)$이므로

$y = 3(x - a) + 1$, 즉 $y = 3x - 3a + 1$이다.

이 접선의 y절편이 4이므로

$-3a + 1 = 4$에서 $a = -1$

이상에서 $f(-1) = 1$, $f'(-1) = 3$이므로

$f(-1) = -1 + p - q = 1$에서

$p - q = 2$ ······ ㉠

이고,

$f'(-1) = 3 - 2p + q = 3$에서

$2p - q = 0$ ······ ㉡

㉠, ㉡을 연립하면

$p = -2$, $q = -4$이므로

$f(x) = x^3 - 2x^2 - 4x$이다.

따라서 $f(1) = 1 - 2 - 4 = -5$

---

12 지수함수의 그래프　　　　　　정답률 29% | 정답 ③

그림과 같이 곡선 $y = 1 - 2^{-x}$ 위의 제1사분면에 있는 점 A를 지나고 y축에 평행한 직선이 곡선 $y = 2^x$과 만나는 점을 B라 하자. 점 A를 지나고 x축에 평행한 직선이 곡선 $y = 2^x$과 만나는 점을 C, 점 C를 지나고 y축에 평행한 직선이 곡선 $y = 1 - 2^{-x}$과 만나는 점을 D라 하자. $\overline{AB} = 2\overline{CD}$일 때, 사각형 ABCD의 넓이는? [4점]

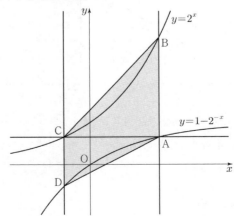

① $\dfrac{5}{2}\log_2 3 - \dfrac{5}{4}$ ② $3\log_2 3 - \dfrac{3}{2}$ ③ $\dfrac{7}{2}\log_2 3 - \dfrac{7}{4}$

④ $4\log_2 3 - 2$ ⑤ $\dfrac{9}{2}\log_2 3 - \dfrac{9}{4}$

| 문제 풀이 |

두 점 A, B의 x좌표를 a라 하면 A$(a,\ 1-2^{-a})$, B$(a,\ 2^a)$이므로

$\overline{AB} = 2^a - (1 - 2^{-a}) = 2^a + 2^{-a} - 1$

두 점 C, D의 x좌표를 c라 하면 C$(c,\ 2^c)$, D$(c,\ 1-2^{-c})$이므로

$\overline{CD} = 2^c - (1 - 2^{-c}) = 2^c + 2^{-c} - 1$

이때 두 점 A, C의 y좌표가 같으므로

$2^c = 1 - 2^{-a}$

즉, $\overline{CD} = (1 - 2^{-a}) + \dfrac{1}{1 - 2^{-a}} - 1 = -2^{-a} + \dfrac{2^a}{2^a - 1}$

주어진 조건에 의하여 $\overline{AB} = 2\overline{CD}$이므로

$2^a + 2^{-a} - 1 = -2^{-a+1} + \dfrac{2^{a+1}}{2^a - 1}$

여기서 $2^a = t$로 놓으면

$t + \dfrac{1}{t} - 1 = -\dfrac{2}{t} + \dfrac{2t}{t-1}$

양변에 $t(t-1)$을 곱하여 정리하면

$t^3 - 4t^2 + 4t - 3 = 0$

$(t-3)(t^2 - t + 1) = 0$

t는 실수이므로 $t = 3$

즉, $2^a = 3$이므로 $a = \log_2 3$

이때 $2^c = 1 - 2^{-a} = 1 - \dfrac{1}{3} = \dfrac{2}{3}$이므로

$c = \log_2 \dfrac{2}{3} = 1 - \log_2 3$

따라서 조건을 만족시키는 사각형 ABCD의 넓이는

$\dfrac{1}{2} \times (a-c) \times (2^a - 1 + 2^{-c}) = \dfrac{1}{2} \times (2\log_2 3 - 1) \times \left(3 - 1 + \dfrac{3}{2}\right)$

$\qquad\qquad = \dfrac{7}{4}(2\log_2 3 - 1)$

$\qquad\qquad = \dfrac{7}{2}\log_2 3 - \dfrac{7}{4}$

---

13 정적분   정답률 44% | 정답 ③

곡선 $y = \dfrac{1}{4}x^3 + \dfrac{1}{2}x$와 직선 $y = mx + 2$ 및 y축으로 둘러싸인 부분의 넓이를 A, 곡선 $y = \dfrac{1}{4}x^3 + \dfrac{1}{2}x$와 두 직선 $y = mx + 2$, $x = 2$로 둘러싸인 부분의 넓이를 B라 하자. $B - A = \dfrac{2}{3}$일 때, 상수 m의 값은? (단, $m < -1$) [4점]

① $-\dfrac{3}{2}$ ② $-\dfrac{17}{12}$ ③ $-\dfrac{4}{3}$ ④ $-\dfrac{5}{4}$ ⑤ $-\dfrac{7}{6}$

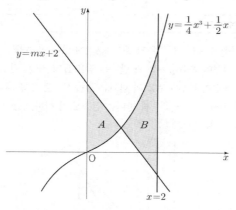

| 문제 풀이 |

$f(x) = \dfrac{1}{4}x^3 + \dfrac{1}{2}x$, $g(x) = mx + 2$라 하고 두 곡선 $y = f(x)$, $y = g(x)$의 교점의 x좌표를 α라 하면

$A = \displaystyle\int_0^\alpha \{g(x) - f(x)\}dx$

$B = \displaystyle\int_\alpha^2 \{f(x) - g(x)\}dx$

따라서

$B - A = \displaystyle\int_\alpha^2 \{f(x) - g(x)\}dx - \int_0^\alpha \{g(x) - f(x)\}dx$

$\qquad = \displaystyle\int_\alpha^2 \{f(x) - g(x)\}dx + \int_0^\alpha \{f(x) - g(x)\}dx$

$\qquad = \displaystyle\int_0^2 \{f(x) - g(x)\}dx$

$\qquad = \displaystyle\int_0^2 \left\{\left(\dfrac{1}{4}x^3 + \dfrac{1}{2}x\right) - (mx + 2)\right\}dx$

$\qquad = \left[\dfrac{1}{16}x^4 + \dfrac{1}{4}x^2 - \dfrac{m}{2}x^2 - 2x\right]_0^2$

$\qquad = 1 + 1 - 2m - 4$

$\qquad = -2m - 2 = \dfrac{2}{3}$

따라서 $m = -\dfrac{4}{3}$

---

14 로그의 성질 및 로그부등식   정답률 31% | 정답 ④

다음 조건을 만족시키는 모든 자연수 k의 값의 합은? [4점]

> $\log_2 \sqrt{-n^2 + 10n + 75} - \log_4(75 - kn)$의 값이 양수가 되도록 하는 자연수 n의 개수가 12이다.

① 6   ② 7   ③ 8   ④ 9   ⑤ 10

| 문제 풀이 |

$\log_2 \sqrt{-n^2 + 10n + 75}$에서 진수 조건에 의하여

$\sqrt{-n^2 + 10n + 75} > 0$, 즉 $-n^2 + 10n + 75 > 0$에서

$n^2 - 10n - 75 < 0$

$(n+5)(n-15) < 0$

$-5 < n < 15$

이때, n이 자연수이므로

$1 \le n < 15$ ……… ㉠

또 $\log_4(75 - kn)$에서 진수 조건에 의하여

$75 - kn > 0$, 즉 $n < \dfrac{75}{k}$ ……… ㉡

한편,

$\log_2 \sqrt{-n^2 + 10n + 75} - \log_4(75 - kn)$의 값이 양수이므로

$\log_2 \sqrt{-n^2 + 10n + 75} - \log_4(75 - kn) > 0$에서

$\log_4(-n^2 + 10n + 75) - \log_4(75 - kn) > 0$

$\log_4(-n^2 + 10n + 75) > \log_4(75 - kn)$

이때 밑 4가 1보다 크므로

$-n^2 + 10n + 75 > 75 - kn$

$n(n - 10 - k) < 0$

k가 자연수이므로

$0 < n < 10 + k$ ……… ㉢

주어진 조건을 만족시키는 자연수 n의 개수가 12이므로

㉠, ㉢에서 $10 + k > 12$이어야 한다.

즉, $k > 2$이어야 한다.

(i) $k = 3$일 때,

    ㉠, ㉡, ㉢에서

    $1 \le n < 13$

    따라서 자연수 n의 개수가 12이므로 주어진 조건을 만족시킨다.

(ii) $k = 4$일 때,

    ㉠, ㉡, ㉢에서

    $1 \le n < 14$

    따라서 자연수 n의 개수가 13이므로 주어진 조건을 만족시키지 못한다.

(iii) $k = 5$일 때,

    ㉠, ㉡, ㉢에서

    $1 \le n < 15$

    따라서 자연수 n의 개수가 14이므로 주어진 조건을 만족시키지 못한다.

(iv) $k = 6$일 때,

    ㉠, ㉡, ㉢에서

    $1 \le n < \dfrac{25}{2}$

    따라서 자연수 n의 개수가 12이므로 주어진 조건을 만족시킨다.

(ⅴ) $k \geq 7$일 때

$\dfrac{75}{k} < 11$이므로

주어진 조건을 만족시키지 못한다.

(ⅰ)~(ⅴ)에서

$k = 3$ 또는 $k = 6$

따라서 모든 자연수 k의 값의 합은

$3 + 6 = 9$

15 정적분의 성질   정답률 42% | 정답 ②

최고차항의 계수가 1인 삼차함수 $f(x)$와 상수 $k(k \geq 0)$에 대하여 함수

$$g(x) = \begin{cases} 2x - k & (x \leq k) \\ f(x) & (x > k) \end{cases}$$

가 다음 조건을 만족시킨다.

> (가) 함수 $g(x)$는 실수 전체의 집합에서 증가하고 미분가능하다.
> (나) 모든 실수 x에 대하여
> $$\int_0^x g(t)\{|t(t-1)| + t(t-1)\}dt \geq 0$$이고
> $$\int_3^x g(t)\{|(t-1)(t+2)| - (t-1)(t+2)\}dt \geq 0$$이다.

$g(k+1)$의 최솟값은? [4점]

① $4 - \sqrt{6}$ ② $5 - \sqrt{6}$ ③ $6 - \sqrt{6}$

④ $7 - \sqrt{6}$ ⑤ $8 - \sqrt{6}$

| 문제 풀이 |

삼차함수 $f(x)$에 대하여

$$g(x) = \begin{cases} 2x - k & (x \leq k) \\ f(x) & (x > k) \end{cases}$$ 이므로

$$g'(x) = \begin{cases} 2 & (x < k) \\ f'(x) & (x > k) \end{cases}$$

최고차항의 계수가 1인 삼차함수 $f(x)$를

$f(x) = x^3 + ax^2 + bx + c$ (단, a, b, c는 상수)라 하면

$f'(x) = 3x^2 + 2ax + b$

또한,

$h_1(t) = |t(t-1)| + t(t-1)$

$h_2(t) = |(t-1)(t+2)| - (t-1)(t+2)$

라 할 때,

$$h_1(t) = \begin{cases} 2t(t-1) & (t \leq 0 \text{ 또는 } t \geq 1) \\ 0 & (0 < t < 1) \end{cases}$$

$$h_2(t) = \begin{cases} 0 & (t \leq -2 \text{ 또는 } t \geq 1) \\ -2(t-1)(t+2) & (-2 < t < 1) \end{cases}$$

이므로

두 함수 $y = h_1(t)$, $y = h_2(t)$의 그래프는 각각 다음과 같다.

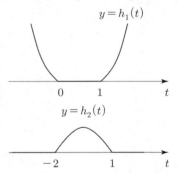

한편, p가 상수일 때, 모든 실수 x에 대하여

$$\int_p^x h(t)dt \geq 0$$이기 위해서는

구간 $[p, x]$에서는 $h(t) \geq 0$이고

구간 $[x, p]$에서는 $h(t) \leq 0$이어야 한다.

(ⅰ) 조건 (나)에서 모든 실수 x에 대하여 $\displaystyle\int_0^x g(t)h_1(t)dt \geq 0$이므로

그림과 같이 $0 \leq \dfrac{k}{2} \leq 1$, 즉 $0 \leq k \leq 2$이어야 한다.

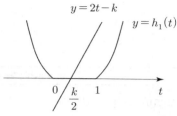

(ⅱ) 조건 (나)에서 모든 실수 x에 대하여 $\displaystyle\int_3^x g(t)h_2(t)dt \geq 0$이므로

그림과 같이 $\dfrac{k}{2} \geq 1$, 즉 $k \geq 2$이어야 한다.

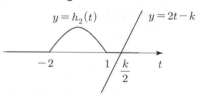

(ⅰ), (ⅱ)에 의하여 $k = 2$

조건 (가)에서 함수 $g(x)$는 실수 전체의 집합에서 미분가능하므로

$x = k = 2$에서도 미분가능하고 연속이다.

$g'(2) = f'(2) = 2$에서

$12 + 4a + b = 2$, $b = -4a - 10$

$g(2) = f(2) = 2$에서

$8 + 4a + 2b + c = 2$

$c = -4a - 2b - 6 = -4a - 2(-4a - 10) - 6 = 4a + 14$

따라서

$f(x) = x^3 + ax^2 - (4a + 10)x + 4a + 14$ ……… ㉠

한편, 함수 $g(x)$는 실수 전체의 집합에서 미분가능하고 증가하므로

$g'(x) \geq 0$이다.

따라서 $x \geq 2$일 때 $f'(x) \geq 0$이어야 한다.

$f'(x) = 3\left(x + \dfrac{a}{3}\right)^2 + b - \dfrac{a^2}{3}$에서

① $-\dfrac{a}{3} < 2$, 즉 $a > -6$일 때

$f'(2) = 12 + 4a + b = 12 + 4a - 4a - 10 = 2 > 0$

이 되어 조건을 만족시킨다.

$a > -6$ ……… ㉡

② $-\dfrac{a}{3} \geq 2$, 즉 $a \leq -6$일 때

$b - \dfrac{a^2}{3} \geq 0$, 즉 $a^2 - 3b \leq 0$이어야 하므로

$a^2 - 3b = a^2 - 3(-4a - 10) \leq 0$

$a^2 + 12a + 30 \leq 0$, $(a + 6)^2 \leq 6$

$-6 - \sqrt{6} \leq a \leq -6 + \sqrt{6}$이므로

$-6 - \sqrt{6} \leq a \leq -6$ ……… ㉢

㉡, ㉢에서

$a \geq -6 - \sqrt{6}$ ……… ㉣

㉠에 $x = 3$을 대입하면 ㉣에서

$g(k+1) = g(3) = f(3) = 27 + 9a - 12a - 30 + 4a + 14 = a + 11 \geq 5 - \sqrt{6}$

따라서 $g(3)$의 최솟값은 $5 - \sqrt{6}$이다.

16 로그의 성질   정답률 75% | 정답 7

방정식 $\log_2(x+1) - 5 = \log_{\frac{1}{2}}(x-3)$을 만족시키는 실수 x의 값을 구하시오.

[3점]

| 문제 풀이 |

로그의 진수의 조건에 의하여

$x + 1 > 0$, $x - 3 > 0$

즉 $x > 3$ ……… ㉠

$\log_{\frac{1}{2}}(x-3) = -\log_2(x-3)$이므로

$\log_2(x+1) - 5 = \log_{\frac{1}{2}}(x-3)$에서

$\log_2(x+1) + \log_2(x-3) = 5$

$\log_2(x+1)(x-3) = 5$

$(x+1)(x-3) = 2^5 = 32$

$x^2 - 2x - 35 = 0$

$(x+5)(x-7) = 0$

$x = -5$ 또는 $x = 7$

이때 ㉠에 의하여 $x = 7$

17 부정적분 　　　　　　　　 정답률 84% | 정답 23

함수 $f(x)$에 대하여 $f'(x) = 6x^2 + 2$이고 $f(0) = 3$일 때, $f(2)$의 값을 구하시오. [3점]

| 문제 풀이 |

$f'(x) = 6x^2 + 2$이므로

$f(x) = \int (6x^2 + 2)dx = 2x^3 + 2x + C$ (C는 적분상수)

$f(0) = 3$이므로 $C = 3$

따라서 $f(x) = 2x^3 + 2x + 3$이므로

$f(2) = 2 \times 2^3 + 2 \times 2 + 3 = 23$

18 여러 가지 수열의 합 　　　　　　 정답률 73% | 정답 2

$\displaystyle\sum_{k=1}^{9}(ak^2 - 10k) = 120$일 때, 상수 a의 값을 구하시오. [3점]

| 문제 풀이 |

$\displaystyle\sum_{k=1}^{9}(ak^2 - 10k) = a\sum_{k=1}^{9}k^2 - 10\sum_{k=1}^{9}k$

$\qquad\qquad\qquad = a \times \dfrac{9 \times 10 \times 19}{6} - 10 \times \dfrac{9 \times 10}{2}$

$\qquad\qquad\qquad = 285a - 450$

$\qquad\qquad\qquad = 120$

$285a = 570$

따라서 $a = 2$

19 속도와 거리 　　　　　　　　　 정답률 22% | 정답 16

시각 $t = 0$일 때 원점을 출발하여 수직선 위를 움직이는 점 P의 시각 $t (t \geq 0)$에서의 속도 $v(t)$가

$v(t) = \begin{cases} -t^2 + t + 2 & (0 \leq t \leq 3) \\ k(t-3) - 4 & (t > 3) \end{cases}$

이다. 출발한 후 점 P의 운동 방향이 두 번째로 바뀌는 시각에서의 점 P의 위치가 1일 때, 양수 k의 값을 구하시오. [3점]

| 문제 풀이 |

점 P의 운동 방향이 바뀌는 시각에서 $v(t) = 0$이다.

$0 \leq t \leq 3$일 때,

$-t^2 + t + 2 = 0$에서

$(t-2)(t+1) = 0$

$t > 0$이므로 $t = 2$

$t > 3$일 때,

$k(t-3) - 4 = 0$에서

$kt = 3k + 4$

$t = 3 + \dfrac{4}{k}$

따라서 출발 후 점 P의 운동 방향이 두 번째로 바뀌는 시각은

$t = 3 + \dfrac{4}{k}$

원점을 출발한 점 P의 시각 $t = 3 + \dfrac{4}{k}$에서의 위치가 1이므로

$\displaystyle\int_{0}^{3 + \frac{4}{k}} v(t)dt = 1$에서

$\displaystyle\int_{0}^{3} v(t)dt + \int_{3}^{3+\frac{4}{k}} v(t)dt = \int_{0}^{3}(-t^2 + t + 2)dt + \int_{3}^{3+\frac{4}{k}}(kt - 3k - 4)dt$

이때

$\displaystyle\int_{0}^{3}(-t^2 + t + 2)dt = \left[-\dfrac{1}{3}t^3 + \dfrac{1}{2}t^2 + 2t\right]_{0}^{3} = -9 + \dfrac{9}{2} + 6 = \dfrac{3}{2}$ ······ ㉠

$\displaystyle\int_{3}^{3+\frac{4}{k}}(kt - 3k - 4)dt = \left[\dfrac{1}{2}kt^2 - (3k+4)t\right]_{3}^{3+\frac{4}{k}} = -\dfrac{8}{k}$ ······ ㉡

㉠, ㉡에서

$\displaystyle\int_{0}^{3} v(t)dt + \int_{3}^{3+\frac{4}{k}} v(t)dt = \dfrac{3}{2} + \left(-\dfrac{8}{k}\right) = 1$

$\dfrac{8}{k} = \dfrac{1}{2}$에서 $k = 16$

20 삼각함수의 그래프 　　　　　　 정답률 15% | 정답 24

5 이하의 두 자연수 a, b에 대하여 열린구간 $(0, 2\pi)$에서 정의된 함수 $y = a\sin x + b$의 그래프가 직선 $x = \pi$와 만나는 점의 집합을 A라 하고, 두 직선 $y = 1$, $y = 3$과 만나는 점의 집합을 각각 B, C라 하자. $n(A \cup B \cup C) = 3$이 되도록 하는 a, b의 순서쌍 (a, b)에 대하여 $a + b$의 최댓값을 M, 최솟값을 m이라 할 때, $M \times m$의 값을 구하시오. [4점]

| 문제 풀이 |

(i) $b = 1$인 경우

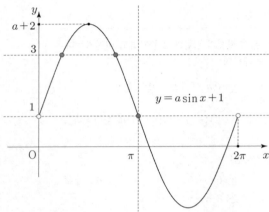

$n(A \cup B \cup C) = 3$을 만족시키려면

$a + 1 > 3$, 즉 $a > 2$

이어야 하므로 5 이하의 자연수 a, b의 순서쌍 (a, b)는

$(3, 1)$, $(4, 1)$, $(5, 1)$이다.

(ii) $b = 2$인 경우

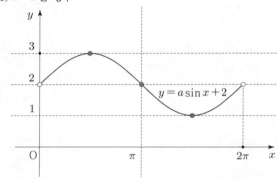

$n(A \cup B \cup C) = 3$을 만족시키려면

$a = 1$

이어야 하므로 5 이하의 자연수 a, b의 순서쌍 (a, b)는

$(1, 2)$이다.

(iii) $b = 3$인 경우

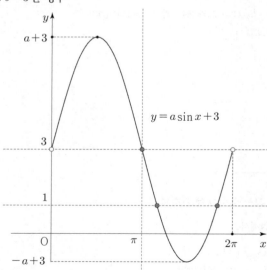

$n(A \cup B \cup C) = 3$을 만족시키려면

$-a + 3 < 1$, 즉 $a > 2$

이어야 하므로 5 이하의 자연수 a, b의 순서쌍 (a, b)는

$(3, 3)$, $(4, 3)$, $(5, 3)$이다.

(iv) $b=4$인 경우

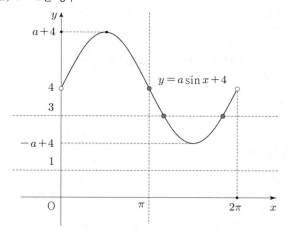

$n(A\cup B\cup C)=3$을 만족시키려면
$1<-a+4<3$, 즉 $1<a<3$
이어야 하므로 5 이하의 자연수 a, b의 순서쌍 (a, b)는
$(2, 4)$이다.

(v) $b=5$인 경우

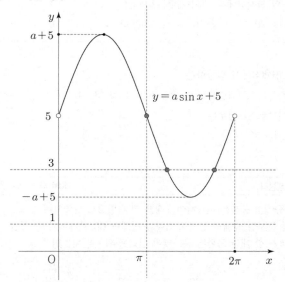

$n(A\cup B\cup C)=3$을 만족시키려면
$1<-a+5<3$, 즉 $2<a<4$
이어야 하므로 5 이하의 자연수 a, b의 순서쌍 (a, b)는
$(3, 5)$이다.
이상에서 $a+b$의 최댓값과 최솟값은 각각 $M=8$, $m=3$이므로
$M\times m=24$

---

21 다항함수의 미분과 함수의 그래프　　정답률 12% | 정답 15

최고차항의 계수가 1인 사차함수 $f(x)$가 다음 조건을 만족시킨다.

(가) $f'(a)\le 0$인 실수 a의 최댓값은 2이다.
(나) 집합 $\{x|f(x)=k\}$의 원소의 개수가 3 이상이 되도록 하는
　　실수 k의 최솟값은 $\dfrac{8}{3}$이다.

$f(0)=0$, $f'(1)=0$일 때, $f(3)$의 값을 구하시오. [4점]

| 문제 풀이 |
조건 (나)에서 방정식 $f(x)=k$의 서로 다른
실근의 개수가 3 이상인 실수 k의 값이 존재하므로
삼차방정식 $f'(x)=0$은 서로 다른 세 실 근을 갖는다.
삼차방정식 $f'(x)=0$의 서로 다른 세 실근을 각각
α, β, $\gamma\,(\alpha<\beta<\gamma)$라 하면
부등식 $f'(x)\le 0$의 해가 $x\le\alpha$ 또는 $\beta\le x\le\gamma$
이므로 조건 (나)에 의하여 $\gamma=2$
$f'(1)=0$, $f'(2)=0$에서 $b\ne 1$, $b<2$인 상수 b에 대하여
$f'(x)=4(x-1)(x-2)(x-b)=4x^3-4(b+3)x^2+4(3b+2)x-8b$로 놓으면
$f(x)=\displaystyle\int f'(x)dx=x^4-\dfrac{4}{3}(b+3)x^3+2(3b+2)x^2-8bx+C$ (C는 상수)
$f(0)=0$에서 $C=0$이므로
$f(x)=x^4-\dfrac{4}{3}(b+3)x^3+2(3b+2)x^2-8bx$ ……㉠
이때 조건 (나)를 만족시키는 경우는 다음과 같다.

(i) $b<1$이고 $f(b)<f(2)$인 경우
조건 (나)에 의하여 $f(2)=\dfrac{8}{3}$이어야 하므로 ㉠에서
$$f(2)=16-\dfrac{32}{3}(b+3)+8(3b+2)-16b=-\dfrac{8}{3}b=\dfrac{8}{3},\ b=-1$$
$f(x)=x^4-\dfrac{8}{3}x^3-2x^2+8x$에서
$f(-1)=1+\dfrac{8}{3}-2-8=-\dfrac{19}{3}<\dfrac{8}{3}$이므로
조건을 만족시킨다.
따라서 $f(3)=81-72-18+24=15$

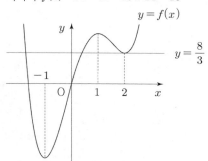

(ii) $b<1$이고 $f(2)<f(b)$인 경우

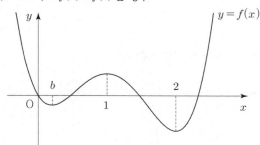

함수 $f(x)$는 $x=b$에서 극소이고 $f(0)=0$이므로
$f(b)\le 0$이다.
따라서 방정식 $f(x)=k$의 서로 다른 실근의 개수가
3 이상이 되도록 하는 실수 k의 최솟값은 0 또는 음수이므로
조건 (나)를 만족시키지 않는다.

(iii) $1<b<2$인 경우

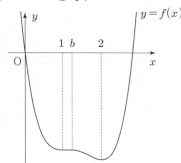

함수 $f(x)$는 $x=1$에서 극소이고 $f(0)=0$이므로 $f(1)<0$이다.
따라서 방정식 $f(x)=k$의 서로 다른 실근의 개수가
3 이상이 되도록 하는 실수 k의 최솟값은 음수이므로
조건 (나)를 만족시키지 않는다.
(i), (ii), (iii)에서 $f(3)=15$이다.

---

22 수열의 귀납적 정의　　정답률 4% | 정답 231

수열 $\{a_n\}$은
$$a_2=-a_1$$
이고, $n\ge 2$인 모든 자연수 n에 대하여
$$a_{n+1}=\begin{cases}a_n-\sqrt{n}\times a_{\sqrt{n}} & (\sqrt{n}\text{이 자연수이고 } a_n>0\text{인 경우})\\ a_n+1 & (\text{그 외의 경우})\end{cases}$$
를 만족시킨다. $a_{15}=1$이 되도록 하는 모든 a_1의 값의 곱을 구하시오. [4점]

| 문제 풀이 |
15 이하의 자연수 n에 대하여 $n\ne 4$, $n\ne 9$이면 $a_{n+1}=a_n+1$이므로
$a_n=a_{n+1}-1$
그러므로 $a_{15}=1$에서
$a_{14}=a_{15}-1=0$, $a_{13}=a_{14}-1=-1$, $a_{12}=a_{13}-1=-2$
$a_{11}=a_{12}-1=-3$, $a_{10}=a_{11}-1=-4$

(ⅰ) $a_9 > 0$일 때

$$a_9 - \sqrt{9} \times a_{\sqrt{9}} = a_{10} = -4$$

그러므로 $a_9 = 3a_3 - 4$에서 $a_5 = 3a_3 - 8$

ⅰ) $a_4 > 0$일 때

$a_5 = a_4 - \sqrt{4} \times a_{\sqrt{4}}$이므로

$a_4 - 2a_2 = 3a_3 - 8$. 즉, $a_4 = 3a_3 + 2a_2 - 8$

그러므로 $a_4 = a_3 + 1$에서 $a_3 = a_4 - 1$이므로

$a_3 = 3a_3 + 2a_2 - 9$

즉, $a_3 + a_2 = \dfrac{9}{2}$

$a_3 = a_2 + 1$이므로 $a_2 = \dfrac{7}{4}$, $a_3 = \dfrac{11}{4}$

$a_9 = \dfrac{33}{4} - 4 > 0$, $a_4 = \dfrac{33}{4} + \dfrac{14}{4} - 8 > 0$

그러므로 $a_1 = -a_2 = -\dfrac{7}{4}$

ⅱ) $a_4 \le 0$일 때

$a_4 + 1 = a_5 = 3a_3 - 8$

그러므로 $a_4 = 3a_3 - 9$에서

$a_3 = a_4 - 1 = 3a_3 - 9 - 1$

$a_3 = 3a_3 - 10$

즉, $a_3 = 5$

그런데 $a_3 = 5$이면 $a_4 = 6 > 0$이므로 모순이다.

(ⅱ) $a_9 \le 0$일 때

$a_9 = a_{10} - 1 = -5$에서 $a_5 = -9$

ⅰ) $a_4 > 0$일 때

$a_5 = a_4 - \sqrt{4} \times a_{\sqrt{4}} = a_4 - 2a_2$

즉, $a_4 = a_5 + 2a_2$이므로 $a_4 = 2a_2 - 9$

또, $a_3 = a_4 - 1 = 2a_2 - 9 - 1 = 2a_2 - 10$

그런데 $a_3 = a_2 + 1$이므로

$a_2 + 1 = 2a_2 - 10$

$a_2 = 11$

$a_4 = 2 \times 11 - 9 > 0$

그러므로 $a_1 = -a_2 = -11$

ⅱ) $a_4 \le 0$일 때

$a_5 = a_4 + 1 = -9$

그러므로 $a_4 = -10$에서

$a_3 = -11$, $a_2 = -12$

그러므로 $a_1 = -a_2 = 12$

(ⅰ), (ⅱ)에서 모든 a_1의 곱은

$$-\dfrac{7}{4} \times (-11) \times 12 = 231$$

확률과 통계

23 순열의 수 | 정답률 90% | 정답 ③

네 개의 숫자 1, 1, 2, 3을 모두 일렬로 나열하는 경우의 수는? [2점]

① 8　　② 10　　③ 12　　④ 14　　⑤ 16

| 문제 풀이 |

네 개의 숫자 1, 1, 2, 3을 모두 일렬로 나열하는 경우의 수는

$$\dfrac{4!}{2!} = 12$$

24 확률의 덧셈정리 | 정답률 79% | 정답 ②

두 사건 A, B는 서로 배반사건이고

$$\mathrm{P}(A^C) = \dfrac{5}{6}, \ \mathrm{P}(A \cup B) = \dfrac{3}{4}$$

일 때, $\mathrm{P}(B^C)$의 값은? [3점]

① $\dfrac{3}{8}$　　② $\dfrac{5}{12}$　　③ $\dfrac{11}{24}$　　④ $\dfrac{1}{2}$　　⑤ $\dfrac{13}{24}$

| 문제 풀이 |

여사건의 확률에 의하여

$$\mathrm{P}(A) = 1 - \mathrm{P}(A^C) = 1 - \dfrac{5}{6} = \dfrac{1}{6}$$

두 사건 A, B는 서로 배반사건이므로 확률의 덧셈정리에 의하여

$$\mathrm{P}(A \cup B) = \mathrm{P}(A) + \mathrm{P}(B) - \mathrm{P}(A \cap B)$$
$$= \dfrac{1}{6} + \mathrm{P}(B) - 0 = \dfrac{3}{4}$$

따라서

$\mathrm{P}(B) = \dfrac{3}{4} - \dfrac{1}{6} = \dfrac{7}{12}$이므로

$$\mathrm{P}(B^C) = 1 - \mathrm{P}(B)$$
$$= 1 - \dfrac{7}{12}$$
$$= \dfrac{5}{12}$$

25 이항정리 | 정답률 82% | 정답 ④

다항식 $(x^2 - 2)^5$의 전개식에서 x^6의 계수는? [3점]

① -50　　② -20　　③ 10　　④ 40　　⑤ 70

| 문제 풀이 |

다항식 $(x^2 - 2)^5$의 전개식에서 일반항은

$${}_5\mathrm{C}_r \times (x^2)^r \times (-2)^{5-r} = {}_5\mathrm{C}_r (-2)^{5-r} \times x^{2r} (r = 0, \ 1, \ 2, \ 3, \ 4, \ 5)$$

x^6항은 $r = 3$일 때이므로 그 계수는

$${}_5\mathrm{C}_3 (-2)^{5-3} = 10 \times 4 = 40$$

26 확률의 덧셈정리 | 정답률 57% | 정답 ③

문자 a, b, c, d 중에서 중복을 허락하여 4개를 택해 일렬로 나열하여 만들 수 있는 모든 문자열 중에서 임의로 하나를 선택할 때, 문자 a가 한 개만 포함되거나 문자 b가 한 개만 포함된 문자열이 선택될 확률은? [3점]

① $\dfrac{5}{8}$　　② $\dfrac{41}{64}$　　③ $\dfrac{21}{32}$　　④ $\dfrac{43}{64}$　　⑤ $\dfrac{11}{16}$

| 문제 풀이 |

문자 a, b, c, d 중에서 중복을 허락하여
4개를 택해 일렬로 나열하여 만들 수 있는 모든 문자열의 개수는

$${}_4\Pi_4 = 4^4$$

문자 a가 한 개만 포함되는 사건을 A,
문자 b가 한 개만 포함되는 사건을 B라 하면
구하는 확률은 $\mathrm{P}(A \cup B)$이다.
문자 a가 한 개만 포함되는 경우의 수는
문자 a가 나열될 한 곳을 택한 후
나머지 세 곳에는 b, c, d 중에서 중복을 허락하여
3개를 택해 일렬로 나열하는 경우의 수와 같으므로

$${}_4\mathrm{C}_1 \times {}_3\Pi_3 = 4 \times 3^3$$

그러므로 $\mathrm{P}(A) = \dfrac{4 \times 3^3}{4^4} = \dfrac{27}{64}$

문자 b가 한 개만 포함되는 경우의 수는 문자 a가 한 개만 포함되는 경우의 수와 같으므로

$$\mathrm{P}(B) = \dfrac{4 \times 3^3}{4^4} = \dfrac{27}{64}$$

한편 사건 $A \cap B$는 문자 a와 문자 b가 각각 한 개만 포함되는 사건이다.
문자 a와 문자 b는 각각 한 개만 포함되는 경우의 수는
문자 a와 문자 b가 나열될 두 곳을 택하여 두 문자 a, b를 나열하고,
나머지 두 곳에는 c, d 중에서 중복을 허락하여
2개를 택해 일렬로 나열하는 경우의 수와 같으므로

$${}_4\mathrm{P}_2 \times {}_2\Pi_2 = (4 \times 3) \times 2^2 = 3 \times 4^2$$

그러므로 $\mathrm{P}(A \cap B) = \dfrac{3 \times 4^2}{4^4} = \dfrac{3}{16}$

따라서
$$\mathrm{P}(A \cup B) = \mathrm{P}(A) + \mathrm{P}(B) - \mathrm{P}(A \cap B)$$
$$= \dfrac{27}{64} + \dfrac{27}{64} - \dfrac{3}{16}$$
$$= \dfrac{21}{32}$$

27 원순열
정답률 65% | 정답 ①

1부터 6까지의 자연수가 하나씩 적혀 있는 6개의 의자가 있다. 이 6개의 의자를 일정한 간격을 두고 원형으로 배열할 때, 서로 이웃한 2개의 의자에 적혀 있는 수의 합이 11이 되지 않도록 배열하는 경우의 수는? (단, 회전하여 일치하는 것은 같은 것으로 본다.) [3점]

① 72   ② 78   ③ 84   ④ 90   ⑤ 96

| 문제 풀이 |
6개의 의자를 일정한 간격을 두고 원형으로 배열하는 원순열의 수는
$(6-1)! = 120$
이때 이웃한 2개의 의자에 적혀 있는 수의 합이 11이 되려면
5와 6이 적힌 의자가 서로 이웃해야 한다.
따라서 5와 6이 적힌 의자를 묶어서 하나의 의자로 생각하여
모두 5개의 의자를 일정한 간격을 두고 원형으로 배열하는 원순열의 수는
$(5-1)! = 24$
이때 5와 6이 적힌 의자의 위치를 서로 바꾸는 경우의 수는 2이므로
5와 6이 적힌 의자가 서로 이웃하도록 배열하는 경우의 수는
$24 \times 2 = 48$
따라서 구하는 경우의 수는
$120 - 48 = 72$

28 조건부확률
정답률 20% | 정답 ①

탁자 위에 놓인 4개의 동전에 대하여 다음 시행을 한다.

> 4개의 동전 중 임의로 한 개의 동전을 택하여 한 번 뒤집는다.

처음에 3개의 동전은 앞면이 보이도록, 1개의 동전은 뒷면이 보이도록 놓여있다. 위의 시행을 5번 반복한 후 4개의 동전이 모두 같은 면이 보이도록 놓여 있을 때, 모두 앞면이 보이도록 놓여 있을 확률은? [4점]

① $\dfrac{17}{32}$ ② $\dfrac{35}{64}$ ③ $\dfrac{9}{16}$ ④ $\dfrac{37}{64}$ ⑤ $\dfrac{19}{32}$

앞면   앞면   앞면   뒷면

| 문제 풀이 |
시행을 5번 반복한 후 4개의 동전이
모두 같은 면이 보이도록 놓여 있는 사건을 A,
모두 앞면이 보이도록 놓여 있는 사건을 B라 하면 구하는 확률은
$P(B|A)$이다.
동전을 왼쪽부터 ①, ②, ③, ④로 나타내자.
(i) 시행을 5번 반복한 후 4개의 동전이 모두 앞면이 보이도록 놓여 있는 경우
  ㉠ ④만 5번 뒤집는 경우의 수는 1
  ㉡ ④를 3번, ①, ②, ③ 중에서 1개를 2번 뒤집는 경우의 수는
  $_3C_1 \times \dfrac{5!}{3!2!} = 30$
  ㉢ ④를 1번, ①, ②, ③ 중에서 1개를 4번 뒤집는 경우의 수는
  $_3C_1 \times \dfrac{5!}{4!} = 15$
  ㉣ ④를 1번, ①, ②, ③ 중에서 서로 다른 2개를 각각 2번씩 뒤집는 경우의 수는
  $_3C_2 \times \dfrac{5!}{2!2!} = 90$
  ㉠ ~ ㉣에서 이 경우의 수는
  $1 + 30 + 15 + 90 = 136$
(ii) 시행을 5번 반복한 후 4개의 동전이 모두 뒷면이 보이도록 놓여 있는 경우
  ㉠ ①, ②, ③ 중에서 1개를 3번, 나머지 2개를 각각 1번씩 뒤집는 경우의 수는

$_3C_1 \times \dfrac{5!}{3!} = 60$

  ㉡ ①, ②, ③을 각각 1번씩 뒤집고, ④를 2번 뒤집는 경우의 수는
  $\dfrac{5!}{2!} = 60$
  ㉠, ㉡에서 이 경우의 수는
  $60 + 60 = 120$
(i)~(ii)에서
$P(A) = \dfrac{136 + 120}{4^5} = \dfrac{1}{4}$
$P(A \cap B) = \dfrac{136}{4^5} = \dfrac{17}{128}$
따라서
$$P(B|A) = \frac{P(A \cap B)}{P(B|A)} = \frac{\frac{17}{128}}{\frac{1}{4}} = \frac{17}{32}$$

29 확률
정답률 41% | 정답 6

40개의 공이 들어 있는 주머니가 있다. 각각의 공은 흰 공 또는 검은 공 중 하나이다. 이 주머니에서 임의로 2개의 공을 동시에 꺼낼 때, 흰 공 2개를 꺼낼 확률을 p, 흰 공 1개와 검은 공 1개를 꺼낼 확률을 q, 검은 공 2개를 꺼낼 확률을 r이라 하자. $p = q$일 때, $60r$의 값을 구하시오. (단, $p > 0$) [4점]

| 문제 풀이 |
$p > 0$이므로 $p = q$에서 $q > 0$이다.
따라서 흰 공의 개수를 $n(2 \le n \le 39)$이라 하면 검은 공의 개수는 $40 - n$이다.
이때
$p = \dfrac{_nC_2}{_{40}C_2}$, $q = \dfrac{_nC_1 \times _{40-n}C_1}{_{40}C_2}$이고, $p = q$이므로
$_nC_2 = _nC_1 \times _{40-n}C_1$
$\dfrac{n(n-1)}{2} = n \times (40 - n)$
$n - 1 = 80 - 2n$, $3n = 81$
$n = 27$
따라서 검은 공의 개수는
$40 - 27 = 13$이므로
$r = \dfrac{_{13}C_2}{_{40}C_2} = \dfrac{\frac{13 \times 12}{2}}{\frac{40 \times 39}{2}} = \dfrac{1}{10}$
$60r = 60 \times \dfrac{1}{10} = 6$

30 중복조합
정답률 5% | 정답 108

집합 $X = \{-2, -1, 0, 1, 2\}$에 대하여 다음 조건을 만족시키는 함수 $f : X \to X$의 개수를 구하시오. [4점]

> (가) X의 모든 원소 x에 대하여 $x + f(x) \in X$이다.
> (나) $x = -2, -1, 0, 1$일 때 $f(x) \ge f(x+1)$이다.

| 문제 풀이 |
조건 (가)에 의하여
$f(-2) \ne -2$, $f(-2) \ne -1$, $f(-1) \ne -2$, $f(1) \ne 2$, $f(2) \ne 1$, $f(2) \ne 2$
조건 (나)에 의하여
$f(-2) \ge f(-1) \ge f(0) \ge f(1) \ge f(2)$
(i) $f(-2) = 0$인 경우
  $f(-1)$, $f(0)$, $f(1)$, $f(2)$의 값이 될 수 있는 경우의 수는
  $-2, -1, 0$
  중에서 중복을 허용하여 4개를 택하는 중복조합의 수에서
  $f(-1) = -2$인 경우를 제외하면 되므로
  $_3H_4 - 1 = _6C_4 - 1 = _6C_2 - 1 = 14$
(ii) $f(-2) = 1$인 경우
  $f(-1)$, $f(0)$, $f(1)$, $f(2)$의 값이 될 수 있는 경우의 수는
  $-2, -1, 0, 1$ 중에서 중복을 허용하여 4개를 택하는 중복조합의 수에서
  $f(-1) = -2$인 경우와 $f(2) = 1$인 경우를 제외하면 되므로
  $_4H_4 - 2 = _7C_4 - 2 = _7C_3 - 2 = 33$

(iii) $f(-2)=2$인 경우

$f(-1)$, $f(0)$, $f(1)$, $f(2)$의 값이 될 수 있는 경우의 수는

-2, -1, 0, 1, 2

중에서 중복을 허용하여 4개를 택하는 중복조합의 수에서

다음 경우의 수를 제외하면 된다.

㉠ $f(-1)=-2$인 경우 1가지

㉡ $f(1)=2$인 경우 $f(2)=-2$, -1, 0, 1, 2의 5가지

㉢ $f(1)\neq 2$, $f(2)=1$인 경우 $f(1)=1$이어야 하므로

$f(0)=1$, $f(-1)=1$

또는 $f(0)=1$, $f(-1)=2$

또는 $f(0)=2$, $f(-1)=2$의 3가지

그러므로 $f(-2)=2$인 경우의 수는

$_5H_4-1-5-3=_8C_4-9=61$

따라서 조건을 만족시키는 함수의 개수는

$14+33+61=108$

다른 풀이

조건 (나)에 의하여

$f(-2)\geq f(-1)\geq f(0)\geq f(1)\geq f(2)$이므로

-2, -1, 0, 1, 2에서 조건 (나)를 만족시키도록

$f(-2)$, $f(-1)$, $f(0)$, $f(1)$, $f(2)$의 함숫값을 정하는 경우의 수는

$_5H_5=_9C_5=_9C_4=126$

이때 조건 (가)에 의하여

$f(-2)\neq-2$, $f(-2)\neq-1$, $f(-1)\neq-2$, $f(1)\neq2$, $f(2)\neq1$, $f(2)\neq2$

이므로 다음 경우를 제외해야 한다.

(i) $f(-2)=-2$인 경우

$f(-1)=f(0)=f(1)=f(2)=-2$이어야 하므로 이 경우의 수는 1

(ii) $f(-2)=-1$인 경우

$f(-1)$, $f(0)$, $f(1)$, $f(2)$의 값은 -2, -1 중에서만 택할 수 있으므로

이 경우의 수는

$_2H_4=_5C_4=_5C_1=5$

(iii) $f(-2)\neq-2$, $f(-2)\neq-1$, $f(-1)=-2$인 경우

$f(-2)$의 값은 0, 1, 2 중에서 택할 수 있고,

$f(0)=f(1)=f(2)=-2$이어야 하므로 이 경우의 수는 3

(iv) $f(2)=2$인 경우

$f(-2)=f(-1)=f(0)=f(1)=2$이어야 하므로 이 경우의 수는 1

(v) $f(2)=1$인 경우

$f(-2)$, $f(-1)$, $f(0)$, $f(1)$의 값은 1, 2 중에서만 택할 수 있으므로

이 경우의 수는

$_2H_4=_5C_4=_5C_1=5$

(vi) $f(2)\neq2$, $f(2)\neq1$, $f(1)=2$인 경우

$f(2)$의 값은 -2, -1, 0 중에서 택할 수 있고,

$f(-2)=f(-1)=f(0)=2$이어야 하므로 이 경우의 수는 3

(i)~(vi)에서 중복되는 경우는 없으므로 구하는 경우의 수는

$126-(1+5+3+1+5+3)=108$

미적분

23 등비수열의 극한값 정답률 90% | 정답 ②

$\displaystyle\lim_{n\to\infty}\dfrac{\left(\dfrac{1}{2}\right)^n+\left(\dfrac{1}{3}\right)^{n+1}}{\left(\dfrac{1}{2}\right)^{n+1}+\left(\dfrac{1}{3}\right)^n}$의 값은? [2점]

① 1　　② 2　　③ 3　　④ 4　　⑤ 5

| 문제 풀이 |

$\displaystyle\lim_{n\to\infty}\dfrac{\left(\dfrac{1}{2}\right)^n+\left(\dfrac{1}{3}\right)^{n+1}}{\left(\dfrac{1}{2}\right)^{n+1}+\left(\dfrac{1}{3}\right)^n}=\lim_{n\to\infty}\dfrac{1+\dfrac{1}{3}\left(\dfrac{2}{3}\right)^n}{\dfrac{1}{2}+\left(\dfrac{2}{3}\right)^n}=\dfrac{1+\dfrac{1}{3}\times0}{\dfrac{1}{2}+0}=2$

24 음함수의 미분법 정답률 82% | 정답 ③

곡선 $x\sin2y+3x=3$ 위의 점 $\left(1,\dfrac{\pi}{2}\right)$에서의 접선의 기울기는? [3점]

① $\dfrac{1}{2}$　　② 1　　③ $\dfrac{3}{2}$　　④ 2　　⑤ $\dfrac{5}{2}$

| 문제 풀이 |

$x\sin2y+3x=3$에서 y를 x의 함수로 보고 각 항을 x에 대하여 미분하면

$\sin2y+x\cos2y\times2\times\dfrac{dy}{dx}+3=0$

$\dfrac{dy}{dx}=\dfrac{\sin2y+3}{-2x\cos2y}$ (단, $x\cos2y\neq0$)

따라서 점 $\left(1,\dfrac{\pi}{2}\right)$에서의 접선의 기울기는

$\dfrac{\sin\left(2\times\dfrac{\pi}{2}\right)+3}{-2\times1\times\cos\left(2\times\dfrac{\pi}{2}\right)}=\dfrac{\sin\pi+3}{-2\cos\pi}=\dfrac{3}{-(-2)}=\dfrac{3}{2}$

25 급수와 일반항 사이의 관계 정답률 86% | 정답 ③

수열 $\{a_n\}$이

$\displaystyle\sum_{n=1}^{\infty}\left(a_n-\dfrac{3n^2-n}{2n^2+1}\right)=2$

를 만족시킬 때, $\displaystyle\lim_{n\to\infty}(a_n^2+2a_n)$의 값은? [3점]

① $\dfrac{17}{4}$　② $\dfrac{19}{4}$　③ $\dfrac{21}{4}$　④ $\dfrac{23}{4}$　⑤ $\dfrac{25}{4}$

| 문제 풀이 |

$\displaystyle\sum_{n=1}^{\infty}\left(a_n-\dfrac{3n^2-n}{2n^2+1}\right)=2$이므로

$\displaystyle\lim_{n\to\infty}\left(a_n-\dfrac{3n^2-n}{2n^2+1}\right)=0$

이때 $\displaystyle\lim_{n\to\infty}\dfrac{3n^2-n}{2n^2+1}=\lim_{n\to\infty}\dfrac{3-\dfrac{1}{n}}{2+\dfrac{1}{n^2}}=\dfrac{3}{2}$이므로

$\displaystyle\lim_{n\to\infty}a_n=\lim_{n\to\infty}\left\{\left(a_n-\dfrac{3n^2-n}{2n^2+1}\right)+\dfrac{3n^2-n}{2n^2+1}\right\}$

$\displaystyle=\lim_{n\to\infty}\left(a_n-\dfrac{3n^2-n}{2n^2+1}\right)+\lim_{n\to\infty}\dfrac{3n^2-n}{2n^2+1}$

$=0+\dfrac{3}{2}=\dfrac{3}{2}$

따라서

$\displaystyle\lim_{n\to\infty}(a_n^2+2a_n)=\lim_{n\to\infty}a_n\times\lim_{n\to\infty}a_n+2\lim_{n\to\infty}a_n$

$=\left(\dfrac{3}{2}\right)^2+2\times\dfrac{3}{2}$

$=\dfrac{9}{4}+3=\dfrac{21}{4}$

26 로그함수의 극한값 정답률 70% | 정답 ②

양수 t에 대하여 곡선 $y=e^{x^2}-1(x\geq0)$이 두 직선 $y=t$, $y=5t$와 만나는 점을 각각 A, B라 하고, 점 B에서 x축에 내린 수선의 발을 C라 하자.

삼각형 ABC의 넓이를 $S(t)$라 할 때, $\displaystyle\lim_{t\to0+}\dfrac{S(t)}{t\sqrt{t}}$의 값은? [3점]

① $\dfrac{5}{4}(\sqrt{5}-1)$　② $\dfrac{5}{2}(\sqrt{5}-1)$　③ $5(\sqrt{5}-1)$

④ $\dfrac{5}{4}(\sqrt{5}+1)$　⑤ $\dfrac{5}{2}(\sqrt{5}+1)$

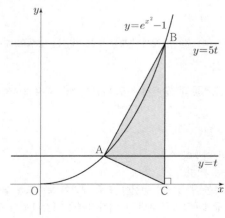

| 문제 풀이 |

점 A의 x좌표를 a라 하면 $e^{a^2}-1=t$이므로
$a^2=\ln(1+t)$
$a>0$이므로 $a=\sqrt{\ln(1+t)}$
또, 점 B의 x좌표를 b라 하면 $e^{b^2}-1=5t$이므로
$b^2=\ln(1+5t)$
$b>0$이므로 $b=\sqrt{\ln(1+5t)}$
그러므로 삼각형 ABC의 넓이는
$$S(t)=\frac{1}{2}\times 5t\times\left(\sqrt{\ln(1+5t)}-\sqrt{\ln(1+t)}\right)$$
따라서
$$\lim_{t\to 0+}\frac{S(t)}{t\sqrt{t}}=\lim_{t\to 0+}\frac{5t\left(\sqrt{\ln(1+5t)}-\sqrt{\ln(1+t)}\right)}{2t\sqrt{t}}$$
$$=\lim_{t\to 0+}\frac{5}{2}\left(\sqrt{\frac{\ln(1+5t)}{t}}-\sqrt{\frac{\ln(1+t)}{t}}\right)$$
$$=\frac{5}{2}(\sqrt{5}-1)$$

---

27 접선의 방정식과 함수의 최댓값 　　정답률 34% | 정답 ②

상수 $a(a>1)$과 실수 $t(t>0)$에 대하여 곡선 $y=a^x$ 위의 점 $A(t,a^t)$에서의 접선을 l이라 하자. 점 A를 지나고 직선 l에 수직인 직선이 x축과 만나는 점을 B, y축과 만나는 점을 C라 하자. $\dfrac{\overline{AC}}{\overline{AB}}$의 값이 $t=1$에서 최대일 때, a의 값은? [3점]

① $\sqrt{2}$ 　② $\sqrt{e}$ 　③ 2 　④ $\sqrt{2e}$ 　⑤ e

| 문제 풀이 |

$y=a^x$에서 $y'=a^x\ln a$
이때 점 $A(t,a^t)$에서의 접선 l의 기울기는 $a^t\ln a$이므로
직선 l에 수직인 직선의 기울기는 $-\dfrac{1}{a^t\ln a}$
그러므로 점 A를 지나고 직선 l에 수직인 직선의 방정식은
$$y-a^t=-\frac{1}{a^t\ln a}(x-t)$$
이 식에 $y=0$을 대입하면
$$-a^t=-\frac{1}{a^t\ln a}(x-t)$$
$$x=t+a^{2t}\ln a$$
이므로 점 B의 좌표는 $B(t+a^{2t}\ln a,0)$
한편 점 A에서 x축에 내린 수선의 발을 H, 원점을 O라 하면
$$\frac{\overline{AC}}{\overline{AB}}=\frac{\overline{HO}}{\overline{HB}}=\frac{t}{a^{2t}\ln a}$$
$f(t)=\dfrac{t}{a^{2t}\ln a}$라 하면
$$f'(t)=\frac{a^{2t}\ln a-ta^{2t}\times 2(\ln a)^2}{(a^{2t}\ln a)^2}$$
$f'(t)=0$에서
$1-2t\ln a=0$
$$t=\frac{1}{2\ln a}$$
이고, 함수 $f(t)$의 증가와 감소를 조사하면
함수 $f(t)$는 $t=\dfrac{1}{2\ln a}$에서 최댓값을 가짐을 알 수 있다.
따라서 $\dfrac{1}{2\ln a}=1$이므로
$$\ln a=\frac{1}{2}$$
$$a=\sqrt{e}$$

---

28 미분계수 　　정답률 52% | 정답 ④

함수 $f(x)$가
$$f(x)=\begin{cases}(x-a-2)^2e^x & (x\geq a)\\ e^{2a}(x-a)+4e^a & (x<a)\end{cases}$$

일 때, 실수 t에 대하여 $f(x)=t$를 만족시키는 x의 최솟값을 $g(t)$라 하자.

함수 $g(t)$가 $t=12$에서만 불연속일 때, $\dfrac{g'(f(a+2))}{g'(f(a+6))}$의 값은? (단, a는 상수이다.) [4점]

① $6e^4$ 　② $9e^4$ 　③ $12e^4$ 　④ $8e^6$ 　⑤ $10e^6$

| 문제 풀이 |

$h_1(x)=(x-a-2)^2e^x$
$h_2(x)=e^{2a}(x-a)+4e^a$이라 하면
$$f(x)=\begin{cases}h_1(x) & (x\geq a)\\ h_2(x) & (x<a)\end{cases}$$이고
$h_1'(x)=2(x-a-2)e^x+(x-a-2)^2e^x=(x-a)(x-a-2)e^x$
$h_2'(x)=e^{2a}$이므로
$$f'(x)=\begin{cases}(x-a)(x-a-2)e^x & (x>a)\\ e^{2a} & (x<a)\end{cases}$$이다.
$f(a)=4e^a$이므로 함수 $y=f(x)$의 그래프는 다음과 같다.

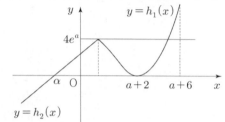

이때 실수 t에 대하여 $f(x)=t$를 만족시키는 x의 최솟값이 $g(t)$이므로
$t\leq 4e^a$일 때, $h_2(g(t))=t$
$t>4e^a$일 때, $h_1(g(t))=t$가 성립한다.
또한, 함수 $g(t)$는 $t=4e^a$에서 불연속이므로
$4e^a=12$, 즉 $e^a=3$
$t=f(a+2)=0<4e^a$이므로
$h_2'(g(t))\times g'(t)=1$에서
$h_2'(g(f(a+2)))\times g'(f(a+2))=1$
직선 $y=h_2(x)$가 x축과 만나는 점의 x좌표를 $\alpha(\alpha<a)$라 하면
$g(0)=\alpha$이므로
$$g'(f(a+2))=\frac{1}{h_2'(g(f(a+2)))}=\frac{1}{h_2'(\alpha)}=\frac{1}{e^{2a}}\ \cdots\cdots\ \bigcirc$$
$t=f(a+6)=16e^{a+6}>4e^a$이므로
$h_1'(g(f(a+6)))\times g'(f(a+6))=1$에서
$$g'(f(a+6))=\frac{1}{h_1'(g(f(a+6)))}$$
$$=\frac{1}{h_1'(a+6)}$$
$$=\frac{1}{6\times 4\times e^{a+6}}$$
$$=\frac{1}{24e^{a+6}}\ \cdots\cdots\ \bigcirc$$
$\bigcirc$, $\bigcirc$에서 $e^a=3$이므로
$$\frac{g'(f(a+2))}{g'(f(a+6))}=\frac{24e^{a+6}}{e^{2a}}=\frac{24e^6}{e^a}=\frac{24}{3}e^6=8e^6$$

---

29 미분을 이용한 함수의 추론 　　정답률 12% | 정답 55

함수 $f(x)=\dfrac{1}{3}x^3-x^2+\ln(1+x^2)+a$($a$는 상수)와 두 양수 b, c에 대하여 함수
$$g(x)=\begin{cases}f(x) & (x\geq b)\\ -f(x-c) & (x<b)\end{cases}$$
는 실수 전체의 집합에서 미분가능하다. $a+b+c=p+q\ln 2$일 때, $30(p+q)$의 값을 구하시오. (단, p, q는 유리수이고, $\ln 2$는 무리수이다.)

[4점]

| 문제 풀이 |

$f(x)=\dfrac{1}{3}x^3-x^2+\ln(1+x^2)+a$에서

$$f'(x)=x^2-2x+\frac{2x}{1+x^2}=\frac{x^2(x-1)^2}{x^2+1}$$

이때 $f'(x)=0$ 에서 $x=0$ 또는 $x=1$

이고 $f'(x)\geq 0$ 이므로 함수 $f(x)$는 실수 전체의 집합에서 증가한다.

또한

$$f''(x)=\frac{(4x^3-6x^2+2x)(x^2+1)-(x^4-2x^3+x^2)\times 2x}{(x^2+1)^2}$$

$$=\frac{2x(x-1)(x^3+2x-1)}{(x^2+1)^2}$$

이고 $h(x)=x^3+2x-1$라 하면

$$h'(x)=3x^2+2>0$$

이므로 $h(x)=0$을 만족시키는 x의 값을 α라 하면

$h(0)=-1$, $h(1)=2$이므로 $0<\alpha<1$

따라서 변곡점은 $(0,f(0))$, $(\alpha,f(\alpha))$, $(1,f(1))$

이고 변곡점에서의 미분계수는 $f'(0)=0$, $f'(\alpha)>0$, $f'(1)=0$

즉 곡선 $y=f(x)$의 개형은 그림과 같다.

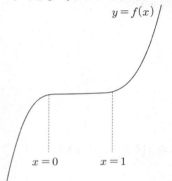

또한, 곡선 $y=-f(x-c)$는 곡선 $y=f(x)$를
x축의 방향으로 c만큼 평행이동한 후
x축에 대하여 대칭이동한 것이므로
곡선 $y=-f(x-c)$의 개형은 그림과 같다.

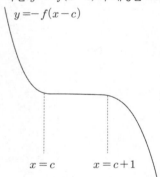

이때 함수 $g(x)=\begin{cases} f(x) & (x\geq b) \\ -f(x-c) & (x<b) \end{cases}$ 가

실수 전체의 집합에서 미분가능하려면 $x=b$에서 연속이어야 한다.
그런데 $a\geq 0$인 경우에는 함수 $y=g(x)$의 그래프의 개형이 그림과 같다.

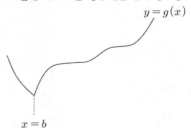

즉 $\lim\limits_{x\to b-}g'(x)<0$, $\lim\limits_{x\to b+}g'(x)\geq 0$이므로
함수 $g(x)$는 $x=b$에서 미분가능하지 않다.

$a<0$인 경우

$f(0)=a$, $f'(0)=0$,

$f(1)=-\frac{2}{3}+\ln 2+a$, $f'(1)=0$이고

$x<b$에서 $\lim\limits_{x\to b-}g'(x)\leq 0$

$x\geq b$에서 $\lim\limits_{x\to b+}g'(x)\geq 0$

이므로 $x=b$에서 미분가능하려면

$\lim\limits_{x\to b-}g'(x)=\lim\limits_{x\to b+}g'(x)=0$

즉 $\lim\limits_{x\to b}g'(x)=0$이어야 한다.

따라서, $|f(0)|=|f(1)|$, $b=1$, $c=1$이면
함수 $g(x)$는 실수 전체의 집합에서 미분가능하다.

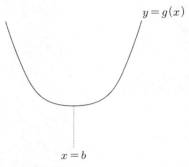

즉 $-a=-\frac{2}{3}+\ln 2+a$에서 $a=\frac{1}{3}-\frac{1}{2}\ln 2$이므로

$$a+b+c=\left(\frac{1}{3}-\frac{1}{2}\ln 2\right)+1+1=\frac{7}{3}-\frac{1}{2}\ln 2$$

따라서 $p=\frac{7}{3}$, $q=-\frac{1}{2}$이므로

$$30(p+q)=30\left(\frac{7}{3}-\frac{1}{2}\right)=30\times\frac{11}{6}=55$$

---

30 수열의 극한값 · 정답률 5% | 정답 25

함수 $y=\dfrac{\sqrt{x}}{10}$ 의 그래프와 함수 $y=\tan x$의 그래프가 만나는 모든 점의

x좌표를 작은 수부터 크기순으로 나열할 때, n번째 수를 a_n이라 하자.

$\dfrac{1}{\pi^2}\times\lim\limits_{n\to\infty}a_n^3\tan^2(a_{n+1}-a_n)$의 값을 구하시오. [4점]

| 문제 풀이 |

두 함수 $y=\dfrac{\sqrt{x}}{10}$, $y=\tan x$의 그래프와 수열 $\{a_n\}$을 좌표평면에 나타내면
다음과 같다.

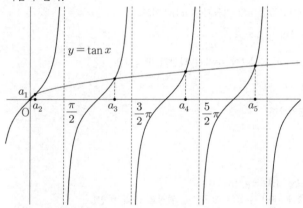

이때 $\dfrac{\sqrt{a_n}}{10}=\tan a_n$이므로 삼각함수의 덧셈정리에 의하여

$$\tan(a_{n+1}-a_n)=\frac{\tan a_{n+1}-\tan a_n}{1+\tan a_{n+1}\tan a_n}$$

$$=\frac{\dfrac{\sqrt{a_{n+1}}}{10}-\dfrac{\sqrt{a_n}}{10}}{1+\dfrac{\sqrt{a_{n+1}}}{10}\times\dfrac{\sqrt{a_n}}{10}}$$

$$=\frac{\dfrac{\sqrt{a_{n+1}}-\sqrt{a_n}}{10}}{\dfrac{100+\sqrt{a_{n+1}a_n}}{100}}$$

$$=10\times\frac{\sqrt{a_{n+1}}-\sqrt{a_n}}{100+\sqrt{a_{n+1}a_n}}$$

$$=\frac{10(a_{n+1}-a_n)}{(\sqrt{a_{n+1}}+\sqrt{a_n})(100+\sqrt{a_{n+1}a_n})}$$

즉,

$$\tan^2(a_{n+1}-a_n)=\frac{100(a_{n+1}-a_n)^2}{(\sqrt{a_{n+1}}+\sqrt{a_n})^2(100+\sqrt{a_{n+1}a_n})^2}$$

한편, 곡선 $y=\tan x$의 점근선의 방정식은 $x=\dfrac{2n-1}{2}\pi$ (n은 정수)이고

$n\to\infty$ 일 때 $\dfrac{\sqrt{a_n}}{10}\to\infty$ 이므로 위의 그래프에서

$$\lim\limits_{n\to\infty}\left(a_n-\frac{2n-3}{2}\pi\right)=0$$임을 알 수 있다.

이때 $b_n = a_n - \dfrac{2n-3}{2}\pi$로 놓으면 $\lim\limits_{n\to\infty} b_n = 0$이므로

$$\lim_{n\to\infty}(a_{n+1}-a_n) = \lim_{n\to\infty}\left(b_{n+1}+\frac{2n-1}{2}\pi - b_n - \frac{2n-3}{2}\pi\right)$$
$$= \lim_{n\to\infty}(b_{n+1}-b_n+\pi)$$
$$= 0-0+\pi = \pi \text{이고}$$

$$\lim_{n\to\infty}\frac{a_{n+1}}{a_n} = \lim_{n\to\infty}\frac{b_{n+1}+\dfrac{2n-1}{2}\pi}{b_n+\dfrac{2n-3}{2}\pi}$$
$$= \lim_{n\to\infty}\frac{\dfrac{b_{n+1}}{n}+\dfrac{2n-1}{2n}\pi}{\dfrac{b_n}{n}+\dfrac{2n-3}{2n}\pi}$$
$$= \frac{0+\pi}{0+\pi} = 1 \text{이다.}$$

이때

$$\lim_{n\to\infty}\frac{\left(\sqrt{a_{n+1}}+\sqrt{a_n}\right)^2}{a_n} = \lim_{n\to\infty}\left(\frac{\sqrt{a_{n+1}}+\sqrt{a_n}}{\sqrt{a_n}}\right)^2$$
$$= \lim_{n\to\infty}\left(\sqrt{\frac{a_{n+1}}{a_n}}+\sqrt{\frac{a_n}{a_n}}\right)^2$$
$$= \left(\sqrt{1}+\sqrt{1}\right)^2 = 4 \text{이고,}$$

$$\lim_{n\to\infty}\frac{\left(100+\sqrt{a_{n+1}a_n}\right)^2}{a_n^{\,2}} = \lim_{n\to\infty}\left(\frac{100}{a_n}+\frac{\sqrt{a_{n+1}a_n}}{a_n}\right)^2$$
$$= \lim_{n\to\infty}\left(\frac{100}{a_n}+\sqrt{\frac{a_{n+1}}{a_n}}\right)^2$$
$$= \left(0+\sqrt{1}\right)^2 = 1 \text{이므로}$$

$$\lim_{n\to\infty}a_n^{\,3}\tan^2(a_{n+1}-a_n) = \lim_{n\to\infty}\frac{100a_n^{\,3}(a_{n+1}-a_n)^2}{\left(\sqrt{a_{n+1}}+\sqrt{a_n}\right)^2\left(100+\sqrt{a_{n+1}a_n}\right)^2}$$
$$= \lim_{n\to\infty}\frac{100(a_{n+1}-a_n)^2}{\dfrac{\left(\sqrt{a_{n+1}}+\sqrt{a_n}\right)^2\left(100+\sqrt{a_{n+1}a_n}\right)^2}{a_n^{\,3}}}$$
$$= \lim_{n\to\infty}\frac{100(a_{n+1}-a_n)^2}{\dfrac{\left(\sqrt{a_{n+1}}+\sqrt{a_n}\right)^2}{a_n}\times\dfrac{\left(100+\sqrt{a_{n+1}a_n}\right)^2}{a_n^{\,2}}}$$
$$= \frac{100\pi^2}{4\times1} = 25\pi^2$$

따라서 $\dfrac{1}{\pi^2}\times\lim\limits_{n\to\infty}a_n^{\,3}\tan^2(a_{n+1}-a_n) = 25$

•정답•

공통 | 수학
01 ⑤ 02 ④ 03 ② 04 ② 05 ① 06 ④ 07 ③ 08 ③ 09 ① 10 ② 11 ⑤ 12 ⑤ 13 ① 14 ③ 15 ②
16 3 17 33 18 6 19 8 20 39 21 110 22 380
선택 | 확률과 통계
23 ③ 24 ④ 25 ③ 26 ① 27 ② 28 ⑤ 29 25 30 51
선택 | 미적분
23 ⑤ 24 ④ 25 ① 26 ② 27 ③ 28 ② 29 5 30 24

★ 표기된 문항은 [등급을 가르는 문항]에 해당하는 문제입니다.

01 지수법칙 정답률 89% | 정답 ⑤

❶ $\sqrt[3]{27}\times 4^{-\frac{1}{2}}$의 값은? [2점]

① $\dfrac{1}{2}$ ② $\dfrac{3}{4}$ ③ 1 ④ $\dfrac{5}{4}$ ⑤ $\dfrac{3}{2}$

STEP 01 지수법칙으로 ❶을 계산하여 값을 구한다.

$$\sqrt[3]{27}\times 4^{-\frac{1}{2}} = (3^3)^{\frac{1}{3}}\times(2^2)^{-\frac{1}{2}} = 3\times2^{-1} = 3\times\frac{1}{2} = \frac{3}{2}$$

02 미분계수의 정의 정답률 85% | 정답 ④

함수 $f(x) = x^2 - 2x + 3$에 대하여 $\lim\limits_{h\to0}\dfrac{f(3+h)-f(3)}{h}$의 값은? [2점]

① 1 ② 2 ③ 3 ④ 4 ⑤ 5

STEP 01 $f(x)$를 미분한 후 미분계수의 정의에 의해 $f'(3)$의 값을 구한다.

$f(x) = x^2 - 2x + 3$에서 $f'(x) = 2x - 2$이므로

$$\lim_{h\to0}\frac{f(3+h)-f(3)}{h} = f'(3) = 2\times3-2 = 4$$

●핵심 공식

▶ 미분계수의 정의를 이용한 극한값의 계산

① $\lim\limits_{h\to0}\dfrac{f(a+h)-f(a)}{h} = f'(a)$ ② $\lim\limits_{h\to0}\dfrac{f(a+ph)-f(a)}{h} = pf'(a)$

③ $\lim\limits_{x\to a}\dfrac{f(x)-f(a)}{x-a} = f'(a)$ ④ $\lim\limits_{x\to a}\dfrac{af(x)-xf(a)}{x-a} = af'(a)-f(a)$

03 ∑의 성질 정답률 81% | 정답 ②

수열 $\{a_n\}$에 대하여 ❶ $\displaystyle\sum_{k=1}^{10}(2a_k+3) = 60$일 때, $\displaystyle\sum_{k=1}^{10}a_k$의 값은? [3점]

① 10 ② 15 ③ 20 ④ 25 ⑤ 30

STEP 01 ❶에서 ∑의 성질을 이용하여 $\displaystyle\sum_{k=1}^{10}a_k$의 값을 구한다.

$$\sum_{k=1}^{10}(2a_k+3) = 2\sum_{k=1}^{10}a_k + \sum_{k=1}^{10}3 = 2\sum_{k=1}^{10}a_k + 3\times10$$
$$= 2\sum_{k=1}^{10}a_k + 30 = 60 \text{이므로}$$

$$2\sum_{k=1}^{10}a_k = 30$$

따라서 $\displaystyle\sum_{k=1}^{10}a_k = 15$

04 함수의 연속 조건 정답률 75% | 정답 ②

실수 전체의 집합에서 연속인 함수 $f(x)$가

❶ $\lim\limits_{x\to1}f(x) = 4-f(1)$

을 만족시킬 때, $f(1)$의 값은? [3점]

① 1 ② 2 ③ 3 ④ 4 ⑤ 5

STEP 01 ❶에서 $f(x)$가 $x=1$에서 연속일 조건으로 $f(1)$의 값을 구한다.

함수 $f(x)$가 실수 전체의 집합에서 연속이므로 $x=1$에서도 연속이다.

$\lim\limits_{x \to 1} f(x) = f(1)$이므로

$\lim\limits_{x \to 1} f(x) = 4 - f(1)$에서

$f(1) = 4 - f(1)$

$2f(1) = 4$

따라서 $f(1) = 2$

---

05 곱의 미분법 　　　　　　　정답률 80% | 정답 ①

다항함수 $f(x)$에 대하여 함수 $g(x)$를

$$g(x) = (x^3 + 1)f(x)$$

라 하자. ❶ $f(1) = 2$, $f'(1) = 3$일 때, $g'(1)$의 값은? [3점]

① 12　　② 14　　③ 16　　④ 18　　⑤ 20

STEP 01 곱의 미분법으로 $g(x)$를 미분하여 $g'(x)$를 구한 후 ❶을 이용하여 $g'(1)$의 값을 구한다.

$g(x) = (x^3 + 1)f(x)$이므로

$g'(x) = 3x^2 f(x) + (x^3 + 1)f'(x)$

이때 $f(1) = 2$, $f'(1) = 3$이므로

$g'(1) = 3f(1) + 2f'(1) = 3 \times 2 + 2 \times 3 = 12$

---

06 삼각함수 사이의 관계 　　　　정답률 64% | 정답 ④

❶ $\cos\theta < 0$이고 $\sin(-\theta) = \dfrac{1}{7}\cos\theta$일 때, $\sin\theta$의 값은? [3점]

① $-\dfrac{3\sqrt{2}}{10}$　② $-\dfrac{\sqrt{2}}{10}$　③ 0　④ $\dfrac{\sqrt{2}}{10}$　⑤ $\dfrac{3\sqrt{2}}{10}$

STEP 01 삼각함수 사이의 관계를 이용하여 ❶에서 $\sin\theta$의 값을 구한다.

$\sin(-\theta) = -\sin\theta$이므로

$\sin(-\theta) = \dfrac{1}{7}\cos\theta$에서

$\cos\theta = -7\sin\theta$

이때 $\sin^2\theta + \cos^2\theta = 1$이므로

$\sin^2\theta + 49\sin^2\theta = 1$

$\sin^2\theta = \dfrac{1}{50}$

한편, $\cos\theta < 0$이므로

$\sin\theta = -\dfrac{1}{7}\cos\theta > 0$

따라서 $\sin\theta = \dfrac{1}{5\sqrt{2}} = \dfrac{\sqrt{2}}{10}$

---

07 로그함수 　　　　　　　　정답률 71% | 정답 ③

상수 $a(a > 2)$에 대하여 함수 ❶ $y = \log_2(x - a)$의 그래프의 점근선이 두 곡선 $y = \log_2 \dfrac{x}{4}$, $y = \log_{\frac{1}{2}} x$와 만나는 점을 각각 A, B라 하자. ❷ $\overline{AB} = 4$일 때, a의 값은? [3점]

① 4　　② 6　　③ 8　　④ 10　　⑤ 12

STEP 01 ❶을 구한 후 두 점 A, B의 좌표를 구한 다음 ❷를 이용하여 a의 값을 구한다.

함수 $y = \log_2(x - a)$의 그래프의 점근선은 직선 $x = a$이다.

곡선 $y = \log_2 \dfrac{x}{4}$와 직선 $x = a$가 만나는 점 A의 좌표는 $\left(a,\ \log_2 \dfrac{a}{4}\right)$

곡선 $y = \log_{\frac{1}{2}} x$와 직선 $x = a$가 만나는 점 B의 좌표는 $\left(a,\ \log_{\frac{1}{2}} a\right)$

한편, $a > 2$에서

$\log_2 \dfrac{a}{4} > \log_2 \dfrac{2}{4} = -1$, $\log_{\frac{1}{2}} a < \log_{\frac{1}{2}} 2 = -1$이므로

$\log_2 \dfrac{a}{4} > \log_{\frac{1}{2}} a$

이때,

$\overline{AB} = \log_2 \dfrac{a}{4} - \log_{\frac{1}{2}} a = (\log_2 a - 2) + \log_2 a = 2\log_2 a - 2$이고

$\overline{AB} = 4$이므로

$2\log_2 a - 2 = 4$, $\log_2 a = 3$

따라서 $a = 2^3 = 8$

---

08 다항함수의 미분 　　　　　정답률 67% | 정답 ③

두 곡선 ❶ $y = 2x^2 - 1$, $y = x^3 - x^2 + k$가 ❷ 만나는 점의 개수가 2가 되도록 하는 양수 k의 값은? [3점]

① 1　　② 2　　③ 3　　④ 4　　⑤ 5

STEP 01 ❶의 두 식을 연립한 방정식에서 극값을 구한 후 그래프의 개형을 그려 ❷를 성립하도록 하는 양수 k의 값을 구한다.

두 곡선 $y = 2x^2 - 1$, $y = x^3 - x^2 + k$가 만나는 점의 개수가 2가 되려면

방정식 $2x^2 - 1 = x^3 - x^2 + k$,

$-x^3 + 3x^2 - 1 = k$　　　　　　　……　㉠

이 서로 다른 두 실근을 가져야 한다.

방정식 ㉠이 서로 다른 두 실근을 가지려면 곡선 $y = -x^3 + 3x^2 - 1$과 직선 $y = k$가 서로 다른 두 점에서 만나야 한다.

$f(x) = -x^3 + 3x^2 - 1$이라 하면

$f'(x) = -3x^2 + 6x = -3x(x - 2)$

$f'(x) = 0$에서 $x = 0$ 또는 $x = 2$

함수 $f(x)$의 증가와 감소를 표로 나타내면 다음과 같다.

x	$\cdots$	0	$\cdots$	2	$\cdots$
$f'(x)$	$-$	0	$+$	0	$-$
$f(x)$	$\searrow$	극소	$\nearrow$	극대	$\searrow$

함수 $f(x)$는 $x = 0$에서 극솟값 $f(0) = -1$을 갖고, $x = 2$에서 극댓값 $f(2) = 3$을 갖는다.

이때 함수 $y = f(x)$의 그래프는 그림과 같다.

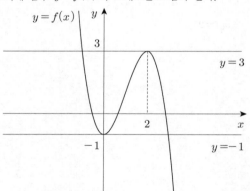

따라서 함수 $y = f(x)$의 그래프와 직선 $y = k$가 서로 다른 두 점에서 만나도록 하는 양수 k의 값은 3이다.

---

09 여러 가지 수열의 합 　　　　정답률 42% | 정답 ①

수열 $\{a_n\}$이 모든 자연수 n에 대하여

❶ $\displaystyle\sum_{k=1}^{n} \dfrac{1}{(2k-1)a_k} = n^2 + 2n$

을 만족시킬 때, $\displaystyle\sum_{n=1}^{10} a_n$의 값은? [4점]

① $\dfrac{10}{21}$　② $\dfrac{4}{7}$　③ $\dfrac{2}{3}$　④ $\dfrac{16}{21}$　⑤ $\dfrac{6}{7}$

STEP 01 ❶에서 a_n을 구한 후 $\displaystyle\sum_{n=1}^{10} a_n$에 대입한 다음 부분분수의 합으로 값을 구한다.

$\displaystyle\sum_{k=1}^{n} \dfrac{1}{(2k-1)a_k} = n^2 + 2n$에서

$n=1$일 때

$\dfrac{1}{a_1}=3$이므로 $a_1=\dfrac{1}{3}$

$n \geq 2$일 때

$$\dfrac{1}{(2n-1)a_n}=\sum_{k=1}^{n}\dfrac{1}{(2k-1)a_k}-\sum_{k=1}^{n-1}\dfrac{1}{(2k-1)a_k}$$
$$=n^2+2n-\{(n-1)^2+2(n-1)\}$$
$$=2n+1$$

이므로 $(2n-1)a_n=\dfrac{1}{2n+1}$에서

$$a_n=\dfrac{1}{(2n-1)(2n+1)}$$

이때 $n=1$일 때 $a_1=\dfrac{1}{3}$이므로

$$a_n=\dfrac{1}{(2n-1)(2n+1)} \quad (n \geq 1)$$

따라서

$$\sum_{n=1}^{10}a_n=\sum_{n=1}^{10}\dfrac{1}{(2n-1)(2n+1)}$$
$$=\dfrac{1}{2}\sum_{n=1}^{10}\left(\dfrac{1}{2n-1}-\dfrac{1}{2n+1}\right)$$
$$=\dfrac{1}{2}\left\{\left(1-\dfrac{1}{3}\right)+\left(\dfrac{1}{3}-\dfrac{1}{5}\right)+\left(\dfrac{1}{5}-\dfrac{1}{7}\right)+\cdots+\left(\dfrac{1}{19}-\dfrac{1}{21}\right)\right\}$$
$$=\dfrac{1}{2}\left(1-\dfrac{1}{21}\right)$$
$$=\dfrac{1}{2}\times\dfrac{20}{21}=\dfrac{10}{21}$$

●**핵심 공식**

▶ **부분분수**

$$\dfrac{1}{A \cdot B}=\dfrac{1}{B-A}\left(\dfrac{1}{A}-\dfrac{1}{B}\right) \quad (단, \ 0<A<B)$$

---

10 정적분을 이용한 넓이   정답률 59% | 정답 ②

양수 k에 대하여 함수 $f(x)$는

$$f(x)=kx(x-2)(x-3)$$

이다. 곡선 $y=f(x)$와 x축이 원점 O와 두 점 P, Q $(\overline{OP}<\overline{OQ})$에서 만난다. 곡선 $y=f(x)$와 선분 OP로 둘러싸인 영역을 A, 곡선 $y=f(x)$와 선분 PQ로 둘러싸인 영역을 B라 하자.

❶ (A의 넓이)$-$(B의 넓이)$=3$

일 때, k의 값은? [4점]

① $\dfrac{7}{6}$ ② $\dfrac{4}{3}$ ③ $\dfrac{3}{2}$ ④ $\dfrac{5}{3}$ ⑤ $\dfrac{11}{6}$

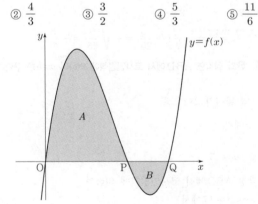

STEP 01 ❶을 적분으로 나타낸 후 $f(x)$를 적분하여 k의 값을 구한다.

$f(x)=0$에서 $x=0$ 또는 $x=2$ 또는 $x=3$이므로 두 점 P, Q의 좌표는 각각 $(2, 0)$, $(3, 0)$이다.

이때

(A의 넓이)$=\displaystyle\int_0^2 f(x)dx$, ($B$의 넓이)$=\displaystyle\int_2^3\{-f(x)\}dx$이므로

$$(A의 넓이)-(B의 넓이)=\int_0^2 f(x)dx-\int_2^3\{-f(x)\}dx$$
$$=\int_0^2 f(x)dx+\int_2^3 f(x)dx$$
$$=\int_0^3 f(x)dx=3$$

이어야 한다.

이때

$$\int_0^3 f(x)dx=k\int_0^3(x^3-5x^2+6x)dx=k\left[\dfrac{1}{4}x^4-\dfrac{5}{3}x^3+3x^2\right]_0^3$$
$$=k\left(\dfrac{81}{4}-45+27\right)=\dfrac{9}{4}k$$

이므로 $\dfrac{9}{4}k=3$

따라서 $k=\dfrac{4}{3}$

---

11 도함수의 활용   정답률 53% | 정답 ③

그림과 같이 실수 $t(0<t<1)$에 대하여 곡선 $y=x^2$ 위의 점 중에서 직선 $y=2tx-1$과의 거리가 최소인 점을 P라 하고, 직선 OP가 직선 $y=2tx-1$과 만나는 점을 Q라 할 때, ❶ $\displaystyle\lim_{t\to 1-}\dfrac{\overline{PQ}}{1-t}$의 값은? (단, O는 원점이다.) [4점]

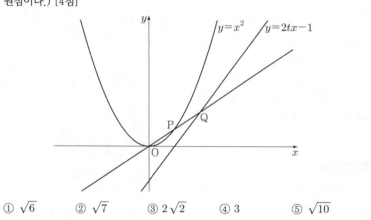

① $\sqrt{6}$ ② $\sqrt{7}$ ③ $2\sqrt{2}$ ④ 3 ⑤ $\sqrt{10}$

STEP 01 $y=x^2$의 미분을 이용하여 점 P의 좌표를 구한 후 점 Q의 좌표를 구한다.

점 P의 좌표를 (s, s^2)이라 하면 점 P에서 곡선 $y=x^2$에 접하는 직선의 기울기가 $2t$가 되어야 한다.

$f(x)=x^2$이라 하면 $f'(x)=2x$이므로

$2s=2t$에서 $s=t$

즉, $P(t, t^2)$

이때 직선 OP의 방정식은 $y=tx$이므로

$tx=2tx-1$에서 $x=\dfrac{1}{t}$

즉, 점 Q의 좌표는 $Q\left(\dfrac{1}{t}, 1\right)$

STEP 02 두 점 P, Q의 좌표에서 $\overline{PQ}$를 구하여 ❶에 대입한 후 극한값을 구한다.

따라서

$$\lim_{t\to 1-}\dfrac{\overline{PQ}}{1-t}=\lim_{t\to 1-}\dfrac{\sqrt{\left(\dfrac{1}{t}-t\right)^2+(1-t^2)^2}}{1-t}=\lim_{t\to 1-}\dfrac{(1-t^2)\sqrt{\dfrac{1}{t^2}+1}}{1-t}$$
$$=\lim_{t\to 1-}(1+t)\sqrt{\dfrac{1}{t^2}+1}=2\sqrt{2}$$

---

12 등차수열의 정의와 성질   정답률 39% | 정답 ⑤

$a_2=-4$이고 공차가 0이 아닌 등차수열 $\{a_n\}$에 대하여 수열 $\{b_n\}$을 ❶ $b_n=a_n+a_{n+1}(n \geq 1)$이라 하고, 두 집합 A, B를

$$A=\{a_1, \ a_2, \ a_3, \ a_4, \ a_5\}, \ B=\{b_1, \ b_2, \ b_3, \ b_4, \ b_5\}$$

라 하자. ❷ $n(A\cap B)=3$이 되도록 하는 모든 수열 $\{a_n\}$에 대하여 a_{20}의 값의 합은? [4점]

① 30   ② 34   ③ 38   ④ 42   ⑤ 46

STEP 01 ❶에서 수열 b_n의 종류를 파악한 후 공차가 양수일 때와 음수일 때로 경우를 나누어 ❷를 성립하는 경우를 찾아 공차를 구한 다음 a_{20}를 구하여 합을 구한다.

등차수열 $\{a_n\}$의 공차를 $d(d \neq 0)$이라 하자.

$b_n=a_n+a_{n+1}$이므로

$b_{n+1}-b_n=(a_{n+1}+a_{n+2})-(a_n+a_{n+1})=a_{n+2}-a_n=2d$

수열 $\{b_n\}$은 공차가 $2d$인 등차수열이다.

(i) $d>0$일 때

$\quad a_1=a_2-d=-4-d<0$

$a_2 = -4 < 0$이므로

$b_1 = a_1 + a_2 = -8 - d < a_1$

$n(A \cap B) = 3$이려면 $b_2 = a_1$ 또는 $b_3 = a_1$이어야 한다.

ⅰ) $b_2 = a_1$일 때

$b_3 = a_3$, $b_4 = a_5$이므로 $n(A \cap B) = 3$이다.

한편, $b_2 = b_1 + 2d = -8 + d$이므로 $b_2 = a_1$에서

$-8 + d = -4 - d$

$2d = 4$, $d = 2$

따라서 $a_{20} = a_2 + 18d = -4 + 18 \times 2 = 32$

ⅱ) $b_3 = a_1$일 때

$b_4 = a_3$, $b_5 = a_5$이므로 $n(A \cap B) = 3$이다.

한편, $b_3 = b_1 + 4d = -8 + 3d$이므로 $b_3 = a_1$에서

$-8 + 3d = -4 - d$

$4d = 4$, $d = 1$

따라서 $a_{20} = a_2 + 18d = -4 + 18 \times 1 = 14$

(ⅱ) $d < 0$일 때

ⅰ) $a_1 > 0$이면 $a_2 < b_1 < a_1$이므로 $n(A \cap B) = 0$

ⅱ) $a_1 = 0$이면 $b_1 = a_2$, $b_2 = a_4$이므로 $n(A \cap B) = 2$

ⅲ) $a_1 < 0$이면 $b_1 < a_2$이므로 $n(A \cap B) \le 2$

ⅰ), ⅱ), ⅲ)에서 $d < 0$이면 주어진 조건을 만족하지 못한다.

(ⅰ), (ⅱ)에서 $a_{20} = 32$ 또는 $a_{20} = 14$

따라서 a_{20}의 값의 합은

$32 + 14 = 46$

다른 풀이

등차수열 $\{a_n\}$의 공차를 $d(d \ne 0)$이라 하자.

$b_n = a_n + a_{n+1}$이므로

$b_{n+1} - b_n = (a_{n+1} + a_{n+2}) - (a_n + a_{n+1}) = a_{n+2} - a_n = 2d$

수열 $\{b_n\}$은 공차가 $2d$인 등차수열이다.

$n(A \cap B) = 3$이려면

$A \cap B = \{a_1, a_3, a_5\} = \{b_i, b_{i+1}, b_{i+2}\}$ (단, $i = 1$, 2, 3)이어야 한다.

(ⅰ) $\{a_1, a_3, a_5\} = \{b_1, b_2, b_3\}$인 경우

$a_1 = b_1$이어야 한다.

이때, $b_1 = a_1 + a_2 = a_1 - 4$이므로 $a_1 = a_1 - 4$

즉, a_1의 값은 존재하지 않는다.

(ⅱ) $\{a_1, a_3, a_5\} = \{b_2, b_3, b_4\}$인 경우

$a_1 = b_2$이어야 한다.

이때, $b_2 = b_1 + 2d = -8 + d$이므로 $a_1 = b_2$에서

$-4 - d = -8 + d$

$2d = 4$, $d = 2$

따라서

$a_{20} = a_2 + 18d = -4 + 18 \times 2 = 32$

(ⅲ) $\{a_1, a_3, a_5\} = \{b_3, b_4, b_5\}$인 경우

$a_1 = b_3$이어야 한다.

이때, $b_3 = b_1 + 4d = -8 + 3d$이므로 $a_1 = b_3$에서

$-4 - d = -8 + 3d$

$4d = 4$, $d = 1$

따라서

$a_{20} = a_2 + 18d = -4 + 18 \times 1 = 14$

(ⅰ), (ⅱ), (ⅲ)에서 $a_{20} = 32$ 또는 $a_{20} = 14$

따라서 a_{20}의 값의 합은

$32 + 14 = 46$

●**핵심 공식**

▶ 등차수열

첫째항이 a, 공차가 d인 등차수열의 일반항 a_n은

$a_n = a + (n-1)d$ $(n = 1, 2, 3, \cdots)$

13 사인법칙과 코사인법칙　　　정답률 19% | 정답 ①

그림과 같이

$\overline{BC} = 3$, $\overline{CD} = 2$, ❶ $\cos(\angle BCD) = -\dfrac{1}{3}$, $\angle DAB > \dfrac{\pi}{2}$

인 사각형 ABCD에서 두 삼각형 ABC와 ACD는 모두 예각삼각형이다.

❷ 선분 AC를 $1 : 2$로 내분하는 점 E에 대하여 선분 AE를 지름으로 하는 원이 두 선분 AB, AD와 만나는 점 중 A가 아닌 점을 각각 P_1, P_2라 하고, 선분 CE를 지름으로 하는 원이 두 선분 BC, CD와 만나는 점 중 C가 아닌 점을 각각 Q_1, Q_2라 하자. ❸ $\overline{P_1 P_2} : \overline{Q_1 Q_2} = 3 : 5\sqrt{2}$이고 ❹ 삼각형 ABD의 넓이가 2일 때, $\overline{AB} + \overline{AD}$의 값은? (단, $\overline{AB} > \overline{AD}$) [4점]

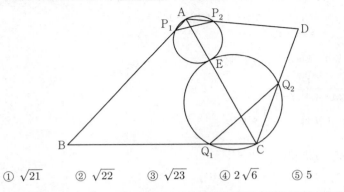

① $\sqrt{21}$　② $\sqrt{22}$　③ $\sqrt{23}$　④ $2\sqrt{6}$　⑤ 5

STEP 01 삼각형 BCD에서 코사인법칙에 의하여 $\overline{BD}^2$을 구한다.

$\angle BCD = \alpha$, $\angle DAB = \beta\left(\dfrac{\pi}{2} < \beta < \pi\right)$, $\overline{AB} = a$, $\overline{AD} = b$라 하자.

삼각형 BCD에서

$\overline{BC} = 3$, $\overline{CD} = 2$, $\cos(\angle BCD) = -\dfrac{1}{3}$

이므로 코사인법칙에 의하여

$\overline{BD}^2 = 9 + 4 - 2 \times 3 \times 2 \times \left(-\dfrac{1}{3}\right) = 17$

STEP 02 ❷, ❸에 의해 사인법칙에서 $\sin\alpha$와 $\sin\beta$의 비를 구한 후 ❶을 이용하여 $\sin\alpha$를 구한 다음 $\sin\beta$, $\cos\beta$를 구한다.

한편, 점 E가 선분 AC를 $1 : 2$로 내분하는 점이므로

두 삼각형 AP_1P_2, CQ_1Q_2의 외접원의 반지름의 길이를 각각 r, $2r$로 놓을 수 있다.

이때 사인법칙에 의하여

$\dfrac{\overline{P_1 P_2}}{\sin\beta} = 2r$, $\dfrac{\overline{Q_1 Q_2}}{\sin\alpha} = 4r$이므로

$\sin\alpha : \sin\beta = \dfrac{\overline{Q_1 Q_2}}{4r} : \dfrac{\overline{P_1 P_2}}{2r} = \dfrac{5\sqrt{2}}{2} : 3$

즉, $\sin\beta = \dfrac{6\sin\alpha}{5\sqrt{2}}$

이때 $\sin\alpha = \sqrt{1 - \cos^2\alpha} = \sqrt{1 - \dfrac{1}{9}} = \dfrac{2\sqrt{2}}{3}$이므로

$\sin\beta = \dfrac{6}{5\sqrt{2}} \times \dfrac{2\sqrt{2}}{3} = \dfrac{4}{5}$

$\cos\beta < 0$이므로

$\cos\beta = -\sqrt{1 - \sin^2\beta} = -\sqrt{1 - \dfrac{16}{25}} = -\sqrt{\dfrac{9}{25}} = -\dfrac{3}{5}$

STEP 03 ❹와 삼각형 ABD에서 코사인법칙에 의하여 a, b를 구한 다음 $a + b$의 값을 구한다.

삼각형 ABD의 넓이가 2이므로

$\dfrac{1}{2}ab\sin\beta = 2$에서

$\dfrac{1}{2}ab \times \dfrac{4}{5} = 2$, $ab = 5$

그러므로 삼각형 ABD에서 코사인법칙에 의하여

$a^2 + b^2 - 2ab\cos\beta = 17$에서

$a^2 + b^2 - 2 \times 5 \times \left(-\dfrac{3}{5}\right) = 17$

$a^2 + b^2 = 11$

따라서 $(a + b)^2 = a^2 + b^2 + 2ab = 11 + 2 \times 5 = 21$이므로

$a + b = \sqrt{21}$

●**핵심 공식**

▶ 코사인법칙

세 변의 길이를 각각 a, b, c라 하고 b, c 사이의 끼인각을 A라 하면

$a^2 = b^2 + c^2 - 2bc\cos A$, $\left(\cos A = \dfrac{b^2 + c^2 - a^2}{2bc}\right)$

▶ 사인법칙

$\triangle ABC$에 대하여 $\triangle ABC$의 외접원의 반지름 길이를 R라고 할 때,

$\dfrac{a}{\sin A} = \dfrac{b}{\sin B} = \dfrac{c}{\sin C} = 2R$

▶ 삼각형의 넓이

두 변 b, c와 끼인각 A가 주어졌을 때 $\triangle ABC$의 넓이 S는

$$S = \frac{1}{2}bc\sin A$$

---

14 정적분의 활용   정답률 43% | 정답 ③

실수 $a(a \geq 0)$에 대하여 수직선 위를 움직이는 점 P의 시각 $t(t \geq 0)$에서의 속도 $v(t)$를

$$v(t) = -t(t-1)(t-a)(t-2a)$$

라 하자. 점 P가 시각 $t=0$일 때 ❶ 출발한 후 운동 방향을 한 번만 바꾸도록 하는 a에 대하여, ❷ 시각 $t=0$에서 $t=2$까지 점 P의 위치의 변화량의 최댓값은? [4점]

① $\frac{1}{5}$ ② $\frac{7}{30}$ ③ $\frac{4}{15}$ ④ $\frac{3}{10}$ ⑤ $\frac{1}{3}$

STEP 01 ❶을 만족하는 각 a에 대하여 $v(t)$의 적분으로 ❷를 구한 후 최댓값을 구한다.

$a \neq 0$, $a \neq \frac{1}{2}$, $a \neq 1$이면 점 P는 출발 후 운동 방향을 세 번 바꾼다.

그러므로 다음 각 경우로 나눌 수 있다.

(i) $a=0$일 때

$$v(t) = -t^3(t-1)$$

이때 점 P는 출발 후 운동 방향을 $t=1$에서 한 번만 바꾸므로 조건을 만족시킨다.

그러므로 시각 $t=0$에서 $t=2$까지 점 P의 위치의 변화량은

$$\int_0^2 -t^3(t-1)\,dt = \int_0^2 (-t^4 + t^3)\,dt = \left[-\frac{1}{5}t^5 + \frac{1}{4}t^4 \right]_0^2$$
$$= -\frac{32}{5} + 4 = -\frac{12}{5}$$

(ii) $a = \frac{1}{2}$일 때

$$v(t) = -t\left(t - \frac{1}{2}\right)(t-1)^2$$

이때 점 P는 출발 후 운동 방향을 $t = \frac{1}{2}$에서 한 번만 바꾸므로 조건을 만족시킨다.

그러므로 시각 $t=0$에서 $t=2$까지 점 P의 위치의 변화량은

$$\int_0^2 -t\left(t - \frac{1}{2}\right)(t-1)^2\,dt = \int_0^2 -\left(t^2 - \frac{1}{2}t\right)(t^2 - 2t + 1)\,dt$$
$$= \int_0^2 \left(-t^4 + \frac{5}{2}t^3 - 2t^2 + \frac{1}{2}t\right)dt$$
$$= \left[-\frac{1}{5}t^5 + \frac{5}{8}t^4 - \frac{2}{3}t^3 + \frac{1}{4}t^2 \right]_0^2$$
$$= -\frac{32}{5} + 10 - \frac{16}{3} + 1$$
$$= -\frac{32}{5} - \frac{16}{3} + 11$$
$$= \frac{(-96) + (-80) + 165}{15}$$
$$= -\frac{11}{15}$$

(iii) $a=1$일 때

$$v(t) = -t(t-1)^2(t-2)$$

이때 점 P는 출발 후 운동방향을 $t=2$에서 한 번만 바꾸므로 조건을 만족시킨다.

그러므로 시각 $t=0$에서 $t=2$까지 점 P의 위치의 변화량은

$$\int_0^2 -t(t-1)^2(t-2)\,dt = \int_0^2 -t(t^2 - 2t + 1)(t-2)\,dt$$
$$= \int_0^2 (-t^4 + 4t^3 - 5t^2 + 2t)\,dt$$
$$= \left[-\frac{1}{5}t^5 + t^4 - \frac{5}{3}t^3 + t^2 \right]_0^2$$
$$= -\frac{32}{5} + 16 - \frac{40}{3} + 4$$
$$= -\frac{32}{5} - \frac{40}{3} + 20$$
$$= \frac{(-96) + (-200) + 300}{15} = \frac{4}{15}$$

(i), (ii), (iii)에서 구하는 점 P의 위치의 변화량의 최댓값은 $\frac{4}{15}$이다.

●핵심 공식

▶ 속도와 이동거리 및 위치

수직선 위를 움직이는 점 p의 시각 t에서의 속도를 $v(t)$라 할 때,

$t=a$에서 $t=b$ $(a < b)$까지의 실제 이동거리 s는 $s = \int_a^b |v(t)|\,dt$이고

점 p가 원점을 출발하여 $t=a$에서의 점 p의 위치는 $\int_0^a v(t)\,dt$이다.

---

15 귀납적으로 정의된 수열   정답률 20% | 정답 ②

자연수 k에 대하여 다음 조건을 만족시키는 수열 $\{a_n\}$이 있다.

> $a_1 = k$이고, 모든 자연수 n에 대하여
>
> ❶ $a_{n+1} = \begin{cases} a_n + 2n - k & (a_n \leq 0) \\ a_n - 2n - k & (a_n > 0) \end{cases}$
>
> 이다.

❷ $a_3 \times a_4 \times a_5 \times a_6 < 0$이 되도록 하는 모든 k의 값의 합은? [4점]

① 10   ② 14   ③ 18   ④ 22   ⑤ 26

STEP 01 ❶에 $n=1$부터 대입하여 a_n을 구한 후 a_n의 부호에 따라 경우를 나누어 다음 항을 차례로 구하여 ❷를 만족하도록 하는 k를 구한 다음 합을 구한다.

$a_3 \times a_4 \times a_5 \times a_6 < 0$이므로

a_3, a_4, a_5, a_6은 어느 것도 0이 될 수 없다.

$a_1 = k > 0$이므로

$a_2 = a_1 - 2 - k = -2 < 0$

$a_3 = a_2 + 4 - k = 2 - k$

(i) $a_3 = 2 - k > 0$인 경우

   $2 - k > 0$에서 $k < 2$

   즉 $k=1$이므로

   $a_4 = a_3 - 6 - k = -6 < 0$

   $a_5 = a_4 + 8 - k = 1 > 0$

   $a_6 = a_5 - 10 - k = -10 < 0$

   따라서 $a_3 \times a_4 \times a_5 \times a_6 > 0$이므로 주어진 조건을 만족시키지 못한다.

(ii) $a_3 = 2 - k < 0$인 경우

   $k > 2$이므로

   $a_4 = a_3 + 6 - k = 8 - 2k$

  ⅰ) $a_4 = 8 - 2k > 0$인 경우

     $k < 4$이므로 $2 < k < 4$에서 $k=3$

     $a_4 = 8 - 6 = 2$

     $a_5 = a_4 - 8 - k = -9 < 0$

     $a_6 = a_5 + 10 - k = -2 < 0$

     따라서 $a_3 \times a_4 \times a_5 \times a_6 < 0$이므로 주어진 조건을 만족시킨다.

  ⅱ) $a_4 = 8 - 2k < 0$인 경우

     $k > 4$이므로

     $a_5 = a_4 + 8 - k = 16 - 3k$

   ㄱ) $a_5 = 16 - 3k > 0$인 경우

      $k < \frac{16}{3}$이므로 $4 < k < \frac{16}{3}$에서 $k=5$

      $a_5 = 16 - 15 = 1$

      $a_6 = a_5 - 10 - k = -14 < 0$

      따라서 $a_3 \times a_4 \times a_5 \times a_6 < 0$이므로 주어진 조건을 만족시킨다.

   ㄴ) $a_5 = 16 - 3k < 0$인 경우

      $k > \frac{16}{3}$이므로 $k \geq 6$인 경우이다.

      이때 $a_6 = a_5 + 10 - k = 26 - 4k$이고

      $a_3 \times a_4 \times a_5 \times a_6 < 0$이기 위해서는 $a_6 > 0$이어야 하므로

      $a_6 = 26 - 4k > 0$

      $k < \frac{13}{2}$

      즉 $6 \leq k < \frac{13}{2}$에서 $k=6$

(i), (ii)에 의하여 주어진 조건을 만족시키는 모든 k의 값의 합은

$3 + 5 + 6 = 14$

16 지수부등식 · 정답률 79% | 정답 3

부등식 $2^{x-6} \leq \left(\dfrac{1}{4}\right)^x$ 을 만족시키는 모든 자연수 x의 값의 합을 구하시오. [3점]

STEP 01 지수의 성질을 이용하여 부등식을 풀어 x의 범위를 구한 후 만족하는 자연수 x의 값의 합을 구한다.

$\left(\dfrac{1}{4}\right)^x = \left(2^{-2}\right)^x = 2^{-2x}$이므로 주어진 부등식은

$2^{x-6} \leq 2^{-2x}$

양변의 밑 2가 1보다 크므로

$x - 6 \leq -2x$

$3x \leq 6, \; x \leq 2$

따라서 모든 자연수 x의 합은 $1 + 2 = 3$

17 부정적분 · 정답률 81% | 정답 33

함수 $f(x)$에 대하여 $f'(x) = 8x^3 - 1$이고 $f(0) = 3$일 때, $f(2)$의 값을 구하시오. [3점]

STEP 01 $f'(x)$를 적분하고 $f(0) = 3$을 이용하여 $f(x)$를 구한 후 $f(2)$의 값을 구한다.

$f(x) = \displaystyle\int f'(x) dx = \int (8x^3 - 1) dx = 2x^4 - x + C$ (C 는 적분상수)

$f(0) = 3$이므로 $C = 3$

따라서

$f(x) = 2x^4 - x + 3$이므로

$f(2) = 32 - 2 + 3 = 33$

18 도함수의 활용 · 정답률 68% | 정답 6

두 상수 a, b에 대하여 삼차함수 $f(x) = ax^3 + bx + a$는 ❶ $x = 1$에서 극소이다. 함수 $f(x)$의 극솟값이 -2일 때, 함수 $f(x)$의 극댓값을 구하시오. [3점]

STEP 01 ❶에서 a, b를 구하여 $f(x)$를 구한 후 미분하여 극댓값을 구한다.

함수 $f(x)$가 $x = 1$에서 극솟값 -2를 가지므로

$f(1) = -2$에서

$a + b + a = -2$

$2a + b = -2$ ...... ㉠

또, $f'(x) = 3ax^2 + b$이고 $f'(1) = 0$이어야 하므로

$3a + b = 0$ ...... ㉡

㉠ 과 ㉡을 연립하면

$a = 2, \; b = -6$

그러므로

$f(x) = 2x^3 - 6x + 2$이고

$f'(x) = 6x^2 - 6 = 6(x+1)(x-1)$

이때 $f'(x) = 0$에서

$x = -1$ 또는 $x = 1$

함수 $f(x)$의 증가와 감소를 표로 나타내면 다음과 같다.

x	$\cdots$	-1	$\cdots$	1	$\cdots$
$f'(x)$	$+$	0	$-$	0	$+$
$f(x)$	↗	6	↘	-2	↗

따라서 함수 $f(x)$는 $x = -1$에서 극댓값 6을 갖는다.

19 삼각함수의 그래프 · 정답률 43% | 정답 8

두 자연수 a, b에 대하여 함수

$f(x) = a \sin bx + 8 - a$

가 다음 조건을 만족시킬 때, $a + b$의 값을 구하시오. [3점]

(가) 모든 실수 x에 대하여 $f(x) \geq 0$이다.
(나) $0 \leq x < 2\pi$일 때, x에 대한 방정식 $f(x) = 0$의 서로 다른 실근의 개수는 4이다.

STEP 01 $f(x)$의 최솟값을 구한 후 두 조건 (가), (나)에 의해 a를 구한다.

함수 $f(x)$의 최솟값이 $-a + 8 - a = 8 - 2a$이므로

조건 (가)를 만족시키려면

$8 - 2a \geq 0$

즉, $a \leq 4$이어야 한다.

그런데, $a = 1$ 또는 $a = 2$ 또는 $a = 3$일 때는 함수 $f(x)$의 최솟값이 0보다 크므로 조건 (나)를 만족시킬 수 없다.

그러므로 $a = 4$

STEP 02 $f(x)$의 주기를 구한 후 조건 (나)에 의해 b를 구한 다음 $a + b$의 값을 구한다.

이때 $f(x) = 4 \sin bx + 4$이고 이 함수의 주기는 $\dfrac{2\pi}{b}$이므로

$0 \leq x \leq \dfrac{2\pi}{b}$일 때 방정식 $f(x) = 0$의 서로 다른 실근의 개수는 1이다.

그러므로 $0 \leq x < 2\pi$일 때, 방정식 $f(x) = 0$의 서로 다른 실근의 개수가 4가 되려면

$\dfrac{15\pi}{2b} < 2\pi \leq \dfrac{19\pi}{2b}$이어야 한다.

즉, $\dfrac{15}{4} < b \leq \dfrac{19}{4}$이고 b는 자연수이므로

$b = 4$

따라서 $a + b = 4 + 4 = 8$

★★★ 등급을 가르는 문제!

20 정적분의 활용 · 정답률 12% | 정답 39

최고차항의 계수가 1인 이차함수 $f(x)$에 대하여 함수

$g(x) = \displaystyle\int_0^x f(t) dt$

가 다음 조건을 만족시킬 때, $f(9)$의 값을 구하시오. [4점]

$x \geq 1$인 모든 실수 x에 대하여
❶ $g(x) \geq g(4)$이고 ❷ $|g(x)| \geq |g(3)|$이다.

STEP 01 $f(x)$에 의해 $g(x)$의 최고차항의 계수와 차수를 결정한 후 ❶에 의해 $f(x)$를 놓는다.

최고차항의 계수가 1인 이차함수 $f(x)$의 부정적분 중 하나를 $F(x)$라 하면 $F'(x) = f(x)$이고

$g(x) = \displaystyle\int_0^x f(t) dt = F(x) - F(0)$이므로

$g'(x) = f(x)$

그러므로 함수 $g(x)$는 최고차항의 계수가 $\dfrac{1}{3}$인 삼차함수이다.

조건에서 $x \geq 1$인 모든 실수 x에 대하여

$g(x) \geq g(4)$이므로 삼차함수 $g(x)$는 구간 $[1, \infty)$에서

$x = 4$일 때 최소이자 극소이다. ...... ㉠

즉, $g'(4) = f(4) = 0$이므로

$f(x) = (x-4)(x-a)$ (a는 상수) ...... ㉡

로 놓을 수 있다.

STEP 02 ❷에 의해 $g(3)$을 구한 후 $f(x)$를 구하여 $f(9)$의 값을 구한다.

(i) $g(4) \geq 0$인 경우

$x \geq 1$인 모든 실수 x에 대하여 $g(x) \geq g(4) \geq 0$이므로 이 범위에서 $|g(x)| = g(x)$이다.

조건에서 $x \geq 1$인 모든 실수 x에 대하여

$|g(x)| \geq |g(3)|$, 즉 $g(x) \geq g(3)$이어야 한다. ...... ㉢

그런데 ㉠에서 $g(3) > g(4)$이므로 ㉢을 만족시키지 않는다.

(ii) $g(4) < 0$인 경우

$x \geq 1$인 모든 실수 x에 대하여 $|g(x)| \geq |g(3)|$이려면

$g(3) = 0$ ...... ㉣

이어야 한다.

㉡에서

$f(x) = x^2 - (a+4)x + 4a$이므로

$F(x) = \dfrac{1}{3}x^3 - \dfrac{a+4}{2}x^2 + 4ax + C$ (단, C는 적분상수)

그러므로

$g(x) = F(x) - F(0) = \dfrac{1}{3}x^3 - \dfrac{a+4}{2}x^2 + 4ax$

㉣에서

$g(3) = 9 - \dfrac{9}{2}(a+4) + 12a = 0$

$\dfrac{15}{2}a = 9, \ a = \dfrac{6}{5}$

따라서

$f(x) = (x-4)\left(x - \dfrac{6}{5}\right)$ 이므로

$f(9) = (9-4)\left(9 - \dfrac{6}{5}\right) = 5 \times \dfrac{39}{5} = 39$

다른 풀이

최고차항의 계수가 1인 이차함수 $f(x)$에 대하여 함수

$g(x) = \displaystyle\int_0^x f(t)\,dt$ ...... ㉠

는 최고차항의 계수가 $\dfrac{1}{3}$인 삼차함수이다.

㉠에서

$g(0) = 0$ ...... ㉡

조건에서 $x \geq 1$인 모든 실수 x에 대하여 $g(x) \geq g(4)$이므로

삼차함수 $g(x)$는 구간 $[1, \infty)$에서 $x=4$일 때 최소이자 극소이다. ...... ㉢

그러므로 $g'(4) = 0$ ...... ㉣

(ⅰ) $g(4) \geq 0$인 경우

$x \geq 1$인 모든 실수 x에 대하여 $g(x) \geq g(4) \geq 0$이므로 이 범위에서 $|g(x)| = g(x)$이다.

조건에서 $x \geq 1$인 모든 실수 x에 대하여 $|g(x)| \geq |g(3)|$,

즉 $g(x) \geq g(3)$이어야 하므로 $g(3) = g(4)$이어야 한다.

이는 ㉢에 모순이다.

(ⅱ) $g(4) < 0$인 경우

$x \geq 1$인 모든 실수 x에 대하여 $|g(x)| \geq |g(3)|$이려면

$g(3) = 0$

이어야 한다. ...... ㉤

㉡, ㉤에서

$g(x) = \dfrac{1}{3}x(x-3)(x+a) = \dfrac{1}{3}x^3 + \dfrac{a-3}{3}x^2 - ax$ (a는 상수)

로 놓을 수 있다.

$g'(x) = x^2 + \dfrac{2(a-3)}{3}x - a$

㉣에서

$g'(4) = 16 + \dfrac{8}{3}(a-3) - a = 8 + \dfrac{5}{3}a = 0$,

$a = -\dfrac{24}{5}$

㉠에서

$f(x) = g'(x) = x^2 - \dfrac{26}{5}x + \dfrac{24}{5}$ 이므로

$f(9) = 81 - \dfrac{234}{5} + \dfrac{24}{5} = 81 - \dfrac{210}{5} = 39$

★★ 문제 해결 꿀~팁 ★★

▶ 문제 해결 방법

$F'(x) = f(x)$이면 $g'(x) = f(x)$이고 $g(x)$는 최고차항의 계수가 $\dfrac{1}{3}$인 삼차함수이다. 또한 $g(x) \geq g(4)$이므로 $g'(4) = f(4) = 0$이고 $f(x) = (x-4)(x-a)$(a는 상수)로 놓을 수 있다. $f(x)$와 $g(x)$의 관계에서 $g(x)$의 차수를 알 수 있고 $g(x) \geq g(4)$에서 $g(x)$가 구간 $[1, \infty)$에서 $x=4$일 때 최소이자 극소임을 알 수 있다. 그러므로 $f(x) = (x-4)(x-a)$로 놓을 수 있다. 또한 $|g(x)| \geq |g(3)|$이므로 $g(3) = 0$에서 a를 구할 수 있어야 한다. 그렇지 않으면 $f(x)$를 구하기가 어렵다.
그래프의 개형을 추론하여 조건에서 주어진 각각의 식에서 필요한 정보를 빠르게 유추할 수 있어야 한다.

★★★ 등급을 가르는 문제!

21 지수함수와 로그함수의 그래프   정답률 10% | 정답 110

실수 t에 대하여 두 곡선 ❶ $y = t - \log_2 x$와 $y = 2^{x-t}$이 만나는 점의 x좌표를 $f(t)$라 하자. 〈보기〉의 각 명제에 대하여 다음 규칙에 따라 A, B, C의 값을 정할 때, $A + B + C$의 값을 구하시오. (단, $A + B + C \neq 0$) [4점]

- 명제 ㄱ이 참이면 $A = 100$, 거짓이면 $A = 0$이다.
- 명제 ㄴ이 참이면 $B = 10$, 거짓이면 $B = 0$이다.
- 명제 ㄷ이 참이면 $C = 1$, 거짓이면 $C = 0$이다.

─── 〈보기〉 ───

ㄱ. $f(1) = 1$이고 $f(2) = 2$이다.
ㄴ. 실수 t의 값이 증가하면 $f(t)$의 값도 증가한다.
ㄷ. 모든 양의 실수 t에 대하여 $f(t) \geq t$이다.

STEP 01   ㄱ. $t=1$, $x=1$일 때와 $t=2$, $x=2$일 때 ❶의 두 그래프가 지나는 점의 좌표를 구하여 참, 거짓을 판별한다.

ㄱ. 곡선 $y = t - \log_2 x$는 곡선 $y = \log_2 x$를 x축에 대하여 대칭이동한 후 y축의 방향으로 t만큼 평행이동한 것이므로 x의 값이 증가하면 y의 값은 감소한다.

또, 곡선 $y = 2^{x-t}$은 곡선 $y = 2^x$을 x축의 방향으로 t만큼 평행이동한 것이므로 x의 값이 증가하면 y의 값도 증가한다.

그러므로 두 곡선 $y = t - \log_2 x$, $y = 2^{x-t}$은 한 점에서 만난다.

$t=1$일 때

곡선 $y = 1 - \log_2 x$는 $x=1$일 때 $y=1$이므로

점 $(1, 1)$을 지난다.

또, 곡선 $y = 2^{x-1}$은 $x=1$일 때 $y=1$이므로 점 $(1, 1)$을 지난다.

그러므로 $f(1) = 1$

$t=2$일 때

곡선 $y = 2 - \log_2 x$는 $x=2$일 때 $y=1$이므로

점 $(2, 1)$을 지난다.

또, 곡선 $y = 2^{x-2}$은 $x=2$일 때 $y=1$이므로 점 $(2, 1)$을 지난다.

그러므로 $f(2) = 2$

이 명제가 참이므로 $A = 100$

STEP 02   ㄴ. t의 값이 증가할 때 두 곡선의 평행이동을 고려하여 t의 값이 증가하기 전의 교점의 x좌표의 위치와 t의 값이 증가 후 교점의 x좌표의 위치를 비교하여 참, 거짓을 판별한다.

ㄴ. 곡선 $y = t - \log_2 x$는 곡선 $y = -\log_2 x$를 y축의 방향으로 t만큼 평행이동한 것이다.

이때 t의 값이 증가하면 두 곡선 $y = t - \log_2 x$, $y = 2^x$의 교점의 x좌표는 증가한다.

이때 곡선 $y = 2^{x-t}$은 곡선 $y = 2^x$을 x축의 방향으로 t만큼 평행이동한 것이므로 t의 값이 증가하면 두 곡선 $y = t - \log_2 x$, $y = 2^{x-t}$의 교점의 x좌표는 두 곡선 $y = t - \log_2 x$, $y = 2^x$의 교점의 x좌표보다 커진다.

그러므로 t의 값이 증가하면 $f(t)$의 값이 증가한다.

이 명제가 참이므로 $B = 10$

STEP 03   ㄷ. 두 함수가 증가함수인지 감소함수인지를 파악하여 $f(t) \geq t$를 만족하도록 하는 부등식을 세우고 모든 양의 실수 t에 대하여 성립하는지 확인하여 참, 거짓을 판별한다.

ㄷ. $g(x) = t - \log_2 x$, $h(x) = 2^{x-t}$이라 하면

함수 $y = g(x)$는 감소함수이고, 함수 $y = h(x)$는 증가함수이므로

$f(t) \geq t$이기 위해서는 $g(t) \geq h(t)$

이어야 한다. 즉,

$t - \log_2 t \geq 2^{t-t}$

$t - 1 \geq \log_2 t$ ...... ㉠

이때 두 함수 $y = \log_2 t$, $y = t - 1$의 그래프는 두 점 $(1, 0)$, $(2, 1)$에서 만나고 다음 그림과 같다.

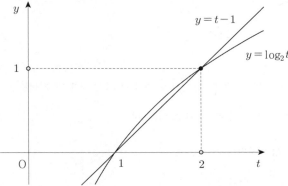

위에서 $1 < t < 2$일 때는 함수 $y = \log_2 t$의 그래프가 직선 $y = t - 1$보다 위쪽에 있으므로 ㉠을 만족시키지 못한다.

즉, $1 < t < 2$일 때는 부등식 $f(t) \geq t$를 만족시키지 못한다.

이 명제가 거짓이므로

$C = 0$

이상에서 $A = 100$, $B = 10$, $C = 0$이므로

$A + B + C = 100 + 10 + 0 = 110$

▶ 문제 해결 방법

$g(x) = t - \log_2 x$, $h(x) = 2^{x-t}$라 하자.

$y = g(x)$는 로그함수이고 $y = h(x)$는 지수함수로 두 함수를 연립하여 교점의 좌표를 구하는 것은 불가능하다. 그러므로 ㄱ의 참, 거짓을 판별할 때 교점의 좌표를 구하려 하지 말고 $x = 1$일 때, $x = 2$일 때 각 그래프가 지나는 점의 좌표를 구하여 일치하는지를 확인하여 참, 거짓을 판별하여야 한다.

ㄴ, ㄷ도 교점의 좌표를 구하는 것이 불가능하므로 그래프의 평행이동, 증가, 감소등을 따져서 t의 값의 변화에 따른 두 함수의 그래프의 교점의 위치를 추론하여야 한다. 지수 함수와 로그함수의 그래프의 평행이동 및 특징을 정확하게 알아두는 것이 좋다.

★★★ 등급을 가르는 문제!

22 도함수의 활용   정답률 3% | 정답 380

정수 $a(a \neq 0)$에 대하여 함수 $f(x)$를

$$f(x) = x^3 - 2ax^2$$

이라 하자. 다음 조건을 ❶ 만족시키는 모든 정수 k의 값의 곱이 -12가 되도록 하는 a에 대하여 $f'(10)$의 값을 구하시오. [4점]

> 함수 $y = f(x)$에 대하여
> $$\left\{\frac{f(x_1) - f(x_2)}{x_1 - x_2}\right\} \times \left\{\frac{f(x_2) - f(x_3)}{x_2 - x_3}\right\} < 0$$
> 을 만족시키는 세 실수 x_1, x_2, x_3이 열린구간 $\left(k, k + \frac{3}{2}\right)$에 존재한다.

STEP 01 주어진 조건의 의미와 만족하는 경우를 파악한다.

주어진 조건을 만족시키려면

열린구간 $\left(k, k + \frac{3}{2}\right)$에 두 점 $(x_1, f(x_1))$, $(x_2, f(x_2))$를 지나는 직선의 기울기와

두 점 $(x_2, f(x_2))$, $(x_3, f(x_3))$을 지나는 직선의 기울기의

부호가 다른 세 실수 x_1, x_2, x_3이 존재해야 하는데,

그러려면 극대 또는 극소가 되는 점이

구간 $\left(k, k + \frac{3}{2}\right)$에 존재해야 한다.

STEP 02 a의 범위를 나누어 조건을 만족하도록 하는 극값의 범위를 구한 후 ❶을 이용하여 만족하는 정수 k를 구하여 만족하는 정수 a를 구한 다음 $f(x)$, $f'(x)$, $f'(10)$의 값을 구한다.

이때 $f(x) = x^3 - 2ax^2$에서
$f'(x) = 3x^2 - 4ax$이므로
함수 $y = f(x)$의 그래프의 개형을 a의 값의 범위에 따라
다음과 같이 나누어 생각할 수 있다.

(i) $a > 0$일 때

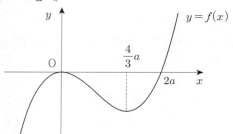

$k = -1$일 때 $x = 0$이 구간 $\left(-1, \frac{1}{2}\right)$에 존재하므로 조건을 만족시킨다.

또, $x = \frac{4}{3}a$가 구간 $\left(k, k + \frac{3}{2}\right)$에 존재하려면

$k < \frac{4}{3}a < k + \frac{3}{2}$이므로

$\frac{4}{3}a - \frac{3}{2} < k < \frac{4}{3}a$이어야 한다.

이때 조건을 만족시키는 모든 정수 k의 값의 곱이 -12가 되려면
이 구간에 $k = 3$, $k = 4$가 존재해야 하므로

$\frac{4}{3}a - \frac{3}{2} < 3$, $\frac{4}{3}a > 4$

$3 < a < \frac{27}{8}$

그런데 이 부등식을 만족시키는 정수 a는 존재하지 않는다.

(ii) $a < 0$일 때

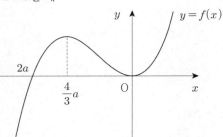

$k = -1$일 때 $x = 0$이 구간 $\left(-1, \frac{1}{2}\right)$에 존재하므로 조건을 만족시킨다.

또, $x = \frac{4}{3}a$가 구간 $\left(k, k + \frac{3}{2}\right)$에 존재하려면

$k < \frac{4}{3}a < k + \frac{3}{2}$이므로

$\frac{4}{3}a - \frac{3}{2} < k < \frac{4}{3}a$이어야 한다.

이때 조건을 만족시키는 모든 정수 k의 값의 곱이 -12가 되려면 이 구간에
$k = -4$, $k = -3$이 존재해야 하므로

$\frac{4}{3}a - \frac{3}{2} < -4$, $\frac{4}{3}a > -3$

$-\frac{9}{4} < a < -\frac{15}{8}$

즉, $a = -2$

(i), (ii)에서 $a = -2$이므로

$f(x) = x^3 + 4x^2$
$f'(x) = 3x^2 + 8x$
따라서

$f'(10) = 3 \times 10^2 + 8 \times 10 = 380$

▶ 문제 해결 방법

주어진 조건의 의미가 '열린구간 $\left(k, k + \frac{3}{2}\right)$에 두 점 $(x_1, f(x_1))$, $(x_2, f(x_2))$를 지나는 직선의 기울기와 두 점 $(x_2, f(x_2))$, $(x_3, f(x_3))$을 지나는 직선의 기울기의 부호가 다른 세 실수 x_1, x_2, x_3이 존재해야 한다'라는 것을 파악해야 한다. 또한 극대 또는 극소가 되는 점의 x좌표가 구간 $\left(k, k + \frac{3}{2}\right)$에 존재해야 조건을 만족한다는 것도 알아야 한다.

$f(x) = x^2(x - 2a)$로 $f(x)$는 $x = 0$에서 중근을 가지므로 $x = 0$에서 극값 0을 가지며 $\left(k, k + \frac{3}{2}\right)$사이에 0이 있으려면 정수 $k = -1$이다. $f(x)$를 미분하여 다른 극값을 구하여 같은 방법으로 $\left(k, k + \frac{3}{2}\right)$사이에 극값을 갖는 x좌표가 존재할 조건을 구해야 한다.

또 다른 극값을 갖는 x좌표는 $\frac{4}{3}a$이며 만족시키는 모든 정수 k의 값의 곱이 -12이려면 $\left(k, k + \frac{3}{2}\right)$사이에 $\frac{4}{3}a$가 존재하고 $k = -1$이 조건을 만족하므로 나머지 만족하는 정수 $k = 3, 4$ 또는 $k = -3, -4$이다. 이를 이용하여 k 및 a의 부등식을 세워 만족하는 a를 구하면 된다.

확률과 통계

23 같은 것이 있는 순열   정답률 90% | 정답 ③

5개의 문자 a, a, b, c, d를 모두 일렬로 나열하는 경우의 수는? [2점]

① 50   ② 55   ③ 60   ④ 65   ⑤ 70

STEP 01 같은 것이 있는 순열을 이용하여 구하는 경우의 수를 구한다.

구하는 경우의 수는

$\frac{5!}{2!} = 5 \times 4 \times 3 = 60$

●핵심 공식

▶ 같은 것이 있는 순열

n개 중에서 같은 것이 각각 p개, q개, r개, $\cdots$, s개가 있을 때, n개를 택하여 만든 순열의 수는

$\frac{n!}{p! q! r! \cdots s!}$ $(n = p + q + r + \cdots + s)$

24 확률의 덧셈정리
정답률 76% | 정답 ④

두 사건 A, B에 대하여

$$P(A \cap B^C) = \frac{1}{9}, \quad ❶ P(B^C) = \frac{7}{18}$$

일 때, $P(A \cup B)$의 값은? (단, B^C은 B의 여사건이다.) [3점]

① $\frac{5}{9}$　　② $\frac{11}{18}$　　③ $\frac{2}{3}$　　④ $\frac{13}{18}$　　⑤ $\frac{7}{9}$

STEP 01 ❶에서 $P(B)$를 구한 후 $P(A \cup B)$의 값을 구한다.

$$P(B) = 1 - P(B^C) = 1 - \frac{7}{18} = \frac{11}{18}$$

따라서 두 사건 $A \cap B^C$와 B는 서로소이므로

$$P(A \cup B) = P(A \cap B^C) + P(B) = \frac{1}{9} + \frac{11}{18} = \frac{13}{18}$$

25 여사건의 확률
정답률 73% | 정답 ③

흰색 손수건 4장, 검은색 손수건 5장이 들어있는 상자가 있다. 이 상자에서 임의로 4장의 손수건을 동시에 꺼낼 때, 꺼낸 4장의 손수건 중에서 ❶ 흰색 손수건이 2장 이상일 확률은? [3점]

① $\frac{1}{2}$　　② $\frac{4}{7}$　　③ $\frac{9}{14}$　　④ $\frac{5}{7}$　　⑤ $\frac{11}{14}$

STEP 01 ❶의 여사건의 확률을 구하여 구하는 확률을 구한다.

흰색 손수건이 2장 이상인 사건을 A라 하면
A^C는 흰색 손수건이 없거나 1장인 사건이다.

$$P(A^C) = \frac{{}_4C_0 \times {}_5C_4}{{}_9C_4} + \frac{{}_4C_1 \times {}_5C_3}{{}_9C_4} = \frac{1 \times 5}{126} + \frac{4 \times 10}{126} = \frac{5}{14}$$

따라서

$$P(A) = 1 - P(A^C) = 1 - \frac{5}{14} = \frac{9}{14}$$

26 이항정리
정답률 61% | 정답 ①

다항식 ❶ $(x-1)^6(2x+1)^7$의 전개식에서 x^2의 계수는? [3점]

① 15　　② 20　　③ 25　　④ 30　　⑤ 35

STEP 01 ❶에서 x^2 항이 나오는 경우를 나누어 각각 이항정리를 이용하여 x^2의 계수를 구한다.

$(x-1)^6(2x+1)^7$의 전개식에서 x^2의 계수는 다음과 같이 나누어 구할 수 있다.

(i) $(x-1)^6$의 전개식의 x^2항은 ${}_6C_2 x^2 (-1)^4 = 15x^2$

　　$(2x+1)^7$의 전개식에서 상수항은 $1^7 = 1$

(ii) $(x-1)^6$의 전개식에서 x항은 ${}_6C_1 x^1 (-1)^5 = -6x$

　　$(2x+1)^7$의 전개식에서 x항은 ${}_7C_1 (2x) 1^6 = 14x$

(iii) $(x-1)^6$의 전개식에서 상수항은 $(-1)^6 = 1$

　　$(2x+1)^7$의 전개식에서 x^2항은 ${}_7C_2 (2x)^2 1^5 = 21 \times 4x^2 = 84x^2$

(i), (ii), (iii)에서 $(x-1)^6(2x+1)^7$의 전개식에서 x^2의 계수는
$15x^2 \times 1 + (-6x) \times 14x + 1 \times 84x^2 = 15x^2 - 84x^2 + 84x^2 = 15x^2$이므로
x^2의 계수는 15이다.

● 핵심 공식

▶ 이항정리

이항정리는 이항 다항식 $x+y$의 거듭제곱 $(x+y)^n$에 대해서, 전개한 각 항 $x^k y^{n-k}$의 계수 값을 구하는 정리이다.

구체적으로 $x^k y^{n-k}$의 계수는 n개에서 k개를 고르는 조합의 가짓수인 ${}_nC_k$이고, 이를 이항계수라고 부른다. 따라서 다음의 식이 성립한다.

$$(x+y)^n = \sum_{k=0}^{n} {}_nC_k x^k y^{n-k}$$

27 조건부확률
정답률 64% | 정답 ②

한 개의 주사위를 두 번 던질 때 나오는 눈의 수를 차례로 a, b라 하자.
❶ $a \times b$가 4의 배수일 때, ❷ $a+b \le 7$일 확률은? [3점]

① $\frac{2}{5}$　　② $\frac{7}{15}$　　③ $\frac{8}{15}$　　④ $\frac{3}{5}$　　⑤ $\frac{2}{3}$

STEP 01 독립시행을 이용하여 ❶의 확률을 구한다.

한 개의 주사위를 두 번 던질 때 $a \times b$가 4의 배수인 사건을 A, $a+b \le 7$인 사건을 B라 하면 구하는 확률은 $P(B \mid A)$이다.

(i) a, b가 모두 짝수일 확률은

$${}_2C_2 \left(\frac{1}{2}\right)^2 = \frac{1}{4}$$

(ii) a, b중 하나는 4이고 다른 하나는 홀수일 확률은

$${}_2C_1 \left(\frac{1}{6}\right)\left(\frac{1}{2}\right) = \frac{1}{6}$$

(i), (ii)에서 $P(A) = \frac{1}{4} + \frac{1}{6} = \frac{5}{12}$

STEP 02 ❶, ❷를 동시에 만족할 확률을 구한 다음 조건부확률을 이용하여 구하는 확률을 구한다.

한편, 한 개의 주사위를 두 번 던질 때 나오는 눈의 수의 모든 순서쌍 (a, b)의 개수는 $6 \times 6 = 36$이다.

(iii) a, b가 모두 짝수인 동시에 $a+b \le 7$인 순서쌍 (a, b)는
　　$(2, 2)$, $(2, 4)$, $(4, 2)$의 3개다.

(iv) a, b중 하나는 4이고 다른 하나는 홀수인 동시에 $a+b \le 7$인 순서쌍 (a, b)는
　　$(4, 1)$, $(4, 3)$, $(1, 4)$, $(3, 4)$의 4개다.

(iii), (iv)에서 $P(A \cap B) = \frac{3+4}{36} = \frac{7}{36}$

따라서 구하는 확률은

$$P(B \mid A) = \frac{P(A \cap B)}{P(A)} = \frac{\frac{7}{36}}{\frac{5}{12}} = \frac{7}{15}$$

● 핵심 공식

▶ 조건부확률

확률이 0이 아닌 두 사건 A, B에 대하여 사건 A가 일어났다고 가정할 때, 사건 B가 일어날 확률을 사건 A가 일어났을 때의 사건 B의 조건부 확률이라 하고, 이것을 $P(B \mid A)$로 나타낸다.

$$P(B \mid A) = \frac{P(A \cap B)}{P(A)} \quad (단, P(A) > 0)$$

28 중복순열을 이용한 함수의 개수
정답률 46% | 정답 ⑤

집합 $X = \{1, 2, 3, 4, 5\}$에 대하여 다음 조건을 만족시키는 함수 $f: X \rightarrow X$의 개수는? [4점]

(가) $f(1) \times f(3) \times f(5)$는 홀수이다.
(나) $f(2) < f(4)$
(다) 함수 f의 치역의 원소의 개수는 3이다.

① 128　　② 132　　③ 136　　④ 140　　⑤ 144

STEP 01 치역에 포함된 홀수의 개수에 따라 경우를 나누어 조합과 중복순열을 이용하여 두 조건 (가), (나)를 만족하도록 하는 경우의 수를 구한 다음 구하는 함수의 개수를 구한다.

조건 (가)에서 $f(1)$, $f(3)$, $f(5)$의 값은 모두 홀수이다.

(i) 함수 f의 치역에 홀수가 1개 포함된 경우
　　홀수를 정하는 경우의 수는 ${}_3C_1 = 3$
　　이때 $f(2) = 2$, $f(4) = 4$이므로 구하는 함수 f의 개수는 3

(ii) 함수 f의 치역에 홀수가 2개 포함된 경우
　　홀수를 정하는 경우의 수는 ${}_3C_2 = 3$
　　i) 집합 $\{f(1), f(3), f(5)\}$의 원소의 개수가 1이면
　　　$f(1)$, $f(3)$, $f(5)$의 값을 정하는 경우의 수는 2
　　　$f(2)$, $f(4)$의 값을 정하는 경우의 수는 2
　　ii) 집합 $\{f(1), f(3), f(5)\}$의 원소의 개수가 2이면
　　　$f(1)$, $f(3)$, $f(5)$의 값을 정하는 경우의 수는 ${}_2\Pi_3 - 2 = 6$
　　　$f(2)$, $f(4)$의 값을 정하는 경우의 수는 $2 \times 2 = 4$
　　이상에서 구하는 함수 f의 개수는 $3 \times (2 \times 2 + 6 \times 4) = 84$

(iii) 함수 f의 치역에 홀수가 3개 포함된 경우
　　홀수를 정하는 경우의 수는 ${}_3C_1 = 1$
　　i) 집합 $\{f(1), f(3), f(5)\}$의 원소의 개수가 1이면
　　　$f(1)$, $f(3)$, $f(5)$의 값을 정하는 경우의 수는 3
　　　$f(2)$, $f(4)$의 값을 정하는 경우의 수는 1
　　ii) 집합 $\{f(1), f(3), f(5)\}$의 원소의 개수가 2이면

$f(1)$, $f(3)$, $f(5)$의 값을 정하는 경우의 수는 $_3C_2 \times (_2\Pi_3 - 2) = 18$
$f(2)$, $f(4)$의 값을 정하는 경우의 수는 2
iii) 집합 $\{f(1), f(3), f(5)\}$의 원소의 개수가 3이면
$f(1)$, $f(3)$, $f(5)$의 값을 정하는 경우의 수는 $3! = 6$
$f(2)$, $f(4)$의 값을 정하는 경우의 수는 $_3C_2 = 3$
이상에서 구하는 함수 f의 개수는
$1 \times (3 \times 1 + 18 \times 2 + 6 \times 3) = 57$
(i), (ii), (iii)에서 구하는 함수 f의 개수는
$3 + 84 + 57 = 144$

●핵심 공식

▶ 중복순열

서로 다른 n개의 물건에서 중복을 허락하여, r개를 택해 일렬로 배열한 것을 서로 다른 n개에서 중복을 허락하여 r개를 택한 중복순열이라 하고, 중복순열의 총갯수는 $_n\Pi_r$로 나타낸다.

$\therefore {}_n\Pi_r = \underbrace{n \times n \times n \times \cdots \times n}_{r개} = n^r$

---

29 중복조합   정답률 20% | 정답 25

그림과 같이 2장의 검은색 카드와 1부터 8까지의 자연수가 하나씩 적혀 있는 8장의 흰색 카드가 있다. 이 카드를 모두 한 번씩 사용하여 왼쪽에서 오른쪽으로 일렬로 배열할 때, 다음 조건을 만족시키는 경우의 수를 구하시오. (단, 검은색 카드는 서로 구별하지 않는다.) [4점]

(가) 흰색 카드에 적힌 수가 작은 수부터 크기순으로 왼쪽에서 오른쪽으로 배열되도록 카드가 놓여 있다.
(나) 검은색 카드 사이에는 흰색 카드가 2장 이상 놓여 있다.
(다) 검은색 카드 사이에는 3의 배수가 적힌 흰색 카드가 1장 이상 놓여 있다.

STEP 01 검은색 카드 2장의 양쪽과 가운데 있는 흰색 카드의 수를 각각 미지수로 놓고 중복조합으로 두 조건 (나), (다)를 만족하도록 카드를 나열하는 경우의 수를 구한다.

검은색 카드의 왼쪽에 있는 흰색 카드의 장수를 a,
두 검은색 카드의 사이에 있는 흰색 카드의 장수를 b,
검은색 카드의 오른쪽에 있는 흰색 카드의 장수를 c라 하면
$a + b + c = 8$
조건 (나)와 조건 (다)에서 $b \geq 2$이고, 검은색 카드 사이의 흰색 카드에 적힌 수가 모두 3의 배수가 아닌 경우를 제외해야 한다.
음이 아닌 정수 b'에 대하여 $b = b' + 2$로 놓으면
$a + (b' + 2) + c = 8$, $a + b' + c = 6$
방정식 $a + b' + c = 6$을 만족시키는 음이 아닌 정수 a, b', c의 모든 순서쌍 (a, b', c)의 개수는 서로 다른 3개에서 중복을 허락하여 6개를 택하는 중복조합의 수와 같으므로
$_3H_6 = {}_8C_6 = {}_8C_2 = 28$
이때 검은색 카드 사이의 흰색 카드에 적힌 수가
1, 2인 경우, 4, 5인 경우, 7, 8인 경우를 제외해야 한다.
따라서 구하는 경우의 수는
$28 - 3 = 25$

다른 풀이

(i) 왼쪽의 검은색 카드가 1이 적힌 카드의 왼쪽에 있는 경우
오른쪽의 검은색 카드가 놓이는 위치는 3이 적힌 카드의 오른쪽이므로 경우의 수는 6
(ii) 왼쪽의 검은색 카드가 1이 적힌 카드와 2가 적힌 카드의 사이에 있는 경우
오른쪽의 검은색 카드가 놓이는 위치는 3이 적힌 카드의 오른쪽이므로 경우의 수는 6
(iii) 왼쪽의 검은색 카드가 2가 적힌 카드와 3이 적힌 카드의 사이에 있는 경우
오른쪽의 검은색 카드가 놓이는 위치는 4가 적힌 카드의 오른쪽이므로 경우의 수는 5
(iv) 왼쪽의 검은색 카드가 3이 적힌 카드와 4가 적힌 카드의 사이에 있는 경우
오른쪽의 검은색 카드가 놓이는 위치는 6이 적힌 카드의 오른쪽이므로 경우의 수는 3
(v) 왼쪽의 검은색 카드가 4가 적힌 카드와 5가 적힌 카드의 사이에 있는 경우
오른쪽의 검은색 카드가 놓이는 위치는 6이 적힌 카드의 오른쪽이므로 경우의 수는 3

(vi) 왼쪽의 검은색 카드가 5가 적힌 카드와 6이 적힌 카드의 사이에 있는 경우
오른쪽의 검은색 카드가 놓이는 위치는 7이 적힌 카드의 오른쪽이므로 경우의 수는 2
(i)~(vi)에서 구하는 경우의 수는
$6 + 6 + 5 + 3 + 3 + 2 = 25$

●핵심 공식

▶ 중복조합

$_nH_r$은 서로 다른 n개의 원소에서 r개를 뽑는 경우의 수이다.
$_nH_r = {}_{n+r-1}C_r$

★★★ 등급을 가르는 문제!

30 확률   정답률 19% | 정답 51

주머니에 숫자 1, 2, 3, 4가 하나씩 적혀 있는 흰 공 4개와 숫자 4, 5, 6, 7이 하나씩 적혀 있는 검은 공 4개가 들어 있다. 이 주머니를 사용하여 다음 규칙에 따라 점수를 얻는 시행을 한다.

주머니에서 임의로 2개의 공을 동시에 꺼내어 꺼낸 공이 서로 다른 색이면 12를 점수로 얻고, 꺼낸 공이 서로 같은 색이면 꺼낸 두 공에 적힌 수의 곱을 점수로 얻는다.

이 시행을 한 번 하여 얻은 점수가 24 이하의 짝수일 확률이 $\dfrac{q}{p}$일 때, $p+q$의 값을 구하시오. (단, p와 q는 서로소인 자연수이다.) [4점]

STEP 01 꺼낸 두 공의 색의 종류에 따라 경우를 나누어 조합을 이용하여 조건을 만족하는 경우의 수를 구하여 구하는 확률을 구한다.

(i) 꺼낸 두 공이 서로 다른 색인 경우
얻는 점수가 12이므로 조건을 만족시킨다. 이 경우의 확률은
$\dfrac{_4C_1 \times {}_4C_1}{_8C_2} = \dfrac{16}{28} = \dfrac{4}{7}$
(ii) 꺼낸 두 공이 서로 같은 색인 경우
8개의 공 중에서 2개의 공을 동시에 꺼내는 경우의 수는
$_8C_2 = 28$
   i) 꺼낸 두 공의 색이 모두 흰 색인 경우
두 공에 적힌 수의 곱이 짝수이면 조건을 만족시키므로 이 경우의 수는
$_4C_2 - {}_2C_2 = 6 - 1 = 5$
   ii) 꺼낸 두 공이 모두 검은 색인 경우
두 공에 적힌 수의 집합이 $\{4, 5\}$, $\{4, 6\}$이어야 하므로 이 경우의 수는 2
그러므로 꺼낸 두 공이 서로 같은 색이고 얻은 점수가 24 이하의 짝수일 확률은
$\dfrac{5+2}{28} = \dfrac{7}{28} = \dfrac{1}{4}$
(i), (ii)에서 구하는 확률은
$\dfrac{4}{7} + \dfrac{1}{4} = \dfrac{23}{28}$이므로
$p + q = 28 + 23 = 51$

★★ 문제 해결 꿀~팁 ★★

▶ 문제 해결 방법

꺼낸 두 공이 서로 다른 색이면 얻는 점수가 12이므로 조건을 만족시킨다. 이때 두 수의 곱은 신경쓰지 않아도 되므로 혹시라도 색이 같은 경우와 혼동하여 곱이 홀수인 경우를 제외하거나 해서는 안된다.
꺼낸 두 공이 모두 흰 색인 경우는 $\{1, 3\}$을 꺼내는 경우를 제외하고 모두 만족하므로 경우의 수는 $_4C_2 - 1$이다.
마지막으로 꺼낸 두 공이 모두 검은 색인 경우는 두 공에 적힌 수의 집합이 $\{4, 5\}$, $\{4, 6\}$인 경우이다.
꺼낸 두 공의 색의 조합에 따라 만족하는 경우를 꼼꼼하게 따져 경우의 수를 구하고 확률을 구하면 된다.

미적분

23 수열의 극한값 정답률 90% | 정답 ⑤

❶ $\lim\limits_{n\to\infty}\left(\sqrt{n^2+9n}-\sqrt{n^2+4n}\right)$ 의 값은? [2점]

① $\dfrac{1}{2}$ ② 1 ③ $\dfrac{3}{2}$ ④ 2 ⑤ $\dfrac{5}{2}$

STEP 01 ❶을 유리화하여 극한값을 구한다.

$$\lim_{n\to\infty}\left(\sqrt{n^2+9n}-\sqrt{n^2+4n}\right)=\lim_{n\to\infty}\frac{5n}{\sqrt{n^2+9n}+\sqrt{n^2+4n}}$$
$$=\lim_{n\to\infty}\frac{5}{\sqrt{1+\dfrac{9}{n}}+\sqrt{1+\dfrac{4}{n}}}=\frac{5}{2}$$

---

24 매개변수로 나타내어진 함수의 미분계수 정답률 78% | 정답 ④

매개변수 t로 나타내어진 곡선

❶ $x=\dfrac{5t}{t^2+1},\ y=3\ln(t^2+1)$

에서 $t=2$일 때, $\dfrac{dy}{dx}$의 값은? [3점]

① -1 ② -2 ③ -3 ④ -4 ⑤ -5

STEP 01 ❶에서 $\dfrac{dx}{dt}$, $\dfrac{dy}{dt}$를 구한 후 $\dfrac{dy}{dx}$를 구한 다음 $t=2$를 대입하여 값을 구한다.

$$\frac{dx}{dt}=\frac{5(t^2+1)-5t\times2t}{(t^2+1)^2}=\frac{-5t^2+5}{(t^2+1)^2}$$

$$\frac{dy}{dt}=\frac{3}{t^2+1}\times2t=\frac{6t}{t^2+1}$$

$$\frac{dy}{dx}=\frac{\dfrac{dy}{dt}}{\dfrac{dx}{dt}}=\frac{\dfrac{6t}{t^2+1}}{\dfrac{-5t^2+5}{(t^2+1)^2}}=\frac{6t(t^2+1)}{-5t^2+5}$$

따라서 $t=2$일 때 $\dfrac{dy}{dx}$의 값은

$$\frac{6\times2\times(2^2+1)}{-5\times2^2+5}=\frac{60}{-15}=-4$$

---

25 지수함수의 극한값 정답률 71% | 정답 ①

❶ $\lim\limits_{x\to0}\dfrac{2^{ax+b}-8}{2^{bx}-1}=16$일 때, $a+b$의 값은? (단, a와 b는 0이 아닌 상수이다.) [3점]

① 9 ② 10 ③ 11 ④ 12 ⑤ 13

STEP 01 ❶의 극한값이 존재할 조건으로 b를 구한 후 지수함수의 극한으로 극한값을 구하여 a를 구한 다음 $a+b$의 값을 구한다.

$\lim\limits_{x\to0}\dfrac{2^{ax+b}-8}{2^{bx}-1}=16$에서 $x\to0$일 때, (분모)$\to0$이고 극한값이 존재하므로 (분자)$\to0$이어야 한다.

이때 함수 $2^{ax+b}-8$은 실수 전체의 집합에서 연속이므로

$$\lim_{x\to0}(2^{ax+b}-8)=2^b-8=0$$

$2^b=8$, $b=3$

$$\lim_{x\to0}\frac{2^{ax+3}-8}{2^{3x}-1}=\lim_{x\to0}\frac{8(2^{ax}-1)}{2^{3x}-1}$$
$$=\frac{8a}{3}\times\lim_{x\to0}\frac{\dfrac{2^{ax}-1}{ax}}{\dfrac{2^{3x}-1}{3x}}$$
$$=\frac{8a}{3}\times\frac{\ln2}{\ln2}=\frac{8a}{3}$$

이므로 $\dfrac{8a}{3}=16$에서 $a=6$

따라서 $a+b=6+3=9$

---

26 미분의 활용 정답률 67% | 정답 ②

x에 대한 방정식 ❶ $x^2-5x+2\ln x=t$의 서로 다른 실근의 개수가 2가 되도록 하는 모든 실수 t의 값의 합은? [3점]

① $-\dfrac{17}{2}$ ② $-\dfrac{33}{4}$ ③ -8 ④ $-\dfrac{31}{4}$ ⑤ $-\dfrac{15}{2}$

STEP 01 ❶을 미분하여 극값을 구한 후 그래프의 개형을 그려 $y=t$와의 교점의 개수가 2가 되도록 하는 t를 구한 후 합을 구한다.

$x^2-5x+2\ln x=t$에서

$f(x)=x^2-5x+2\ln x$라 하면

$$f'(x)=2x-5+\frac{2}{x}=\frac{2x^2-5x+2}{x}=\frac{(2x-1)(x-2)}{x}$$

따라서 함수 $f(x)$의 증가와 감소를 표로 나타내면 다음과 같다.

x	(0)	$\cdots$	$\dfrac{1}{2}$	$\cdots$	2	$\cdots$
$f'(x)$		$+$	0	$-$	0	$+$
$f(x)$		↗	극대	↘	극소	↗

이때 함수 $f(x)$의 극댓값은

$$f\left(\frac{1}{2}\right)=\left(\frac{1}{2}\right)^2-5\times\frac{1}{2}+2\ln\frac{1}{2}=-\frac{9}{4}-2\ln2$$

극솟값은

$$f(2)=2^2-5\times2+2\ln2=-6+2\ln2$$

이므로 함수 $y=f(x)$의 그래프는 다음과 같다.

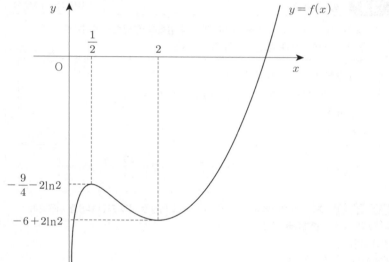

이때 x에 대한 방정식 $x^2-5x+2\ln x=t$의 서로 다른 실근의 개수가 2가 되기 위해서는

함수 $y=f(x)$의 그래프와 직선 $y=t$의 교점의 개수가 2가 되어야 하므로

$t=-\dfrac{9}{4}-2\ln2$ 또는 $t=-6+2\ln2$

따라서 모든 실수 t의 값의 합은

$$\left(-\frac{9}{4}-2\ln2\right)+(-6+2\ln2)=-\frac{33}{4}$$

---

27 함수의 극한값 정답률 60% | 정답 ③

실수 $t\,(0<t<\pi)$에 대하여 곡선 $y=\sin x$ 위의 ❶ 점 $\mathrm{P}\,(t,\ \sin t)$에서의 접선과 점 P를 지나고 기울기가 -1인 직선이 이루는 예각의 크기를 θ라 할 때, ❷ $\lim\limits_{t\to\pi-}\dfrac{\tan\theta}{(\pi-t)^2}$의 값은? [3점]

① $\dfrac{1}{16}$ ② $\dfrac{1}{8}$ ③ $\dfrac{1}{4}$ ④ $\dfrac{1}{2}$ ⑤ 1

STEP 01 ❶의 기울기를 구한 후 $\tan\theta$를 구한다.

$y=\sin x$에서 $y'=\cos x$이므로

곡선 $y=\sin x$ 위의 점 $\mathrm{P}(t,\ \sin t)$에서의 접선의 기울기는 $\cos t$이다.

따라서 점 P에서의 접선과 점 P를 지나고 기울기가 -1인 직선이 이루는 예각의 크기가 θ이므로

$$\tan\theta=\left|\frac{\cos t-(-1)}{1+\cos t\times(-1)}\right|=\left|\frac{\cos t+1}{1-\cos t}\right|$$

그런데 $0<t<\pi$이므로

$$\tan\theta=\frac{\cos t+1}{1-\cos t}$$

$\lim\limits_{t\to\pi^-}\dfrac{\tan\theta}{(\pi-t)^2}=\lim\limits_{t\to\pi^-}\dfrac{\dfrac{\cos t+1}{1-\cos t}}{(\pi-t)^2}=\lim\limits_{t\to\pi^-}\dfrac{\cos t+1}{(\pi-t)^2(1-\cos t)}$ 이므로

$\pi-t=x$라 하면 $t\to\pi^-$일 때 $x\to 0+$이고

$\cos t=\cos(\pi-x)=-\cos x$이므로

$\lim\limits_{t\to\pi^-}\dfrac{\tan\theta}{(\pi-t)^2}=\lim\limits_{t\to\pi^-}\dfrac{\cos t+1}{(\pi-t)^2(1-\cos t)}=\lim\limits_{x\to 0+}\dfrac{1-\cos x}{x^2(1+\cos x)}$

$\qquad=\lim\limits_{x\to 0+}\dfrac{1-\cos^2 x}{x^2(1+\cos x)^2}=\lim\limits_{x\to 0+}\dfrac{\sin^2 x}{x^2(1+\cos x)^2}$

$\qquad=\lim\limits_{x\to 0+}\left\{\left(\dfrac{\sin x}{x}\right)^2\times\dfrac{1}{(1+\cos x)^2}\right\}=1^2\times\dfrac{1}{2^2}=\dfrac{1}{4}$

● 핵심 공식

▶ $\dfrac{0}{0}$ 꼴의 삼각함수의 극한

x의 단위는 라디안일 때

① $\lim\limits_{x\to 0}\dfrac{\sin x}{x}=1$ ② $\lim\limits_{x\to 0}\dfrac{\tan x}{x}=1$

③ $\lim\limits_{x\to 0}\dfrac{\sin bx}{ax}=\dfrac{b}{a}$ ④ $\lim\limits_{x\to 0}\dfrac{\tan bx}{ax}=\dfrac{b}{a}$

⑤ $\lim\limits_{x\to 0}\dfrac{\sin bx}{\tan ax}=\dfrac{b}{a}$

---

28 함수의 추론   정답률 23% | 정답 ②

두 상수 $a\,(a>0)$, b에 대하여 실수 전체의 집합에서 연속인 함수 $f(x)$가 다음 조건을 만족시킬 때, $a\times b$의 값은? [4점]

(가) 모든 실수 x에 대하여
$$\{f(x)\}^2+2f(x)=a\cos^3\pi x\times e^{\sin^2\pi x}+b$$
이다.

(나) $f(0)=f(2)+1$

① $-\dfrac{1}{16}$ ② $-\dfrac{7}{64}$ ③ $-\dfrac{5}{32}$ ④ $-\dfrac{13}{64}$ ⑤ $-\dfrac{1}{4}$

STEP 01 조건 (가)의 양변에 $x=0$, $x=2$를 대입한 식과 조건 (나)를 이용하여 $f(2)$와 a, b의 관계식을 구한다.

조건 (가)에서
양변에 $x=0$을 대입하면
$\{f(0)\}^2+2f(0)=a+b$ …… ㉠
조건 (가)에서
양변에 $x=2$를 대입하면
$\{f(2)\}^2+2f(2)=a+b$ …… ㉡
㉠, ㉡에서
$\{f(0)\}^2+2f(0)=\{f(2)\}^2+2f(2)$
$\{f(2)-f(0)\}\{f(2)+f(0)+2\}=0$
$f(2)=f(0)$ 또는 $f(2)+f(0)+2=0$
$f(2)=f(0)$이면 조건 (나)를 만족시키지 못하므로
$f(2)+f(0)+2=0$ …… ㉢
조건 (나)에서
$f(0)=f(2)+1$을 ㉢에 대입하면
$2f(2)+3=0$
$f(2)=-\dfrac{3}{2}$
조건 (나)에서
$f(0)=f(2)+1=-\dfrac{3}{2}+1=-\dfrac{1}{2}$
$f(0)=-\dfrac{1}{2}$ 을 ㉠에 대입하면
$\left(-\dfrac{1}{2}\right)^2+2\times\left(-\dfrac{1}{2}\right)=a+b$
$a+b=-\dfrac{3}{4}$ …… ㉣

STEP 02 조건 (가)의 우변의 극값을 이용하여 $f(1)$을 구한다.

한편, 조건 (가)에서
양변에 1을 더하면
$\{f(x)\}^2+2f(x)+1=a\cos^3\pi x\times e^{\sin^2\pi x}+b+1$

$\{f(x)+1\}^2=a\cos^3\pi x\times e^{\sin^2\pi x}+b+1$

이때 $g(x)=a\cos^3\pi x\times e^{\sin^2\pi x}+b+1$이라 하면
$\{f(x)+1\}^2=g(x)$ …… ㉤
에서 모든 실수 x에 대하여
$g(x)\geq 0$이고,
$f(x)=-1\pm\sqrt{g(x)}$ 이다.
$f(0)=-\dfrac{1}{2}>-1$, $f(2)=-\dfrac{3}{2}<-1$
이고 함수 $f(x)$가 실수 전체의 집합에서 연속이므로
$f(c)=-1$인 상수 c가 열린 구간 $(0,2)$에 적어도 하나 존재한다.
$f(c)=-1\pm\sqrt{g(c)}=-1$에서 $g(c)=0$
함수 $g(x)$는 실수 전체의 집합에서 미분가능하고 모든 실수 x에 대하여
$g(x)\geq 0$이므로 함수 $g(x)$는 $x=c\,(0<c<2)$에서 극소이다.
한편,
$g'(x)=3a\cos^2\pi x\times(-\pi\sin\pi x)\times e^{\sin^2\pi x}+a\cos^3\pi x\times e^{\sin^2\pi x}$
$\qquad\qquad\qquad\qquad\qquad\qquad\times 2\sin\pi x\times\pi\cos\pi x$
$\quad=a\pi\cos^2\pi x\times\sin\pi x\times e^{\sin^2\pi x}\times(-3+2\cos^2\pi x)$

열린구간 $(0,2)$에서
$\cos^2\pi x\geq 0$, $e^{\sin^2\pi x}>0$, $-3+2\cos^2\pi x<0$이고,
$\sin\pi x=0$에서 $x=1$
이때, $a>0$이므로 열린구간 $(0,2)$에서 함수 $g(x)$는 $x=1$에서만 극소이다.
따라서 $c=1$이므로 $g(1)=0$이다.
㉤의 양변에 $x=1$을 대입하면
$\{f(x)+1\}^2=g(1)$에서
$\{f(1)+1\}^2=0$
$f(1)=-1$

STEP 03 조건 (가)의 양변에 $x=1$을 대입한 식과 ㉣을 연립하여 a, b를 구한 후 $a\times b$의 값을 구한다.

조건 (가)에서
양변에 $x=1$을 대입하면
$\{f(1)\}^2+2f(1)=-a+b$
$(-1)^2+2\times(-1)=-a+b$
$-a+b=-1$ …… ㉥
㉣, ㉥을 연립하면
$a=\dfrac{1}{8}$, $b=-\dfrac{7}{8}$

따라서 $a\times b=\dfrac{1}{8}\times\left(-\dfrac{7}{8}\right)=-\dfrac{7}{64}$

---

29 음함수의 미분법   정답률 17% | 정답 5

세 실수 a, b, k에 대하여 두 점 $A(a,\ a+k)$, $B(b,\ b+k)$가 곡선 $C:x^2-2xy+2y^2=15$ 위에 있다. ❶ 곡선 C 위의 점 A에서의 접선과 곡선 C 위의 점 B에서의 접선이 서로 수직일 때, k^2의 값을 구하시오. (단, $a+2k\neq 0$, $b+2k\neq 0$) [4점]

STEP 01 ❶의 두 접선의 기울기를 구한 후 ❶을 이용하여 식을 세운다.

곡선 $x^2-2xy+2y^2=15$에서 양변을 x에 대하여 미분하면
$2x-2y-2x\dfrac{dy}{dx}+4y\dfrac{dy}{dx}=0$
$\dfrac{dy}{dx}=\dfrac{x-y}{x-2y}$ (단, $x\neq 2y$)
점 $A(a,\ a+k)$에서의 접선의 기울기는
$\dfrac{a-(a+k)}{a-2(a+k)}=\dfrac{k}{a+2k}$
점 $B(b,\ b+k)$에서의 접선의 기울기는
$\dfrac{b-(b+k)}{b-2(b+k)}=\dfrac{k}{b+2k}$
두 점 A, B에서의 접선이 서로 수직이므로
$\dfrac{k}{a+2k}\times\dfrac{k}{b+2k}=-1$
$ab+2(a+b)k+5k^2=0$ …… ㉠

STEP 02 두 점 A, B가 곡선 C 위의 점임을 이용하여 a, b, k의 관계식을 구한다.

점 A가 곡선 $x^2-2xy+2y^2=15$
즉, $(x-y)^2+y^2=15$ 위의 점이므로
$k^2+(a+k)^2=15$ …… ㉡

점 B가 곡선 $x^2-2xy+2y^2=15$

즉, $(x-y)^2+y^2=15$ 위의 점이므로

$$k^2+(b+k)^2=15 \qquad\qquad \cdots\cdots \text{©}$$

©, ©에서

$(a+k)^2=(b+k)^2$

$(a-b)(a+b+2k)=0$

$a\neq b$이므로

$$a+b=-2k \qquad\qquad \cdots\cdots \text{©}$$

STEP 03 위에서 구한 식들을 연립하여 k^2의 값을 구한다.

©을 ⊙에 대입하면

$ab-4k^2+5k^2=0$

$$k^2=-ab \qquad\qquad \cdots\cdots \text{©}$$

©에서

$2k^2+2ak+a^2=15$

©, ©을 위 식에 대입하면

$-2ab+a(-a-b)+a^2=15$, $ab=-5$

따라서 $k^2=-ab=-(-5)=5$

★★★ **등급을 가르는 문제!**

30 급수의 합 　　　　　정답률 8% | 정답 24

수열 $\{a_n\}$은 등비수열이고, 수열 $\{b_n\}$을 모든 자연수 n에 대하여

$$b_n=\begin{cases} -1 & (a_n\leq -1) \\ a_n & (a_n > -1)\end{cases}$$

이라 할 때, 수열 $\{b_n\}$은 다음 조건을 만족시킨다.

(가) 급수 $\displaystyle\sum_{n=1}^{\infty} b_{2n-1}$은 수렴하고 그 합은 -3이다.

(나) 급수 $\displaystyle\sum_{n=1}^{\infty} b_{2n}$은 수렴하고 그 합은 8이다.

❶ $b_3=-1$일 때, $\displaystyle\sum_{n=1}^{\infty} |a_n|$의 값을 구하시오. [4점]

STEP 01 $\displaystyle\sum_{n=1}^{\infty} b_n$이 수렴하도록 수열 a_n의 공비의 범위를 구한다.

등비수열 $\{a_n\}$의 일반항을 $a_n=a_1 r^{n-1}$이라 하자.

이때 주어진 조건을 만족시키기 위해서는 $a_1\neq 0$이다.

(ⅰ) $r>1$인 경우

a_n의 절댓값이 한없이 커지므로 주어진 조건을 만족시킬 수 없다.

(ⅱ) $r=1$인 경우

a_n의 값이 일정한 값을 가지므로 주어진 조건을 만족시킬 수 없다.

(ⅲ) $r=-1$인 경우

a_n의 값이 a_1, $-a_1$, a_1, $-a_1$, a_1, $\cdots$이 반복되므로 주어진 조건을 만족시킬 수 없다.

(ⅳ) $r<-1$인 경우

a_n의 절댓값이 한없이 커지므로 주어진 조건을 만족시킬 수 없다.

(ⅴ) $r=0$인 경우

a_n의 값이 첫째항을 제외하고 모두 0이므로 주어진 조건을 만족시킬 수 없다.

따라서 $-1<r<0$ 또는 $0<r<1$이다.

그런데 $b_3=-1$이므로 $a_3\leq -1$이다.

즉 $a_1 r^2\leq -1$이다.

그런데 $0<r^2<1$이므로

$a_1\leq -1$

따라서 $b_1=-1$이다.

또한 $a_1\leq -1$이므로 $0<r<1$이면 a_n의 모든 항은 음수이므로 주어진 조건을 만족시킬 수 없다.

따라서 $-1<r<0$이다.

STEP 02 ❶을 이용하여 a_2, b_2부터 차례로 구하여 규칙을 찾아 b_n을 구한다.

ⅰ) $a_2=a_1 r\leq -1$일 때

$r\geq -\dfrac{1}{a_1}>0$이므로 모순이다.

따라서 $a_2=a_1 r>-1$이므로 $b_2=a_2=a_1 r$

ⅱ) $b_3=-1$이므로 $a_3=a_1 r^2\leq -1$

ⅲ) $a_4=a_1 r^3\leq -1$일 때

$a_4=a_1 r^3=a_1 r^2\times r\geq -r>0$이므로 모순이다.

즉 $a_4>-1$이므로 $b_4=a_4=a_1 r^3$

ⅳ) $a_5=a_1 r^4\leq -1$일 때

$b_5=-1$인데 $b_1+b_3+b_5=-3$이므로 조건 (가)에 의하여 모순이다.

$b_5=a_5=a_1 r^4$

ⅴ) $a_6=a_4 r^2$이고 $a_4>-1$이므로

$a_6>-r^2>-1$

따라서

$b_6=a_6=a_1 r^5$

같은 방법으로 생각하면

$b_7=a_7$, $b_8=a_8$, $b_9=a_9$, $\cdots$

이므로

$$b_n=\begin{cases} -1 & (n=1,\ n=3) \\ a_1 r^{n-1} & (n=2,\ n\geq 4)\end{cases}$$

STEP 03 b_n을 두 조건에 대입하고 등비급수를 이용하여 극한값을 구하여 a_1과 공비를 구한 후 a_n을 구하여 $\displaystyle\sum_{n=1}^{\infty} |a_n|$의 값을 구한다.

조건 (가)에서

$$\sum_{n=1}^{\infty} b_{2n-1}=-1+(-1)+a_1 r^4+a_1 r^6+a_1 r^8+\cdots=-2+\frac{a_1 r^4}{1-r^2}=-3$$

$$\frac{a_1 r^4}{1-r^2}=-1$$

$$a_1 r^4=r^2-1 \qquad\qquad \cdots\cdots \text{⊙}$$

조건 (나)에서

$$\sum_{n=1}^{\infty} b_{2n}=a_1 r+a_1 r^3+a_1 r^5+\cdots=\frac{a_1 r}{1-r^2}=8$$

$$a_1 r=8-8r^2=8(1-r^2) \qquad\qquad \cdots\cdots \text{©}$$

⊙, ©에서

$a_1 r=-8a_1 r^4$이므로

$r^3=-\dfrac{1}{8}$, $r=-\dfrac{1}{2}$

이므로 ©에 대입하면

$-\dfrac{1}{2}a_1=6$, $a_1=-12$

따라서 $a_n=-12\left(-\dfrac{1}{2}\right)^{n-1}$이므로

$$\sum_{n=1}^{\infty} |a_n|=\sum_{n=1}^{\infty}\left|-12\left(-\frac{1}{2}\right)^{n-1}\right|$$

$$=\sum_{n=1}^{\infty}12\left(\frac{1}{2}\right)^{n-1}=\frac{12}{1-\dfrac{1}{2}}=24$$

다른 풀이

b_2, b_3, $\cdots$의 값을 조사하면 다음과 같다.

(ⅰ) b_2의 값

$a_1\leq -1$이고 $-1<r<0$이므로 $a_2>0$

(ⅱ) b_3의 값

주어진 조건으로부터 $b_3=-1$

(ⅲ) b_4의 값

$a_3\leq -1$이고 $-1<r<0$이므로 $a_4>0$

그러므로 $b_4=a_4$

그러므로 $a_{2n}>0$이므로 $b_{2n}=a_{2n}$

조건 (나)에서

$\displaystyle\sum b_{2n}=8$이므로

$a_1 r+a_1 r^3+a_1 r^5+\cdots=8$

한편, 조건 (가)에서

$\displaystyle\sum_{n=1}^{\infty} b_{2n-1}=-3$이고 $b_1=b_3=-1$, $b_5=a_1 r^4$, $b_7=a_1 r^6$, $\cdots$이므로

$\displaystyle\sum_{n=1}^{\infty} b_{2n-1}=(-1)+(-1)+r^3\sum_{n=1}^{\infty} b_{2n}=-3$, $r^3\times 8=-1$

$r=-\dfrac{1}{2}$

▶ 무한등비급수

무한등비급수 $\sum_{n=1}^{\infty} ar^{n-1} = a + ar + ar^2 + \cdots + ar^{n-1} + \cdots \ (a \neq 0)$

에서 $|r| < 1$이면 수렴하고 그 합은 $\dfrac{a}{1-r}$ 이다.

★★ 문제 해결 꿀~팁 ★★

▶ 문제 해결 방법

조건 (가), (나)에서 $\sum_{n=1}^{\infty} b_n$이 수렴하려면 일단 수열 a_n의 공비가 $-1 < r < 1$이어야 한다. 그러므로 모든 범위의 r에 대하여 두 조건을 성립하는지 확인하는 것보다 $-1 < r < 1$의 공비에 대하여 두 조건을 성립하는지를 확인하는 것이 보다 효과적이다. 그런데 $a_1 \leq -1$이므로 $0 < r < 1$이면 a_n의 모든 항은 음수이므로 $-1 < r < 0$이다. $b_3 = -1$을 이용하여 a_2, b_2부터 차례로 구하여 규칙을 찾아 b_n을 구하면 b_1, b_3만 -1이고 나머지 항은 a_n이다.

이제 두 조건의 식에서 등비급수를 이용하여 식을 세운 후 두 식을 연립하면 a_n의 공비와 첫째항을 구할 수 있고 이를 이용하여 a_n을 구하면 된다.

주어진 항이 $b_3 = -1$뿐이나 이를 이용하여 b_n의 항을 차례로 구하여야 b_n의 규칙을 찾을 수 있다.

귀납적으로 정의된 수열에서는 주어진 항의 값을 이용하여 앞, 뒤의 항을 차례로 구하여 수열의 규칙을 찾아야 한다. 주어진 항의 앞뒤의 항이 여러 가지 값을 가질 가능성이 있는 경우에도 모든 경우에 대하여 주어진 조건을 만족할 수 있는지 확인하여 만족하는 값을 정하여야 한다.

등비급수의 합이 존재할 조건과 등비급수를 구하는 공식을 알고 있어야 함은 물론이거니와 귀납적으로 정의된 수열에서 각항을 차례로 구하여 수열의 규칙을 찾을 수 있어야 한다.

• 정답 •

공통 | 수학
01 ① 02 ② 03 ④ 04 ② 05 ③ 06 ⑤ 07 ④ 08 ③ 09 ⑤ 10 ③ 11 ⑤ 12 ③ 13 ① 14 ④ 15 ②
16 6 17 15 18 3 19 2 20 13 21 ★42 22 26 ★22 19 ★
선택 | 확률과 통계
23 ③ 24 ① 25 ④ 26 ② 27 ③ 28 ④ 29 115 30 9 ★
선택 | 미적분
23 ① 24 ① 25 ② 26 ② 27 ③ 28 ⑤ 29 50 30 16

★ 표기된 문항은 [등급을 가르는 문항]에 해당하는 문제입니다.

---

01 지수법칙   정답률 86% | 정답 ①

❶ $\left(-\sqrt{2}\right)^4 \times 8^{-\frac{2}{3}}$ 의 값은? [2점]

① 1   ② 2   ③ 3   ④ 4   ⑤ 5

STEP 01 지수법칙으로 ❶의 값을 구한다.

$\left(-\sqrt{2}\right)^4 \times 8^{-\frac{2}{3}} = (-1)^4 \times \left(2^{\frac{1}{2}}\right)^4 \times \left(2^3\right)^{-\frac{2}{3}}$

$= 1 \times 2^{\frac{1}{2} \times 4} \times 2^{3 \times \left(-\frac{2}{3}\right)}$

$= 2^{2+(-2)} = 2^0 = 1$

---

02 미분계수   정답률 85% | 정답 ②

함수 $f(x) = x^3 + 9$에 대하여 ❶ $\lim_{h \to 0} \dfrac{f(2+h) - f(2)}{h}$ 의 값은? [2점]

① 11   ② 12   ③ 13   ④ 14   ⑤ 15

STEP 01 $f(x)$를 미분한 후 미분계수의 정의에 의하여 ❶의 값을 구한다.

$f(x) = x^3 + 9$에서 $f'(x) = 3x^2$이므로

$\lim_{h \to 0} \dfrac{f(2+h) - f(2)}{h} = f'(2) = 3 \times 2^2 = 12$

---

03 삼각함수 사이의 관계   정답률 85% | 정답 ④

❶ $\dfrac{\pi}{2} < \theta < \pi$인 θ에 대하여 $\cos^2\theta = \dfrac{4}{9}$일 때, $\sin^2\theta + \cos\theta$의 값은? [3점]

① $-\dfrac{4}{9}$ ② $-\dfrac{1}{3}$ ③ $-\dfrac{2}{9}$ ④ $-\dfrac{1}{9}$ ⑤ 0

STEP 01 ❶에서 $\cos\theta$를 구한 후 $\sin^2\theta + \cos\theta$의 값을 구한다.

$\cos^2\theta = \dfrac{4}{9}$ 이고 $\dfrac{\pi}{2} < \theta < \pi$일 때 $\cos\theta < 0$ 이므로 $\cos\theta = -\dfrac{2}{3}$

한편, $\sin^2\theta + \cos^2\theta = 1$ 이므로

$\sin^2\theta = 1 - \cos^2\theta = 1 - \dfrac{4}{9} = \dfrac{5}{9}$

따라서 $\sin^2\theta + \cos\theta = \dfrac{5}{9} + \left(-\dfrac{2}{3}\right) = -\dfrac{1}{9}$

---

04 함수의 극한   정답률 87% | 정답 ②

함수 $y = f(x)$의 그래프가 그림과 같다.

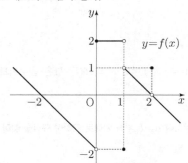

❶ $\lim_{x \to 0^-} f(x) + \lim_{x \to 1^+} f(x)$의 값은? [3점]

① -2 ② -1 ③ 0   ④ 1   ⑤ 2

$x \to 0-$일 때 $f(x) \to -2$이고, $x \to 1+$일 때
$f(x) \to 1$이므로
$$\lim_{x \to 0-} f(x) + \lim_{x \to 1+} f(x) = (-2) + 1 = -1$$

---

05 등비수열   정답률 87% | 정답 ③

모든 항이 양수인 등비수열 $\{a_n\}$에 대하여
$$a_1 = \frac{1}{4}, \quad ❶ \; a_2 + a_3 = \frac{3}{2}$$
일 때, $a_6 + a_7$의 값은? [3점]

① 16   ② 20   ③ 24   ④ 28   ⑤ 32

STEP 01 ❶에서 공비를 구한 후 $a_6 + a_7$의 값을 구한다.

등비수열 $\{a_n\}$의 모든 항이 양수이므로
공비를 $r(r > 0)$라 하면
$$a_2 + a_3 = a_1 r + a_1 r^2 = \frac{1}{4} r + \frac{1}{4} r^2 = \frac{3}{2}$$
$$r^2 + r - 6 = 0, \; (r+3)(r-2) = 0$$
$r > 0$이므로 $r = 2$
따라서
$$a_6 + a_7 = a_1 r^5 + a_1 r^6 = \frac{1}{4} \times 2^5 + \frac{1}{4} \times 2^6 = 24$$

● **핵심 공식**

▶ 등비수열

첫째항이 a, 공비가 r인 등비수열에서 일반항 a_n은 $a_n = ar^{n-1}$ $(n = 1, 2, 3, \cdots)$

---

06 함수의 연속   정답률 71% | 정답 ⑤

두 양수 a, b에 대하여 함수 $f(x)$가
$$f(x) = \begin{cases} x + a & (x < -1) \\ x & (-1 \le x < 3) \\ bx - 2 & (x \ge 3) \end{cases}$$
이다. 함수 $|f(x)|$가 실수 전체의 집합에서 연속일 때, $a + b$의 값은? [3점]

① $\frac{7}{3}$ ② $\frac{8}{3}$ ③ 3   ④ $\frac{10}{3}$ ⑤ $\frac{11}{3}$

STEP 01 $|f(x)|$가 $x = -1$, $x = 3$에서 연속일 조건으로 a, b를 구한 후 합을 구한다.

함수 $|f(x)|$가 실수 전체의 집합에서 연속이므로 $x = -1$, $x = 3$에서도 연속이어야 한다.

(ⅰ) 함수 $|f(x)|$가 $x = -1$에서 연속이므로
$$\lim_{x \to -1-} |f(x)| = \lim_{x \to -1+} |f(x)| = |f(-1)|$$
이어야 한다. 이때
$$\lim_{x \to -1-} |f(x)| = \lim_{x \to -1-} |x + a| = |-1 + a|,$$
$$\lim_{x \to -1+} |f(x)| = \lim_{x \to -1+} |x| = 1,$$
$$|f(-1)| = |-1| = 1$$이므로
$$|-1 + a| = 1$$
$a > 0$이므로 $a = 2$

(ⅱ) 함수 $|f(x)|$가 $x = 3$에서 연속이므로
$$\lim_{x \to 3-} |f(x)| = \lim_{x \to 3+} |f(x)| = |f(3)|$$
이어야 한다. 이때
$$\lim_{x \to 3-} |f(x)| = \lim_{x \to 3-} |x| = 3,$$
$$\lim_{x \to 3+} |f(x)| = \lim_{x \to 3+} |bx - 2| = |3b - 2|,$$
$$|f(3)| = |3b - 2|$$이므로
$$|3b - 2| = 3$$
$b > 0$이므로 $b = \frac{5}{3}$

(ⅰ), (ⅱ)에 의하여
$$a + b = 2 + \frac{5}{3} = \frac{11}{3}$$

---

07 삼각함수의 그래프   정답률 69% | 정답 ④

닫힌구간 $[0, \pi]$에서 정의된 함수 $f(x) = -\sin 2x$가 $x = a$에서 최댓값을 갖고 $x = b$에서 최솟값을 갖는다. 곡선 $y = f(x)$ 위의 ❶ 두 점 $(a, f(a))$, $(b, f(b))$를 지나는 직선의 기울기는? [3점]

① $\frac{1}{\pi}$ ② $\frac{2}{\pi}$ ③ $\frac{3}{\pi}$ ④ $\frac{4}{\pi}$ ⑤ $\frac{5}{\pi}$

STEP 01 함수 $y = f(x)$의 그래프를 그려 a, b를 구한 후 ❶을 구한다.

함수 $f(x) = -\sin 2x$의 주기는 $\frac{2\pi}{2} = \pi$이므로 함수 $y = f(x)$의 그래프는 다음과 같다.

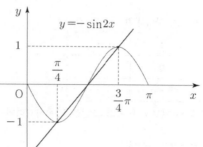

함수 $f(x)$는
$x = \frac{\pi}{4}$일 때 최솟값 $f\left(\frac{\pi}{4}\right) = -\sin\frac{\pi}{2} = -1$을 갖고,
$x = \frac{3}{4}\pi$일 때 최댓값 $f\left(\frac{3}{4}\pi\right) = -\sin\frac{3}{2}\pi = 1$을 갖는다.

따라서 $a = \frac{3\pi}{4}$, $b = \frac{\pi}{4}$이므로 두 점 $\left(\frac{3}{4}\pi, 1\right)$, $\left(\frac{\pi}{4}, -1\right)$을 지나는 직선의 기울기는
$$\frac{1 - (-1)}{\frac{3}{4}\pi - \frac{\pi}{4}} = \frac{2}{\frac{\pi}{2}} = \frac{4}{\pi}$$

● **핵심 공식**

▶ 삼각함수의 그래프

$y = a\sin(bx + c) \Rightarrow$ 주기 : $\frac{2\pi}{|b|}$, 최댓값 $|a|$, 최솟값 $-|a|$

$y = a\cos(bx + c) \Rightarrow$ 주기 : $\frac{2\pi}{|b|}$, 최댓값 $|a|$, 최솟값 $-|a|$

$y = a\tan(bx + c) \Rightarrow$ 주기 : $\frac{\pi}{|b|}$, 최댓값과 최솟값은 없다.

---

08 평균값의 정리   정답률 59% | 정답 ③

실수 전체의 집합에서 미분가능하고 다음 조건을 만족시키는 모든 함수 $f(x)$에 대하여 $f(5)$의 최솟값은? [3점]

> (가) $f(1) = 3$
> (나) $1 < x < 5$인 모든 실수 x에 대하여 $f'(x) \ge 5$이다.

① 21   ② 22   ③ 23   ④ 24   ⑤ 25

STEP 01 평균값의 정리를 이용하여 $f(5)$의 최솟값을 구한다.

함수 $f(x)$는 닫힌구간 $[1, 5]$에서 연속이고
열린구간 $(1, 5)$에서 미분가능하므로 평균값의 정리에 의하여
$$\frac{f(5) - f(1)}{5 - 1} = f'(c) \qquad \cdots\cdots ㉠$$
를 만족하는 상수 c가 열린구간 $(1, 5)$에 적어도 하나 존재한다.
이때, 조건 (나)에 의하여 $f'(c) \ge 5$이므로
㉠에서 $\frac{f(5) - 3}{4} \ge 5$
$$f(5) \ge 23$$
따라서 $f(5)$의 최솟값은 23이다.

---

09 도함수의 활용   정답률 74% | 정답 ⑤

두 함수
$$f(x) = x^3 - x + 6, \; g(x) = x^2 + a$$
가 있다. $x \ge 0$인 모든 실수 x에 대하여 부등식
$$❶ \; f(x) \ge g(x)$$

가 성립할 때, 실수 a의 최댓값은? [4점]

① 1　　　② 2　　　③ 3　　　④ 4　　　⑤ 5

STEP 01　$f(x)-g(x)$를 미분하여 최솟값을 구한 후 ❶을 만족하도록 하는 a의 범위를 구하여 a의 최댓값을 구한다.

$h(x)=f(x)-g(x)$라 하면 $h(x)=x^3-x^2-x+6-a$

이때 $x \geq 0$인 모든 실수 x에 대하여 부등식 $h(x) \geq 0$이 성립하려면 $x \geq 0$에서 함수 $h(x)$의 최솟값이 0 이상이어야 한다.

$h'(x)=3x^2-2x-1=(3x+1)(x-1)$이므로

$h'(x)=0$에서

$x=-\dfrac{1}{3}$ 또는 $x=1$

$x \geq 0$에서 함수 $h(x)$의 증가와 감소를 표로 나타내면 다음과 같다.

x	0	$\cdots$	1	$\cdots$
$h'(x)$		$-$	0	$+$
$h(x)$	$6-a$	$\searrow$	$5-a$	$\nearrow$

즉, $x \geq 0$에서 함수 $h(x)$의 최솟값이 $5-a$이므로 주어진 조건을 만족시키려면 $5-a \geq 0$이어야 한다.

따라서 $a \leq 5$이므로 구하는 실수 a의 최댓값은 5이다.

10　코사인법칙　　정답률 48% | 정답 ③

그림과 같이 $\overline{AB}=3$, $\overline{BC}=2$, $\overline{AC}>3$이고 $\cos(\angle BAC)=\dfrac{7}{8}$인 삼각형 ABC가 있다. 선분 AC의 중점을 M, 삼각형 ABC의 외접원이 직선 BM과 만나는 점 중 B가 아닌 점을 D라 할 때, 선분 MD의 길이는? [4점]

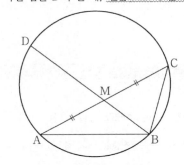

① $\dfrac{3\sqrt{10}}{5}$　② $\dfrac{7\sqrt{10}}{10}$　③ $\dfrac{4\sqrt{10}}{5}$　④ $\dfrac{9\sqrt{10}}{10}$　⑤ $\sqrt{10}$

STEP 01　두 삼각형 ABC와 ABM에서 각각 코사인법칙에 의하여 $\overline{AC}$, $\overline{MB}$를 구한다.

$\angle BAC=\theta$, $\overline{AC}=a$라 하면 삼각형 ABC에서 코사인법칙에 의하여

$\overline{BC}^2=\overline{AB}^2+\overline{AC}^2-2\times\overline{AB}\times\overline{AC}\times\cos\theta$

즉,

$2^2=3^2+a^2-2\times3\times a\times\dfrac{7}{8}$

$a^2-\dfrac{21}{4}a+5=0$

$4a^2-21a+20=0$

$(4a-5)(a-4)=0$

따라서 조건에서 $a>3$이므로 $a=4$

$\overline{AM}=\overline{CM}=\dfrac{a}{2}=2$

같은 방법으로 삼각형 ABM에서 코사인법칙에 의하여

$\overline{MB}^2=\overline{AB}^2+\overline{AM}^2-2\times\overline{AB}\times\overline{AM}\times\cos\theta$

$=3^2+2^2-2\times3\times2\times\dfrac{7}{8}=\dfrac{5}{2}$

이므로

$\overline{MB}=\sqrt{\dfrac{5}{2}}=\dfrac{\sqrt{10}}{2}$

STEP 02　두 삼각형 ABM와 DCM의 닮음을 이용하여 $\overline{MD}$를 구한다.

이때 두 삼각형 ABM, DCM은 서로 닮은 도형이므로

$\overline{MA}\times\overline{MC}=\overline{MB}\times\overline{MD}$에서

$2\times2=\dfrac{\sqrt{10}}{2}\times\overline{MD}$

따라서 $\overline{MD}=\dfrac{8}{\sqrt{10}}=\dfrac{4\sqrt{10}}{5}$

●핵심 공식

▶ 코사인법칙

세 변의 길이를 각각 a, b, c라 하고 b, c 사이의 끼인각을 A라 하면

$$a^2=b^2+c^2-2bc\cos A, \left(\cos A=\dfrac{b^2+c^2-a^2}{2bc}\right)$$

11　적분의 활용　　정답률 62% | 정답 ⑤

시각 $t=0$일 때 동시에 원점을 출발하여 수직선 위를 움직이는 두 점 P, Q의 시각 $t(t \geq 0)$에서의 속도가 각각

$$v_1(t)=2-t, \quad v_2(t)=3t$$

이다. ❶ 출발한 시각부터 점 P가 원점으로 돌아올 때까지 ❷ 점 Q가 움직인 거리는? [4점]

① 16　　② 18　　③ 20　　④ 22　　⑤ 24

STEP 01　$v_1(t)$를 적분하여 ❶의 t를 구한 후 $v_2(t)$의 적분을 이용하여 ❷를 구한다.

점 P의 시각 $t(t \geq 0)$에서의 위치를 $x_1(t)$라 하면

$x_1(t)=\displaystyle\int_0^t(2-t)dt=\left[2t-\dfrac{1}{2}t^2\right]_0^t=2t-\dfrac{1}{2}t^2$

따라서, 출발 후 점 P가 다시 원점으로 돌아온 시각은

$2t-\dfrac{1}{2}t^2=0, \ t^2-4t=0$

$t(t-4)=0$

$t=4$이므로

출발한 시각부터 점 P가 원점으로 돌아올 때까지 점 Q가 움직인 거리는

$\displaystyle\int_0^4|3t|dt=\int_0^4 3tdt=\left[\dfrac{3}{2}t^2\right]_0^4=24$

●핵심 공식

▶ 속도와 이동거리

수직선 위를 움직이는 점 p의 시각 t에서의 속도를 $v(t)$라 할 때, $t=a$에서 $t=b$ $(a<b)$까지의 실제 이동거리 s는 $s=\displaystyle\int_a^b|v(t)|dt$이다.

12　등차수열의 활용　　정답률 53% | 정답 ③

공차가 3인 등차수열 $\{a_n\}$이 다음 조건을 만족시킬 때, a_{10}의 값은? [4점]

(가) $a_5 \times a_7 < 0$

(나) $\displaystyle\sum_{k=1}^6|a_{k+6}|=6+\sum_{k=1}^6|a_{2k}|$

① $\dfrac{21}{2}$　② 11　③ $\dfrac{23}{2}$　④ 12　⑤ $\dfrac{25}{2}$

STEP 01　조건 (가)에서 a_5, a_7의 부호를 판단한 후 조건 (나)를 전개한다.

등차수열 $\{a_n\}$의 공차가 양수이고 조건 (가)에서

$a_5 \times a_7 < 0$이므로 $a_5 < 0$, $a_7 > 0$

즉, $n \leq 5$일 때 $a_n < 0$이고, $n \geq 7$일 때 $a_n > 0$이다.

이때 조건 (나)에서

$\displaystyle\sum_{k=1}^6|a_{k+6}|=6+\sum_{k=1}^6|a_{2k}|$이므로

$|a_7|+|a_8|+|a_9|+|a_{10}|+|a_{11}|+|a_{12}|$

$=6+|a_2|+|a_4|+|a_6|+|a_8|+|a_{10}|+|a_{12}|$

$a_7+a_9+a_{11}=6-a_2-a_4+|a_6|$

등차수열 $\{a_n\}$의 공차가 3이므로

$(a_1+18)+(a_1+24)+(a_1+30)=6-(a_1+3)-(a_1+9)+|a_1+15|$

$|a_1+15|=5a_1+78$ ...... ㉠

STEP 02　㉠에서 만족하는 a_1을 구한 후 등차수열의 일반항으로 a_{10}의 값을 구한다.

㉠에서 $a_1+15 \geq 0$이면

$a_1+15=5a_1+78$

$4a_1=-63$

$a_1=-\dfrac{63}{4}<-15$

이므로 조건을 만족시키지 않는다.

즉, $a_1 + 15 < 0$이므로 ㉠에서
$$-a_1 - 15 = 5a_1 + 78$$
$$6a_1 = -93$$
$$a_1 = -\frac{31}{2}$$
따라서
$$a_{10} = a_1 + 9 \times 3 = -\frac{31}{2} + 27 = \frac{23}{2}$$

●핵심 공식

▶ 등차수열

첫째항이 a, 공차가 d인 등차수열의 일반항 a_n은 $a_n = a + (n-1)d$ $(n = 1, 2, 3, \cdots)$

---

13 등비수열과 지수방정식 　　　　　　정답률 45% | 정답 ①

두 곡선 $y = 16^x$, $y = 2^x$과 한 점 $A(64, 2^{64})$가 있다.
점 A를 지나며 x축과 평행한 직선이 곡선 $y = 16^x$과 만나는 점을 P_1이라 하고, 점 P_1을 지나며 y축과 평행한 직선이 곡선 $y = 2^x$과 만나는 점을 Q_1이라 하자.
점 Q_1을 지나며 x축과 평행한 직선이 곡선 $y = 16^x$과 만나는 점을 P_2라 하고, 점 P_2를 지나며 y축과 평행한 직선이 곡선 $y = 2^x$과 만나는 점을 Q_2라 하자.
이와 같은 과정을 계속하여 n번째 얻은 두 점을 각각 P_n, Q_n이라 하고 점 Q_n의 x좌표를 x_n이라 할 때, ❶ $x_n < \frac{1}{k}$을 만족시키는 n의 최솟값이 6이 되도록 하는 자연수 k의 개수는? [4점]

① 48 ② 51 ③ 54 ④ 57 ⑤ 60

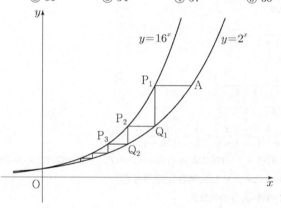

STEP 01 점 A의 좌표를 이용하여 두 점 Q_1, P_1의 좌표를 구한 후 x_n을 구한다.

점 A의 x좌표는 64이고 점 Q_1의 x좌표는 x_1이다.
이때 두 점 A와 P_1의 y좌표가 같으므로
$2^{64} = 16^{x_1}$에서 $2^{64} = 2^{4x_1}$
$4x_1 = 64$에서 $x_1 = 16$
같은 방법으로 모든 자연수 n에 대하여 두 점 P_n, Q_n의 x좌표는 x_n으로 서로 같고, 두 점 Q_n, P_{n+1}의 y좌표는 같으므로
$2^{x_n} = 16^{x_{n+1}}$
즉, $2^{x_n} = 2^{4x_{n+1}}$이므로
$$x_{n+1} = \frac{1}{4}x_n$$
따라서 수열 $\{x_n\}$은 첫째항이 16, 공비가 $\frac{1}{4}$인 등비수열이므로
$$x_n = 16 \times \left(\frac{1}{4}\right)^{n-1} = 2^4 \times 2^{-2n+2} = 2^{6-2n}$$

STEP 02 ❶을 이용하여 k의 범위를 구하여 만족하는 자연수 k의 개수를 구한다.

한편, $x_n < \frac{1}{k}$을 만족시키는 n의 최솟값이 6이므로
$x_5 \geq \frac{1}{k}$이고 $x_6 < \frac{1}{k}$어어야 한다.
$x_5 \geq \frac{1}{k}$에서 $2^{-4} \geq \frac{1}{k}$
즉, $\frac{1}{16} \geq \frac{1}{k}$에서 $k \geq 16$ 　　　…… ㉠
$x_6 < \frac{1}{k}$에서 $2^{-6} < \frac{1}{k}$
즉, $\frac{1}{64} < \frac{1}{k}$에서 $k < 64$ 　　　…… ㉡

㉠, ㉡에서 $16 \leq k < 64$이므로 자연수 k의 개수는
$64 - 16 = 48$이다.

---

14 함수의 그래프 　　　　　　정답률 39% | 정답 ④

실수 전체의 집합에서 연속인 함수 $f(x)$와 ❶ 최고차항의 계수가 1인 삼차함수 $g(x)$가
$$g(x) = \begin{cases} -\displaystyle\int_0^x f(t)\,dt & (x < 0) \\[2mm] \displaystyle\int_0^x f(t)\,dt & (x \geq 0) \end{cases}$$
을 만족시킬 때, 〈보기〉에서 옳은 것만을 있는 대로 고른 것은? [4점]

― 〈보기〉 ―
ㄱ. $f(0) = 0$
ㄴ. 함수 $f(x)$는 극댓값을 갖는다.
ㄷ. $2 < f(1) < 4$일 때, 방정식 $f(x) = x$의 서로 다른 실근의 개수는 3이다.

① ㄱ　　② ㄷ　　③ ㄱ, ㄴ　　④ ㄱ, ㄷ　　⑤ ㄱ, ㄴ, ㄷ

STEP 01 ㄱ. $g(x)$가 $x = 0$에서 미분가능할 조건으로 $f(0)$을 구하여 참, 거짓을 판별한다.

ㄱ. $x < 0$일 때 $g'(x) = -f(x)$
$x > 0$일 때 $g'(x) = f(x)$
그런데, 함수 $g(x)$는 $x = 0$에서 미분가능하고 함수 $f(x)$는 실수 전체의 집합에서 연속이므로
$$\lim_{x \to 0-}\{-f(x)\} = \lim_{x \to 0+} f(x)$$
$-f(0) = f(0)$, $2f(0) = 0$이므로
$f(0) = 0$ 　　　　　　　　　　　∴ 참

STEP 02 ㄴ. ❶의 한 실근을 미지수 a로 놓고 $g(x)$의 식을 세운 후 a의 범위에 따라 각각 극댓값을 갖는지를 조사하여 참, 거짓을 판별한다.

ㄴ. $g(0) = \displaystyle\int_0^0 f(t)\,dt = 0$이고
함수 $g(x)$는 삼차함수이므로
$g(x) = x^2(x - a)$ (단, a는 상수)로 놓으면
$g'(x) = 2x(x - a) + x^2 = x(3x - 2a)$
(i) $a > 0$일 때
$$f(x) = \begin{cases} -x(3x - 2a) & (x < 0) \\ x(3x - 2a) & (x \geq 0) \end{cases}$$
이므로 함수 $y = f(x)$의 그래프는 그림과 같고 $x = 0$에서 극댓값을 갖는다.

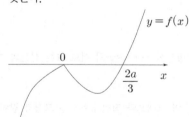

(ii) $a < 0$일 때
$$f(x) = \begin{cases} -x(3x - 2a) & (x < 0) \\ x(3x - 2a) & (x \geq 0) \end{cases}$$
이므로 함수 $y = f(x)$의 그래프는 그림과 같고 $x = \frac{a}{3}$에서 극댓값을 갖는다.

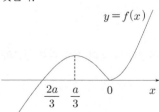

(iii) $a = 0$일 때
$$f(x) = \begin{cases} -3x^2 & (x < 0) \\ 3x^2 & (x \geq 0) \end{cases}$$
이므로 함수 $y = f(x)$의 그래프는 그림과 같고 극댓값이 존재하지 않는다. 　　　　　　　　　　∴ 거짓

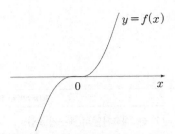

$$y=f(x)$$

STEP 03 ㄷ. a의 범위에 따른 $y=f(x)$의 그래프에서 각각 $y=x$와의 교점의 개수를 조사하여 참, 거짓을 판별한다.

ㄷ.

(i) ㄴ. (i)의 경우

$f(1)=3-2a$이므로 $2<3-2a<4$에서

$0<a<\dfrac{1}{2}$

또한, $x<0$일 때

$f'(x)=-(3x-2a)-3x=-6x+2a$이므로

$\lim\limits_{x\to0-}f'(x)=2a$

이때 $0<2a<1$이므로 함수 $y=f(x)$의 그래프와 직선 $y=x$는 그림과 같이 서로 다른 세 점에서 만난다.

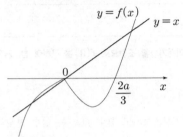

$$y=f(x) \quad y=x$$

따라서 $2<f(1)<4$일 때, 방정식 $f(x)=x$의 서로 다른 실근의 개수는 3이다.

(ii) ㄴ. (ii)의 경우

$f(1)=3-2a$이므로 $2<3-2a<4$에서

$-\dfrac{1}{2}<a<0$

또한, $x>0$일 때

$f'(x)=(3x-2a)+3x=6x-2a$이므로

$\lim\limits_{x\to0+}f'(x)=-2a$

이때 $0<-2a<1$이므로 함수 $y=f(x)$의 그래프와 직선 $y=x$는 그림과 같이 서로 다른 세 점에서 만난다.

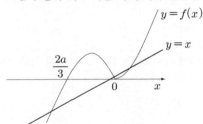

$$y=f(x) \quad y=x$$

따라서 $2<f(1)<4$일 때, 방정식 $f(x)=x$의 서로 다른 실근의 개수는 3이다.

(iii) ㄴ. (iii)의 경우

$f(1)=3$이고 함수 $y=f(x)$의 그래프와 직선 $y=x$는 그림과 같이 서로 다른 세 점에서 만난다.

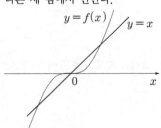

$$y=f(x) \quad y=x$$

따라서 $2<f(1)<4$일 때, 방정식 $f(x)=x$의 서로 다른 실근의 개수는 3이다.

∴ 참

이상에서 옳은 것은 ㄱ, ㄷ이다.

다른 풀이

ㄷ.

(i) ㄴ. (i)의 경우 $0<a<\dfrac{1}{2}$이고

i) $x<0$일 때, $-x(3x-2a)=x$

$-3x+2a=1$, $x=\dfrac{2a-1}{3}$

ii) $x\geq0$일 때, $x(3x-2a)=x$

$x(3x-2a-1)=0$

$x=0$ 또는 $x=\dfrac{2a+1}{3}$

따라서 $2<f(1)<4$일 때, 방정식 $f(x)=x$은 서로 다른 실근

$\dfrac{2a-1}{3}$, 0, $\dfrac{2a+1}{3}$을 갖는다.

---

15 수열의 귀납법 ············· 정답률 26% | 정답 ②

자연수 k에 대하여 다음 조건을 만족시키는 수열 $\{a_n\}$이 있다.

$a_1=0$이고, 모든 자연수 n에 대하여

$$a_{n+1}=\begin{cases} a_n+\dfrac{1}{k+1} & (a_n\leq0) \\ a_n-\dfrac{1}{k} & (a_n>0) \end{cases}$$

이다.

❶ $a_{22}=0$이 되도록 하는 모든 k의 값의 합은? [4점]

① 12 ② 14 ③ 16 ④ 18 ⑤ 20

STEP 01 a_2부터 차례로 a_n을 구하여 $a_n=0$을 만족하는 k와 n을 구하고 ❶을 성립할 수 있는지 확인하여 만족하는 k를 구한 후 합을 구한다.

$a_1=0$이므로

$a_2=a_1+\dfrac{1}{k+1}=\dfrac{1}{k+1}$

$a_2>0$이므로

$a_3=a_2-\dfrac{1}{k}=\dfrac{1}{k+1}-\dfrac{1}{k}$

$a_3<0$이므로

$a_4=a_3+\dfrac{1}{k+1}=\dfrac{2}{k+1}-\dfrac{1}{k}=\dfrac{k-1}{k(k+1)}$

이때 $k=1$이면 $a_4=0$이므로 $n=3m-2$(m은 자연수)일 때 $a_n=0$이다.

즉, $a_{22}=0$이므로 $k=1$은 조건을 만족시킨다.

한편 $k>1$이면 $a_4>0$이므로

$a_5=a_4-\dfrac{1}{k}=\dfrac{2}{k+1}-\dfrac{2}{k}$

$a_5<0$이므로

$a_6=a_5+\dfrac{1}{k+1}=\dfrac{3}{k+1}-\dfrac{2}{k}=\dfrac{k-2}{k(k+1)}$

이때 $k=2$이면 $a_6=0$이므로 $n=5m-4$

(m은 자연수)일 때 $a_n=0$이다.

즉, $a_{22}\neq0$이므로 $k=2$는 조건을 만족시키지 않는다.

한편 $k>2$이면 $a_6>0$이므로

$a_7=a_6-\dfrac{1}{k}=\dfrac{3}{k+1}-\dfrac{3}{k}$

$a_7<0$이므로

$a_8=\dfrac{4}{k+1}-\dfrac{3}{k}=\dfrac{k-3}{k(k+1)}$

마찬가지 방법으로 계속하면

$k=3$이면 $a_8=0$이고 이때 $a_{22}=0$이다.

$k=4$이면 $a_{10}=0$이고 이때 $a_{22}\neq0$이다.

$5\leq k\leq9$이면 $a_{22}\neq0$이다.

$k=10$이면 $a_{22}=0$이다.

$k\geq11$이면 $a_{22}\neq0$이다.

따라서 조건을 만족시키는 모든 k의 값은 1, 3, 10이므로 구하는 모든 k의 값의 합은

$1+3+10=14$

---

16 로그방정식 ············· 정답률 83% | 정답 6

방정식 $\log_2(x+2)+\log_2(x-2)=5$를 만족시키는 실수 x의 값을 구하시오.

[3점]

진수조건에서 $x+2>0$이고 $x-2>0$이어야 하므로
$x>2$ ...... ㉠
$\log_2(x+2)+\log_2(x-2)=\log_2(x+2)(x-2)=\log_2(x^2-4)=5$
$x^2-4=2^5$
$x^2=36$ ...... ㉡
㉠, ㉡에서 $x=6$

---

17 부정적분   정답률 83% | 정답 15

함수 $f(x)$에 대하여 $f'(x)=8x^3+6x^2$이고 ❶ $f(0)=-1$일 때, $f(-2)$의 값을 구하시오. [3점]

STEP 01 $f'(x)$를 적분하여 $f(x)$를 구한 후 ❶을 이용하여 적분상수를 구한 다음 $f(-2)$의 값을 구한다.

$f(x)=\int(8x^3+6x^2)dx=2x^4+2x^3+C$ (단, C는 적분상수)이므로
$f(0)=C=-1$
따라서 $f(x)=2x^4+2x^3-1$
그러므로 $f(-2)=32-16-1=15$

---

18 수열의 합   정답률 80% | 정답 3

❶ $\displaystyle\sum_{k=1}^{10}(4k+a)=250$일 때, 상수 a의 값을 구하시오. [3점]

STEP 01 $\sum$의 성질을 이용하여 ❶에서 a의 값을 구한다.

$\displaystyle\sum_{k=1}^{10}(4k+a)=4\sum_{k=1}^{10}k+10a=4\times\frac{10\times11}{2}+10a=220+10a$
즉, $220+10a=250$이므로 $10a=30$
따라서 $a=3$

● 핵심 공식

▶ 자연수의 거듭제곱의 합

(1) $\displaystyle\sum_{k=1}^{n}k=\frac{n(n+1)}{2}$ (2) $\displaystyle\sum_{k=1}^{n}k^2=\frac{n(n+1)(2n+1)}{6}$

(3) $\displaystyle\sum_{k=1}^{n}c=cn$

---

19 함수의 극대와 극소   정답률 62% | 정답 2

함수 $f(x)=x^4+ax^2+b$는 ❶ $x=1$에서 극소이다. 함수 $f(x)$의
❷ 극댓값이 4일 때, $a+b$의 값을 구하시오. (단, a와 b는 상수이다.) [3점]

STEP 01 $f(x)$를 미분하고 ❶에서 a를 구한 후 ❷에서 b를 구한 다음 $a+b$의 값을 구한다.

$f(x)=x^4+ax^2+b$에서
$f'(x)=4x^3+2ax$
함수 $f(x)$가 $x=1$에서 극소이므로
$f'(1)=4+2a=0$에서 $a=-2$
그러므로
$f'(x)=4x^3-4x=4x(x-1)(x+1)$이므로
$f'(x)=0$에서 $x=-1$ 또는 $x=0$ 또는 $x=1$
함수 $f(x)$는 $x=0$에서 극댓값 4를 가지므로
$f(0)=b=4$
따라서 $a+b=(-2)+4=2$

★★★ 등급을 가르는 문제!

20 정적분으로 나타낸 함수   정답률 12% | 정답 13

❶ 최고차항의 계수가 2인 이차함수 $f(x)$에 대하여
함수 $g(x)=\displaystyle\int_{x}^{x+1}|f(t)|dt$는 ❷ $x=1$과 $x=4$에서 극소이다.
$f(0)$의 값을 구하시오. [4점]

STEP 01 ❶의 식을 놓고 ❷를 이용하여 $f(0)$의 값을 구한다.

모든 실수 x에 대하여 $f(x)\geq0$이면

$g(x)=\displaystyle\int_{x}^{x+1}|f(t)|dt=\int_{x}^{x+1}f(t)dt$
이므로 $g(x)$는 이차함수이고 이때 $g(x)$가 극소인 x의 값은 1개뿐이다.
따라서 조건을 만족시키지 못한다.
$f(x)=2(x-\alpha)(x-\beta)$ $(\alpha<\beta)$라 하면 함수 $y=|f(x)|$의 그래프는 그림과 같고
$x=1$, $x=4$에서 함수 $g(x)$가 극소이므로
$g'(1)=0$, $g'(4)=0$이다.

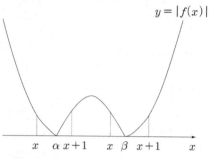

(ⅰ) $x<\alpha<x+1$일 때
$g(x)=\displaystyle\int_{x}^{x+1}|f(t)|dt$
$=\displaystyle\int_{x}^{\alpha}f(t)dt+\int_{\alpha}^{x+1}\{-f(t)\}dt$
$=\displaystyle-\int_{\alpha}^{x}f(t)dt-\int_{\alpha}^{x+1}f(t)dt$
$=\displaystyle-\int_{\alpha}^{x}2(t-\alpha)(t-\beta)dt-\int_{\alpha}^{x+1}2(t-\alpha)(t-\beta)dt$
$=\displaystyle-\int_{\alpha}^{x}2(t-\alpha)(t-\beta)dt-\int_{\alpha-1}^{x}2(t+1-\alpha)(t+1-\beta)dt$
이므로
$g'(x)=-2(x-\alpha)(x-\beta)-2(x+1-\alpha)(x+1-\beta)$
$g'(1)=-2(1-\alpha)(1-\beta)-2(2-\alpha)(2-\beta)$
$\quad=6\alpha+6\beta-4\alpha\beta-10=0$
$3\alpha+3\beta-2\alpha\beta-5=0$ ...... ㉠

(ⅱ) $x<\beta<x+1$일 때
$g(x)=\displaystyle\int_{x}^{x+1}|f(t)|dt$
$=\displaystyle\int_{x}^{\beta}\{-f(t)\}dt+\int_{\beta}^{x+1}f(t)dt$
$=\displaystyle\int_{\beta}^{x}f(t)dt+\int_{\beta}^{x+1}f(t)dt$
$=\displaystyle\int_{\beta}^{x}2(t-\alpha)(t-\beta)dt+\int_{\beta}^{x+1}2(t-\alpha)(t-\beta)dt$
$=\displaystyle\int_{\beta}^{x}2(t-\alpha)(t-\beta)dt+\int_{\beta-1}^{x}2(t+1-\alpha)(t+1-\beta)dt$
이므로
$g'(x)=2(x-\alpha)(x-\beta)+2(x+1-\alpha)(x+1-\beta)$
$g'(4)=2(4-\alpha)(4-\beta)+2(5-\alpha)(5-\beta)=82-18\alpha-18\beta+4\alpha\beta=0$
$9\alpha+9\beta-2\alpha\beta-41=0$ ...... ㉡

㉠, ㉡에서 $\alpha\beta=\dfrac{13}{2}$이므로
$f(0)=2\alpha\beta=2\times\dfrac{13}{2}=13$

다른 풀이

모든 실수 x에 대하여 $f(x)\geq0$이면 $g(x)$가 극소인 x의 값은 1개로 조건을 만족시키지 못하므로
$f(x)=2(x-\alpha)(x-\beta)$ $(\alpha<\beta)$라 할 수 있고
$x=1$, $x=4$에서 함수 $g(x)$가 극소이므로 함수 $y=|f(x)|$의 그래프는 그림과 같다.

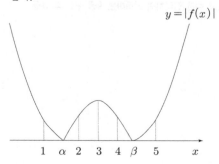

$y=|f(x)|$의 그래프는 $x=3$에 대하여 대칭이므로 $f(x)=2(x-3)^2+k$라 할 수 있다.

$x=1$에서 함수 $g(x)$가 극소이므로 $g'(1)=0$이다.

$x<\alpha<x+1$일 때

$$g(x)=\int_x^{x+1}|f(t)|dt$$

$$=\int_x^\alpha f(t)dt+\int_\alpha^{x+1}\{-f(t)\}dt$$

$$=-\int_\alpha^x f(t)dt-\int_\alpha^{x+1}f(t)dt$$

$$=-\int_\alpha^x 2(t-\alpha)(t-\beta)dt-\int_\alpha^{x+1}2(t-\alpha)(t-\beta)dt$$

$$=-\int_\alpha^x 2(t-\alpha)(t-\beta)dt-\int_{\alpha-1}^x 2(t+1-\alpha)(t+1-\beta)dt$$

이므로

$$g'(x)=-2(x-\alpha)(x-\beta)-2(x+1-\alpha)(x+1-\beta)$$

$$g'(1)=-2(1-\alpha)(1-\beta)-2(2-\alpha)(2-\beta)$$

$$=6\alpha+6\beta-4\alpha\beta-10=0$$

$$3\alpha+3\beta-2\alpha\beta-5=0 \qquad \cdots\cdots \text{㉠}$$

한편,

$$f(x)=2(x-\alpha)(x-\beta)$$

$$=2(x-3)^2+k$$

$$=2x^2-12x+18+k$$이므로

근과 계수의 관계에서

$$\alpha+\beta=6 \qquad \cdots\cdots \text{㉡}$$

㉡을 ㉠에 대입하면 $2\alpha\beta=13$이므로

$$f(0)=2\alpha\beta=13$$

★★ 문제 해결 꿀~팁 ★★

▶ **문제 해결 방법**

최고차항의 계수가 양수인 이차함수 $f(x)$가 중근을 갖거나 실근을 갖지 않으면 $g(x)$는 두 개의 극값을 가질 수 없다. 그러므로 $f(x)=2(x-\alpha)(x-\beta)(\alpha<\beta)$라 할 수 있고 그래프는 해설의 그래프와 같다. 여기서 $x=1$, $x=4$에서 함수 $g(x)$가 극소이므로 $g'(1)=0$, $g'(4)=0$임을 이용하여 식을 세운 후 연립하면 $\alpha\beta$를 구할 수 있다.

또는 다른 풀이처럼 이차함수의 대칭성을 이용하여 이차함수 $f(x)$의 식을 놓고 풀이를 하면 보다 수월하게 답을 구할 수 있다.

$g(x)$를 넓이의 개념으로 이해하는 것이 문제를 보다 쉽게 파악하고 풀이할 수 있는 방법이다.

다항함수 $f(x)$, $f'(x)$, $F(x)$의 그래프들의 개형을 알고, 하나의 그래프를 이용하여 다른 그래프들 유추할 수 있도록 꾸준히 연습하면 문제를 보다 빠르고 쉽게 해결하는데 많은 도움이 된다.

★★★ 등급을 가르는 문제!

21 로그의 성질   정답률 16% | 정답 426

자연수 n에 대하여 ❶ $4\log_{64}\left(\dfrac{3}{4n+16}\right)$의 값이 정수가 되도록 하는 1000 이하의 모든 n의 값의 합을 구하시오. [4점]

STEP 01 ❶을 성립하도록 하는 조건을 구한다.

$$4\log_{64}\left(\frac{3}{4n+16}\right)=\log_8\left(\frac{3}{4n+16}\right)^2$$이므로 이 값이 정수가 되려면

$$\left(\frac{3}{4n+16}\right)^2=8^m \ (m\text{은 정수}) \qquad \cdots\cdots \text{㉠}$$

의 꼴이 되어야 한다.

그러려면 우선 $4n+16$이 3의 배수가 되어야 하므로

$$n=3k-1 \ (k\text{는 } 1\le k\le 333\text{인 자연수})$$

이어야 한다.

STEP 02 $n=3k-1$을 ㉠에 대입하고 식을 정리하여 만족하는 k를 구한 후 n을 구한 다음 합을 구한다.

이때 ㉠에서

$$\left(\frac{1}{4k+4}\right)^2=2^{3m}$$

$$16(k+1)^2=2^{-3m}$$

$$(k+1)^2=2^{-3m-4}$$

이어야 하므로

$$(k+1)^2=2^2,\ 2^8,\ 2^{14}$$

$$k+1=2,\ 2^4,\ 2^7$$

$k=1$ 또는 $k=15$ 또는 $k=127$

즉, $n=2$ 또는 $n=44$ 또는 $n=380$이므로 조건을 만족시키는 모든 n의 값의 합은

$$2+44+380=426$$

★★ 문제 해결 꿀~팁 ★★

▶ **문제 해결 방법**

$4\log_{64}\left(\dfrac{3}{4n+16}\right)=\log_8\left(\dfrac{3}{4n+16}\right)^2$이 정수가 되려면 $\left(\dfrac{3}{4n+16}\right)^2=8^m$ (m은 정수)이고 $4n+16$이 3의 배수가 되어야 하므로 $n=3k-1$

이때 n이 1000 이하의 자연수이므로 k는 333이하의 자연수이다.

$n=3k-1$을 $\left(\dfrac{3}{4n+16}\right)^2=8^m$에 대입하면 $(k+1)^2=2^{-3m-4}$이고 m은 정수이므로 만족하는 순서쌍 $(m,\ k,\ n)$은 $(-2,\ 1,\ 2)$, $(-4,\ 15,\ 44)$, $(-6,\ 127,\ 380)$이다.

식을 풀이하다 보면 어쩔 수 없이 새로운 미지수들을 사용하여 식을 세울 수밖에 없다. 이때 각 미지수들의 조건을 정확하게 기록하여 혼동하는 일이 없도록 해야 한다. 미지수의 종류가 많으나 관계와 조건을 정확하게 알고 있으면 하나의 미지수만 구하면 나머지는 관계식으로 어렵지 않게 구할 수 있다.

★★★ 등급을 가르는 문제!

22 연속함수의 성질   정답률 2% | 정답 19

두 양수 a, $b(b>3)$과 최고차항의 계수가 1인 이차함수 $f(x)$에 대하여 함수

$$g(x)=\begin{cases}(x+3)f(x) & (x<0)\\(x+a)f(x-b) & (x\ge 0)\end{cases}$$

이 실수 전체의 집합에서 연속이고 다음 조건을 만족시킬 때, $g(4)$의 값을 구하시오. [4점]

❶ $\displaystyle\lim_{x\to-3}\dfrac{\sqrt{|g(x)|+\{g(t)\}^2}-|g(t)|}{(x+3)^2}$의 값이 존재하지 않는 실수 t의 값은 -3과 6뿐이다.

STEP 01 $g(x)$가 $x=0$에서 연속일 조건으로 식을 세운다.

함수

$$g(x)=\begin{cases}(x+3)f(x) & (x<0)\\(x+a)f(x-b) & (x\ge 0)\end{cases}$$

이 실수 전체의 집합에서 연속이려면 $x=0$에서 연속이어야 한다.

따라서

$$\lim_{x\to 0-}g(x)=\lim_{x\to 0+}g(x)=g(0) \qquad \cdots\cdots \text{㉠}$$

이 성립한다. 이때

$$\lim_{x\to 0-}g(x)=\lim_{x\to 0-}(x+3)f(x)=3f(0)$$

$$\lim_{x\to 0+}g(x)=\lim_{x\to 0+}(x+a)f(x-b)=af(-b)$$

$g(0)=af(-b)$이므로 ㉠에서

$$3f(0)=af(-b) \qquad \cdots\cdots \text{㉡}$$

STEP 02 ❶을 정리하여 조건을 만족하도록 $f(x)$를 놓고 조건을 만족하는 $g(x)=0$의 근을 구한다.

한편,

$$\lim_{x\to-3}\frac{\sqrt{|g(x)|+\{g(t)\}^2}-|g(t)|}{(x+3)^2}$$

$$=\lim_{x\to-3}\frac{|g(x)|}{(x+3)^2\left(\sqrt{|g(x)|+\{g(t)\}^2}+|g(t)|\right)}$$

$$=\lim_{x\to-3}\frac{|(x+3)f(x)|}{(x+3)^2\left(\sqrt{0+\{g(t)\}^2}+|g(t)|\right)}$$

$$=\lim_{x\to-3}\frac{|(x+3)f(x)|}{(x+3)^2\times 2|g(t)|} \qquad \cdots\cdots \text{㉢}$$

이때 $t\ne -3$이고 $t\ne 6$인 모든 실수 t에 대하여 ㉢의 값이 존재하므로

$$f(x)=(x+3)(x+k) \ (k\text{는 상수})$$의 꼴이어야 하고,

㉢에서

$$\lim_{x\to-3}\frac{|(x+3)f(x)|}{(x+3)^2\times 2|g(t)|}=\lim_{x\to-3}\frac{|(x+3)^2(x+k)|}{(x+3)^2\times 2|g(t)|}$$

$$=\lim_{x\to-3}\frac{|x+k|}{2|g(t)|} \qquad \cdots\cdots \text{㉣}$$

이때 $t=-3$과 $t=6$에서만 ㉣의 값이 존재하지 않으므로 방정식 $g(x)=0$의 모든 실근은 $x=-3$과 $x=6$뿐이다.

주어진 식에서 $g(-3)=0$이므로

$g(6)=0$, 즉 $(6+a)f(6-b)=0$이어야 한다.

이때 $a>0$이므로

$f(6-b)=0$에서 $6-b=-3$ 또는 $6-b=-k$

따라서 $b=9$ 또는 $k-b=-6$

STEP 03 각 경우에 대하여 $g(x)$를 구한 후 조건을 만족하는지 확인하여 $g(4)$의 값을 구한다.

(i) $b=9$인 경우

$x<0$에서

$g(x)=(x+3)f(x)=(x+3)^2(x+k)$

이때 $x<0$에서 $g(x)=0$의 해는 -3뿐이므로

$-k\geq 0$ 또는 $k=3$ ...... ㉤

$x\geq 0$에서

$g(x)=(x+a)f(x-9)=(x+a)(x-6)(x-9+k)$

이때 $x\geq 0$에서 $g(x)=0$의 해는 6뿐이므로

$9-k<0$ 또는 $9-k=6$ ...... ㉥

㉤, ㉥에서 $k=3$

따라서 $f(x)=(x+3)^2$이므로 ㉡에서

$3\times 3^2=af(-9)$, $27=36a$, $a=\dfrac{3}{4}$

따라서 $g(4)=(4+a)f(4-b)=\left(4+\dfrac{3}{4}\right)f(-5)=\dfrac{19}{4}\times(-2)^2=19$

(ii) $k-b=-6$인 경우

$x<0$에서

$g(x)=(x+3)f(x)=(x+3)^2(x+k)$

이때 $x<0$에서 $g(x)=0$의 해는 -3뿐이므로

$-k\geq 0$ 또는 $k=3$

$x\geq 0$에서

$g(x)=(x+a)f(x-b)$

$=(x+a)(x-b+3)(x-b+k)$

$=(x+a)(x-b+3)(x-6)$

이때 $x\geq 0$에서 $g(x)=0$의 해는 6뿐이고, $b>3$이므로

$b-3=6$에서 $b=9$

$k-b=-6$에서 $k=3$

따라서 (i)과 같은 결과이므로 $g(4)=19$이다.

★★ 문제 해결 꿀~팁 ★★

▶ **문제 해결 방법**

$g(x)$가 실수 전체의 집합에서 연속이므로 $x=0$에서도 연속이어야 한다.

따라서 $\lim\limits_{x\to 0-}g(x)=\lim\limits_{x\to 0+}g(x)=g(0)$에 의하여 $3f(0)=af(-b)$이다.

한편, $\lim\limits_{x\to -3}\dfrac{\sqrt{|g(x)|+\{g(t)\}^2}-|g(t)|}{(x+3)^2}=\lim\limits_{x\to -3}\dfrac{|(x+3)f(x)|}{(x+3)^2\times 2|g(t)|}$이므로

$f(x)=(x+3)(x+k)$이다.

따라서 $\lim\limits_{x\to -3}\dfrac{|(x+3)f(x)|}{(x+3)^2\times 2|g(t)|}=\lim\limits_{x\to -3}\dfrac{|x+k|}{2|g(t)|}$이고 $t=-3$과 $t=6$에서만 값이 존재하지 않으므로 방정식 $g(x)=0$의 모든 실근은 $x=-3$, $x=6$이고 $a>0$이므로 $f(6-b)=0$에서 $b=9$ 또는 $k-b=-6$

이제 두 가지 경우에 대하여 $g(x)$가 주어진 조건을 만족하는지 확인하면 된다. 풀이 과정이 다소 길지만 특별히 풀이과정이 까다롭거나 복잡하지는 않다. 연속과 극한값이 존재할 조건을 정확히 알아두는 것이 좋다.

확률과 통계

23 같은 것이 있는 순열 정답률 86% | 정답 ②

5개의 문자 a, a, a, b, c를 모두 일렬로 나열하는 경우의 수는? [2점]

① 16 ② 20 ③ 24 ④ 28 ⑤ 32

STEP 01 같은 것이 있는 순열을 이용하여 일렬로 나열하는 경우의 수를 구한다.

5개의 문자 중 a의 개수가 3이므로 구하는 경우의 수는

$\dfrac{5!}{3!}=20$

●**핵심 공식**

▶ **같은 것이 있는 순열**

n개 중에서 같은 것이 각각 p개, q개, r개, $\cdots$, s개가 있을 때, n개를 택하여 만든 순열의 수는

$\dfrac{n!}{p!q!r!\cdots s!}$ $(n=p+q+r+\cdots +s)$

24 확률 정답률 73% | 정답 ①

주머니 A에는 1부터 3까지의 자연수가 하나씩 적혀 있는 3장의 카드가 들어 있고, 주머니 B에는 1부터 5까지의 자연수가 하나씩 적혀 있는 5장의 카드가 들어 있다. 두 주머니 A , B에서 각각 카드를 임의로 한 장씩 꺼낼 때, ❶ 꺼낸 두 장의 카드에 적힌 수의 차가 1일 확률은? [3점]

① $\dfrac{1}{3}$ ② $\dfrac{2}{5}$ ③ $\dfrac{7}{15}$ ④ $\dfrac{8}{15}$ ⑤ $\dfrac{3}{5}$

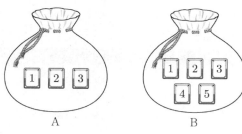

A   B

STEP 01 ❶의 경우의 수를 구한 후 확률을 구한다.

주머니 A에서 꺼낸 카드에 적혀있는 수를 a, 주머니 B에서 꺼낸 카드에 적혀있는 수를 b라 하면

모든 순서쌍 (a, b)의 개수는

$3\times 5=15$

이때 $|a-b|=1$인 순서쌍 (a, b)는

$(1, 2)$, $(2, 1)$, $(2, 3)$, $(3, 2)$, $(3, 4)$이고, 그 개수는 5이다.

따라서 구하는 확률은 $\dfrac{5}{15}=\dfrac{1}{3}$

25 독립시행과 여사건의 확률 정답률 72% | 정답 ④

수직선의 원점에 점 P가 있다. 한 개의 주사위를 사용하여 다음 시행을 한다.

주사위를 한 번 던져 나온 눈의 수가
6의 약수이면 점 P를 양의 방향으로 1만큼 이동시키고,
6의 약수가 아니면 점 P를 이동시키지 않는다.

이 시행을 4번 반복할 때, ❶ 4번째 시행 후 점 P의 좌표가 2이상일 확률은? [3점]

① $\dfrac{13}{18}$ ② $\dfrac{7}{9}$ ③ $\dfrac{5}{6}$ ④ $\dfrac{8}{9}$ ⑤ $\dfrac{17}{18}$

STEP 01 독립시행으로 ❶의 여사건의 확률을 구한 후 구하는 확률을 구한다.

주사위를 한 번 던져 나온 눈의 수가 6의 약수일 확률은

$\dfrac{4}{6}=\dfrac{2}{3}$

6의 약수가 아닐 확률은

$1-\dfrac{2}{3}=\dfrac{1}{3}$

4번째 시행 후 점 P의 좌표가 2이상이려면 4번의 시행 중 주사위의 눈의 수가 6의 약수인 경우가 2번 이상이면 된다.

주사위의 눈의 수가 6의 약수인 경우가 0번일 확률은

$_4C_0\left(\dfrac{2}{3}\right)^0\left(\dfrac{1}{3}\right)^4=\dfrac{1}{81}$

주사위의 눈의 수가 6의 약수인 경우가 1번일 확률은

$_4C_1\left(\dfrac{2}{3}\right)^1\left(\dfrac{1}{3}\right)^3=\dfrac{8}{81}$

따라서 구하는 확률은

$1-\left(\dfrac{1}{81}+\dfrac{8}{81}\right)=1-\dfrac{1}{9}=\dfrac{8}{9}$

26 이항정리 정답률 56% | 정답 ②

다항식 $(x^2+1)^4(x^3+1)^n$의 전개식에서 ❶ x^5의 계수가 12일 때, x^6의 계수는? (단, n은 자연수이다.) [3점]

① 6 ② 7 ③ 8 ④ 9 ⑤ 10

STEP 01 이항정리를 이용하여 ❶을 만족하도록 하는 n을 구한 후 x^6의 계수를 구한다.

$(x^2+1)^4=(x^4+2x^2+1)^2=x^8+4x^6+6x^4+4x^2+1$

또 $(x^3+1)^n$의 일반항은

$_n\mathrm{C}_r (x^3)^r = {}_n\mathrm{C}_r x^{3r}$ (단, $r=0,\ 1,\ 2,\ \cdots,\ n$)

이때 x^5의 계수는 $r=1$일 때

$4x^2 \times {}_n\mathrm{C}_1 x^3 = 4nx^5$에서 $4n$이므로

$4n=12$에서 $n=3$

따라서 x^6의 계수는

$r=0$일 때 $4x^6 \times {}_3\mathrm{C}_0 = 4x^6$에서 4

$r=2$일 때 $1 \times {}_3\mathrm{C}_2 x^6 = 3x^6$에서 3

즉, x^6의 계수는 $4+3=7$

●핵심 공식

▶ 이항정리

n이 자연수일 때

$(a+b)^n = {}_n\mathrm{C}_0 \cdot a^n + {}_n\mathrm{C}_1 \cdot a^{n-1}b + \cdots + {}_n\mathrm{C}_{n-1} ab^{n-1} + {}_n\mathrm{C}_n b^n$

$\quad = \displaystyle\sum_{r=0}^{n} {}_n\mathrm{C}_r \cdot a^{n-r} \cdot b^r$

---

27 중복순열　　정답률 68% | 정답 ③

네 문자 a, b, X, Y 중에서 중복을 허락하여 6개를 택해 일렬로 나열하려고 한다. 다음 조건이 성립하도록 나열하는 경우의 수는? [3점]

(가) 양 끝 모두에 대문자가 나온다.
(나) a는 한 번만 나온다.

① 384　　② 408　　③ 432　　④ 456　　⑤ 480

STEP 01 중복순열로 양 끝에 대문자를 나열하는 경우의 수를 구한 후 조건 (나)를 만족하도록 나머지 4개의 문자를 나열하는 경우의 수를 구한 다음 모든 경우의 수를 구한다.

조건 (가)에서 양 끝에 나열되는 문자는 X, Y 중에서 중복을 허락하여 정하면 되므로 양 끝에 나열되는 문자를 정하는 경우의 수는

$_2\Pi_2 = 2^2 = 4$

조건 (나)에서 문자 a의 위치를 정하는 경우의 수는

4

나머지 3곳에 나열할 문자는 b, X, Y 중에서 중복을 허락하여 정하면 되므로 나머지 3곳에 나열되는 문자를 정하는 경우의 수는

$_3\Pi_3 = 3^3 = 27$

따라서 구하는 경우의 수는 $4 \times 4 \times 27 = 432$

●핵심 공식

▶ 중복순열

서로 다른 n개의 물건에서 중복을 허락하여, r개를 택해 일렬로 배열한 것을 서로 다른 n개에서 중복을 허락하여 r개를 택한 중복순열이라 하고, 중복순열의 총갯수는 $_n\Pi_r$로 나타낸다.

$\therefore {}_n\Pi_r = \underbrace{n \times n \times n \times \cdots \times n}_{r \text{개}} = n^r$

---

28 확률의 덧셈정리　　정답률 52% | 정답 ④

숫자 1, 2, 3, 4, 5 중에서 서로 다른 4개를 택해 일렬로 나열하여 만들 수 있는 모든 네 자리의 자연수 중에서 임의로 하나의 수를 택할 때, ❶ 택한 수가 5의 배수 또는 ❷ 3500 이상일 확률은? [4점]

① $\dfrac{9}{20}$　　② $\dfrac{1}{2}$　　③ $\dfrac{11}{20}$　　④ $\dfrac{3}{5}$　　⑤ $\dfrac{13}{20}$

STEP 01 ❶과 ❷의 확률을 각각 구한다.

만들 수 있는 모든 네 자리 자연수의 개수는

$_5\mathrm{P}_4 = 5 \times 4 \times 3 \times 2 = 120$

5의 배수인 네 자리 자연수는 일의 자릿수가 5이어야 하므로 5의 배수인 네 자리 자연수의 개수는

$_4\mathrm{P}_3 = 4 \times 3 \times 2 = 24$

즉, 택한 수가 5의 배수일 확률은 $\dfrac{24}{120} = \dfrac{1}{5}$

또 천의 자릿수가 3이고 3500 이상인 네 자리 자연수의 개수는

$_3\mathrm{P}_2 = 3 \times 2 = 6$

천의 자릿수가 4인 네 자리 자연수의 개수는

$_4\mathrm{P}_3 = 4 \times 3 \times 2 = 24$

천의 자릿수가 5인 네 자리 자연수의 개수는

$_4\mathrm{P}_3 = 4 \times 3 \times 2 = 24$

이므로 3500 이상인 네 자리 자연수의 개수는

$6+24+24 = 54$

즉, 택한 수가 3500 이상일 확률은 $\dfrac{54}{120} = \dfrac{9}{20}$

STEP 02 ❶과 ❷가 동시에 일어날 확률을 구한 후 구하는 확률을 구한다.

이때 5의 배수이고 3500 이상인 네 자리 자연수는 천의 자릿수가 4이고 일의 자릿수가 5인 경우이므로 그 개수는

$_3\mathrm{P}_2 = 3 \times 2 = 6$

즉, 택한 수가 5의 배수이고 3500 이상일 확률은 $\dfrac{6}{120} = \dfrac{1}{20}$

따라서 구하는 확률은 $\dfrac{1}{5} + \dfrac{9}{20} - \dfrac{1}{20} = \dfrac{3}{5}$

---

29 중복조합을 이용한 함수의 개수　　정답률 28% | 정답 115

집합 $X = \{1,\ 2,\ 3,\ 4,\ 5\}$에 대하여 다음 조건을 만족시키는 함수 $f:X \to X$의 개수를 구하시오. [4점]

(가) $f(f(1)) = 4$
(나) $f(1) \leq f(3) \leq f(5)$

STEP 01 $f(1)$의 값에 따라 경우를 나누어 각각 중복조합을 이용하여 두 조건을 만족하도록 하는 함수의 개수를 구한다.

$f(1)=1$이면 조건 (가)에서 $f(1)=4$이므로 모순이다.

(i) $f(1)=2$인 경우

조건 (가)에서 $f(2)=4$

$f(3)$, $f(5)$의 값을 정하는 경우의 수는

2, 3, 4, 5 중에서 중복을 허락하여 2개를 택하는 중복조합의 수와 같으므로

$_4\mathrm{H}_2 = {}_5\mathrm{C}_2 = 10$

$f(4)$의 값을 정하는 경우의 수는 5

이 경우 함수 f의 개수는 $10 \times 5 = 50$

(ii) $f(1)=3$인 경우

조건 (가)에서 $f(3)=4$

$f(5)$의 값을 정하는 경우의 수는 2

$f(2)$, $f(4)$의 값을 정하는 경우의 수는

$5 \times 5 = 25$

이 경우 함수 f의 개수는 $2 \times 25 = 50$

(iii) $f(1)=4$인 경우

조건 (가)에서 $f(4)=4$

$f(3)$, $f(5)$의 값을 정하는 경우의 수는

4, 5 중에서 중복을 허락하여 2개를 택하는 중복조합의 수와 같으므로

$_2\mathrm{H}_2 = {}_3\mathrm{C}_2 = 3$

$f(2)$의 값을 정하는 경우의 수는 5

이 경우 함수 f의 개수는 $3 \times 5 = 15$

(iv) $f(1)=5$인 경우

조건 (가)에서 $f(5)=4$

이 경우는 조건 (나)를 만족시키지 않는다.

(i)~(iv)에서 구하는 함수 f의 개수는

$50+50+15 = 115$

●핵심 공식

▶ 중복조합

$_n\mathrm{H}_r$은 서로 다른 n개의 원소에서 r개를 뽑는 경우의 수이다.

$_n\mathrm{H}_r = {}_{n+r-1}\mathrm{C}_r$

★★★ 등급을 가르는 문제!

30 조건부확률　　정답률 14% | 정답 9

주머니에 1부터 12까지의 자연수가 각각 하나씩 적혀 있는 12개의 공이 들어 있다. 이 주머니에서 임의로 3개의 공을 동시에 꺼내어 공에 적혀 있는 수를 작은 수부터 크기 순서대로 a, b, c라 하자. ❶ $b-a \geq 5$일 때, ❷ $c-a \geq 10$일 확률은 $\dfrac{q}{p}$이다. $p+q$의 값을 구하시오. (단, p와 q는 서로소인 자연수이다.) [4점]

STEP 01 ❶을 만족하는 경우의 수를 구하여 확률을 구한다.

$b-a \geq 5$인 사건을 E, $c-a \geq 10$인 사건을 F라 하면 구하는 확률은

$P(F|E) = \dfrac{P(E \cap F)}{P(E)}$ 이다.

모든 순서쌍 (a, b, c)의 개수는

$_{12}C_3 = 220$

이때 $b-a \geq 5$를 만족시키는 순서쌍 (a, b)는

$(1, 6), (1, 7), (1, 8), \cdots, (1, 11)$

$(2, 7), (2, 8), \cdots, (2, 11)$

$\vdots$

$(6, 11)$

$a=1$일 때 c의 개수는 $6+5+4+3+2+1 = 21$

$a=2$일 때 c의 개수는 $5+4+3+2+1 = 15$

$a=3$일 때 c의 개수는 $4+3+2+1 = 10$

$a=4$일 때 c의 개수는 $3+2+1 = 6$

$a=5$일 때 c의 개수는 $2+1 = 3$

$a=6$일 때 c의 개수는 1

이므로 $b-a \geq 5$를 만족시키는 모든 순서쌍 (a, b, c)의 개수는

$21+15+10+6+3+1 = 56$

즉, $P(E) = \dfrac{56}{220} = \dfrac{14}{55}$

STEP 02 ❶, ❷를 동시에 만족하는 경우의 수를 구하여 확률을 구한 후 조건부확률로 구하는 확률을 구한다.

한편, $b-a \geq 5$이고 $c-a \geq 10$인 경우는

$a=1$, $c=11$일 때 $b=6, 7, 8, 9, 10$

$a=1$, $c=12$일 때 $b=6, 7, 8, 9, 10, 11$

$a=2$, $c=12$일 때 $b=7, 8, 9, 10, 11$

이므로 $b-a \geq 5$이고 $c-a \geq 10$인 모든 순서쌍 (a, b, c)의 개수는

$5+6+5 = 16$

즉, $P(E \cap F) = \dfrac{16}{220} = \dfrac{4}{55}$

따라서 $P(F|E) = \dfrac{P(E \cap F)}{P(E)} = \dfrac{\frac{4}{55}}{\frac{14}{55}} = \dfrac{2}{7}$

즉, $p=7$, $q=2$이므로

$p+q = 7+2 = 9$

● 핵심 공식

▶ 조건부확률

확률이 0이 아닌 두 사건 A, B에 대하여 사건 A가 일어났다고 가정할 때, 사건 B가 일어날 확률을 사건 A가 일어났을 때의 사건 B의 조건부 확률이라 하고, 이것을 $P(B|A)$로 나타낸다.

$P(B|A) = \dfrac{P(A \cap B)}{P(A)}$ (단, $P(A) > 0$)

★★ 문제 해결 꿀~팁 ★★

▶ 문제 해결 방법

먼저 $b-a \geq 5$를 만족하는 경우를 구해야 한다. 일일이 구하는 수밖에 없다. $a=1$일 때 $b-a \geq 5$를 만족시키는 순서쌍 (a, b)는 $(1, 6), (1, 7), (1, 8), \cdots,$ $(1, 11)$이고 c의 개수는 $6+5+4+3+2+1 = 21$이다. $a=2, 3, 4, 5, 6$일 때도 같은 방법으로 경우의 수를 구하면 된다. 일일이 구해야 하는 불편함이 있지만 규칙적이라 크게 복잡하거나 시간이 많이 소요되지는 않는다. 또한 이때 $c-a \geq 10$을 만족하는 경우도 같은 방법으로 구하면 된다. 항상 그러하듯이 경우의 수를 구할 때 경우를 적절히 나누고 빠지거나 중복되는 경우가 없도록 경우의 수를 따져주는 것이 매우 중요하다.

미적분

23 수열의 극한   정답률 94% | 정답 ①

❶ $\displaystyle\lim_{n\to\infty} \dfrac{1}{\sqrt{n^2+3n} - \sqrt{n^2+n}}$ 의 값은? [2점]

① 1 ② $\dfrac{3}{2}$ ③ 2 ④ $\dfrac{5}{2}$ ⑤ 3

STEP 01 ❶의 분모를 유리화하여 극한값을 구한다.

주어진 식의 분자와 분모에 $\sqrt{n^2+3n} + \sqrt{n^2+n}$ 을 각각 곱하면

$\displaystyle\lim_{n\to\infty} \dfrac{1}{\sqrt{n^2+3n} - \sqrt{n^2+n}} = \lim_{n\to\infty} \dfrac{\sqrt{n^2+3n} + \sqrt{n^2+n}}{(n^2+3n) - (n^2+n)}$

$\qquad = \displaystyle\lim_{n\to\infty} \dfrac{\sqrt{n^2+3n} + \sqrt{n^2+n}}{2n}$

$\qquad = \displaystyle\lim_{n\to\infty} \dfrac{\sqrt{1+\frac{3}{n}} + \sqrt{1+\frac{1}{n}}}{2}$

$\qquad = \dfrac{1+1}{2} = 1$

24 음함수의 미분법   정답률 80% | 정답 ①

곡선 ❶ $x^2 - y\ln x + x = e$ 위의 점 (e, e^2)에서의 접선의 기울기는? [3점]

① $e+1$ ② $e+2$ ③ $e+3$

④ $2e+1$ ⑤ $2e+2$

STEP 01 음함수의 미분법으로 ❶을 미분하여 $\dfrac{dy}{dx}$ 를 구한 후 (e, e^2)를 대입하여 값을 구한다.

$x^2 - y\ln x + x = e$의 양변을 x에 대하여 미분하면

$2x - \dfrac{dy}{dx} \times \ln x - y \times \dfrac{1}{x} + 1 = 0$

$\dfrac{dy}{dx} = \dfrac{2x - \frac{y}{x} + 1}{\ln x}$

그러므로 점 (e, e^2)에서의 접선의 기울기는

$\dfrac{2e - \frac{e^2}{e} + 1}{\ln e} = e+1$

25 역함수의 미분법   정답률 77% | 정답 ②

함수 $f(x) = x^3 + 2x + 3$의 역함수를 $g(x)$라 할 때, $g'(3)$의 값은? [3점]

① 1 ② $\dfrac{1}{2}$ ③ $\dfrac{1}{3}$ ④ $\dfrac{1}{4}$ ⑤ $\dfrac{1}{5}$

STEP 01 역함수의 미분으로 미분하여 $g'(3)$의 값을 구한다.

함수 $g(x)$는 함수 $f(x) = x^3 + 2x + 3$의 역함수이므로

$x = y^3 + 2y + 3$ ……㉠

$x=3$일 때,

$3 = y^3 + 2y + 3$

$y(y^2 + 2) = 0$, $y = 0$

또, ㉠의 양변을 x에 대하여 미분하면

$1 = (3y^2 + 2)\dfrac{dy}{dx}$

$\dfrac{dy}{dx} = \dfrac{1}{3y^2 + 2}$

따라서

$g'(3) = \dfrac{1}{3 \times 0^2 + 2} = \dfrac{1}{2}$

26 도형의 등비급수   정답률 60% | 정답 ②

그림과 같이 $\overline{A_1B_1} = 2$, $\overline{B_1A_1} = 3$이고 $\angle A_1B_1C_2 = \dfrac{\pi}{3}$인 삼각형 $A_1A_2B_1$과 이 삼각형의 외접원 O_1이 있다.

점 A_2를 지나고 직선 A_1B_1에 평행한 직선이 원 O_1과 만나는 점 중 A_2가 아닌 점을 B_2라 하자. 두 선분 A_1B_2, B_1A_2가 만나는 점을 C_1이라 할 때, 두 삼각형 $A_1A_2C_1$, $B_1C_1B_2$로 만들어진 ▷◁ 모양의 도형에 색칠하여 얻은 그림을 R_1이라 하자.

그림 R_1에서 점 B_2를 지나고 직선 B_1A_2에 평행한 직선이 직선 A_1A_2와 만나는 점을 A_3이라 할 때, 삼각형 $A_2A_3B_2$의 외접원을 O_2라 하자. 그림 R_1을 얻은 것과 같은 방법으로 두 점 B_3, C_2를 잡아 원 O_2에 ▷◁ 모양의 도형을 그리고 색칠하여 얻은 그림을 R_2라 하자.

이와 같은 과정을 계속하여 n번째 얻은 그림 R_n에 색칠되어 있는 부분의 넓이를 S_n이라 할 때, $\displaystyle\lim_{n\to\infty} S_n$의 값은? [3점]

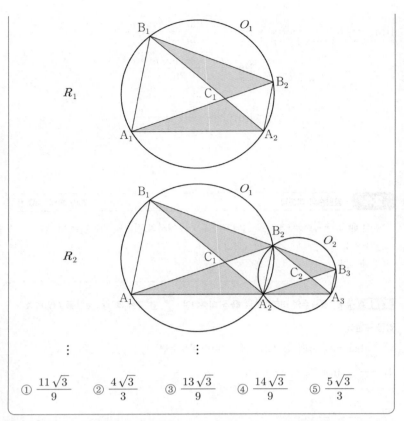

R_1

R_2

$\vdots$ $\vdots$

① $\dfrac{11\sqrt{3}}{9}$　② $\dfrac{4\sqrt{3}}{3}$　③ $\dfrac{13\sqrt{3}}{9}$　④ $\dfrac{14\sqrt{3}}{9}$　⑤ $\dfrac{5\sqrt{3}}{3}$

STEP 01 두 삼각형 $A_1A_2B_1$과 $A_1C_1B_1$의 넓이의 차를 이용하여 S_1을 구한다.

원 O_1의 중심을 O라 하고 점 O에서 두 선분 A_1B_1, A_2B_2에 내린 수선의 발을 각각 H_1, H_2라 하면
점 H_1은 선분 A_1B_1의 중점이고 점 H_2는 선분 A_2B_2의 중점이다.
또, $\overline{A_1B_1}\parallel\overline{A_2B_2}$이므로 세 점 H_1, O, H_2는 한 직선 위에 있다.

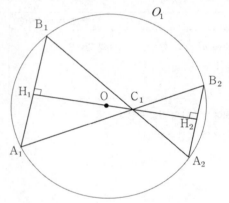

이때, $\angle A_1B_1A_2=\dfrac{\pi}{3}$이므로

$\overline{B_1C_1}=\overline{B_1H_1}\times\dfrac{1}{\cos\dfrac{\pi}{3}}=1\times\dfrac{1}{\dfrac{1}{2}}=2$

그러므로 삼각형 $A_1C_1B_1$은 한 변의 길이가 2인 정삼각형이다.

$\angle A_1B_2A_2=\angle A_1B_1A_2=\dfrac{\pi}{3}$

$\angle A_2C_1B_2=\angle A_1C_1B_1=\dfrac{\pi}{3}$

이므로 삼각형 $C_1A_2B_2$는 정삼각형이다.
이때, $\overline{C_1A_2}=\overline{B_1A_2}-\overline{B_1C_1}=3-2=1$
이므로 삼각형 $C_1A_2B_2$는 한 변의 길이가 1인 정삼각형이다.
그러므로
$S_1=2\times(\triangle A_1A_2B_1-\triangle A_1C_1B_1)$
$=2\times\left(\dfrac{1}{2}\times2\times3\times\sin\dfrac{\pi}{3}-\dfrac{1}{2}\times2\times2\times\sin\dfrac{\pi}{3}\right)=\sqrt{3}$

STEP 02 두 삼각형 $A_1A_2B_1$, $A_2A_3B_2$의 닮음비를 이용하여 공비를 구한 다음 $\lim\limits_{n\to\infty}S_n$의 값을 구한다.

또, 두 삼각형 $A_1A_2B_1$, $A_2A_3B_2$에서
$\overline{A_1A_2}\parallel\overline{A_2A_3}$, $\overline{A_1B_1}\parallel\overline{A_2B_2}$, $\overline{A_2B_1}\parallel\overline{A_3B_2}$이고 $\overline{A_1B_1}=2$, $\overline{A_2B_2}=1$
이므로 두 삼각형 $A_1A_2B_1$, $A_2A_3B_2$의 닮음비는 $2:1$이다.
따라서, 넓이의 비는 $4:1$이므로
$\lim\limits_{n\to\infty}S_n=\dfrac{S_1}{1-\dfrac{1}{4}}=\dfrac{\sqrt{3}}{\dfrac{3}{4}}=\dfrac{4\sqrt{3}}{3}$

▶ 무한등비급수

무한등비급수 $\displaystyle\sum_{n=1}^{\infty}ar^{n-1}=a+ar+ar^2+\cdots+ar^{n-1}+\cdots\ (a\neq0)$

에서 $|r|<1$이면 수렴하고 그 합은 $\dfrac{a}{1-r}$이다.

27 급수의 수렴조건　　　정답률 67% | 정답 ③

❶ 첫째항이 4인 등차수열 $\{a_n\}$에 대하여 급수

❷ $\displaystyle\sum_{n=1}^{\infty}\left(\dfrac{a_n}{n}-\dfrac{3n+7}{n+2}\right)$

이 실수 S에 수렴할 때, S의 값은? [3점]

① $\dfrac{1}{2}$　② 1　③ $\dfrac{3}{2}$　④ 2　⑤ $\dfrac{5}{2}$

STEP 01 ❶의 일반항을 구한 후 ❷에 대입하여 공차를 구한다.

수열 $\{a_n\}$의 첫째항이 4이므로 공차를 d라 하면
$a_n=4+(n-1)d$

이때, 급수 $\displaystyle\sum_{n=1}^{\infty}\left(\dfrac{a_n}{n}-\dfrac{3n+7}{n+2}\right)$이 수렴하므로

$\lim\limits_{n\to\infty}\left(\dfrac{a_n}{n}-\dfrac{3n+7}{n+2}\right)=\lim\limits_{n\to\infty}\left\{\dfrac{4+(n-1)d}{n}-\dfrac{3n+7}{n+2}\right\}$

$=\lim\limits_{n\to\infty}\left(\dfrac{d+\dfrac{4-d}{n}}{1}-\dfrac{3+\dfrac{7}{n}}{1+\dfrac{2}{n}}\right)$

$=d-3=0$

그러므로 $d=3$

STEP 02 a_n을 ❷에 대입한 후 부분분수의 합을 이용하여 값을 구한다.

이때, $a_n=3n+1$이므로 주어진 급수에 대입하면

$\displaystyle\sum_{n=1}^{\infty}\left(\dfrac{a_n}{n}-\dfrac{3n+7}{n+2}\right)=\sum_{n=1}^{\infty}\left(\dfrac{3n+1}{n}-\dfrac{3n+7}{n+2}\right)$

$=\displaystyle\sum_{n=1}^{\infty}\left\{\left(3+\dfrac{1}{n}\right)-\left(3+\dfrac{1}{n+2}\right)\right\}$

$=\displaystyle\sum_{n=1}^{\infty}\left(\dfrac{1}{n}-\dfrac{1}{n+2}\right)$

$=\lim\limits_{n\to\infty}\displaystyle\sum_{k=1}^{n}\left(\dfrac{1}{k}-\dfrac{1}{k+2}\right)$

$=\lim\limits_{n\to\infty}\left\{\left(\dfrac{1}{1}-\dfrac{1}{3}\right)+\left(\dfrac{1}{2}-\dfrac{1}{4}\right)+\left(\dfrac{1}{3}-\dfrac{1}{5}\right)+\cdots\right.$

$\left.+\left(\dfrac{1}{n-1}-\dfrac{1}{n+1}\right)+\left(\dfrac{1}{n}-\dfrac{1}{n+2}\right)\right\}$

$=\lim\limits_{n\to\infty}\left(1+\dfrac{1}{2}-\dfrac{1}{n+1}-\dfrac{1}{n+2}\right)=\dfrac{3}{2}$

28 미분을 이용한 함수의 추론　　　정답률 40% | 정답 ⑤

최고차항의 계수가 $\dfrac{1}{2}$인 삼차함수 $f(x)$에 대하여
함수 $g(x)$가

$g(x)=\begin{cases}\ln|f(x)| & (f(x)\neq0)\\ 1 & (f(x)=0)\end{cases}$

이고 다음 조건을 만족시킬 때, 함수 $g(x)$의 극솟값은? [4점]

> (가) 함수 $g(x)$는 $x\neq1$인 모든 실수 x에서 연속이다.
> (나) 함수 $g(x)$는 $x=2$에서 극대이고,
> 　　함수 $|g(x)|$는 $x=2$에서 극소이다.
> (다) 방정식 $g(x)=0$의 서로 다른 실근의 개수는 3이다.

① $\ln\dfrac{13}{27}$　② $\ln\dfrac{16}{27}$　③ $\ln\dfrac{19}{27}$　④ $\ln\dfrac{22}{27}$　⑤ $\ln\dfrac{25}{27}$

STEP 01 세 조건을 만족하도록 두 함수 $f(x)$와 $g(x)$의 극값을 이용하여 각각 그래프의 개형을 그린다.

함수 $f(x)$는 최고차항이 양수인 삼차함수이므로

함수 $y=f(x)$의 그래프와 x축은 적어도 한 점에서 만난다.

조건 (가)에서 함수 $g(x)$가 $x \neq 1$인 모든 실수 x에서 연속이므로

$\begin{cases} x=1일 \ 때, \ f(1)=0 \\ x \neq 1일 \ 때, \ f(x) \neq 0 \end{cases}$ ...... ㉠

한편,

$g(x) = \begin{cases} \ln|f(x)| & (f(x) \neq 0) \\ 1 & (f(x)=0) \end{cases}$ 이므로

$g'(x) = \dfrac{f'(x)}{f(x)} \ (f(x) \neq 0)$

이때, 조건 (나)에서 함수 $g(x)$가 $x=2$에서 극값을 가지고 ㉠을 만족해야 하므로

$f'(2)=0$ ...... ㉡

한편, 조건 (다)에서 주어진 방정식 $g(x)=0$은

$\ln|f(x)|=0$

$|f(x)|=1$

$f(x)=-1$ 또는 $f(x)=1$

이때, 이 방정식이 서로 다른 세 실근을 갖고 ㉠을 만족하려면 함수 $y=f(x)$는 극값을 가져야 한다.

한편, ㉡으로부터 함수 $f(x)$는 $x=2$에서 극값을 가지므로

$f'(\alpha)=f'(\beta)=0 \ (1 < \alpha < \beta)$로 놓을 수 있다.

이때, $\alpha=2$이거나 $\beta=2$이다.

이때, 조건 (다)를 만족시키는 함수 $f(x)$의 그래프와 $g(x)$의 그래프의 개형은 다음과 같다.

(i)

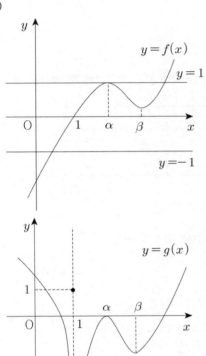

(ii)

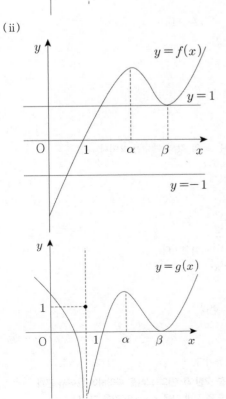

STEP 02 조건 (나)를 만족하는 그래프를 찾아 $f(x)$를 구한 후 $g(x)$의 극솟값을 구한다.

이때, 조건 (나)로부터 $g(x)$가 $x=2$에서 극대이고 $|g(x)|$가 $x=2$에서 극소이기 위해서는 그림 (i)과 같아야 하고

$\alpha=2$

이때, 함수 $f(x)$의 최고차항의 계수가 $\dfrac{1}{2}$ 이므로

$f(x)-1 = \dfrac{1}{2}(x-2)^2(x-k) \ (k는 \ 상수)$

즉, $f(x) = \dfrac{1}{2}(x-2)^2(x-k)+1$이고 ㉠에서 $f(1)=0$이므로

$f(1) = \dfrac{1}{2}(1-k)+1=0$

$1-k=-2, \ k=3$

이때, $f(x) = \dfrac{1}{2}(x-2)^2(x-3)+1$이므로

$f'(x) = (x-2)(x-3) + \dfrac{1}{2}(x-2)^2$

$\qquad = \dfrac{1}{2}(x-2)\{(2x-6)+(x-2)\}$

$\qquad = \dfrac{1}{2}(x-2)(3x-8)$

이때, $f'(x)=0$에서 $x=2$ 또는 $x=\dfrac{8}{3}$

그러므로 $\beta=\dfrac{8}{3}$

따라서 함수 $g(x)$는 $x=\dfrac{8}{3}$에서 극솟값을 갖고 그 값은

$\ln\left|f\left(\dfrac{8}{3}\right)\right| = \ln\left|\dfrac{1}{2} \times \left(\dfrac{2}{3}\right)^2 \times \left(-\dfrac{1}{3}\right)+1\right| = \ln\dfrac{25}{27}$

---

29 삼각함수의 극한   정답률 16% | 정답 50

그림과 같이 반지름의 길이가 1이고 중심각의 크기가 $\dfrac{\pi}{2}$인 부채꼴 OAB가 있다. 호 AB 위의 점 P에서 선분 OA에 내린 수선의 발을 H라 하고, $\angle$OAP를 이등분하는 직선과 세 선분 HP, OP, OB의 교점을 각각 Q, R, S라 하자. $\angle$APH$=\theta$일 때, 삼각형 AQH의 넓이를 $f(\theta)$, 삼각형 PSR의 넓이를 $g(\theta)$라 하자. $\displaystyle\lim_{\theta \to 0+} \dfrac{\theta^3 \times g(\theta)}{f(\theta)} = k$일 때, $100k$의 값을 구하시오.

(단, $0 < \theta < \dfrac{\pi}{4}$) [4점]

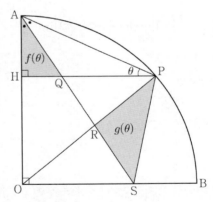

STEP 01 $\overline{AH}$와 $\overline{HQ}$를 구한 후 $f(\theta)$를 구한다.

직각삼각형 AHP에서 $\angle$APH$=\theta$이므로

$\angle$HAP$=\dfrac{\pi}{2}-\theta$

한편, 삼각형 OPA는 $\overline{OP}=\overline{OA}=1$인 이등변삼각형이므로

$\angle$AOP$=\pi-2 \times \angle$HAP$=\pi-2 \times \left(\dfrac{\pi}{2}-\theta\right)=2\theta$

그러므로

$\overline{AH}=1-\overline{OH}=1-\overline{OP}\cos2\theta=1-\cos2\theta$ ...... ㉠

또, $\angle$HAQ$=\dfrac{1}{2}\angle$HAP$=\dfrac{1}{2}\left(\dfrac{\pi}{2}-\theta\right)=\dfrac{\pi}{4}-\dfrac{\theta}{2}$이므로

$\overline{HQ}=\overline{AH}\tan\left(\dfrac{\pi}{4}-\dfrac{\theta}{2}\right)=(1-\cos2\theta)\tan\left(\dfrac{\pi}{4}-\dfrac{\theta}{2}\right)$ ...... ㉡

㉠과 ㉡에서

$f(\theta)=\dfrac{1}{2} \times \overline{AH} \times \overline{HQ}$

$$= \frac{1}{2} \times (1-\cos 2\theta)^2 \times \tan\left(\frac{\pi}{4}-\frac{\theta}{2}\right)$$

$$= \frac{1}{2} \times \frac{\sin^4 2\theta}{(1+\cos 2\theta)^2} \times \tan\left(\frac{\pi}{4}-\frac{\theta}{2}\right)$$

STEP 02 삼각함수의 극한으로 $\displaystyle\lim_{\theta \to 0-} \frac{f(\theta)}{\theta^4}$ 를 구한다.

그러므로

$$\lim_{\theta \to 0-} \frac{f(\theta)}{\theta^4} = \frac{1}{2} \times 16 \lim_{\theta \to 0+}\left(\frac{\sin 2\theta}{2\theta}\right)^4 \times \lim_{\theta \to 0+}\frac{1}{(1+\cos 2\theta)^2} \times \lim_{\theta \to 0+}\tan\left(\frac{\pi}{4}-\frac{\theta}{2}\right)$$

$$= \frac{1}{2} \times 16 \times 1 \times \frac{1}{4} \times 1 = 2 \qquad \cdots\cdots \text{ⓒ}$$

STEP 03 두 삼각형 OSP와 OSR의 넓이의 차를 이용하여 $g(\theta)$를 구한다.

한편, 이등변삼각형 OPA에서 점 O에서 선분 PA에 내린 수선의 발을 H′이라 하면 ㉠에서 $\angle H'OP=\theta$이므로

$$\overline{AP}=2\overline{PH'}=2\times\overline{OP}\times\sin\theta=2\sin\theta$$

삼각형 AOP에서 각의 이등분선이 선분 OP와 만나는 점이 R이므로

$$\overline{AO}:\overline{AP}=\overline{OR}:\overline{RP}$$

$$1:2\sin\theta=\overline{OR}:1-\overline{OR}$$

$$2\sin\theta\times\overline{OR}=1-\overline{OR}$$

$$\overline{OR}=\frac{1}{1+2\sin\theta} \qquad \cdots\cdots \text{ⓔ}$$

또,

$$\overline{OS}=\overline{OA}\tan(\angle SAO)$$

$$=1\times\tan\left(\frac{\pi}{4}-\frac{\theta}{2}\right)=\tan\left(\frac{\pi}{4}-\frac{\theta}{2}\right) \qquad \cdots\cdots \text{ⓜ}$$

ⓔ과 ⓜ에서

$$g(\theta)=\triangle OSP-\triangle OSR$$

$$=\frac{1}{2}\times\overline{OS}\times\overline{OP}\times\sin(\angle POS)-\frac{1}{2}\times\overline{OS}\times\overline{OR}\times\sin(\angle POS)$$

$$=\frac{1}{2}\times\overline{OS}\times\sin(\angle POS)\times(\overline{OP}-\overline{OR})$$

$$=\frac{1}{2}\times\tan\left(\frac{\pi}{4}-\frac{\theta}{2}\right)\times\sin\left(\frac{\pi}{2}-2\theta\right)\times\left(1-\frac{1}{2\sin\theta+1}\right)$$

$$=\frac{1}{2}\times\tan\left(\frac{\pi}{4}-\frac{\theta}{2}\right)\times\sin\left(\frac{\pi}{2}-2\theta\right)\times\frac{2\sin\theta}{2\sin\theta+1}$$

STEP 04 삼각함수의 극한으로 $\displaystyle\lim_{\theta \to 0+}\frac{g(\theta)}{\theta}$ 를 구한 후 k를 구한 다음 $100k$의 값을 구한다.

그러므로

$$\lim_{\theta \to 0+}\frac{g(\theta)}{\theta}$$

$$=\frac{1}{2}\times\lim_{\theta \to 0+}\tan\left(\frac{\pi}{4}-\frac{\theta}{2}\right)\times\lim_{\theta \to 0+}\sin\left(\frac{\pi}{2}-2\theta\right)\times2\lim_{\theta \to 0+}\frac{\sin\theta}{\theta}\times\lim_{\theta \to 0+}\frac{1}{2\sin\theta+1}$$

$$=\frac{1}{2}\times1\times1\times2\times1\times1=1 \qquad \cdots\cdots \text{ⓗ}$$

따라서 ⓒ과 ⓗ을 이용하면

$$\lim_{\theta \to 0+}\frac{\theta^3\times g(\theta)}{f(\theta)}=\lim_{\theta \to 0+}\frac{\dfrac{g(\theta)}{\theta}}{\dfrac{f(\theta)}{\theta^4}}=\frac{1}{2}$$

따라서 $100k=100\times\dfrac{1}{2}=50$

●**핵심 공식**

▶ $\dfrac{0}{0}$ 꼴의 삼각함수의 극한

x의 단위는 라디안일 때

① $\displaystyle\lim_{x \to 0}\frac{\sin x}{x}=1$　　② $\displaystyle\lim_{x \to 0}\frac{\tan x}{x}=1$

③ $\displaystyle\lim_{x \to 0}\frac{\sin bx}{ax}=\frac{b}{a}$　　④ $\displaystyle\lim_{x \to 0}\frac{\tan bx}{ax}=\frac{b}{a}$

⑤ $\displaystyle\lim_{x \to 0}\frac{\sin bx}{\tan ax}=\frac{b}{a}$

★★★ **등급을 가르는 문제!**

30　미분을 이용한 그래프의 추론　정답률 10% | 정답 16

양수 a에 대하여 함수 $f(x)$는

$$f(x)=\frac{x^2-ax}{e^x}$$

이다. 실수 t에 대하여 x에 대한 방정식

$$f(x)=f'x(t)(x-t)+f(t)$$

의 서로 다른 실근의 개수를 $g(t)$라 하자.

❶ $g(5)+\displaystyle\lim_{t \to 5}g(t)=5$일 때, ❷ $\displaystyle\lim_{t \to k-}g(t) \neq \lim_{t \to k+}g(t)$를 만족시키는 모든 실수 k의 값의 합은 $\dfrac{q}{p}$이다. $p+q$의 값을 구하시오.

(단, p와 q는 서로소인 자연수이다.) [4점]

STEP 01 $f(x)$의 극값과 극한값을 구하여 그래프의 개형을 그린다.

$$f(x)=\frac{x^2-ax}{e^x}=(x^2-ax)e^{-x}$$이므로

$$f'(x)=(2x-a)e^{-x}+(x^2-ax)e^{-x}\times(-1)$$

$$=e^{-x}\{-x^2+(a+2)x-a\}$$

$$=-e^{-x}\{x^2-(a+2)x+a\}$$

이때, $f'(x)=0$에서

$$x^2-(a+2)x+a=0 \qquad \cdots\cdots \text{㉠}$$

이 이차방정식의 판별식을 D라 하면

$$D=(a+2)^2-4a=a^2+4>0$$

또, ㉠의 서로 다른 두 근은

$$x=\frac{(a+2)\pm\sqrt{a^2+4}}{2}$$

이때, $a>0$이므로

$$a+2=\sqrt{(a+2)^2}>\sqrt{a^2+4}$$

그러므로 두 양의 실근을 갖는다.

㉠의 두 근을 α, $\beta(0<\alpha<\beta)$라 하면 함수 $f(x)$의 증가와 감소를 나타내는 표는 다음과 같다.

x	$\cdots$	α	$\cdots$	β	$\cdots$
$f'(x)$	$-$	0	$+$	0	$-$
$f(x)$	$\searrow$		$\nearrow$		$\searrow$

이때, $f(0)=0$, $f(a)=0$이고

$$\lim_{x \to \infty}f(x)=\lim_{x \to \infty}\frac{x^2-ax}{e^x}=0$$

이므로 함수 $y=f(x)$의 그래프의 개형은 다음과 같다.

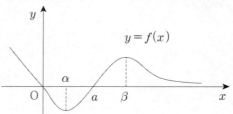

STEP 02 $g(t)$의 의미를 파악하고 ❶을 만족하는 $g(t)$의 특징을 파악한다.

또,

$$f''(x)=e^{-x}\{x^2-(a+2)x+a\}-e^{-x}\{2x-(a+2)\}$$

$$=e^{-x}\{x^2-(a+4)x+2a+2\}$$

이때, $f''(x)=0$에서

$$x^2-(a+4)x+2a+2=0 \qquad \cdots\cdots \text{㉡}$$

이 이차방정식의 판별식을 D'라 하면

$$D'=(a+4)^2-4\times1\times(2a+2)$$

$$=a^2+8>0$$

그러므로 함수 $f(x)$가 변곡점을 갖는 x의 값의 개수는 2이다.

한편, 방정식 $f(x)=f'(t)(x-t)+f(t)$

의 서로 다른 실근의 개수는 두 함수

$$y=f(x),\ y=f'(t)(x-t)+f(t)$$

의 그래프의 교점의 개수이다.

이때, 직선 $y=f'(t)(x-t)+f(t)$는

곡선 $y=f(x)$ 위의 점 $(t, f(t))$에서의 접선이다.

한편, 함수 $g(t)$가 $t=a$에서 연속이면

$$g(a)=\lim_{t \to a}g(t)$$이므로

$g(a)+\displaystyle\lim_{t \to a}g(t)$의 값은 짝수이어야 한다.

그런데 $g(5)+\displaystyle\lim_{t \to 5}g(t)=5 \qquad \cdots\cdots \text{㉢}$

이므로 함수 $g(t)$는 $t=5$에서 불연속이다.

STEP 03 ❶을 만족하도록 하는 a를 구한 후 ❷의 의미를 파악하여 ㉠에서 근과 계수의 관계에 의해 모든 실수 k의 값의 합을 구한 다음 $p+q$의 값을 구한다.

함수 $g(t)$가 불연속이 되는 t의 값은 함수 $f(x)$가 극값을 갖는 x의 값이거나 변곡점을 갖는 x의 값이다.

한편, 함수 $f(x)$가 극값을 갖는 x의 값을 m이라 하면 함수 $g(t)$는 $t=m$에서 극한값을 갖지 않는다.

또, 함수 $f(x)$가 변곡점을 갖는 x의 값을 n이라 하면 함수 $g(t)$는 $t=n$에서 극한값을 갖는다.

그러므로 ⓒ을 만족시키는 t의 값은 함수 $f(x)$가 변곡점을 갖는 x의 값 중 큰 값이다.

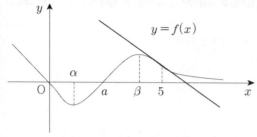

즉, 함수 $f(x)$는 $x=5$에서 변곡점을 갖고 이때
$$\lim_{t \to 5} g(t)=3, \quad g(5)=2$$
이므로 조건을 만족시킨다.

따라서, $x=5$가 방정식 ⓛ의 근이므로 대입하면
$$5^2-(a+4) \times 5+2a+2=0$$
$$-3a+7=0$$
$$a=\frac{7}{3}$$ ...... ⓔ

한편, $\lim_{t \to k-} g(t) \neq \lim_{t \to k+} g(t)$를 만족시키는 k의 값은 함수 $f(x)$가 극값을 갖는 x의 값이다.

ⓔ을 ㄱ에 대입하면
$$x^2-\left(\frac{7}{3}+2\right)x+\frac{7}{3}=0$$
$$x^2-\frac{13}{3}x+\frac{7}{3}=0$$

따라서, 구하는 모든 실수 k의 값의 합은 근과 계수의 관계에 의하여 $\frac{13}{3}$이므로
$$p+q=3+13=16$$

★★ 문제 해결 꿀~팁 ★★

▶ 문제 해결 방법

먼저 $f(x)$의 그래프의 개형을 파악하여야 문제를 풀이할 길이 보일 것이다.

$g(t)$의 의미는 $x=t$일 때 $y=f(x)$의 접선과 $y=f(x)$의 그래프와의 교점의 개수이므로 $y=f(x)$의 그래프의 개형을 알면 접선과의 교점의 개수의 변화를 보다 쉽게 추측할 수 있다.

$f(x)$의 극값과 극한값을 구하여 그래프를 그려야 한다.

한편, 주어진 조건 $g(5)+\lim_{t \to 5} g(t)=5$에서 함수 $g(t)$가 $t=a$에서 연속이면 $g(a)=\lim_{t \to a} g(t)$이므로 $g(a)+\lim_{t \to a} g(t)$의 값은 짝수이어야 한다. 따라서 $g(t)$는 $t=5$에서 불연속이다. 함수 $g(t)$가 불연속이 되는 t의 값은 함수 $f(x)$가 극값을 갖는 x의 값이거나 변곡점을 갖는 x의 값이다. 즉, 함수 $f(x)$는 $x=5$에서 변곡점을 갖고 이때 $\lim_{t \to 5} g(t)=3$, $g(5)=2$이다.

한편, $\lim_{t \to k-} g(t) \neq \lim_{t \to k+} g(t)$를 만족시키는 k의 값은 함수 $f(x)$가 극값을 갖는 x의 값이다. 따라서 $x=5$를 ⓛ에 대입하여 a를 구한 후 a를 ㄱ에 대입하고 근과 계수의 관계에 의하여 k의 값의 합을 구하면 된다.

이번 문제풀이에서 가장 중요한 것은 각 식의 의미를 파악할 수 있느냐 하는 것이다. $g(t)$의 의미, $g(5)+\lim_{t \to 5} g(t)=5$에서 값이 5라는 것에서 파악할 수 있는 특징들, $\lim_{t \to k-} g(t) \neq \lim_{t \to k+} g(t)$의 의미등 주어진 식에서 어느 하나도 숨은 의미가 없는 식이 없다. 숨은 의미를 파악할 수 있는 능력을 키워야 하며, 또한 $f(x)$의 그래프도 그릴 수 있어야 한다.

• 정답 •

공통 | 수학

01 ④ 02 ⑤ 03 ⑤ 04 ③ 05 ② 06 ④ 07 ① 08 ② 09 ② 10 ③ 11 ① 12 ③ 13 ① 14 ⑤ 15 ④
16 9 17 20 18 65 19 22 20 54 21 13 22 182
선택 | 확률과 통계
23 ③ 24 ① 25 ② 26 ④ 27 ⑤ 28 ① 29 24 30 150
선택 | 미적분
23 ③ 24 ② 25 ① 26 ④ 27 ③ 28 ② 29 12 30 208

★ 표기된 문항은 [등급을 가르는 문항]에 해당하는 문제입니다.

01 지수의 계산   정답률 88% | 정답 ④

❶ $4^{1-\sqrt{3}} \times 2^{2\sqrt{3}-1}$의 값은? [2점]

① $\frac{1}{4}$ ② $\frac{1}{2}$ ③ 1 ④ 2 ⑤ 4

STEP 01 지수의 계산으로 ❶의 값을 구한다.

$$4^{1-\sqrt{3}} \times 2^{2\sqrt{3}-1}=2^{2(1-\sqrt{3})} \times 2^{2\sqrt{3}-1}=2^{2-2\sqrt{3}+2\sqrt{3}-1}=2$$

● 핵심 공식

▶ 지수법칙

$a>0$, $b>0$이고, m, n이 실수일 때

(1) $a^m a^n=a^{m+n}$　　　(2) $(a^m)^n=a^{mn}$

(3) $(ab)^n=a^n b^n$　　　(4) $a^m \div a^n=a^{m-n}$

(5) $\sqrt[n]{a^m}=a^{\frac{m}{n}}$　　　(6) $\frac{1}{a^n}=a^{-n}$

(7) $a^0=1$

02 미분계수   정답률 86% | 정답 ⑤

함수 $f(x)=x^3-7x+5$에 대하여 $\lim_{h \to 0} \dfrac{f(2+h)-f(2)}{h}$의 값은? [2점]

① 1 ② 2 ③ 3 ④ 4 ⑤ 5

STEP 01 $f(x)$를 미분하여 $f'(x)$를 구한 뒤 미분계수의 정의에 의해 $f'(2)$의 값을 구한다.

$f'(x)=3x^2-7$이므로
$$\lim_{h \to 0} \frac{f(2+h)-f(2)}{h}=f'(2)=5$$

● 핵심 공식

▶ 미분계수의 정의를 이용한 극한값의 계산

① $\lim_{h \to 0} \dfrac{f(a+h)-f(a)}{h}=f'(a)$　　② $\lim_{h \to 0} \dfrac{f(a+ph)-f(a)}{h}=pf'(a)$

③ $\lim_{x \to a} \dfrac{f(x)-f(a)}{x-a}=f'(a)$　　④ $\lim_{x \to a} \dfrac{af(x)-xf(a)}{x-a}=af'(a)-f(a)$

03 삼각함수의 성질   정답률 61% | 정답 ⑤

❶ $\sin\left(\dfrac{\pi}{2}+\theta\right)=\dfrac{3}{5}$이고 $\sin\theta\cos\theta<0$일 때, $\sin\theta+2\cos\theta$의 값은? [3점]

① $-\dfrac{2}{5}$ ② $-\dfrac{1}{5}$ ③ 0 ④ $\dfrac{1}{5}$ ⑤ $\dfrac{2}{5}$

STEP 01 삼각함수의 성질을 이용하여 ❶에서 $\cos\theta$, $\sin\theta$를 구한 후 $\sin\theta+2\cos\theta$의 값을 구한다.

$$\sin\left(\frac{\pi}{2}+\theta\right)=\cos\theta=\frac{3}{5}$$

$$\sin^2\theta=1-\cos^2\theta=\frac{16}{25}$$

$\sin\theta\cos\theta<0$이므로 $\sin\theta=-\dfrac{4}{5}$

따라서
$$\sin\theta+2\cos\theta=\left(-\frac{4}{5}\right)+\frac{6}{5}=\frac{2}{5}$$

▶ 삼각함수의 성질

$\dfrac{\pi}{2} \pm \theta$의 삼각함수

$\sin\left(\dfrac{\pi}{2}+\theta\right)=\cos\theta,\ \sin\left(\dfrac{\pi}{2}-\theta\right)=\cos\theta$

$\cos\left(\dfrac{\pi}{2}+\theta\right)=-\sin\theta,\ \cos\left(\dfrac{\pi}{2}-\theta\right)=\sin\theta$

$\tan\left(\dfrac{\pi}{2}+\theta\right)=-\dfrac{1}{\tan\theta},\ \tan\left(\dfrac{\pi}{2}-\theta\right)=\dfrac{1}{\tan\theta}$

---

04 함수의 극한   정답률 86% | 정답 ③

함수 $y=f(x)$의 그래프가 그림과 같다.

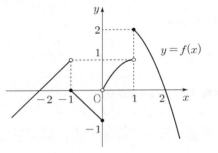

$\displaystyle\lim_{x\to-1+}f(x)+\lim_{x\to1-}f(x)$의 값은? [3점]

① -1 ② 0 ③ 1 ④ 2 ⑤ 3

STEP 01 그래프에서 ❶의 극한값을 각각 구한 후 합을 구한다.

$\displaystyle\lim_{x\to-1+}f(x)=0,\ \lim_{x\to1-}f(x)=1$

따라서 $\displaystyle\lim_{x\to-1+}f(x)+\lim_{x\to1-}f(x)=0+1=1$

---

05 함수의 미분가능성   정답률 85% | 정답 ②

함수

$f(x)=\begin{cases}3x+a & (x\le1)\\2x^3+bx+1 & (x>1)\end{cases}$

이 $x=1$에서 미분가능할 때, $a+b$의 값은? (단, a, b는 상수이다.) [3점]

① -8 ② -6 ③ -4 ④ -2 ⑤ 0

STEP 01 $f(x)$가 $x=1$에서 연속일 조건과 미분가능할 조건으로 a, b를 구한 후 $a+b$의 값을 구한다.

함수 $f(x)$가 $x=1$에서 미분가능하므로 $x=1$에서 연속이다.

$\displaystyle\lim_{x\to1-}f(x)=\lim_{x\to1+}f(x)=f(1)$

$\displaystyle\lim_{x\to1-}f(x)=\lim_{x\to1-}(3x+a)=a+3$

$\displaystyle\lim_{x\to1+}f(x)=\lim_{x\to1+}(2x^3+bx+1)=b+3$

$f(1)=a+3$

$a+3=b+3,\ a=b$

함수 $f(x)$가 $x=1$에서 미분가능하므로

$\displaystyle\lim_{x\to1-}\dfrac{f(x)-f(1)}{x-1}=\lim_{x\to1+}\dfrac{f(x)-f(1)}{x-1}$

$\displaystyle\lim_{x\to1-}\dfrac{f(x)-f(1)}{x-1}=\lim_{x\to1-}\dfrac{3x+a-(a+3)}{x-1}=3$

$\displaystyle\lim_{x\to1+}\dfrac{f(x)-f(1)}{x-1}=\lim_{x\to1+}\dfrac{(2x^3+ax+1)-(a+3)}{x-1}$

$\displaystyle\qquad=\lim_{x\to1+}\dfrac{(x-1)(2x^2+2x+a+2)}{x-1}=a+6$

$3=a+6,\ a=-3,\ b=-3$

따라서 $a+b=-6$

▶ 미분가능일 조건

$f(x)=\begin{cases}g(x) & (x\le a)\\h(x) & (x>a)\end{cases}$가 $x=a$에서 미분가능일 조건

(1) $x=a$에서 연속이다. 즉, $g(a)=h(a)$

(2) $x=a$에서의 좌미분계수와 우미분계수가 같아야 한다. 즉, $g'(a)=h'(a)$

---

06 등비수열의 일반항   정답률 88% | 정답 ④

모든 항이 양수인 등비수열 $\{a_n\}$에 대하여

❶ $a_3{}^2=a_6$,   ❷ $a_2-a_1=2$

일 때, a_5의 값은? [3점]

① 20 ② 24 ③ 28 ④ 32 ⑤ 36

STEP 01 ❶에 등비수열의 일반항을 이용하여 a_n을 구한 후 ❷에서 공비를 구한 다음 a_5의 값을 구한다.

등비수열 $\{a_n\}$의 첫째항을 a, 공비를 r라 하자.

$a_n=ar^{n-1}$ (단, n은 자연수)

$a_3{}^2=a_6$이므로 $(ar^2)^2=ar^5$, $ar^4(a-r)=0$,

$a=r$, $a_n=r^n$

$a_2-a_1=2$이므로 $r^2-r=2$

$(r-2)(r+1)=0$

$r=2$ 또는 $r=-1$

모든 항이 양수이므로 $r=2$

따라서 $a_5=r^5=32$

---

07 함수의 극대와 극소   정답률 82% | 정답 ①

함수 $f(x)=x^3+ax^2-9x+4$가 ❶ $x=1$에서 극값을 갖는다. 함수 $f(x)$의 극댓값은? (단, a는 상수이다.) [3점]

① 31 ② 33 ③ 35 ④ 37 ⑤ 39

STEP 01 $f(x)$의 미분을 이용하여 ❶에서 a를 구한 후 극댓값을 구한다.

함수 $f(x)$가 $x=1$에서 극값을 가지므로

$f'(1)=0$

$f'(x)=3x^2+2ax-9$에서

$f'(1)=3+2a-9=0$이므로 $a=3$

$f'(x)=3x^2+6x-9=3(x-1)(x+3)$

함수 $f(x)$는 $x=-3$에서 극댓값을 갖는다.

따라서 $f(-3)=-27+27+27+4=31$

---

08 정적분의 활용   정답률 65% | 정답 ②

수직선 위를 움직이는 점 P의 시각 $t(t\ge0)$에서의 속도 $v(t)$가

$v(t)=t^2-4t+3$

이다. ❶ 점 P가 시각 $t=1$, $t=a(a>1)$에서 운동 방향을 바꿀 때, ❷ 점 P가 시각 $t=0$에서 $t=a$까지 움직인 거리는? [3점]

① $\dfrac{7}{3}$ ② $\dfrac{8}{3}$ ③ 3 ④ $\dfrac{10}{3}$ ⑤ $\dfrac{11}{3}$

STEP 01 ❶에서 a를 구한 후 $v(t)$의 적분을 이용하여 ❷를 구한다.

점 P가 운동 방향을 바꿀 때 $v(t)=0$

$v(t)=t^2-4t+3=(t-1)(t-3)=0$

점 P가 $t=1$, $t=3$에서 운동 방향을 바꾸므로

$a=3$

점 P가 시각 $t=0$에서 $t=3$까지 움직인 거리는

$\displaystyle\int_0^3|v(t)|dt=\int_0^1 v(t)dt+\int_1^3\{-v(t)\}dt$

$\displaystyle\qquad=\int_0^1(t^2-4t+3)dt+\int_1^3(-t^2+4t-3)dt$

$\displaystyle\qquad=\left[\dfrac{1}{3}t^3-2t^2+3t\right]_0^1+\left[-\dfrac{1}{3}t^3+2t^2-3t\right]_1^3$

$\displaystyle\qquad=\dfrac{4}{3}+\dfrac{4}{3}$

$\displaystyle\qquad=\dfrac{8}{3}$

▶ 속도와 이동거리

수직선 위를 움직이는 점 p의 시각 t에서의 속도를 $v(t)$라 할 때, $t=a$에서 $t=b$ $(a<b)$까지의 실제 이동거리 s는 $s=\displaystyle\int_a^b|v(t)|dt$이다.

09 거듭제곱근
정답률 58% | 정답 ②

2 이상의 자연수 n에 대하여 x에 대한 방정식

　❶ $(x^n-8)(x^{2n}-8)=0$

의 **❷** 모든 실근의 곱이 -4일 때, n의 값은? [4점]

① 2　　② 3　　③ 4　　④ 5　　⑤ 6

STEP 01 n이 짝수일 때와 홀수일 때로 경우를 나누어 ❶의 실근을 구한 후 ❷를 만족하는 경우를 찾아 n의 값을 구한다.

(i) n이 짝수일 때

　$(x^n-8)(x^{2n}-8)=0$의 실근은

　$x=\pm\sqrt[n]{8}$ 또는 $x=\pm\sqrt[2n]{8}$

　모든 실근의 곱이 양수이므로 모순

(ii) n이 홀수일 때

　$(x^n-8)(x^{2n}-8)=0$의 실근은

　$x=\sqrt[n]{8}$ 또는 $x=\pm\sqrt[2n]{8}$

　모든 실근의 곱은

　$2^{\frac{3}{n}}\times 2^{\frac{3}{2n}}\times\left(-2^{\frac{3}{2n}}\right)=-2^{\frac{6}{n}}=-4$

　$2^{\frac{6}{n}}=2^2$, $\dfrac{6}{n}=2$

따라서 (i), (ii)에 의하여

$n=3$

10 삼각함수의 그래프
정답률 55% | 정답 ③

$0\le x<2\pi$일 때, 곡선 **❶** $y=|4\sin 3x+2|$와 직선 $y=2$가 만나는 서로 다른 점의 개수는? [4점]

① 3　　② 6　　③ 9　　④ 12　　⑤ 15

STEP 01 ❶의 주기와 최댓값, 최솟값을 구한 후 그래프를 그려 $y=2$와의 교점의 개수를 구한다.

삼각함수 $y=4\sin 3x+2$는 주기가 $\dfrac{2}{3}\pi$, 최댓값이 6, 최솟값이 -2이므로

$0\le x<2\pi$일 때, 곡선 $y=|4\sin 3x+2|$는 다음과 같다.

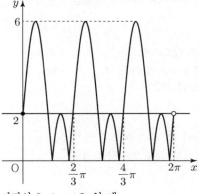

따라서 $0\le x<2\pi$일 때,

곡선 $y=|4\sin 3x+2|$와 직선 $y=2$가 만나는 서로 다른 점의 개수는 9

●핵심 공식

▶ 삼각함수의 그래프

$y=a\sin(bx+c)$ ⇒ 주기 : $\dfrac{2\pi}{|b|}$, 최댓값 $|a|$, 최솟값 $-|a|$

$y=a\cos(bx+c)$ ⇒ 주기 : $\dfrac{2\pi}{|b|}$, 최댓값 $|a|$, 최솟값 $-|a|$

$y=a\tan(bx+c)$ ⇒ 주기 : $\dfrac{\pi}{|b|}$, 최댓값과 최솟값은 없다.

11 정적분의 정의
정답률 52% | 정답 ①

최고차항의 계수가 1인 삼차함수 $f(x)$가 다음 조건을 만족시킨다.

　(가) 모든 실수 x에 대하여 **❶** $f(1+x)+f(1-x)=0$이다.

　(나) $\displaystyle\int_{-1}^{3}f'(x)dx=12$

$f(4)$의 값은? [4점]

① 24　　② 28　　③ 32　　④ 36　　⑤ 40

STEP 01 조건 (가)를 이용하여 $f(x)$를 놓고 ❶에 $x=2$를 대입한 식과 조건 (나)를 연립하여 $f(x)$를 구한 뒤 $f(4)$의 값을 구한다.

$f(1+x)+f(1-x)=0$에 $x=0$을 대입하면

$f(1)=0$

$f(x)=(x-1)(x^2+ax+b)$(단, a, b는 상수)

조건 (나)에서

$\displaystyle\int_{-1}^{3}f'(x)dx=f(3)-f(-1)=12$ ······ ㉠

$f(x+1)+f(1-x)=0$에 $x=2$를 대입하면

$f(3)+f(-1)=0$ ······ ㉡

두 식 ㉠, ㉡을 연립하면

$f(3)=6$, $f(-1)=-6$

$f(3)=2(9+3a+b)=6$, $3a+b=-6$ ······ ㉢

$f(-1)=-2(1-a+b)=-6$, $a-b=-2$ ······ ㉣

두 식 ㉢, ㉣을 연립하면

$a=-2$, $b=0$

$f(x)=x(x-1)(x-2)$

따라서 $f(4)=24$

12 여러 가지 수열의 합
정답률 54% | 정답 ③

모든 항이 정수이고 공차가 5인 등차수열 $\{a_n\}$과 자연수 m이 다음 조건을 만족시킨다.

　(가) $\displaystyle\sum_{k=1}^{2m+1}a_k<0$

　(나) $|a_m|+|a_{m+1}|+|a_{m+2}|<13$

❶ $24<a_{21}<29$일 때, m의 값은? [4점]

① 10　　② 12　　③ 14　　④ 16　　⑤ 18

STEP 01 조건 (가)에서 a_{m+1}의 범위를 구한 후 a_{m+1}의 값에 따라 경우를 나누어 조건 (나)와 ❶을 만족시키는 경우를 찾아 m의 값을 구한다.

등차수열 $\{a_n\}$의 첫째항을 a라 하자.

조건 (가)에 의하여

$\displaystyle\sum_{k=1}^{2m+1}a_k=\dfrac{(2m+1)\{2a+5\times(2m+1-1)\}}{2}$

　　　　$=(2m+1)(a+5m)<0$

$2m+1>0$이므로 $a+5m=a_{m+1}<0$

(i) $a_{m+1}=-1$인 경우

　$|a_m|+|a_{m+1}|+|a_{m+2}|=11$이므로 조건 (나)를 만족시킨다.

　$a_{m+1}=-1$이므로

　$a_{m+6}=24$, $a_{m+7}=29$

　$24<a_{21}<29$인 a_{21}이 존재하지 않는다.

(ii) $a_{m+1}=-2$인 경우

　$|a_m|+|a_{m+1}|+|a_{m+2}|=12$이므로 조건 (나)를 만족시킨다.

　$a_{m+1}=-2$이므로 $a_{m+7}=28$

　따라서 $m+7=21$이므로 $m=14$

(iii) $a_{m+1}\le -3$인 경우

　$|a_m|+|a_{m+1}|+|a_{m+2}|\ge 13$이므로 조건 (나)를 만족시키지 않는다.

따라서 (i), (ii), (iii)에 의하여

$m=14$

●핵심 공식

▶ 등차수열의 합

첫째항이 a, 공차가 d, 제n항이 l인 등차수열의 첫째항부터 제n항까지의 합을 S_n이라 하면

$$S_n=\dfrac{n(a+l)}{2}=\dfrac{n\{2a+(n-1)d\}}{2}$$

13 사인법칙과 코사인법칙
정답률 26% | 정답 ①

그림과 같이 평행사변형 ABCD가 있다. 점 A에서 선분 BD에 내린 수선의 발을 E라 하고, 직선 CE가 선분 AB와 만나는 점을 F라 하자.

$\cos(\angle AFC)=\dfrac{\sqrt{10}}{10}$, $\overline{EC}=10$이고 삼각형 CDE의 외접원의 반지름의 길이가 $5\sqrt{2}$일 때, **❶** 삼각형 AFE의 넓이는? [4점]

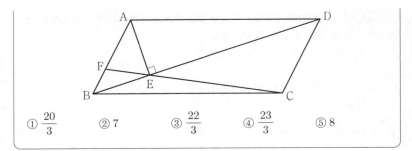

① $\dfrac{20}{3}$ ② 7   ③ $\dfrac{22}{3}$ ④ $\dfrac{23}{3}$ ⑤ 8

STEP 01 삼각형 CDE에서 사인법칙에 의하여 $\overline{ED}$, 코사인법칙에 의하여 $\overline{CD}$ 를 구한다.

$\angle AFC = \alpha$, $\angle CDE = \beta$라 하자.

$\cos\alpha = \dfrac{\sqrt{10}}{10}$ 이므로 $\sin\alpha = \dfrac{3\sqrt{10}}{10}$

$\angle ECD = \angle EFB = \pi - \alpha$

삼각형 CDE에서 사인법칙에 의하여

$\dfrac{\overline{ED}}{\sin(\pi-\alpha)} = \dfrac{\overline{ED}}{\sin\beta} = 10\sqrt{2}$

$\overline{ED} = 10\sqrt{2} \times \sin\alpha = 10\sqrt{2} \times \dfrac{3\sqrt{10}}{10} = 6\sqrt{5}$

$\sin\beta = \dfrac{\sqrt{2}}{2}$, $\beta = \dfrac{\pi}{4}$

$\overline{CD} = x$라 하자.

삼각형 CDE에서 코사인법칙에 의하여

$180 = x^2 + 100 - 2 \times x \times 10 \times \cos(\pi-\alpha)$
$ = x^2 + 100 + 2 \times x \times 10 \times \cos\alpha$
$ = x^2 + 2\sqrt{10}x + 100$

$x^2 + 2\sqrt{10}x - 80 = 0$ 이고 $x > 0$ 이므로

$x = -\sqrt{10} + \sqrt{10+80} = 2\sqrt{10}$

STEP 02 직각이등변삼각형 ABE에서 $\overline{AE}$ 를 구한 후 두 삼각형 BEF, DEC의 닮음에서 $\overline{AF}$ 를 구한 다음 ❶을 구한다.

$\angle ABE = \angle CDE = \dfrac{\pi}{4}$ 이므로 삼각형 ABE는 직각이등변삼각형이다.

$\overline{AB} = 2\sqrt{10}$ 이므로 $\overline{BE} = \overline{AE} = 2\sqrt{5}$

두 삼각형 BEF, DEC는 서로 닮음이고 닮음비가 $1 : 3$이다.

$\overline{AF} = \dfrac{3}{2} \times \overline{AB} = \dfrac{4\sqrt{10}}{3}$

따라서 삼각형 AFE의 넓이는

$\dfrac{1}{2} \times \overline{AF} \times \overline{AE} \times \sin\dfrac{\pi}{4} = \dfrac{1}{2} \times \dfrac{4\sqrt{10}}{3} \times 2\sqrt{5} \times \dfrac{\sqrt{2}}{2} = \dfrac{20}{3}$

●핵심 공식

▶ **사인법칙**

△ABC에 대하여 △ABC의 외접원의 반지름 길이를 R라고 할 때,

$\dfrac{a}{\sin A} = \dfrac{b}{\sin B} = \dfrac{c}{\sin C} = 2R$

▶ **코사인법칙**

세 변의 길이를 각각 a, b, c라 하고 b, c 사이의 끼인각을 A라 하면

$a^2 = b^2 + c^2 - 2bc\cos A$, $\left(\cos A = \dfrac{b^2+c^2-a^2}{2bc}\right)$

---

14 연속함수의 성질   정답률 49% | 정답 ⑤

최고차항의 계수가 1이고 ❶ $f(-3) = f(0)$인 삼차함수 $f(x)$에 대하여 함수 $g(x)$를

$g(x) = \begin{cases} f(x) & (x < -3 \ \text{또는} \ x \geq 0) \\ -f(x) & (-3 \leq x < 0) \end{cases}$

이라 하자. 함수 ❷ $g(x)g(x-3)$이 $x=k$에서 불연속인 실수 k의 값이 한 개일 때, 〈보기〉에서 옳은 것만을 있는 대로 고른 것은? [4점]

―――――――〈보기〉―――――――

ㄱ. 함수 $g(x)g(x-3)$은 $x=0$에서 연속이다.

ㄴ. $f(-6) \times f(3) = 0$

ㄷ. 함수 $g(x)g(x-3)$이 $x=k$에서 불연속인 실수 k가 음수일 때 집합 ❸ $\{x \mid f(x)=0,\ x$는 실수$\}$의 모든 원소의 합이 -1이면 $g(-1) = -48$이다.

① ㄱ   ② ㄱ, ㄴ   ③ ㄱ, ㄷ   ④ ㄴ, ㄷ   ⑤ ㄱ, ㄴ, ㄷ

STEP 01 ㄱ. $x=0$에서 $g(x)g(x-3)$의 극한값과 함숫값을 비교하여 참, 거짓을 판별한다.

ㄱ. $\displaystyle\lim_{x \to 0-} g(x)g(x-3) = -f(0) \times f(-3)$

$\displaystyle\lim_{x \to 0+} g(x)g(x-3) = f(0) \times \{-f(-3)\}$

$g(0)g(-3) = f(0) \times \{-f(-3)\}$

함수 $g(x)g(x-3)$은 $x=0$에서 연속이다. $\therefore$ 참

STEP 02 ㄴ. ❷를 만족하는 k의 값에 따라 경우를 나누어 $f(3)$과 $f(-6)$을 구하여 참, 거짓을 판별한다.

ㄴ. 함수 $g(x)g(x-3)$이 $x=k$에서 불연속인 실수 k의 값이 한 개이므로

$k = -3$ 또는 $k = 3$

(ⅰ) 함수 $g(x)g(x-3)$이 $x=-3$에서 연속이고, $x=3$에서 불연속인 경우

$\displaystyle\lim_{x \to -3-} g(x)g(x-3) = f(-3) \times f(-6)$

$\displaystyle\lim_{x \to -3+} g(x)g(x-3) = -f(-3) \times f(-6)$

$g(-3)g(-6) = -f(-3) \times f(-6)$이므로

$f(-3) \times f(-6) = 0$ …… ㉠

$\displaystyle\lim_{x \to 3-} g(x)g(x-3) = f(3) \times \{-f(0)\}$

$\displaystyle\lim_{x \to 3+} g(x)g(x-3) = f(3) \times f(0)$

$g(3)g(0) = f(3) \times f(0)$이므로

$f(3) \times f(0) \neq 0$ …… ㉡

$f(-3) = f(0)$이므로

㉠, ㉡에 의하여 $f(-6) = 0$

(ⅱ) 함수 $g(x)g(x-3)$이 $x=3$에서 연속이고, $x=-3$에서 불연속인 경우

(ⅰ)과 같은 방법에 의하여 $f(3) = 0$

(ⅰ), (ⅱ)에 의하여 $f(-6) = 0$ 또는 $f(3) = 0$이므로 $f(-6) \times f(3) = 0$ $\therefore$ 참

STEP 03 ㄷ. ❶을 이용하여 $f(x)$를 놓고 ❸을 만족하도록 $f(x)$의 근의 경우를 나누어 만족하는 $f(x)$를 구하여 참, 거짓을 판별한다.

ㄷ. $k = -3$이므로 $f(3) = 0$

$f(x) = (x-3)(x^2 + ax + b)$라 하자. (단, a, b는 상수)

$f(-3) = f(0)$이므로

$-6(9 - 3a + b) = -3b$, $b = 6a - 18$

$f(x) = (x-3)(x^2 + ax + 6a - 18)$

(ⅰ) 방정식 $x^2 + ax + 6a - 18 = 0$이 3이 아닌 서로 다른 두 실근을 갖는 경우

방정식 $f(x) = 0$의 세 실근의 합은

$3 + (-a) = -1$, $a = 4$

방정식 $x^2 + 4x + 6 = 0$은 실근을 갖지 않으므로 모순

(ⅱ) 방정식 $x^2 + ax + 6a - 18 = 0$이 중근을 갖는 경우

방정식 $f(x) = 0$의 서로 다른 두 실근의 합은

$3 + \left(-\dfrac{a}{2}\right) = -1$, $a = 8$

방정식 $x^2 + 8x + 30 = 0$은 중근을 갖지 않으므로 모순

(ⅲ) 방정식 $x^2 + ax + 6a - 18 = 0$이 3과 -4를 실근으로 갖는 경우

$3 + (-4) = -a$, $3 \times (-4) = 6a - 18$에서

$a = 1$

$f(x) = (x-3)(x^2 + x - 12) = (x-3)^2(x+4)$

그러므로 $g(-1) = -f(-1) = -48$ $\therefore$ 참

따라서 옳은 것은 ㄱ, ㄴ, ㄷ

---

15 귀납적으로 정의된 수열   정답률 33% | 정답 ④

모든 항이 자연수인 수열 $\{a_n\}$이 다음 조건을 만족시킨다.

(가) $a_1 < 300$

(나) 모든 자연수 n에 대하여

$a_{n+1} = \begin{cases} \dfrac{1}{3}a_n & (\log_3 a_n \text{이 자연수인 경우}) \\ a_n + 6 & (\log_3 a_n \text{이 자연수가 아닌 경우}) \end{cases}$

이다.

❶ $\displaystyle\sum_{k=4}^{7} a_k = 40$이 되도록 하는 모든 a_1의 값의 합은? [4점]

① 315   ② 321   ③ 327   ④ 333   ⑤ 339

STEP 01 $4 \leq n \leq 7$인 자연수 n에 대하여 $\log_3 a_n$중 자연수인 $\log_3 a_n$의 존재여부에 따라 경우를 나누어 ❶을 만족하는 a_1을 구한 후 합을 구한다.

(i) $4 \leq n \leq 7$인 모든 자연수 n에 대하여 $\log_3 a_n$이 자연수가 아닌 경우

$a_5 = a_4 + 6$, $a_6 = a_5 + 6 = a_4 + 12$, $a_7 = a_6 + 6 = a_4 + 18$이므로

$$\sum_{k=4}^{7} a_k = 4a_4 + 36 = 40, \quad a_4 = 1$$

순서쌍 (a_1, a_2, a_3)은 $(27, 9, 3)$

그러므로 $a_1 = 27$

(ii) $4 \leq n \leq 7$인 자연수 n에 대하여 $\log_3 a_n$이 자연수인 n이 존재하는 경우

$a_n = 3^m$ (m은 자연수)인 $n(4 \leq n \leq 7)$이 존재한다.

a_4, a_5, a_6, a_7 중 $3^m(m \geq 4)$가 존재하면

$$\sum_{k=4}^{7} a_k > 40$$이므로 주어진 조건을 만족시키지 않는다.

그러므로 a_4, a_5, a_6, a_7 중 $3^m(m \geq 4)$가 존재하지 않는다.

또한 a_4, a_5, a_6, a_7 중 27이 존재하지 않으면 $n = 4, 5, 6, 7$ 에 대하여

$$\sum_{k=4}^{7} a_k < 40$$이므로 a_4, a_5, a_6, a_7 중 하나가 27이다.

만약 a_5, a_6, a_7 중 하나가 27이면

$$\sum_{k=4}^{7} a_k > 40$$이므로 $a_4 = 27$

$a_4 + a_5 + a_6 + a_7 = 27 + 9 + 3 + 1 = 40$

그러므로 $a_4 = 27$ 일 때 조건을 만족시킨다.

$a_1 < 300$을 만족시키는 순서쌍 (a_1, a_2, a_3)은

$(69, 75, 81)$, $(237, 243, 81)$이므로

$a_1 = 69$ 또는 $a_1 = 237$

따라서 (i), (ii)에 의하여 모든 a_1의 값의 합은

$27 + 69 + 237 = 333$

---

16 로그함수의 성질   정답률 75% | 정답 9

방정식 $\log_2(x-5) = \log_4(x+7)$을 만족시키는 실수 x의 값을 구하시오. [3점]

STEP 01 진수조건에 의하여 x의 범위를 구한 후 방정식을 풀어 만족하는 x의 값을 구한다.

로그의 진수 조건에 의하여

$x - 5 > 0$이고 $x + 7 > 0$ 이므로 $x > 5$ …… ㉠

$\log_4(x-5)^2 = \log_4(x+7)$, $(x-5)^2 = x+7$

$x^2 - 10x + 25 = x + 7$, $x^2 - 11x + 18 = 0$

$(x-2)(x-9) = 0$, $x = 2$ 또는 $x = 9$

㉠에 의하여 $x = 9$

---

17 부정적분   정답률 82% | 정답 20

함수 $f(x)$에 대하여 $f'(x) = 9x^2 - 8x + 1$이고 $f(1) = 10$일 때, $\underline{f(2)}$의 값을 구하시오. [3점]

STEP 01 $f'(x)$를 적분하고 $f(1) = 10$을 이용하여 $f(x)$를 구한 후 $f(2)$의 값을 구한다.

$f(x) = \displaystyle\int (9x^2 - 8x + 1)dx = 3x^3 - 4x^2 + x + C$ (단, C는 적분상수)

$f(1) = 3 - 4 + 1 + C = 10$, $C = 10$

$f(x) = 3x^3 - 4x^2 + x + 10$

따라서 $f(2) = 24 - 16 + 2 + 10 = 20$

---

18 여러 가지 수열의 합   정답률 68% | 정답 65

두 수열 $\{a_n\}$, $\{b_n\}$에 대하여

❶ $\displaystyle\sum_{k=1}^{10}(2a_k + 3) = 40$, ❷ $\displaystyle\sum_{k=1}^{10}(a_k - b_k) = -10$

일 때, ❸ $\displaystyle\sum_{k=1}^{10}(b_k + 5)$의 값을 구하시오. [3점]

STEP 01 ❶에서 $\displaystyle\sum_{k=1}^{10} a_k$를 구한 후 ❷에서 $\displaystyle\sum_{k=1}^{10} b_k$를 구한 다음 ❸의 값을 구한다.

$\displaystyle\sum_{k=1}^{10}(2a_k + 3) = 2\sum_{k=1}^{10} a_k + \sum_{k=1}^{10} 3 = 40$, $\displaystyle\sum_{k=1}^{10} a_k = 5$

$$\sum_{k=1}^{10}(a_k - b_k) = \sum_{k=1}^{10} a_k - \sum_{k=1}^{10} b_k = -10$$

$$\sum_{k=1}^{10} b_k = 15$$

따라서 $\displaystyle\sum_{k=1}^{10}(b_k + 5) = \sum_{k=1}^{10} b_k + \sum_{k=1}^{10} 5 = 65$

---

19 접선의 방정식   정답률 53% | 정답 22

❶ 곡선 $y = x^3 - 10$ 위의 점 $P(-2, -18)$에서의 접선과 ❷ 곡선 $y = x^3 + k$ 위의 점 Q에서의 접선이 일치할 때, 양수 k의 값을 구하시오. [3점]

STEP 01 ❶의 방정식을 구한 후 점 Q의 좌표를 미지수로 놓고 ❷의 방정식을 구한 다음 두 식을 연립하여 양수 k의 값을 구한다.

$f(x) = x^3 - 10$, $g(x) = x^3 + k$라 하자.

$f'(x) = 3x^2$이므로

곡선 $y = f(x)$ 위의 점 $P(-2, -18)$에서의 접선의 기울기는 $f'(-2) = 12$

접선의 방정식은

$y - (-18) = 12\{x - (-2)\}$, $y = 12x + 6$

점 Q의 좌표를 $(\alpha, \alpha^3 + k)$라 하자. (단, α는 상수)

$g'(x) = 3x^2$이므로

곡선 $y = g(x)$ 위의 점 $Q(\alpha, \alpha^3 + k)$에서의 접선의 기울기는 $g'(\alpha) = 3\alpha^2$

접선의 방정식은

$y - (\alpha^3 + k) = 3\alpha^2(x - \alpha)$, $y = 3\alpha^2 x - 2\alpha^3 + k$

두 접선이 일치하므로 $3\alpha^2 = 12$, $-2\alpha^3 + k = 6$

$\alpha = 2$이면 $k = 22$, $\alpha = -2$이면 $k = -10$

$k > 0$이므로 $k = 22$

● 핵심 공식

▶ 접선의 방정식

곡선 $y = f(x)$ 위의 점 $(a, f(a))$에서의 접선의 방정식은 $y - f(a) = f'(a)(x - a)$

★★★ 등급을 가르는 문제!

20 정적분의 활용   정답률 16% | 정답 54

실수 $t\left(\sqrt{3} < t < \dfrac{13}{4}\right)$에 대하여 두 함수

❶ $f(x) = |x^2 - 3| - 2x$, $g(x) = -x + t$

의 그래프가 만나는 서로 다른 네 점의 x좌표를 작은 수부터 크기순으로 x_1, x_2, x_3, x_4라 하자. ❷ $x_4 - x_1 = 5$일 때, ❸ 닫힌구간 $[x_3, x_4]$에서 두 함수 $y = f(x)$, $y = g(x)$의 그래프로 둘러싸인 부분의 넓이는 $p - q\sqrt{3}$ 이다. $p \times q$의 값을 구하시오. (단, p, q는 유리수이다.) [4점]

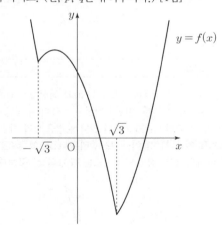

STEP 01 범위를 나누어 $f(x)$를 구한 후 ❶의 두 그래프를 그린 다음 두 그래프가 만나는 함수의 식을 연립하고 ❷를 이용하여 t와 네 교점의 x좌표를 구한다.

$f(x) = |x^2 - 3| - 2x$

$$= \begin{cases} x^2 - 2x - 3 & (x \leq -\sqrt{3} \text{ 또는 } x \geq \sqrt{3}) \\ -x^2 - 2x + 3 & (-\sqrt{3} < x < \sqrt{3}) \end{cases}$$

x_1, x_4는 이차방정식 $x^2 - 2x - 3 = -x + t$의 두 근이므로

근과 계수와의 관계에 의하여

$x_1 + x_4 = 1$, $x_1 x_4 = -t - 3$

$x_4 - x_1 = 5$이므로

$x_1 = -2$, $x_4 = 3$

$x_1 x_4 = -t - 3 = -6$, $t = 3$

x_2, x_3은 이차방정식 $-x^2 - 2x + 3 = -x + 3$의 두 근이므로

$x_2 = -1$, $x_3 = 0$

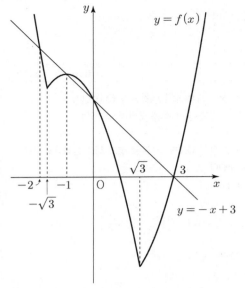

STEP 02 적분을 이용하여 ❸을 구한 다음 $p \times q$의 값을 구한다.

닫힌구간 $[0, 3]$에서 두 함수 $y = f(x)$, $y = g(x)$의 그래프로 둘러싸인 부분의 넓이는

$$\int_0^3 |f(x) - g(x)| dx = \int_0^{\sqrt{3}} \{(-x+3) - (-x^2 - 2x + 3)\} dx$$
$$+ \int_{\sqrt{3}}^3 \{(-x+3) - (x^2 - 2x - 3)\} dx$$
$$= \left[\frac{1}{3}x^3 + \frac{1}{2}x^2 \right]_0^{\sqrt{3}} + \left[-\frac{1}{3}x^3 + \frac{1}{2}x^2 + 6x \right]_{\sqrt{3}}^3$$
$$= \frac{27}{2} - 4\sqrt{3}$$

따라서 $p \times q = \frac{27}{2} \times 4 = 54$

★★ 문제 해결 꿀~팁 ★★

▶ 문제 해결 방법

$f(x)$가 절댓값을 포함하고 있으므로 x의 범위를 나누어 $f(x)$를 구하여 그래프를 그린 후 각각의 $f(x)$를 $g(x)$와 연립하고 $x_4 - x_1 = 5$를 이용하면 t와 네 교점의 x좌표를 구할 수 있다.

교점의 x좌표를 구하면 구하는 넓이는 적분으로 구하면 된다. $f(x)$의 어떤 식과 $g(x)$를 연립하여 각 교점의 x좌표를 구해야 하는지를 구분할 수 있고, 교점의 좌표를 구할 수 있으면 나머지 과정은 그다지 어렵지 않게 해결할 수 있다. 절댓값을 포함한 그래프를 그리는 방법을 정확하게 알아두는 것이 좋다.

★★★ 등급을 가르는 문제!

21 지수함수의 그래프 　　　　　 정답률 13% | 정답 13

그림과 같이 곡선 $y = 2^{x-m} + n$ ($m > 0$, $n > 0$)과 직선 $y = 3x$가 서로 다른 두 점 A, B에서 만날 때, 점 B를 지나며 직선 $y = 3x$에 수직인 직선이 y축과 만나는 점을 C라 하자. 직선 CA가 x축과 만나는 점을 D라 하면 ❶ 점 D는 선분 CA를 5 : 3으로 외분하는 점이다. ❷ 삼각형 ABC의 넓이가 20일 때, $m+n$의 값을 구하시오. (단, 점 A의 x좌표는 점 B의 x좌표보다 작다.) [4점]

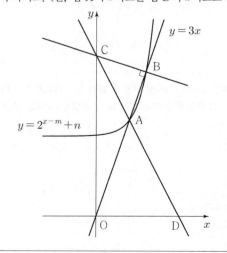

STEP 01 점 D의 좌표를 미지수를 이용하여 놓고 ❶에서 두 점 A, C의 좌표를 구한 후 점 B의 좌표를 구한 다음 $\overline{AB}$, $\overline{BC}$의 길이를 구한다.

점 D의 좌표를 $(t, 0)$ $(t > 0)$이라 하자.

점 D는 선분 CA를 5 : 3으로 외분하는 점이므로

$\overline{CA} : \overline{AD} = 2 : 3$

점 A의 x좌표는 $\frac{2}{5}t$, $A\left(\frac{2}{5}t, \frac{6}{5}t \right)$

점 C의 y좌표는 $2t$, $C(0, 2t)$

직선 BC의 방정식은 $y = -\frac{1}{3}x + 2t$

점 B는 두 직선 $y = 3x$, $y = -\frac{1}{3}x + 2t$의 교점이므로 $B\left(\frac{3}{5}t, \frac{9}{5}t \right)$

$\overline{AB} = \overline{BC} = \frac{\sqrt{10}}{5}t$

STEP 02 삼각형 ABC의 넓이를 구한 후 ❷를 이용하여 t를 구한 다음 점 A, B의 좌표를 $y = 2^{x-m} + n$에 대입하여 m, n을 구한 뒤 $m+n$의 값을 구한다.

삼각형 ABC의 넓이는

$\frac{1}{2} \times \overline{AB} \times \overline{BC} = \frac{1}{2} \times \left(\frac{\sqrt{10}}{5}t \right)^2 = \frac{t^2}{5} = 20$

$t^2 = 100$이므로 $t = 10$

$A(4, 12)$, $B(6, 18)$이므로

$12 = 2^{4-m} + n$, $18 = 2^{6-m} + n$

$18 - 2^{6-m} = 12 - 2^{4-m}$

$2^{6-m} - 2^{4-m} = 6$

$64 \times 2^{-m} - 16 \times 2^{-m} = 6$

$48 \times 2^{-m} = 6$, $2^{-m} = \frac{1}{8}$

$m = 3$, $n = 10$

따라서 $m + n = 13$

★★ 문제 해결 꿀~팁 ★★

▶ 문제 해결 방법

점 D의 좌표를 $(t, 0)$이라 하면 점 $A\left(\frac{2}{5}t, \frac{6}{5}t \right)$, 점 $C(0, 2t)$, 점 $B\left(\frac{3}{5}t, \frac{9}{5}t \right)$이다.

문제에서 점 D는 선분 CA를 5 : 3으로 외분하는 점임을 알려주었으므로 여기서 점 A, C의 좌표를 구할 수 있고 직선 BC의 방정식과 $y = 3x$를 연립하면 점 B의 좌표를 구할 수 있다.

이제 점들의 좌표에서 $\overline{AB}$, $\overline{BC}$의 길이를 구하여 삼각형 ABC의 넓이를 구하면 t를 구할 수 있다.

두 점 A, B가 모두 $y = 2^{x-m} + n$ 위의 점이므로 두 점의 좌표를 $y = 2^{x-m} + n$에 대입하여 m, n을 구하면 된다.

점 D의 좌표를 미지수로 놓고 풀이를 시작할 수 있으면 큰 어려움없이 문제를 해결할 수 있다.

★★★ 등급을 가르는 문제!

22 접선의 방정식과 그래프의 개형 　　　 정답률 1% | 정답 182

최고차항의 계수가 양수인 사차함수 $f(x)$가 있다. 실수 t에 대하여 함수 $g(x)$를

$g(x) = f(x) - x - f(t) + t$

라 할 때, 방정식 $g(x) = 0$의 서로 다른 실근의 개수를 $h(t)$라 하자. 두 함수 $f(x)$와 $h(t)$가 다음 조건을 만족시킨다.

(가) $\lim\limits_{t \to -1} \{h(t) - h(-1)\} = \lim\limits_{t \to 1} \{h(t) - h(1)\} = 2$

(나) $\int_0^\alpha f(x) dx = \int_0^\alpha |f(x)| dx$를 만족시키는 실수 α의 최솟값은 -1이다.

(다) 모든 실수 x에 대하여 $\dfrac{d}{dx} \int_0^x \{f(u) - ku\} du \geq 0$이 되도록 하는 ❶ 실수 k의 최댓값은 $f'(\sqrt{2})$이다.

$f(6)$의 값을 구하시오. [4점]

STEP 01 $h(t)$의 의미를 파악하여 $h(t)$의 값에 따른 $y = f(x)$의 그래프를 그려 조건 (가)를 만족시키는 경우를 구한다.

방정식 $g(x) = 0$에서

$x = t$일 때 $f(t) - t - f(t) + t = 0$이므로 $g(t) = 0$

$x \neq t$일 때 $f(x)-x-f(t)+t=0$에서 $\dfrac{f(x)-f(t)}{x-t}=1$이다.

그러므로 함수 $h(t)$는 곡선 $y=f(x)$ 위의 한 점 $(t,\ f(t))$를 지나고 기울기가 1인 직선 l과 곡선 $y=f(x)$의 교점의 개수이다.
임의의 실수 s에 대하여 $h(s) \geq 1$이다.

(i) $h(s)=1$인 경우

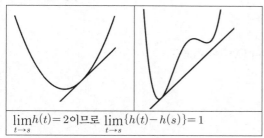

$\lim\limits_{t \to s}h(t)=2$이므로 $\lim\limits_{t \to s}\{h(t)-h(s)\}=1$

(ii) $h(s)=2$인 경우

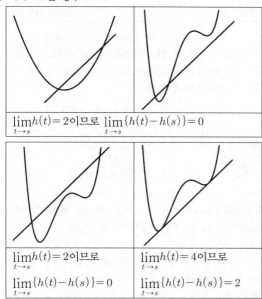

$\lim\limits_{t \to s}h(t)=2$이므로 $\lim\limits_{t \to s}\{h(t)-h(s)\}=0$

$\lim\limits_{t \to s}h(t)=2$이므로
$\lim\limits_{t \to s}\{h(t)-h(s)\}=0$

$\lim\limits_{t \to s}h(t)=4$이므로
$\lim\limits_{t \to s}\{h(t)-h(s)\}=2$

(iii) $h(s) \geq 3$인 경우
$\lim\limits_{t \to s}h(t)=4$이거나 극한값이 존재하지 않는다.

(i), (ii), (iii)에 의하여
곡선 $y=f(x)$와 직선 l이 두 점 $(-1,\ f(-1))$, $(1,\ f(1))$에서 접할 때
$\lim\limits_{t \to -1}\{h(t)-h(-1)\}=\lim\limits_{t \to -1}\{h(t)-h(1)\}=2$를 만족시킨다.

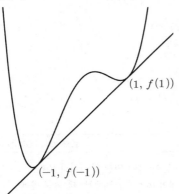

STEP 02 접선 l의 방정식과 $f(x)$를 놓고 조건 (나)에서 접선 l의 방정식을 구한다.

함수 $f(x)$의 최고차항의 계수를 a, 직선 l의 방정식을 $y=x+b$라 하자.
(단, a, b는 상수)
$f(x)-(x+b)=a(x-1)^2(x+1)^2$
$f(x)=a(x-1)^2(x+1)^2+x+b$
조건 (나)에서
$\displaystyle\int_0^{\alpha}\{f(x)-|f(x)|\}dx=0$을 만족시키는 실수 α의 최솟값이 -1이므로
$-1 \leq x \leq 0$에서 $f(x) \geq 0$, $f(-1) \geq 0$
$f(-1)>0$이면 실수 α의 최솟값이 -1이 아니므로
$f(-1)=0$
$f(-1)=-1+b=0$, $b=1$
$f(x)=a(x-1)^2(x+1)^2+x+1$

STEP 03 조건 (다)를 만족하도록 $y=f(x)$의 그래프를 그려 ❶을 만족하는 a를 구한 후 $f(x)$를 구한 다음 $f(6)$의 값을 구한다.

조건 (다)에서
$\dfrac{d}{dx}\displaystyle\int_0^x\{f(u)-ku\}du=f(x)-kx \geq 0$

$f(x) \geq kx$이므로 곡선 $y=f(x)$와 직선 $y=kx$가 접하거나 만나지 않는다.
이를 만족하는 실수 k의 최댓값이 $f'(\sqrt{2})$이므로
그림과 같이 곡선 $y=f(x)$와 직선 $y=f'(\sqrt{2})x$가 점 $(\sqrt{2},\ f(\sqrt{2}))$에서 접한다.

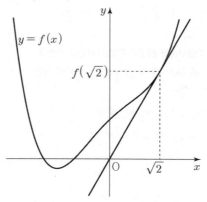

$f(x)=a(x-1)^2(x+1)^2+x+1=ax^4-2ax^2+x+a+1$
$f'(x)=4ax^3-4ax+1$
$f(\sqrt{2})=4a-4a+\sqrt{2}+a+1=a+\sqrt{2}+1$
$f'(\sqrt{2})=8\sqrt{2}a-4\sqrt{2}a+1=4\sqrt{2}a+1$
$f(\sqrt{2})=f'(\sqrt{2})\times\sqrt{2}$이므로
$a+\sqrt{2}+1=(4\sqrt{2}a+1)\times\sqrt{2}=8a+\sqrt{2}$
$a=\dfrac{1}{7}$, $f(x)=\dfrac{1}{7}(x-1)^2(x+1)^2+x+1$

따라서 $f(6)=\dfrac{1}{7}\times5^2\times7^2+6+1=182$

☆☆ **문제 해결 꿀~팁** ☆☆

▶ 문제 해결 방법

$x \neq t$일 때 $g(x)=0$에서 $f(x)-x-f(t)+t=0$, $\dfrac{f(x)-f(t)}{x-t}=1$이다.

그러므로 함수 $h(t)$는 곡선 $y=f(x)$ 위의 한 점 $(t,\ f(t))$를 지나고 기울기가 1인 직선 l과 곡선 $y=f(x)$의 교점의 개수이다.
이와 같은 $h(t)$의 의미를 파악하지 못하면 문제풀이의 초반부터 난관에 부딪히게 된다.
$h(t)$가 $f(x)$와 $f(x)$ 위의 점을 지나는 기울기가 1인 직선과의 교점임을 반드시 파악해야 문제풀이가 수월해진다. 또한 조건 (가)를 만족하려면 곡선 $y=f(x)$와 직선 l이 두 점 $(-1,\ f(-1))$, $(1,\ f(1))$에서 접해야 한다. 조건 (가)를 만족하는 경우를 추론하여 모든 경우의 그래프를 그리지 않고 조건 (가)를 만족하는 그래프만 그릴 수 있으면 시간과 노력을 절약할 수 있다. 모든 경우의 그래프를 그려 만족하는 경우의 그래프를 찾지 않고 만족하는 경우의 그래프를 유추하여 그릴 수 있도록 거듭 연습하는 것이 필요하다.
두 그래프의 관계에서 두 그래프의 식을 놓으면 조건 (나)에서 $f(-1)=0$이므로 $b=1$이고 조건 (다)에서 곡선 $y=f(x)$와 직선 $y=f'(\sqrt{2})x$가 점 $(\sqrt{2},\ f(\sqrt{2}))$에서 접해야 한다. 그러므로 $f(x)$를 미분하여 $f'(x)$를 구하고 $y=f'(\sqrt{2})x$에 점 $(\sqrt{2},\ f(\sqrt{2}))$를 대입하면 a와 $f(x)$를 구할 수 있다.
$h(t)$의 의미를 파악하여 조건 (가)를 만족하는 그래프를 그릴 수 있느냐가 가장 중요하다 할 수 있다.

확률과 통계

23 이항정리 정답률 83% | 정답 ③

다항식 ❶ $(x^2+2)^6$의 전개식에서 x^8의 계수는? [2점]
① 30 ② 45 ③ 60 ④ 75 ⑤ 90

STEP 01 ❶에서 이항정리를 이용하여 x^8의 계수를 구한다.

다항식 $(x^2+2)^6$의 전개식의 일반항은
${}_6\mathrm{C}_r(x^2)^{6-r}\times2^r={}_6\mathrm{C}_r\times2^r\times x^{12-2r}$ $(r=0,\ 1,\ 2,\ \cdots,\ 6)$
x^8의 계수는 $r=2$일 때이다.
따라서 ${}_6\mathrm{C}_2\times2^2=15\times4=60$

● **핵심 공식**

▶ 이항정리

이항정리는 이항 다항식 $x+y$의 거듭제곱 $(x+y)^n$에 대해서, 전개한 각 항 x^ky^{n-k}의 계수 값을 구하는 정리이다. 구체적으로 x^ky^{n-k}의 계수는 n개에서 k개를 고르는 조합의 가짓수인 ${}_n\mathrm{C}_k$이고, 이를 이항계수라고 부른다. 따라서 다음의 식이 성립한다.

$(x+y)^n=\displaystyle\sum_{k=0}^{n}{}_n\mathrm{C}_kx^ky^{n-k}$

$$1 - \frac{{}_3C_3}{{}_7C_3} = 1 - \frac{1}{35} = \frac{34}{35}$$

(ii) 주머니 A에서 임의로 꺼낸 공이 검은 공일 때
주머니 B에서 임의로 꺼낸 3개의 공 중에서 적어도 한 개가 흰 공일 확률은

$$1 - \frac{{}_4C_3}{{}_7C_3} = 1 - \frac{4}{35} = \frac{31}{35}$$

따라서 (ⅰ), (ⅱ)에 의하여

$$\begin{aligned} P(Y) &= P(X \cap Y) + P(X^C \cap Y) \\ &= P(X)P(Y|X) + P(X^C)P(Y|X^C) \\ &= \frac{1}{3} \times \frac{34}{35} + \frac{2}{3} \times \frac{31}{35} \\ &= \frac{32}{35} \end{aligned}$$

---

24 독립시행의 확률 · 정답률 37% | 정답 ①

한 개의 주사위를 네 번 던질 때 나오는 눈의 수를 차례로 a, b, c, d라 하자. 네 수 a, b, c, d의 곱 ❶ $a \times b \times c \times d$가 27의 배수일 확률은? [3점]

① $\frac{1}{9}$ ② $\frac{4}{27}$ ③ $\frac{5}{27}$ ④ $\frac{2}{9}$ ⑤ $\frac{7}{27}$

STEP 01 ❶을 성립할 조건을 구한 후 독립시행의 확률로 구하는 확률을 구한다.

한 개의 주사위를 네 번 던질 때 나오는 네 눈의 수의 곱이 27의 배수이려면 3의 배수의 눈이 세 번 또는 네 번 나와야 한다.

한 개의 주사위를 한 번 던질 때, 3의 배수의 눈이 나오는 확률은 $\frac{2}{6} = \frac{1}{3}$

한 개의 주사위를 네 번 던질 때, 3의 배수의 눈이 나오는 횟수를 $X(X = 0, 1, 2, 3, 4)$라 하면

$$P(X = 3) = {}_4C_3 \left(\frac{1}{3}\right)^3 \left(\frac{2}{3}\right)^1 = \frac{8}{81}$$

$$P(X = 4) = {}_4C_4 \left(\frac{1}{3}\right)^4 \left(\frac{2}{3}\right)^0 = \frac{1}{81}$$

따라서 $\frac{8}{81} + \frac{1}{81} = \frac{1}{9}$

---

25 확률분포 · 정답률 69% | 정답 ②

이산확률변수 X의 확률분포를 표로 나타내면 다음과 같다.

X	1	2	3	합계
$P(X = x)$	a	$a + b$	b	1

$E(X^2) = a + 5$일 때, $b - a$의 값은? (단, a, b는 상수이다.) [3점]

① $\frac{1}{12}$ ② $\frac{1}{6}$ ③ $\frac{1}{4}$ ④ $\frac{1}{3}$ ⑤ $\frac{5}{12}$

STEP 01 확률분포표에서 모든 확률의 합을 구하고 $E(X^2)$을 구하여 a, b의 관계식을 구한 후 연립하여 a, b를 구한 다음 $b - a$의 값을 구한다.

주어진 확률분포에서 $a + (a + b) + b = 1$

$$a + b = \frac{1}{2} \qquad \cdots\cdots \ \ominus$$

$E(X^2) = a + 4(a + b) + 9b = a + 5$

$$4a + 13b = 5 \qquad \cdots\cdots \ \bigcirc$$

두 식 $\ominus$, $\bigcirc$을 연립하면 $a = \frac{1}{6}$, $b = \frac{1}{3}$

따라서 $b - a = \frac{1}{6}$

---

26 여사건의 확률 · 정답률 67% | 정답 ④

주머니 A에는 흰 공 1개, 검은 공 2개가 들어 있고, 주머니 B에는 흰 공 3개, 검은 공 3개가 들어 있다. 주머니 A에서 임의로 1개의 공을 꺼내어 주머니 B에 넣은 후 주머니 B에서 임의로 3개의 공을 동시에 꺼낼 때, ❶ 주머니 B에서 꺼낸 3개의 공 중에서 적어도 한 개가 흰 공일 확률은? [3점]

① $\frac{6}{7}$ ② $\frac{92}{105}$ ③ $\frac{94}{105}$ ④ $\frac{32}{35}$ ⑤ $\frac{14}{15}$

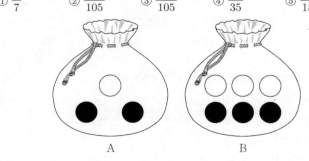

A   B

STEP 01 꺼낸 공의 색깔에 따라 경우를 나누어 각각 여사건의 확률로 ❶의 확률을 구한 다음 구하는 확률을 구한다.

주머니 A에서 임의로 꺼낸 1개의 공이 흰 공인 사건을 X, 주머니 B에서 임의로 꺼낸 3개의 공 중에서 적어도 한 개가 흰 공인 사건을 Y라 하자.

$$P(X) = \frac{1}{3}, \ P(X^C) = 1 - \frac{1}{3} = \frac{2}{3}$$

(ⅰ) 주머니 A에서 임의로 꺼낸 공이 흰 공일 때
주머니 B에서 임의로 꺼낸 3개의 공 중에서 적어도 한 개가 흰 공일 확률은

---

27 같은 것이 있는 순열 · 정답률 41% | 정답 ⑤

숫자 0, 0, 0, 1, 1, 2, 2가 하나씩 적힌 7장의 카드가 있다. 이 7장의 카드를 모두 한 번씩 사용하여 일렬로 나열할 때, ❶ 이웃하는 두 장의 카드에 적힌 수의 곱이 모두 1 이하가 되도록 나열하는 경우의 수는? (단, 같은 숫자가 적힌 카드끼리는 서로 구별하지 않는다.) [3점]

① 14 ② 15 ③ 16 ④ 17 ⑤ 18

STEP 01 ❶을 성립하는 경우를 파악하여 ①, ①이 서로 이웃하는 경우와 이웃하지 않는 경우로 나누어 ❶을 성립하도록 카드를 나열하는 경우의 수를 구한다.

주어진 7장의 카드를 일렬로 나열할 때,
이웃하는 두 카드에 적힌 수의 곱이 모두 1 이하가 되도록 나열하려면 ①, ②와 ②, ②는 각각 서로 이웃하지 않아야 한다.

(ⅰ) ①, ①이 서로 이웃하지 않는 경우
⓪, ⓪, ⓪ 사이와 양 끝에 ①, ①, ②, ②를 하나씩 넣는 경우의 수와 같으므로

$$\frac{4!}{2!2!} = 6$$

(ⅱ) ①, ①이 서로 이웃하는 경우
⓪, ⓪, ⓪ 사이와 양 끝에 ①, ①을 이웃하게 넣는 경우의 수는

$${}_4C_1 = 4$$

남은 자리에 ②, ②를 하나씩 넣는 경우의 수는

$${}_3C_2 = 3$$

그러므로 $4 \times 3 = 12$

따라서 (ⅰ), (ⅱ)에 의하여 만족하는 경우의 수는

$6 + 12 = 18$

---

28 조건부확률 · 정답률 25% | 정답 ①

1부터 5까지의 자연수가 하나씩 적힌 5개의 공이 들어 있는 주머니가 있다. 이 주머니에서 공을 임의로 한 개씩 5번 꺼내어 $n(1 \le n \le 5)$번째 꺼낸 공에 적혀 있는 수를 a_n이라 하자. ❶ $a_k \le k$를 만족시키는 자연수 $k(1 \le k \le 5)$의 최솟값이 3일 때, ❷ $a_1 + a_2 = a_4 + a_5$일 확률은? (단, 꺼낸 공은 다시 넣지 않는다.) [4점]

① $\frac{4}{19}$ ② $\frac{5}{19}$ ③ $\frac{6}{19}$ ④ $\frac{7}{19}$ ⑤ $\frac{8}{19}$

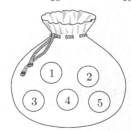

STEP 01 ❶의 경우를 나누고 각각 확률을 구하여 ❶의 확률을 구한다.

$a_k \le k$를 만족시키는 자연수 $k(1 \le k \le 5)$의 최솟값이 3인 사건을 A,
$a_1 + a_2 = a_4 + a_5$인 사건을 B라 하자.

$a_k \le k$를 만족시키는 자연수 $k(1 \le k \le 5)$의 최솟값이 3이면,

$a_1 > 1$, $a_2 > 2$, $a_3 \le 3$이다.

(ⅰ) $a_3 = 1$이고 $a_1 > 1$, $a_2 > 2$일 확률은

$$\frac{3 \times 3 \times 2!}{5!} = \frac{3}{20}$$

(ⅱ) $a_3 = 2$이고 $a_1 > 1$, $a_2 > 2$일 확률은

$$\frac{3 \times 2 \times 2!}{5!} = \frac{1}{10}$$

(ⅲ) $a_3 = 3$이고 $a_1 > 1$, $a_2 > 2$일 확률은

$$\frac{2 \times 2 \times 2!}{5!} = \frac{1}{15}$$

(ⅰ), (ⅱ), (ⅲ)에 의하여

$$P(A) = \frac{3}{20} + \frac{1}{10} + \frac{1}{15} = \frac{9 + 6 + 4}{60} = \frac{19}{60}$$

STEP 02 ❶, ❷를 동시에 만족하는 경우의 수를 구한 후 조건부확률로 구하는 확률을 구한다.

$a_1 + a_2 = a_4 + a_5$이면 $a_1 + a_2 + a_3 + a_4 + a_5 = 15$에서

$a_3 = 15 - 2(a_1 + a_2) = 2\{7 - (a_1 + a_2)\} + 1$

이므로 a_3의 값은 홀수이다.

(ⅰ) $a_3 = 1$인 경우

$a_1 + a_2 = 7$이므로 순서쌍 (a_1, a_2)는 $(2, 5)$, $(3, 4)$, $(4, 3)$

(ⅱ) $a_3 = 3$인 경우

$a_1 + a_2 = 6$이므로 순서쌍 (a_1, a_2)는 $(2, 4)$

(ⅰ), (ⅱ)에 의하여

$$P(A \cap B) = \frac{(3 + 1) \times 2!}{5!} = \frac{1}{15}$$

따라서 $P(B|A) = \dfrac{P(A \cap B)}{P(A)} = \dfrac{\dfrac{1}{15}}{\dfrac{19}{60}} = \dfrac{4}{19}$

● 핵심 공식

▶ 조건부확률

확률이 0이 아닌 두 사건 A, B에 대하여 사건 A가 일어났다고 가정할 때, 사건 B가 일어날 확률을 사건 A가 일어났을 때의 사건 B의 조건부 확률이라 하고, 이것을 $P(B|A)$로 나타낸다.

$$P(B|A) = \frac{P(A \cap B)}{P(A)} \quad (단, P(A) > 0)$$

---

29 연속확률변수의 확률밀도함수   정답률 8% | 정답 24

두 연속확률변수 X와 Y가 갖는 값의 범위는 $0 \le X \le 4$, $0 \le Y \le 4$이고, X와 Y의 확률밀도함수는 각각 $f(x)$, $g(x)$이다. 확률변수 X의 확률밀도함수 $f(x)$의 그래프는 그림과 같다.

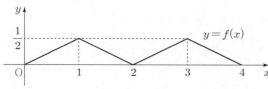

확률변수 Y의 확률밀도함수 $g(x)$는 닫힌구간 $[0, 4]$에서 연속이고 $0 \le x \le 4$인 모든 실수 x에 대하여

❶ $\{g(x) - f(x)\}\{g(x) - a\} = 0$ (a는 상수)

를 만족시킨다. 두 확률변수 X와 Y가 다음 조건을 만족시킨다.

(가) $P(0 \le Y \le 1) < P(0 \le X \le 1)$
(나) $P(3 \le Y \le 4) < P(3 \le X \le 4)$

$P(0 \le Y \le 5a) = p - q\sqrt{2}$ 일 때, $p \times q$의 값을 구하시오. (단, p, q는 자연수이다.) [4점]

STEP 01 ❶과 두 조건을 이용하여 $y = g(x)$의 그래프를 그린 후 a의 값을 구한다.

$\{g(x) - f(x)\}\{g(x) - a\} = 0$이므로

$g(x) = f(x)$ 또는 $g(x) = a$

조건 (가)와 (나)에 의하여 확률밀도함수 $y = g(x)$의 그래프는 그림과 같다.

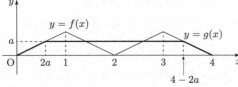

$P(0 \le Y \le 4) = 1$이므로

$$\frac{1}{2} \times 2a \times a + (4 - 4a) \times a + \frac{1}{2} \times 2a \times a = 1$$

$$2a^2 - 4a + 1 = 0, \quad a = \frac{2 \pm \sqrt{2}}{2}$$

$0 < a < \dfrac{1}{2}$이므로 $a = \dfrac{2 - \sqrt{2}}{2}$

STEP 02 $5a$의 범위를 구하여 $P(0 \le Y \le 5a)$를 구한 후 $p \times q$의 값을 구한다.

$a = \dfrac{2 - \sqrt{2}}{2}$이므로 $1 < 5a < 2$

$P(0 \le Y \le 5a) = P(0 \le Y \le 2a) + P(2a \le Y \le 5a)$

$\qquad = \dfrac{1}{2} \times 2a \times a + 3a \times a = 4a^2$

$\qquad = 4\left(\dfrac{2 - \sqrt{2}}{2}\right)^2 = 6 - 4\sqrt{2}$

따라서 $p = 6$, $q = 4$ 이므로 $p \times q = 24$

★★★ 등급을 가르는 문제!

30 중복조합   정답률 3% | 정답 150

집합 $X = \{1, 2, 3, 4, 5, 6, 7\}$에 대하여 다음 조건을 만족시키는 함수 $f : X \to X$의 개수를 구하시오. [4점]

(가) $f(7) - f(1) = 3$
(나) 5 이하의 모든 자연수 n에 대하여 $f(n) \le f(n+2)$이다.
(다) $\dfrac{1}{3}|f(2) - f(1)|$과 $\dfrac{1}{3}\displaystyle\sum_{k=1}^{4} f(2k-1)$의 값은 모두 자연수이다.

STEP 01 조건 (가)에서 $(f(1), f(7))$의 순서쌍을 구한 후 다른 두 조건에 의하여 나머지 함숫값들의 조건을 구한다.

조건 (가)에 의하여

순서쌍 $(f(1), f(7))$은 $(1, 4)$, $(2, 5)$, $(3, 6)$, $(4, 7)$

조건 (나)에 의하여

$f(1) \le f(3) \le f(5) \le f(7)$이고 $f(2) \le f(4) \le f(6)$

조건 (다)에 의하여

$|f(2) - f(1)|$과 $f(1) + f(3) + f(5) + f(7)$의 값은 모두 3의 배수인 자연수이다.

STEP 02 각 $(f(1), f(7))$의 순서쌍에 대하여 중복조합으로 나머지 다른 함숫값들을 정하는 경우의 수를 구하여 구하는 함수의 개수를 구한다.

(ⅰ) $f(1) = 1$, $f(7) = 4$인 경우

$f(3) + f(5) = 4$ 또는 $f(3) + f(5) = 7$

순서쌍 $(f(3), f(5))$는 $(1, 3)$, $(2, 2)$, $(3, 4)$

$f(1) = 1$이므로 $f(2) = 4$ 또는 $f(2) = 7$

$f(2) = 4$이면 순서쌍 $(f(4), f(6))$의 개수는 $_4H_2$,

$f(2) = 7$이면 순서쌍 $(f(4), f(6))$의 개수는 $_1H_2$

$_4H_2 + {}_1H_2 = 10 + 1 = 11$

그러므로 $3 \times 11 = 33$

(ⅱ) $f(1) = 2$, $f(7) = 5$인 경우

$f(3) + f(5) = 5$ 또는 $f(3) + f(5) = 8$

순서쌍 $(f(3), f(5))$는 $(2, 3)$, $(3, 5)$, $(4, 4)$

$f(1) = 2$이므로 $f(2) = 5$

순서쌍 $(f(4), f(6))$의 개수는 $_3H_2 = 6$

그러므로 $3 \times 6 = 18$

(ⅲ) $f(1) = 3$, $f(7) = 6$인 경우

$f(3) + f(5) = 6$ 또는 $f(3) + f(5) = 9$ 또는 $f(3) + f(5) = 12$

순서쌍 $(f(3), f(5))$는 $(3, 3)$, $(3, 6)$, $(4, 5)$, $(6, 6)$

$f(1) = 3$이므로 $f(2) = 6$

순서쌍 $(f(4), f(6))$의 개수는 $_2H_2 = 3$

그러므로 $4 \times 3 = 12$

(ⅳ) $f(1) = 4$, $f(7) = 7$인 경우

$f(3) + f(5) = 10$ 또는 $f(3) + f(5) = 13$

순서쌍 $(f(3), f(5))$는 $(4, 6)$, $(5, 5)$, $(6, 7)$

$f(1) = 4$이므로 $f(2) = 1$ 또는 $f(2) = 7$

$f(2) = 1$이면 순서쌍 $(f(4), f(6))$의 개수는 $_7H_2$,

$f(2) = 7$이면 순서쌍 $(f(4), f(6))$의 개수는 $_1H_2$

$_7H_2 + {}_1H_2 = 28 + 1 = 29$

그러므로 $3 \times 29 = 87$

따라서 (ⅰ), (ⅱ), (ⅲ), (ⅳ)에 의하여 함수 f의 개수는

$33 + 18 + 12 + 87 = 150$

●핵심 공식

▶ 중복조합

$_nH_r$은 서로 다른 n개의 원소에서 r개를 뽑는 경우의 수이다.

$_nH_r = {}_{n+r-1}C_r$

★★ 문제 해결 꿀~팁 ★★

▶ 문제 해결 방법

조건 (가)에서 $(f(1),\ f(7))$은 $(1, 4),\ (2, 5),\ (3, 6),\ (4, 7)$이다.

$f(1)=1,\ f(7)=4$이면 조건 (다)에 의해 $f(2)=4$ 또는 $f(2)=7$이고 순서쌍 $(f(3),\ f(5))$는 $(1, 3),\ (2, 2),\ (3, 4)$이다.

$f(2)=4$이면 $(f(4),\ f(6))$의 개수는 $_4H_2$, $f(2)=7$이면 $(f(4),\ f(6))$의 개수는 $_1H_2$이므로 이 경우에 만족하는 함수의 개수는 $3\times(_4H_2+_1H_2)$이다.

이와 같은 방법으로 다른 $(f(1),\ f(7))$에 대하여도 조건 (나)와 조건 (다)를 만족하도록 $f(2)$를 먼저 구한 후 $(f(3),\ f(5)),\ (f(4),\ f(6))$의 경우의 수를 중복조합으로 구하면 된다.

7개의 함숫값을 정해야 하는데 가장 먼저 손쉽게 구할 수 있는 값이 조건 (가)의 $f(1)$과 $f(7)$이다.

$f(1)$이 정해지면 조건 (다)에 의해 $f(2)$의 값도 범위가 좁아지고 다른 두 조건 (나), (다)에 의해 $(f(3),\ f(5))$와 $(f(4),\ f(6))$을 정하는 경우의 수를 구하면 된다.

어떤 조건을 먼저 이용하여 어떠한 값을 먼저 구할 것인지, 풀이의 순서를 잘 정하고 나머지 과정을 순차적으로 구해 나가야 한다.

미적분

23　수열의 극한　　　　정답률 85% | 정답 ③

❶ $\displaystyle\lim_{n\to\infty} 2n\left(\sqrt{n^2+4}-\sqrt{n^2+1}\right)$의 값은? [2점]

① 1　　　② 2　　　③ 3　　　④ 4　　　⑤ 5

STEP 01 ❶의 식을 유리화하여 극한값을 구한다.

$\displaystyle\lim_{n\to\infty} 2n\left(\sqrt{n^2+4}-\sqrt{n^2+1}\right)$

$\displaystyle=\lim_{n\to\infty}\frac{2n\left(\sqrt{n^2+4}-\sqrt{n^2+1}\right)\left(\sqrt{n^2+4}+\sqrt{n^2+1}\right)}{\sqrt{n^2+4}+\sqrt{n^2+1}}$

$\displaystyle=\lim_{n\to\infty}\frac{2n\{(n^2+4)-(n^2+1)\}}{\sqrt{n^2+4}+\sqrt{n^2+1}}$

$\displaystyle=\lim_{n\to\infty}\frac{6n}{\sqrt{n^2+4}+\sqrt{n^2+1}}$

$\displaystyle=\lim_{n\to\infty}\frac{6}{\sqrt{1+\dfrac{4}{n^2}}+\sqrt{1+\dfrac{1}{n^2}}}=3$

24　합성함수의 미분법　　　　정답률 86% | 정답 ②

함수 $f(x)=\ln(x^2-x+2)$와 실수 전체의 집합에서 미분가능한 함수 $g(x)$가 있다. 실수 전체의 집합에서 정의된 합성함수 $h(x)$를 $h(x)=f(g(x))$라 하자. ❶ $\displaystyle\lim_{x\to2}\frac{g(x)-4}{x-2}=12$일 때, $h'(2)$의 값은? [3점]

① 4　　　② 6　　　③ 8　　　④ 10　　　⑤ 12

STEP 01 ❶에서 $g(2)$와 $g'(2)$를 구한 뒤 합성함수의 미분으로 $h(x)$를 미분하여 $h'(2)$의 값을 구한다.

$\displaystyle\lim_{x\to2}\frac{g(x)-4}{x-2}=12$ 에서

$g(2)=4,\ g'(2)=12$

$f'(x)=\dfrac{2x-1}{x^2-x+2}$

$h'(x)=f'(g(x))g'(x)$

$h'(2)=f'(g(2))g'(2)=f'(4)g'(2)$

$f'(4)=\dfrac{8-1}{16-4+2}=\dfrac{1}{2}$

따라서 $h'(2)=\dfrac{1}{2}\times12=6$

●핵심 공식

▶ 합성함수의 미분법

$h(x)=(g\circ f)(x)=g(f(x))\ \Rightarrow\ h'(x)=g'(f(x))f'(x)$

25　음함수의 미분법　　　　정답률 68% | 정답 ①

곡선 ❶ $2e^{x+y-1}=3e^x+x-y$ 위의 점 $(0, 1)$에서의 접선의 기울기는? [3점]

① $\dfrac{2}{3}$　　② 1　　③ $\dfrac{4}{3}$　　④ $\dfrac{5}{3}$　　⑤ 2

STEP 01 ❶의 양변을 x에 대하여 미분하여 $\dfrac{dy}{dx}$를 구한 다음 $(0, 1)$을 대입하여 값을 구한다.

$2e^{x+y-1}=3e^x+x-y$의 양변을 x에 대하여 미분하면

$\dfrac{d}{dx}\left(2e^{x+y-1}\right)=\dfrac{d}{dx}\left(3e^x+x-y\right)$

$2e^{x+y-1}\left(1+\dfrac{dy}{dx}\right)=3e^x+1-\dfrac{dy}{dx}$

$\dfrac{dy}{dx}=\dfrac{3e^x+1-2e^{x+y-1}}{2e^{x+y-1}+1}$

따라서 점 $(0, 1)$에서의 접선의 기울기는

$\dfrac{dy}{dx}=\dfrac{3+1-2}{2+1}=\dfrac{2}{3}$

26　부분적분법　　　　정답률 62% | 정답 ④

함수 $f(x)$는 실수 전체의 집합에서 도함수가 연속이고

❶ $\displaystyle\int_1^2 (x-1)f'\left(\dfrac{x}{2}\right)dx=2$

를 만족시킨다. $f(1)=4$일 때, $\displaystyle\int_{\frac{1}{2}}^{1}f(x)dx$의 값은? [3점]

① $\dfrac{3}{4}$　　② 1　　③ $\dfrac{5}{4}$　　④ $\dfrac{3}{2}$　　⑤ $\dfrac{7}{4}$

STEP 01 부분적분법으로 ❶의 좌변을 적분하여 $\displaystyle\int_1^2 f\left(\dfrac{x}{2}\right)dx$를 구한 후 $\displaystyle\int_{\frac{1}{2}}^{1}f(x)dx$의 값을 구한다.

$\displaystyle\int_1^2 (x-1)f'\left(\dfrac{x}{2}\right)dx=\left[2(x-1)f\left(\dfrac{x}{2}\right)\right]_1^2-\int_1^2 2f\left(\dfrac{x}{2}\right)dx$

$\displaystyle\qquad\qquad=2f(1)-2\int_1^2 f\left(\dfrac{x}{2}\right)dx=2$

$f(1)=4$ 이므로 $\displaystyle\int_1^2 f\left(\dfrac{x}{2}\right)dx=3$

$\dfrac{x}{2}=t$ 라 하면 $\dfrac{1}{2}=\dfrac{dt}{dx}$

$x=1$일 때 $t=\dfrac{1}{2}$, $x=2$ 일 때 $t=1$

$\displaystyle\int_1^2 f\left(\dfrac{x}{2}\right)dx=2\int_{\frac{1}{2}}^{1}f(t)dt=3$

따라서 $\displaystyle\int_{\frac{1}{2}}^{1}f(x)dx=\dfrac{3}{2}$

●핵심 공식

▶ 부분적분법

$\{f(x)g(x)\}'=f'(x)g(x)+f(x)g'(x)$에서 $f(x)g'(x)=\{f(x)g(x)\}'-f'(x)g(x)$이므로 양변을 적분하면

$\displaystyle\int f(x)g'(x)dx=f(x)g(x)-\int f'(x)g(x)dx$

27　등비급수의 활용　　　　정답률 45% | 정답 ③

그림과 같이 $\overline{AB_1}=\overline{AC_1}=\sqrt{17}$, $\overline{B_1C_1}=2$인 삼각형 AB_1C_1이 있다. 선분 AB_1 위의 점 B_2, 선분 AC_1 위의 점 C_2, 삼각형 AB_1C_1의 내부의 점 D_1을

$\overline{B_1D_1}=\overline{B_2D_1}=\overline{C_1D_1}=\overline{C_2D_1}$, $\angle B_1D_1B_2=\angle C_1D_1C_2=\dfrac{\pi}{2}$가 되도록 잡고, 두 삼각형 $B_1D_1B_2$, $C_1D_1C_2$에 색칠하여 얻은 그림을 R_1이라 하자.

그림 R_1에서 선분 AB_2 위의 점 B_3, 선분 AC_2 위의 점 C_3, 삼각형 AB_2C_2의 내부의 점 D_2를 $\overline{B_2D_2}=\overline{B_3D_2}=\overline{C_2D_2}=\overline{C_3D_2}$, $\angle B_2D_2B_3=\angle C_2D_2C_3=\dfrac{\pi}{2}$가 되도록 잡고, 두 삼각형 $B_2D_2B_3$, $C_2D_2C_3$에 색칠하여 얻은 그림을 R_2라 하자.

이와 같은 과정을 계속하여 n번째 얻은 그림 R_n에 색칠되어 있는 부분의 넓이를 S_n이라 할 때, $\lim_{n \to \infty} S_n$의 값은? [3점]

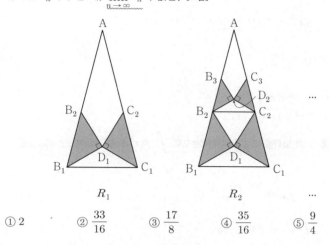

R_1 R_2 ...

① 2   ② $\dfrac{33}{16}$ ③ $\dfrac{17}{8}$ ④ $\dfrac{35}{16}$ ⑤ $\dfrac{9}{4}$

STEP 01 선분 B_1D_1의 길이를 구한 뒤 S_1을 구한다.

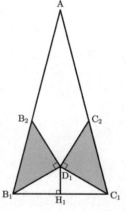

점 D_1에서 선분 B_1C_1에 내린 수선의 발을 H_1, $\angle AB_1H_1 = \alpha$, $\angle D_1B_1H_1 = \beta$라 하자.

$\overline{AH_1} = \sqrt{17-1} = 4$이므로 $\tan\alpha = 4$

$\tan\beta = \tan\left(\alpha - \dfrac{\pi}{4}\right) = \dfrac{\tan\alpha - 1}{1 + \tan\alpha} = \dfrac{3}{5}$

$\overline{B_1H_1} = 1$, $\overline{D_1H_1} = \dfrac{3}{5}$이므로

$\overline{B_1D_1} = \sqrt{1^2 + \left(\dfrac{3}{5}\right)^2} = \dfrac{\sqrt{34}}{5}$

$S_1 = 2 \times \left\{ \dfrac{1}{2} \times \left(\dfrac{\sqrt{34}}{5}\right)^2 \right\} = \dfrac{34}{25}$

STEP 02 두 삼각형 $D_nB_nH_n$, $D_{n+1}B_{n+1}H_{n+1}$의 닮음비를 이용하여 공비를 구한 뒤 등비급수로 $\lim_{n \to \infty} S_n$의 값을 구한다.

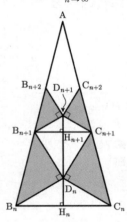

점 D_n에서 선분 B_nC_n에 내린 수선의 발을 H_n,
점 D_{n+1}에서 선분 $B_{n+1}C_{n+1}$에 내린 수선의 발을 H_{n+1}이라 하자.

두 삼각형 $D_nB_nH_n$과 $B_{n+1}D_nH_{n+1}$은 서로 합동이므로

$\overline{B_{n+1}H_{n+1}} = \overline{D_nH_n} = \overline{B_nH_n} \times \tan\beta = \dfrac{3}{5}\overline{B_nH_n}$

두 삼각형 $B_nD_nB_{n+1}$, $C_nD_nC_{n+1}$로 만들어진 $\bowtie$ 모양의 도형의 넓이를 T_n이라 하자.

두 삼각형 $D_nB_nH_n$, $D_{n+1}B_{n+1}H_{n+1}$은 서로 닮음이고 닮음비가 $1 : \dfrac{3}{5}$이므로

넓이의 비는 $1^2 : \left(\dfrac{3}{5}\right)^2$이다.

$T_{n+1} = \dfrac{9}{25}T_n$

수열 $\{T_n\}$은 첫째항이 $T_1 = S_1 = \dfrac{34}{25}$이고 공비가 $\dfrac{9}{25}$인 등비수열이다.

따라서

$\lim_{n \to \infty} S_n = \sum_{n=1}^{\infty} T_n = \dfrac{\dfrac{34}{25}}{1 - \dfrac{9}{25}} = \dfrac{17}{8}$

● **핵심 공식**

▶ 등비급수의 도형에의 활용

(1) 문제를 잘 파악하고 첫째항을 구한다.

(2) 닮음, 피타고라스의 정리, 원의 성질 등을 이용하여 공비를 구한다.

(3) 첫째항과 공비를 찾아서 $\dfrac{a}{1-r}$로 무한등비급수의 합을 구한다.

---

28 삼각함수의 극한   정답률 36% | 정답 ②

그림과 같이 중심이 O이고 길이가 2인 선분 AB를 지름으로 하는 원이 있다. 원 위에 점 P를 $\angle PAB = \theta$가 되도록 잡고, 점 P를 포함하지 않는 호 AB 위에 점 Q를 $\angle QAB = 2\theta$가 되도록 잡는다. 직선 OQ가 원과 만나는 점 중 Q가 아닌 점을 R, 두 선분 PA와 QR가 만나는 점을 S라 하자. 삼각형 BOQ의 넓이를 $f(\theta)$, 삼각형 PRS의 넓이를 $g(\theta)$라 할 때, $\lim_{\theta \to 0+} \dfrac{g(\theta)}{f(\theta)}$의 값은? (단, $0 < \theta < \dfrac{\pi}{6}$) [4점]

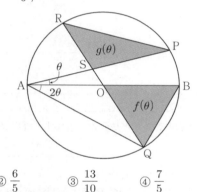

① $\dfrac{11}{10}$ ② $\dfrac{6}{5}$ ③ $\dfrac{13}{10}$ ④ $\dfrac{7}{5}$ ⑤ $\dfrac{3}{2}$

STEP 01 원주각의 성질에 의하여 $\angle BOQ$를 구한 후 $f(\theta)$를 구한다.

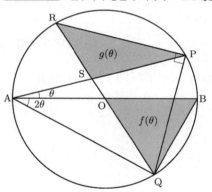

$\overline{OA} = \overline{OQ} = 1$이므로

$\angle OQA = 2\theta$, $\angle BOQ = 4\theta$

삼각형 BOQ의 넓이는

$f(\theta) = \dfrac{1}{2} \times \overline{OB} \times \overline{OQ} \times \sin(\angle BOQ) = \dfrac{1}{2} \times 1 \times 1 \times \sin4\theta = \dfrac{1}{2}\sin4\theta$

STEP 02 삼각형 PRS에서 사인법칙에 의하여 $\overline{RS}$를 구한 후 $g(\theta)$를 구한다.

선분 RQ는 원의 지름이므로 $\angle RPQ = \dfrac{\pi}{2}$

원주각의 성질에 의하여 $\angle PRQ = \angle PAQ = 3\theta$

$\overline{RP} = \overline{RQ}\cos3\theta = 2\cos3\theta$

원주각의 성질에 의하여 $\angle RPA = \angle RQA = 2\theta$

삼각형 PRS에서 $\angle PSR = \pi - 5\theta$

사인법칙에 의하여

$\dfrac{\overline{RS}}{\sin2\theta} = \dfrac{2\cos3\theta}{\sin(\pi - 5\theta)}$이므로

$\overline{RS} = \dfrac{2\cos3\theta \sin2\theta}{\sin(\pi - 5\theta)} = \dfrac{2\cos3\theta \sin2\theta}{\sin5\theta}$

삼각형 PRS의 넓이는

$$g(\theta) = \frac{1}{2} \times \overline{RP} \times \overline{RS} \times \sin(\angle PRS)$$
$$= \frac{1}{2} \times 2\cos 3\theta \times \frac{2\cos 3\theta \sin 2\theta}{\sin 5\theta} \times \sin 3\theta$$
$$= \frac{2\cos^2(3\theta) \times \sin 2\theta \times \sin 3\theta}{\sin 5\theta}$$

STEP 03 $f(\theta)$와 $g(\theta)$를 $\lim\limits_{\theta \to 0+} \dfrac{g(\theta)}{f(\theta)}$에 대입하고 삼각함수의 극한으로 극한값을 구한다.

따라서

$$\lim_{\theta \to 0+} \frac{g(\theta)}{f(\theta)} = \lim_{\theta \to 0+} \frac{\dfrac{2\cos^2(3\theta) \times \sin 2\theta \times \sin 3\theta}{\sin 5\theta}}{\dfrac{1}{2}\sin 4\theta}$$
$$= \lim_{\theta \to 0+} \frac{4\cos^2(3\theta) \times \sin 2\theta \times \sin 3\theta}{\sin 4\theta \times \sin 5\theta}$$
$$= \lim_{\theta \to 0+} \frac{24 \times \cos^2(3\theta) \times \dfrac{\sin 2\theta}{2\theta} \times \dfrac{\sin 3\theta}{3\theta}}{20 \times \dfrac{\sin 4\theta}{4\theta} \times \dfrac{\sin 5\theta}{5\theta}} = \frac{6}{5}$$

●핵심 공식

▶ $\dfrac{0}{0}$꼴의 삼각함수의 극한

x의 단위는 라디안일 때

① $\lim\limits_{x \to 0} \dfrac{\sin x}{x} = 1$ ② $\lim\limits_{x \to 0} \dfrac{\tan x}{x} = 1$

③ $\lim\limits_{x \to 0} \dfrac{\sin bx}{ax} = \dfrac{b}{a}$ ④ $\lim\limits_{x \to 0} \dfrac{\tan bx}{ax} = \dfrac{b}{a}$

⑤ $\lim\limits_{x \to 0} \dfrac{\sin bx}{\tan ax} = \dfrac{b}{a}$

---

29   치환적분법   정답률 14% | 정답 12

함수 $f(x)$는 실수 전체의 집합에서 도함수가 연속이고 다음 조건을 만족시킨다.

(가) $x < 1$일 때, $f'(x) = -2x + 4$이다.
(나) $x \geq 0$인 모든 실수 x에 대하여 ❶ $f(x^2+1) = ae^{2x} + bx$이다.
(단, a, b는 상수이다.)

$\displaystyle\int_0^5 f(x)dx = pe^4 - q$일 때, $p+q$의 값을 구하시오. (단, p, q는 유리수이다.)

[4점]

STEP 01 ❶을 미분한 후 $f'(1)$이 존재할 조건과 $f'(x)$가 $x=1$에서 연속일 조건으로 a, b를 구한다.

조건 (나)에 의하여 $x > 0$ 일 때
$$2xf'(x^2+1) = 2ae^{2x} + b$$
$$f'(x^2+1) = \frac{2ae^{2x} + b}{2x}$$
$$f'(1) = \lim_{x \to 0+} f'(x^2+1) = \lim_{x \to 0+} \frac{2ae^{2x} + b}{2x}$$
$\lim\limits_{x \to 0+} 2x = 0$이므로 $\lim\limits_{x \to 0+} (2ae^{2x} + b) = 0$
$2a + b = 0$, $b = -2a$
$$f'(x^2+1) = \frac{2ae^{2x} + b}{2x} = \frac{2ae^{2x} - 2a}{2x}$$
함수 $f'(x)$가 $x=1$에서 연속이므로
$$\lim_{x \to 1-} f'(x) = \lim_{x \to 1+} f'(x) = f'(1)$$
$$\lim_{x \to 1-} f'(x) = -2 + 4 = 2$$
$$\lim_{x \to 1+} f'(x) = \lim_{s \to 0+} f'(s^2+1) = \lim_{s \to 0+} \frac{2a(e^{2s}-1)}{2s} = 2a$$
$f'(1) = 2$
$2 = 2a$, $a = 1$, $b = -2$

STEP 02 조건 (가)에서 $f'(x)$를 적분하여 $f(x)$를 구한 후 $f(x)$가 $x=1$에서 연속일 조건으로 적분상수를 구하여 $f(x)$를 구한다.

조건 (가)에 의하여 $x < 1$ 일 때
$f(x) = -x^2 + 4x + C$ (단, C는 적분상수)

함수 $f(x)$가 $x=1$에서 연속이므로
$$\lim_{x \to 1-} f(x) = -1^2 + 4 \times 1 + C = C + 3$$
$$\lim_{x \to 1+} f(x) = \lim_{s \to 0+} f(s^2+1) = \lim_{s \to 0+} (e^{2s} - 2s) = 1$$
$$f(1) = 1$$
$C + 3 = 1$이므로 $C = -2$
그러므로
$x < 1$일 때, $f(x) = -x^2 + 4x - 2$
$x \geq 0$일 때, $f(x^2+1) = e^{2x} - 2x$

STEP 03 x의 범위를 나눈 후 치환적분으로 $\displaystyle\int_0^5 f(x)dx$를 구하여 $p+q$의 값을 구한다.

$$\int_0^5 f(x)dx = \int_0^1 f(x)dx + \int_1^5 f(x)dx$$
$$\int_0^1 f(x)dx = \int_0^1 (-x^2 + 4x - 2)dx = -\frac{1}{3}$$
$\displaystyle\int_1^5 f(x)dx$에서 $x = t^2 + 1 (t \geq 0)$이라 하면 $\dfrac{dx}{dt} = 2t$
$$\int_1^5 f(x)dx = \int_0^2 f(t^2+1)2tdt = \int_0^2 2t(e^{2t} - 2t)dt$$
$$= \int_0^2 (2te^{2t} - 4t^2)dt = [te^{2t}]_0^2 - \int_0^2 e^{2t}dt - \int_0^2 4t^2dt$$
$$= \left[te^{2t} - \frac{1}{2}e^{2t} - \frac{4}{3}t^3\right]_0^2 = \frac{3}{2}e^4 - \frac{61}{6}$$
$$\int_0^5 f(x)dx = \left(-\frac{1}{3}\right) + \left(\frac{3}{2}e^4 - \frac{61}{6}\right) = \frac{3}{2}e^4 - \frac{21}{2}$$
에서 $p = \dfrac{3}{2}$, $q = \dfrac{21}{2}$
따라서 $p+q = 12$

●핵심 공식

▶ 치환적분

$\displaystyle\int_a^b f(g(x))g'(x)dx$에서 $g(x) = t$로 놓으면 $g'(x)dx = dt$

$$\int_a^b f(g(x))g'(x)dx = \int_{g(a)}^{g(b)} f(t)dt$$

★★★ 등급을 가르는 문제!

30   여러 가지 미분법   정답률 4% | 정답 208

최고차항의 계수가 1인 삼차함수 $f(x)$에 대하여 함수 $g(x)$를
$$g(x) = \sin|\pi f(x)|$$
라 하자. 함수 $y = g(x)$의 그래프와 x축이 만나는 점의 x좌표 중 양수인 것을 작은 수부터 크기순으로 모두 나열할 때, n번째 수를 a_n이라 하자. 함수 $g(x)$와 자연수 m이 다음 조건을 만족시킨다.

(가) 함수 $g(x)$는 $x = a_4$와 $x = a_8$에서 극대이다.
(나) $f(a_m) = f(0)$

❶ $f(a_k) \leq f(m)$을 만족시키는 자연수 k의 최댓값을 구하시오. [4점]

STEP 01 $f(x)$의 범위를 나누어 $g(x)$, $g'(x)$, $g''(x)$를 구한 후 조건 (가)를 만족하도록 하는 조건을 구하여 $y = f(x)$의 그래프의 개형을 그린다.

모든 자연수 n에 대하여
$g(a_n) = \sin|\pi f(a_n)| = 0$이므로 $f(a_n)$의 값은 정수이다.
$$\cos\{\pi f(a_n)\} = \begin{cases} 1 & (f(a_n) = 2p) \\ -1 & (f(a_n) = 2p-1) \end{cases} \quad (단, p는 정수) \quad \cdots\cdots \ominus$$
함수 $y = \sin|\pi x|$의 그래프는 그림과 같다.

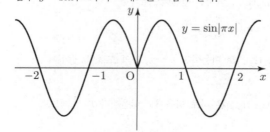

$-1 < x < 0$ 또는 $0 < x < 1$ 일 때

$\sin|\pi x| > 0$

$f(a_4)=0$이면 $g(a_4)=\sin|\pi f(a_4)|=0$이고,

$f(a_3)$과 $f(a_5)$의 값은 각각 -1 또는 0 또는 1

$a_3 < x < a_4$ 또는 $a_4 < x < a_5$ 일 때

$0 < |f(x)| < 1$이므로 $g(x)=\sin|\pi f(x)| > 0$

함수 $g(x)$는 $x=a_4$에서 극대가 아니므로 조건 (가)를 만족시키지 않는다.

그러므로 $f(a_4) \ne 0$

함수 $g(x)$가 $x=a_4$에서 미분가능하고 조건 (가)에 의하여

$g'(a_4)=0$

$g(x)=\begin{cases} \sin\{\pi f(x)\} & (f(x) \ge 0) \\ -\sin\{\pi f(x)\} & (f(x) < 0) \end{cases}$

$g'(x)=\begin{cases} \pi f'(x)\cos\{\pi f(x)\} & (f(x) > 0) \\ -\pi f'(x)\cos\{\pi f(x)\} & (f(x) < 0) \end{cases}$

$g''(x)=\begin{cases} \pi f''(x)\cos\{\pi f(x)\}-\pi^2\{f'(x)\}^2\sin\{\pi f(x)\} & (f(x) > 0) \\ -\pi f''(x)\cos\{\pi f(x)\}+\pi^2\{f'(x)\}^2\sin\{\pi f(x)\} & (f(x) < 0) \end{cases}$

에서 $f'(a_4)=0$

위와 같은 방법으로 $f(a_8) \ne 0$이고 $f'(a_8)=0$

그러므로 $f'(x)=3(x-a_4)(x-a_8)$

$f''(a_4) < 0$, $f''(a_8) > 0$

함수 $y=f(x)$의 그래프의 개형은 그림과 같다.

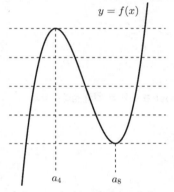

그러므로 $f(a_8)=f(a_4)-4$이다.

STEP 02 $f(a_4)$와 $f(a_8)$의 범위에 따라 경우를 나누어 $y=f(x)$의 그래프를 그려 조건 (가)를 만족하는 경우를 찾아 m을 구한 후 ❶을 구한다.

(i) $f(a_4) < 0$경우

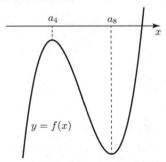

함수 $g(x)$가 $x=a_4$에서 극대이므로

$g''(a_4)=-\pi f''(a_4)\cos\{\pi f(a_4)\} < 0$

$f''(a_4) < 0$이므로 $\cos\{\pi f(a_4)\} < 0$

㉠에 의하여 $\cos\{\pi f(a_4)\}=-1$

$f(a_4)=2q+1$ (단, q는 음의 정수)

$f(a_8)=f(a_4)-4=2q-3$에서 $\cos\{\pi f(a_8)\}=-1$이고 $f''(a_8) > 0$ 이므로

$g''(a_8)=-\pi f''(a_8)\cos\{\pi f(a_8)\} > 0$

함수 $g(x)$가 $x=a_8$에서 극소이므로 조건 (가)를 만족시키지 않는다.

(ii) $f(a_8) > 0$인 경우

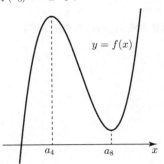

함수 $g(x)$가 $x=a_8$에서 극대이므로

$g''(a_8)=-\pi f''(a_8)\cos\{\pi f(a_8)\} < 0$

$f''(a_8) > 0$이므로 $\cos\{\pi f(a_8)\} > 0$

㉠에 의하여 $\cos\{\pi f(a_8)\}=1$

$f(a_8)=2r$ (단, r는 자연수)

$f(a_4)=f(a_8)+4=2r+4$에서

$\cos\{\pi f(a_4)\}=1$이고 $f''(a_4) < 0$이므로

$g''(a_4)=-\pi f''(a_4)\cos\{\pi f(a_4)\} > 0$

함수 $g(x)$가 $x=a_4$에서 극소이므로 조건 (가)를 만족시키지 않는다.

(iii) $f(a_8) < 0 < f(a_4)$인 경우

$f(a_4)-4=f(a_8) < 0 < f(a_4)$이므로

$0 < f(a_4) < 4$

$f(a_4)=1$ 또는 $f(a_4)=2$ 또는 $f(a_4)=3$

함수 $g(x)$가 $x=a_4$에서 극대이므로

$g''(a_4)=-\pi f''(a_4)\cos\{\pi f(a_4)\} < 0$

$f''(a_4) < 0$이므로 $\cos\{\pi f(a_4)\} > 0$

㉠에 의하여 $\cos\{\pi f(a_4)\}=1$

$f(a_4)=2s$ (단, s는 자연수)

그러므로 $f(a_4)=2$이고 $f(a_8)=-2$

조건 (나)에 의하여 $f(a_8)=f(0)=-2$, $m=8$

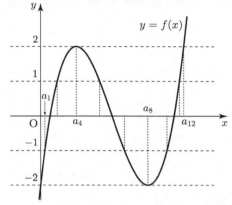

$f(x)=x(x-a_8)^2-2$

$f'(x)=(x-a_8)^2+2x(x-a_8)=3(x-a_8)\left(x-\dfrac{a_8}{3}\right)$

$f'(a_4)=0$에서 $a_4=\dfrac{a_8}{3}$

$f(a_4)=a_4(a_4-a_8)^2-2=2$이므로

$\dfrac{a_8}{3}\left(-\dfrac{2a_8}{3}\right)^2-2=2$, $a_8=3$

$f(x)=x(x-3)^2-2$

$f(m)=f(8)=8\times5^2-2=198$이고

$k \ge 8$일 때 $f(a_k)=k-10$이다.

따라서 $f(a_k) \le f(8)$인 k의 최댓값은 208

★★ 문제 해결 꿀~팁 ★★

▶ 문제 해결 방법

$f(a_4)=0$이면 $g(a_4)=0$이므로 조건 (가)를 만족시키지 않는다. 그러므로 $f(a_4) \ne 0$이다. $f'(a_4)=0$이면 같은 방법으로 $f(a_8) \ne 0$이고 $f'(a_8)=0$이므로 $f'(x)=3(x-a_4)(x-a_8)$이고 삼차함수 $f(x)$는 $x=a_8$에서 극소이고 $x=a_4$에서 극대이며 $f(a_8)=f(a_4)-4$이다. 조건 (가)를 만족하려면 $y=f(x)$의 두 극값의 부호가 달라야 하며 $g(x)$가 $x=a_8$에서 극대임을 이용하면 $f(a_4)=2$, $f(a_8)=-2$, $f(a_8)=f(0)=-2$, $m=8$이다. 이제 이 값들을 이용하여 $f(x)$를 구하면 된다.

$f(x)$를 포함한 식으로 주어진 $g(x)$를 이용하여 $f(x)$를 구하는 과정이 복잡하고 까다롭다. 각 함수들의 관계를 따져서 상관관계를 파악할 수 있고, 각 함수들의 미적분 관계의 상관관계도 파악할 수 있도록 충분한 연습이 필요하다.

★ 표기된 문항은 [등급을 가르는 문항]에 해당하는 문제입니다.

---

01 지수의 계산   정답률 89% | 정답 ⑤

❶ $3^{2\sqrt{2}} \times 9^{1-\sqrt{2}}$ 의 값은? [2점]

① $\dfrac{1}{9}$ ② $\dfrac{1}{3}$ ③ 1   ④ 3   ⑤ 9

STEP 01 지수의 계산으로 ❶의 값을 구한다.

$3^{2\sqrt{2}} \times 9^{1-\sqrt{2}} = 3^{2\sqrt{2}+(2-2\sqrt{2})} = 3^2 = 9$

● 핵심 공식

▶ 지수법칙

$a > 0$, $b > 0$이고, m, n이 실수일 때

(1) $a^m a^n = a^{m+n}$ (2) $(a^m)^n = a^{mn}$

(3) $(ab)^n = a^n b^n$ (4) $a^m \div a^n = a^{m-n}$

(5) $\sqrt[n]{a^m} = a^{\frac{m}{n}}$ (6) $\dfrac{1}{a^n} = a^{-n}$

(7) $a^0 = 1$

---

02 등비수열   정답률 84% | 정답 ②

등비수열 $\{a_n\}$에 대하여 ❶ $a_2 = \dfrac{1}{2}$, $a_3 = 1$일 때, a_5의 값은? [2점]

① 2   ② 4   ③ 6   ④ 8   ⑤ 10

STEP 01 ❶에서 공비를 구한 후 등비수열의 일반항을 이용하여 a_5의 값을 구한다.

등비수열 $\{a_n\}$의 공비를 r라 하면

$r = \dfrac{a_3}{a_2} = 2$이므로 $a_5 = a_3 \times r^2 = 4$

---

03 미분계수   정답률 92% | 정답 ①

함수 $f(x) = x^3 + 2x + 7$에 대하여 $f'(1)$의 값은? [3점]

① 5   ② 6   ③ 7   ④ 8   ⑤ 9

STEP 01 $f(x)$를 미분하여 $f'(1)$의 값을 구한다.

$f'(x) = 3x^2 + 2$이므로 $f'(1) = 5$

---

04 함수의 극한   정답률 77% | 정답 ②

함수 $y = f(x)$의 그래프가 그림과 같다.

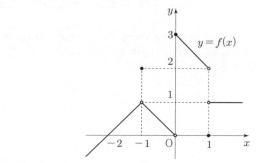

❶ $\displaystyle\lim_{x \to -1} f(x) + \lim_{x \to 1+} f(x)$ 의 값은? [3점]

① 1   ② 2   ③ 3   ④ 4   ⑤ 5

STEP 01 그래프에서 ❶의 극한값을 각각 구한 후 합을 구한다.

$\displaystyle\lim_{x \to -1} f(x) = 1$, $\displaystyle\lim_{x \to 1+} f(x) = 1$

따라서 $\displaystyle\lim_{x \to -1} f(x) + \lim_{x \to 1+} f(x) = 2$

---

05 함수의 연속   정답률 88% | 정답 ③

함수

$$f(x) = \begin{cases} x - 1 & (x < 2) \\ x^2 - ax + 3 & (x \geq 2) \end{cases}$$

가 실수 전체의 집합에서 연속일 때, 상수 a의 값은? [3점]

① 1   ② 2   ③ 3   ④ 4   ⑤ 5

STEP 01 $f(x)$가 $x = 2$에서 연속일 조건으로 a의 값을 구한다.

함수 $f(x)$가 $x = 2$에서 연속이므로

$\displaystyle\lim_{x \to 2-}(x - 1) = \lim_{x \to 2+}(x^2 - ax + 3) = f(2)$

$1 = 7 - 2a$

따라서 $a = 3$

---

06 삼각함수의 성질   정답률 82% | 정답 ④

$0 < \theta < \dfrac{\pi}{2}$인 θ에 대하여 ❶ $\sin\theta = \dfrac{4}{5}$일 때,

❷ $\sin\left(\dfrac{\pi}{2} - \theta\right) - \cos(\pi + \theta)$의 값은? [3점]

① $\dfrac{9}{10}$ ② 1   ③ $\dfrac{11}{10}$ ④ $\dfrac{6}{5}$ ⑤ $\dfrac{13}{10}$

STEP 01 삼각함수의 성질을 이용하여 ❶에서 $\cos\theta$를 구한 후 ❷를 정리한 식에 대입하여 값을 구한다.

$\sin\left(\dfrac{\pi}{2} - \theta\right) - \cos(\pi + \theta) = \cos\theta + \cos\theta = 2\cos\theta$

$0 < \theta < \dfrac{\pi}{2}$이므로

$\cos\theta = \sqrt{1 - \sin^2\theta} = \dfrac{3}{5}$

따라서 $\sin\left(\dfrac{\pi}{2} - \theta\right) - \cos(\pi + \theta) = \dfrac{6}{5}$

● 핵심 공식

▶ 삼각함수의 성질

$\dfrac{\pi}{2} \pm \theta$의 삼각함수

$\sin\left(\dfrac{\pi}{2} + \theta\right) = \cos\theta$, $\sin\left(\dfrac{\pi}{2} - \theta\right) = \cos\theta$

$\cos\left(\dfrac{\pi}{2} + \theta\right) = -\sin\theta$, $\cos\left(\dfrac{\pi}{2} - \theta\right) = \sin\theta$

$\tan\left(\dfrac{\pi}{2} + \theta\right) = -\cot\theta$, $\tan\left(\dfrac{\pi}{2} - \theta\right) = \cot\theta$

---

07 수열의 귀납적 정의   정답률 74% | 정답 ②

첫째항이 $\dfrac{1}{2}$인 수열 $\{a_n\}$이 모든 자연수 n에 대하여

$$a_{n+1} = \begin{cases} a_n + 1 & (a_n < 0) \\ -2a_n + 1 & (a_n \geq 0) \end{cases}$$

일 때, $a_{10} + a_{20}$의 값은? [3점]

① -2 ② -1 ③ 0   ④ 1   ⑤ 2

STEP 01 a_2부터 차례로 a_n을 구한 후 규칙을 찾아 $a_{10} + a_{20}$의 값을 구한다.

$a_1 = \dfrac{1}{2}$이므로

$a_2 = -2 \times \dfrac{1}{2} + 1 = 0$

$a_3 = -2 \times 0 + 1 = 1$

$a_4 = -2 \times 1 + 1 = -1$

$a_5 = -1 + 1 = 0$

$\vdots$

이때, $a_{n+3}=a_n$ $(n\geq 2)$이므로

$a_{10}=a_7=a_4=-1$

$a_{20}=a_{17}=a_{14}=\cdots=a_2=0$

따라서 $a_{10}+a_{20}=-1+0=-1$

---

08 함수의 극한 정답률 80% | 정답 ④

다항함수 $f(x)$가

❶ $\displaystyle\lim_{x\to\infty}\frac{f(x)}{x^2}=2$, $\displaystyle\lim_{x\to1}\frac{f(x)}{x-1}=3$

을 만족시킬 때, $f(3)$의 값은? [3점]

① 11 ② 12 ③ 13 ④ 14 ⑤ 15

STEP 01 ❶에서 $f(x)$를 구한 후 $f(3)$의 값을 구한다.

$\displaystyle\lim_{x\to\infty}\frac{f(x)}{x^2}=2$이므로 $f(x)$는 최고차항의 계수가 2인 이차함수이다.

$\displaystyle\lim_{x\to1}\frac{f(x)}{x-1}=3$에서 $\displaystyle\lim_{x\to1}(x-1)=0$이므로

$\displaystyle\lim_{x\to1}f(x)=0$, $f(1)=0$

$f(x)=(x-1)(2x+a)$ (a는 상수)라 하면

$\displaystyle\lim_{x\to1}\frac{(x-1)(2x+a)}{x-1}=2+a=3$, $a=1$

$f(x)=(x-1)(2x+1)$

따라서 $f(3)=14$

---

09 정적분 정답률 68% | 정답 ④

❶ 최고차항의 계수가 1인 삼차함수 $f(x)$가

❷ $\displaystyle\int_0^1 f'(x)dx=\int_0^2 f'(x)dx=0$

을 만족시킬 때, $f'(1)$의 값은? [4점]

① -4 ② -3 ③ -2 ④ -1 ⑤ 0

STEP 01 ❷에서 ❶을 구한 후 미분하여 $f'(1)$의 값을 구한다.

$\displaystyle\int_0^1 f'(x)dx=\int_0^2 f'(x)dx=0$

$f(1)-f(0)=f(2)-f(0)=0$

$f(0)=f(1)=f(2)=k$ (k는 상수)

$f(x)=x(x-1)(x-2)+k=x^3-3x^2+2x+k$

$f'(x)=3x^2-6x+2$

따라서 $f'(1)=-1$

---

10 삼각함수의 그래프 정답률 72% | 정답 ③

곡선 $y=\sin\dfrac{\pi}{2}x(0\leq x\leq 5)$가 직선 $y=k(0<k<1)$과 만나는 서로 다른 세 점을 y축에서 가까운 순서대로 A, B, C라 하자. ❶ 세 점 A, B, C의 x좌표의 합이 $\dfrac{25}{4}$일 때, 선분 AB의 길이는? [4점]

① $\dfrac{5}{4}$ ② $\dfrac{11}{8}$ ③ $\dfrac{3}{2}$ ④ $\dfrac{13}{8}$ ⑤ $\dfrac{7}{4}$

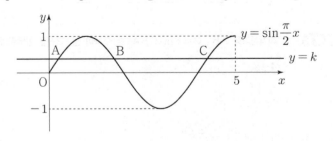

STEP 01 삼각함수의 주기를 이용하여 세 점 A, B, C의 x좌표의 관계를 구한 후 ❶에서 두 점 A, B의 x좌표를 구한 다음 선분 AB의 길이를 구한다.

세 점 A, B, C의 x좌표를 각각 $x_1(0<x_1<1)$, x_2, x_3이라 하면

삼각함수 $y=\sin\dfrac{\pi}{2}x$의 주기가 4이므로

$x_2=2-x_1$, $x_3=x_1+4$

$x_1+x_2+x_3=x_1+(2-x_1)+(x_1+4)=x_1+6=\dfrac{25}{4}$

$x_1=\dfrac{1}{4}$, $x_2=2-x_1=\dfrac{7}{4}$

따라서 $\overline{AB}=x_2-x_1=\dfrac{3}{2}$

---

11 로그함수의 그래프 정답률 51% | 정답 ⑤

❶ 기울기가 $\dfrac{1}{2}$인 직선 l이 곡선 $y=\log_2 2x$와 서로 다른 두 점에서 만날 때, 만나는 두 점 중 x좌표가 큰 점을 A라 하고, 직선 l이 곡선 $y=\log_2 4x$와 만나는 두 점 중 x좌표가 큰 점을 B라 하자. ❷ $\overline{AB}=2\sqrt{5}$일 때, 점 A에서 x축에 내린 수선의 발 C에 대하여 삼각형 ACB의 넓이는? [4점]

① 5 ② $\dfrac{21}{4}$ ③ $\dfrac{11}{2}$ ④ $\dfrac{23}{4}$ ⑤ 6

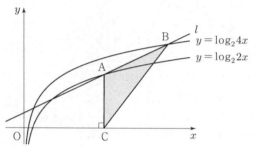

STEP 01 ❶, ❷에서 세 점 A, B, C의 좌표를 구하여 삼각형 ACB의 넓이를 구한다.

두 점 A, B의 좌표를 각각
A(a, $\log_2 2a$), B(b, $\log_2 4b$) ($a<b$)라 하자.

직선 AB의 기울기가 $\dfrac{1}{2}$이므로

$\dfrac{\log_2 4b-\log_2 2a}{b-a}=\dfrac{1}{2}$ 에서

$\log_2 4b-\log_2 2a=\dfrac{1}{2}(b-a)$

$\overline{AB}=\sqrt{(b-a)^2+(\log_2 4b-\log_2 2a)^2}$

$=\sqrt{(b-a)^2+\dfrac{1}{4}(b-a)^2}$

$=\dfrac{\sqrt{5}}{2}\times(b-a)=2\sqrt{5}$

$b-a=4$ ……㉠

$\log_2 4b-\log_2 2a=\log_2\dfrac{2b}{a}=2$

$b=2a$ ……㉡

두 식 ㉠, ㉡을 연립하면 $a=4$, $b=8$

A(4, 3), B(8, 5), C(4, 0)

따라서 삼각형 ACB의 넓이는 $\dfrac{1}{2}\times 3\times 4=6$

---

12 수열의 합 정답률 46% | 정답 ①

첫째항이 2인 수열 $\{a_n\}$의 첫째항부터 제n항까지의 합을 S_n이라 하자. 다음은 모든 자연수 n에 대하여

$$\sum_{k=1}^{n}\frac{3S_k}{k+2}=S_n$$

이 성립할 때, a_{10}의 값을 구하는 과정이다.

$n\geq 2$인 모든 자연수 n에 대하여

$a_n=S_n-S_{n-1}$

$=\displaystyle\sum_{k=1}^{n}\frac{3S_k}{k+2}-\sum_{k=1}^{n-1}\frac{3S_k}{k+2}=\frac{3S_n}{n+2}$

이므로 $3S_n=(n+2)\times a_n$ $(n\geq 2)$

이다.

$S_1=a_1$에서 $3S_1=3a_1$이므로

❶ $3S_n=(n+2)\times a_n$ $(n\geq 1)$

이다.

$$❷ \ 3a_n = 3(S_n - S_{n-1})$$
$$= (n+2) \times a_n - (\boxed{\text{(가)}}) \times a_{n-1} \ (n \geq 2)$$
$$\frac{a_n}{a_{n-1}} = \boxed{\text{(나)}} \ (n \geq 2)$$

따라서
$$a_{10} = a_1 \times \frac{a_2}{a_1} \times \frac{a_3}{a_2} \times \frac{a_4}{a_3} \times \cdots \times \frac{a_9}{a_8} \times \frac{a_{10}}{a_9}$$
$$= \boxed{\text{(다)}}$$

위의 (가), (나)에 알맞은 식을 각각 $f(n)$, $g(n)$이라 하고, (다)에 알맞은 수를 p라 할 때, $\dfrac{f(p)}{g(p)}$의 값은? [4점]

① 109　　② 112　　③ 115　　④ 118　　⑤ 121

STEP 01 ❶에서 $3S_{n-1}$을 구하여 (가)를, ❷를 정리하여 (나)를 구한 후 (나)를 이용하여 (다)를 구한다.

$n \geq 2$인 모든 자연수 n에 대하여
$$a_n = S_n - S_{n-1} = \sum_{k=1}^{n} \frac{3S_k}{k+2} - \sum_{k=1}^{n-1} \frac{3S_k}{k+2} = \frac{3S_n}{n+2}$$
이므로 $3S_n = (n+2) \times a_n \ (n \geq 2)$이다.
$S_1 = a_1$에서 $3S_1 = 3a_1$이므로
$3S_n = (n+2) \times a_n \ (n \geq 1)$이다.
$3a_n = 3(S_n - S_{n-1}) = (n+2) \times a_n - (\boxed{n+1}) \times a_{n-1} \ (n \geq 2)$
$(n-1) \times a_n = (n+1) \times a_{n-1}$이고 $a_1 \neq 0$이므로
모든 자연수 n에 대하여 $a_n \neq 0$
$$\frac{a_n}{a_{n-1}} = \boxed{\frac{n+1}{n-1}} \ (n \geq 2)$$
따라서
$$a_{10} = a_1 \times \frac{a_2}{a_1} \times \frac{a_3}{a_2} \times \frac{a_4}{a_3} \times \cdots \times \frac{a_9}{a_8} \times \frac{a_{10}}{a_9}$$
$$= 2 \times \frac{3}{1} \times \frac{4}{2} \times \frac{5}{3} \times \cdots \times \frac{10}{8} \times \frac{11}{9} = \boxed{110}$$
$f(n) = n+1$, $g(n) = \dfrac{n+1}{n-1}$, $p = 110$

따라서 $\dfrac{f(p)}{g(p)} = \dfrac{111}{\dfrac{111}{109}} = 109$

---

13 함수의 극대와 극소　　정답률 38% | 정답 ③

최고차항의 계수가 1이고 $f(0) = \dfrac{1}{2}$인 삼차함수 $f(x)$에 대하여 함수 $g(x)$를
$$g(x) = \begin{cases} f(x) & (x < -2) \\ f(x) + 8 & (x \geq -2) \end{cases}$$
라 하자. 방정식 ❶ $g(x) = f(-2)$의 실근이 2뿐일 때, 함수 $f(x)$의 극댓값은? [4점]

① 3　　② $\dfrac{7}{2}$　　③ 4　　④ $\dfrac{9}{2}$　　⑤ 5

STEP 01 $f(x)$의 두 실근과 -2의 위치에 따른 함수 $f(x)$의 그래프를 그려 ❶을 만족하는 그래프를 찾아 $f(x)$를 구한 후 $f(x)$의 극댓값을 구한다.

함수 $f(x)$가 극값을 가지므로 함수 $f(x)$가 $x = \alpha$에서 극댓값을 갖고
$x = \beta$에서 극솟값을 갖는다고 하자.

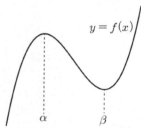

(ⅰ) $\alpha < \beta \leq -2$인 경우
　　$x \geq -2$에서 함수 $g(x)$는 증가한다.
　　$f(-2) < g(-2) < g(2)$
　　$g(2) \neq f(-2)$이므로 모순

(ⅱ) $\alpha < -2 < \beta$인 경우
　　방정식 $g(x) = f(-2)$의 실근이 열린구간 $(-\infty, \alpha)$에서 존재하므로 모순

(ⅲ) $\alpha = -2$인 경우
　　방정식 $g(x) = f(-2)$의 실근이 2뿐이므로 함수 $f(x)$는 $x = 2$에서 극솟값을 갖는다.
　　$f'(x) = 3(x+2)(x-2)$
　　$f(x) = x^3 - 12x + \dfrac{1}{2}$
　　$g(2) \neq f(-2)$이므로 모순

(ⅳ) $-2 < \alpha < \beta$인 경우
　　함수 $y = g(x)$의 그래프의 개형은 다음과 같다.

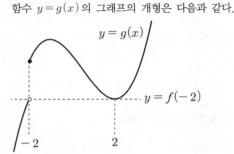

$g(2) = f(-2)$이므로 $f(2) + 8 = f(-2)$
$f(x) = x^3 + ax^2 + bx + \dfrac{1}{2}$ (a, b는 상수)라 하자.

$8 + 4a + 2b + \dfrac{1}{2} + 8 = -8 + 4a - 2b + \dfrac{1}{2}$

$b = -6$, $f(x) = x^3 + ax^2 - 6x + \dfrac{1}{2}$

$f'(x) = 3x^2 + 2ax - 6$
함수 $f(x)$가 $x = 2$에서 극솟값을 가지므로
$f'(2) = 12 + 4a - 6 = 0$, $a = -\dfrac{3}{2}$

$f(x) = x^3 - \dfrac{3}{2}x^2 - 6x + \dfrac{1}{2}$이므로
$f'(x) = 3x^2 - 3x - 6 = 3(x+1)(x-2)$
함수 $f(x)$는 $x = -1$에서 극댓값을 갖는다.
따라서 극댓값은 $f(-1) = 4$

---

14 코사인법칙　　정답률 42% | 정답 ④

길이가 14인 선분 AB를 지름으로 하는 반원의 호 AB 위에 점 C를 $\overline{BC} = 6$이 되도록 잡는다. 점 D가 호 AC 위의 점일 때, 〈보기〉에서 옳은 것만을 있는 대로 고른 것은? (단, 점 D는 점 A와 점 C가 아닌 점이다.) [4점]

〈보기〉
　ㄱ. $\sin(\angle CBA) = \dfrac{2\sqrt{10}}{7}$
　ㄴ. $\overline{CD} = 7$일 때, $\overline{AD} = -3 + 2\sqrt{30}$
　ㄷ. ❶ 사각형 $ABCD$의 넓이의 최댓값은 $20\sqrt{10}$ 이다.

① ㄱ　　② ㄱ, ㄴ　　③ ㄱ, ㄷ　　④ ㄴ, ㄷ　　⑤ ㄱ, ㄴ, ㄷ

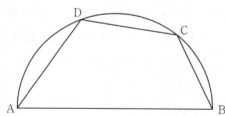

STEP 01 ㄱ. 직각삼각형 ABC에서 $\sin(CBA)$를 구하여 참, 거짓을 판별한다.

ㄱ. $\angle BCA = \dfrac{\pi}{2}$이므로
$$\cos(\angle CBA) = \frac{\overline{BC}}{\overline{AB}} = \frac{3}{7}$$
$$\sin(CBA) = \sqrt{1 - \left(\frac{3}{7}\right)^2} = \frac{2\sqrt{10}}{7}$$　　∴ 참

STEP 02 ㄴ. 삼각형 ACD에서 코사인법칙으로 $\overline{AD}$를 구하여 참, 거짓을 판별한다.

ㄴ. $\angle CBA = \theta \left(0 < \theta < \dfrac{\pi}{2}\right)$라 하면
$\angle ADC = \pi - \theta$
$$\overline{AC} = \overline{AB} \times \sin\theta = 14 \times \frac{2\sqrt{10}}{7} = 4\sqrt{10}$$

$\overline{AD}=k(k>0)$이라 하면 삼각형 ACD에서 코사인법칙에 의하여

$$(4\sqrt{10})^2=k^2+7^2-2\times k\times 7\times\cos(\pi-\theta)$$
$$=k^2+49+14k\cos\theta$$
$$=k^2+6k+49$$

$k^2+6k-111=0$이므로

$$\overline{AD}=-3+\sqrt{9+111}=-3+2\sqrt{30}$$

∴ 참

STEP 03 ㄷ. ❶을 성립할 때를 파악하고 삼각형 ACD에서 코사인법칙에 의하여 $\overline{AD}$를 구한 후 두 삼각형 ACD와 ABC의 넓이의 합으로 ❶을 구하여 참, 거짓을 판별한다.

ㄷ. 삼각형 ACD의 넓이가 최대일 때 사각형 ABCD의 넓이가 최대이므로 점 D는 선분 AC의 수직이등분선이 호 AC와 만나는 점이다.

그러므로 $\overline{AD}=\overline{CD}$

$\overline{AD}=x(x>0)$이라 하면 삼각형 ACD에서 코사인법칙에 의하여

$$(4\sqrt{10})^2=x^2+x^2-2\times x\times x\times\cos(\pi-\theta)=2x^2+2x^2\times\frac{3}{7}=\frac{20}{7}x^2$$

$x^2=56$이므로 $\overline{AD}=2\sqrt{14}$

사각형 ABCD의 넓이의 최댓값은

$$\frac{1}{2}\times\overline{AD}\times\overline{CD}\times\sin(\pi-\theta)+\frac{1}{2}\times\overline{AC}\times\overline{BC}$$
$$=\frac{1}{2}\times(2\sqrt{14})^2\times\frac{2\sqrt{10}}{7}+\frac{1}{2}\times 4\sqrt{10}\times 6$$
$$=8\sqrt{10}+12\sqrt{10}=20\sqrt{10}$$

∴ 참

따라서 옳은 것은 ㄱ, ㄴ, ㄷ

●핵심 공식

▶ **코사인법칙**

세 변의 길이를 각각 a, b, c라 하고 b, c 사이의 끼인각을 A라 하면

$$a^2=b^2+c^2-2bc\cos A$$
$$\left(\cos A=\frac{b^2+c^2-a^2}{2bc}\right)$$

---

15 정적분으로 정의된 함수   정답률 30% | 정답 ①

최고차항의 계수가 1인 이차함수 $f(x)$에 대하여 함수

$$g(x)=\begin{cases}f(x+2) & (x<0)\\ \displaystyle\int_0^x tf(t)dt & (x\geq 0)\end{cases}$$

이 실수 전체의 집합에서 미분가능하다. 실수 a에 대하여 함수 $h(x)$를

$$h(x)=|g(x)-g(a)|$$

라 할 때, ❶ 함수 $h(x)$가 $x=k$에서 미분가능하지 않은 실수 k의 개수가 1이 되도록 하는 모든 a의 값의 곱은? [4점]

① $-\dfrac{4\sqrt{3}}{3}$ ② $-\dfrac{7\sqrt{3}}{6}$ ③ $-\sqrt{3}$ ④ $-\dfrac{5\sqrt{3}}{6}$ ⑤ $-\dfrac{2\sqrt{3}}{3}$

STEP 01 함수 $g(x)$가 $x=0$에서 연속일 조건으로 $f(x)$를 구한 후 $g(x)$를 구한 다음 그래프의 개형을 그린다.

함수 $g(x)$가 $x=0$에서 미분가능하므로 $x=0$에서 연속이다.

$g(0)=0$이므로 $\displaystyle\lim_{x\to 0-}g(x)=f(2)=0$

$f(x)=(x-2)(x-p)$ (p는 상수)라 하면

$f(x+2)=x(x+2-p)$

$$\lim_{x\to 0-}\frac{g(0+h)-g(0)}{h}=2-p$$

함수 $xf(x)$의 한 부정적분을 $F(x)$라 하면

$$\lim_{h\to 0+}\frac{g(0+h)-g(0)}{h}=\lim_{h\to 0+}\frac{F(h)-F(0)}{h}$$
$$=F'(0)=0$$

$g'(0)=2-p=0$, $p=2$

$f(x)=(x-2)^2$

그러므로

$$g(x)=\begin{cases}x^2 & (x<0)\\ \displaystyle\int_0^x t(t-2)^2dt & (x\geq 0)\end{cases}$$

$$g'(x)=\begin{cases}2x & (x<0)\\ 0 & (x=0)\\ x(x-2)^2 & (x>0)\end{cases}$$

함수 $g(x)$의 증가와 감소를 표로 나타내면 다음과 같다.

x	$\cdots$	0	$\cdots$	2	$\cdots$
$g'(x)$	$-$	0	$+$	0	$+$
$g(x)$	↘	극소	↗		↗

함수 $y=g(x)$의 그래프의 개형은 다음과 같다.

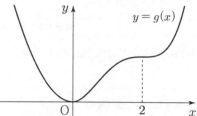

STEP 02 $g(a)$의 범위를 나누어 각각 ❶을 성립하도록 하는 a를 구한 후 곱을 구한다.

(i) $g(a)=0$인 경우

$h(x)=g(x)$이므로 함수 $h(x)$가 $x=k$에서 미분가능하지 않은 실수 k의 개수는 0

(ii) $0<g(a)<g(2)$ 또는 $g(2)<g(a)$인 경우

방정식 $h(x)=0$의 두 근을 α, β라 하면

$$\lim_{x\to\alpha-}\frac{h(x)-h(\alpha)}{x-\alpha}\neq\lim_{x\to\alpha+}\frac{h(x)-h(\alpha)}{x-\alpha}$$
$$\lim_{x\to\beta-}\frac{h(x)-h(\beta)}{x-\beta}\neq\lim_{x\to\beta+}\frac{h(x)-h(\beta)}{x-\beta}$$

함수 $h(x)$는 $x=\alpha$, $x=\beta$에서 미분가능하지 않다.

함수 $h(x)$가 $x=k$에서 미분가능하지 않은 실수 k의 개수는 2

(iii) $g(a)=g(2)$인 경우

방정식 $h(x)=0$의 두 근을 $\gamma(\gamma<0)$, 2라 하면

$$\lim_{x\to\gamma-}\frac{h(x)-h(\gamma)}{x-\gamma}\neq\lim_{x\to\gamma+}\frac{h(x)-h(\gamma)}{x-\gamma}$$

함수 $h(x)$는 $x=\gamma$에서 미분가능하지 않다.

$0<x<2$일 때, $h(x)=g(2)-g(x)$이므로

$$\lim_{x\to 2-}\frac{h(x)-h(2)}{x-2}=-g'(2)=0$$

$x>2$일 때, $h(x)=g(x)-g(2)$이므로

$$\lim_{x\to 2+}\frac{h(x)-h(2)}{x-2}=g'(2)=0$$

함수 $h(x)$는 $x=2$에서 미분가능하다.

함수 $h(x)$가 $x=k$에서 미분가능하지 않은 실수 k의 개수는 1

$g(2)=\displaystyle\int_0^2 t(t-2)^2dt=\frac{4}{3}$이므로

$g(\gamma)=\gamma^2=\dfrac{4}{3}$, $\gamma=-\dfrac{2\sqrt{3}}{3}$

따라서 함수 $h(x)$가 $x=k$에서 미분가능하지 않은 실수 k의 개수가 1이 되도록

하는 모든 a의 값의 곱은 $2\times\left(-\dfrac{2\sqrt{3}}{3}\right)=-\dfrac{4\sqrt{3}}{3}$

[참고]

함수 $y=h(x)$의 그래프의 개형은 다음과 같다.

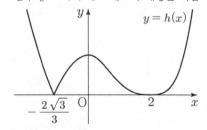

---

16 로그의 성질   정답률 87% | 정답 2

❶ $\log_3 7\times\log_7 9$의 값을 구하시오. [3점]

STEP 01 로그의 성질을 이용하여 ❶의 값을 구한다.

$$\log_3 7\times\log_7 9=\log_3 7\times\frac{\log_3 9}{\log_3 7}=\log_3 3^2=2\log_3 3=2$$

●핵심 공식

▶ **로그의 성질**

$a>0$, $a\neq 1$, $x>0$, $y>0$, $c>0$, $c\neq 1$

n이 임의의 실수일 때

$$\log_a a = 1, \ \log_a 1 = 0$$ (2) $\log_a xy = \log_a x + \log_a y$

(1) $\log_a a = 1, \ \log_a 1 = 0$

(3) $\log_a \dfrac{x}{y} = \log_a x - \log_a y$ (4) $\log_a x^n = n\log_a x$

(5) $\log_a x = \dfrac{\log_c x}{\log_c a}$ (밑변환공식)   (6) $\log_a x = \dfrac{1}{\log_x a}$ (단, $x \neq 1$)

---

17   부정적분   정답률 84% | 정답 13

함수 $f(x)$에 대하여 ❶ $f'(x) = 6x^2 - 2x - 1$이고 $f(1) = 3$일 때, $\underline{f(2)}$의 값을 구하시오. [3점]

STEP 01   ❶에서 적분으로 $f(x)$를 구한 후 $f(2)$의 값을 구한다.

$$f(x) = \int (6x^2 - 2x - 1)dx = 2x^3 - x^2 - x + C \text{ (단, } C \text{는 적분상수)}$$

$f(1) = 2 - 1 - 1 + C = 3, \ C = 3$

$f(x) = 2x^3 - x^2 - x + 3$

따라서 $f(2) = 16 - 4 - 2 + 3 = 13$

---

18   속도와 거리   정답률 70% | 정답 16

시각 $t = 0$일 때 원점을 출발하여 수직선 위를 움직이는 점 P의 시각 $t(t \geq 0)$에서의 속도 $v(t)$가

❶ $v(t) = 3t^2 + 6t - a$

이다. ❷ 시각 $t = 3$에서의 점 P의 위치가 6일 때, 상수 $\underline{a}$의 값을 구하시오.

[3점]

STEP 01   ❶을 적분한 후 ❷를 이용하여 a의 값을 구한다.

시각 t에서의 점 P의 위치를 $x(t)$라 하면

시각 $t = 3$에서의 점 P의 위치는

$$x(3) = x(0) + \int_0^3 v(t)dt = \int_0^3 (3t^2 + 6t - a)dt$$

$$= \left[t^3 + 3t^2 - at \right]_0^3 = 54 - 3a = 6$$

따라서 $a = 16$

● **핵심 공식**

▶ 속도와 이동거리

수직선 위를 움직이는 점 p의 시각 t에서의 속도를 $v(t)$라 할 때, $t = a$에서 $t = b$ ($a < b$)까지의 실제 이동거리 s는 $s = \displaystyle\int_a^b |v(t)|dt$이다.

---

19   거듭제곱근   정답률 57% | 정답 4

$n \geq 2$인 자연수 n에 대하여 $2n^2 - 9n$의 n제곱근 중에서 실수인 것의 개수를 $f(n)$이라 할 때, ❶ $\underline{f(3) + f(4) + f(5) + f(6)}$의 값을 구하시오. [3점]

STEP 01   각 n의 값에 따른 $f(x)$을 구한 후 ❶의 값을 구한다.

$n = 3$일 때 $f(3) = 1$

$n = 4$일 때 $2n^2 - 9n < 0$이므로 $f(4) = 0$

$n = 5$일 때 $f(5) = 1$

$n = 6$일 때 $2n^2 - 9n > 0$이므로 $f(6) = 2$

따라서 $f(3) + f(4) + f(5) + f(6) = 1 + 0 + 1 + 2 = 4$

★★★ 등급을 가르는 문제!

20   정적분의 활용   정답률 25% | 정답 8

최고차항의 계수가 3인 이차함수 $f(x)$에 대하여 함수

$$g(x) = x^2 \int_0^x f(t)dt - \int_0^x t^2 f(t)dt$$

가 다음 조건을 만족시킨다.

(가) 함수 $g(x)$는 극값을 갖지 않는다.
(나) 방정식 $g'(x) = 0$의 모든 실근은 0, 3이다.

❶ $\displaystyle\int_0^3 |f(x)|dx$의 값을 구하시오. [4점]

STEP 01 $g(x)$를 미분한 후 두 조건을 이용하여 $f(x)$를 구한다.

$$g'(x) = 2x \int_0^x f(t)dt + x^2 f(x) - x^2 f(x) = 2x \int_0^x f(t)dt$$

$h(x) = \displaystyle\int_0^x f(t)dt$라 하면 $h(0) = 0$

조건 (나)에 의하여 방정식 $h(x) = 0$의 실근은 0과 3이므로

(i) $h(x) = ax^2(x-3)$ (a는 상수)라 하면

   $g'(x) = 2ax^3(x-3)$이고 함수 $g(x)$는 $x = 0$, $x = 3$에서 극값을 가지므로 모순

(ii) $h(x) = ax(x-3)^2$ (a는 상수)라 하면

   $g'(x) = 2ax^2(x-3)^2$이므로 함수 $g(x)$는 극값을 갖지 않는다.

$h'(x) = f(x) = a(3x^2 - 12x + 9) = 3a(x-1)(x-3)$

$f(x)$의 최고차항의 계수가 3이므로 $a = 1$

$f(x) = 3(x-1)(x-3)$

STEP 02 $f(x)$를 적분하여 ❶의 값을 구한다.

따라서

$$\int_0^3 |f(x)|dx = 3\int_0^3 |(x-1)(x-3)|dx$$

$$= 3\int_0^1 (x-1)(x-3)dx - 3\int_1^3 (x-1)(x-3)dx$$

$$= 3\left[\frac{1}{3}x^3 - 2x^2 + 3x \right]_0^1 - 3\left[\frac{1}{3}x^3 - 2x^2 + 3x \right]_1^3$$

$$= 3\left(\frac{1}{3} - 2 + 3 \right) - 3\left(9 - 18 + 9 - \frac{1}{3} + 2 - 3 \right)$$

$$= 8$$

★★ **문제 해결 꿀~팁** ★★

▶ 문제 해결 방법

$g(x)$를 미분하면 $g'(x) = 2x\displaystyle\int_0^x f(t)dt$이고 $h(x) = \displaystyle\int_0^x f(t)dt$라 하면 $h(x)$는 삼차함수이고 $h(x) = 0$의 실근은 0과 3이므로 $h(x) = ax^2(x-3)$ 또는 $h(x) = ax(x-3)^2$이다. 두 경우에 대하여 $g(x)$가 극값을 갖는 경우를 조사하면 $h(x) = ax(x-3)^2$이고 $a = 1$이다. 그러므로 $f(x) = 3(x-1)(x-3)$이고 적분하여 $\displaystyle\int_0^3 |f(x)|dx$를 구하면 된다. $f(x)$가 최고차항의 계수가 3인 이차함수인 것에서 $h(x)$와 $g(x)$의 차수를 알 수 있어야 식을 놓고 문제를 해결할 수 있다. 다항함수의 미분과 적분에서 최고차항의 차수 및 계수의 변화를 정확하게 알고 있어야 한다.

★★★ 등급을 가르는 문제!

21   수열의 합과 일반항 사이의 관계   정답률 26% | 정답 180

수열 $\{a_n\}$이 모든 자연수 n에 대하여 다음 조건을 만족시킨다.

(가) $\displaystyle\sum_{k=1}^{2n} a_k = 17n$
(나) $|a_{n+1} - a_n| = 2n - 1$

❶ $a_2 = 9$일 때, $\displaystyle\sum_{n=1}^{10} a_{2n}$의 값을 구하시오. [4점]

STEP 01   조건 (가)에서 $a_{2n-1} + a_{2n}$을 구한 후 a_3부터 a_n을 차례로 구하여 a_{2n}의 규칙을 찾아 $\displaystyle\sum_{n=1}^{10} a_{2n}$의 값을 구한다.

조건 (가)에 의하여

$$a_{2n-1} + a_{2n} = \sum_{k=1}^{2n} a_k - \sum_{k=1}^{2(n-1)} a_k$$

$$= 17n - 17(n-1) = 17 \ (n \geq 2)$$

조건 (나)에 의하여

$|a_{2n} - a_{2n-1}| = 2(2n-1) - 1 = 4n - 3 \ (n \geq 1)$

(i) $n = 2$인 경우

   $|a_4 - a_3| = 5$이고 $a_3 + a_4 = 17$

   $(a_3, a_4) = (6, 11)$ 또는 $(a_3, a_4) = (11, 6)$

   조건 (나)에 의하여

   $|a_3 - a_2| = |a_3 - 9| = 3$이므로 $a_3 = 6, \ a_4 = 11$

(ii) $n = 3$인 경우

   $|a_6 - a_5| = 9$이고 $a_5 + a_6 = 17$

   $(a_5, a_6) = (4, 13)$ 또는 $(a_5, a_6) = (13, 4)$

조건 (나)에 의하여

$|a_5 - a_4| = |a_5 - 11| = 7$이므로 $a_5 = 4$, $a_6 = 13$

(i), (ii)와 같은 방법을 반복하면

$a_8 = 15$, $a_{10} = 17$, $\cdots$, $a_{20} = 27$이므로

$\sum\limits_{n=1}^{10} a_{2n}$의 값은 첫째항이 9이고 공차가 2인 등차수열의 첫째항부터 제10항까지의 합과 같다.

따라서 $\sum\limits_{n=1}^{10} a_{2n} = \dfrac{10 \times (18 + 9 \times 2)}{2} = 180$

●핵심 공식

▶ 등차수열의 합

첫째항이 a, 공차가 d, 제n항이 l인 등차수열의 첫째항부터 제n항까지의 합을 S_n이라 하면

$$S_n = \frac{n(a+l)}{2} = \frac{n\{2a+(n-1)d\}}{2}$$

★★ 문제 해결 꿀~팁 ★★

▶ 문제 해결 방법

$a_{2n-1} + a_{2n} = 17$, $|a_{n+1} - a_n| = 2n - 1$, $a_2 = 9$이므로 $a_3 = 12$ 또는 $a_3 = 6$이다.

$a_3 = 12$이면 $a_3 + a_4 = 17$에서 $a_4 = 5$이나 $|a_4 - a_3| \neq 5$이므로 $a_3 = 6$이다.

이와 같은 방법으로 두 조건을 만족하도록 차례로 a_3부터 항들을 각각 구해야 한다. 계산이 그렇게 복잡하지 않으므로 많은 시간이 소요되지는 않는다. 또한 몇 항을 구하면 $a_4 = 11$, $a_6 = 13$, $a_8 = 15$로 규칙이 보인다. 구하라는 것도 a_{2n}의 합이므로 a_{2n}의 일반항을 구하여 합을 구하면 된다. 일반항을 구하지 않더라도 첫째항이 $a_2 = 9$이고 공차는 2인 등차수열이므로 등차수열의 합으로 구하는 것이 더 좋다.

귀납법으로 정의된 수열은 규칙을 찾을 때까지 포기하지 말고 항들을 일일이 구하여야 한다. 간혹 규칙이 없는 경우도 있으나 다른 조건이 있는지 살펴보고 구하라는 것이 모두 일일이 구하여야 하는지를 판단할 수 있어야 한다.

★★★ 등급을 가르는 문제!

22 접선의 방정식과 그래프의 개형 정답률 1% | 정답 121

삼차함수 $f(x)$에 대하여 곡선 $y = f(x)$ 위의 점 $(0, 0)$에서의 접선의 방정식을 $y = g(x)$라 할 때, 함수 $h(x)$를

$$h(x) = |f(x)| + g(x)$$

라 하자. 함수 $h(x)$가 다음 조건을 만족시킨다.

(가) 곡선 $y = h(x)$ 위의 점 $(k, 0)$ $(k \neq 0)$에서의 접선의 방정식은 $y = 0$이다.

(나) 방정식 $h(x) = 0$의 실근 중에서 가장 큰 값은 12이다.

❶ $h(3) = -\dfrac{9}{2}$일 때, ❷ $k \times \{h(6) - h(11)\}$의 값을 구하시오. (단, k는 상수이다.) [4점]

STEP 01 $f(x)$와 $g(x)$의 최고차항의 계수의 부호에 따라 경우를 나누어 두 조건을 만족하는 경우를 구한다.

$f(0) = 0$이므로

$f(x) = ax^3 + bx^2 + cx$ (a, b, c는 상수)라 하면

$f'(0) = c$, $g(x) = cx$

곡선 $y = f(x)$ 위의 점 $(0, 0)$에서의 접선의 기울기 c에 대하여

(i) $c = 0$이면

조건 (가)를 만족시키지 않는다.

(ii) $c > 0$이면

$h(12) > 0$이므로 조건 (나)를 만족시키지 않는다.

(iii) $c < 0$, $a > 0$이면

두 함수 $y = f(x)$와 $y = g(x)$의 그래프가 다음과 같으므로 조건 (가)를 만족시키지 않는다.

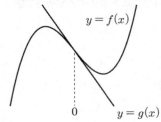

(iv) $c < 0$, $a < 0$이면

두 함수 $y = f(x)$와 $y = g(x)$의 그래프가 다음과 같은 경우에는 조건 (가)를 만족시키지 않는다.

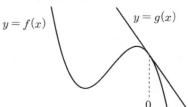

그러므로 두 함수 $y = f(x)$와 $y = g(x)$의 그래프가 다음과 같은 경우에만 조건 (가), (나)를 만족시킨다.

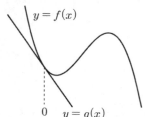

STEP 02 두 조건에서 k를 구하고 ❶을 이용하여 $h(x)$를 구한다.

조건 (가)에 의하여

$f(x) + g(x) = ax(x - k)^2$ ······ ㉠

조건 (나)에 의하여

$-f(x) + g(x) = -ax^2(x - 12)$ ······ ㉡

두 식 ㉠, ㉡을 연립하면

$2g(x) = 2a(6 - k)x^2 + ak^2x$

$6 - k = 0$, $k = 6$

$g(x) = 18ax$

$f(x) = ax(x - 6)^2 - 18ax = ax(x^2 - 12x + 18)$

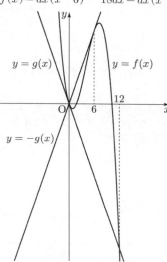

방정식 $x^2 - 12x + 18 = 0$의 두 근을 α, β $(\alpha < \beta)$라 하면

$\alpha = 6 - 3\sqrt{2}$, $\beta = 6 + 3\sqrt{2}$

함수 $h(x)$는 다음과 같다.

$$h(x) = \begin{cases} ax(x - 6)^2 & (x < 0 \text{ 또는 } \alpha \leq x < \beta) \\ -ax^2(x - 12) & (0 \leq x < \alpha \text{ 또는 } x \geq \beta) \end{cases}$$

$\alpha < 3 < \beta$이므로

$h(3) = a \times 3 \times (3 - 6)^2 = 27a = -\dfrac{9}{2}$

$a = -\dfrac{1}{6}$, $c = -3$

$$h(x) = \begin{cases} -\dfrac{1}{6}x(x - 6)^2 & (x < 0 \text{ 또는 } \alpha \leq x < \beta) \\ \dfrac{1}{6}x^2(x - 12) & (0 \leq x < \alpha \text{ 또는 } x \geq \beta) \end{cases}$$

STEP 03 α, β를 구한 후 ❷의 값을 구한다.

와 $g(x)$의 최고차항의 계수의 부호에 따라 경우를 나누어 조건을 만족하는 경우를 구한다.

$\alpha = 6 - 3\sqrt{2}$, $\beta = 6 + 3\sqrt{2}$

$\alpha < 6 < \beta < 11$

$h(6) = 0$, $h(11) = \dfrac{1}{6} \times 11^2 \times (-1) = -\dfrac{121}{6}$

따라서

$k \times \{h(6) - h(11)\} = 6 \times \left\{0 - \left(-\dfrac{121}{6}\right)\right\} = 121$

[참고]

함수 $y=h(x)$의 그래프의 개형은 다음과 같다.

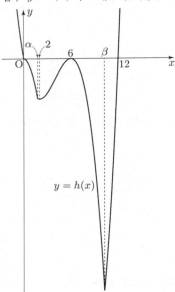

$$y=h(x)$$

★★ 문제 해결 꿀~팁 ★★

▶ 문제 해결 방법

$f(0)=0$이므로 $f(x)=ax^3+bx^2+cx$, $g(x)=cx$이다. $f(x)$와 $g(x)$의 최고차항의 계수인 a와 c의 부호에 따라 그래프의 개형이 달라진다. 각 경우에 따라 그래프를 그려 두 조건을 만족하는 경우를 찾거나, 두 조건을 만족하도록 a, c의 부호를 결정하여 그래프를 그릴 수 있으면 더욱 좋다. 그래프의 개형이 결정되는 두 조건에서

$f(x)+g(x)=ax(x-k)^2$, $-f(x)+g(x)=-ax^2(x-12)$이므로

$f(x)=ax(x^2-12x+18)$이다.

$f(x)=0$의 두 근을 구하여 $h(x)$를 구하면

$$h(x)=\begin{cases} ax(x-6)^2 & (x<0 \text{ 또는 } \alpha \le x < \beta) \\ -ax^2(x-12) & (0 \le x < \alpha \text{ 또는 } x \ge \beta) \end{cases}$$

이제 $h(3)=-\dfrac{9}{2}$에서 a를 구하면 $h(x)$를 구할 수 있다. $h(x)$를 구하고 6, 11과 α, β의 범위를 비교하여 함숫값을 구하면 된다.

$f(x)$에 대하여 주어진 조건이 상수항이 0이라는 것과 삼차함수라는 것 이외에는 없어 $f(x)$를 놓지 않으면 $g(x)$, $h(x)$를 구하기가 어렵다. $f(x)$에 대하여 주어진 조건이 적어도 미지수를 이용하여 $f(x)$를 놓고 그래프의 개형을 찾아야 한다.

확률과 통계

23 이항계수 정답률 91% | 정답 ②

다항식 ❶ $(4x+1)^6$의 전개식에서 x의 계수는? [2점]

① 20   ② 24   ③ 28   ④ 32   ⑤ 36

STEP 01 ❶에서 이항정리를 이용하여 x의 계수를 구한다.

$(4x+1)^6$의 전개식의 일반항은

$_6C_r \times (4x)^{6-r} \times 1^r = {_6C_r} \times 4^{6-r} \times x^{6-r}$ $(r=0, 1, 2, \cdots, 6)$

x의 계수는 $r=5$일 때 $_6C_5 \times 4 = {_6C_1} \times 4 = 24$

● 핵심 공식

▶ 이항정리

이항정리는 이항 다항식 $x+y$의 거듭제곱 $(x+y)^n$에 대해서, 전개한 각 항 $x^k y^{n-k}$의 계수 값을 구하는 정리이다. 구체적으로 $x^k y^{n-k}$의 계수는 n개에서 k를 고르는 조합의 가짓수인 $_nC_k$이고, 이를 이항계수라고 부른다. 따라서 다음의 식이 성립한다.

$$(x+y)^n = \sum_{k=0}^{n} {_nC_k} x^k y^{n-k}$$

24 이항분포의 분산 정답률 76% | 정답 ④

확률변수 X가 이항분포 $B\left(n, \dfrac{1}{3}\right)$을 따르고 ❶ $E(3X-1)=17$일 때, $V(X)$의 값은? [3점]

① 2   ② $\dfrac{8}{3}$ ③ $\dfrac{10}{3}$ ④ 4   ⑤ $\dfrac{14}{3}$

STEP 01 $B\left(n, \dfrac{1}{3}\right)$에서 $E(X)$, $V(X)$를 구한 후 ❶을 이용하여 n을 구한 다음 $V(X)$의 값을 구한다.

이항분포 $B\left(n, \dfrac{1}{3}\right)$에서

$E(X)=n\times\dfrac{1}{3}=\dfrac{n}{3}$, $V(X)=n\times\dfrac{1}{3}\times\left(1-\dfrac{1}{3}\right)=\dfrac{2n}{9}$

$E(3X-1)=3E(X)-1=3\times\dfrac{n}{3}-1=17$

$n=18$

따라서 $V(X)=\dfrac{2\times18}{9}=4$

● 핵심 공식

▶ 이항분포의 평균, 분산, 표준편차

확률변수 X가 이항분포 $B(n, p)$를 따를 때, X의 평균, 분산, 표준편차는 다음과 같다.

$E(X)=np$, $V(X)=npq$,

$\sigma(X)=\sqrt{npq}$ (단, $q=1-p$)

▶ 평균, 분산, 표준편차의 성질

확률변수 $aX+b$ $(a\ne0$, b는 상수)에 대하여

(1) $E(aX+b)=aE(X)+b$ (2) $V(aX+b)=a^2V(X)$

(3) $\sigma(aX+b)=|a|\sigma(X)$

25 여사건의 확률 정답률 84% | 정답 ③

흰 공 4개, 검은 공 4개가 들어 있는 주머니가 있다. ❶ 이 주머니에서 임의로 4개의 공을 동시에 꺼낼 때, ❷ 꺼낸 공 중 검은 공이 2개 이상일 확률은? [3점]

① $\dfrac{7}{10}$ ② $\dfrac{51}{70}$ ③ $\dfrac{53}{70}$ ④ $\dfrac{11}{14}$ ⑤ $\dfrac{57}{70}$

STEP 01 ❶의 경우의 수를 구한 후 ❷의 여사건의 확률을 구하여 구하는 확률을 구한다.

8개의 공 중 임의로 4개의 공을 동시에 꺼내는 경우의 수는 $_8C_4$

(ⅰ) 꺼낸 공 중 검은 공이 0개일 확률은

$$\dfrac{_4C_4}{_8C_4}=\dfrac{1}{70}$$

(ⅱ) 꺼낸 공 중 검은 공이 1개일 확률은

$$\dfrac{_4C_1\times{_4C_3}}{_8C_4}=\dfrac{16}{70}$$

따라서 꺼낸 공 중 검은 공이 2개 이상일 확률은

$$1-\left(\dfrac{1}{70}+\dfrac{16}{70}\right)=\dfrac{53}{70}$$

● 핵심 공식

▶ 여사건의 확률

사건 A와 그 여사건 A^c는 배반사건이므로 $P(A^c)=1-P(A)$

26 같은 것이 있는 순열 정답률 73% | 정답 ④

세 문자 a, b, c 중에서 ❶ 모든 문자가 한 개 이상씩 포함되도록 중복을 허락하여 5개를 택해 일렬로 나열하는 경우의 수는? [3점]

① 135   ② 140   ③ 145   ④ 150   ⑤ 155

STEP 01 조합으로 ❶의 경우를 구하고 각 경우에 대하여 같은 것이 있는 순열을 이용하여 일렬로 나열하는 경우의 수를 구한다.

(ⅰ) 한 개의 문자를 3개 선택하는 경우

$$_3C_1 \times \dfrac{5!}{3!}=60$$

(ⅱ) 두 개의 문자를 각각 2개씩 선택하는 경우

$$_3C_2 \times \dfrac{5!}{2!\times2!}=90$$

따라서 경우의 수는 $90+60=150$

▶ 같은 것이 있는 순열

n개 중에서 같은 것이 각각 p개, q개, r개, $\cdots$, s개가 있을 때, n개를 택하여 만든 순열의 수는

$$\dfrac{n!}{p!\,q!\,r!\cdots s!} \quad (n=p+q+r+\cdots+s)$$

---

27 확률의 곱셈법칙 　　　　정답률 48% | 정답 ⑤

주머니 A에는 숫자 1, 1, 2, 2, 3, 3이 하나씩 적혀 있는 6장의 카드가 들어 있고, 주머니 B에는 3, 3, 4, 4, 5, 5가 하나씩 적혀 있는 6장의 카드가 들어 있다. 두 주머니 A, B와 3개의 동전을 사용하여 다음 시행을 한다.

> 3개의 동전을 동시에 던져
> 앞면이 나오는 동전의 개수가 3이면
> 주머니 A에서 임의로 2장의 카드를 동시에 꺼내고,
> 앞면이 나오는 동전의 개수가 2 이하이면
> 주머니 B에서 임의로 2장의 카드를 동시에 꺼낸다.

이 시행을 한 번 하여 주머니에서 ❶ 꺼낸 2장의 카드에 적혀 있는 두 수의 합이 소수일 확률은? [3점]

① $\dfrac{5}{24}$　② $\dfrac{7}{30}$　③ $\dfrac{31}{120}$　④ $\dfrac{17}{60}$　⑤ $\dfrac{37}{120}$

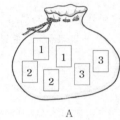 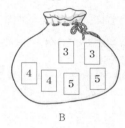

A　　　　　　B

STEP 01 각 주머니에서 ❶의 경우를 각각 구하여 확률을 구한 후 동전의 앞면이 나오는 개수에 대한 확률과 곱셈법칙으로 구하는 확률을 구한다.

3개의 동전을 동시에 던져 앞면이 나오는 동전의 개수가 3인 사건을 X, 주머니에서 임의로 꺼낸 2장의 카드에 적혀 있는 두 수의 합이 소수인 사건을 Y라 하자.

$$\mathrm{P}(X)=\dfrac{1}{8}, \quad \mathrm{P}(X^C)=1-\dfrac{1}{8}=\dfrac{7}{8}$$

주머니 A에서 임의로 꺼낸 2장의 카드에 적혀 있는 두 수의 합이 소수인 경우와 확률은 다음과 같다.

(i) 1이 적혀 있는 카드를 2장 꺼내는 경우의 확률은

$$\dfrac{{}_2\mathrm{C}_2}{{}_6\mathrm{C}_2}=\dfrac{1}{15}$$

(ii) 1과 2가 적혀 있는 카드를 각각 1장씩 꺼내는 경우의 확률은

$$\dfrac{{}_2\mathrm{C}_1\times{}_2\mathrm{C}_1}{{}_6\mathrm{C}_2}=\dfrac{4}{15}$$

(iii) 2와 3이 적혀 있는 카드를 각각 1장씩 꺼내는 경우의 확률은

$$\dfrac{{}_2\mathrm{C}_1\times{}_2\mathrm{C}_1}{{}_6\mathrm{C}_2}=\dfrac{4}{15}$$

$$\mathrm{P}(Y\mid X)=\dfrac{1}{15}+\dfrac{4}{15}+\dfrac{4}{15}=\dfrac{3}{5}$$

$$\mathrm{P}(X\cap Y)=\mathrm{P}(X)\mathrm{P}(Y\mid X)=\dfrac{1}{8}\times\dfrac{3}{5}=\dfrac{3}{40}$$

주머니 B에서 임의로 꺼낸 2장의 카드에 적혀 있는 두 수의 합이 소수인 경우는 3과 4가 적혀 있는 카드를 각각 1장씩 꺼내는 경우이다.

$$\mathrm{P}(Y\mid X^C)=\dfrac{{}_2\mathrm{C}_1\times{}_2\mathrm{C}_1}{{}_6\mathrm{C}_2}=\dfrac{4}{15}$$

$$\mathrm{P}(X^C\cap Y)=\mathrm{P}(X^C)\mathrm{P}(Y\mid X^C)$$
$$=\dfrac{7}{8}\times\dfrac{4}{15}=\dfrac{7}{30}$$

$$\mathrm{P}(Y)=\mathrm{P}(X\cap Y)+\mathrm{P}(X^C\cap Y)$$
$$=\dfrac{3}{40}+\dfrac{7}{30}=\dfrac{37}{120}$$

---

28 중복조합 　　　　정답률 36% | 정답 ②

두 집합 $X=\{1, 2, 3, 4, 5, 6\}$, $Y=\{1, 2, 3, 4, 5\}$에 대하여 다음 조건을 만족시키는 X에서 Y로의 함수 f의 개수는? [4점]

(가) $\sqrt{f(1)\times f(2)\times f(3)}$ 의 값은 자연수이다.

(나) 집합 X의 임의의 두 원소 x_1, x_2에 대하여 $x_1 < x_2$이면 $f(x_1)\leq f(x_2)$이다.

① 84　② 87　③ 90　④ 93　⑤ 96

STEP 01 $f(3)$의 값에 따라 경우를 나누어 각각 중복조합을 이용하여 만족하는 함수의 개수를 구한다.

조건 (가)에서
$\sqrt{f(1)\times f(2)\times f(3)}$ 의 값이 자연수인 경우는
세 수 $f(1)$, $f(2)$, $f(3)$ 중 하나의 수가 1 또는 4이고
나머지 두 수가 서로 같은 경우이다.

조건 (나)에 의하여

(i) $f(3)=1$인 경우
　순서쌍 $(f(1), f(2), f(3))$은 $(1, 1, 1)$
　순서쌍 $(f(4), f(5), f(6))$의 개수는 ${}_5\mathrm{H}_3$
　그러므로 $1\times{}_5\mathrm{H}_3={}_7\mathrm{C}_3=35$

(ii) $f(3)=2$인 경우
　순서쌍 $(f(1), f(2), f(3))$은 $(1, 2, 2)$
　순서쌍 $(f(4), f(5), f(6))$의 개수는 ${}_4\mathrm{H}_3$
　그러므로 $1\times{}_4\mathrm{H}_3={}_6\mathrm{C}_3=20$

(iii) $f(3)=3$인 경우
　순서쌍 $(f(1), f(2), f(3))$은 $(1, 3, 3)$
　순서쌍 $(f(4), f(5), f(6))$의 개수는 ${}_3\mathrm{H}_3$
　그러므로 $1\times{}_3\mathrm{H}_3={}_5\mathrm{C}_3=10$

(iv) $f(3)=4$인 경우
　순서쌍 $(f(1), f(2), f(3))$은 $(1, 1, 4)$,
　$(1, 4, 4)$, $(2, 2, 4)$, $(3, 3, 4)$, $(4, 4, 4)$
　순서쌍 $(f(4), f(5), f(6))$의 개수는 ${}_2\mathrm{H}_3$
　그러므로 $5\times{}_2\mathrm{H}_3=5\times{}_4\mathrm{C}_3=20$

(v) $f(3)=5$인 경우
　순서쌍 $(f(1), f(2), f(3))$은
　$(1, 5, 5)$, $(4, 5, 5)$
　순서쌍 $(f(4), f(5), f(6))$의 개수는 ${}_1\mathrm{H}_3$
　그러므로 $2\times{}_1\mathrm{H}_3=2\times{}_3\mathrm{C}_3=2$

따라서 (i)~(v)에 의하여 함수 f의 개수는
$35+20+10+20+2=87$

▶ 중복조합

${}_n\mathrm{H}_r$은 서로 다른 n개의 원소에서 r개를 뽑는 경우의 수이다.

$${}_n\mathrm{H}_r={}_{n+r-1}\mathrm{C}_r$$

---

29 연속확률변수의 확률밀도함수 　　　　정답률 14% | 정답 5

두 연속확률변수 X와 Y가 갖는 값의 범위는 각각 $0\leq X\leq a$, $0\leq Y\leq a$이고, X와 Y의 확률밀도함수를 각각 $f(x)$, $g(x)$라 하자. $0\leq x\leq a$인 모든 실수 x에 대하여 두 함수 $f(x)$, $g(x)$는

$$f(x)=b, \quad g(x)=\mathrm{P}(0\leq X\leq x)$$

이다. ❶ $\mathrm{P}(0\leq Y\leq c)=\dfrac{1}{2}$일 때, $(a+b)\times c^2$의 값을 구하시오. (단, a, b, c는 상수이다.) [4점]

STEP 01 $g(x)$를 구한 후 확률밀도함수의 성질을 이용하여 a, b를 구한 다음 ❶에서 c를 구하고 $(a+b)\times c^2$의 값을 구한다.

확률밀도함수의 성질에 의하여
$\mathrm{P}(0\leq X\leq a)=1$에서 $ab=1$ 　　　　……㉠
$g(x)=\mathrm{P}(0\leq X\leq x)=bx$

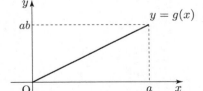

확률밀도함수의 성질에 의하여

$$P(0 \leq Y \leq a)=\frac{1}{2} \times a \times ab=\frac{a^2 b}{2}=1 \qquad \cdots\cdots \text{ⓛ}$$

두 식 ㉠, ⓛ을 연립하면 $a=2$, $b=\frac{1}{2}$

그러므로 $g(x)=\frac{1}{2}x$ 에서

$$P(0 \leq Y \leq c)=\frac{1}{2} \times c \times \frac{c}{2}=\frac{c^2}{4}=\frac{1}{2}, \quad c^2=2$$

따라서 $(a+b) \times c^2=\left(2+\frac{1}{2}\right) \times 2=5$

★★★ 등급을 가르는 문제!

30 조건부확률   정답률 8% | 정답 133

각 면에 숫자 1, 1, 2, 2, 2, 2가 하나씩 적혀 있는 정육면체 모양의 상자가 있다. 이 상자를 6번 던질 때, $n(1 \leq n \leq 6)$번째에 바닥에 닿은 면에 적혀 있는 수를 a_n이라 하자. ❶ $a_1+a_2+a_3 > a_4+a_5+a_6$일 때,

❷ $a_1=a_4=1$일 확률은 $\frac{q}{p}$이다. $p+q$의 값을 구하시오.

(단, p와 q는 서로소인 자연수이다.) [4점]

STEP 01 $a_1+a_2+a_3$의 값에 따라 경우를 나누어 각 경우에 대하여 ❶을 성립할 확률을 구한다.

정육면체 모양의 상자를 한 번 던져 바닥에 닿은 면에 적혀 있는 수가 각각 1, 2일 확률은 각각 $\frac{1}{3}$, $\frac{2}{3}$이다.

$a_1+a_2+a_3 > a_4+a_5+a_6$일 사건을 A, $a_1=a_4=1$일 사건을 B라 하자.

$a_1+a_2+a_3 > a_4+a_5+a_6 \geq 3$

(I) $a_1+a_2+a_3=4$인 경우

$a_1+a_2+a_3=4$일 확률은 $_3C_1\left(\frac{1}{3}\right)^2\left(\frac{2}{3}\right)$

$a_4+a_5+a_6=3$일 확률은 $_3C_0\left(\frac{1}{3}\right)^3=\frac{1}{3^3}$

그러므로 $_3C_1\left(\frac{1}{3}\right)^3\left(\frac{2}{3}\right) \times \frac{1}{3^3}=\frac{6}{3^6}$

(II) $a_1+a_2+a_3=5$인 경우

$a_1+a_2+a_3=5$일 확률은 $_3C_1\left(\frac{1}{3}\right)\left(\frac{2}{3}\right)^2$

$3 \leq a_4+a_5+a_6 \leq 4$일 확률은 $_3C_0\left(\frac{1}{3}\right)^3+_3C_1\left(\frac{1}{3}\right)^2\left(\frac{2}{3}\right)=\frac{7}{3^3}$

그러므로 $_3C_2\left(\frac{1}{3}\right)\left(\frac{2}{3}\right)^2 \times \frac{7}{3^3}=\frac{84}{3^6}$

(III) $a_1+a_2+a_3=6$인 경우

$a_1+a_2+a_3=6$일 확률은 $_3C_3\left(\frac{2}{3}\right)^3$

$3 \leq a_4+a_5+a_6 \leq 5$일 확률은

$_3C_0\left(\frac{1}{3}\right)^3+_3C_1\left(\frac{1}{3}\right)^2\left(\frac{2}{3}\right)+_3C_2\left(\frac{1}{3}\right)\left(\frac{2}{3}\right)^2=\frac{19}{3^3}$

그러므로 $_3C_3\left(\frac{2}{3}\right)^3 \times \frac{19}{3^3}=\frac{152}{3^6}$

(I), (II), (III)에 의하여

$$P(A)=\frac{6}{3^6}+\frac{84}{3^6}+\frac{152}{3^6}=\frac{242}{3^6}$$

$a_1=a_4=1$이면 $a_2+a_3 > a_5+a_6 \geq 2$이다.

STEP 02 ❶, ❷를 동시에 만족하는 경우에 대하여 각각 확률을 구한 다음 조건부확률을 이용하여 구하는 확률을 구한다.

(i) $a_1=a_4=1$이고 $a_2+a_3=3$인 경우

$a_1=a_4=1$일 확률은 $_2C_0\left(\frac{1}{3}\right)^2=\left(\frac{1}{3}\right)^2$

$a_2+a_3=3$일 확률은 $_2C_1\left(\frac{1}{3}\right)\left(\frac{2}{3}\right)=\frac{4}{3^2}$

$a_5+a_6=2$일 확률은 $_2C_0\left(\frac{1}{3}\right)^2=\left(\frac{1}{3}\right)^2$

그러므로 $\left(\frac{1}{3}\right)^2 \times \frac{4}{3^2} \times \left(\frac{1}{3}\right)^2=\frac{4}{3^6}$

(ii) $a_1=a_4=1$이고 $a_2+a_3=4$인 경우

$a_1=a_4=1$일 확률은 $_2C_0\left(\frac{1}{3}\right)^2=\left(\frac{1}{3}\right)^2$

$a_2+a_3=4$일 확률은 $_2C_2\left(\frac{2}{3}\right)^2=\left(\frac{2}{3}\right)^2$

$2 \leq a_5+a_6 \leq 3$일 확률은 $_2C_0\left(\frac{1}{3}\right)^2+_2C_1\left(\frac{1}{3}\right)\left(\frac{2}{3}\right)=\frac{5}{3^2}$

그러므로 $\left(\frac{1}{3}\right)^2 \times \left(\frac{2}{3}\right)^2 \times \frac{5}{3^2}=\frac{20}{3^6}$

(i), (ii)에 의하여

$$P(A \cap B)=\frac{4}{3^6}+\frac{20}{3^6}=\frac{24}{3^6}$$

$$P(B|A)=\frac{P(A \cap B)}{P(A)}=\frac{24}{242}=\frac{12}{121}$$

따라서 $p=121$, $q=12$ 이므로 $p+q=133$

● 핵심 공식

▶ 조건부 확률

확률이 0이 아닌 두 사건 A, B에 대하여 사건 A가 일어났다고 가정할 때, 사건 B가 일어날 확률을 사건 A가 일어났을 때의 사건 B의 조건부 확률이라 하고, 이것을 $P(B|A)$로 나타낸다.

$$P(B|A)=\frac{P(A \cap B)}{P(A)} \quad (\text{단, } P(A)>0)$$

★★ 문제 해결 꿀~팁 ★★

▶ 문제 해결 방법

$a_1+a_2+a_3 > a_4+a_5+a_6$을 만족하려면 $a_1+a_2+a_3$은 4, 5, 6의 값을 가질 수 있다.

$a_1+a_2+a_3=4$이면 $a_4+a_5+a_6=3$이고 확률은 $_3C_1\left(\frac{1}{3}\right)^3\left(\frac{2}{3}\right) \times \frac{1}{3^3}=\frac{6}{3^6}$이다.

$a_1+a_2+a_3$의 다른 값에 대하여도 만족하는 $a_4+a_5+a_6$의 값을 구한 후 같은 방법으로 확률을 구하면 된다.

다음으로는 위의 경우들 중 $a_1=a_4=1$을 만족하는 경우를 구하면 된다.

$a_1=a_4=1$이고 $a_1+a_2+a_3=4$이면 $a_2+a_3=3$, $a_5+a_6=2$이므로 확률은 $\left(\frac{1}{3}\right)^2 \times \frac{4}{3^2} \times \left(\frac{1}{3}\right)^2=\frac{4}{3^6}$이다. 마찬가지로 $a_1+a_2+a_3$의 다른 값에 대하여도 같은 방법으로 확률을 구한 후 조건부확률로 구하는 확률을 구하면 된다.

이때 각 경우에 대하여 중복되거나 빠지는 경우가 없도록 꼼꼼하게 만족하는 경우를 따져 주어야 한다.

미적분

23 수열의 극한   정답률 87% | 정답 ④

❶ $\lim_{n \to \infty}\left(\sqrt{n^4+5n^2+5}-n^2\right)$의 값은? [2점]

① $\frac{7}{4}$ ② 2   ③ $\frac{9}{4}$ ④ $\frac{5}{2}$ ⑤ $\frac{11}{4}$

STEP 01 ❶에서 분자를 유리화하여 극한값을 구한다.

$$\lim_{n \to \infty}\left(\sqrt{n^4+5n^2+5}-n^2\right)=\lim_{n \to \infty}\frac{\left(\sqrt{n^4+5n^2+5}-n^2\right)\left(\sqrt{n^4+5n^2+5}+n^2\right)}{\sqrt{n^4+5n^2+5}+n^2}$$

$$=\lim_{n \to \infty}\frac{5n^2+5}{\sqrt{n^4+5n^2+5}+n^2}$$

$$=\lim_{n \to \infty}\frac{5+\frac{5}{n^2}}{\sqrt{1+\frac{5}{n^2}+\frac{5}{n^4}}+1}=\frac{5}{2}$$

24 치환적분법   정답률 76% | 정답 ③

❶ $\int_1^e\left(\frac{3}{x}+\frac{2}{x^2}\right)\ln x\,dx-\int_1^e\frac{2}{x^2}\ln x\,dx$의 값은? [3점]

① $\frac{1}{2}$ ② 1   ③ $\frac{3}{2}$ ④ 2   ⑤ $\frac{5}{2}$

STEP 01 ❶에서 $\ln x$를 치환한 후 적분하여 값을 구한다.

$$\int_1^e\left(\frac{3}{x}+\frac{2}{x^2}\right)\ln x\,dx-\int_1^e\frac{2}{x^2}\ln x\,dx=\int_1^e\frac{3}{x}\ln x\,dx$$

$\ln x=t$라 하면 $\frac{1}{x}=\frac{dt}{dx}$

$x=1$ 일 때 $t=0$, $x=e$ 일 때 $t=1$

따라서

$$\int_1^e \frac{3}{x}\ln x\,dx = 3\int_0^1 t\,dt = 3\left[\frac{1}{2}t^2\right]_0^1 = 3\times\frac{1}{2} = \frac{3}{2}$$

●핵심 공식

▶ 치환적분

$\int_a^b f(g(x))g'(x)dx$에서 $g(x)=t$로 놓으면 $g'(x)dx=dt$

$$\int_a^b f(g(x))g'(x)dx = \int_{g(a)}^{g(b)} f(t)dt$$

---

25 음함수의 미분법 　　　　　정답률 71% | 정답 ③

매개변수 $t(t>0)$으로 나타내어진 곡선

❶ $x=t^2\ln t+3t$, $y=6te^{t-1}$

에서 $t=1$일 때, $\dfrac{dy}{dx}$의 값은? [3점]

① 1　　② 2　　③ 3　　④ 4　　⑤ 5

STEP 01 ❶을 미분하여 $\dfrac{dx}{dt}$, $\dfrac{dy}{dt}$를 각각 구한 후 $\dfrac{dy}{dx}$의 값을 구한다.

$$\frac{dx}{dt} = 2t\ln t+t+3$$

$$\frac{dy}{dt} = 6e^{t-1}+6te^{t-1} = 6e^{t-1}(1+t)$$

$$\frac{dy}{dx} = \frac{\frac{dy}{dt}}{\frac{dx}{dt}} = \frac{6e^{t-1}(1+t)}{2t\ln t+t+3}\quad(2t\ln t+t+3\neq 0)$$

따라서 $t=1$일 때,

$$\frac{dy}{dx} = \frac{6\times 2}{1+3} = \frac{12}{4} = 3$$

---

26 역함수의 미분법 　　　　　정답률 68% | 정답 ②

양의 실수 전체의 집합에서 정의된 미분가능한 두 함수 $f(x)$, $g(x)$에 대하여

❶ $f(x)$가 함수 $g(x)$의 역함수이고 ❷ $\displaystyle\lim_{x\to 2}\frac{f(x)-2}{x-2}=\frac{1}{3}$이다.

함수 $h(x)=\dfrac{g(x)}{f(x)}$라 할 때, $h'(2)$의 값은? [3점]

① $\dfrac{7}{6}$　② $\dfrac{4}{3}$　③ $\dfrac{3}{2}$　④ $\dfrac{5}{3}$　⑤ $\dfrac{11}{6}$

STEP 01 ❷에서 $f(2)$, $f'(2)$를 구한 후 ❶을 이용하여 $g(2)$, $g'(2)$를 구한 다음 $h'(2)$의 값을 구한다.

$\displaystyle\lim_{x\to 2}\frac{f(x)-2}{x-2}=\frac{1}{3}$에서

$$f(2)=2,\quad f'(2)=\frac{1}{3}$$

$f(x)$는 함수 $g(x)$의 역함수이므로 $g(2)=2$

$$g'(2) = \frac{1}{f'(g(2))} = \frac{1}{f'(2)} = 3$$

$f(2)\neq 0$이고 두 함수 $f(x)$, $g(x)$는 양의 실수 전체의 집합에서 미분가능하므로 함수 $h(x)$는 $x=2$에서 미분가능하다.

$$h'(x) = \frac{g'(x)f(x)-g(x)f'(x)}{\{f(x)\}^2}$$

$$h'(2) = \frac{g'(2)f(2)-g(2)f'(2)}{\{f(2)\}^2}$$

$$= \frac{3\times 2-2\times\frac{1}{3}}{2^2} = \frac{6-\frac{2}{3}}{4} = \frac{4}{3}$$

---

27 등비급수 　　　　　정답률 53% | 정답 ②

그림과 같이 $\overline{A_1B_1}=1$, $\overline{B_1C_1}=2$인 직사각형 $A_1B_1C_1D_1$이 있다. 선분 A_1D_1의 중점 E_1에 대하여 두 선분 B_1D_1, C_1E_1이 만나는 점을 F_1이라 하자. $\overline{G_1E_1}=\overline{G_1F_1}$이 되도록 선분 B_1D_1 위에 점 G_1을 잡아 삼각형 $G_1F_1E_1$을 그린다. 두 삼각형 $C_1D_1F_1$, $G_1F_1E_1$로 만들어진 ▷◁ 모양의 도형에 색칠하여 얻은 그림을 R_1이라 하자.

그림 R_1에서 선분 B_1F_1 위의 점 A_2, 선분 B_1C_1 위의 두 점 B_2, C_2, 선분 C_1F_1 위의 점 D_2를 꼭짓점으로 하고 $\overline{A_2B_2}:\overline{B_2C_2}=1:2$인 직사각형 $A_2B_2C_2D_2$를 그린다. 직사각형 $A_2B_2C_2D_2$에 그림 R_1을 얻은 것과 같은 방법으로 ▷◁ 모양의 도형에 색칠하여 얻은 그림을 R_2라 하자.

이와 같은 과정을 계속하여 n번째 얻은 그림 R_n에 색칠되어 있는 부분의 넓이를 S_n이라 할 때, $\displaystyle\lim_{n\to\infty}S_n$의 값은? [3점]

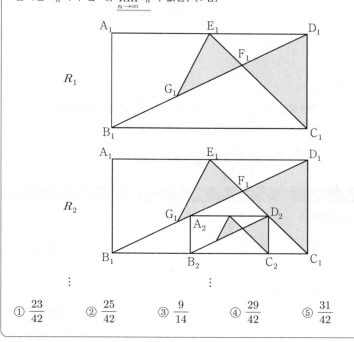

① $\dfrac{23}{42}$　② $\dfrac{25}{42}$　③ $\dfrac{9}{14}$　④ $\dfrac{29}{42}$　⑤ $\dfrac{31}{42}$

STEP 01 두 삼각형 $C_1D_1F_1$과 $G_1F_1E_1$의 넓이를 각각 구한 후 합을 구하여 S_1을 구한다.

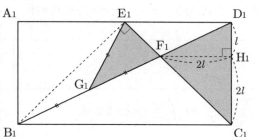

점 F_1에서 선분 C_1D_1에 내린 수선의 발을 H_1이라 하자.

$\overline{D_1H_1}=l\,(l>0)$이라 하면 $\overline{F_1H_1}=\overline{C_1H_1}=2l$

$$\overline{C_1D_1}=3l=1$$

$l=\dfrac{1}{3}$이므로 $\overline{D_1H_1}=\dfrac{1}{3}$, $\overline{F_1H_1}=\dfrac{2}{3}$

삼각형 $C_1D_1F_1$의 넓이는 $\dfrac{1}{2}\times 1\times\dfrac{2}{3}=\dfrac{1}{3}$

$\angle B_1E_1F_1=\dfrac{\pi}{2}$이고, $\overline{G_1E_1}=\overline{G_1F_1}$이므로 점 G_1은 삼각형 $B_1E_1F_1$의 외접원의 중심이다.

$\overline{B_1G_1}=\overline{G_1F_1}$이므로 삼각형 $G_1E_1F_1$의 넓이는 삼각형 $B_1E_1F_1$의 넓이의 $\dfrac{1}{2}$이다.

$\overline{B_1E_1}=\sqrt{2}$, $\overline{E_1F_1}=\dfrac{\sqrt{2}}{3}$이므로 삼각형 $G_1F_1E_1$의 넓이는

$$\frac{1}{2}\times\left(\frac{1}{2}\times\overline{B_1E_1}\times\overline{E_1F_1}\right) = \frac{1}{4}\times\sqrt{2}\times\frac{\sqrt{2}}{3} = \frac{1}{6}$$

$$S_1 = \frac{1}{3}+\frac{1}{6} = \frac{1}{2}$$

STEP 02 두 직사각형 $A_nB_nC_nD_n$, $A_{n+1}B_{n+1}C_{n+1}D_{n+1}$의 닮음비를 구하여 공비를 구한 후 등비급수로 $\displaystyle\lim_{n\to\infty}S_n$의 값을 구한다.

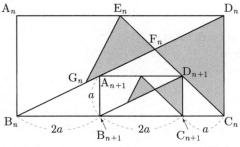

두 삼각형 $C_nD_nF_n$, $G_nF_nE_n$으로 만들어진 ▷◁ 모양의 도형의 넓이를 T_n이라 하자.

$\overline{A_{n+1}B_{n+1}}=a\ (a>0)$이라 하면

$\overline{B_nB_{n+1}}=2a,\ \overline{B_{n+1}C_{n+1}}=2a,\ \overline{C_{n+1}C_n}=a$

$\overline{B_nC_n}=5a$

$\overline{B_{n+1}C_{n+1}}=\dfrac{2}{5}\overline{B_nC_n}$

두 직사각형 $A_nB_nC_nD_n$,

$A_{n+1}B_{n+1}C_{n+1}D_{n+1}$의 닮음비는 $1:\dfrac{2}{5}$이므로

넓이의 비는 $1^2:\left(\dfrac{2}{5}\right)^2$이다.

$T_{n+1}=\dfrac{4}{25}T_n$

수열 $\{T_n\}$은 첫째항이 $T_1=S_1=\dfrac{1}{2}$이고 공비가 $\dfrac{4}{25}$인 등비수열이다.

따라서 $\displaystyle\lim_{n\to\infty}S_n=\sum_{n=1}^{\infty}T_n=\dfrac{\dfrac{1}{2}}{1-\dfrac{4}{25}}=\dfrac{25}{42}$

●핵심 공식

▶ 무한등비급수

$a\neq0$일 때, 무한등비급수 $\displaystyle\sum_{n=1}^{\infty}ar^{n-1}$은

(i) $|r|<1$이면 수렴하고 그 합은 $\dfrac{a}{1-r}$이다.

(ii) $|r|\geq1$이면 발산한다.

---

28 부분적분법 정답률 41% | 정답 ①

실수 전체의 집합에서 도함수가 연속인 함수 $f(x)$가 모든 실수 x에 대하여 다음 조건을 만족시킨다.

> (가) $f(-x)=f(x)$
> (나) $f(x+2)=f(x)$

❶ $\displaystyle\int_{-1}^{5}f(x)(x+\cos2\pi x)dx=\dfrac{47}{2}$, ❷ $\displaystyle\int_{0}^{1}f(x)dx=2$일 때,

❸ $\displaystyle\int_{0}^{1}f'(x)\sin2\pi x\,dx$의 값은? [4점]

① $\dfrac{\pi}{6}$ ② $\dfrac{\pi}{4}$ ③ $\dfrac{\pi}{3}$ ④ $\dfrac{5}{12}\pi$ ⑤ $\dfrac{\pi}{2}$

STEP 01 두 조건을 이용하여 ❶의 좌변을 정리한다.

$\displaystyle\int_{-1}^{5}f(x)(x+\cos2\pi x)dx=\int_{-1}^{5}xf(x)dx+\int_{-1}^{5}f(x)\cos2\pi x\,dx$ ……㉠

조건 (가)에 의하여

$\displaystyle\int_{-1}^{1}xf(x)dx=0,\ \int_{-1}^{1}f(x)dx=2\int_{0}^{1}f(x)dx$

$\displaystyle\int_{-1}^{5}xf(x)dx$

$\displaystyle=\int_{-1}^{1}xf(x)dx+\int_{1}^{3}xf(x)dx+\int_{3}^{5}xf(x)dx$

$\displaystyle=\int_{-1}^{1}xf(x)dx+\int_{-1}^{1}(x+2)f(x+2)dx+\int_{-1}^{1}(x+4)f(x+4)dx$

$\displaystyle=\int_{-1}^{1}xf(x)dx+\int_{-1}^{1}(x+2)f(x)dx+\int_{-1}^{1}(x+4)f(x)dx$

$\displaystyle=3\int_{-1}^{1}xf(x)dx+6\int_{-1}^{1}f(x)dx$

$\displaystyle=12\int_{0}^{1}f(x)dx=24$ ……㉡

조건 (가), (나)에 의하여 모든 실수 x에 대하여

$f(-x)\cos2\pi(-x)=f(x)\cos2\pi x$

$f(x+2)\cos2\pi(x+2)=f(x)\cos2\pi x$

$\displaystyle\int_{-1}^{5}f(x)\cos2\pi x\,dx$

$\displaystyle=\int_{-1}^{1}f(x)\cos2\pi x\,dx+\int_{1}^{3}f(x)\cos2\pi x\,dx+\int_{3}^{5}f(x)\cos2\pi x\,dx$

$\displaystyle=\int_{-1}^{1}f(x)\cos2\pi x\,dx+\int_{-1}^{1}f(x+2)\cos2\pi(x+2)dx$

$\displaystyle\qquad\qquad+\int_{-1}^{1}f(x+4)\cos2\pi(x+4)dx$

$\displaystyle=\int_{-1}^{1}f(x)\cos2\pi x\,dx+\int_{-1}^{1}f(x)\cos2\pi x\,dx+\int_{-1}^{1}f(x)\cos2\pi x\,dx$

$\displaystyle=3\int_{-1}^{1}f(x)\cos2\pi x\,dx$

$\displaystyle=6\int_{0}^{1}f(x)\cos2\pi x\,dx$

STEP 02 ❶, ❷를 이용하여 $\displaystyle\int_{0}^{1}f(x)\cos2\pi x\,dx$를 구한 후 부분적분법으로 ❸을 적분하여 값을 구한다.

㉠, ㉡에 의하여

$\displaystyle\int_{0}^{1}f(x)\cos2\pi x\,dx=\dfrac{1}{6}\left(\dfrac{47}{2}-24\right)=-\dfrac{1}{12}$

따라서

$\displaystyle\int_{0}^{1}f'(x)\sin2\pi x\,dx=\left[f(x)\sin2\pi x\right]_{0}^{1}-2\pi\int_{0}^{1}f(x)\cos2\pi x\,dx$

$\displaystyle\qquad\qquad=-2\pi\int_{0}^{1}f(x)\cos2\pi x\,dx$

$\displaystyle\qquad\qquad=\dfrac{\pi}{6}$

●핵심 공식

▶ 부분적분법

$\{f(x)g(x)\}'=f'(x)g(x)+f(x)g'(x)$에서 $f(x)g'(x)=\{f(x)g(x)\}'-f'(x)g(x)$이므로 양변을 적분하면

$\displaystyle\int f(x)g'(x)dx=f(x)g(x)-\int f'(x)g(x)dx$

---

29 삼각함수의 극한 정답률 20% | 정답 4

그림과 같이 길이가 2인 선분 AB를 지름으로 하는 반원의 호 AB 위에 점 P가 있다. 호 AP 위에 점 Q를 호 BP와 호 PQ의 길이가 같도록 잡을 때, 두 선분 AP, BQ가 만나는 점을 R라 하고 점 B를 지나고 선분 AB에 수직인 직선이 직선 AP와 만나는 점을 S라 하자. $\angle BAP=\theta$라 할 때, 두 선분 PR, QR와 호 PQ로 둘러싸인 부분의 넓이를 $f(\theta)$, 두 선분 PS, BS와 호 BP로 둘러싸인 부분의 넓이를 $g(\theta)$라 하자.

❶ $\displaystyle\lim_{\theta\to0+}\dfrac{f(\theta)+g(\theta)}{\theta^3}$의 값을 구하시오. (단, $0<\theta<\dfrac{\pi}{4}$) [4점]

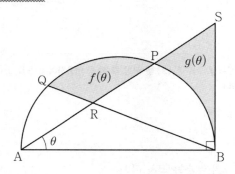

STEP 01 삼각형 QBP의 넓이를 구하여 $f(\theta)+g(\theta)$를 구한다.

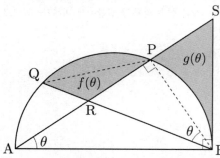

호 PB와 호 PQ의 길이가 서로 같으므로 원주각의 성질에 의하여

$\angle PAB=\angle QBP=\theta$

$\angle ABS=\angle APB=\dfrac{\pi}{2}$이고 $\angle PBA=\dfrac{\pi}{2}-\theta$이므로 $\angle SBP=\theta$

두 삼각형 SPB, RPB는 서로 합동이므로 두 삼각형 SPB, RPB의 넓이가 서로 같다.

선분 PQ와 호 PQ로 둘러싸인 부분의 넓이와 선분 PB와 호 PB로 둘러싸인 부분의 넓이가 서로 같다.

그러므로 $f(\theta)+g(\theta)$는 삼각형 QBP의 넓이와 같다.

$$\overline{PB} = \overline{PQ} = 2\sin\theta$$

$$f(\theta) + g(\theta) = \frac{1}{2} \times \overline{PB} \times \overline{PQ} \times \sin(\pi - 2\theta)$$

$$= \frac{1}{2} \times (2\sin\theta)^2 \times \sin 2\theta$$

$$= 2\sin^2\theta \sin 2\theta$$

STEP 02 $f(\theta) + g(\theta)$를 ❶에 대입하고 삼각함수의 극한으로 값을 구한다.

$$\lim_{\theta \to 0+} \frac{f(\theta) + g(\theta)}{\theta^3} = \lim_{\theta \to 0+} \frac{2\sin^2\theta \sin 2\theta}{\theta^3}$$

$$= \lim_{\theta \to 0+} \left(2 \times \frac{\sin^2\theta}{\theta^3} \times \frac{\sin 2\theta}{\theta} \right)$$

$$= 2 \times \lim_{\theta \to 0+} \left(\frac{\sin\theta}{\theta} \right)^2 \times \lim_{\theta \to 0+} \left(\frac{\sin 2\theta}{2\theta} \times 2 \right)$$

$$= 2 \times 1^2 \times 2 = 4$$

● 핵심 공식

▶ $\frac{0}{0}$ 꼴의 삼각함수의 극한

x의 단위는 라디안일 때

① $\lim\limits_{x \to 0} \dfrac{\sin x}{x} = 1$ ② $\lim\limits_{x \to 0} \dfrac{\tan x}{x} = 1$

③ $\lim\limits_{x \to 0} \dfrac{\sin bx}{ax} = \dfrac{b}{a}$ ④ $\lim\limits_{x \to 0} \dfrac{\tan bx}{ax} = \dfrac{b}{a}$

⑤ $\lim\limits_{x \to 0} \dfrac{\sin bx}{\tan ax} = \dfrac{b}{a}$

★★★ 등급을 가르는 문제!

30 미분법의 활용   정답률 5% | 정답 129

최고차항의 계수가 3보다 크고 실수 전체의 집합에서 최솟값이 양수인 이차함수 $f(x)$에 대하여 함수 $g(x)$가

$$g(x) = e^x f(x)$$

이다. 양수 k에 대하여 집합 $\{x \mid g(x) = k, \ x는 \ 실수\}$의 모든 원소의 합을 $h(k)$라 할 때, 양의 실수 전체의 집합에서 정의된 함수 $h(k)$는 다음 조건을 만족시킨다.

> (가) 함수 $h(k)$가 $k = t$에서 불연속인 t의 개수는 1이다.
> (나) $\lim\limits_{k \to 3e+} h(k) - \lim\limits_{k \to 3e-} h(k) = 2$

$g(-6) \times g(2)$의 값을 구하시오. (단, $\lim\limits_{x \to -\infty} x^2 e^x = 0$) [4점]

STEP 01 이차함수 $f(x)$를 놓고 $g(x)$의 그래프의 개형을 그려 조건 (가)를 만족할 조건을 구한다.

$f(x) = ax^2 + bx + c$ (a, b, c는 상수)라 하면
$g'(x) = e^x \{f(x) + f'(x)\}$
$\quad = e^x \{ax^2 + (2a+b)x + b + c\}$
함수 $g(x)$가 극값을 갖지 않으면 조건 (가)를 만족시키지 않으므로 함수 $g(x)$는 극값을 갖는다.

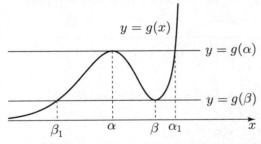

함수 $g(x)$가 $x = \alpha$에서 극댓값, $x = \beta$에서 극솟값을 갖는다고 하면
$g'(x) = e^x \{a(x-\alpha)(x-\beta)\}$
함수 $h(k)$는 $k = t (t \neq g(\alpha), \ t \neq g(\beta))$에서
$\lim\limits_{k \to t-} h(k) = \lim\limits_{k \to t+} h(k) = h(t)$
그러므로 함수 $h(k)$는 $k = t (t \neq g(\alpha), \ t \neq g(\beta))$에서 연속이다.
조건 (가)에 의하여 함수 $h(k)$가 $k = t$에서 불연속인 t의 개수가 1이므로
함수 $h(k)$는 $k = g(\alpha)$에서 연속이고 $k = g(\beta)$에서 불연속
또는 $k = g(\alpha)$에서 불연속이고 $k = g(\beta)$에서 연속이다.

STEP 02 조건 (가)를 만족하는 각 경우에 대하여 주어진 모든 조건을 만족하는 경우를 찾아 조건 (나)를 이용하여 $g(x)$를 구한 다음 $g(-6) \times g(2)$의 값을 구한다.

(i) 함수 $h(k)$가 $k = g(\alpha)$에서 연속이고 $k = g(\beta)$에서 불연속인 경우
$\lim\limits_{k \to g(\alpha)-} h(k) = 2\alpha + \alpha_1$
$\lim\limits_{k \to g(\alpha)+} h(k) = \alpha_1$
$h(g(\alpha)) = \alpha + \alpha_1$이므로
$\lim\limits_{k \to g(\alpha)-} h(k) = \lim\limits_{k \to g(\alpha)+} h(k) = h(g(\alpha))$에서
$2\alpha + \alpha_1 = \alpha_1 = \alpha + \alpha_1$
그러므로 $\alpha = 0$
함수 $h(k)$는 $k = g(\beta)$에서 불연속이므로
$\lim\limits_{k \to g(\beta)+} h(k) - \lim\limits_{k \to g(\beta)-} h(k) = 2\beta \neq 0$
조건 (나)에 의하여 $\beta = 1$, $g(\beta) = 3e$
$g'(0) = 0$, $g'(1) = 0$이므로
$g'(x) = e^x \{ax(x-1)\}$
$g(x) = e^x \{a(x^2 - 3x + 3)\}$
$g(1) = 3e$이므로 $a = 3$
최고차항의 계수가 3이므로 주어진 조건을 만족시키지 않는다.

(ii) 함수 $h(k)$가 $k = g(\alpha)$에서 불연속이고 $k = g(\beta)$에서 연속인 경우
$\lim\limits_{k \to g(\beta)-} h(k) = \beta_1$
$\lim\limits_{k \to g(\beta)+} h(k) = 2\beta + \beta_1$
$h(g(\beta)) = \beta + \beta_1$이므로
$\lim\limits_{k \to g(\beta)-} h(k) = \lim\limits_{k \to g(\beta)+} h(k) = h(g(\beta))$에서
$\beta_1 = 2\beta + \beta_1 = \beta + \beta_1$
그러므로 $\beta = 0$
함수 $h(k)$는 $k = g(\alpha)$에서 불연속이므로
$\lim\limits_{k \to g(\alpha)+} h(k) - \lim\limits_{k \to g(\alpha)-} h(k) = -2\alpha \neq 0$
조건 (나)에 의하여 $\alpha = -1$, $g(\alpha) = 3e$
$g'(0) = 0$, $g'(-1) = 0$이므로
$g'(x) = e^x \{ax(x+1)\}$
$g(x) = e^x \{a(x^2 - x + 1)\}$
$g(-1) = 3e$이므로 $a = e^2$
$g(x) = e^{x+2} (x^2 - x + 1)$
따라서 $g(-6) \times g(2) = 43e^{-4} \times 3e^4 = 129$

★★ 문제 해결 꿀~팁 ★★

▶ 문제 해결 방법
$f(x)$가 이차함수이고 조건 (가)에 의해 $g(x)$는 극댓값과 극솟값을 각각 한 개씩 갖는다. 또한 조건 (가)에 의해 $h(k)$가 극점 중 한 곳에서만 불연속이어야 한다.
먼저 k가 극댓값일 때 조건 (나)에 의해 $y = f(x)$의 최고차항의 계수를 구하면 3으로 주어진 조건을 만족하지 않는다.
k가 극솟값일 때 같은 방법으로 $y = f(x)$의 최고차항의 계수를 구하면 e^2으로 조건을 만족한다. 그러므로 $g(x) = e^{x+2}(x^2 - x + 1)$이다.
주어진 조건을 만족할 수 있는 그래프의 개형 및 특징을 파악할 수 있어야 한다.

•정답•

공통 | 수학
01 ② 02 ⑤ 03 ④ 04 ② 05 ② 06 ② 07 ③ 08 ② 09 ⑤ 10 ① 11 ① 12 ② 13 ④ 14 ⑤ 15 ①
16 7 17 5 18 29 19 4 20 15 21 31 22 8
선택 | 확률과 통계
23 ⑤ 24 ① 25 ② 26 ③ 27 ④ 28 ④ 29 994 30 93
선택 | 미적분
23 ⑤ 24 ④ 25 ④ 26 ③ 27 ② 28 ③ 29 57 30 25

---

01 지수법칙　　　　　　정답률 86% | 정답 ②

$\dfrac{\sqrt[4]{32}}{\sqrt[8]{4}}$ 의 값은? [2점]

① $\sqrt{2}$　　② 2　　③ $2\sqrt{2}$　　④ 4　　⑤ $4\sqrt{2}$

| 문제 풀이 |

$32^{\frac{1}{4}} \times 4^{-\frac{1}{8}} = (2^5)^{\frac{1}{4}} \times (2^2)^{-\frac{1}{8}} = 2^{\frac{5}{4}} \times 2^{-\frac{2}{8}} = 2^{\frac{5}{4}-\frac{1}{4}} = 2$

---

02 미분계수　　　　　　정답률 88% | 정답 ⑤

함수 $f(x)=x^3+3x^2-5$에 대하여 $\lim\limits_{h\to 0}\dfrac{f(1+h)-f(1)}{h}$ 의 값은? [2점]

① 5　　② 6　　③ 7　　④ 8　　⑤ 9

| 문제 풀이 |

$f(x)=x^3+3x^2-5$이므로 $f'(x)=3x^2+6x$

$\lim\limits_{h\to 0}\dfrac{f(1+h)-f(1)}{h}=f'(1)=3\times 1^2+6\times 1=9$

---

03 등비수열　　　　　　정답률 90% | 정답 ④

모든 항이 실수인 등비수열 $\{a_n\}$에 대하여

$a_2 a_3 = 2,\ a_4 = 4$

일 때, a_6의 값은? [3점]

① 10　　② 12　　③ 14　　④ 16　　⑤ 18

| 문제 풀이 |

등비수열 $\{a_n\}$의 첫째항을 a, 공비를 r이라 하면

$a_2 a_3 = ar \times ar^2 = a^2 r^3 = 2$ ······ ㉠

$a_4 = ar^3 = 4$ ······ ㉡

㉠을 ㉡으로 나누면 $a=\dfrac{1}{2}$

이것을 ㉡에 대입하면 $\dfrac{1}{2}r^3=4$에서 $r^3=8$

r은 실수이므로 $r=2$

$a_6 = ar^5 = \dfrac{1}{2}\times 2^5 = 2^4 = 16$

---

04 함수의 그래프　　　　정답률 89% | 정답 ②

함수 $y=f(x)$의 그래프가 그림과 같다.

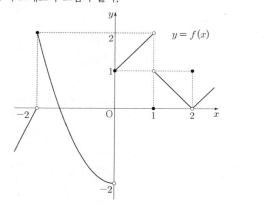

$\lim\limits_{x\to 0-}f(x)+\lim\limits_{x\to 1+}f(x)$ 의 값은? [3점]

① -2　　② -1　　③ 0　　④ 1　　⑤ 2

| 문제 풀이 |

$\lim\limits_{x\to 0-}f(x)=-2$, $\lim\limits_{x\to 1+}f(x)=1$이므로

$\lim\limits_{x\to 0-}f(x)+\lim\limits_{x\to 1+}f(x)=-2+1=-1$

---

05 미분계수　　　　　　정답률 88% | 정답 ②

함수 $f(x)=(x+1)(x^2+x-5)$에 대하여 $f'(2)$의 값은? [3점]

① 15　　② 16　　③ 17　　④ 18　　⑤ 19

| 문제 풀이 |

$f(x)=(x+1)(x^2+x-5)$에서

$f'(x)=(x^2+x-5)+(x+1)(2x+1)$

따라서

$f'(2)=(2^2+2-5)+(2+1)(2\times 2+1)=1+15=16$

---

06 삼각함수의 성질　　　　정답률 74% | 정답 ②

$\dfrac{\pi}{2}<\theta<\pi$인 θ에 대하여 $\cos(\pi+\theta)=\dfrac{2\sqrt{5}}{5}$일 때, $\sin\theta+\cos\theta$의 값은? [3점]

① $-\dfrac{2\sqrt{5}}{5}$　　② $-\dfrac{\sqrt{5}}{5}$　　③ 0

④ $\dfrac{\sqrt{5}}{5}$　　⑤ $\dfrac{2\sqrt{5}}{5}$

| 문제 풀이 |

$\cos(\pi+\theta)=\dfrac{2\sqrt{5}}{5}$에서 $\cos(\pi+\theta)=-\cos\theta$이므로

$-\cos\theta=\dfrac{2\sqrt{5}}{5}$, 즉 $\cos\theta=-\dfrac{2\sqrt{5}}{5}$

$\dfrac{\pi}{2}<\theta<\pi$에서 $\sin\theta>0$이므로

$\sin\theta=\sqrt{1-\cos^2\theta}=\sqrt{1-\left(-\dfrac{2\sqrt{5}}{5}\right)^2}=\sqrt{\dfrac{1}{5}}=\dfrac{\sqrt{5}}{5}$

따라서 $\sin\theta+\cos\theta=\dfrac{\sqrt{5}}{5}+\left(-\dfrac{2\sqrt{5}}{5}\right)=-\dfrac{\sqrt{5}}{5}$

---

07 함수의 연속　　　　　정답률 89% | 정답 ③

함수

$f(x)=\begin{cases}(x-a)^2 & (x<4)\\ 2x-4 & (x\geq 4)\end{cases}$

가 실수 전체의 집합에서 연속이 되도록 하는 모든 상수 a의 값의 곱은? [3점]

① 6　　② 9　　③ 12　　④ 15　　⑤ 18

| 문제 풀이 |

함수 $f(x)=\begin{cases}(x-a)^2 & (x<4)\\ 2x-4 & (x\geq 4)\end{cases}$

가 $x=4$에서 연속이면 함수 $f(x)$는 실수 전체의 집합에서 연속이다.

함수 $f(x)$가 $x=4$에서 연속이면

$\lim\limits_{x\to 4-}f(x)=\lim\limits_{x\to 4+}f(x)=f(4)$이다. 이때

$\lim\limits_{x\to 4-}f(x)=\lim\limits_{x\to 4-}(x-a)^2=(4-a)^2=a^2-8a+16$

$\lim\limits_{x\to 4+}f(x)=\lim\limits_{x\to 4+}(2x-4)=4$

$f(4)=4$이므로

$a^2-8a+16=4$

$a^2-8a+12=0$

$(a-2)(a-6)=0$

$a=2$ 또는 $a=6$

따라서 조건을 만족시키는 모든 상수 a의 값의 곱은

$2\times 6=12$

---

08 로그의 성질
정답률 82% | 정답 ①

$a>2$인 상수 a에 대하여 두 수 $\log_2 a$, $\log_a 8$의 합과 곱이 각각 4, k일 때, $a+k$의 값은? [3점]

① 11　　② 12　　③ 13　　④ 14　　⑤ 15

| 문제 풀이 |

두 수 $\log_2 a$, $\log_a 8$의 합이 4이므로

$\log_2 a + \log_a 8 = 4$에서 $\log_2 a + 3\log_a 2 = 4$

$\log_2 a + \dfrac{3}{\log_2 a} = 4$ ······ ㉠

$\log_2 a = X$라 하면 $a>2$이므로 $X>1$

㉠에서

$X + \dfrac{3}{X} = 4$, $X^2 - 4X + 3 = 0$

$(X-1)(X-3) = 0$

$X>1$이므로 $X=3$

즉, $\log_2 a = 3$에서 $a = 2^3 = 8$

한편, 두 수 $\log_2 a$, $\log_a 8$의 곱이 k이므로

$k = \log_2 a \times \log_a 8 = \log_2 a \times 3\log_a 2 = \log_2 a \times \dfrac{3}{\log_2 a} = 3$

따라서

$a + k = 8 + 3 = 11$

09 정적분의 성질
정답률 82% | 정답 ⑤

함수 $f(x) = x^2 + x$에 대하여

$$5\int_0^1 f(x)dx - \int_0^1 (5x + f(x))dx$$

의 값은? [4점]

① $\dfrac{1}{6}$　　② $\dfrac{1}{3}$　　③ $\dfrac{1}{2}$　　④ $\dfrac{2}{3}$　　⑤ $\dfrac{5}{6}$

| 문제 풀이 |

$f(x) = x^2 + x$이므로

$$\begin{aligned}5\int_0^1 f(x)dx - \int_0^1 (5x+f(x))dx &= 5\int_0^1 f(x)dx - \int_0^1 5x\,dx - \int_0^1 f(x)dx \\ &= 4\int_0^1 f(x)dx - \int_0^1 5x\,dx \\ &= 4\int_0^1 (x^2+x)dx - \int_0^1 5x\,dx \\ &= \int_0^1 (4x^2+4x)dx - \int_0^1 5x\,dx \\ &= \int_0^1 (4x^2 - x)dx \\ &= \left[\dfrac{4}{3}x^3 - \dfrac{1}{2}x^2\right]_0^1 \\ &= \dfrac{4}{3} - \dfrac{1}{2} = \dfrac{5}{6}\end{aligned}$$

다른 풀이

$f(x) = x^2 + x$이므로

$$5\int_0^1 f(x)dx - \int_0^1 (5x+f(x))dx = 5\left[\dfrac{1}{3}x^3 + \dfrac{1}{2}x^2\right]_0^1 - \left[\dfrac{1}{3}x^3 + 3x^2\right]_0^1$$
$$= 5\times \dfrac{5}{6} - \dfrac{10}{3} = \dfrac{5}{6}$$

10 사인법칙
정답률 40% | 정답 ①

$\angle A > \dfrac{\pi}{2}$인 삼각형 ABC의 꼭짓점 A에서 선분 BC에 내린 수선의 발을 H라 하자.

$\overline{AB} : \overline{AC} = \sqrt{2} : 1$, $\overline{AH} = 2$

이고, 삼각형 ABC의 외접원의 넓이가 50π일 때, 선분 BH의 길이는? [4점]

① 6　　② $\dfrac{25}{4}$　　③ $\dfrac{13}{2}$　　④ $\dfrac{27}{4}$　　⑤ 7

| 문제 풀이 |

$\overline{AB} : \overline{AC} = \sqrt{2} : 1$이므로 $\overline{AC} = x$라 하면 $\overline{AB} = \sqrt{2}x$

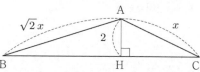

삼각형 ABC의 외접원의 반지름의 길이를 R이라 하면
이 외접원의 넓이가 50π이므로
$\pi R^2 = 50\pi$에서 $R = 5\sqrt{2}$

직각삼각형 AHC에서

$\sin(\angle \mathrm{ACH}) = \dfrac{2}{x}$, 즉 $\sin C = \dfrac{2}{x}$

삼각형 ABC에서 사인법칙에 의하여

$\dfrac{\overline{AB}}{\sin C} = 2R$, 즉 $\overline{AB} = 2R\sin C$

$\sqrt{2}x = 2\times 5\sqrt{2}\times \dfrac{2}{x}$, $x^2 = 20$, $x = 2\sqrt{5}$

따라서 $\overline{AB} = \sqrt{2}x = 2\sqrt{10}$이므로 직각삼각형 ABH에서

$\overline{BH} = \sqrt{\overline{AB}^2 - \overline{AH}^2} = \sqrt{(2\sqrt{10})^2 - 2^2} = 6$

11 미분의 활용
정답률 66% | 정답 ①

수직선 위를 움직이는 두 점 P, Q의 시각 $t\,(t\geq 0)$에서의 위치가 각각

$$x_1 = t^2 + t - 6, \quad x_2 = -t^3 + 7t^2$$

이다. 두 점 P, Q의 위치가 같아지는 순간 두 점 P, Q의 가속도를 각각 p, q라 할 때, $p-q$의 값은? [4점]

① 24　　② 27　　③ 30　　④ 33　　⑤ 36

| 문제 풀이 |

$x_1 = t^2 + t - 6$,

$x_2 = -t^3 + 7t^2$이므로

$x_1 = x_2$에서

$t^2 + t - 6 = -t^3 + 7t^2$

$t^3 - 6t^2 + t - 6 = 0$

$t^2(t-6) + t - 6 = 0$

$(t-6)(t^2+1) = 0$

$t \geq 0$이므로 $t = 6$

즉, 두 점 P, Q의 위치가 같아지는 순간의 시각은 $t=6$이다.

한편, 두 점 P, Q의 시각 t에서의 속도를 각각 v_1, v_2라 하면

$v_1 = \dfrac{dx_1}{dt} = 2t + 1$,

$v_2 = \dfrac{dx_2}{dt} = -3t^2 + 14t$

두 점 P, Q의 시각 t에서의 가속도를 각각 a_1, a_2라 하면

$a_1 = \dfrac{dv_1}{dt} = 2$,

$a_2 = \dfrac{dv_2}{dt} = -6t + 14$

시각 $t=6$에서의 두 점 P, Q의 가속도가 각각 p, q이므로

$p = 2$, $q = -6\times 6 + 14 = -22$

따라서 $p - q = 2 - (-22) = 24$

12 수열의 합
정답률 55% | 정답 ②

수열 $\{a_n\}$은 등차수열이고, 수열 $\{b_n\}$은 모든 자연수 n에 대하여

$$b_n = \sum_{k=1}^n (-1)^{k+1} a_k$$

를 만족시킨다. $b_2 = -2$, $b_3 + b_7 = 0$일 때, 수열 $\{b_n\}$의 첫째항부터 제9항까지의 합은? [4점]

① -22　　② -20　　③ -18　　④ -16　　⑤ -14

| 문제 풀이 |

$b_1 = \sum_{k=1}^1 (-1)^{k+1} a_k = a_1$

$$b_2 = \sum_{k=1}^{2} (-1)^{k+1} a_k = a_1 - a_2$$

이때 등차수열 $\{a_n\}$의 공차를 d라 하면 $b_2 = -2$이므로

$$a_1 - a_2 = -d = -2$$

따라서 $d = 2$

또한

$$b_3 = \sum_{k=1}^{3} (-1)^{k+1} a_k$$
$$= a_1 - a_2 + a_3$$
$$= -d + a_3$$
$$= a_3 - 2$$

$$b_7 = \sum_{k=1}^{7} (-1)^{k+1} a_k$$
$$= a_1 - a_2 + a_3 - a_4 + a_5 - a_6 + a_7$$
$$= -3d + a_7$$
$$= a_7 - 6$$

이므로 $b_3 + b_7 = 0$에서

$$(a_3 - 2) + (a_7 - 6) = a_3 + a_7 - 8$$
$$= (a_1 + 2 \times 2) + (a_1 + 6 \times 2) - 8$$
$$= (a_1 + 4) + (a_1 + 12) - 8$$
$$= 2a_1 + 8 = 0$$

따라서 $a_1 = -4$

즉 $a_n = -4 + (n-1) \times 2 = 2n - 6$이므로

$b_1 = a_1 = -4$
$b_2 = a_1 - a_2 = -2$
$b_3 = a_1 - a_2 + a_3 = -2$
$b_4 = a_1 - a_2 + a_3 - a_4 = -4$
$b_5 = a_1 - a_2 + a_3 - a_4 + a_5 = 0$
$b_6 = a_1 - a_2 + a_3 - a_4 + a_5 - a_6 = -6$
$b_7 = a_1 - a_2 + a_3 - a_4 + a_5 - a_6 + a_7 = 2$
$b_8 = a_1 - a_2 + a_3 - a_4 + \cdots + a_7 - a_8 = -8$
$b_9 = a_1 - a_2 + a_3 - a_4 + \cdots + a_7 - a_8 + a_9 = 4$

따라서

$$b_1 + b_2 + b_3 + \cdots + b_9 = -4 + (-2) + (-2) + (-4) + 0 + (-6) + 2 + (-8) + 4$$
$$= -20$$

[다른풀이]

$$b_{2n} = (a_1 - a_2) + (a_3 - a_4) + \cdots + (a_{2n-1} - a_{2n}) = -dn = -2n$$

$$b_{2n-1} = a_1 + (a_3 - a_2) + (a_5 - a_4) + \cdots + (a_{2n-1} - a_{2n-2})$$
$$= a_1 + (n-1)d$$
$$= -4 + 2(n-1)$$
$$= 2n - 6$$

따라서

$$\sum_{n=1}^{9} b_n = \sum_{n=1}^{5} b_{2n-1} + \sum_{n=1}^{4} b_{2n}$$
$$= \sum_{n=1}^{5} (2n-6) + \sum_{n=1}^{4} (-2n)$$
$$= 2 \times \frac{5 \times 6}{2} - 6 \times 5 - 2 \times \frac{4 \times 5}{2}$$
$$= 30 - 30 - 20 = -20$$

---

13 정적분   정답률 57% | 정답 ④

함수

$$f(x) = \begin{cases} -x^2 - 2x + 6 & (x < 0) \\ -x^2 + 2x + 6 & (x \geq 0) \end{cases}$$

의 그래프가 x 축과 만나는 서로 다른 두 점을 P, Q라 하고,
상수 $k(k > 4)$에 대하여 직선 $x = k$가 x축과 만나는 점을 R이라 하자.
곡선 $y = f(x)$와 선분 PQ로 둘러싸인 부분의 넓이를 A, 곡선 $y = f(x)$와 직선 $x = k$ 및 선분 QR로 둘러싸인 부분의 넓이를 B라 하자.
$A = 2B$일 때, k의 값은? (단, 점 P의 x좌표는 음수이다.) [4점]

① $\dfrac{9}{2}$ ② 5   ③ $\dfrac{11}{2}$ ④ 6   ⑤ $\dfrac{13}{2}$

| 문제 풀이 |

함수 $y = f(x)$의 그래프는 y축에 대하여 대칭이므로
곡선 $y = f(x)$와 선분 PQ로 둘러싸인 부분의 넓이는 y축에 의하여 이등분된다.

이때 $A = 2B$이므로 $\displaystyle\int_{0}^{k} (-x^2 + 2x + 6) dx = 0$이어야 한다. 즉,

$$\left[-\frac{1}{3}x^3 + x^2 + 6x \right]_0^k = 0$$

$$-\frac{1}{3}k^3 + k^2 + 6k = 0$$

$$-\frac{1}{3}k(k+3)(k-6) = 0$$

$k > 4$이므로 $k = 6$

---

14 지수함수와 로그함수의 그래프   정답률 27% | 정답 ⑤

자연수 n에 대하여 곡선 $y = 2^x$ 위의 두 점 A_n, B_n이 다음 조건을 만족시킨다.

(가) 직선 $A_n B_n$의 기울기는 3이다.
(나) $\overline{A_n B_n} = n \times \sqrt{10}$

중심이 직선 $y = x$ 위에 있고 두 점 A_n, B_n을 지나는 원이 곡선 $y = \log_2 x$와 만나는 두 점의 x좌표 중 큰 값을 x_n이라 하자. $x_1 + x_2 + x_3$의 값은? [4점]

① $\dfrac{150}{7}$ ② $\dfrac{155}{7}$ ③ $\dfrac{160}{7}$ ④ $\dfrac{165}{7}$ ⑤ $\dfrac{170}{7}$

| 문제 풀이 |

두 점 A_n, B_n의 좌표를 각각

$$A_n(a_n, 2^{a_n}), \ B_n(b_n, 2^{b_n}) \ (a_n < b_n)$$

이라 하면 조건 (가)에 의하여

$$\frac{2^{b_n} - 2^{a_n}}{b_n - a_n} = 3 \quad \cdots\cdots \text{⊙}$$

조건 (나)에 의하여

$$(b_n - a_n)^2 + (2^{b_n} - 2^{a_n})^2 = 10n^2 \quad \cdots\cdots \text{ⓒ}$$

⊙에서 $2^{b_n} - 2^{a_n} = 3(b_n - a_n)$이므로 이것을 ⓒ에 대입하여 정리하면

$$(b_n - a_n)^2 = n^2$$

$a_n < b_n$이므로 $b_n - a_n = n$, 즉 $a_n = b_n - n$

이것을 ⊙에 대입하여 정리하면

$2^{b_n} - 2^{b_n - n} = 3n$이므로

$$2^{b_n}\left(1 - \frac{1}{2^n}\right) = 3n$$

$$2^{b_n} = 3n \times \frac{2^n}{2^n - 1}$$

한편, 곡선 $y = 2^x$과 곡선 $y = \log_2 x$는 직선 $y = x$에 대하여 대칭이므로 x_n은 점 B_n의 y좌표와 같다.

따라서 $x_n = 2^{b_n} = 3n \times \dfrac{2^n}{2^n - 1}$이므로

$$x_1 + x_2 + x_3 = 6 + 8 + \frac{72}{7} = \frac{170}{7}$$

---

15 정적분의 활용   정답률 38% | 정답 ①

두 다항함수 $f(x)$, $g(x)$는 모든 실수 x에 대하여 다음 조건을 만족시킨다.

(가) $\displaystyle\int_{1}^{x} tf(t)dt + \int_{-1}^{x} tg(t)dt = 3x^4 + 8x^3 - 3x^2$
(나) $f(x) = xg'(x)$

$\displaystyle\int_{0}^{3} g(x)dx$의 값은? [4점]

① 72   ② 76   ③ 80   ④ 84   ⑤ 88

| 문제 풀이 |

조건 (가)의 양변을 x에 대하여 미분하면

$$xf(x) + xg(x) = 12x^3 + 24x^2 - 6x$$

$$f(x) + g(x) = 12x^2 + 24x - 6 \quad \cdots\cdots \text{⊙}$$

이때 조건 (나)에서 $f(x)=xg'(x)$이므로 ㉠에 대입하면
$xg'(x)+g(x)=12x^2+24x-6$
$\{xg(x)\}'=12x^2+24x-6$
$xg(x)=\int(12x^2+24x-6)dx=4x^3+12x^2-6x+C$ (단, C는 적분상수)
이때 $g(x)$는 다항함수이므로 $C=0$
즉 $xg(x)=4x^3+12x^2-6x$이므로
$g(x)=4x^2+12x-6$
따라서
$$\int_0^3 g(x)dx=\int_0^3(4x^2+12x-6)dx$$
$$=\left[\frac{4}{3}x^3+6x^2-6x\right]_0^3$$
$$=36+54-18=72$$

---

16 로그를 포함하는 방정식의 근 정답률 84% | 정답 7

방정식
$$\log_3(x+2)-\log_{\frac{1}{3}}(x-4)=3$$
을 만족시키는 실수 x의 값을 구하시오. [3점]

| 문제 풀이 |
$\log_3(x+2)-\log_{\frac{1}{3}}(x-4)=\log_3(x+2)-\log_{3^{-1}}(x-4)$
$\qquad\qquad=\log_3(x+2)+\log_3(x-4)$
$\qquad\qquad=\log_3(x+2)(x-4)$
이므로
$\log_3(x+2)(x-4)=3$
$(x+2)(x-4)=3^3$
$x^2-2x-35=0$
$(x-7)(x+5)=0$
진수 조건에 의해서 $x>4$
따라서 $x=7$

---

17 부정적분 정답률 88% | 정답 5

함수 $f(x)$에 대하여 $f'(x)=6x^2+2x+1$이고 $f(0)=1$일 때, $f(1)$의 값을 구하시오. [3점]

| 문제 풀이 |
$f'(x)=6x^2+2x+1$이므로 $f'(x)$의 한 부정적분은
$\int(6x^2+2x+1)dx=2x^3+x^2+x+C$ (단, C는 적분상수)
이때 $f(0)=1$이므로 $C=1$에서
$f(x)=2x^3+x^2+x+1$
따라서 $f(1)=5$

---

18 수열의 합의 성질 정답률 71% | 정답 29

수열 $\{a_n\}$에 대하여
$$\sum_{k=1}^{10}ka_k=36,\quad \sum_{k=1}^{9}ka_{k+1}=7$$
일 때, $\sum_{k=1}^{10}a_k$의 값을 구하시오. [3점]

| 문제 풀이 |
$\sum_{k=1}^{10}ka_k=36$에서
$a_1+2a_2+3a_3+\cdots+10a_{10}=36$ ······㉠
$\sum_{k=1}^{9}ka_{k+1}=7$에서
$a_2+2a_3+3a_4+\cdots+9a_{10}=7$ ······㉡
㉠-㉡을 하면
$a_1+a_2+a_3+\cdots+a_{10}=\sum_{k=1}^{10}a_k=36-7=29$

다른 풀이

$\sum_{k=1}^{9}ka_{k+1}=7$에서
$\sum_{k=1}^{9}ka_{k+1}=\sum_{k=1}^{9}\{(k+1)a_{k+1}-a_{k+1}\}$
$\qquad\qquad=\sum_{k=1}^{9}(k+1)a_{k+1}-\sum_{k=1}^{9}a_{k+1}$
$\qquad\qquad=\sum_{k=2}^{10}ka_k-\sum_{k=2}^{10}a_k=7$
즉, $\sum_{k=2}^{10}ka_k=\sum_{k=2}^{10}a_k+7$
$\sum_{k=1}^{10}ka_k=36$에서
$\sum_{k=1}^{10}ka_k=a_1+\sum_{k=2}^{10}ka_k=a_1+\sum_{k=2}^{10}a_k+7=\sum_{k=1}^{10}a_k+7=36$
따라서 $\sum_{k=1}^{10}a_k=36-7=29$

---

19 함수의 극댓값과 극솟값 정답률 74% | 정답 4

함수 $f(x)=x^3+ax^2-9x+b$는 $x=1$에서 극소이다. 함수 $f(x)$의 극댓값이 28일 때, $a+b$의 값을 구하시오. (단, a와 b는 상수이다.) [3점]

| 문제 풀이 |
함수 $f(x)=x^3+ax^2-9x+b$가 $x=1$에서 극소이므로
$f'(1)=0$
$f'(x)=3x^2+2ax-9$이므로
$f'(1)=3+2a-9=0$에서 $a=3$
한편, $f'(x)=0$에서
$3x^2+6x-9=0$
$3(x+3)(x-1)=0$
$x=-3$ 또는 $x=1$
함수 $f(x)$의 증가와 감소를 표로 나타내면 다음과 같다.

x	$\cdots$	-3	$\cdots$	1	$\cdots$
$f'(x)$	$+$	0	$-$	0	$+$
$f(x)$	↗	극대	↘	극소	↗

함수 $f(x)$는 $x=-3$에서 극대이고, 극댓값이 28이다.
$f(-3)=(-3)^3+3\times(-3)^2-9\times(-3)+b=27+b$이므로
$27+b=28$에서 $b=1$
따라서 $a+b=3+1=4$

---

20 삼각함수의 그래프 정답률 31% | 정답 15

닫힌구간 $[0,\ 2\pi]$에서 정의된 함수
$$f(x)=\begin{cases}\sin x-1 & (0\le x<\pi)\\ -\sqrt{2}\sin x-1 & (\pi\le x\le 2\pi)\end{cases}$$
가 있다. $0\le t\le 2\pi$인 실수 t에 대하여 x에 대한 방정식 $f(x)=f(t)$의 서로 다른 실근의 개수가 3이 되도록 하는 모든 t의 값의 합은 $\frac{q}{p}\pi$이다. $p+q$의 값을 구하시오. (단, p와 q는 서로소인 자연수이다.) [4점]

| 문제 풀이 |
$0\le x<\pi$에서
함수 $y=\sin x-1$의 그래프는 이 구간에서
함수 $y=\sin x$의 그래프를 y축의 방향으로 -1만큼 평행이동 시킨 것이다.
이때, 이 구간에서 함수 $y=\sin x-1$의 최댓값은 0이고, 최솟값은 -1이다.
$\pi\le x\le 2\pi$에서
함수 $y=-\sqrt{2}\sin x-1$의 그래프는 이 구간에서
함수 $y=-\sqrt{2}\sin x$의 그래프를 y축의 방향으로 -1만큼 평행이동 시킨 것이다.
이때, 이 구간에서 함수 $y=-\sqrt{2}\sin x-1$의 최댓값은 $\sqrt{2}-1$이고, 최솟값은 -1이다.
그러므로 닫힌구간 $[0,\ 2\pi]$에서 정의된 함수
$$f(x)=\begin{cases}\sin x-1 & (0\le x<\pi)\\ -\sqrt{2}\sin x-1 & (\pi\le x\le 2\pi)\end{cases}$$

의 그래프는 그림과 같다.

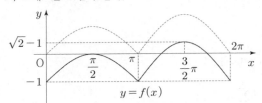

방정식 $f(x)=f(t)$의 서로 다른 실근의 개수가 3이므로
함수 $y=f(x)$의 그래프와 직선 $y=f(t)$가 만나는 서로 다른 점의 개수가 3이다.
그러므로 $f(t)=-1$ 또는 $f(t)=0$이다.

(i) $f(t)=-1$일 때,

$t=0$ 또는 $t=\pi$ 또는 $t=2\pi$

(ii) $f(t)=0$일 때,

$t=\dfrac{\pi}{2}$ 또는 $-\sqrt{2}\sin t-1=0(\pi\le t\le 2\pi)$

$-\sqrt{2}\sin t-1=0$에서 $\sin t=-\dfrac{\sqrt{2}}{2}$

$\pi\le t\le 2\pi$이므로 $t=\dfrac{5}{4}\pi$ 또는 $t=\dfrac{7}{4}\pi$

(i), (ii)에서 모든 t의 값의 합은

$0+\pi+2\pi+\dfrac{\pi}{2}+\dfrac{5}{4}\pi+\dfrac{7}{4}\pi=\dfrac{13}{2}\pi$

따라서 $p=2$, $q=13$이므로
$p+q=15$

[참고]

함수 $y=-\sqrt{2}\sin x-1(\pi\le x\le 2\pi)$의 그래프와

x축이 만나는 두 점은 직선 $x=\dfrac{3}{2}\pi$에 대하여 대칭이므로

방정식 $-\sqrt{2}\sin x-1=0(\pi\le x\le 2\pi)$의 두 실근의 합은 3π이다.

---

21 도함수의 활용 정답률 8% | 정답 31

최고차항의 계수가 1인 삼차함수 $f(x)$가 모든 정수 k에 대하여

$$2k-8\le\dfrac{f(k+2)-f(k)}{2}\le 4k^2+14k$$

를 만족시킬 때, $f'(3)$의 값을 구하시오. [4점]

| 문제 풀이 |

$2k-8\le\dfrac{f(k+2)-f(k)}{2}\le 4k^2+14k$ ······ ㉠

에서

$2k-8=4k^2+14k$

$k^2+3k+2=0$

$(k+1)(k+2)=0$

$k=-1$ 또는 $k=-2$

즉, ㉠에 $k=-1$을 대입하면

$-10\le\dfrac{f(1)-f(-1)}{2}\le -10$

이므로 $f(1)-f(-1)=-20$ ······ ㉡

또, ㉠에 $k=-2$를 대입하면

$-12\le\dfrac{f(0)-f(-2)}{2}\le -12$

이므로 $f(0)-f(-2)=-24$ ······ ㉢

삼차함수 $f(x)$의 최고차항의 계수가 1이므로 상수 a, b, c에 대하여
$f(x)=x^3+ax^2+bx+c$로 놓으면 ㉡에서
$f(1)-f(-1)=(1+a+b+c)-(-1+a-b+c)$
$\qquad\qquad\quad =2+2b=-20$
$b=-11$

㉢에서

$f(0)-f(-2)=c-(-8+4a-2b+c)$
$\qquad\qquad\quad =8-4a+2\times(-11)\ (\because b=-11)$
$\qquad\qquad\quad =-4a-14=-24$

$a=\dfrac{5}{2}$

즉, $f(x)=x^3+\dfrac{5}{2}x^2-11x+c$에서

$f'(x)=3x^2+5x-11$이므로
$f'(3)=3\times 3^2+5\times 3-11=31$

| 다른 풀이 |

삼차함수 $f(x)$의 최고차항의 계수가 1이므로
$f'(x)$는 최고차항의 계수가 3인 이차함수이다.
상수 α, β에 대하여
$f'(x)=3x^2+\alpha x+\beta$로 놓으면 ㉡에서

$f(1)-f(-1)=\displaystyle\int_{-1}^{1}f'(x)dx$

$\qquad\qquad\quad =\displaystyle\int_{-1}^{1}(3x^2+\alpha x+\beta)dx$

$\qquad\qquad\quad =\left[x^3+\dfrac{\alpha}{2}x^2+\beta x\right]_{-1}^{1}$

$\qquad\qquad\quad =2+2\beta=-20$

$\beta=-11$

㉢에서

$f(0)-f(-2)=\displaystyle\int_{-2}^{0}f'(x)dx$

$\qquad\qquad\quad =\displaystyle\int_{-2}^{0}(3x^2+\alpha x-11)dx\ (\because\beta=-11)$

$\qquad\qquad\quad =\left[x^3+\dfrac{\alpha}{2}x^2-11x\right]_{-2}^{0}$

$\qquad\qquad\quad =8-2\alpha-22=-24$

$\alpha=5$

즉, $f'(x)=3x^2+5x-11$이므로
$f'(3)=3\times 3^2+5\times 3-11=31$

---

22 수열의 귀납적 정의 정답률 12% | 정답 8

양수 k에 대하여 $a_1=k$인 수열 $\{a_n\}$이 다음 조건을 만족시킨다.

(가) $a_2\times a_3<0$

(나) 모든 자연수 n에 대하여 $\left(a_{n+1}-a_n+\dfrac{2}{3}k\right)(a_{n+1}+ka_n)=0$이다.

$a_5=0$이 되도록 하는 서로 다른 모든 양수 k에 대하여 k^2의 값의 합을 구하시오. [4점]

| 문제 풀이 |

조건 (나)에서

$\left(a_{n+1}-a_n+\dfrac{2}{3}k\right)(a_{n+1}+ka_n)=0$이므로

$a_{n+1}-a_n+\dfrac{2}{3}k=0$ 또는 $a_{n+1}+ka_n=0$

즉, $a_{n+1}=a_n-\dfrac{2}{3}k$ 또는 $a_{n+1}=-ka_n$

$a_1=k$이므로

$a_2=a_1-\dfrac{2}{3}k=k-\dfrac{2}{3}k=\dfrac{k}{3}$

또는 $a_2=-ka_1=-k\times k=-k^2$

(i) $a_2=\dfrac{k}{3}$일 때,

$a_3=a_2-\dfrac{2}{3}k=\dfrac{k}{3}-\dfrac{2}{3}k=-\dfrac{k}{3}$

또는 $a_3=-ka_2=-k\times\dfrac{k}{3}=-\dfrac{k^2}{3}$

(i -ⓐ) $a_3=-\dfrac{k}{3}$일 때

$a_2\times a_3=\dfrac{k}{3}\times\left(-\dfrac{k}{3}\right)=-\dfrac{k^2}{9}<0$이므로 조건 (가)를 만족시킨다.

$a_4=a_3-\dfrac{2}{3}k=-\dfrac{k}{3}-\dfrac{2}{3}k=-k$

또는 $a_4=-ka_3=-k\times\left(-\dfrac{k}{3}\right)=\dfrac{k^2}{3}$

(i -ⓐ-①) $a_4=-k$일 때,

$a_5=a_4-\dfrac{2}{3}k=-k-\dfrac{2}{3}k=-\dfrac{5}{3}k$

또는 $a_5=-ka_4=-k\times(-k)=k^2$

$a_5=-\dfrac{5}{3}k$일 때, $a_5<0$이고,

$a_5=k^2$일 때, $a_5>0$이므로

$a_5=0$을 만족시키는 양수 k의 값은 존재하지 않는다.

(i -ⓐ-②) $a_4=\dfrac{k^2}{3}$일 때,

$a_5=a_4-\dfrac{2}{3}k=\dfrac{k^2}{3}-\dfrac{2}{3}k$

또는 $a_5=-ka_4=-k\times\dfrac{k^2}{3}=-\dfrac{k^3}{3}$

$a_5=\dfrac{k^2}{3}-\dfrac{2}{3}k$일 때, $a_5=0$에서

$\dfrac{k^2}{3}-\dfrac{2}{3}k=0,\ \dfrac{k(k-2)}{3}=0$

$k>0$이므로 $k=2$

$a_5=-\dfrac{k^3}{3}$일 때, $a_5<0$이므로

$a_5=0$을 만족시키는 양수 k의 값은 존재하지 않는다.

(i -ⓑ) $a_3=-\dfrac{k^2}{3}$일 때

$a_2\times a_3=\dfrac{k}{3}\times\left(-\dfrac{k^2}{3}\right)=-\dfrac{k^3}{9}<0$이므로

조건 (가)를 만족시킨다.

$a_4=a_3-\dfrac{2}{3}k=-\dfrac{k^2}{3}-\dfrac{2}{3}k$

또는 $a_4=-ka_3=-k\times\left(-\dfrac{k^2}{3}\right)=\dfrac{k^3}{3}$

(i -ⓑ-①) $a_4=-\dfrac{k^2}{3}-\dfrac{2}{3}k$일 때,

$a_5=a_4-\dfrac{2}{3}k=\left(-\dfrac{k^2}{3}-\dfrac{2}{3}k\right)-\dfrac{2}{3}k=-\dfrac{k^2}{3}-\dfrac{4}{3}k$

또는 $a_5=-ka_4=-k\times\left(-\dfrac{k^2}{3}-\dfrac{2}{3}k\right)=\dfrac{k^3}{3}+\dfrac{2}{3}k^2$

$a_5=-\dfrac{k^2}{3}-\dfrac{4}{3}k$일 때, $a_5=-\dfrac{k(k+4)}{3}<0$이고

$a_5=\dfrac{k^3}{3}+\dfrac{2}{3}k^2$일 때, $a_5=\dfrac{k^2(k+2)}{3}>0$이므로

$a_5=0$을 만족시키는 양수 k의 값은 존재하지 않는다.

(i -ⓑ-②) $a_4=\dfrac{k^3}{3}$일 때,

$a_5=a_4-\dfrac{2}{3}k=\dfrac{k^3}{3}-\dfrac{2}{3}k$

또는 $a_5=-ka_4=-k\times\dfrac{k^3}{3}=-\dfrac{k^4}{3}$

$a_5=\dfrac{k^3}{3}-\dfrac{2}{3}k$일 때, $a_5=0$에서

$\dfrac{k^3}{3}-\dfrac{2}{3}k=0,\ \dfrac{k(k^2-2)}{3}=0$

$k>0$이므로 $k=\sqrt{2}$

$a_5=-\dfrac{k^4}{3}$일 때, $a_5=-\dfrac{k^4}{3}<0$이므로

$a_5=0$을 만족시키는 양수 k의 값은 존재하지 않는다.

(ii) $a_2=-k^2$일 때,

$a_3=a_2-\dfrac{2}{3}k=-k^2-\dfrac{2}{3}k$

또는 $a_3=-ka_2=-k\times(-k^2)=k^3$

(ii-ⓐ) $a_3=-k^2-\dfrac{2}{3}k$일 때,

$a_2\times a_3=-k^2\times\left(-k^2-\dfrac{2}{3}k\right)=k^2\left(k^2+\dfrac{2}{3}k\right)>0$이므로

조건 (가)를 만족시키지 못한다.

(ii-ⓑ) $a_3=k^3$일 때,

$a_2\times a_3=-k^2\times k^3=-k^5<0$이므로

조건 (가)를 만족시킨다.

$a_3=k^3$이므로

$a_4=a_3-\dfrac{2}{3}k=k^3-\dfrac{2}{3}k$

또는 $a_4=-ka_3=-k\times k^3=-k^4$

(ii-ⓑ-①) $a_4=k^3-\dfrac{2}{3}k$일 때,

$a_5=a_4-\dfrac{2}{3}k=\left(k^3-\dfrac{2}{3}k\right)-\dfrac{2}{3}k=k^3-\dfrac{4}{3}k$

또는 $a_5=-ka_4=-k\times\left(k^3-\dfrac{2}{3}k\right)=-k^4+\dfrac{2}{3}k^2$

$a_5=k^3-\dfrac{4}{3}k$일 때, $a_5=0$에서

$k^3-\dfrac{4}{3}k=0,\ k\left(k^2-\dfrac{4}{3}\right)=0$

$k>0$이므로 $k=\sqrt{\dfrac{4}{3}}=\dfrac{2}{\sqrt{3}}$

$a_5=-k^4+\dfrac{2}{3}k^2$일 때, $a_5=0$에서

$-k^4+\dfrac{2}{3}k^2=0,\ -k^2\left(k^2-\dfrac{2}{3}\right)=0$

$k>0$이므로 $k=\sqrt{\dfrac{2}{3}}$

(ii-ⓑ-②) $a_4=-k^4$일 때,

$a_5=a_4-\dfrac{2}{3}k=-k^4-\dfrac{2}{3}k$

또는 $a_5=-ka_4=-k\times(-k^4)=k^5$

$a_5=-k^4-\dfrac{2}{3}k$일 때, $a_5=-k\left(k^3+\dfrac{2}{3}\right)<0$이고,

$a_5=k^5$일 때, $a_5>0$이므로

$a_5=0$을 만족시키는 양수 k의 값은 존재하지 않는다.

(i), (ii)에서

k의 값은 $2,\ \sqrt{2},\ \dfrac{2}{\sqrt{3}},\ \sqrt{\dfrac{2}{3}}$

따라서 k^2의 값의 합은

$2^2+(\sqrt{2})^2+\left(\dfrac{2}{\sqrt{3}}\right)^2+\left(\sqrt{\dfrac{2}{3}}\right)^2=8$

확률과 통계

23 같은 것이 있는 순열 정답률 84% | 정답 ⑤

다섯 개의 숫자 1, 2, 2, 3, 3을 모두 일렬로 나열하는 경우의 수는? [2점]

① 10 ② 15 ③ 20 ④ 25 ⑤ 30

| 문제 풀이 |

숫자 1, 2, 2, 3, 3을 모두 일렬로 나열하는 경우의 수는

$\dfrac{5!}{2!2!}=30$

24 독립사건과 사건의 확률 정답률 59% | 정답 ①

두 사건 A, B는 서로 독립이고

$\mathrm{P}(A)=\dfrac{2}{3},\ \mathrm{P}(A\cap B)=\dfrac{1}{6}$

일 때, $\mathrm{P}(A\cup B)$의 값은? [3점]

① $\dfrac{3}{4}$ ② $\dfrac{19}{24}$ ③ $\dfrac{5}{6}$ ④ $\dfrac{7}{8}$ ⑤ $\dfrac{11}{12}$

| 문제 풀이 |

두 사건 A, B가 서로 독립이고

$\mathrm{P}(A)=\dfrac{2}{3},\ \mathrm{P}(A\cap B)=\dfrac{1}{6}$이므로

$\mathrm{P}(A\cap B)=\mathrm{P}(A)\mathrm{P}(B)=\dfrac{2}{3}\mathrm{P}(B)=\dfrac{1}{6}$

$\mathrm{P}(B)=\dfrac{1}{6}\times\dfrac{3}{2}=\dfrac{1}{4}$

따라서 $\mathrm{P}(A\cup B)=\mathrm{P}(A)+\mathrm{P}(B)-\mathrm{P}(A\cap B)=\dfrac{2}{3}+\dfrac{1}{4}-\dfrac{1}{6}=\dfrac{3}{4}$

25 확률의 덧셈정리 정답률 69% | 정답 ⑤

1부터 11까지의 자연수 중에서 임의로 서로 다른 2개의 수를 선택한다.
선택한 2개의 수 중 적어도 하나가 7이상의 홀수일 확률은? [3점]

① $\dfrac{23}{55}$ ② $\dfrac{24}{55}$ ③ $\dfrac{5}{11}$ ④ $\dfrac{26}{55}$ ⑤ $\dfrac{27}{55}$

| 문제 풀이 |

11 이하의 자연수 중에서 7 이상의 홀수는 7, 9, 11이므로
다음의 경우로 나누어 생각할 수 있다.

(i) 선택한 2개의 수 중 1개의 수만 7 이상의 홀수인 경우
　나머지 하나는 11개의 자연수 중 3개를 제외한 8개 중에서
　하나를 선택해야 하므로 이 사건의 확률은

$$\frac{_3C_1 \times {_8}C_1}{_{11}C_2} = \frac{3 \times 8}{\dfrac{11 \times 10}{2}} = \frac{24}{55}$$

(ii) 선택한 2개의 수 모두 7 이상의 홀수인 경우
　이 사건의 확률은

$$\frac{_3C_2}{_{11}C_2} = \frac{\dfrac{3 \times 2}{2}}{\dfrac{11 \times 10}{2}} = \frac{3}{55}$$

(i), (ii)에서 구하는 사건의 확률은

$$\frac{24}{55} + \frac{3}{55} = \frac{27}{55}$$

---

26 표본평균의 확률분포　　　　정답률 63% | 정답 ③

정규분포 $N(m, 6^2)$을 따르는 모집단에서 크기가 9인 표본을 임의추출하여
구한 표본평균을 $\overline{X}$, 정규분포 $N(6, 2^2)$을 따르는 모집단에서 크기가 4인
표본을 임의추출하여 구한 표본평균을 $\overline{Y}$라 하자.
$P(\overline{X} \leq 12) + P(\overline{Y} \geq 8) = 1$이 되도록 하는 m의 값은? [3점]

① 5　② $\dfrac{13}{2}$　③ 8　④ $\dfrac{19}{2}$　⑤ 11

| 문제 풀이 |

정규분포 $N(m, 6^2)$을 따르는 모집단에서 크기가 9인 표본을
임의추출하여 구한 표본평균 $\overline{X}$에 대하여

$E(\overline{X}) = E(X) = m$, $\sigma(\overline{X}) = \dfrac{\sigma(X)}{\sqrt{9}} = \dfrac{6}{3} = 2$이다.

그러므로 확률변수 $\overline{X}$는 정규분포 $N(m, 2^2)$을 따르고,

$Z_1 = \dfrac{\overline{X} - m}{2}$으로 놓으면

확률변수 Z_1은 표준정규분포 $N(0, 1)$을 따른다.
정규분포 $N(6, 2^2)$을 따르는 모집단에서 크기가 4인 표본을
임의추출하여 구한 표본평균 $\overline{Y}$에 대하여

$E(\overline{Y}) = E(Y) = 6$, $\sigma(\overline{Y}) = \dfrac{\sigma(Y)}{\sqrt{4}} = \dfrac{2}{2} = 1$이다.

그러므로 확률변수 $\overline{Y}$는 정규분포 $N(6, 1^2)$을 따르고,

$Z_2 = \dfrac{\overline{Y} - 6}{1}$으로 놓으면

확률변수 Z_2는 표준정규분포 $N(0, 1)$을 따른다.
$P(\overline{X} \leq 12) + P(\overline{Y} \geq 8) = 1$에서

$P\left(Z_1 \leq \dfrac{12 - m}{2}\right) + P\left(Z_2 \geq \dfrac{8 - 6}{2}\right) = 1$

$P\left(Z_1 \leq \dfrac{12 - m}{2}\right) + P(Z_2 \geq 2) = 1$

$P\left(Z_1 \leq \dfrac{12 - m}{2}\right) = 1 - P(Z_2 \geq 2) = P(Z_2 \leq 2)$

이때 두 확률변수 Z_1, Z_2는 모두 표준정규분포를 따르므로

$\dfrac{12 - m}{2} = 2$

따라서 $m = 8$

---

27 이산확률변수의 분포　　　　정답률 66% | 정답 ④

이산확률변수 X가 가지는 값이 0부터 4까지의 정수이고
　$P(X = k) = P(X = k + 2)$ $(k = 0, 1, 2)$
이다. $E(X^2) = \dfrac{35}{6}$일 때, $P(X = 0)$의 값은? [3점]

① $\dfrac{1}{24}$　② $\dfrac{1}{12}$　③ $\dfrac{1}{8}$　④ $\dfrac{1}{6}$　⑤ $\dfrac{5}{24}$

| 문제 풀이 |

$k = 0$, $k = 2$일 때,

$P(X = 0) = P(X = 2) = P(X = 4)$
$k = 1$일 때, $P(X = 1) = P(X = 3)$
$P(X = 0) = a$, $P(X = 1) = b$라 할 때,
이산확률변수 X의 확률분포를 표로 나타내면 다음과 같다.

X	0	1	2	3	4	합계
$P(X = x)$	a	b	a	b	a	1

확률변수 X가 갖는 모든 값에 대한 확률의 합은 1이므로
$3a + 2b = 1$ …… ㉠
$E(X^2) = 0^2 \times a + 1^2 \times b + 2^2 \times a + 3^2 \times b + 4^2 \times a$이고
$E(X^2) = \dfrac{35}{6}$이므로

$20a + 10b = \dfrac{35}{6}$ …… ㉡

㉠, ㉡에서

$a = \dfrac{1}{6}$, $b = \dfrac{1}{4}$

따라서 $P(X = 0) = \dfrac{1}{6}$

---

28 조건부확률　　　　정답률 39% | 정답 ④

집합 $X = \{1, 2, 3, 4\}$에 대하여 $f : X \to X$인 모든 함수 f 중에서 임의로
하나를 선택하는 시행을 한다. 이 시행에서 선택한 함수 f가 다음 조건을
만족시킬 때, $f(4)$가 짝수일 확률은? [4점]

> $a \in X$, $b \in X$에 대하여
> a가 b의 약수이면 $f(a)$는 $f(b)$의 약수이다.

① $\dfrac{9}{19}$　② $\dfrac{8}{15}$　③ $\dfrac{3}{5}$　④ $\dfrac{27}{40}$　⑤ $\dfrac{19}{25}$

| 문제 풀이 |

$f : X \to X$인 모든 함수 f 중에서
임의로 선택한 함수 f가 조건을 만족시키는 사건을 A,
$f(4)$가 짝수인 사건을 B라 하면

구하는 확률은 $P(B|A) = \dfrac{P(A \cap B)}{P(A)}$이다.

한편 a가 b의 약수이면 b는 a의 배수이므로
주어진 조건을 다음과 같이 해석할 수 있다.
'$a \in X$, $b \in X$에 대하여 b가 a의 배수이면 $f(b)$는 $f(a)$의 배수이다.'
이때 다음의 경우로 나누어 생각할 수 있다.

(i) $f(1) = 4$인 경우
　2, 3, 4 모두 1의 배수이므로
　$f(2)$, $f(3)$, $f(4)$ 모두 $f(1)$인 4의 배수이어야 한다.
　4의 배수인 X의 원소는 4뿐이므로
　$f(1) = f(2) = f(3) = f(4) = 4$이어야 한다.
　이 경우 조건을 만족시키는 함수 f의 개수는 1이고,
　$f(4)$가 짝수인 함수 f의 개수는 1이다.

(ii) $f(1) = 3$인 경우
　2, 3, 4 모두 1의 배수이므로
　$f(2)$, $f(3)$, $f(4)$ 모두 $f(1)$인 3의 배수이어야 한다.
　3의 배수인 X의 원소는 3뿐이므로
　$f(1) = f(2) = f(3) = f(4) = 3$이어야 한다.
　이 경우 조건을 만족시키는 함수 f의 개수는 1이고,
　$f(4)$가 짝수인 함수 f의 개수는 0이다.

(iii) $f(1) = 2$인 경우
　2는 1의 배수이므로 $f(2)$는 $f(1)$인 2의 배수이어야 한다.
　2의 배수인 X의 원소는 2, 4이므로
　$f(2) = 2$ 또는 $f(2) = 4$이다.
　이때 각각의 경우에 대하여 $f(4)$는 $f(2)$의 배수이어야 하므로
　$f(2)$와 $f(4)$의 순서쌍 $(f(2), f(4))$는
　$(2, 2)$, $(2, 4)$, $(4, 4)$이다.
　한편, 위의 각각의 경우에 대하여 $f(3) = 2$ 또는 $f(3) = 4$이므로
　이 경우 조건을 만족시키는 함수 f의 개수는 $3 \times 2 = 6$이고,
　$f(4)$가 짝수인 함수 f의 개수도 6이다.

(iv) $f(1) = 1$인 경우
　2는 1의 배수이므로 $f(2)$는 $f(1)$인 1의 배수이어야 한다.
　즉, $f(2)$는 1 또는 2 또는 3 또는 4이다.
　이때 각각의 경우에 대하여 $f(4)$는 $f(2)$의 배수이어야 하므로

$f(2)$와 $f(4)$의 순서쌍
$(f(2),\ f(4))$는 $(1,\ 1)$, $(1,\ 2)$, $(1,\ 3)$, $(1,\ 4)$, $(2,\ 2)$, $(2,\ 4)$, $(3,\ 3)$, $(4,\ 4)$이다.

한편, 위의 각각의 경우에 대하여 $f(3)$은 1 또는 2 또는 3 또는 4이므로
이 경우 조건을 만족시키는 함수 f의 개수는 $(4+2+1+1)\times 4 = 32$이고,
$f(4)$가 짝수인 함수 f의 개수는 $(2+2+1)\times 4 = 20$이다.

(ⅰ)~(ⅳ)에서
$n(A) = 1+1+6+32 = 40$
$n(A \cap B) = 1+6+20 = 27$이므로
$$P(B|A) = \frac{P(A \cap B)}{P(A)} = \frac{n(A \cap B)}{n(A)} = \frac{27}{40}$$

---

29 이항분포와 정규분포의 관계 　　　　정답률 18% | 정답 **994**

수직선의 원점에 점 A가 있다. 한 개의 주사위를 사용하여 다음 시행을 한다.

> 주사위를 한 번 던져 나온 눈의 수가
> 4 이하이면 점 A를 양의 방향으로 1만큼 이동시키고,
> 5 이상이면 점 A를 음의 방향으로 1만큼 이동시킨다.

이 시행을 16200번 반복하여 이동된
점 A의 위치가 5700 이하일 확률을 오른쪽
표준정규분포표를 이용하여 구한 값을 k라 하자.
$1000 \times k$의 값을 구하시오. [4점]

z	$P(0 \leq Z \leq z)$
1.0	0.341
1.5	0.433
2.0	0.477
2.5	0.494

| 문제 풀이 |

주사위를 한 번 던져 나온 눈의 수가 4 이하일 확률은 $\frac{2}{3}$,

5 이상일 확률은 $\frac{1}{3}$이므로

주사위를 16200번 던졌을 때 5 이상의 눈이 나오는 횟수를 확률변수 X라 하면
확률변수 X는

이항분포 $B\!\left(16200,\ \frac{1}{3}\right)$을 따르고,

$E(X) = 16200 \times \frac{1}{3} = 5400$

$V(X) = 16200 \times \frac{1}{3} \times \frac{2}{3} = 3600 = 60^2$이다.

이때 16200은 충분히 큰 수이므로 확률변수 X는 근사적으로
정규분포 $N(5400,\ 60^2)$을 따른다.
점 A의 위치가 5700 이하이려면 주사위를 던져 나온 눈의 수가 4 이하인
횟수에서 5 이상인 횟수를 뺀 값이 5700 이하이어야 하므로
$(16200 - X) - X \leq 5700$
$X \geq 5250$
따라서 구하는 확률을 표준정규분포표를 이용해 구한 값 k는
$k = P(X \geq 5250)$
$= P\!\left(Z \geq \dfrac{5250 - 5400}{60}\right)$
$= P(Z \geq -2.5)$
$= P(-2.5 \leq Z \leq 0) + P(Z \geq 0)$
$= P(0 \leq Z \leq 2.5) + P(Z \geq 0)$
$= 0.494 + 0.5 = 0.994$
따라서 $1000 \times k = 1000 \times 0.994 = 994$

---

30 중복조합 　　　　정답률 11% | 정답 **93**

흰 공 4개와 검은 공 4개를 세 명의 학생 A, B, C에게 다음 규칙에 따라
남김없이 나누어 주는 경우의 수를 구하시오. (단, 같은 색 공끼리는 서로
구별하지 않고, 공을 받지 못하는 학생이 있을 수 있다.) [4점]

> (가) 학생 A가 받는 공의 개수는 0 이상 2 이하이다.
> (나) 학생 B가 받는 공의 개수는 2 이상이다.

| 문제 풀이 |

조건 (가)에서 학생 A가 받는 공의 개수는 0 또는 1 또는 2이다.
(ⅰ) 학생 A가 받는 공의 개수가 0일 때,
흰 공 4개를 두 학생 B, C에게 남김없이 나누어 주는 경우의 수는
$_2H_4 = {}_{2+4-1}C_4 = {}_5C_4 = 5$이고,
이 각각에 대하여 검은 공 4개를 두 학생 B, C에게 남김없이 나누어 주는

경우의 수는 $_2H_4 = 5$이다.
이 중에서 학생 B가 받는 공의 개수가 0인 경우의 수는 1이고,
학생 B가 받는 공의 개수가 1인 경우는 흰 공 1개를 받는 경우
또는 검은 공 1개를 받는 경우에서 그 경우의 수가 2이므로
조건 (나)를 만족시키지 않는 경우의 수는 3이다.
따라서 학생 A가 받는 공의 개수가 0일 때, 조건 (나)를 만족시키는 경우의
수는 $5 \times 5 - 3 = 22$이다.
(ⅱ) 학생 A가 받는 공의 개수가 1일 때,
학생 A가 흰 공 1개를 받는다고 하면, 이러한 경우의 수는 1이다.
이때 남은 흰 공 3개를 두 학생 B, C에게 남김없이 나누어 주는 경우의
수는 $_2H_3 = {}_{2+3-1}C_3 = {}_4C_3 = 4$이고,
이 각각에 대하여 검은 공 4개를 두 학생 B, C에게 남김없이 나누어 주는
경우의 수는 $_2H_4 = 5$이다.
이 중에서 조건 (나)를 만족시키지 않는 경우의 수는 (ⅰ)과 마찬가지의
방법으로 3이다.
그러므로 학생 A가 흰 공 1개를 받을 때, 조건 (나)를 만족시키는 경우의
수는 $1 \times 4 \times 5 - 3 = 17$이다.
마찬가지 방법으로 학생 A가 검은 공 1개를 받을 때, 조건 (나)를 만족시키는
경우의 수는 17이다.
따라서 학생 A가 받는 공의 개수가 1일 때, 조건 (나)를 만족시키는 경우의
수는 $17 + 17 = 34$이다.
(ⅲ) 학생 A가 받는 공의 개수가 2일 때,
(ⅲ-1) 학생 A가 흰 공 2개를 받는 경우
학생 A가 흰 공 2개를 받는 경우의 수는 1이다.
이때 남은 흰 공 2개를 두 학생 B, C에게 남김없이 나누어 주는 경우의
수는 $_2H_2 = {}_{2+2-1}C_2 = {}_3C_2 = 3$이고,
이 각각에 대하여 검은 공 4개를 두 학생 B, C에게 남김없이 나누어
주는 경우의 수는 $_2H_4 = 5$이다.
이 중에서 조건 (나)를 만족시키지 않는 경우의 수는 (ⅰ)과 마찬가지의
방법으로 3이다.
그러므로 학생 A가 흰 공 2개를 받을 때, 조건 (나)를 만족시키는 경우의
수는 $1 \times 3 \times 5 - 3 = 12$이다.
(ⅲ-2) 학생 A가 검은 공 2개를 받는 경우
(ⅲ-1)과 마찬가지의 방법으로 이 경우의 수는 12이다.
(ⅲ-3) 학생 A가 흰 공 1개와 검은 공 1개를 받는 경우
학생 A가 흰 공 1개와 검은 공 1개를 받는 경우의 수는 1이다.
이때 남은 흰 공 3개를 두 학생 B, C에게 남김없이 나누어 주는 경우의
수는 $_2H_3 = 4$이고,
이 각각에 대하여 검은 공 3개를 두 학생 B, C에게 남김없이 나누어
주는 경우의 수는 $_2H_3 = 4$이다.
이 중에서 조건 (나)를 만족시키지 않는 경우의 수는 (ⅰ)과 마찬가지의
방법으로 3이다.
그러므로 학생 A가 흰 공 1개와 검은 공 1개를 받을 때, 조건 (나)를
만족시키는 경우의 수는 $1 \times 4 \times 4 - 3 = 13$이다.
따라서 학생 A가 받는 공의 개수가 2일 때의 경우의 수는
$12 + 12 + 13 = 37$이다.
(ⅰ), (ⅱ), (ⅲ)에서 구하는 경우의 수는
$22 + 34 + 37 = 93$

미적분

23 삼각함수의 극한값 　　　　정답률 93% | 정답 ⑤

$\displaystyle\lim_{x \to 0} \frac{\sin 5x}{x}$ 의 값은? [2점]

① 1　　　② 2　　　③ 3　　　④ 4　　　⑤ 5

| 문제 풀이 |

$$\lim_{x \to 0} \frac{\sin 5x}{x} = \lim_{x \to 0}\left(\frac{\sin 5x}{5x} \times 5\right) = 1 \times 5 = 5$$

24 여러 가지 함수의 부정적분 　　　　정답률 85% | 정답 ④

양의 실수 전체의 집합에서 정의된 미분가능한 함수 $f(x)$가 있다.
양수 t에 대하여 곡선 $y = f(x)$ 위의 점 $(t,\ f(t))$에서의 접선의 기울기는
$\dfrac{1}{t} + 4e^{2t}$이다. $f(1) = 2e^2 + 1$일 때, $f(e)$의 값은? [3점]

① $2e^{2e}-1$ ② $2e^{2e}$ ③ $2e^{2e}+1$

④ $2e^{2e}+2$ ⑤ $2e^{2e}+3$

| 문제 풀이 |

양수 t에 대하여 곡선 $y=f(x)$ 위의 점 $(t, f(t))$에서의

접선의 기울기가 $\dfrac{1}{t}+4e^{2t}$이므로

$f'(t)=\dfrac{1}{t}+4e^{2t}$이다.

즉, 양수 x에 대하여 $f'(x)=\dfrac{1}{x}+4e^{2x}$이므로

$f(x)=\displaystyle\int\left(\dfrac{1}{x}+4e^{2x}\right)dx=\ln x+2e^{2x}+C$ (C는 적분상수)

이때, $f(1)=2e^2+1$이므로

$\ln 1+2e^2+C=2e^2+1$, $C=1$

따라서

$f(x)=\ln x+2e^{2x}+1$이므로

$f(e)=\ln e+2e^{2e}+1=1+2e^{2e}+1=2e^{2e}+2$

---

25 등비수열의 극한값   정답률 82% | 정답 ④

등비수열 $\{a_n\}$에 대하여

$$\lim_{n\to\infty}\dfrac{4^n\times a_n-1}{3\times 2^{n+1}}=1$$

일 때, a_1+a_2의 값은? [3점]

① $\dfrac{3}{2}$ ② $\dfrac{5}{2}$ ③ $\dfrac{7}{2}$ ④ $\dfrac{9}{2}$ ⑤ $\dfrac{11}{2}$

| 문제 풀이 |

등비수열 $\{a_n\}$의 공비를 r이라 하면

$a_n=a_1\times r^{n-1}$

$\displaystyle\lim_{n\to\infty}\dfrac{4^n\times a_n-1}{3\times 2^{n+1}}=1$에서

$\displaystyle\lim_{n\to\infty}\dfrac{4^n\times a_n-1}{3\times 2^{n+1}}=\lim_{n\to\infty}\dfrac{a_n-\left(\dfrac{1}{4}\right)^n}{6\times\left(\dfrac{1}{2}\right)^n}$

$\displaystyle\lim_{n\to\infty}\dfrac{a_1\times r^{n-1}-\left(\dfrac{1}{4}\right)^n}{6\times\left(\dfrac{1}{2}\right)^n}$이므로

$\displaystyle\lim_{n\to\infty}\dfrac{a_1\times r^{n-1}-\left(\dfrac{1}{4}\right)^n}{6\times\left(\dfrac{1}{2}\right)^n}=1$ ······ ㉠

(i) $|r|<\dfrac{1}{2}$일 때,

㉠에서

$\displaystyle\lim_{n\to\infty}\dfrac{a_1\times r^{n-1}-\left(\dfrac{1}{4}\right)^n}{6\times\left(\dfrac{1}{2}\right)^n}=\lim_{n\to\infty}\dfrac{2a_1\times(2r)^{n-1}-\left(\dfrac{1}{2}\right)^n}{6}$

이때, $|2r|<1$이므로

$\displaystyle\lim_{n\to\infty}(2r)^{n-1}=0$이다. 즉,

$\displaystyle\lim_{n\to\infty}\dfrac{2a_1\times(2r)^{n-1}-\left(\dfrac{1}{2}\right)^n}{6}=0$이므로

㉠을 만족시키지 못한다.

(ii) $|r|>\dfrac{1}{2}$일 때

㉠에서

$\displaystyle\lim_{n\to\infty}\dfrac{a_1\times r^{n-1}-\left(\dfrac{1}{4}\right)^n}{6\times\left(\dfrac{1}{2}\right)^n}=\lim_{n\to\infty}\dfrac{2a_1\times(2r)^{n-1}-\left(\dfrac{1}{2}\right)^n}{6}$

이때, $|2r|>1$이므로

$\displaystyle\lim_{n\to\infty}(2r)^{n-1}$의 값이 존재하지 않는다.

즉, ㉠을 만족시키지 못한다.

(iii) $r=\dfrac{1}{2}$일 때

㉠에서

$\displaystyle\lim_{n\to\infty}\dfrac{a_1\times r^{n-1}-\left(\dfrac{1}{4}\right)^n}{6\times\left(\dfrac{1}{2}\right)^n}=\lim_{n\to\infty}\dfrac{a_1\times\left(\dfrac{1}{2}\right)^{n-1}-\left(\dfrac{1}{4}\right)^n}{6\times\left(\dfrac{1}{2}\right)^n}$

$\displaystyle=\lim_{n\to\infty}\dfrac{2a_1-\left(\dfrac{1}{2}\right)^n}{6}=\dfrac{a_1}{3}$이므로

$\dfrac{a_1}{3}=1$, $a_1=3$

(iv) $r=-\dfrac{1}{2}$일 때

㉠에서

$\displaystyle\lim_{n\to\infty}\dfrac{a_1\times r^{n-1}-\left(\dfrac{1}{4}\right)^n}{6\times\left(\dfrac{1}{2}\right)^n}=\lim_{n\to\infty}\dfrac{a_1\times\left(-\dfrac{1}{2}\right)^{n-1}-\left(\dfrac{1}{4}\right)^n}{6\times\left(\dfrac{1}{2}\right)^n}$

$\displaystyle=\lim_{n\to\infty}\dfrac{2a_1\times(-1)^{n-1}-\left(\dfrac{1}{2}\right)^n}{6}$

이때, $\displaystyle\lim_{n\to\infty}(-1)^{n-1}$의 값이 존재하지 않으므로

㉠을 만족시키지 못한다.

(i) ~ (iv)에서

$a_1=3$, $r=\dfrac{1}{2}$

따라서 $a_2=3\times\dfrac{1}{2}=\dfrac{3}{2}$이므로

$a_1+a_2=3+\dfrac{3}{2}=\dfrac{9}{2}$

다른 풀이

등비수열 $\{a_n\}$의 공비를 r이라 하면 $a_n=a_1 r^{n-1}$

$\displaystyle\lim_{n\to\infty}\dfrac{4^n\times a_n-1}{3\times 2^{n-1}}=1$에서

$\displaystyle\lim_{n\to\infty}\dfrac{4^n\times a_n-1}{3\times 2^{n+1}}=\lim_{n\to\infty}\dfrac{2^n\times a_n-\dfrac{1}{2^n}}{6}$

$\displaystyle=\lim_{n\to\infty}\dfrac{2^n\times a_1 r^{n-1}-\dfrac{1}{2^n}}{6}$

$\displaystyle=\lim_{n\to\infty}\dfrac{2a_1\times(2r)^{n-1}-\dfrac{1}{2^n}}{6}$이므로

$\displaystyle\lim_{n\to\infty}\dfrac{2a_1\times(2r)^{n-1}-\dfrac{1}{2^n}}{6}=1$ ······ ㉠

이때 $\displaystyle\lim_{n\to\infty}\dfrac{1}{2^n}=0$이고 ㉠에서 0이 아닌 극한값이 존재하므로

$2r=1$, 즉 $r=\dfrac{1}{2}$

㉠에 $r=\dfrac{1}{2}$을 대입하면

$\displaystyle\lim_{n\to\infty}\dfrac{2a_1-\dfrac{1}{2^n}}{6}=\dfrac{a_1}{3}=1$, $a_1=3$

따라서 $a_n=3\times\left(\dfrac{1}{2}\right)^{n-1}$이므로 $a_2=\dfrac{3}{2}$이고

$a_1+a_2=3+\dfrac{3}{2}=\dfrac{9}{2}$

---

26 입체도형의 부피   정답률 74% | 정답 ③

그림과 같이 곡선 $y=2x\sqrt{x\sin x^2}\,(0\le x\le\sqrt{\pi})$와 x축 및 두 직선

$x=\sqrt{\dfrac{\pi}{6}}$, $x=\sqrt{\dfrac{\pi}{2}}$로 둘러싼 부분을 밑면으로 하는 입체도형이 있다.

이 입체도형을 x축에 수직인 평면으로 자른 단면이 모두 반원일 때,

이 입체도형의 부피는? [3점]

$$y = 2x\sqrt{x\sin x^2}$$

$$x = \sqrt{\frac{\pi}{6}} \qquad x = \sqrt{\frac{\pi}{2}}$$

① $\dfrac{\pi^2 + 6\pi}{48}$ ② $\dfrac{\sqrt{2}\,\pi^2 + 6\pi}{48}$ ③ $\dfrac{\sqrt{3}\,\pi^2 + 6\pi}{48}$

④ $\dfrac{\sqrt{2}\,\pi^2 + 12\pi}{48}$ ⑤ $\dfrac{\sqrt{3}\,\pi^2 + 12\pi}{48}$

| 문제 풀이 |

$\sqrt{\dfrac{\pi}{6}} \le t \le \sqrt{\dfrac{\pi}{2}}$ 인 실수 t에 대하여

직선 $x = t$를 포함하고 x축에 수직인 평면으로 자른 단면의 넓이를 $S(t)$라 하면

$$S(t) = \frac{\pi}{2}t^3\sin t^2$$

따라서 구하는 입체도형의 부피는

$$\int_{\sqrt{\frac{\pi}{6}}}^{\sqrt{\frac{\pi}{2}}} S(t)\,dt = \int_{\sqrt{\frac{\pi}{6}}}^{\sqrt{\frac{\pi}{2}}} \frac{\pi}{2}t^3\sin t^2\,dt = \frac{\pi}{2}\int_{\sqrt{\frac{\pi}{6}}}^{\sqrt{\frac{\pi}{2}}} t^3\sin t^2\,dt$$

이때 $t^2 = u$라 하면 $t = \sqrt{\dfrac{\pi}{2}}$ 일 때 $u = \dfrac{\pi}{2}$,

$t = \sqrt{\dfrac{\pi}{6}}$ 일 때 $u = \dfrac{\pi}{6}$ 이고 $2t = \dfrac{du}{dt}$ 이므로

$$\frac{\pi}{2}\int_{\sqrt{\frac{\pi}{6}}}^{\sqrt{\frac{\pi}{2}}} t^3\sin t^2\,dt = \frac{\pi}{4}\int_{\frac{\pi}{6}}^{\frac{\pi}{2}} u\sin u\,du$$

$$= \frac{\pi}{4}\left(\left[-u\cos u\right]_{\frac{\pi}{6}}^{\frac{\pi}{2}} + \int_{\frac{\pi}{6}}^{\frac{\pi}{2}} \cos u\,du\right)$$

$$= \frac{\pi}{4}\left(\frac{\pi}{6} \times \frac{\sqrt{3}}{2} + \left[\sin u\right]_{\frac{\pi}{6}}^{\frac{\pi}{2}}\right)$$

$$= \frac{\pi}{4}\left(\frac{\sqrt{3}}{12}\pi + 1 - \frac{1}{2}\right)$$

$$= \frac{\sqrt{3}\,\pi^2 + 6\pi}{48}$$

---

27 합성함수의 미분법 정답률 69% | 정답 ②

실수 전체의 집합에서 미분가능한 함수 $f(x)$가 모든 실수 x에 대하여

$$f(x) + f\left(\frac{1}{2}\sin x\right) = \sin x$$

를 만족시킬 때, $f'(\pi)$의 값은? [3점]

① $-\dfrac{5}{6}$ ② $-\dfrac{2}{3}$ ③ $-\dfrac{1}{2}$ ④ $-\dfrac{1}{3}$ ⑤ $-\dfrac{1}{6}$

| 문제 풀이 |

주어진 등식의 양변을 x에 대하여 미분하면

$$f'(x) + f'\left(\frac{1}{2}\sin x\right) \times \frac{1}{2}\cos x = \cos x \ \cdots\cdots \ \text{㉠}$$

㉠에 $x = \pi$를 대입하면

$$f'(\pi) + f'(0) \times \left(-\frac{1}{2}\right) = -1$$

$$f'(\pi) - \frac{1}{2}f'(0) = -1 \ \cdots\cdots \ \text{㉡}$$

㉠에 $x = 0$을 대입하면

$$f'(0) + f'(0) \times \frac{1}{2} = 1, \ \frac{3}{2}f'(0) = 1$$

따라서 $f'(0) = \dfrac{2}{3}$ 이므로 ㉡에 대입하면

$$f'(\pi) - \frac{1}{2} \times \frac{2}{3} = -1$$

$$f'(\pi) = -1 + \frac{1}{3} = -\frac{2}{3}$$

---

28 치환적분과 부분적분을 이용한 정적분 정답률 50% | 정답 ③

함수 $f(x)$는 실수 전체의 집합에서 연속인 이계도함수를 갖고, 실수 전체의 집합에서 정의된 함수 $g(x)$를

$$g(x) = f'(2x)\sin\pi x + x$$

라 하자. 함수 $g(x)$는 역함수 $g^{-1}(x)$를 갖고,

$$\int_0^1 g^{-1}(x)\,dx = 2\int_0^1 f'(2x)\sin\pi x\,dx + \frac{1}{4}$$

을 만족시킬 때, $\displaystyle\int_0^2 f(x)\cos\frac{\pi}{2}x\,dx$의 값은? [4점]

① $-\dfrac{1}{\pi}$ ② $-\dfrac{1}{2\pi}$ ③ $-\dfrac{1}{3\pi}$ ④ $-\dfrac{1}{4\pi}$ ⑤ $-\dfrac{1}{5\pi}$

| 문제 풀이 |

$g(0) = f'(0)\sin 0 + 0 = 0$

$g(1) = f'(2)\sin\pi + 1 = 1$ 이므로

$$\int_0^1 g(x)\,dx + \int_{g(0)}^{g(1)} g^{-1}(x)\,dx = \int_0^1 g(x)\,dx + \int_0^1 g^{-1}(x)\,dx$$

$$= 1 \times 1 - 0 \times 0 = 1$$

따라서

$$\int_0^1 g(x)\,dx + \int_0^1 g^{-1}(x)\,dx = 1 \ \cdots\cdots \ \text{㉠}$$

㉠에

$g(x) = f'(2x)\sin\pi x + x$, $\displaystyle\int_0^1 g^{-1}(x)\,dx = 2\int_0^1 f'(2x)\sin\pi x\,dx + \frac{1}{4}$ 을

대입하면

$$\int_0^1 \{f'(2x)\sin\pi x + x\}\,dx + 2\int_0^1 f'(2x)\sin\pi x\,dx + \frac{1}{4} = 1$$

$$3\int_0^1 f'(2x)\sin\pi x\,dx + \left[\frac{1}{2}x^2\right]_0^1 + \frac{1}{4} = 1$$

$$3\int_0^1 f'(2x)\sin\pi x\,dx = 1 - \frac{1}{2} - \frac{1}{4} = \frac{1}{4}$$

따라서

$$\int_0^1 f'(2x)\sin\pi x\,dx = \frac{1}{12} \ \cdots\cdots \ \text{㉡}$$

한편, $\displaystyle\int_0^2 f(x)\cos\frac{\pi}{2}x\,dx$에서 $x = 2t$라 하면

$\dfrac{dx}{dt} = 2$이고 $x = 0$일 때, $t = 0$, $x = 2$ 일 때 $t = 1$이므로

$$\int_0^2 f(x)\cos\frac{\pi}{2}x\,dx = 2\int_0^1 f(2t)\cos\pi t\,dt$$

$u(t) = f(2t)$, $v(t) = \dfrac{1}{\pi}\sin\pi t$로 놓으면 $u'(t) = 2f'(2t)$, $v'(t) = \cos\pi t$이므로

$$2\int_0^1 f(2t)\cos\pi t\,dt = 2\left[\frac{1}{\pi}f(2t)\sin\pi t\right]_0^1 - \frac{4}{\pi}\int_0^1 f'(2t)\sin\pi t\,dt$$

$$= 0 - \frac{4}{\pi}\int_0^1 f'(2t)\sin\pi t\,dt$$

$$= -\frac{4}{\pi}\int_0^1 f'(2x)\sin\pi x\,dx$$

이므로 ㉡에서

$$\int_0^2 f(x)\cos\frac{\pi}{2}x\,dx = -\frac{4}{\pi}\int_0^1 f'(2x)\sin\pi x\,dx = -\frac{4}{\pi} \times \frac{1}{12} = -\frac{1}{3\pi}$$

---

29 급수의 합 정답률 38% | 정답 57

수열 $\{a_n\}$의 첫째항부터 제m항까지의 합을 S_m이라 하자. 모든 자연수 m에 대하여

$$S_m = \sum_{n=1}^{\infty} \frac{m+1}{n(n+m+1)}$$

일 때, $a_1 + a_{10} = \dfrac{q}{p}$이다. $p+q$의 값을 구하시오. (단, p와 q는 서로소인 자연수이다.) [4점]

| 문제 풀이 |

$$S_m = \sum_{n=1}^{\infty} \frac{m+1}{n(n+m+1)}$$

$$= \sum_{n=1}^{\infty}\left(\frac{1}{n} - \frac{1}{n+m+1}\right)$$

$$= \lim_{n\to\infty} \sum_{k=1}^{n}\left(\frac{1}{k} - \frac{1}{k+m+1}\right)$$

$$= \lim_{n\to\infty}\left\{\left(1-\frac{1}{m+2}\right)+\left(\frac{1}{2}-\frac{1}{m+3}\right)+\cdots+\left(\frac{1}{n}-\frac{1}{m+n+1}\right)\right\}$$

따라서

$$S_1 = \lim_{n\to\infty}\left\{\left(1-\frac{1}{3}\right)+\left(\frac{1}{2}-\frac{1}{4}\right)+\left(\frac{1}{3}-\frac{1}{5}\right)+\cdots+\left(\frac{1}{n}-\frac{1}{n+2}\right)\right\} = 1+\frac{1}{2}=\frac{3}{2}$$

이므로 $a_1 = S_1 = \dfrac{3}{2}$

또한

$$S_9 = \lim_{n\to\infty}\left\{\left(1-\frac{1}{11}\right)+\left(\frac{1}{2}-\frac{1}{12}\right)+\left(\frac{1}{3}-\frac{1}{13}\right)+\cdots+\left(\frac{1}{n}-\frac{1}{n+10}\right)\right\}$$

$$= 1+\frac{1}{2}+\frac{1}{3}+\cdots+\frac{1}{10}$$

$$S_{10} = \lim_{n\to\infty}\left\{\left(1-\frac{1}{12}\right)+\left(\frac{1}{2}-\frac{1}{13}\right)+\left(\frac{1}{3}-\frac{1}{14}\right)+\cdots+\left(\frac{1}{n}-\frac{1}{n+11}\right)\right\}$$

$$= 1+\frac{1}{2}+\frac{1}{3}+\cdots+\frac{1}{10}+\frac{1}{11}$$

$$= S_9 + \frac{1}{11}$$ 이므로

$$a_{10} = S_{10}-S_9 = \left(S_9+\frac{1}{11}\right)-S_9 = \frac{1}{11}$$

따라서

$$a_1+a_{10} = \frac{3}{2}+\frac{1}{11} = \frac{35}{22}$$ 이므로

$p=22,\ q=35$

$p+q=57$

---

30 부정적분의 활용과 함수의 그래프 추론 　　정답률 12% | 정답 25

양수 k에 대하여 함수 $f(x)$를

$$f(x) = (k-|x|)e^{-x}$$

이라 하자. 실수 전체의 집합에서 미분가능하고 다음 조건을 만족시키는 모든 함수 $F(x)$에 대하여 $F(0)$의 최솟값을 $g(k)$라 하자.

> 모든 실수 x에 대하여 $F'(x)=f(x)$이고 $F(x) \geq f(x)$이다.

$g\left(\dfrac{1}{4}\right)+g\left(\dfrac{3}{2}\right) = pe+q$일 때, $100(p+q)$의 값을 구하시오.

(단, $\lim\limits_{x\to\infty}xe^{-x}=0$이고, p와 q는 유리수이다.) [4점]

| 문제 풀이 |

x의 범위에 따라 함수

$$f(x) = \begin{cases}(k-x)e^{-x} & (x\geq 0)\\(k+x)e^{-x} & (x<0)\end{cases}$$

의 한 부정적분을 구하면

$$F(x) = \begin{cases}(x-k+1)e^{-x}+C_1 & (x\geq 0)\\(-x-k-1)e^{-x}+C_2 & (x<0)\end{cases}$$ (단, C_1, C_2는 적분상수)

이때, 함수 $F(x)$가 모든 실수 x에 대하여 미분가능하므로 $x=0$에서 $F(x)$는 연속이다.

즉, $\lim\limits_{x\to 0+}F(x) = \lim\limits_{x\to 0-}F(x)$에서 $C_2 = C_1+2$

$g(k)$를 $F(0)$의 최솟값으로 정의하였으므로

$$F(0) = -k+1+C_1 \quad\cdots\cdots\ \text{㉠}$$

의 최솟값이 $g(k)$이다.

함수 $h(x) = F(x)-f(x)$라 하면

$$h(x) = \begin{cases}(2x-2k+1)e^{-x}+C_1 & (x\geq 0)\\(-2x-2k-1)e^{-x}+C_1+2 & (x<0)\end{cases}$$ 이고

$$h'(x) = \begin{cases}(-2x+2k+1)e^{-x} & (x>0)\\(2x+2k-1)e^{-x} & (x<0)\end{cases}$$ 이므로

$h'(x)=0$에서

$x\geq 0$일 때 $x = \dfrac{2k+1}{2}$이고

$x<0$일 때 $x = \dfrac{1-2k}{2}$

이때 $\dfrac{1-2k}{2}\geq 0$이면 $x<0$에서 $h'(x)<0$이므로

$x=0$과 $x=\dfrac{2k+1}{2}$의 좌우에서 $h(x)$의 증가와 감소를 표로 나타내면

x	$\cdots$	0	$\cdots$	$\dfrac{2k+1}{2}$	$\cdots$
$h'(x)$	$-$		$+$	0	$-$
$h(x)$	↘		↗		↘

또한, $\dfrac{1-2k}{2}<0$일 때 $x=\dfrac{2k+1}{2}$과

$x=\dfrac{1-2k}{2}$의 좌우에서 $h(x)$의 증가와 감소를 표로 나타내면

x	$\cdots$	$\dfrac{1-2k}{2}$	$\cdots$	$\dfrac{2k+1}{2}$	$\cdots$
$h'(x)$	$-$	0	$+$	0	$-$
$h(x)$	↘		↗		↘

또, $h(0) = -2k+1+C_1$이고

$\lim\limits_{x\to\infty}h(x) = C_1$, $\lim\limits_{x\to-\infty}h(x)=\infty$이므로

$\dfrac{1-2k}{2}$의 부호에 따라 C_1의 범위를 정하여 $F(0)$의 최솟값을 구하면

(ⅰ) $\dfrac{1-2k}{2}\geq 0$일 때

$x=0$에서 극솟값 $h(0)$을 갖고 $1-2k\geq 0$이므로

$$h(0) = -2k+1+C_1 \geq C_1 = \lim_{x\to\infty}h(x)$$

그런데 모든 실수 x에 대하여 $F(x)\geq f(x)$이므로 $h(x)\geq 0$에서 $C_1\geq 0$이다.

즉, ㉠에서 $F(0) = -k+1+C_1 \geq -k+1$

(ⅱ) $\dfrac{1-2k}{2}<0$일 때

$x=\dfrac{1-2k}{2}$일 때 $h(x)$의 극솟값은

$$h\left(\frac{1-2k}{2}\right) = -2e^{\frac{2k-1}{2}}+C_1+2$$이다.

$\dfrac{1-2k}{2}<0$에서 $(e^{-1})^{\frac{1-2k}{2}} > (e^{-1})^0 = 1$이므로

$$-2e^{\frac{2k-1}{2}}+C_1+2 \leq C_1$$

그러므로 $-2e^{\frac{2k-1}{2}}+C_1+2$은 $h(x)$의 최솟값이다.

그런데 $F(x)\geq f(x)$에서 $h\left(\dfrac{1-2k}{2}\right)\geq 0$이므로

$$-2e^{\frac{2k-1}{2}}+C_1+2 \geq 0$$

즉, $F(0) = -k+1+C_1 \geq -k+2e^{\frac{2k-1}{2}}-1$

그런데 $g(k)$는 $F(0)$의 최솟값이므로

$$g(k) = \begin{cases}-k+1 & \left(0<k\leq \dfrac{1}{2}\right)\\[2mm]-k+2e^{\frac{2k-1}{2}}-1 & \left(k>\dfrac{1}{2}\right)\end{cases}$$

그러므로

$$g\left(\frac{1}{4}\right)+g\left(\frac{3}{2}\right) = \frac{3}{4}+\left(-\frac{3}{2}\right)+2e-1 = pe+q$$

$2e-\dfrac{7}{4}=pe+q$에서 $p=2,\ q=-\dfrac{7}{4}$

따라서 $100(p+q) = 25$

•정답•

공통 | 수학
01 ⑤ 02 ③ 03 ② 04 ① 05 ⑤ 06 ③ 07 ④ 08 ④ 09 ③ 10 ③ 11 ⑤ 12 ① 13 ③ 14 ② 15 ④
16 6 17 24 18 5 19 4 20 98 21 19 22 10
선택 | 확률과 통계
23 ① 24 ⑤ 25 ③ 26 ② 27 ④ 28 ⑤ 29 62 30 336
선택 | 미적분
23 ④ 24 ② 25 ② 26 ⑤ 27 ① 28 ② 29 18 30 32

★ 표기된 문항은 [등급을 가르는 문항]에 해당하는 문제입니다.

---

01 지수의 계산 정답률 88% | 정답 ⑤

❶ $3^{1-\sqrt{5}} \times 3^{1+\sqrt{5}}$ 의 값은?[2점]

① $\dfrac{1}{9}$ ② $\dfrac{1}{3}$ ③ 1 ④ 3 ⑤ 9

STEP 01 지수의 계산으로 ❶의 값을 구한다.

$3^{1-\sqrt{5}} \times 3^{1+\sqrt{5}} = 3^{(1-\sqrt{5})+(1+\sqrt{5})} = 3^2 = 9$

---

02 미분계수 정답률 86% | 정답 ③

함수 $f(x) = 2x^2 - x$ 에 대하여 $\displaystyle\lim_{x\to 1}\dfrac{f(x)-1}{x-1}$ 의 값은?[2점]

① 1 ② 2 ③ 3 ④ 4 ⑤ 5

STEP 01 $f(x)$를 미분하여 $f'(x)$를 구한 뒤 미분계수의 정의를 이용하여 $f'(1)$의 값을 구한다.

$f(x) = 2x^2 - x$ 에서 $f'(x) = 4x - 1$ 이므로

$\displaystyle\lim_{x\to 1}\dfrac{f(x)-1}{x-1} = f'(1) = 3$

---

03 삼각함수의 성질 정답률 75% | 정답 ②

$\dfrac{3}{2}\pi < \theta < 2\pi$ 인 θ에 대하여 ❶ $\cos\theta = \dfrac{\sqrt{6}}{3}$ 일 때, $\tan\theta$의 값은?[3점]

① $-\sqrt{2}$ ② $-\dfrac{\sqrt{2}}{2}$ ③ 0 ④ $\dfrac{\sqrt{2}}{2}$ ⑤ $\sqrt{2}$

STEP 01 삼각함수 사이의 관계를 이용하여 ❶에서 $\sin\theta$를 구한 후 $\tan\theta$의 값을 구한다.

$\cos\theta = \dfrac{\sqrt{6}}{3}$ 이고 $\dfrac{3}{2}\pi < \theta < 2\pi$ 이므로

$\sin\theta = -\sqrt{1-\cos^2\theta} = -\sqrt{1-\left(\dfrac{\sqrt{6}}{3}\right)^2} = -\dfrac{\sqrt{3}}{3}$

따라서 $\tan\theta = \dfrac{\sin\theta}{\cos\theta} = \dfrac{-\dfrac{\sqrt{3}}{3}}{\dfrac{\sqrt{6}}{3}} = -\dfrac{1}{\sqrt{2}} = -\dfrac{\sqrt{2}}{2}$

---

04 함수의 극한 정답률 81% | 정답 ①

함수 $y = f(x)$의 그래프가 그림과 같다.

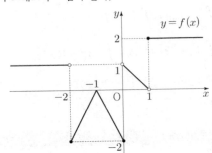

❶ $\displaystyle\lim_{x\to -2+} f(x) + \lim_{x\to 1-} f(x)$ 의 값은?[3점]

① -2 ② -1 ③ 0 ④ 1 ⑤ 2

STEP 01 그래프에서 ❶의 극한값을 각각 구한 후 합을 구한다.

함수 $y = f(x)$의 그래프에서

$\displaystyle\lim_{x\to -2+} f(x) = -2, \quad \lim_{x\to 1-} f(x) = 0$ 이므로

$\displaystyle\lim_{x\to -2+} f(x) + \lim_{x\to 1-} f(x) = -2 + 0 = -2$

---

05 등비수열 정답률 79% | 정답 ⑤

모든 항이 양수인 등비수열 $\{a_n\}$에 대하여

❶ $\dfrac{a_3 a_8}{a_6} = 12, \ a_5 + a_7 = 36$

일 때, a_{11}의 값은?[3점]

① 72 ② 78 ③ 84 ④ 90 ⑤ 96

STEP 01 ❶에 등비수열의 일반항을 이용하여 공비를 구한 후 a_{11}의 값을 구한다.

등비수열 $\{a_n\}$의 첫째항을 a, 공비를 r라 하면 수열 $\{a_n\}$의 모든 항이 양수이므로 $a > 0, \ r > 0$이다.

$\dfrac{a_3 a_8}{a_6} = 12$ 에서 $\dfrac{ar^2 \times ar^7}{ar^5} = 12, \ ar^4 = 12$

즉, $a_5 = 12$

$a_5 + a_7 = 36$ 에서 $a_7 = 24$이므로

$r^2 = \dfrac{a_7}{a_5} = \dfrac{24}{12} = 2$

$\dfrac{a_{11}}{a_7} = r^4 = (r^2)^2 = 2^2 = 4$이므로

$a_{11} = a_7 \times 4 = 24 \times 4 = 96$

●핵심 공식

▶ 등비수열
첫째항이 a, 공비가 r인 등비수열에서 일반항 a_n은
$a_n = ar^{n-1} \ (n = 1, 2, 3, \cdots)$

---

06 함수의 극대와 극소 정답률 80% | 정답 ③

함수 $f(x) = x^3 + ax^2 + bx + 1$은 ❶ $x = -1$에서 극대이고, $x = 3$에서 극소이다. 함수 $f(x)$의 극댓값은?(단, a, b는 상수이다.)

① 0 ② 3 ③ 6 ④ 9 ⑤ 12

STEP 01 $f(x)$의 미분을 이용하여 ❶에서 a, b를 구한 후 극댓값을 구한다.

$f(x) = x^3 + ax^2 + bx + 1$ 에서 $f'(x) = 3x^2 + 2ax + b$이고

함수 $f(x)$는 $x = -1$에서 극대, $x = 3$에서 극소이므로

$3x^2 + 2ax + b = 3(x+1)(x-3) = 3x^2 - 6x - 9$

따라서 $a = -3, \ b = -9$이고 $f(x) = x^3 - 3x^2 - 9x + 1$이므로

함수 $f(x)$의 극댓값은 $f(-1) = -1 - 3 + 9 + 1 = 6$

---

07 로그의 성질 정답률 80% | 정답 ④

두 실수 a, b가 ❶ $3a + 2b = \log_3 32, \ ab = \log_9 2$를 만족시킬 때,

❷ $\dfrac{1}{3a} + \dfrac{1}{2b}$ 의 값은?[3점]

① $\dfrac{5}{12}$ ② $\dfrac{5}{6}$ ③ $\dfrac{5}{4}$ ④ $\dfrac{5}{3}$ ⑤ $\dfrac{25}{12}$

STEP 01 ❷를 통분한 후 ❶을 대입하여 값을 구한다.

$3a + 2b = \log_3 32, \ ab = \log_9 2$이므로

$\dfrac{1}{3a} + \dfrac{1}{2b} = \dfrac{3a + 2b}{6ab} = \dfrac{\log_3 32}{6 \times \log_9 2} = \dfrac{\log_3 2^5}{6 \times \log_{3^2} 2} = \dfrac{5\log_3 2}{3\log_3 2} = \dfrac{5}{3}$

---

08 부정적분 정답률 84% | 정답 ④

다항함수 $f(x)$가

$f'(x) = 6x^2 - 2f(1)x, \ f(0) = 4$

를 만족시킬 때, $f(2)$의 값은?[3점]

① 5 ② 6 ③ 7 ④ 8 ⑤ 9

$f'(x)=6x^2-2f(1)x$에서

$f(x)=2x^3-f(1)x^2+C(C$는 적분상수)라 하면

$f(0)=4$이므로 $C=4$

즉, $f(x)=2x^3-f(1)x^2+4$

이 식에 $x=1$을 대입하면

$f(1)=2-f(1)+4$, $f(1)=3$

따라서

$f(x)=2x^3-3x^2+4$이므로

$f(2)=2\times2^3-3\times2^2+4=8$

---

09 삼각부등식

정답률 51% | 정답 ③

$0 \le x \le 2\pi$일 때, 부등식

❶ $\cos x \le \sin\dfrac{\pi}{7}$

를 만족시키는 모든 x의 값의 범위는 $\alpha \le x \le \beta$이다. $\beta-\alpha$의 값은?[4점]

① $\dfrac{8}{7}\pi$ ② $\dfrac{17}{14}\pi$ ③ $\dfrac{9}{7}\pi$ ④ $\dfrac{19}{14}\pi$ ⑤ $\dfrac{10}{7}\pi$

STEP 01 $y=\cos x(0 \le x \le 2\pi)$의 그래프를 그린 후 그래프에서 ❶의 부등식을 만족하는 x의 범위를 구한 다음 삼각함수의 그래프의 대칭성을 이용하여 $\beta-\alpha$의 값을 구한다.

$\sin\dfrac{\pi}{7}=\cos\left(\dfrac{\pi}{2}-\dfrac{\pi}{7}\right)=\cos\dfrac{5}{14}\pi$

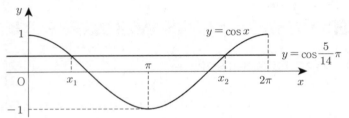

그림과 같이 곡선 $y=\cos x(0 \le x \le 2\pi)$와 직선 $y=\cos\dfrac{5}{14}\pi$가 만나는 두 점의

x좌표를 각각 x_1, $x_2(x_1 < x_2)$라 하면

$x_1=\dfrac{5}{14}\pi$이고 $\dfrac{x_1+x_2}{2}=\pi$이므로

$x_2=2\pi-x_1=\dfrac{23}{14}\pi$

따라서 $0 \le x \le 2\pi$일 때,

부등식 $\cos x \le \sin\dfrac{\pi}{7}$를 만족시키는 모든 x의 값의 범위는

$\dfrac{5}{14}\pi \le x \le \dfrac{23}{14}\pi$이므로

$\beta-\alpha=\dfrac{23}{14}\pi-\dfrac{5}{14}\pi=\dfrac{9}{7}\pi$

---

10 미분의 활용

정답률 55% | 정답 ③

최고차항의 계수가 1인 삼차함수 $f(x)$에 대하여

❶ 곡선 $y=f(x)$ 위의 점 $(-2, f(-2))$에서의 접선과 ❷ 곡선 $y=f(x)$ 위의 점 $(2, 3)$에서의 접선이 점 $(1, 3)$에서 만날 때, $f(0)$의 값은?[4점]

① 31 ② 33 ③ 35 ④ 37 ⑤ 39

STEP 01 ❷에서 $f(x)$를 놓고 $f(x)$의 미분을 이용하여 ❶을 구한 뒤 점 $(1, 3)$을 대입하여 a를 구한 다음 $f(0)$의 값을 구한다.

곡선 $y=f(x)$ 위의 점 $(2, 3)$에서의 접선이 점 $(1, 3)$을 지나므로

$f(x)-3=(x-a)(x-2)^2$

$f(x)=(x-a)(x-2)^2+3$ (단, a는 상수)

이때 $f'(x)=(x-2)^2+2(x-a)(x-2)$이므로

곡선 $y=f(x)$ 위의 점 $(-2, f(-2))$에서의 접선의 방정식은

$y-f(-2)=f'(-2)(x+2)$

이 접선이 점 $(1, 3)$을 지나므로

$3-f(-2)=f'(-2)(1+2)$

$3-f(-2)=3f'(-2)$

$3-\{16(-2-a)+3\}=3\{16-8(-2-a)\}$

$3-(-29-16a)=3(32+8a)$

$32+16a=96+24a$, $8a=-64$

즉, $a=-8$이므로

$f(x)=(x+8)(x-2)^2+3$

따라서 $f(0)=8(-2)^2+3=35$

● 핵심 공식

▶ 접선의 방정식

곡선 $y=f(x)$ 위의 점 $(a, f(a))$에서의 접선의 방정식은 $y-f(a)=f'(a)(x-a)$

---

11 정적분의 활용

정답률 32% | 정답 ⑤

두 점 P와 Q는 시각 $t=0$일 때, 각각 점 $A(1)$과 점 $B(8)$에서 출발하여 수직선 위를 움직인다. 두 점 P, Q의 시각 $t(t \ge 0)$에서의 속도는 각각

$v_1(t)=3t^2+4t-7$, $v_2(t)=2t+4$

이다. 출발한 시각부터 ❶ 두 점 P, Q사이의 거리가 처음으로 4가 될 때까지 ❷ 점 P가 움직인 거리는?[4점]

① 10 ② 14 ③ 19 ④ 25 ⑤ 32

STEP 01 속도의 적분으로 두 점 P, Q의 위치를 각각 구한다.

점 P가 점 $A(1)$에서 출발하고 속도가 $v_1(t)=3t^2+4t-7$이므로

시각 t에서의 위치를 $s_1(t)$라 하면

$s_1(t)=1+\displaystyle\int_0^t(3t^2+4t-7)dt=t^3+2t^2-7t+1$ ······ ㉠

또, 점 Q가 점 $B(8)$에서 출발하고 속도가 $v_2(t)=2t+4$이므로

시각 t에서의 위치를 $s_2(t)$라 하면

$s_2(t)=8+\displaystyle\int_0^t(2t+4)dt=t^2+4t+8$ ······ ㉡

STEP 02 두 점 P, Q의 위치의 차를 구하여 ❶을 성립하는 시각을 구한다.

이때, 두 점 P, Q사이의 거리가 4가 되는 시각은

$|s_1(t)-s_2(t)|=4$

㉠, ㉡에서

$|(t^3+2t^2-7t+1)-(t^2+4t+8)|=4$

$|t^3+t^2-11t-7|=4$

그러므로

$t^3+t^2-11t-7=4$ 또는 $t^3+t^2-11t-7=-4$

즉,

$t^3+t^2-11t-11=0$ 또는 $t^3+t^2-11t-3=0$

(i) $t^3+t^2-11t-11=0$일 때

$t^2(t+1)-11(t+1)=0$

$(t+1)(t^2-11)=0$

$t>0$이므로 $t=\sqrt{11}$

(ii) $t^3+t^2-11t-3=0$일 때

$(t-3)(t^2+4t+1)=0$

$t>0$이므로 $t=3$

(i), (ii)에 의하여 두 점 P, Q의 사이의 거리가 처음으로 4가 되는 시각은 $t=3$

STEP 03 $v_1(t)$의 적분을 이용하여 ❷를 구한다.

한편, $v_1(t)=3t^2+4t-7=(3t+7)(t-1)$이므로

$0 \le t < 1$일 때, $v_1(t)<0$

$t \ge 1$일 때, $v_1(t) \ge 0$

따라서 점 P가 시각 $t=0$에서 시각 $t=3$까지 움직인 거리는

$\displaystyle\int_0^3|v_1(t)|dt=-\int_0^1 v_1(t)dt+\int_1^3 v_1(t)dt$

$\qquad=-\displaystyle\int_0^1(3t^2+4t-7)dt+\int_1^3(3t^2+4t-7)dt$

$\qquad=-\left[t^3+2t^2-7t\right]_0^1+\left[t^3+2t^2-7t\right]_1^3$

$\qquad=-(-4)+28$

$\qquad=32$

● 핵심 공식

▶ 속도와 이동거리 및 위치

수직선 위를 움직이는 점 p의 시각 t에서의 속도를 $v(t)$라 할 때,

$t=a$에서 $t=b$ $(a<b)$까지의 실제 이동거리 s는 $s=\displaystyle\int_a^b|v(t)|dt$이고

점 p가 원점을 출발하여 $t=a$에서의 점 p의 위치는 $\int_0^a v(t)\,dt$ 이다.

---

12 귀납적으로 정의된 수열　　　　　　정답률 45% | 정답 ①

첫째항이 자연수인 수열 $\{a_n\}$이 모든 자연수 n에 대하여

$$a_{n+1}=\begin{cases} a_n+1 & (a_n\text{이 홀수인 경우}) \\ \dfrac{1}{2}a_n & (a_n\text{이 짝수인 경우}) \end{cases}$$

를 만족시킬 때, ❶ $a_2+a_4=40$이 되도록 하는 모든 a_1의 값의 합은?[4점]

① 172　　② 175　　③ 178　　④ 181　　⑤ 184

STEP 01 a_1을 4로 나눈 나머지에 따라 경우를 나누어 각각 a_2, a_3, a_4를 구하여 ❶을 성립하도록 하는 k, a_1을 구한 다음 모든 a_1의 값의 합을 구한다.

자연수 k에 대하여

(i) $a_1=4k$일 때

　a_1은 짝수이므로 $a_2=\dfrac{a_1}{2}=\dfrac{4k}{2}=2k$

　a_2도 짝수이므로 $a_3=\dfrac{a_2}{2}=\dfrac{2k}{2}=k$

　i) k가 홀수인 경우

　　$a_4=a_3+1=k+1$

　　이때

　　$a_2+a_4=2k+(k+1)=3k+1$이므로

　　$3k+1=40$에서 $k=13$이고,

　　$a_1=4k=4\times13=52$

　ii) k가 짝수인 경우

　　$a_4=\dfrac{a_3}{2}=\dfrac{k}{2}$

　　이때

　　$a_2+a_4=2k+\dfrac{k}{2}=\dfrac{5}{2}k$이므로

　　$\dfrac{5}{2}k=40$에서 $k=16$이고,

　　$a_1=4k=4\times16=64$

(ii) $a_1=4k-1$일 때

　a_1은 홀수이므로 $a_2=a_1+1=4k$

　a_2는 짝수이므로 $a_3=\dfrac{a_2}{2}=\dfrac{4k}{2}=2k$

　a_3도 짝수이므로 $a_4=\dfrac{a_3}{2}=\dfrac{2k}{2}=k$

　이때

　$a_2+a_4=4k+k=5k$이므로

　$5k=40$에서 $k=8$이고,

　$a_1=4k-1=4\times8-1=31$

(iii) $a_1=4k-2$일 때

　a_1은 짝수이므로 $a_2=\dfrac{a_1}{2}=\dfrac{4k-2}{2}=2k-1$

　a_2는 홀수이므로 $a_3=a_2+1=(2k-1)+1=2k$

　a_3은 짝수이므로 $a_4=\dfrac{a_3}{2}=\dfrac{2k}{2}=k$

　이때

　$a_2+a_4=(2k-1)+k=3k-1$이므로

　$3k-1=40$에서 $k=\dfrac{41}{3}$이고,

　이것은 조건을 만족시키지 않는다.

(iv) $a_1=4k-3$일 때

　a_1은 홀수이므로 $a_2=a_1+1=(4k-3)+1=4k-2$

　a_2는 짝수이므로 $a_3=\dfrac{a_2}{2}=\dfrac{4k-2}{2}=2k-1$

　a_3은 홀수이므로 $a_4=a_3+1=(2k-1)+1=2k$

　이때

　$a_2+a_4=(4k-2)+2k=6k-2$이므로

　$6k-2=40$에서 $k=7$이고,

　$a_1=4k-3=4\times7-3=25$

(i)~(iv)에 의하여 조건을 만족시키는 모든 a_1의 값의 합은

$52+64+31+25=172$

---

13 도함수의 활용　　　　　　정답률 29% | 정답 ③

두 실수 a, b에 대하여

함수 $f(x)=\begin{cases} -\dfrac{1}{3}x^3-ax^2-bx & (x<0) \\ \dfrac{1}{3}x^3+ax^2-bx & (x\geq0) \end{cases}$

가 ❶ 구간 $(-\infty,\,-1]$에서 감소하고 구간 $[-1,\,\infty)$에서 증가할 때, $a+b$의 최댓값을 M, 최솟값을 m이라 하자. $M-m$의 값은?[4점]

① $\dfrac{3}{2}+3\sqrt{2}$　② $3+3\sqrt{2}$　③ $\dfrac{9}{2}+3\sqrt{2}$　④ $6+3\sqrt{2}$　⑤ $\dfrac{15}{2}+3\sqrt{2}$

STEP 01 $f(x)$가 $x=-1$에서 미분가능할 조건으로 a, b의 관계식을 구한 후 ❶을 만족할 조건으로 a의 범위를 구하여 $M-m$의 값을 구한다.

$$f(x)=\begin{cases} -\dfrac{1}{3}x^3-ax^2-bx & (x<0) \\ \dfrac{1}{3}x^3+ax^2-bx & (x\geq0) \end{cases}$$

에서

$$f'(x)=\begin{cases} -x^2-2ax-b & (x<0) \\ x^2+2ax-b & (x>0) \end{cases}$$

함수 $f(x)$가 $x=-1$의 좌우에서 감소하다가 증가하고,

함수 $f(x)$가 $x=-1$에서 미분가능하므로

$f'(-1)=0$

$-1+2a-b=0$, $b=2a-1$

$x<0$일 때

$f'(x)=-x^2-2ax-2a+1=-(x+1)(x+2a-1)$

$f'(x)=0$인 x의 값은 $x=-1$ 또는 $x=-2a+1$이다.

이때 함수 $f(x)$가 구간 $(-\infty,\,-1]$에서 감소하고, 구간 $[-1,\,0]$에서 증가하므로

$(-\infty,\,-1)$에서 $f'(x)\leq0$, $(-1,\,0)$에서 $f'(x)\geq0$이어야 한다.

즉, $f'(-2a+1)=0$에서 $-2a+1\geq0$이어야 한다.

그러므로 $a\leq\dfrac{1}{2}$　　　　　……㉠

한편, $x>0$일 때

$f'(x)=x^2+2ax-b=x^2+2ax-2a+1=(x+a)^2-a^2-2a+1$이고

함수 $f(x)$가 구간 $[0,\,\infty)$에서 증가하므로 $(0,\,\infty)$에서 $f'(x)\geq0$이어야 한다.

(i) $-a<0$, 즉 $a>0$인 경우

　$(0,\,\infty)$에서 $f'(x)\geq0$이려면 $f'(0)=-2a+1\geq0$이면 된다.

　그러므로 $0<a\leq\dfrac{1}{2}$

(ii) $-a\geq0$, 즉 $a\leq0$인 경우

　$(0,\,\infty)$에서 $f'(x)\geq0$이려면 $f'(-a)=-a^2-2a+1\geq0$이면 된다.

　$a^2+2a-1\leq0$, $-1-\sqrt{2}\leq a\leq-1+\sqrt{2}$

　그러므로 $-1-\sqrt{2}\leq a\leq0$

(i), (ii)에서

$-1-\sqrt{2}\leq a\leq\dfrac{1}{2}$　　　　　……㉡

즉, ㉠, ㉡에서 구하는 a의 값의 범위는 $-1-\sqrt{2}\leq a\leq\dfrac{1}{2}$이므로

$a+b=3a-1$의 값의 최댓값은 $a=\dfrac{1}{2}$일 때 $\dfrac{1}{2}$, 최솟값은 $a=-1-\sqrt{2}$일 때 $-4-3\sqrt{2}$ 이다.

따라서 $M-m=\dfrac{1}{2}-(-4-3\sqrt{2})=\dfrac{9}{2}+3\sqrt{2}$

---

14 지수함수의 그래프　　　　　　정답률 35% | 정답 ②

두 자연수 a, b에 대하여 함수

$$f(x)=\begin{cases} 2^{x+a}+b & (x\leq-8) \\ -3^{x-3}+8 & (x>-8) \end{cases}$$

이 다음 조건을 만족시킬 때, $a+b$의 값은?[4점]

집합 $\{f(x)\mid x\leq k\}$의 원소 중 정수인 것의 개수가 2가 되도록 하는 모든 실수 k의 값의 범위는 $3\leq k<4$이다.

① 11　　② 13　　③ 15　　④ 17　　⑤ 19

STEP 01 $y=f(x)$의 그래프를 그린 후 주어진 조건을 만족할 조건으로 a, b를 구한 다음 $a+b$의 값을 구한다.

$x \leq -8$과 $x > -8$에서 함수 $y = f(x)$의 그래프는 각각 그림과 같다.

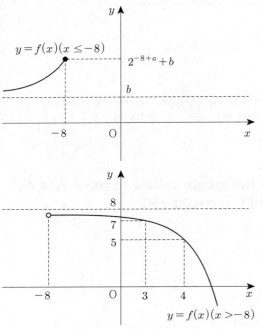

또한 주어진 조건에서 $3 \leq k < 4$이므로 $x > -8$인 경우에 정수 $f(x)$는 $f(x) = 6$ 또는 $f(x) = 7$이다.

따라서 주어진 조건을 만족시키기 위해서는 $x \leq -8$인 경우에 정수 $f(x)$는 6뿐이어야 한다.

즉 $b = 5$이고 $6 \leq f(-8) < 7$이어야 하므로

$6 \leq 2^{-8+a} + 5 < 7$

$1 \leq 2^{-8+a} < 2$

$0 \leq -8 + a < 1$, $8 \leq a < 9$

이때 a는 자연수이므로 $a = 8$

따라서 $a + b = 8 + 5 = 13$

---

15 함수의 극한과 연속 　　　　　 정답률 33% | 정답 ④

최고차항의 계수가 1인 삼차함수 $f(x)$에 대하여 함수 $g(x)$를

$$g(x) = \begin{cases} \dfrac{f(x+3)\{f(x)+1\}}{f(x)} & (f(x) \neq 0) \\ 3 & (f(x) = 0) \end{cases}$$

이라 하자. ❶ $\lim\limits_{x \to 3} g(x) = g(3) - 1$일 때, $g(5)$의 값은?[4점]

① 14　　② 16　　③ 18　　④ 20　　⑤ 22

STEP 01 $f(3) \neq 0$ 또는 $f(3) = 0$인 경우에 대하여 각각 ❶을 만족할 수 있는지 확인하고 ❶을 만족할 조건으로 $f(x)$를 구한 다음 $g(5)$의 값을 구한다.

$\lim\limits_{x \to 3} g(x) = g(3) - 1$ 　　　　 …… ㉠

이므로 $x = 3$일 때, $f(3)$의 값에 따라 다음 각 경우로 나눌 수 있다.

(ⅰ) $f(3) \neq 0$일 때

　$x = 3$에 가까운 x의 값에 대하여 $f(x) \neq 0$이므로

　$g(x) = \dfrac{f(x+3)\{f(x)+1\}}{f(x)}$

　이때 함수 $f(x)$는 다항함수이므로 $f(x)$, $f(x+3)$, $f(x)+1$은 연속이다. 그러므로 함수 $g(x)$는 $x = 3$에서 연속이다. 즉,

　$\lim\limits_{x \to 3} g(x) = g(3)$

　이 식을 ㉠에 대입하면 만족하지 않는다.

(ⅱ) $f(3) = 0$일 때

　함수 $f(x)$가 삼차함수이므로 방정식 $f(x) = 0$은 많아야 서로 다른 세 실근을 갖는다.

　그러므로 $x = 3$에 가까우며 $x \neq 3$인 x의 값에 대하여 $f(x) \neq 0$

　이때,

　$\lim\limits_{x \to 3} g(x) = \lim\limits_{x \to 3} \dfrac{f(x+3)\{f(x)+1\}}{f(x)}$ 　… ㉡

　위에서 $x \to 3$일 때, (분모)→0이므로 (분자)→0에서

　$\lim\limits_{x \to 3} f(x+3)\{f(x)+1\} = 0$

　$f(6)\{f(3)+1\} = 0$

　$f(6) = 0$

　그러므로

　$f(x) = (x-3)(x-6)(x-k)$(k는 상수)

　이 식을 ㉡에 대입하면

$\lim\limits_{x \to 3} g(x) = \lim\limits_{x \to 3} \dfrac{x(x-3)(x+3-k)\{(x-3)(x-6)(x-k)+1\}}{(x-3)(x-6)(x-k)}$

$= \lim\limits_{x \to 3} \dfrac{x(x+3-k)\{(x-3)(x-6)(x-k)+1\}}{(x-6)(x-k)}$

$= \dfrac{3(6-k)}{-3(3-k)} = \dfrac{6-k}{k-3}$

이 값을 ㉠에 대입하면 $g(3) = 3$이므로

$\dfrac{6-k}{k-3} = 3 - 1$

$6 - k = 2k - 6$

$3k = 12$

$k = 4$

따라서,

$f(x) = (x-3)(x-4)(x-6)$이고 $f(5) \neq 0$이므로

$g(5) = \dfrac{f(8)\{f(5)+1\}}{f(5)} = \dfrac{5 \times 4 \times 2 \times \{2 \times 1 \times (-1) + 1\}}{2 \times 1 \times (-1)} = 20$

---

16 로그방정식 　　　　　 정답률 79% | 정답 6

방정식 $\log_2(x-1) = \log_4(13+2x)$를 만족시키는 실수 x의 값을 구하시오.

STEP 01 로그의 성질을 이용하여 ❶의 방정식을 풀고 진수조건을 만족하는 x의 값을 구한다.

로그의 진수 조건에 의하여

$x - 1 > 0$에서 $x > 1$ 　　　　 …… ㉠

$13 + 2x > 0$에서 $x > -\dfrac{13}{2}$ 　　　 …… ㉡

㉠, ㉡에서 $x > 1$

$\log_2(x-1) = \log_4(13+2x)$에서

$\log_2(x-1) = \dfrac{1}{2}\log_2(13+2x)$

$2\log_2(x-1) = \log_2(13+2x)$

$\log_2(x-1)^2 = \log_2(13+2x)$

$(x-1)^2 = 13 + 2x$

$x^2 - 4x - 12 = 0$

$(x+2)(x-6) = 0$

$x > 1$이므로 $x = 6$

---

17 ∑의 성질 　　　　　 정답률 79% | 정답 24

두 수열 $\{a_n\}$, $\{b_n\}$에 대하여

❶ $\sum\limits_{k=1}^{10}(2a_k - b_k) = 34$, $\sum\limits_{k=1}^{10} a_k = 10$

일 때, ❷ $\sum\limits_{k=1}^{10}(a_k - b_k)$의 값을 구하시오.[3점]

STEP 01 ❶의 두 식을 연립하여 ❷의 값을 구한다.

$\sum\limits_{k=1}^{10}(a_k - b_k) = \sum\limits_{k=1}^{10}\{(2a_k - b_k) - a_k\}$

$= \sum\limits_{k=1}^{10}(2a_k - b_k) - \sum\limits_{k=1}^{10} a_k$

$= 34 - 10 = 24$

---

18 곱의 미분법 　　　　　 정답률 80% | 정답 5

함수 $f(x) = (x^2+1)(x^2+ax+3)$에 대하여 ❶ $f'(1) = 32$일 때, 상수 a의 값을 구하시오.[3점]

STEP 01 곱의 미분법으로 $f(x)$를 미분하여 $f'(x)$를 구한 뒤 ❶을 이용하여 a의 값을 구한다.

$f(x) = (x^2+1)(x^2+ax+3)$에서

$f'(x) = 2x(x^2+ax+3) + (x^2+1)(2x+a)$이므로

$f'(1) = 2(a+4) + 2(a+2) = 4a + 12 = 32$

따라서 $a = 5$

● 핵심 공식

▶ 곱의 미분

$f(x) = g(x) \cdot h(x)$라 하면, $f'(x) = g'(x) \cdot h(x) + g(x) \cdot h'(x)$

---

19 정적분을 이용한 넓이

정답률 63% | 정답 ④

두 곡선 ❶ $y=3x^3-7x^2$과 $y=-x^2$으로 둘러싸인 부분의 넓이를 구하시오. [3점]

STEP 01 ❶의 두 식을 연립하여 교점의 x좌표를 구한 후 적분을 이용하여 구하는 넓이를 구한다.

두 곡선 $y=3x^3-7x^2$, $y=-x^2$이 만나는 점의 x좌표는

$$3x^3-7x^2=-x^2$$
$$3x^2(x-2)=0$$
$$x=0 \ \text{또는} \ x=2$$

이때, 두 함수 $y=3x^3-7x^2$, $y=-x^2$의 그래프는 다음과 같다.

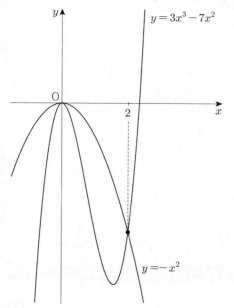

따라서 구하는 넓이는

$$\int_0^2 \{(-x^2)-(3x^3-7x^2)\}dx=\int_0^2(-3x^3+6x^2)dx=\left[-\frac{3}{4}x^4+2x^3\right]_0^2$$
$$=(-12+16)-0=4$$

★★★ 등급을 가르는 문제!

20 사인법칙과 코사인법칙

정답률 31% | 정답 98

그림과 같이

$$\overline{AB}=2, \ \overline{AD}=1, \ \angle DAB=\frac{2}{3}\pi, \ \angle BCD=\frac{3}{4}\pi$$

인 사각형 ABCD가 있다. 삼각형 BCD의 외접원의 반지름의 길이를 R_1, 삼각형 ABD의 외접원의 반지름의 길이를 R_2라 하자.

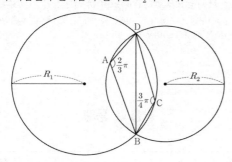

다음은 $R_1 \times R_2$의 값을 구하는 과정이다.

삼각형 BCD에서 사인법칙에 의하여
❶ $R_1=\dfrac{\sqrt{2}}{2}\times\overline{BD}$이고

❷ 삼각형 ABD에서 사인법칙에 의하여
❸ $R_2=\boxed{\ (가)\ }\times\overline{BD}$

이다. ❹ 삼각형 ABD에서 코사인법칙에 의하여
❺ $\overline{BD}^2=2^2+1^2-\boxed{\ (나)\ }$

이므로
$$R_1 \times R_2=\boxed{\ (다)\ }\ \text{이다.}$$

위의 (가), (나), (다)에 알맞은 수를 각각 p, q, r이라 할 때, $9\times(p\times q\times r)^2$의 값을 구하시오. [4점]

STEP 01 ❷, ❹로 각각 (가), (나)를 구한 다음 ❶×❸의 식에 ❺를 대입하여 (다)를 구한 다음 $9\times(p\times q\times r)^2$의 값을 구한다.

삼각형 BCD에서 사인법칙에 의하여

$$\frac{\overline{BD}}{\sin\frac{3}{4}\pi}=2R_1, \quad \frac{\overline{BD}}{\frac{\sqrt{2}}{2}}=2R_1$$

$$R_1=\frac{\sqrt{2}}{2}\times\overline{BD}$$

이고, 삼각형 ABD에서 사인법칙에 의하여

$$\frac{\overline{BD}}{\sin\frac{2}{3}\pi}=2R_2, \quad \frac{\overline{BD}}{\frac{\sqrt{3}}{2}}=2R_2$$

$$R_2=\boxed{\frac{\sqrt{3}}{3}}\times\overline{BD}$$

이다. 삼각형 ABD에서 코사인법칙에 의하여

$$\overline{BD}^2=2^2+1^2-2\times2\times1\times\cos\frac{2}{3}\pi=2^2+1-\boxed{(-2)}=7$$

이므로

$$R_1 \times R_2=\left(\frac{\sqrt{2}}{2}\times\overline{BD}\right)\times\left(\frac{\sqrt{3}}{3}\times\overline{BD}\right)=\frac{\sqrt{6}}{6}\times\overline{BD}^2=\boxed{\frac{7\sqrt{6}}{6}}$$

이다.

따라서 $p=\dfrac{\sqrt{3}}{3}$, $q=-2$, $r=\dfrac{7\sqrt{6}}{6}$이므로

$$9\times(p\times q\times r)^2=9\times\left\{\frac{\sqrt{3}}{3}\times(-2)\times\frac{7\sqrt{6}}{6}\right\}^2$$
$$=9\times\frac{98}{9}=98$$

● 핵심 공식

▶ 코사인법칙
세 변의 길이를 각각 a, b, c라 하고 b, c 사이의 끼인각을 A라 하면
$$a^2=b^2+c^2-2bc\cos A, \ \left(\cos A=\frac{b^2+c^2-a^2}{2bc}\right)$$

▶ 사인법칙
△ABC에 대하여 △ABC의 외접원의 반지름 길이를 R라고 할 때,
$$\frac{a}{\sin A}=\frac{b}{\sin B}=\frac{c}{\sin C}=2R$$

★★ 문제 해결 꿀~팁 ★★

▶ 문제 해결 방법
사인법칙과 코사인법칙만 알고 있으면 쉽게 답을 구할 수 있다.
삼각형 BCD에서 사인법칙에 의하여 $R_1=\dfrac{\sqrt{2}}{2}\times\overline{BD}$이고,

삼각형 ABD에서 사인법칙에 의하여 $R_2=\dfrac{\sqrt{3}}{3}\times\overline{BD}$이므로

$$R_1 \times R_2=\left(\frac{\sqrt{2}}{2}\times\overline{BD}\right)\times\left(\frac{\sqrt{3}}{3}\times\overline{BD}\right)=\frac{\sqrt{6}}{6}\times\overline{BD}^2\text{이고}$$

삼각형 ABD에서 코사인법칙에 의하여
$$\overline{BD}^2=2^2+1-(-2)=7\text{이므로}\ R_1 \times R_2=\frac{\sqrt{6}}{6}\times7\text{이다.}$$

계산이 복잡하지도 않고 두 공식외에 다른 공식이나 알아야 할 도형의 성질들도 없다. 두 공식을 정확하게 알고 실수없이 적용할 수 있으면 된다.

★★★ 등급을 가르는 문제!

21 등차수열의 일반항과 합

정답률 13% | 정답 19

모든 항이 자연수인 등차수열 $\{a_n\}$의 첫째항부터 제 n항까지의 합을 S_n이라 하자. ❶ a_7이 13의 배수이고 ❷ $\sum\limits_{k=1}^{7}S_k=644$일 때, a_2의 값을 구하시오. [4점]

STEP 01 등차수열의 합으로 ❷를 정리한 후 ❶과 연립하여 a_7의 조건을 구한다.

등차수열 $\{a_n\}$의 첫째항을 a, 공차를 d라 하자.
수열 $\{a_n\}$의 모든 항이 자연수이므로 a는 자연수이고 d는 0 이상의 정수이다.

$$S_n=\frac{n\{2a+(n-1)d\}}{2}=\frac{d}{2}n^2+\left(a-\frac{d}{2}\right)n\text{이므로}$$

$$\sum_{k=1}^{7}S_k=\sum_{k=1}^{7}\left\{\frac{d}{2}k^2+\left(a-\frac{d}{2}\right)k\right\}$$
$$=\frac{d}{2}\times\sum_{k=1}^{7}k^2+\left(a-\frac{d}{2}\right)\times\sum_{k=1}^{7}k$$

$$=\frac{d}{2}\times\frac{7\times8\times15}{6}+\left(a-\frac{d}{2}\right)\times\frac{7\times8}{2}$$

$$=70d+28\left(a-\frac{d}{2}\right)$$

$$=28a+56d$$

$28a+56d=644$에서

$a+2d=23$ ...... ㉠

a_7이 13의 배수이므로 자연수 m에 대하여

$a+6d=13m$ ...... ㉡

㉡ㅡ㉠에서 $4d=13m-23$

$4d+23+13=13m+13$

$4(d+9)=13(m+1)$

$$d+9=\frac{13(m+1)}{4}$$

이 값이 자연수가 되어야 하므로 $m+1$의 값은 4의 배수이어야 한다.

즉, m이 될 수 있는 값은 3, 7, 11, 15, $\cdots$

STEP 02 첫째항이 자연수일 조건으로 공차를 구한 후 a_2의 값을 구한다.

한편, $d=\dfrac{13m-23}{4}$이므로 ㉡에서

$a=13m-6d$

$=13m-6\times\left(\dfrac{13m-23}{4}\right)$

$=13m-\dfrac{39}{2}m+\dfrac{69}{2}$

$=-\dfrac{13}{2}m+\dfrac{69}{2}$

이고 이 값이 양수이어야 하므로

$-\dfrac{13}{2}m+\dfrac{69}{2}>0$, $m<\dfrac{69}{13}$

따라서 $m=3$이고 이때 $d=4$이므로

$a=23-2d=15$이고

$a_2=a+d=15+4=19$

● 핵심 공식

▶ 등차수열의 일반항과 합

(1) 등차수열의 일반항

첫째항이 a, 공차가 d인 등차수열의 일반항 a_n은 $a_n=a+(n-1)d$ ($n=1,\,2,\,3,\,\cdots$)

(2) 등차수열의 합

첫째항이 a, 공차가 d, 제n항이 l인 등차수열의 첫째항부터 제n항까지의 합을 S_n이라 하면

$$S_n=\frac{n(a+l)}{2}=\frac{n\{2a+(n-1)d\}}{2}$$

★★ 문제 해결 꿀~팁 ★★

▶ 문제 해결 방법

$\sum\limits_{k=1}^{7}S_k=28a+56d=644$이고 $a+6d=13m$이므로 $d+9=\dfrac{13(m+1)}{4}$이고 이 값이 자연수가 되어야 하므로 $m+1$은 4의 배수이어야 한다.

한편, $13m-6d=-\dfrac{13}{2}m+\dfrac{69}{2}>0$, $m<\dfrac{69}{13}$이므로 $m=3$이다.

등차수열의 합과 일반항으로 주어진 조건의 식을 세워 연립하고 모든 항이 자연수라는 문장에서 $a_1>0$임을 이용하면 a_7을 구할 수 있다. 주어진 조건으로 식을 세우면 세 개의 미지수가 나타나고 세 개의 조건이 주어졌으므로 등차수열에 관한 공식을 이용하여 식을 세워 연립하면 된다.

★★★ 등급을 가르는 문제!

22 곱의 미분과 적분   정답률 12% | 정답 **10**

두 다항함수 $f(x)$, $g(x)$에 대하여 $f(x)$의 한 부정적분을 $F(x)$라 하고 $g(x)$의 한 부정적분을 $G(x)$라 할 때, 이 함수들은 모든 실수 x에 대하여 다음 조건을 만족시킨다.

(가) $\displaystyle\int_1^x f(t)dt=xf(x)-2x^2-1$

(나) $f(x)G(x)+F(x)g(x)=8x^3+3x^2+1$

$\displaystyle\int_1^3 g(x)dx$의 값을 구하시오.

STEP 01 조건 (가)의 양변을 미분하여 $f(x)$, $F(x)$를 구한다.

조건 (가)에 $x=1$을 대입하면

$0=f(1)-3$이므로 $f(1)=3$ ...... ㉠

조건 (가)의 양변을 x에 대하여 미분하면

$f(x)=f(x)+xf'(x)-4x$

이고, $f(x)$는 다항함수이므로 $f'(x)=4$

즉, $f(x)=4x+C_1$(C_1은 적분상수)

로 놓을 수 있다. 이때 ㉠에서

$f(1)=3$이므로

$f(1)=4+C_1=3$, $C_1=-1$

즉, $f(x)=4x-1$이므로

$F(x)=2x^2-x+C_2$(C_2는 적분상수)

STEP 02 조건 (나)에서 $G(x)$를 구한 후 적분하여 $\displaystyle\int_1^3 g(x)dx$의 값을 구한다.

한편, 조건 (나)에서

$f(x)G(x)+F(x)g(x)=\{F(x)G(x)\}'$

이므로 양변을 x에 대하여 적분하면

$F(x)G(x)=2x^4+x^3+x+C_3$(C_3은 적분상수)로 놓을 수 있다.

이때 $F(x)=2x^2-x+C_2$이고 $G(x)$도 다항함수이므로

$G(x)$는 최고차항의 계수가 1인 이차함수이다.

$G(x)=x^2+ax+b$ (단, a, b는 상수)로 놓으면

$(2x^2-x+C_2)(x^2+ax+b)=2x^4+x^3+x+C_3$

양변의 x^3의 계수를 비교하면

$2a-1=1$, $a=1$이므로

$G(x)=x^2+x+b$

따라서

$$\int_1^3 g(x)dx=\Big[G(x)\Big]_1^3=G(3)-G(1)=(3^2+3+b)-(1^2+1+b)=10$$

● 핵심 공식

▶ 곱의 미분

$f(x)=g(x)h(x)$라 하면, $f'(x)=g'(x)h(x)+g(x)h'(x)$

▶ 부분적분법

$\{f(x)g(x)\}'=f'(x)g(x)+f(x)g'(x)$에서 $f(x)g'(x)=\{f(x)g(x)\}'-f'(x)g(x)$이므로 양변을 적분하면

$$\int f(x)g'(x)dx=f(x)g(x)-\int f'(x)g(x)dx$$

★★ 문제 해결 꿀~팁 ★★

▶ 문제 해결 방법

조건 (가)의 양변을 x에 대하여 미분하면 $f'(x)=4$이고 $f(1)=3$이므로 $f(x)=4x-1$, $F(x)=2x^2-x+C_2$이다. 조건 (나)의 양변을 x에 대하여 적분하면

$F(x)G(x)=2x^4-x^3+x+C_3$이므로 $G(x)=x^2+ax+b$

조건 (가)에서 $F(x)$를 구하고 조건 (나)의 좌변을 적분하면

$\int\{f(x)G(x)+F(x)g(x)\}dx=F(x)G(x)$이므로 $F(x)G(x)=2x^4-x^3+x+C_3$

이다. $F(x)G(x)$를 $F(x)$로 나누면 나누어 떨어져야 하므로 $G(x)$를 구할 수 있다. 조건 (나)의 식의 좌변을 적분하면 $F(x)G(x)$임을 알아채지 못하면 문제풀이에 어려움이 있다. 곱의 미분과 적분을 정확히 알아두어야 한다.

확률과 통계

23 이항분포   정답률 84% | 정답 ①

확률변수 X가 이항분포 ❶ $B\left(30,\,\dfrac{1}{5}\right)$을 따를 때, $E(X)$의 값은? [2점]

① 6   ② 7   ③ 8   ④ 9   ⑤ 10

STEP 01 ❶에서 $E(X)$의 값을 구한다.

이항분포 $B\left(30,\,\dfrac{1}{5}\right)$을 따르는 확률변수 X의 평균은

$E(X)=30\times\dfrac{1}{5}=6$

● 핵심 공식

▶ 이항분포의 평균, 분산, 표준편차

확률변수 X가 이항분포 $B(n,\,p)$를 따를 때, X의 평균, 분산, 표준편차는 다음과 같다.

$E(X)=np$, $V(X)=npq$, $\sigma(X)=\sqrt{npq}$ (단, $q=1-p$)

24　같은 것이 있는 순열
정답률 83% | 정답 ③

그림과 같이 직사각형 모양으로 연결된 도로망이 있다. 이 도로망을 따라 A지점에서 출발하여 P지점을 거쳐 B지점까지 최단 거리로 가는 경우의 수는? [3점]

① 6　② 7　③ 8　④ 9　⑤ 10

STEP 01　같은 것이 있는 순열을 이용하여 A지점에서 P지점까지, P지점에서 B지점까지 최단 거리로 가는 경우의 수를 각각 구한 후 구하는 경우의 수를 구한다.

A지점에서 P지점까지 최단 거리로 가는 경우의 수는

$$\frac{4!}{3! \times 1!} = 4$$

P지점에서 B지점까지 최단 거리로 가는 경우의 수는

$$\frac{2!}{1! \times 1!} = 2$$

따라서 구하는 경우의 수는

$$4 \times 2 = 8$$

●핵심 공식

▶ 같은 것이 있는 순열

n개 중에서 같은 것이 각각 p개, q개, r개, $\cdots$, s개가 있을 때, n개를 택하여 만든 순열의 수는

$$\frac{n!}{p! q! r! \cdots s!} \quad (n = p+q+r+\cdots+s)$$

25　배반사건의 확률
정답률 54% | 정답 ③

두 사건 A, B에 대하여 ❶ A와 B^C은 서로 배반사건이고

$$P(A \cap B) = \frac{1}{5}, \quad P(A) + P(B) = \frac{7}{10}$$

일 때, $P(A^C \cap B)$의 값은? (단, A^C은 A의 여사건이다.) [3점]

① $\frac{1}{10}$　② $\frac{1}{5}$　③ $\frac{3}{10}$　④ $\frac{2}{5}$　⑤ $\frac{1}{2}$

STEP 01　❶에서 두 사건 A, B의 관계를 파악하여 $P(A)$, $P(B)$를 구한 후 $P(A^C \cap B)$의 값을 구한다.

두 사건 A, B^C이 서로 배반사건이므로 $A \subset B$

$$P(A \cap B) = P(A) = \frac{1}{5}$$

$$P(B) = \frac{7}{10} - P(A) = \frac{7}{10} - \frac{1}{5} = \frac{1}{2}$$

따라서 $A \subset B$이므로

$$P(A^C \cap B) = P(B) - P(A) = \frac{1}{2} - \frac{1}{5} = \frac{3}{10}$$

●핵심 공식

▶ 독립사건과 배반사건

두 사건 A, B에 대하여

(1) 두 사건 A, B가 독립이면 $P(A \cap B) = P(A)P(B)$

(2) 두 사건 A, B가 배반이면 $P(A \cup B) = P(A) + P(B)$

26　정규분포
정답률 71% | 정답 ②

어느 고등학교의 수학 시험에 응시한 수험생의 시험 점수는 ❶ 평균이 68점, 표준편차가 10점인 정규분포를 따른다고 한다.
이 수학 시험에 응시한 수험생 중 임의로 선택한 수험생 한 명의 시험 ❷ 점수가 55점 이상이고 78점 이하일 확률을 오른쪽 표준정규분포표를 이용하여 구한 것은? [3점]

z	$P(0 \leq Z \leq z)$
1.0	0.3413
1.1	0.3643
1.2	0.3849
1.3	0.4032

① 0.7262　② 0.7445　③ 0.7492
④ 0.7675　⑤ 0.7881

STEP 01　❶에 의해 ❷를 표준화한 후 정규분포표를 이용하여 확률을 구한다.

시험 점수를 확률변수 X라 하면 X는 정규분포 $N(68, 10^2)$을 따르고 $Z = \dfrac{X-68}{10}$로 놓으면 확률변수 Z는 표준정규분포 $N(0, 1)$을 따른다.

따라서

$$\begin{aligned}
P(55 \leq X \leq 78) &= P\left(\frac{55-68}{10} \leq Z \leq \frac{78-68}{10}\right) \\
&= P(-1.3 \leq Z \leq 1) \\
&= P(-1.3 \leq Z \leq 0) + P(0 \leq Z \leq 1) \\
&= P(0 \leq Z \leq 1.3) + P(0 \leq Z \leq 1) \\
&= 0.4032 + 0.3413 = 0.7445
\end{aligned}$$

●핵심 공식

▶ 정규분포의 표준화

(1) 확률변수 X가 정규분포 $N(m, \sigma^2)$을 따를 때 확률변수 $Z = \dfrac{X-m}{\sigma}$은 표준정규분포 $N(0, 1)$을 따른다.

(2) $P(a \leq X \leq b) = P\left(\dfrac{a-m}{\sigma} \leq Z \leq \dfrac{b-m}{\sigma}\right)$

27　확률의 덧셈정리
정답률 56% | 정답 ④

두 집합 $X = \{1, 2, 3, 4\}$, $Y = \{1, 2, 3, 4, 5, 6, 7\}$ 대하여 X에서 Y로의 모든 일대일함수 f 중에서 임의로 하나를 선택할 때, 이 함수가 다음 조건을 만족시킬 확률은? [3점]

(가) $f(2) = 2$
(나) $f(1) \times f(2) \times f(3) \times f(4)$는 4의 배수이다.

① $\frac{1}{14}$　② $\frac{3}{35}$　③ $\frac{1}{10}$　④ $\frac{4}{35}$　⑤ $\frac{9}{70}$

STEP 01　치역에 4 또는 6의 포함여부에 따라 경우를 나누어 각각 두 조건을 만족하도록 함수값을 정하는 경우의 수를 구하여 구하는 확률을 구한다.

X에서 Y로의 일대일함수 f의 개수는

$$_7P_4 = 7 \times 6 \times 5 \times 4$$

(ⅰ) 함수 f의 치역에 4가 포함되고 6이 포함되지 않는 경우
함숫값이 4인 정의역의 원소를 정하는 경우의 수는

$$_3C_1 = 3$$

함숫값이 2, 4가 아닌 경우, 함숫값이 홀수이어야 하므로 나머지 두 함숫값을 정하는 경우의 수는

$$_4P_2 = 4 \times 3 = 12$$

즉, 이 경우의 확률은

$$\frac{3 \times 12}{7 \times 6 \times 5 \times 4} = \frac{3}{70}$$

(ⅱ) 함수 f의 치역에 6이 포함되고 4가 포함되지 않는 경우
(ⅰ)과 같은 방법으로 이 경우의 확률은

$$\frac{3 \times 12}{7 \times 6 \times 5 \times 4} = \frac{3}{70}$$

(ⅲ) 함수 f의 치역에 4와 6이 모두 포함되는 경우
함숫값이 4, 6인 정의역의 원소와 함숫값을 정하는 경우의 수는

$$_3P_2 = 3 \times 2 = 6$$

함숫값이 2, 4, 6이 아닌 경우, 함숫값이 홀수이어야 하므로 나머지 함숫값을 정하는 경우의 수는

$$4$$

즉, 이 경우의 확률은

$$\frac{6 \times 4}{7 \times 6 \times 5 \times 4} = \frac{1}{35}$$

(ⅰ), (ⅱ), (ⅲ)에서 구하는 확률은

$$\frac{3}{70} + \frac{3}{70} + \frac{1}{35} = \frac{4}{35}$$

28　표본평균
정답률 35% | 정답 ⑤

주머니 A에는 숫자 1, 2, 3이 하나씩 적힌 3개의 공이 들어 있고, 주머니 B에는 숫자 1, 2, 3, 4가 하나씩 적힌 4개의 공이 들어 있다. 두 주머니 A, B와 한 개의 주사위를 사용하여 다음 시행을 한다.

주사위를 한 번 던져
나온 눈의 수가 3의 배수이면
주머니 A에서 임의로 2개의 공을 동시에 꺼내고,

나온 눈의 수가 3의 배수가 아니면
주머니 B에서 임의로 2개의 공을 동시에 꺼낸다.
꺼낸 2개의 공에 적혀 있는 수의 차를 기록한 후,
공을 꺼낸 주머니에 이 2개의 공을 다시 넣는다.

이 시행을 2번 반복하여 기록한 두 개의 수의 평균을 $\overline{X}$ 라 할 때, $P(\overline{X}=2)$의 값은? [4점]

① $\dfrac{11}{81}$ ② $\dfrac{13}{81}$ ③ $\dfrac{5}{27}$ ④ $\dfrac{17}{81}$ ⑤ $\dfrac{19}{81}$

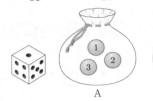

STEP 01 $\overline{X}=2$인 경우를 구한 후 각 경우의 확률을 구하여 $P(\overline{X}=2)$의 값을 구한다.

주머니 A에서 꺼낸 2개의 공에 적혀 있는 두 수의 차가 1일 확률은 $\dfrac{2}{3}$

주머니 A에서 꺼낸 2개의 공에 적혀 있는 두 수의 차가 2일 확률은 $\dfrac{1}{3}$

주머니 B에서 꺼낸 2개의 공에 적혀 있는 두 수의 차가 1일 확률은 $\dfrac{3}{6}=\dfrac{1}{2}$

주머니 B에서 꺼낸 2개의 공에 적혀 있는 두 수의 차가 2일 확률은 $\dfrac{2}{6}=\dfrac{1}{3}$

주머니 B에서 꺼낸 2개의 공에 적혀 있는 두 수의 차가 3일 확률은 $\dfrac{1}{6}$

첫 번째 시행에서 기록한 수를 X_1, 두 번째 시행에서 기록한 수를 X_2라 하면 구하는 확률은 X_1+X_2가 4일 확률이다.

(ⅰ) $(X_1,\ X_2)=(1,\ 3)$인 경우
첫 번째 시행에서 3의 배수의 눈이 나온 경우의 확률은
$$\left(\dfrac{1}{3}\times\dfrac{2}{3}\right)\times\left(\dfrac{2}{3}\times\dfrac{1}{6}\right)=\dfrac{2}{81}$$
첫 번째 시행에서 3의 배수가 아닌 눈이 나온 경우의 확률은
$$\left(\dfrac{2}{3}\times\dfrac{1}{2}\right)\times\left(\dfrac{2}{3}\times\dfrac{1}{6}\right)=\dfrac{1}{27}$$
이 경우의 확률은 $\dfrac{2}{81}+\dfrac{1}{27}=\dfrac{5}{81}$

(ⅱ) $(X_1,\ X_2)=(3,\ 1)$인 경우
(ⅰ)과 같은 방법으로 이 경우의 확률은 $\dfrac{2}{81}+\dfrac{1}{27}=\dfrac{5}{81}$

(ⅲ) $(X_1,\ X_2)=(2,\ 2)$인 경우
ⅰ) 주머니 A에서만 공을 꺼내는 경우
이 경우의 확률은 $\left(\dfrac{1}{3}\times\dfrac{1}{3}\right)\times\left(\dfrac{1}{3}\times\dfrac{1}{3}\right)=\dfrac{1}{81}$
ⅱ) 주머니 B에서만 공을 꺼내는 경우
이 경우의 확률은 $\left(\dfrac{2}{3}\times\dfrac{1}{3}\right)\times\left(\dfrac{2}{3}\times\dfrac{1}{3}\right)=\dfrac{4}{81}$
ⅲ) 주머니 A와 주머니 B에서 한 번씩 공을 꺼내는 경우
이 경우의 확률은 $2\times\left(\dfrac{1}{3}\times\dfrac{1}{3}\right)\times\left(\dfrac{2}{3}\times\dfrac{1}{3}\right)=\dfrac{4}{81}$

이 경우의 확률은 $\dfrac{1}{81}+\dfrac{4}{81}+\dfrac{4}{81}=\dfrac{1}{9}$

(ⅰ), (ⅱ), (ⅲ)에서 구하는 확률은
$$\dfrac{5}{81}+\dfrac{5}{81}+\dfrac{1}{9}=\dfrac{19}{81}$$

29 독립시행의 확률   정답률 21% | 정답 62

앞면에는 문자 A, 뒷면에는 문자 B가 적힌 한 장의 카드가 있다. 이 카드와 한 개의 동전을 사용하여 다음 시행을 한다.

동전을 두 번 던져
앞면이 나온 횟수가 2이면 카드를 한 번 뒤집고,
앞면이 나온 횟수가 0 또는 1이면 카드를 그대로 둔다.

처음에 문자 A가 보이도록 카드가 놓여 있을 때, 이 ❶ 시행을 5번 반복한 후 문자 B가 보이도록 카드가 놓일 확률은 p이다. $128\times p$의 값을 구하시오.
[4점]

STEP 01 ❶을 만족하는 경우를 구한 후 독립시행의 확률을 이용하여 p를 구한 다음 $128\times p$의 값을 구한다.

동전을 두 번 던져 앞면이 나온 횟수가 2일 확률은 $\dfrac{1}{4}$

앞면이 나온 횟수가 0 또는 1일 확률은 $1-\dfrac{1}{4}=\dfrac{3}{4}$

문자 B가 보이도록 카드가 놓이려면 뒤집는 횟수가 홀수이어야 한다.
따라서 구하는 확률은 5번의 시행 중 앞면이 나온 횟수가 2인 횟수가 1 또는 3 또는 5인 확률이므로
$$p={}_5C_1\left(\dfrac{1}{4}\right)^1\left(\dfrac{3}{4}\right)^4+{}_5C_3\left(\dfrac{1}{4}\right)^3\left(\dfrac{3}{4}\right)^2+{}_5C_5\left(\dfrac{1}{4}\right)^5\left(\dfrac{3}{4}\right)^0$$
$$=\dfrac{405+90+1}{4^5}=\dfrac{31}{64}$$

즉, $128\times p=128\times\dfrac{31}{64}=62$

★★★ 등급을 가르는 문제!

30 중복조합   정답률 10% | 정답 336

다음 조건을 만족시키는 13 이하의 자연수 $a,\ b,\ c,\ d$ 의 ❶ 모든 순서쌍 $(a,\ b,\ c,\ d)$ 의 개수를 구하시오. [4점]

(가) $a\leq b\leq c\leq d$
(나) $a\times d$는 홀수이고, $b+c$는 짝수이다.

STEP 01 $b,\ c$의 홀수, 짝수의 경우에 따라 경우를 나누고 중복조합으로 두 조건을 만족하는 ❶을 구한다.

조건 (나)에서 $a\times d$가 홀수이므로 a와 d는 모두 홀수이고,
$b+c$가 짝수이므로 b와 c가 모두 홀수이거나 b와 c가 모두 짝수이다.

(ⅰ) b와 c가 모두 홀수인 경우
$a,\ b,\ c,\ d$가 모두 13 이하의 홀수이다.
13 이하의 홀수의 개수는 7이고, 조건 (가)에서 $a\leq b\leq c\leq d$이므로 조건을 만족시키는 모든 순서쌍 $(a,\ b,\ c,\ d)$의 개수는 서로 다른 7개에서 중복을 허락하여 4개를 택하는 중복조합의 수 ${}_7H_4$와 같다.
$${}_7H_4={}_{10}C_4=\dfrac{10\times9\times8\times7}{4\times3\times2\times1}=210$$

(ⅱ) b와 c가 모두 짝수인 경우
a와 d가 모두 홀수, b와 c가 모두 짝수,
$a\leq b\leq c\leq d$이므로 $d-a$의 값은 12 이하의 자연수이다.
ⅰ) $d-a=12$인 경우
순서쌍 $(a,\ d)$의 개수는 1이고,
순서쌍 $(b,\ c)$의 개수는 서로 다른 짝수 6개에서 중복을 허락하여 2개를 택하는 중복조합의 수 ${}_6H_2$이므로 구하는 순서쌍의 개수는
$$1\times{}_6H_2=1\times{}_7C_2=1\times\dfrac{7\times6}{2\times1}=21$$
ⅱ) $d-a=10$인 경우
순서쌍 $(a,\ d)$의 개수는 2이고,
순서쌍 $(b,\ c)$의 개수는 서로 다른 짝수 5개에서 중복을 허락하여 2개를 택하는 중복조합의 수 ${}_5H_2$이므로 구하는 순서쌍의 개수는
$$2\times{}_5H_2=2\times{}_6C_2=2\times\dfrac{6\times5}{2\times1}=30$$
ⅲ) $d-a=8$인 경우
순서쌍 $(a,\ d)$의 개수는 3이고,
순서쌍 $(b,\ c)$의 개수는 서로 다른 짝수 4개에서 중복을 허락하여 2개를 택하는 중복조합의 수 ${}_4H_2$이므로 구하는 순서쌍의 개수는
$$3\times{}_4H_2=3\times{}_5C_2=3\times\dfrac{5\times4}{2\times1}=30$$
ⅳ) $d-a=6$인 경우
순서쌍 $(a,\ d)$의 개수는 4이고,
순서쌍 $(b,\ c)$의 개수는 서로 다른 짝수 3개에서 중복을 허락하여 2개를 택하는 중복조합의 수 ${}_3H_2$이므로 구하는 순서쌍의 개수는
$$4\times{}_3H_2=4\times{}_4C_2=4\times\dfrac{4\times3}{2\times1}=24$$
ⅴ) $d-a=4$인 경우
순서쌍 $(a,\ d)$의 개수는 5이고,
순서쌍 $(b,\ c)$의 개수는 서로 다른 짝수 2개에서 중복을 허락하여

2개를 택하는 중복조합의 수 $_2H_2$이므로

구하는 순서쌍의 개수는

$$5 \times _2H_2 = 5 \times _3C_2 = 5 \times \frac{3 \times 2}{2 \times 1} = 15$$

vi) $d-a=2$인 경우

순서쌍 $(a,\ d)$의 개수는 6이고,

순서쌍 $(b,\ c)$의 개수는 $a+1=b=c$에서 1이므로

구하는 순서쌍의 개수는

$$6 \times 1 = 6$$

(i), (ii)에서 구하는 모든 순서쌍의 개수는

$$210 + 21 + 30 + 30 + 24 + 15 + 6 = 336$$

다른 풀이

(ii) b와 c가 모두 짝수인 경우

홀수 $a,\ d$와 짝수 $b,\ c$에 대하여 $1 \le a \le b \le c \le d \le 13$이므로

$a=a',\ b-a=b',\ c-b=c',\ d-c=d',\ 14-d=e'$이라 하면

$a',\ b',\ d',\ e'$은 홀수이고, c'은 0 또는 짝수이다.

$$a'+b'+c'+d'+e'=14$$

음이 아닌 정수 $a'',\ b'',\ c'',\ d'',\ e''$에 대하여

$a'=2a''+1,\ b'=2b''+1,\ c'=2c'',\ d'=2d''+1,\ e'=2e''+1$이라 하면

$$a''+b''+c''+d''+e''=5$$

그러므로 구하는 순서쌍의 개수는

$$_5H_5 = _9C_5 = _9C_4 = \frac{9 \times 8 \times 7 \times 6}{4 \times 3 \times 2 \times 1} = 126$$

●핵심 공식

▶ 중복조합

$_nH_r$은 서로 다른 n개의 원소에서 r개를 뽑는 경우의 수이다.

$$_nH_r = _{n+r-1}C_r$$

★★ 문제 해결 꿀~팁 ★★

▶ 문제 해결 방법

조건 (나)에서 $a,\ d$는 모두 홀수이고, b와 c는 모두 홀수이거나 모두 짝수이다.

b와 c가 모두 홀수이면 13이하의 홀수 7개에서 중복을 허락하여 4개를 택하면 되므로 $_7H_4$이고, b와 c가 모두 짝수인 경우는 $d-a$의 값에 따라 경우를 다시 나누어야 한다.

$d-a=12$인 경우 순서쌍 $(a,\ d)$의 개수는 1이고 순서쌍 $(b,\ c)$의 개수는 서로 다른 짝수 6개에서 중복을 허락하여 2개를 택하면 되므로 $_6H_2$이다.

$d-a$의 다른 값에 대하여도 같은 방법으로 순서쌍의 개수를 구하면 된다.

나열하는 순서나 크기가 정해진 경우는 택하기만 하면 되고 나열하는 경우는 고려하지 않아도 되므로 조건을 만족하도록 택하는 경우만 잘 구분하여 경우의 수를 구하면 된다.

미적분

23 지수함수의 극한　　정답률 93% | 정답 ④

❶ $\displaystyle\lim_{x \to 0} \frac{e^{7x}-1}{e^{2x}-1}$의 값은?[2점]

① $\frac{1}{2}$　② $\frac{3}{2}$　③ $\frac{5}{2}$　④ $\frac{7}{2}$　⑤ $\frac{9}{2}$

STEP 01 지수함수의 극한으로 ❶의 값을 구한다.

$$\lim_{x \to 0} \frac{e^{7x}-1}{e^{2x}-1} = \lim_{x \to 0} \left(\frac{e^{7x}-1}{7x} \times \frac{2x}{e^{2x}-1} \times \frac{7}{2} \right) = \frac{7}{2} \times \lim_{x \to 0} \frac{e^{7x}-1}{7x} \times \lim_{x \to 0} \frac{2x}{e^{2x}-1}$$

$$= \frac{7}{2} \times 1 \times 1 = \frac{7}{2}$$

24 음함수의 미분법　　정답률 77% | 정답 ②

매개변수 t로 나타내어진 곡선

❶ $x = t + \cos 2t,\ y = \sin^2 t$

에서 $t = \frac{\pi}{4}$일 때, $\frac{dy}{dx}$의 값은?[3점]

① -2　② -1　③ 0　④ 1　⑤ 2

STEP 01 ❶에서 $\frac{dx}{dt}$, $\frac{dy}{dt}$를 구한 후 $\frac{dy}{dx}$를 구한 다음 $t = \frac{\pi}{4}$를 대입하여 값을 구한다.

$\frac{dx}{dt} = 1 - 2\sin 2t$, $\frac{dy}{dt} = 2\sin t \cos t$이므로

$$\frac{dy}{dx} = \frac{\dfrac{dy}{dt}}{\dfrac{dx}{dt}} = \frac{2\sin t \cos t}{1 - 2\sin 2t} \text{ (단, } 1 - 2\sin 2t \ne 0) \quad \cdots\cdots ㉠$$

㉠의 우변에 $t = \frac{\pi}{4}$를 대입하면

$$\frac{2\sin\frac{\pi}{4}\cos\frac{\pi}{4}}{1-2\sin\frac{\pi}{2}} = \frac{2 \times \frac{\sqrt{2}}{2} \times \frac{\sqrt{2}}{2}}{1 - 2 \times 1} = \frac{1}{1-2} = -1$$

25 치환적분을 이용한 정적분　　정답률 72% | 정답 ②

함수 $f(x) = x + \ln x$에 대하여 ❶ $\displaystyle\int_1^e \left(1 + \frac{1}{x} \right) f(x)\,dx$의 값은?[3점]

① $\frac{e^2}{2} + \frac{e}{2}$　② $\frac{e^2}{2} + e$　③ $\frac{e^2}{2} + 2e$　④ $e^2 + e$　⑤ $e^2 + 2e$

STEP 01 $f(x)$를 미분하여 $f'(x)$를 구한 후 $f'(x)$를 이용하여 ❶을 적분하여 값을 구한다.

$f'(x) = 1 + \frac{1}{x}$이므로

$$\int_1^e \left(1 + \frac{1}{x} \right) f(x)\,dx = \int_1^e f'(x) f(x)\,dx$$

$$= \left[\frac{1}{2} \{f(x)\}^2 \right]_1^e$$

$$= \frac{1}{2} \{f(e)\}^2 - \frac{1}{2} \{f(1)\}^2$$

$$= \frac{1}{2}(e+1)^2 - \frac{1}{2}(1+0)^2$$

$$= \frac{e^2}{2} + e$$

●핵심 공식

▶ 치환적분

$\displaystyle\int_a^b f(g(x)) g'(x)\,dx$에서 $g(x) = t$로 놓으면 $g'(x)\,dx = dt$

$$\int_a^b f(g(x)) g'(x)\,dx = \int_{g(a)}^{g(b)} f(t)\,dt$$

26 급수의 합　　정답률 63% | 정답 ⑤

공차가 양수인 등차수열 $\{a_n\}$과 등비수열 $\{b_n\}$에 대하여

❶ $a_1 = b_1 = 1$, $a_2 b_2 = 1$이고

❷ $\displaystyle\sum_{n=1}^{\infty} \left(\frac{1}{a_n a_{n+1}} + b_n \right) = 2$

일 때, $\displaystyle\sum_{n=1}^{\infty} b_n$의 값은?[3점]

① $\frac{7}{6}$　② $\frac{6}{5}$　③ $\frac{5}{4}$　④ $\frac{4}{3}$　⑤ $\frac{3}{2}$

STEP 01 부분분수의 합으로 $\displaystyle\sum_{k=1}^{n} \frac{1}{a_k a_{k+1}}$를 구한 후 극한값을 구한다.

등차수열 $\{a_n\}$의 공차를 $d\,(d > 0)$이라 하면

$$\frac{1}{a_n a_{n+1}} = \frac{1}{a_{n+1} - a_n} \left(\frac{1}{a_n} - \frac{1}{a_{n+1}} \right) = \frac{1}{d} \left(\frac{1}{a_n} - \frac{1}{a_{n+1}} \right) 이므로$$

$$\sum_{k=1}^{n} \frac{1}{a_k a_{k+1}} = \frac{1}{d} \sum_{k=1}^{n} \left(\frac{1}{a_k} - \frac{1}{a_{k+1}} \right)$$

$$= \frac{1}{d} \left\{ \left(\frac{1}{a_1} - \frac{1}{a_2} \right) + \left(\frac{1}{a_2} - \frac{1}{a_3} \right) + \cdots + \left(\frac{1}{a_n} - \frac{1}{a_{n+1}} \right) \right\}$$

$$= \frac{1}{d} \left(\frac{1}{a_1} - \frac{1}{a_{n+1}} \right) \quad \cdots\cdots ㉠$$

STEP 02 ❷에서 급수의 성질을 이용하여 $\displaystyle\sum_{n=1}^{\infty} b_n$을 구한 후 ❶을 이용하여 공차를 구하여 $\displaystyle\sum_{n=1}^{\infty} b_n$의 값을 구한다.

이때
$a_n = a_1 + (n-1)d = dn + 1 - d$이므로
$$\lim_{n\to\infty} a_n = \lim_{n\to\infty} (dn+1-d) = \infty$$
$$\lim_{n\to\infty} a_{n+1} = \lim_{n\to\infty} a_n = \infty$$
$$\lim_{n\to\infty} \frac{1}{a_{n+1}} = 0$$
㉠에서
$$\sum_{n=1}^{\infty} \frac{1}{a_n a_{n+1}} = \lim_{n\to\infty} \sum_{k=1}^{n} \frac{1}{a_k a_{k+1}}$$
$$= \lim_{n\to\infty} \frac{1}{d}\left(\frac{1}{a_1} - \frac{1}{a_{n+1}}\right)$$
$$= \frac{1}{d}\left(\lim_{n\to\infty} 1 - \lim_{n\to\infty} \frac{1}{a_{n+1}}\right)$$
$$= \frac{1}{d}(1-0) = \frac{1}{d}$$
$\sum_{n=1}^{\infty}\left(\frac{1}{a_n a_{n+1}} + b_n\right) = 2$에서 $\frac{1}{a_n a_{n+1}} + b_n = c_n$이라 하면
$$\sum_{n=1}^{\infty} c_n = 2$$
$b_n = c_n - \frac{1}{a_n a_{n+1}}$이므로 급수의 성질에 의하여
$$\sum_{n=1}^{\infty} b_n = \sum_{n=1}^{\infty}\left(c_n - \frac{1}{a_n a_{n+1}}\right) = \sum_{n=1}^{\infty} c_n - \sum_{n=1}^{\infty} \frac{1}{a_n a_{n+1}} = 2 - \frac{1}{d} \quad \cdots\cdots ㉡$$
따라서 등비급수 $\sum_{n=1}^{\infty} b_n$이 수렴하므로 등비수열 $\{b_n\}$의 공비를 r라 하면
$-1 < r < 1$이고 $a_2 b_2 = (1+d)r = 1$에서
$$r = \frac{1}{1+d}$$
이때 $d > 0$이므로
$$\sum_{n=1}^{\infty} b_n = \frac{b_1}{1-r} = \frac{1}{1-\frac{1}{1+d}} = \frac{1+d}{d} \quad \cdots\cdots ㉢$$
이므로 ㉡, ㉢에서
$$2 - \frac{1}{d} = \frac{1+d}{d}, \quad \frac{2d-1}{d} = \frac{1+d}{d}$$
$$d = 2$$
㉡ 또는 ㉢에서
$$\sum_{n=1}^{\infty} b_n = \frac{3}{2}$$

● 핵심 공식

▶ 부분분수

$$\frac{1}{A \cdot B} = \frac{1}{B-A}\left(\frac{1}{A} - \frac{1}{B}\right) \text{ (단, } 0 < A < B)$$

---

27 정적분의 활용   정답률 44% | 정답 ①

$x = -\ln 4$에서 $x = 1$까지 곡선 ❶ $y = \frac{1}{2}(|e^x - 1| - e^{|x|} + 1)$의 길이는?[3점]

① $\frac{23}{8}$ ② $\frac{13}{4}$ ③ $\frac{29}{8}$ ④ 4   ⑤ $\frac{35}{8}$

STEP 01 ❶의 범위를 나누어 적분으로 구하는 길이를 구한다.

$$y = \begin{cases} -\dfrac{e^x + e^{-x}}{2} + 1 & (x < 0) \\ 0 & (x \geq 0) \end{cases}$$

$$\frac{dy}{dx} = \begin{cases} -\dfrac{e^x - e^{-x}}{2} & (x < 0) \\ 0 & (x \geq 0) \end{cases}$$

이므로 $x < 0$일 때

$$1 + \left(\frac{dy}{dx}\right)^2 = 1 + \left(\frac{e^x - e^{-x}}{2}\right)^2 = \left(\frac{e^x + e^{-x}}{2}\right)^2$$에서

$$\sqrt{1 + \left(\frac{dy}{dx}\right)^2} = \sqrt{\left(\frac{e^x + e^{-x}}{2}\right)^2} = \left|\frac{e^x + e^{-x}}{2}\right| = \frac{e^x + e^{-x}}{2}$$

이고, $x \geq 0$일 때

$$1 + \left(\frac{dy}{dx}\right)^2 = 1 + 0 = 1$$

따라서 $-\ln 4 \leq x \leq 1$에서의 곡선의 길이는

$$\int_{-\ln 4}^{1} \sqrt{1 + \left(\frac{dy}{dx}\right)^2} \, dx = \int_{-\ln 4}^{0} \frac{e^x + e^{-x}}{2} \, dx + \int_{0}^{1} 1 \, dx$$
$$= \left[\frac{e^x - e^{-x}}{2}\right]_{-\ln 4}^{0} + [x]_0^1$$
$$= \left(\frac{e^0 - e^0}{2} - \frac{e^{-\ln 4} - e^{\ln 4}}{2}\right) + (1-0)$$
$$= \left(0 - \frac{\frac{1}{4} - 4}{2}\right) + 1 = \frac{15}{8} + 1 = \frac{23}{8}$$

---

28 미분가능성과 정적분   정답률 19% | 정답 ②

실수 $a(0 < a < 2)$에 대하여 함수 $f(x)$를

$$f(x) = \begin{cases} 2|\sin 4x| & (x < 0) \\ -\sin ax & (x \geq 0) \end{cases}$$

이라 하자. 함수

❶ $g(x) = \left| \displaystyle\int_{-a\pi}^{x} f(t) \, dt \right|$

가 실수 전체의 집합에서 미분 가능할 때, a의 최솟값은?[4점]

① $\frac{1}{2}$ ② $\frac{3}{4}$ ③ 1   ④ $\frac{5}{4}$ ⑤ $\frac{3}{2}$

STEP 01 $y = f(x)$의 그래프를 그린 후 ❶을 만족할 조건을 구한다.

함수 $y = f(x)$의 그래프는 다음과 같다.

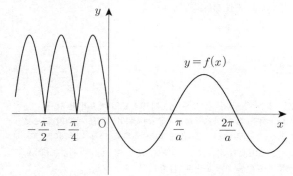

$F(x) = \displaystyle\int_{-a\pi}^{x} f(t) \, dt$라 하자.

함수 $f(x)$는 실수 전체의 집합에서 연속이므로 함수 $F(x)$는 실수 전체의 집합에서 미분가능하다. 이때 정적분의 성질에 의하여
$F'(x) = f(x)$이고,
$$g(x) = \begin{cases} -F(x) & (F(x) < 0) \\ F(x) & (F(x) \geq 0) \end{cases}$$
이므로
$$g'(x) = \begin{cases} -f(x) & (F(x) < 0) \\ f(x) & (F(x) > 0) \end{cases}$$
따라서 함수 $g(x) = |F(x)|$가 실수 전체의 집합에서 미분가능하려면
$F(k) = 0$인 실수 k가 존재하지 않거나
$F(k) = 0$인 모든 실수 k에 대하여 $F'(k) = f(k) = 0$이어야 한다.

STEP 02 $g(x)$가 미분가능할 조건으로 a와 n의 범위를 구한 다음 a의 최솟값을 구한다.

(ⅰ) 함수 $g(x)$가 구간 $(-\infty, 0)$에서 미분가능할 조건
$-a\pi < 0$이고 모든 음의 실수 x에 대하여 $f(x) \geq 0$이므로
$$F(k) = \int_{-a\pi}^{k} f(t) \, dt = 0$$인 음의 실수 k의 값은 $-a\pi$뿐이다.
이때 $f(k) = f(-a\pi) = 2|\sin(-4a\pi)| = 0$이어야 하므로
$-4a\pi = -n\pi$, 즉 $a = \dfrac{n}{4}$ (n은 자연수) $\cdots\cdots ㉠$

(ⅱ) 함수 $g(x)$가 구간 $[0, \infty)$에서 미분가능할 조건
$$\int_{-\frac{\pi}{4}}^{0} f(t) \, dt = \int_{-\frac{\pi}{4}}^{0} (-2\sin 4t) \, dt$$
$$= \left[\frac{1}{2}\cos 4t\right]_{-\frac{\pi}{4}}^{0}$$
$$= \frac{1}{2}\cos 0 - \frac{1}{2}\cos(-\pi)$$
$$= \frac{1}{2} + \frac{1}{2} = 1$$

이고 모든 음의 실수 x에 대하여
$f\left(x-\dfrac{\pi}{4}\right)=f(x)$가 성립하므로 ㉠에서

$$\int_{-a\pi}^{0}f(t)dt=\int_{-\frac{n}{4}\pi}^{0}f(t)dt=n\int_{-\frac{\pi}{4}}^{0}f(t)dt=n$$

따라서 양의 실수 x에 대하여

$$\begin{aligned}
F(x)&=\int_{-a\pi}^{x}f(t)dt\\
&=\int_{-\frac{n}{4}\pi}^{0}f(t)dt+\int_{0}^{x}f(t)dt\\
&=n+\int_{0}^{x}(-\sin at)dt\\
&=n+\left[\frac{1}{a}\cos at\right]_{0}^{x}\\
&=n+\left(\frac{1}{a}\cos ax-\frac{1}{a}\cos 0\right)\\
&=n+\frac{1}{a}\cos ax-\frac{1}{a}\\
&=n+\frac{4}{n}\cos\frac{n}{4}x-\frac{4}{n}
\end{aligned}$$

이때 $F(k)=0$인 양수 k가 존재하면 $n=\dfrac{4}{n}\left(1-\cos\dfrac{n}{4}k\right)$에서

$$\cos\frac{n}{4}k=1-\frac{n^2}{4} \qquad\cdots\cdots ㉡$$

이때 $f(k)=-\sin ak=-\sin\dfrac{n}{4}k=0$이어야 하므로

$\dfrac{n}{4}k=m\pi(m$은 자연수$)$이고 ㉡에서

$$\cos m\pi=1-\frac{n^2}{4}$$

이때 m, n은 자연수이므로

$$\cos m\pi=1-\frac{n^2}{4}=-1,$$

즉 $n^2=8$을 만족시키는 자연수 n은 존재하지 않는다.
그러므로 함수 $g(x)$가 구간 $[0,\infty)$에서 미분가능하려면
모든 양의 실수 x에 대하여

$$F(x)=n+\frac{4}{n}\cos\frac{n}{4}x-\frac{4}{n}>0$$

즉, $\cos\dfrac{n}{4}x>1-\dfrac{n^2}{4}$이어야 한다.

따라서 $1-\dfrac{n^2}{4}<-1$이어야 하므로 $n^2>8$

따라서 자연수 n의 최솟값은 3이므로
㉠에서 a의 최솟값은 $\dfrac{3}{4}$이다.

---

29 등비수열의 극한　　　　　정답률 50% | 정답 18

두 실수 a, $b\,(a>1,\ b>1)$이

❶ $\displaystyle\lim_{n\to\infty}\frac{3^n+a^{n+1}}{3^{n+1}+a^n}=a$,　❷ $\displaystyle\lim_{n\to\infty}\frac{a^n+b^{n+1}}{a^{n+1}+b^n}=\frac{9}{a}$

를 만족시킬 때, $a+b$의 값을 구하시오. [4점]

STEP 01 a의 범위를 나누고 등비수열의 극한으로 ❶의 극한값을 구하여 a의 범위를 구한다.

(i) $1<a<3$인 경우

$\displaystyle\lim_{n\to\infty}\left(\frac{a}{3}\right)^n=0$이므로

$$\lim_{n\to\infty}\frac{3^n+a^{n+1}}{3^{n+1}+a^n}=\lim_{n\to\infty}\frac{1+a\left(\dfrac{a}{3}\right)^n}{3+\left(\dfrac{a}{3}\right)^n}=\frac{1+a\times 0}{3+0}=\frac{1}{3}=a$$

$a=\dfrac{1}{3}<1$이므로 모순이다.

(ii) $a=3$인 경우

$$\lim_{n\to\infty}\frac{3^n+a^{n+1}}{3^{n+1}+a^n}=\lim_{n\to\infty}\frac{3^n+3^{n+1}}{3^{n+1}+3^n}=\lim_{n\to\infty}1=1=a$$

이므로 모순이다.

(iii) $a>3$인 경우

$\displaystyle\lim_{n\to\infty}\left(\frac{3}{a}\right)^n=0$이므로

$$\lim_{n\to\infty}\frac{3^n+a^{n+1}}{3^{n+1}+a^n}=\lim_{n\to\infty}\frac{\left(\dfrac{3}{a}\right)^n+a}{3\left(\dfrac{3}{a}\right)^n+1}=\frac{0+a}{3\times 0+1}=a$$

이므로 등식을 만족시킨다.

STEP 02 a, b의 대소관계에 따라 범위를 나누고 같은 방법으로 ❷를 만족시키는 경우를 찾아 a, b를 구한 다음 $a+b$의 값을 구한다.

i) $3<a<b$일 때
같은 방법으로

$$\lim_{n\to\infty}\frac{a^n+b^{n+1}}{a^{n+1}+b^n}=b>3=\frac{9}{3}>\frac{9}{a}$$

이므로 등식을 만족시키지 않는다.

ii) $b<a$일 때
같은 방법으로

$$\lim_{n\to\infty}\frac{a^n+b^{n+1}}{a^{n+1}+b^n}=\frac{1}{a}\neq\frac{9}{a}$$

이므로 등식을 만족시키지 않는다.

iii) $3<a=b$일 때

$$\lim_{n\to\infty}\frac{a^n+b^{n+1}}{a^{n+1}+b^n}=\lim_{n\to\infty}\frac{a^n+a^{n+1}}{a^{n+1}+a^n}=1=\frac{9}{a}$$

에서 $a=9$, $b=9$

이상에서 $a=9$, $b=9$이므로
$a+b=18$

● 핵심 공식

▶ 무한등비수열 $\{r^n\}$의 수렴과 발산

(1) $r>1$일 때, $\displaystyle\lim_{n\to\infty}r^n=\infty$ (발산)

(2) $r=1$일 때, $\displaystyle\lim_{n\to\infty}r^n=1$ (수렴)

(3) $|r|<1$일 때, $\displaystyle\lim_{n\to\infty}r^n=0$ (수렴)

(4) $r\leq-1$일 때, 수열 $\{r^n\}$은 진동한다. (발산)

★★★ 등급을 가르는 문제!

30 삼각함수와 음함수의 미분법　　　정답률 11% | 정답 32

길이가 10인 선분 AB를 지름으로 하는 원과 선분 AB 위에 $\overline{AC}=4$인 점 C가 있다. 이 원 위의 점 P를 $\angle PCB=\theta$가 되도록 잡고, 점 P를 지나고 선분 AB에 수직인 직선이 이 원과 만나는 점 중 P가 아닌 점을 Q라 하자. 삼각형 PCQ의 넓이를 $S(\theta)$라 할 때, $-7\times S'\left(\dfrac{\pi}{4}\right)$의 값을 구하시오.

$\left($단, $0<\theta<\dfrac{\pi}{2}\right)$ [4점]

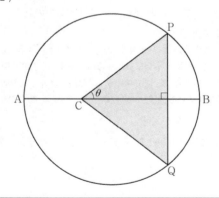

STEP 01 삼각형 PCO에서 코사인법칙을 이용하여 $\overline{CP}=x$의 방정식을 구한 후 $S(\theta)$를 구한다.

선분 AB의 중점을 O라 하면

$\overline{OP}=5$

$\overline{OC}=\overline{AO}-\overline{AC}=5-4=1$

삼각형 PCO에서 코사인법칙을 이용하면

$\overline{OP}^2=\overline{CP}^2+\overline{OC}^2-2\times\overline{CP}\times\overline{OC}\times\cos\theta$

$\overline{CP}=x$라 하면

$5^2=x^2+1^2-2\times x\times 1\times\cos\theta$

$$x^2-2x\cos\theta-24=0 \qquad\cdots\cdots ㉠$$

선분 PQ의 중심을 M이라 하면

$S(\theta) = \dfrac{1}{2} \times \overline{PQ} \times \overline{CM} = \dfrac{1}{2} \times 2x\sin\theta \times x\cos\theta = x^2\sin\theta\cos\theta$

STEP 02 ㉠과 $S(\theta)$를 미분한 후 $S'(\theta)$에 $\dfrac{dx}{d\theta}$와 $\theta = \dfrac{\pi}{4}$를 대입하여 $S'\left(\dfrac{\pi}{4}\right)$를 구한 다음 $-7 \times S'\left(\dfrac{\pi}{4}\right)$의 값을 구한다.

㉠을 θ에 대하여 미분하면

$2x\dfrac{dx}{d\theta} - 2\cos\theta\dfrac{dx}{d\theta} + 2x\sin\theta = 0$

$\dfrac{dx}{d\theta} = \dfrac{x\sin\theta}{\cos\theta - x}$

$\theta = \dfrac{\pi}{4}$를 ㉠에 대입하면

$x^2 - \sqrt{2}\,x - 24 = 0$

$x > 0$이므로 $x = 4\sqrt{2}$

따라서 $\theta = \dfrac{\pi}{4}$일 때 $\dfrac{dx}{d\theta}$의 값은

$\dfrac{dx}{d\theta} = \dfrac{4\sqrt{2} \times \sin\dfrac{\pi}{4}}{\cos\dfrac{\pi}{4} - 4\sqrt{2}} = -\dfrac{4\sqrt{2}}{7}$

$S(\theta)$를 θ에 대하여 미분하면

$\dfrac{dS(\theta)}{d\theta} = 2x\dfrac{dx}{d\theta}\sin\theta\cos\theta + x^2\cos^2\theta - x^2\sin^2\theta$

따라서 $\theta = \dfrac{\pi}{4}$일 때 $\dfrac{dS(\theta)}{d\theta}$의 값은

$S'\left(\dfrac{\pi}{4}\right) = 2 \times 4\sqrt{2} \times \left(-\dfrac{4\sqrt{2}}{7}\right) \times \cos\dfrac{\pi}{4} \times \sin\dfrac{\pi}{4}$
$\qquad\qquad + (4\sqrt{2})^2\cos^2\dfrac{\pi}{4} - (4\sqrt{2})^2\sin^2\dfrac{\pi}{4}$

$\qquad = -\dfrac{32}{7}$

따라서 $-7 \times S'\left(\dfrac{\pi}{4}\right) = -7 \times \left(-\dfrac{32}{7}\right) = 32$

●핵심 공식

▶ 삼각함수의 도함수

$(\sin x)' = \cos x$
$(\cos x)' = -\sin x$
$(\tan x)' = \sec^2 x$

★★ 문제 해결 꿀~팁 ★★

▶ 문제 해결 방법

$\overline{CP} = x$라 하고 삼각형 PCO에서 코사인법칙을 이용하면

$x^2 - 2x\cos\theta - 24 = 0$, $\theta = \dfrac{\pi}{4}$를 대입하면 $x = 4\sqrt{2}$이고,

$S(\theta) = x^2\sin\theta\cos\theta$이다.

이제 ㉠을 미분하여 $\dfrac{dx}{d\theta}$를 구하고 삼각함수의 미분으로 $S(\theta)$를 미분한 식에 $\theta = \dfrac{\pi}{4}$와 함께 대입하면 답을 구할 수 있다.

삼각형 PCO에서 코사인법칙을 이용하여 구한 식에서 x를 구하고 풀이를 시작해야 한다. $\overline{CP}$를 구하면 다른 변들의 길이도 알 수 있고 $\overline{CP}$를 이용하면 다른 변들의 길이도 비교적 구하기가 쉬우므로 $\overline{CP}$를 미지수로 놓고 구하는 것이 문제풀이에 유리하다. $\overline{CP}$를 구하면 다른 변들의 길이를 구하여 $S(\theta)$를 구할 수 있고 삼각함수의 미분으로 $S(\theta)$를 미분하고 $\theta = \dfrac{\pi}{4}$를 대입하면 된다.

삼각함수의 미분과 음함수의 미분만 할 수 있으면 어렵지 않게 답을 구할 수 있다.

•정답•

공통 | 수학
01 ④ 02 ① 03 ② 04 ① 05 ③ 06 ⑤ 07 ⑤ 08 ① 09 ③ 10 ④ 11 ② 12 ② 13 ⑤ 14 ⑤ 15 ③
16 7 17 16 18 13 19 4 20 80 ★ 21 22 20 22 58 ★
선택 | 확률과 통계
23 ① 24 ③ 25 ④ 26 ② 27 ⑤ 28 ③ 29 175 30 260 ★
선택 | 미적분
23 ① 24 ② 25 ⑤ 26 ③ 27 ③ 28 ④ 29 3 30 283 ★

★ 표기된 문항은 [등급을 가르는 문항]에 해당하는 문제입니다.

01 지수법칙 · · · · · · 정답률 91% | 정답 ④

❶ $\left(\dfrac{2^{\sqrt{3}}}{2}\right)^{\sqrt{3}+1}$ 의 값은? [2점]

① $\dfrac{1}{16}$ ② $\dfrac{1}{4}$ ③ 1 ④ 4 ⑤ 16

STEP 01 지수법칙으로 ❶을 계산하여 값을 구한다.

$\left(\dfrac{2^{\sqrt{3}}}{2}\right)^{\sqrt{3}+1} = \left(2^{\sqrt{3}-1}\right)^{\sqrt{3}+1} = 2^{(\sqrt{3}-1)(\sqrt{3}+1)} = 2^{3-1} = 2^2 = 4$

●핵심 공식

▶ 지수법칙

$a > 0$, $b > 0$이고, m, n이 실수일 때

(1) $a^m a^n = a^{m+n}$ (2) $(a^m)^n = a^{mn}$ (3) $(ab)^n = a^n b^n$

(4) $a^m \div a^n = a^{m-n}$ (5) $\sqrt[m]{a^n} = a^{\frac{n}{m}}$ (6) $\dfrac{1}{a^n} = a^{-n}$

(7) $a^0 = 1$

02 미분계수 · · · · · · 정답률 91% | 정답 ①

함수 $f(x) = 2x^2 + 5$에 대하여 ❶ $\lim\limits_{x \to 2}\dfrac{f(x) - f(2)}{x - 2}$의 값은? [2점]

① 8 ② 9 ③ 10 ④ 11 ⑤ 12

STEP 01 $f(x)$를 미분하여 $f'(x)$를 구한 후 미분계수의 정의에 의하여 ❶의 값을 구한다.

$f(x) = 2x^2 + 5$에서 $f'(x) = 4x$이므로

$\lim\limits_{x \to 2}\dfrac{f(x) - f(2)}{x - 2} = f'(2) = 4 \times 2 = 8$

03 삼각함수 사이의 관계 · · · · · · 정답률 83% | 정답 ②

❶ $\sin(x - \theta) = \dfrac{5}{13}$이고 $\cos\theta < 0$일 때, $\tan\theta$의 값은? [3점]

① $-\dfrac{12}{13}$ ② $-\dfrac{5}{12}$ ③ 0 ④ $\dfrac{5}{12}$ ⑤ $\dfrac{12}{13}$

STEP 01 삼각함수의 성질을 이용하여 ❶에서 $\cos\theta$를 구한 후 $\tan\theta$의 값을 구한다.

$\sin(\pi - \theta) = \sin\theta$이므로 $\sin\theta = \dfrac{5}{13}$

이때 $\cos^2\theta = 1 - \sin^2\theta = 1 - \left(\dfrac{5}{13}\right)^2 = 1 - \dfrac{25}{169} = \dfrac{144}{169} = \left(\dfrac{12}{13}\right)^2$

이고, 주어진 조건에 의하여 $\cos\theta < 0$이므로 $\cos\theta = -\dfrac{12}{13}$

따라서 $\tan\theta = \dfrac{\sin\theta}{\cos\theta} = \dfrac{\dfrac{5}{13}}{-\dfrac{12}{13}} = -\dfrac{5}{12}$

04 함수의 연속 · · · · · · 정답률 85% | 정답 ①

함수

$f(x) = \begin{cases} -2x + a & (x \le a) \\ ax - 6 & (x > a) \end{cases}$

가 실수 전체의 집합에서 연속이 되도록 하는 모든 상수 a의 값의 합은? [3점]

① -1 ② -2 ③ -3 ④ -4 ⑤ -5

STEP 01 $f(x)$가 $x=a$에서 연속일 조건으로 a를 구한 후 합을 구한다.

함수 $f(x)$가 실수 전체의 집합에서 연속이려면 $x=a$에서 연속이어야 한다.
즉, $f(a) = \lim\limits_{x \to a-} f(x) = \lim\limits_{x \to a+} f(x)$가 성립해야 한다.

$f(a) = -2a + a = -a$,
$\lim\limits_{x \to a-} f(x) = \lim\limits_{x \to a-}(-2x+a) = -2a+a = -a$,
$\lim\limits_{x \to a+} f(x) = \lim\limits_{x \to a+}(ax-6) = a^2-6$이므로
$f(a) = \lim\limits_{x \to a-} f(x) = \lim\limits_{x \to a+} f(x)$에서
$-a = a^2-6$,
$a^2+a-6 = (a+3)(a-2) = 0$
$a = -3$ 또는 $a = 2$
따라서 구하는 모든 상수 a의 값의 합은
$(-3) + 2 = -1$

● 핵심 공식

▶ 함수의 연속
$x=n$에서 연속이려면 함숫값 =좌극한 =우극한이어야 한다.
$f(n) = \lim\limits_{x \to n-} f(x) = \lim\limits_{x \to n+} f(x)$

---

05 등차수열 정답률 91% | 정답 ③

등차수열 $\{a_n\}$에 대하여
❶ $a_1 = 2a_5$, $a_8 + a_{12} = -6$
일때, a_2의 값은? [3점]

① 17 ② 19 ③ 21 ④ 23 ⑤ 25

STEP 01 ❶에서 등차수열의 일반항으로 첫째항과 공차를 구한 후 a_2의 값을 구한다.

등차수열 $\{a_n\}$의 공차를 d라 하면
$a_1 = 2a_5 = 2(a_1 + 4d)$
$a_1 + 8d = 0$ ...... ㉠
$a_8 + a_{12} = (a_1 + 7d) + (a_1 + 11d) = 2a_1 + 18d = -6$
$a_1 + 9d = -3$ ...... ㉡
㉠, ㉡에서 $a_1 = 24$, $d = -3$이므로
$a_2 = a_1 + d = 21$

● 핵심 공식

▶ 등차수열
첫째항이 a, 공차가 d인 등차수열의 일반항 a_n은 $a_n = a + (n-1)d$ $(n=1, 2, 3, \cdots)$

---

06 도함수의 활용 정답률 87% | 정답 ⑤

함수 $f(x) = x^3 - 3x^2 + k$의 ❶ 극댓값이 9일 때, 함수 $f(x)$의 극솟값은?
(단, k는 상수이다.) [3점]

① 1 ② 2 ③ 3 ④ 4 ⑤ 5

STEP 01 $f(x)$를 미분하여 ❶에서 k를 구한 후 극솟값을 구한다.

$f(x) = x^3 - 3x^2 + k$에서
$f'(x) = 3x^2 - 6x = 3x(x-2)$이므로
$f'(x) = 0$에서 $x = 0$ 또는 $x = 2$
이때 함수 $f(x)$의 증가와 감소를 표로 나타내면 다음과 같다.

x	$\cdots$	0	$\cdots$	2	$\cdots$
$f'(x)$	+	0	−	0	+
$f(x)$	↗	극대	↘	극소	↗

주어진 조건에 의하여 함수 $f(x)$의 극댓값이 9이므로
$f(0) = k = 9$
따라서 $f(x) = x^3 - 3x^2 + 9$이고
함수 $f(x)$의 극솟값은 $f(2)$이므로
구하는 극솟값은
$f(2) = 2^3 - 3 \times 2^2 + 9 = 5$

---

07 여러 가지 수열의 합 정답률 77% | 정답 ⑤

수열 $\{a_n\}$의 첫째항부터 제n항까지의 합을 S_n이라 하자.
❶ $S_n = \dfrac{1}{n(n+1)}$일 때, $\sum\limits_{k=1}^{10}(S_k - a_k)$의 값은? [3점]

① $\dfrac{1}{2}$ ② $\dfrac{3}{5}$ ③ $\dfrac{7}{10}$ ④ $\dfrac{4}{5}$ ⑤ $\dfrac{9}{10}$

STEP 01 ❶에서 부분분수의 합으로 $\sum\limits_{k=1}^{10} S_k$와 $\sum\limits_{k=1}^{10} a_k$를 구한 후 차를 구한다.

$S_n = \dfrac{1}{n(n+1)} = \dfrac{1}{n} - \dfrac{1}{n+1}$이므로

$\sum\limits_{k=1}^{10} S_k = \sum\limits_{k=1}^{10}\left(\dfrac{1}{k} - \dfrac{1}{k+1}\right)$
$= \left(\dfrac{1}{1} - \dfrac{1}{2}\right) + \left(\dfrac{1}{2} - \dfrac{1}{3}\right) + \cdots + \left(\dfrac{1}{10} - \dfrac{1}{11}\right)$
$= 1 - \dfrac{1}{11} = \dfrac{10}{11}$

한편,
$\sum\limits_{k=1}^{10} a_k = S_{10} = \dfrac{1}{10 \times 11} = \dfrac{1}{110}$이므로
$\sum\limits_{k=1}^{10}(S_k - a_k) = \sum\limits_{k=1}^{10} S_k - \sum\limits_{k=1}^{10} a_k = \dfrac{10}{11} - \dfrac{1}{110} = \dfrac{99}{110} = \dfrac{9}{10}$

다른 풀이

$k=1$이면 $S_k - a_k = S_1 - a_1 = 0$
$k \geq 2$이면 $S_k - a_k = S_{k-1} = \dfrac{1}{(k-1)k}$이므로
$\sum\limits_{k=1}^{10}(S_k - a_k) = (S_1 - a_1) + \sum\limits_{k=2}^{10}(S_k - a_k)$
$= 0 + \sum\limits_{k=2}^{10} \dfrac{1}{(k-1)k}$
$= \sum\limits_{k=2}^{10}\left(\dfrac{1}{k-1} - \dfrac{1}{k}\right)$
$= \left(\dfrac{1}{1} - \dfrac{1}{2}\right) + \left(\dfrac{1}{2} - \dfrac{1}{3}\right) + \left(\dfrac{1}{3} - \dfrac{1}{4}\right) + \cdots + \left(\dfrac{1}{9} - \dfrac{1}{10}\right)$
$= 1 - \dfrac{1}{10} = \dfrac{9}{10}$

● 핵심 공식

▶ 부분분수
$\dfrac{1}{A \cdot B} = \dfrac{1}{B-A}\left(\dfrac{1}{A} - \dfrac{1}{B}\right)$ (단, $0 < A < B$)

---

08 접선의 방정식 정답률 75% | 정답 ①

곡선 ❶ $y = x^3 - 4x + 5$ 위의 점 $(1, 2)$에서의 접선이
곡선 ❷ $y = x^4 + 3x + a$에 접할 때, 상수 a의 값은? [3점]

① 6 ② 7 ③ 8 ④ 9 ⑤ 10

STEP 01 미분을 이용하여 ❶을 구한 후 기울기를 이용하여 ❷의 접점의 좌표를 구한 다음 ❷에 대입하여 a의 값을 구한다.

$y = x^3 - 4x + 5$에서 $y' = 3x^2 - 4$
이므로 점 $(1, 2)$에서의 접선의 방정식은
$y - 2 = -(x-1)$
$y = -x + 3$ ...... ㉠
또한, $y = x^4 + 3x + a$에서 $y' = 4x^3 + 3$
이고 곡선 $y = x^4 + 3x + a$와 직선 ㉠이 접하므로 접점의 x좌표는
$4x^3 + 3 = -1$, $x^3 = -1$
$x = -1$
따라서 접점의 좌표는 $(-1, 4)$이고 이 점은 곡선 $y = x^4 + 3x + a$ 위의 점이므로
$4 = 1 - 3 + a$
$a = 6$

● 핵심 공식

▶ 접선의 방정식
곡선 $y = f(x)$ 위의 점 $(a, f(a))$에서의 접선의 방정식은 $y - f(a) = f'(a)(x-a)$

닫힌구간 $[0,\ 12]$에서 정의된 두 함수

$$f(x)=\cos\frac{\pi x}{6},\quad g(x)=-3\cos\frac{\pi x}{6}-1$$

이 있다. 곡선 $y=f(x)$와 직선 $y=k$가 만나는 두 점의 x좌표를 $\alpha_1,\ \alpha_2$라 할 때, ❶ $|\alpha_1-\alpha_2|=8$이다. 곡선 $y=g(x)$와 직선 $y=k$가 만나는 두 점의 x좌표를 $\beta_1,\ \beta_2$라 할 때, $|\beta_1-\beta_2|$의 값은?
(단, k는 $-1<k<1$인 상수이다.) [4점]

① 3   ② $\dfrac{7}{2}$ ③ 4   ④ $\dfrac{9}{2}$ ⑤ 5

STEP 01 $y=f(x)$의 그래프를 그린 후 삼각함수의 그래프의 대칭성과 ❶을 이용하여 $\alpha_1,\ \alpha_2$를 구한 다음 k를 구한다.

함수 $y=f(x)$의 주기는 $\dfrac{2\pi}{\frac{\pi}{6}}=12$이므로 함수 $y=f(x)$의 그래프는 다음과 같다.

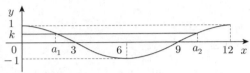

위 그림과 같이 일반성을 잃지 않고 $\alpha_1<\alpha_2$라 하면
$$\alpha_1+\alpha_2=12$$
주어진 조건에 의하여 $\alpha_2-\alpha_1=8$이므로
$$\alpha_1=2,\ \alpha_2=10$$
그러므로 $k=\cos\left(\dfrac{\pi\times2}{6}\right)=\cos\dfrac{\pi}{3}=\dfrac{1}{2}$

STEP 02 $y=g(x)$와 $y=k$를 연립하여 $\beta_1,\ \beta_2$를 구한 후 $|\beta_1-\beta_2|$의 값을 구한다.

한편, $-3\cos\dfrac{\pi x}{6}-1=\dfrac{1}{2}$에서
$$\cos\frac{\pi x}{6}=-\frac{1}{2}$$
$0\le x\le 12$에서 $0\le\dfrac{\pi x}{6}\le 2\pi$이므로
$$\frac{\pi x}{6}=\frac{2}{3}\pi\ \ \text{또는}\ \ \frac{\pi x}{6}=\frac{4}{3}\pi$$
즉, $x=4$ 또는 $x=8$
따라서 $|\beta_1-\beta_2|=|4-8|=4$

● 핵심 공식

▶ 삼각함수의 그래프

$y=a\sin(bx+c)\ \Rightarrow$ 주기 : $\dfrac{2\pi}{|b|}$, 최댓값 $|a|$, 최솟값 $-|a|$

$y=a\cos(bx+c)\ \Rightarrow$ 주기 : $\dfrac{2\pi}{|b|}$, 최댓값 $|a|$, 최솟값 $-|a|$

$y=a\tan(bx+c)\ \Rightarrow$ 주기 : $\dfrac{\pi}{|b|}$, 최댓값과 최솟값은 없다.

10 정적분의 활용   정답률 72% | 정답 ④

수직선 위의 점 $A(6)$과 시각 $t=0$일 때 원점을 출발하여 이 수직선 위를 움직이는 점 P가 있다. 시각 $t(t\ge0)$에서의 점 P의 속도 $v(t)$를
$$v(t)=3t^2+at\ (a>0)$$
이라 하자. ❶ 시각 $t=2$에서 점 P와 점 A 사이의 거리가 10일 때, 상수 a의 값은? [4점]

① 1   ② 2   ③ 3   ④ 4   ⑤ 5

STEP 01 $v(t)$를 적분하여 $t=2$에서 점 P의 위치를 구한 후 ❶을 이용하여 양수 a의 값을 구한다.

$t=2$에서 점 P의 위치는
$$\int_0^2 v(t)dt=\int_0^2(3t^2+at)dt=\left[t^3+\frac{a}{2}t^2\right]_0^2=8+2a$$
점 $P(8+2a)$와 점 $A(6)$ 사이의 거리가 10이려면
$$|(8+2a)-6|=10,$$
즉 $2a+2=\pm10$이어야 하므로 양수 a의 값은
$$2a+2=10$$에서
$$a=4$$

● 핵심 공식

▶ 속도와 이동거리

수직선 위를 움직이는 점 p의 시각 t에서의 속도를 $v(t)$라 할 때, $t=a$에서 $t=b$ $(a<b)$까지의 실제 이동거리 s는 $s=\displaystyle\int_a^b|v(t)|dt$이다.

11 거듭제곱근의 성질과 지수법칙   정답률 53% | 정답 ②

함수 $f(x)=-x(x-2)^2+k$에 대하여 다음 조건을 만족시키는 ❶ 자연수 n의 개수가 2일 때, 상수 k의 값은? [4점]

❷ $\sqrt{3^{f(n)}}$의 네제곱근 중 실수인 것을 모두 곱한 값이 -9이다.

① 8   ② 9   ③ 10   ④ 11   ⑤ 12

STEP 01 ❷에서 $f(n)$을 구한다.

$\sqrt{3^{f(n)}}$의 네제곱근 중 실수인 것은
$$\sqrt[4]{\sqrt{3^{f(n)}}},\ -\sqrt[4]{\sqrt{3^{f(n)}}}$$이므로
$$\sqrt[4]{\sqrt{3^{f(n)}}}\times\left(-\sqrt[4]{\sqrt{3^{f(n)}}}\right)=-\sqrt{3}^{\frac{1}{4}f(n)}\times\sqrt{3}^{\frac{1}{4}f(n)}$$
$$=-3^{\frac{1}{8}f(n)}\times3^{\frac{1}{8}f(n)}$$
$$=-3^{\frac{1}{4}f(n)}$$
$$=-9$$
따라서 $3^{\frac{1}{4}f(n)}=3^2$이므로
$$\frac{1}{4}f(n)=2,\ f(n)=8 \qquad\qquad \cdots\cdots \text{㉠}$$

STEP 02 ❶을 만족할 조건으로 k의 값을 구한다.

이때, 이차함수 $f(x)=-(x-2)^2+k$의 그래프의 대칭축은 $x=2$이므로 ㉠을 만족시키는 자연수 n의 개수가 2이기 위해서는 이차함수 $y=f(x)$의 그래프가 점 $(1,\ 8)$을 지나야 한다.
$$f(1)=-1+k=8$$
$$k=9$$

12 함수의 극한   정답률 61% | 정답 ②

실수 $t(t>0)$에 대하여 직선 $y=x+t$와 곡선 $y=x^2$이 만나는 두 점을 A, B라 하자. 점 A를 지나고 x축에 평행한 직선이 곡선 $y=x^2$과 만나는 점 중 A가 아닌 점을 C, 점 B에서 선분 AC에 내린 수선의 발을 H라 하자.

❶ $\displaystyle\lim_{t\to0+}\dfrac{AH-CH}{t}$의 값은? (단, 점 A의 x좌표는 양수이다.) [4점]

① 1   ② 2   ③ 3   ④ 4   ⑤ 5

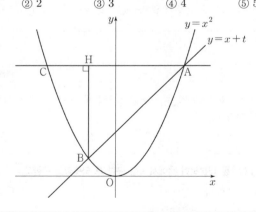

STEP 01 두 점 A, B의 좌표를 미지수로 놓고 $\overline{AH}$, $\overline{CH}$를 구한 후 ❶의 값을 구한다.

두 점 A, B의 좌표를 각각 $A(a,\ a^2)$, $B(b,\ b^2)$이라 하면 x에 대한 이차방정식 $x^2-x-t=0$의 두 근이 a, b이므로 이차방정식의 근과 계수의 관계에 의하여
$$a+b=1,\ ab=-t$$
그러므로
$$\overline{AH}=a-b=\sqrt{(a-b)^2}=\sqrt{(a+b)^2-4ab}=\sqrt{1+4t}$$
또, 점 C의 좌표가 $C(-a,\ a^2)$이므로
$$\overline{CH}=b-(-a)=b+a=1$$
따라서

$$\lim_{t \to 0+} \frac{\overline{AH} - \overline{CH}}{t} = \lim_{t \to 0+} \frac{\sqrt{1+4t} - 1}{t}$$

$$= \lim_{t \to 0+} \frac{(\sqrt{1+4t} - 1)(\sqrt{1+4t} + 1)}{t(\sqrt{1+4t} + 1)}$$

$$= \lim_{t \to 0+} \frac{(1+4t) - 1}{t(\sqrt{1+4t} + 1)}$$

$$= \lim_{t \to 0+} \frac{4t}{t(\sqrt{1+4t} + 1)}$$

$$= \lim_{t \to 0+} \frac{4}{\sqrt{1+4t} + 1}$$

$$= \frac{4}{1+1} = 2$$

---

13 사인법칙과 코사인법칙   정답률 36% | 정답 ⑤

그림과 같이 선분 AB를 지름으로 하는 반원의 호 AB 위에 두 점 C, D가 있다. 선분 AB의 중점 O에 대하여 두 선분 AD, CO가 점 E에서 만나고,

$\overline{CE} = 4$, $\overline{ED} = 3\sqrt{2}$, $\angle CEA = \dfrac{3}{4}\pi$

이다. $\overline{AC} \times \overline{CD}$ 의 값은? [4점]

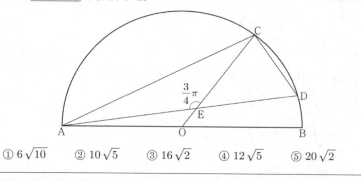

① $6\sqrt{10}$ ② $10\sqrt{5}$ ③ $16\sqrt{2}$ ④ $12\sqrt{5}$ ⑤ $20\sqrt{2}$

STEP 01 삼각형 CDE에서 코사인법칙에 의하여 $\overline{CD}$ 를 구한 후 삼각형 CDE에서 코사인법칙에 의하여 $\cos(\angle CDE)$ 를 구한다.

삼각형 CDE에서 $\angle CED = \dfrac{\pi}{4}$이므로 코사인법칙에 의하여

$$\overline{CD}^2 = \overline{CE}^2 + \overline{ED}^2 - 2 \times \overline{CE} \times \overline{ED} \times \cos \frac{\pi}{4}$$

$$= 4^2 + (3\sqrt{2})^2 - 2 \times 4 \times 3\sqrt{2} \times \frac{1}{\sqrt{2}} = 10$$

이므로 $\overline{CD} = \sqrt{10}$

$\angle CDE = \theta$라 하면 삼각형 CDE에서 코사인법칙에 의하여

$$\cos\theta = \frac{\overline{ED}^2 + \overline{CD}^2 - \overline{CE}^2}{2 \times \overline{ED} \times \overline{CD}}$$

$$= \frac{(3\sqrt{2})^2 + (\sqrt{10})^2 - 4^2}{2 \times 3\sqrt{2} \times \sqrt{10}}$$

$$= \frac{1}{\sqrt{5}} \text{이므로}$$

$$\sin\theta = \sqrt{1 - \cos^2\theta} = \sqrt{1 - \left(\frac{1}{\sqrt{5}}\right)^2} = \frac{2}{\sqrt{5}}$$

STEP 02 삼각형 ACE에서 코사인법칙과 사인법칙에 의하여 $\overline{AC}$ 를 구한 후 $\overline{AC} \times \overline{CD}$ 의 값을 구한다.

$\overline{AC} = x$, $\overline{AE} = y$라 하면 삼각형 ACE에서 코사인법칙에 의하여

$$x^2 = y^2 + 4^2 - 2 \times y \times 4 \times \cos \frac{3}{4}\pi,$$

$$x^2 = y^2 + 16 - 2 \times y \times 4 \times \left(-\frac{\sqrt{2}}{2}\right),$$

$$x^2 = y^2 + 4\sqrt{2}\,y + 16 \qquad \cdots\cdots ㉠$$

한편, 삼각형 ACD의 외접원의 반지름의 길이를 R라 하면 사인법칙에 의하여

$$\frac{x}{\sin\theta} = 2R, \ \text{즉} \ \frac{x}{\frac{2}{\sqrt{5}}} = 2R \text{에서} \ 2R = \frac{\sqrt{5}}{2}x$$

삼각형 ABC는 직각삼각형이므로 $\angle CAB = \alpha$라 하면

$$\cos\alpha = \frac{\overline{AC}}{\overline{AB}} = \frac{x}{\frac{\sqrt{5}}{2}x} = \frac{2}{\sqrt{5}},$$

$$\sin\alpha = \sqrt{1 - \cos^2\alpha} = \sqrt{1 - \left(\frac{2}{\sqrt{5}}\right)^2} = \frac{1}{\sqrt{5}} = \frac{\sqrt{5}}{5}$$

이등변삼각형 AOC에서 $\angle ACO = \angle CAO = \alpha$이므로

삼각형 ACE에서 사인법칙에 의하여

$$\frac{x}{\sin\frac{3}{4}\pi} = \frac{y}{\sin\alpha}, \ \text{즉} \ \frac{x}{\frac{\sqrt{2}}{2}} = \frac{y}{\frac{\sqrt{5}}{5}} \text{에서}$$

$$\sqrt{2}\,x = \sqrt{5}\,y \qquad \cdots\cdots ㉡$$

㉠, ㉡에서

$$\frac{5}{2}y^2 = y^2 + 4\sqrt{2}\,y + 16, \ \frac{3}{2}y^2 - 4\sqrt{2}\,y - 16 = 0,$$

$$3y^2 - 8\sqrt{2}\,y - 32 = 0$$

$(3y + 4\sqrt{2})(y - 4\sqrt{2}) = 0$에서 $y = 4\sqrt{2}$ 이므로

$$\overline{AC} = x = \frac{\sqrt{5}}{\sqrt{2}} \times 4\sqrt{2} = 4\sqrt{5}$$

따라서 $\overline{AC} \times \overline{CD} = 4\sqrt{5} \times \sqrt{10} = 20\sqrt{2}$

다른 풀이

삼각형 CED에서 코사인법칙에 의하여

$$\overline{CD}^2 = \overline{CE}^2 + \overline{DE}^2 - 2 \times \overline{CE} + \overline{DE} \times \cos \frac{\pi}{4}$$

$$= 16 + 18 - 2 \times 4 \times 3\sqrt{2} \times \frac{\sqrt{2}}{2}$$

$$= 34 - 24 = 10 \text{이므로}$$

$$\overline{CD} = \sqrt{10}$$

직선 OC가 원과 만나는 점 중 C가 아닌 점을 F라 하고, $\overline{OE} = p$, $\overline{AE} = q$라 하면

$$\overline{EF} = \overline{EO} + \overline{OF} = \overline{EO} + \overline{OC} = p + (p+4) = 2(p+2)$$

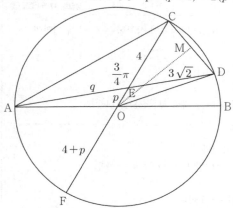

따라서 원의 성질에 의하여

$\overline{CE} \times \overline{EF} = \overline{AE} \times \overline{DE}$이므로

$$4 \times 2(p+2) = q \times 3\sqrt{2} \qquad \cdots\cdots ㉠$$

한편, $\angle CAD$는 호 CD의 원주각이고, $\angle COD$는 호 CD의 중심각이므로

$\angle CAD = \theta$라 하면

$$\angle COD = 2 \times \angle CAD = 2\theta$$

$\overline{CO} = \overline{DO}$이므로 선분 CD의 중점을 M이라 하면

$$\angle COM = \frac{1}{2} \times \angle COD = \frac{1}{2} \times 2\theta = \theta$$

직각삼각형 OMC에서

$$\sin\theta = \frac{\overline{CM}}{\overline{OC}} = \frac{\frac{\sqrt{10}}{2}}{p+4} = \frac{\sqrt{10}}{2(p+4)}$$

따라서 삼각형 AEC에서 사인법칙에 의하여

$$\frac{\overline{CE}}{\sin\theta} = \frac{\overline{AC}}{\sin\frac{3}{4}\pi}, \ \text{즉} \ \frac{4}{\frac{\sqrt{10}}{2(p+4)}} = \frac{\overline{AC}}{\frac{\sqrt{2}}{2}} \text{이므로}$$

$$\overline{AC} = \frac{8(p+4)}{\sqrt{10}} \times \frac{\sqrt{2}}{2} = \frac{4(p+4)}{\sqrt{5}} \qquad \cdots\cdots ㉡$$

삼각형 AEC에서 코사인법칙에 의하여

$$\overline{AC}^2 = \overline{AE}^2 + \overline{CE}^2 - 2 \times \overline{AE} \times \overline{CE} \times \cos \frac{3}{4}\pi$$

$$= q^2 + 16 - 2 \times q \times 4 \times \left(-\frac{\sqrt{2}}{2}\right)$$

$$= q^2 + 4\sqrt{2}\,q + 16 \qquad \cdots\cdots ㉢$$

㉡, ㉢에서

$$\left\{\frac{4(p+4)}{\sqrt{5}}\right\}^2 = q^2 + 4\sqrt{2}\,q + 16$$

이때 ㉠에서

$$4(p+2) = \frac{3\sqrt{2}}{2}q \text{이므로}$$

13회

$$\left(\frac{\frac{3\sqrt{2}}{2}q+8}{\sqrt{5}}\right)^2=q^2+4\sqrt{2}q+16,$$

$$\frac{9}{2}q^2+24\sqrt{2}q+64=5(q^2+4\sqrt{2}q+16),$$

$$9q^2+48\sqrt{2}q+128=10q^2+40\sqrt{2}q+160,$$

$$q^2-8\sqrt{2}q+32=0,\ (q-4\sqrt{2})^2=0$$

$$q=4\sqrt{2}$$

그러므로 ⓒ에서

$$\overline{AC}^2=32+32+16=80$$이므로

$$\overline{AC}=\sqrt{80}=4\sqrt{5}$$

따라서

$$\overline{AC}\times\overline{CD}=4\sqrt{5}\times\sqrt{10}=20\sqrt{2}$$

●핵심 공식

▶ 코사인법칙

세 변의 길이를 각각 a, b, c라 하고 b, c 사이의 끼인각을 A라 하면

$$a^2=b^2+c^2-2bc\cos A,\ \left(\cos A=\frac{b^2+c^2-a^2}{2bc}\right)$$

▶ 사인법칙

$\triangle ABC$에 대하여 $\triangle ABC$의 외접원의 반지름 길이를 R라고 할 때,

$$\frac{a}{\sin A}=\frac{b}{\sin B}=\frac{c}{\sin C}=2R$$

---

14 함수의 그래프 　　　　　　　　　정답률 47% | 정답 ⑤

최고차항의 계수가 1이고 $f(0)=0$, $f(1)=0$인 삼차함수 $f(x)$에 대하여 함수 $g(t)$를

$$g(t)=\int_t^{t+1}f(x)dx-\int_0^1|f(x)|dx$$

라 할 때, 〈보기〉에서 옳은 것만을 있는 대로 고른 것은? [4점]

―――〈보기〉―――

ㄱ. $g(0)=0$이면 $g(-0)<0$이다.

ㄴ. ❶ $g(-1)>0$이면 $f(k)=0$을 만족시키는 $k<-1$인 실수 k가 존재한다.

ㄷ. ❷ $g(-1)>1$이면 $g(0)<-1$이다.

① ㄱ　　② ㄱ, ㄴ　　③ ㄱ, ㄷ　　④ ㄴ, ㄷ　　⑤ ㄱ, ㄴ, ㄷ

STEP 01 ㄱ. $g(0)=0$을 만족하는 $y=f(x)$의 그래프의 개형을 구한 후 $g(-1)$을 구하여 참, 거짓을 판별한다.

최고차항의 계수가 1이고 $f(0)=0$, $f(1)=0$인 삼차함수 $f(x)$를

$$f(x)=x(x-1)(x-a)\ (a는 상수)\qquad\cdots\cdots\ ㉠$$

라 하자.

ㄱ. $g(0)=\int_0^1 f(x)dx-\int_0^1|f(x)|dx=0$

$$\int_0^1 f(x)dx=\int_0^1|f(x)|dx$$

따라서 $0\le x\le 1$일 때 $f(x)\ge 0$이므로 함수 $y=f(x)$의 그래프의 개형은 그림과 같다.

(ⅰ) $a>1$일 때

(ⅱ) $a=1$일 때

(ⅰ), (ⅱ)에 의하여

$$\int_{-1}^0 f(x)dx<0$$이므로

$$g(-1)=\int_{-1}^0 f(x)dx-\int_0^1|f(x)|dx<0$$

이다.

∴ 참

STEP 02 ㄴ. $g(-1)$을 구한 후 ❶을 만족할 조건을 구하여 참, 거짓을 판별한다.

ㄴ. $g(-1)>0$이면 $0\le x\le 1$일 때 $f(x)\le 0$ 이므로

$$g(-1)=\int_{-1}^0 f(x)dx-\int_0^1|f(x)|dx$$

$$=\int_{-1}^0 f(x)dx+\int_0^1 f(x)dx$$

$$=\int_{-1}^1 f(x)dx$$

$$=\int_{-1}^1 x(x-1)(x-a)dx$$

$$=\int_{-1}^1\{x^3-(a+1)x^2+ax\}dx$$

$$=2\int_0^1\{-(a+1)x^2\}dx$$

$$=2\left[-\frac{a+1}{3}x^3\right]_0^1=-\frac{2(a+1)}{3}>0$$

즉, $a<-1$이므로 $f(k)=0$을 만족시키는 $k<-1$인 실수 k가 존재한다.

∴ 참

STEP 03 ㄷ. ❷에서 a의 범위를 구한 후 $g(0)$을 구하여 참, 거짓을 판별한다.

ㄷ. $g(-1)=-\frac{2(a+1)}{3}>1$에서

$$a<-\frac{5}{2}$$

$0\le x\le 1$일 때 $f(x)\le 0$이므로

$$g(0)=\int_0^1 f(x)dx-\int_0^1|f(x)|dx$$

$$=\int_0^1 f(x)dx+\int_0^1 f(x)dx$$

$$=2\int_0^1 f(x)dx$$

$$=2\int_0^1\{x^3-(a+1)x^2+ax\}dx$$

$$=2\left[\frac{1}{4}x^4-\frac{a+1}{3}x^3+\frac{a}{2}x^2\right]_0^1$$

$$=2\left(\frac{1}{4}-\frac{a+1}{3}+\frac{a}{2}\right)$$

$$=\frac{1}{3}a-\frac{1}{6}<-1$$

∴ 참

이상에서 옳은 것은 ㄱ, ㄴ, ㄷ이다.

---

15 귀납적으로 정의된 수열 　　　　　정답률 38% | 정답 ③

수열 $\{a_n\}$이 다음 조건을 만족시킨다.

(가) 모든 자연수 k에 대하여 $a_{4k}=r^k$이다.
　　　(단, r는 $0<|r|<1$인 상수이다.)

(나) $a_1<0$이고, 모든 자연수 n에 대하여

$$a_{n+1}=\begin{cases}a_n+3 & (|a_n|<5)\\ -\dfrac{1}{2}a_n & (|a_n|<5)\end{cases}$$

이다.

❶ $|a_m|\ge 5$를 만족시키는 100 이하의 자연수 m의 개수를 p라 할 때, $p+a_1$의 값은? [4점]

① 8　　② 10　　③ 12　　④ 14　　⑤ 16

STEP 01 조건 (가)에서 a_4, a_8을 r을 이용하여 나타낸 후 r의 범위를 이용하여 조건 (나)에서 a_5, a_6, a_7, a_8을 차례로 구한 다음 r을 구한다.

조건 (가)에 의하여 $a_4=r$, $a_8=r^2$

조건 (나)에 의하여 $a_4=r$이고 $0<|r|<1$에서

$|a_4|<5$이므로 $a_5=r+3$

$|a_5|<5$이므로 $a_6=a_5+3=r+6$

$|a_6|\ge 5$이므로 $a_7=-\frac{1}{2}a_6=-\frac{r}{2}-3$

$|a_7|<5$이므로 $a_8=a_7+3=-\frac{r}{2}$

그러므로 $r^2 = -\dfrac{r}{2}$

$r \neq 0$이므로 $r = -\dfrac{1}{2}$

즉, $a_4 = -\dfrac{1}{2}$

STEP 02 조건 (나)에서 a_3, a_2, a_1을 차례로 구한 후 a_n의 규칙을 찾아 ❶을 구한 다음 $p + a_1$의 값을 구한다.

이때 $|a_3| < 5$이면 $a_3 = -\dfrac{1}{2} - 3 = -\dfrac{7}{2}$이고 이것은 조건을 만족시키며,

$|a_3| \geq 5$이면 $a_3 = -2 \times \left(-\dfrac{1}{2}\right) = 1$인데 이것은 조건을 만족시키지 않으므로

$a_3 = -\dfrac{7}{2}$

또, $|a_2| < 5$이면 $a_2 = -\dfrac{7}{2} - 3 = -\dfrac{13}{2}$인데 이것은 조건을 만족시키지 않고,

$|a_2| \geq 5$이면 $a_2 = -2 \times \left(-\dfrac{7}{2}\right) = 7$이고 이것은 조건을 만족시키므로

$a_2 = 7$

또, $|a_1| < 5$이면 $a_1 = 7 - 3 = 4$이고, $|a_1| \geq 5$이면 $a_1 = -2 \times 7 = -14$인데

조건 (나)에 의하여 $a_1 < 0$이므로

$a_1 = -14$

따라서

$a_1 = -14$, $a_2 = 7$, $a_3 = -\dfrac{7}{2}$, $a_4 = -\dfrac{1}{2}$,

$a_5 = -\dfrac{1}{2} + 3$, $a_6 = -\dfrac{1}{2} + 6$, $a_7 = \dfrac{1}{4} - 3$,

$a_8 = \dfrac{1}{4}$, $a_9 = \dfrac{1}{4} + 3$, $a_{10} = \dfrac{1}{4} + 6$,

$a_{11} = -\dfrac{1}{8} - 3$, $a_{12} = -\dfrac{1}{8}$, $\cdots$

이와 같은 과정을 계속하면 $|a_1| \geq 5$이고,

자연수 k에 대하여 $|a_{4k-2}| \geq 5$임을 알 수 있다.

그러므로 $|a_m| \geq 5$를 만족시키는 100이하의 자연수 m은

1, 2, 6, 10, $\cdots$, 98이고

$2 = 4 \times 1 - 2$, $98 = 4 \times 25 - 2$이므로

$p = 1 + 25 = 26$

따라서 $p + a_1 = 26 + (-14) = 12$

---

16 로그방정식　　정답률 92% | 정답 7

방정식 ❶ $\log_3 (x-4) = \log_9 (x+2)$를 만족시키는 실수 x의 값을 구하시오. [3점]

STEP 01 진수 조건에서 x의 범위를 구한 후 ❶의 방정식을 풀어 만족하는 x의 값을 구한다.

진수 조건에서 $x - 4 > 0$이고 $x + 2 > 0$이어야 하므로

$x > 4$　　　　　　　　　　　　　　　　　…… ㉠

$\log_3 (x-4) = \log_{3^2} (x-4)^2 = \log_9 (x-4)^2$

이므로 주어진 방정식은

$\log_9 (x-4)^2 = \log_9 (x+2)$, $(x-4)^2 = x+2$,

$x^2 - 8x + 16 = x + 2$,

$x^2 - 9x + 14 = (x-2)(x-7) = 0$

따라서 $x = 2$ 또는 $x = 7$

㉠에서 구하는 실수 x의 값은 7이다.

---

17 부정적분　　정답률 93% | 정답 16

함수 $f(x)$에 대하여 $f'(x) = 6x^2 - 4x + 3$이고 ❶ $f(1) = 5$일 때, $f(2)$의 값을 구하시오. [3점]

STEP 01 $f'(x)$를 적분하여 $f(x)$를 구한 후 ❶에서 적분상수를 구한 다음 $f(2)$의 값을 구한다.

$f(x) = \displaystyle\int (6x^2 - 4x + 3)dx = 2x^3 - 2x^2 + 3x + C$ (단, C는 적분상수)

이므로

$f(1) = 2 - 2 + 3 + C = 3 + C = 5$에서 $C = 2$

따라서 $f(2) = 16 - 8 + 6 + 2 = 16$

---

18 $\sum$의 성질　　정답률 91% | 정답 13

수열 $\{a_n\}$에 대하여 ❶ $\displaystyle\sum_{k=1}^{5} a_k = 10$일 때,

❷ $\displaystyle\sum_{k=1}^{5} ca_k = 65 + \sum_{k=1}^{5} c$

를 만족시키는 상수 c의 값을 구하시오. [3점]

STEP 01 ❶을 ❷에 이용하여 c의 값을 구한다.

$\displaystyle\sum_{k=1}^{5} ca_k = c\sum_{k=1}^{5} a_k = c \times 10 = 10c$이고 $\displaystyle\sum_{k=1}^{5} c = 5c$이므로

$\displaystyle\sum_{k=1}^{5} ca_k = 65 + \sum_{k=1}^{5} c$에서

$10c = 65 + 5c$, $5c = 65$

따라서 $c = 13$

---

19 함수의 극대와 극소　　정답률 68% | 정답 4

방정식 ❶ $3x^4 - 4x^3 - 12x^2 + k = 0$이 서로 다른 4개의 실근을 갖도록 하는 자연수 k의 개수를 구하시오. [3점]

STEP 01 $f(x) = 3x^4 - 4x^3 - 12x^2$을 미분하여 극값을 구한 후 그래프를 그린다.

$f(x) = 3x^4 - 4x^3 - 12x^2$이라 하면

$f'(x) = 12x^3 - 12x^2 - 24x = 12x(x^2 - x - 2) = 12x(x+1)(x-2)$

이므로

$f'(x) = 0$에서 $x = 0$ 또는 $x = -1$ 또는 $x = 2$

이때 함수 $f(x)$의 증가와 감소를 표로 나타내면 다음과 같다.

x	$\cdots$	-1	$\cdots$	0	$\cdots$	2	$\cdots$
$f'(x)$	$-$	0	$+$	0	$-$	0	$+$
$f(x)$	$\searrow$	극소	$\nearrow$	극대	$\searrow$	극소	$\nearrow$

따라서 사차함수 $f(x)$는 $x = 0$에서 극댓값 $f(0) = 0$을 갖고,

$x = -1$, $x = 2$에서 각각 극솟값 $f(-1) = 3 + 4 - 12 = -5$,

$f(2) = 48 - 32 - 48 = -32$를 갖는다.

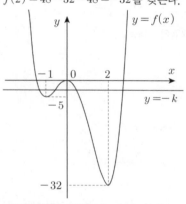

STEP 02 ❶을 만족하도록 하는 k의 범위를 구한 후 만족하는 자연수 k의 개수를 구한다.

주어진 방정식의 서로 다른 실근의 개수는

곡선 $y = f(x)$와 직선 $y = -k$의 교점의 개수와 같으므로

주어진 방정식이 서로 다른 네 실근을 가질 조건은 위의 그래프에서

$-5 < -k < 0$, 즉 $0 < k < 5$

이어야 한다.

따라서 구하는 자연수 k의 개수는 4이다.

★★★ 등급을 가르는 문제!

20 적분을 이용한 넓이　　정답률 52% | 정답 80

상수 $k(k < 0)$에 대하여 두 함수

❶ $f(x) = x^3 + x^2 - x$, $g(x) = 4|x| + k$

의 그래프가 만나는 점의 개수가 2일 때, 두 함수의 그래프로 둘러싸인 부분의 넓이를 S라 하자. $30 \times S$의 값을 구하시오. [4점]

STEP 01 $f(x)$를 미분하여 극값을 구한 후 ❶을 만족하도록 두 함수의 그래프를 그려 두 함수의 조건을 구한다.

$f(x) = x^3 + x^2 - x$에서

$f'(x) = 3x^2 + 2x - 1 = (3x-1)(x+1)$이므로

$f'(x) = 0$에서 $x = -1$ 또는 $x = \dfrac{1}{3}$

이때 함수 $f(x)$의 증가와 감소를 표로 나타내면 다음과 같다.

x	$\cdots$	-1	$\cdots$	$\dfrac{1}{3}$	$\cdots$
$f'(x)$	$+$	0	$-$	0	$+$
$f(x)$	↗	극대	↘	극소	↗

따라서, 함수 $f(x)$는 $x = -1$에서 극댓값이 $f(-1) = 1$,

$x = \dfrac{1}{3}$에서 극솟값이 $f\left(\dfrac{1}{3}\right) = -\dfrac{5}{27}$이므로

두 함수 $f(x) = x^3 + x^2 - x$, $g(x) = 4|x| + k$의 그래프가 만나는 점의 개수가 2이기 위해서는 그림과 같이 $x > 0$인 부분에서 두 함수 $f(x) = x^3 + x^2 - x$, $g(x) = 4|x| + k$의 그래프가 접해야 한다.

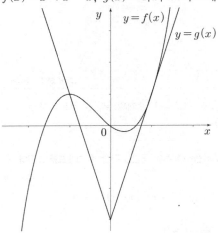

STEP 02 두 함수의 그래프의 교점의 x좌표를 구한 후 적분으로 넓이를 구한 다음 $30 \times S$의 값을 구한다.

$x > 0$일 때 $g(x) = 4x + k$이므로

$f'(x) = 3x^2 + 2x - 1 = 4$에서

$3x^2 + 2x - 5 = 0$, $(3x + 5)(x - 1) = 0$

즉, $x = 1$이므로 접점의 좌표는 $(1, 1)$이고

$g(1) = 4 + k = 1$

따라서, $k = -3$

또한, $x < 0$일 때 $g(x) = -4x - 3$이므로

두 함수 $y = f(x)$, $y = g(x)$의 그래프의 교점의 x좌표는

$x^3 + x^2 - x = -4x - 3$, $x^3 + x^2 + 3x + 3 = 0$

$(x + 1)(x^2 + 3) = 0$

$x = -1$

따라서 구하는 넓이 S는

$$S = \int_{-1}^{0} (x^3 + x^2 + 3x + 3)dx + \int_{0}^{1} (x^3 + x^2 - 5x + 3)dx$$

$$= \left[\frac{1}{4}x^4 + \frac{1}{3}x^3 + \frac{3}{2}x^2 + 3x\right]_{-1}^{0} + \left[\frac{1}{4}x^4 + \frac{1}{3}x^3 - \frac{5}{2}x^2 + 3x\right]_{0}^{1}$$

$$= \frac{19}{12} + \frac{13}{12} = \frac{8}{3}$$

$30 \times S = 30 \times \dfrac{8}{3} = 80$

★★ 문제 해결 꿀~팁 ★★

▶ 문제 해결 방법

두 함수의 그래프의 교점의 개수가 2가 되는 경우를 확인하려면 두 함수의 그래프를 그려야 한다.

$f(x)$를 미분하여 극값을 구하고 $y = f(x)$의 그래프를 먼저 그린 후 $y = 4|x|$의 그래프를 y축의 방향으로 평행이동하여 두 그래프의 교점이 2인 경우를 살펴보면 두 그래프가 접해야 함을 알 수 있다. 이 조건에서 접점과 교점을 구한 후 적분으로 구하는 넓이를 구하면 된다.

미분을 이용하여 다항함수의 그래프를 그릴 수 있어야 하고 주어진 조건을 만족하도록 그래프를 그려 만족해야 하는 조건을 찾을 수 있어야 한다.

★★★ 등급을 가르는 문제!

21 지수함수의 그래프	정답률 23% | 정답 220

그림과 같이 곡선 $y = 2^x$ 위에 두 점 $P(a, 2^a)$, $Q(b, 2^b)$이 있다. 직선 PQ의 기울기를 m이라 할 때, 점 P를 지나며 기울기가 $-m$인 직선이 x축, y축과 만나는 점을 각각 A, B라 하고, 점 Q를 지나며 기울기가 $-m$인 직선이 x축과 만나는 점을 C라 하자.

❶ $\overline{AB} = 4\overline{PB}$, $\overline{CQ} = 3\overline{AB}$

일 때, ❷ $90 \times (a + b)$의 값을 구하시오. (단, $a < a < b$) [4점]

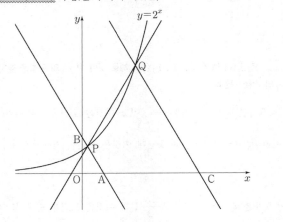

STEP 01 그래프에서 ❶과 두 삼각형 PDA, QEC의 닮음을 이용하여 a, b의 관계식을 구한 후 m과 점 A의 x좌표를 구한다.

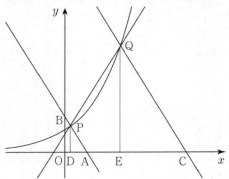

위 그림과 같이 두 점 P, Q에서 x축에 내린 수선의 발을 각각 D, E라 하자.

$\overline{PB} = k$라 하면

$\overline{AP} = \overline{AB} - \overline{PB} = 4\overline{PB} - \overline{PB} = 3\overline{PB} = 3k$이고,

$\overline{CQ} = 3\overline{AB} = 3 \times 4\overline{PB} = 12\overline{PB} = 12k$이므로

$\overline{AP} : \overline{CQ} = 3k : 12k = 1 : 4$

이때 $\triangle PDA \sim \triangle QEC$이므로

$\overline{PD} : \overline{QE} = \overline{AP} : \overline{CQ} = 1 : 4$

즉, $2^a : 2^b = 1 : 4$이므로

$2^b = 4 \times 2^a = 2^{a+2}$에서 $b = a + 2$

즉, $m = \dfrac{2^b - 2^a}{b - a} = \dfrac{2^{a+2} - 2^a}{(a+2) - a} = \dfrac{3 \times 2^a}{2} = 3 \times 2^{a-1}$

이므로 직선 AB의 방정식은

$y - 2^a = -3 \times 2^{a-1}(x - a)$ ⋯⋯ ㉠

㉠에 $y = 0$을 대입하면

$-2^a = -3 \times 2^{a-1}(x - a)$

$x - a = \dfrac{2}{3}$, $x = a + \dfrac{2}{3}$

즉, 점 A의 x좌표가 $a + \dfrac{2}{3}$이다.

STEP 02 두 삼각형 APD와 ABO의 닮음을 이용하여 a, b를 구한 후 ❷의 값을 구한다.

이때 원점 O에 대하여 $\triangle APD \sim \triangle ABO$이므로 $\overline{AO} : \overline{DO} = \overline{AB} : \overline{PB} = 4 : 1$

즉, $a + \dfrac{2}{3} : a = 4 : 1$

$a + \dfrac{2}{3} = 4a$, $a = \dfrac{2}{9}$

$b = a + 2 = \dfrac{2}{9} + 2 = \dfrac{20}{9}$

따라서 $90 \times (a + b) = 90 \times \left(\dfrac{2}{9} + \dfrac{20}{9}\right) = 90 \times \dfrac{22}{9} = 220$

★★ 문제 해결 꿀~팁 ★★

▶ 문제 해결 방법

$\overline{PB} = k$라 하면 $\overline{AP} = 3k$, $\overline{CQ} = 12k$이므로 $2^a : 2^b = 1 : 4$, $b = a + 2$이고 $m = \dfrac{2^b - 2^a}{b - a} = 3 \times 2^{a-1}$이다. 따라서 직선 AB의 방정식은 $y - 2^a = -3 \times 2^{a-1}(x - a)$이므로 점 A의 x좌표는 $a + \dfrac{2}{3}$이다. 이제 $a + \dfrac{2}{3} : a = 4 : 1$에서 a를 구하면 된다.

닮음인 삼각형을 찾아 주어진 선분들의 길이의 비를 이용하여 다른 선분들의 비를 구하여 필요한 선분들의 길이를 구할 수 있어야 한다.

[문제편 p.200]

22 삼차함수의 그래프와 함수의 연속성   정답률 16% | 정답 58

❶ 최고차항의 계수가 1이고 $x=3$에서 극댓값 8을 갖는 삼차함수 $f(x)$가 있다. 실수 t에 대하여 함수 $g(x)$를

$$g(x) = \begin{cases} f(x) & (x \geq t) \\ -f(x) + 2f(t) & (x < t) \end{cases}$$

라 할 때, 방정식 $g(x) = 0$의 서로 다른 실근의 개수를 $h(t)$라 하자.

❷ 함수 $h(t)$가 $t=a$에서 불연속인 a의 값이 두 개일 때, $f(8)$의 값을 구하시오. [4점]

STEP 01 $y=g(x)$의 그래프를 그려 ❷를 만족하는 경우를 찾는다.

$g(x) = \begin{cases} f(x) & (x \geq t) \\ -f(x) + 2f(t) & (x < t) \end{cases}$ 에서

$\lim\limits_{x \to t-} g(x) = \lim\limits_{x \to t+} g(x) = g(t) = f(t)$

이므로 함수 $g(t)$는 실수 전체의 집합에서 연속이다.

함수 $f(x)$가 $x=k$에서 극솟값을 갖는다고 하자.

이때 함수 $y=-f(x)+2f(t)$의 그래프는 함수 $y=f(x)$의 그래프를 x축에 대하여 대칭이동한 후, y축의 방향으로 $2f(t)$만큼 평행이동한 것이다.

방정식 $g(x)=0$의 서로 다른 실근의 개수는 함수 $y=g(x)$의 그래프와 x축과의 교점의 개수와 같으므로 $f(k)$의 값에 따라 나누어 생각할 수 있다.

우선, $f(k)<0$인 경우를 생각해보면 함수 $y=g(x)$가 불연속일 때의 그래프는 다음과 같다.

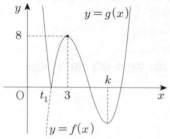

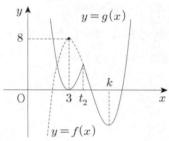

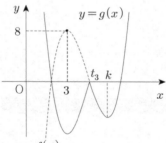

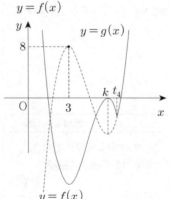

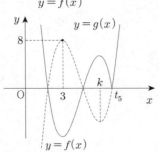

따라서 함수 $h(t)$는 $t=t_i$ $(i=1, 2, 3, 4, 5)$에서 불연속이므로 주어진 조건에 위배된다.

위와 같은 방법으로 함수 $y=f(x)$의 그래프에 따라 함수 $y=g(x)$의 그래프를 그려보면 함수 $h(t)$가 $t=a$에서 불연속인 a의 값이 두 개인 경우는 다음과 같이 $t=k$일 때 $g(3)=0$이 되는 경우뿐이다.

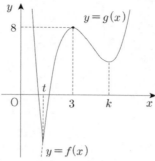
[교점 2개]

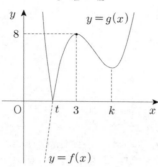
[교점 1개]

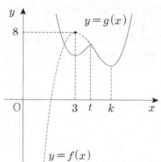
[교점 0개]

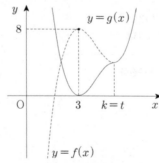
[교점 1개]

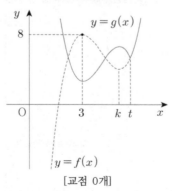
[교점 0개]

STEP 02 ❷를 만족하는 $y=f(x)$의 함숫값과 ❶을 이용하여 $f(x)$를 구한 다음 $f(8)$의 값을 구한다.

$t=k$일 때

$g(x) = \begin{cases} f(x) & (x \geq k) \\ -f(x) + 2f(k) & (x < k) \end{cases}$

이고

이때 $g(3)=0$에서 $-f(3)+2f(k)=0$,

즉 $-8+2f(k)=0$에서 $f(k)=4$

한편, 최고차항의 계수가 1인 함수 $f(x)$가 $x=3$에서 극댓값을 가지므로 $x=k$에서 극솟값을 가지므로 $k>3$이고

$$f'(x)=3(x-3)(x-k)=3x^2-3(3+k)x+9k$$

따라서 $f(x)=x^3-\dfrac{3}{2}(3+k)x^2+9kx+C$ (C 는 적분상수)

이고 $f(3)=8$이므로

$$27-\dfrac{27}{2}(3+k)+27k+C=8,$$

$$C=\dfrac{43}{2}-\dfrac{27}{2}k$$

따라서 $f(x)=x^3-\dfrac{3}{2}(3+k)x^2+9kx+\dfrac{43}{2}-\dfrac{27}{2}k$

이때 $f(k)=4$이므로

$$k^3-\dfrac{3}{2}(3+k)k^2+9k^2+\dfrac{43}{2}-\dfrac{27}{2}k=4,$$

$$-\dfrac{k^3}{2}+\dfrac{9}{2}k^2-\dfrac{27}{2}k+\dfrac{35}{2}=0,$$

$$k^3-9k^2+27k-35=0,$$

$$(k-5)(k^2-4k+7)=0$$

모든 실수 k에 대하여 $k^2-4k+7>0$이므로

$$k=5$$

따라서 $f(x)=x^3-12x^2+45x-46$이므로

$$f(8)=512-768+360-45=58$$

★★ 문제 해결 꿀~팁 ★★

▶ 문제 해결 방법

함수 $f(x)$가 $x=k$에서 극솟값을 갖는다고 할 때 $c=k$와 $x=t$의 위치에 따라 $y=g(x)$의 그래프의 개형이 여러 가지 형태로 나올 수 있다. 그 중에서 함수 $h(t)$가 $t=a$에서 불연속인 a의 값이 두 개인 경우의 그래프를 유추하여 그릴 수 있어야 한다. 이를 만족하는 그래프를 그리면 $t=k$이고 $g(3)=0$이어야 한다. $g(3)=0$에서 $f(k)=4$ 이고 $f'(3)=0$, $f'(k)=0$, $f(3)=8$을 이용하면 $f(x)$를 구할 수 있다.

여러 가지 가능한 그래프의 개형 중 조건을 만족하는 그래프를 유추하여 그릴 수 있으면 보다 수월하게 문제를 해결할 수 있다. 꾸준한 연습과 훈련이 필요하다.

확률과 통계

23 이항정리   정답률 79% | 정답 ①

다항식 ❶ $(x^2+2)^6$의 전개식에서 x^4의 계수는? [2점]

① 240   ② 270   ③ 300   ④ 330   ⑤ 360

STEP 01 ❶에서 이항정리를 이용하여 x^4의 계수를 구한다.

다항식 $(x^2+2)^6$의 전개식의 일반항은

$${}_6C_r(x^2)^r 2^{6-r}={}_6C_r 2^{6-r}x^{2r}\ (r=0,\ 1,\ 2,\ \cdots,\ 6)$$

따라서 $r=2$일 때 x^4의 계수는

$${}_6C_2\times2^4=15\times16=240$$

●핵심 공식

▶ 이항정리

n이 자연수일 때

$$(a+b)^n={}_nC_0\cdot a^n+{}_nC_1\cdot a^{n-1}b+\cdots+{}_nC_{n-1}ab^{n-1}+{}_nC_n b^n$$

$$=\sum_{r=0}^{n}{}_nC_r\cdot a^{n-r}\cdot b^r$$

24 조건부확률   정답률 69% | 정답 ③

두 사건 A, B에 대하여

$$P(A\cup B)=1,\ P(A\cap B)=\dfrac{1}{4},\ P(A|B)=P(B|A)$$

일 때, $P(A)$의 값은? [3점]

① $\dfrac{1}{2}$ ② $\dfrac{9}{16}$ ③ $\dfrac{5}{8}$ ④ $\dfrac{11}{16}$ ⑤ $\dfrac{3}{4}$

STEP 01 조건부확률과 확률의 성질을 이용하여 $P(A)$의 값을 구한다.

$P(A\cap B)=\dfrac{1}{4}$이고

$$P(A|B)=\dfrac{P(A\cap B)}{P(B)},\ P(B|A)=\dfrac{P(A\cap B)}{P(A)}$$이므로

$$\dfrac{\frac{1}{4}}{P(B)}=\dfrac{\frac{1}{4}}{P(A)}$$에서 $P(A)=P(B)$

따라서

$P(A\cup B)=P(A)+P(B)-P(A\cap B)$ 에서

$$1=P(A)+P(A)-\dfrac{1}{4}$$

즉, $P(A)=\dfrac{5}{8}$

●핵심 공식

▶ 조건부확률

확률이 0이 아닌 두 사건 A, B에 대하여 사건 A가 일어났다고 가정할 때, 사건 B가 일어날 확률을 사건 A가 일어났을 때의 사건 B의 조건부 확률이라 하고, 이것을 $P(B|A)$로 나타낸다.

$$P(B|A)=\dfrac{P(A\cap B)}{P(A)}\ (단,\ P(A)>0)$$

25 정규분포   정답률 66% | 정답 ④

어느 인스턴트 커피 제조 회사에서 생산하는 A 제품 1개의 중량은 평균이 9, 표준편차가 0.4인 정규분포를 따르고, B 제품 1개의 중량은 평균이 20, 표준편차가 1인 정규분포를 따른다고 한다. 이 회사에서 생산한 ❶ A 제품 중에서 임의로 선택한 1개의 중량이 8.9 이상 9.4 이하일 확률과 B 제품 중에서 임의로 선택한 1개의 중량이 19 이상 k 이하일 확률이 서로 같다. 상수 k의 값은? (단, 중량의 단위는 g이다.) [3점]

① 19.5   ② 19.75   ③ 20   ④ 20.25   ⑤ 20.5

STEP 01 정규분포를 이용하여 ❶의 두 확률을 각각 구한 후 ❶을 이용하여 k값을 구한다.

A제품 1개의 중량을 X라 하면 확률변수 X는

정규분포 $N(9,\ 0.4^2)$을 따르고

$Z=\dfrac{x-9}{0.4}$라 하면 확률변수 Z는 표준정규분포 $N(0,\ 1)$을 따른다.

또 B제품 1개의 중량을 Y라 하면 확률변수 Y는 정규분포 $N(20,\ 1^2)$을 따르고

$Z=\dfrac{X-20}{1}$이라 하면 확률변수 Z는 표준정규분포 $N(0,\ 1)$을 따른다.

$P(8.9\le X\le9.4)=P(19\le Y\le k)$에서

$$P\!\left(\dfrac{8.9-9}{0.4}\le\dfrac{X-9}{0.4}\le\dfrac{9.4-9}{0.4}\right)$$

$$=P\!\left(\dfrac{19-20}{1}\le\dfrac{Y-20}{1}\le\dfrac{k-20}{1}\right)$$

$$P(-0.25\le Z\le1)=P(-1\le Z\le k-20)$$

따라서

$P(-0.25\le Z\le1)=P(-1\le Z\le0.25)$이므로

$k-20=0.25$에서

$$k=20.25$$

●핵심 공식

▶ 정규분포의 표준화

(1) 확률변수 X가 정규분포 $N(m,\ \sigma^2)$을 따를 때 확률변수 $Z=\dfrac{X-m}{\sigma}$은 표준정규분포 $N(0,\ 1)$을 따른다.

(2) $P(a\le X\le b)=P\!\left(\dfrac{a-m}{\sigma}\le Z\le\dfrac{b-m}{\sigma}\right)$

26 원순열   정답률 62% | 정답 ②

세 학생 A, B, C를 포함한 7명의 학생이 원 모양의 탁자에 일정한 간격을 두고 임의로 모두 둘러앉았을 때, ❶ A가 B 또는 C와 이웃하게 될 확률은? [3점]

① $\dfrac{1}{2}$ ② $\dfrac{3}{5}$ ③ $\dfrac{7}{10}$ ④ $\dfrac{4}{5}$ ⑤ $\dfrac{9}{10}$

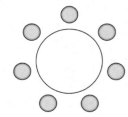

STEP 01 원순열을 이용하여 **①**을 구한다.

7명이 원 모양의 탁자에 일정한 간격을 두고 둘러앉는 경우의 수는
$(7-1)!=6!$
A가 B와 이웃하는 사건을 E, A가 C와 이웃하는 사건을 F라 하면
구하는 확률은 $\mathrm{P}(E\cup F)$이다.
(i) A가 B와 이웃하는 경우
　　A가 B를 한 명이라 생각하고 6명이 원 모양의 탁자에 둘러앉는 경우의 수는
　　$5!$
　　A가 B가 서로 자리를 바꾸는 경우의 수는 2
　　즉, $\mathrm{P}(E)=\dfrac{5!\times 2}{6!}=\dfrac{1}{3}$
(ii) A가 C와 이웃하는 경우
　　A와 C를 한 명이라 생각하고 6명이 원 모양의 탁자에 둘러앉는 경우의 수는
　　$5!$
　　A와 C가 서로 자리를 바꾸는 경우의 수는 2
　　즉, $\mathrm{P}(F)=\dfrac{5!\times 2}{6!}=\dfrac{1}{3}$
(iii) A가 B, C와 모두 이웃하는 경우
　　A, B, C를 한 명이라 생각하고 5명이 원 모양의 탁자에 둘러앉는 경우의 수는 4!
　　A를 가운데 두고 B와 C가 서로 자리를 바꾸는 경우의 수는 2
　　즉, $\mathrm{P}(E\cap F)=\dfrac{4!\times 2}{6!}=\dfrac{1}{15}$
(i), (ii), (iii)에서 구하는 확률은
$\mathrm{P}(E\cup F)=\mathrm{P}(E)+\mathrm{P}(F)-\mathrm{P}(E\cap F)$
$\qquad\quad=\dfrac{1}{3}+\dfrac{1}{3}-\dfrac{1}{15}=\dfrac{3}{5}$

●핵심 공식

▶ 원순열
서로 다른 n개의 원형으로 배열하는 원순열의 수는 $(n-1)!$

---

27 확률변수의 평균과 분산　　　　정답률 54% | 정답 ⑤

이산확률변수 X의 확률분포를 표로 나타내면 다음과 같다.

X	0	1	a	합계
$\mathrm{P}(X=x)$	$\dfrac{1}{10}$	$\dfrac{1}{2}$	$\dfrac{2}{5}$	1

① $\sigma(X)=\mathrm{E}(X)$일 때, $\mathrm{E}(X^2)+\mathrm{E}(X)$의 값은? (단, $a>1$) [3점]

① 29　② 33　③ 37　④ 41　⑤ 45

STEP 01 확률분포표에서 $\mathrm{E}(X^2)$, $\mathrm{E}(X)$를 구한 후 **①**을 이용하여 a를 구한 다음 $\mathrm{E}(X^2)+\mathrm{E}(X)$의 값을 구한다.

$\mathrm{E}(X)=0\times\dfrac{1}{10}+1\times\dfrac{1}{2}+a\times\dfrac{2}{5}=\dfrac{1}{2}+\dfrac{2}{5}a$

$\mathrm{E}(X^2)=0\times\dfrac{1}{10}+1\times\dfrac{1}{2}+a^2\times\dfrac{2}{5}=\dfrac{1}{2}+\dfrac{2}{5}a^2$

이때 주어진 조건에서 $\{\sigma(X)\}^2=\{\mathrm{E}(X)\}^2$이고,
$\mathrm{V}(X)=\mathrm{E}(X^2)-\{\mathrm{E}(X)\}^2$이므로
$\mathrm{V}(X)=\{\mathrm{E}(X)\}^2$에서
$\{\mathrm{E}(X)\}^2=\mathrm{E}(X^2)-\{\mathrm{E}(X)\}^2$
$2\{\mathrm{E}(X)\}^2=\mathrm{E}(X^2)$
$2\times\left(\dfrac{1}{2}+\dfrac{2}{5}a\right)^2=\dfrac{1}{2}+\dfrac{2}{5}a^2$
$\dfrac{2}{25}a(a-10)=0$
$a>0$이므로 $a=10$
따라서
$\mathrm{E}(X^2)+\mathrm{E}(X)=\dfrac{1}{2}+\dfrac{2}{5}a^2+\dfrac{1}{2}+\dfrac{2}{5}a$
$\qquad\qquad\qquad=\dfrac{1}{2}+\dfrac{2}{5}\times 100+\dfrac{1}{2}+\dfrac{2}{5}\times 10$
$\qquad\qquad\qquad=45$

●핵심 공식

▶ 이항분포의 평균, 분산, 표준편차
확률변수 X가 이항분포 $\mathrm{B}(n, p)$를 따를 때, X의 평균, 분산, 표준편차는 다음과 같다.
$\mathrm{E}(X)=np$, $\mathrm{V}(X)=npq$, $\sigma(X)=\sqrt{npq}$ (단, $q=1-p$)

▶ 이산확률변수의 평균, 분산
이산확률변수 X의 확률분포가 $\mathrm{P}(X=x_i)=p_i\ (i=1, 2, \cdots, n)$일 때, 평균을 $\mathrm{E}(X)$, 분산을 $\mathrm{V}(X)$라 하면
$\mathrm{E}(X)=x_1p_1+x_2p_2+\cdots+x_np_n$
$\mathrm{V}(X)=\displaystyle\sum_{i=1}^{n}(x_i-m)^2p_i=\sum_{i=1}^{n}(x_i^2p_i)-m^2=\mathrm{E}(X^2)-\{\mathrm{E}(X)\}^2$

---

28 확률의 덧셈정리　　　　정답률 45% | 정답 ③

1부터 10까지의 자연수 중에서 임의로 서로 다른 3개의 수를 선택한다. 선택된 세 개의 수의 곱이 5의 배수이고 **①** 합은 3의 배수일 확률은? [4점]

① $\dfrac{3}{20}$　② $\dfrac{1}{6}$　③ $\dfrac{11}{60}$　④ $\dfrac{1}{5}$　⑤ $\dfrac{13}{60}$

STEP 01 선택한 세 개의 수에 5 또는 10이 포함되는 경우에 대하여 각각 **①**을 만족하도록 조합으로 나머지 수를 택하는 경우의 수를 구하여 구하는 확률을 구한다.

3의 배수의 집합을 S_0, 3으로 나누었을 때의 나머지가 1인 수의 집합을 S_1, 3으로 나누었을 때의 나머지가 2인 수의 집합을 S_2라 하면
$S_0=\{3, 6, 9\}$
$S_1=\{1, 4, 7, 10\}$
$S_2=\{2, 5, 8\}$
세 수의 곱이 5의 배수이어야 하므로 5 또는 10이 반드시 포함되어야 한다.
또 세 수의 합이 3의 배수이어야 하므로 세 집합 S_0, S_1, S_2에서 각각 한 원소씩을 택하거나, 하나의 집합에서 세 원소를 택해야 한다.
(i) 5가 포함되는 경우
　i) 두 집합 S_0, S_1에서 한 원소씩을 택하는 경우의 수는
　　${}_3\mathrm{C}_1\times{}_4\mathrm{C}_1=12$
　ii) S_2에서 두 원소를 택하는 경우의 수는
　　${}_2\mathrm{C}_2=1$
　　즉, 경우의 수는 $12+1=13$
(ii) 10이 포함되는 경우
　i) 두 집합 S_0, S_2에서 한 원소씩을 택하는 경우의 수는
　　${}_3\mathrm{C}_1\times{}_3\mathrm{C}_1=9$
　ii) S_1에서 두 원소를 택하는 경우의 수는
　　${}_3\mathrm{C}_2=3$
　　즉, 경우의 수는 $9+3=12$
(iii) 5와 10이 모두 포함되는 경우
　집합 S_0에서 한 원소를 택하는 경우의 수는
　${}_3\mathrm{C}_1=3$
(i), (ii), (iii)에서 조건을 만족시키도록 세 수를 택하는 경우의 수는
$13+12-3=22$
세 수를 택하는 모든 경우의 수는 ${}_{10}\mathrm{C}_3=120$이므로

구하는 확률은 $\dfrac{22}{120}=\dfrac{11}{60}$

---

29 표본평균의 확률　　　　정답률 18% | 정답 175

1부터 6까지의 자연수가 하나씩 적힌 6장의 카드가 들어 있는 주머니가 있다. 이 주머니에서 임의로 한 장의 카드를 꺼내어 카드에 적힌 수를 확인한 후 다시 넣는 시행을 한다. 이 시행을 4번 반복하여 확인한 네 개의 수의 평균을 $\overline{X}$라 할 때, **①** $\mathrm{P}\left(\overline{X}=\dfrac{11}{4}\right)=\dfrac{q}{p}$이다. $p+q$의 값을 구하시오. (단, p와 q는 서로소인 자연수이다.) [4점]

STEP 01 중복조합으로 네 수의 합이 7인 경우의 수를 구한 후 제외되어야 하는 경우의 수를 구한 다음 **①**을 구하여 $p+q$의 값을 구한다.

네 장의 카드를 꺼내는 경우의 수는 6^4
네 수를 각각 X_1, X_2, X_3, X_4라 하면

$X_1 + X_2 + X_3 + X_4 = 11$

$1 \leq X_i \leq 6$ $(i=1, 2, 3, 4)$이므로

음이 아닌 정수 x_i에 대하여 $X_i = x_i + 1$로 놓으면

$x_1 + x_2 + x_3 + x_4 = 7$

방정식 $x_1 + x_2 + x_3 + x_4 = 7$을 만족시키는

음이 아닌 정수 x_1, x_2, x_3, x_4의 모든 순서쌍 (x_1, x_2, x_3, x_4)의 개수는

$_4H_7 = {}_{10}C_7 = {}_{10}C_3 = 120$

이때 7, 0, 0, 0으로 이루어진 음이 아닌 정수

x_1, x_2, x_3, x_4의 순서쌍 4개와

6, 1, 0, 0으로 이루어진 음이 아닌 정수

x_1, x_2, x_3, x_4의 순서쌍 12개는 제외해야 한다.

즉, 조건을 만족시키는 X_1, X_2, X_3, X_4의

모든 순서쌍 (X_1, X_2, X_3, X_4)의 개수는

$120 - (4 + 12) = 104$

따라서 구하는 확률은 $\dfrac{104}{6^4} = \dfrac{13}{162}$

$p = 162$, $q = 13$이므로

$p + q = 162 + 13 = 175$

다른 풀이

카드 한 장을 꺼낼 확률은 $\dfrac{1}{6}$

네 수의 합이 11인 경우를 다음과 같이 나누어 생각한다.

(i) 세 수가 같은 경우

$(3, 3, 3, 2)$, $(2, 2, 2, 5)$

의 2가지 경우이므로 이 경우 구하는 확률은

$2 \times \dfrac{4!}{3!} \times \left(\dfrac{1}{6}\right)^4 = 8 \times \left(\dfrac{1}{6}\right)^4$

(ii) 두 수가 같은 경우

$(4, 4, 2, 1)$, $(3, 3, 4, 1)$, $(2, 2, 6, 1)$,

$(2, 2, 4, 3)$, $(1, 1, 6, 3)$, $(1, 1, 5, 4)$

의 6가지 경우이므로 이 경우 구하는 확률은

$6 \times \dfrac{4!}{2!} \times \left(\dfrac{1}{6}\right)^4 = 72 \times \left(\dfrac{1}{6}\right)^4$

(iii) 네 수가 모두 다른 경우

$(5, 3, 2, 1)$의 1가지 경우이므로 이 경우 구하는 확률은

$4! \times \left(\dfrac{1}{6}\right)^4 = 24 \times \left(\dfrac{1}{6}\right)^4$

(i), (ii), (iii)에서

$P\left(\overline{X} = \dfrac{11}{4}\right) = (8 + 72 + 24) \times \left(\dfrac{1}{6}\right)^4 = \dfrac{104}{6^4} = \dfrac{13}{162}$

따라서 $p = 162$, $q = 13$이므로

$p + q = 162 + 13 = 175$

★★★ 등급을 가르는 문제!

30 조합을 이용한 함수의 개수 정답률 10% | 정답 260

집합 $X = \{1, 2, 3, 4, 5\}$와 함수 $f : X \to X$에 대하여 함수 f의 치역을 A, 합성함수 $f \circ f$의 치역을 B라 할 때, 다음 조건을 만족시키는 함수 f의 개수를 구하시오. [4점]

(가) $n(A) \leq 3$
(나) $n(A) = n(B)$
(다) 집합 X의 모든 원소 x에 대하여 $f(x) \neq x$이다.

STEP 01 조건 (가), (다)에 의하여 $n(A)$의 경우를 나누어 조합으로 집합 A를 정하는 경우의 수를 구한 후 중복순열로 함숫값을 정하는 경우의 수를 구하여 구하는 함수 f의 개수를 구한다.

조건 (다)에서 함수 f는 상수함수일 수 없으므로

$n(A) = 2$ 또는 $n(A) = 3$

(i) $n(A) = 2$인 경우

집합 A를 정하는 경우의 수는

$_5C_2 = 10$

$A = \{1, 2\}$인 경우를 생각하면

조건 (다)에서 $f(1) = 2$, $f(2) = 1$,

$f(3)$, $f(4)$, $f(5)$의 값은 1, 2중 하나이므로

$f(3)$, $f(4)$, $f(5)$의 값을 정하는 경우의 수는

$_2\Pi_3 = 2^3 = 8$

즉, $n(A) = 2$인 경우 함수 f의 개수는

$10 \times 8 = 80$

(ii) $n(A) = 3$인 경우

집합 A를 정하는 경우의 수는

$_5C_3 = 10$

$A = \{1, 2, 3\}$인 경우를 생각하면

조건 (다)에서 순서쌍 $(f(1), f(2), f(3))$은

$(2, 3, 1)$, $(3, 1, 2)$뿐이므로

$f(1)$, $f(2)$, $f(3)$의 값을 정하는 경우의 수는 2

$f(4)$, $f(5)$의 값은 1, 2, 3 중 하나이므로

$f(4)$, $f(5)$의 값을 정하는 경우의 수는

$_3\Pi_2 = 3^2 = 9$

즉, $n(A) = 3$인 경우 함수 f의 개수는

$10 \times 2 \times 9 = 180$

(i), (ii)에서 구하는 함수 f의 개수는

$80 + 180 = 260$

★★ 문제 해결 꿀~팁 ★★

▶ 문제 해결 방법

$f(x) \neq x$이므로 함수 f는 상수함수가 아니다. 한편, $n(A) \leq 3$이므로 $n(A) = 2$ 또는 $n(A) = 3$이다. $n(A) = 2$인 경우 집합 A를 정하는 경우의 수는 $_5C_2$

이때 $A = \{1, 2\}$라면 $f(1) = 2$, $f(2) = 1$이고 $f(3)$, $f(4)$, $f(5)$의 값은 1, 2중 하나이므로 경우의 수는 $_2\Pi_3 = 2^3$이므로 $n(A) = 2$인 경우 함수 f의 개수는 $10 \times 8 = 80$이다. $n(A) = 3$인 경우에도 같은 방법으로 만족하는 함수의 개수를 구하면 된다. $n(A) = 3$인 경우 조건 (나)를 만족하려면 함수 f는 $f(x) \neq x$인 1 : 1대응함수이어야 한다. 이에 유의하여 함수의 개수를 구하면 된다. 조건 중 어느 하나도 놓치지 않도록 주의하여 함숫값을 정해야 한다.

미적분

23 지수함수의 극한 정답률 79% | 정답 ①

❶ $\displaystyle \lim_{x \to 0} \dfrac{4^x - 2^x}{x}$의 값은? [2점]

① $\ln 2$ ② 1 ③ $2\ln 2$ ④ 2 ⑤ $3\ln 2$

STEP 01 지수함수의 극한으로 ❶의 값을 구한다.

$\displaystyle \lim_{x \to 0} \dfrac{4^x - 2^x}{x} = \lim_{x \to 0} \dfrac{(4^x - 1) - (2^x - 1)}{x}$

$\displaystyle \qquad = \lim_{x \to 0} \dfrac{4^x - 1}{x} - \lim_{x \to 0} \dfrac{2^x - 1}{x}$

$\displaystyle \qquad = \ln 4 - \ln 2 = \ln \dfrac{4}{2} = \ln 2$

24 부분적분법 정답률 79% | 정답 ②

❶ $\displaystyle \int_0^\pi x \cos\left(\dfrac{\pi}{2} - x\right) dx$의 값은? [3점]

① $\dfrac{\pi}{2}$ ② π ③ $\dfrac{3\pi}{2}$ ④ 2π ⑤ $\dfrac{5\pi}{2}$

STEP 01 부분적분법으로 삼각함수의 적분을 하여 ❶의 값을 구한다.

$\cos\left(\dfrac{\pi}{2} - x\right) = \sin x$이므로

$\displaystyle \int_0^\pi x \cos\left(\dfrac{\pi}{2} - x\right) dx = \int_0^\pi x \sin x \, dx$

$\displaystyle \qquad = \left[-x \cos x \right]_0^\pi - \int_0^\pi (-\cos x) dx$

$\displaystyle \qquad = (\pi - 0) + \left[\sin x \right]_0^\pi = \pi$

●핵심 공식

▶ 부분적분법

$\{f(x)g(x)\}' = f'(x)g(x) + f(x)g'(x)$에서 $f(x)g'(x) = \{f(x)g(x)\}' - f'(x)g(x)$이므로 양변을 적분하면

$\displaystyle \int f(x)g'(x)dx = f(x)g(x) - \int f'(x)g(x)dx$

25 수열의 극한의 성질

수열 $\{a_n\}$에 대하여 ❶ $\lim\limits_{n\to\infty}\dfrac{a_n+2}{2}=6$일 때,

❷ $\lim\limits_{n\to\infty}\dfrac{na_n+1}{a_n+2n}$의 값은? [3점]

① 1 　　② 2 　　③ 3 　　④ 4 　　⑤ 5

STEP 01 ❶을 ❷에 이용하여 극한값을 구한다.

$\lim\limits_{n\to\infty}\dfrac{a_n+2}{2}=6$에서 $\dfrac{a_n+2}{2}=b_n$이라 하면

$a_n=2b_n-2$이고 $\lim\limits_{n\to\infty}b_n=6$

따라서,

$\lim\limits_{n\to\infty}\dfrac{na_n+1}{a_n+2n}=\lim\limits_{n\to\infty}\dfrac{n(2b_n-2)+1}{(2b_n-2)+2n}=\lim\limits_{n\to\infty}\dfrac{2b_n-2+\dfrac{1}{n}}{\dfrac{2b_n}{n}-\dfrac{2}{n}+2}=\dfrac{2\times6-2+0}{0-0+2}=5$

26 입체도형의 부피

그림과 같이 양수 k에 대하여 곡선 $y=\sqrt{\dfrac{kx}{2x^2+1}}$ 와 x축 및 두 직선 $x=1$, $x=2$로 둘러싸인 부분을 밑면으로 하고 x축에 수직인 평면으로 자른 단면이 모두 정사각형인 입체도형의 ❶ 부피가 $2\ln3$일 때, k의 값은? [3점]

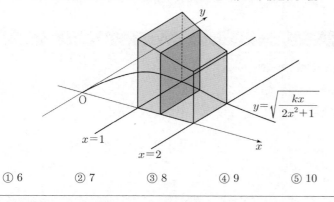

① 6 　　② 7 　　③ 8 　　④ 9 　　⑤ 10

STEP 01 정사각형의 넓이를 구한 후 적분하여 입체도형의 부피를 구한 다음 ❶에서 k의 값을 구한다.

정사각형의 한 변의 길이가 $\sqrt{\dfrac{kx}{2x^2+1}}$ 이므로 정사각형의 넓이는

$\left(\sqrt{\dfrac{kx}{2x^2+1}}\right)^2=\dfrac{kx}{2x^2+1}$

그러므로 구하는 입체도형의 부피는

$\displaystyle\int_1^2\dfrac{kx}{2x^2+1}dx$ ...... ㉠

이때, $2x^2+1=t$로 놓으면 $4x=\dfrac{dt}{dx}$

또, $x=1$일 때 $t=3$, $x=2$일 때 $t=9$이므로 ㉠은

$\displaystyle\int_3^9\dfrac{k}{4}\times\dfrac{1}{t}dt=\dfrac{k}{4}\int_3^9\dfrac{1}{t}dt=\dfrac{k}{4}\times[\ln t]_3^9=\dfrac{k}{4}\times(\ln9-\ln3)=\dfrac{k}{4}\ln3$

이 값이 $2\ln3$이므로 $\dfrac{k}{4}\ln3=2\ln3$

$k=8$

27 도형의 등비급수

그림과 같이 $\overline{A_1B_1}=4$, $\overline{A_1D_1}=1$인 직사각형 $A_1B_1C_1D_1$에서 두 대각선의 교점을 E_1이라 하자.

$\overline{A_2D_1}=\overline{D_1E_1}$, $\angle A_2D_1E_1=\dfrac{\pi}{2}$이고 선분 D_1C_1과 선분 A_2E_1이 만나도록 점 A_2를 잡고, $\overline{B_2C_1}=\overline{C_1E_1}$, $\angle B_2C_1E_1=\dfrac{\pi}{2}$이고 선분 D_1C_1과 선분 B_2E_1이 만나도록 점 B_2를 잡는다.

두 삼각형 $A_2D_1E_1$, $B_2C_1E_1$을 그린 후 ▽▽ 모양의 도형에 색칠하여 얻은 그림을 R_1이라 하자. 그림 R_1에서 $\overline{A_2B_2}:\overline{A_2D_2}=4:1$이고 선분 D_2C_2가 두 선분 A_2E_1, B_2E_1과 만나지 않도록 직사각형 $A_2B_2C_2D_2$를 그린다.

그림 R_1을 얻은 것과 같은 방법으로 세 점 E_2, A_3, B_3을 잡고 두 삼각형

$A_3D_2E_2$, $B_3C_2E_2$를 그린 후 ▽▽ 모양의 도형에 색칠하여 얻은 그림을 R_2라 하자.

이와 같은 과정을 계속하여 n번째 얻은 그림 R_n에 색칠되어 있는 부분의 넓이를 S_n이라 할 때, $\lim\limits_{n\to\infty}S_n$의 값은? [3점]

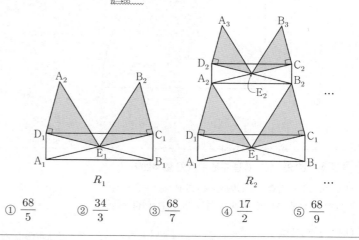

R_1　　　　　R_2　　　…

① $\dfrac{68}{5}$　　② $\dfrac{34}{3}$　　③ $\dfrac{68}{7}$　　④ $\dfrac{17}{2}$　　⑤ $\dfrac{68}{9}$

STEP 01 삼각형 $A_2D_1E_1$의 넓이를 구하여 S_1을 구한다.

직각삼각형 $A_1B_1D_1$에서

$\overline{B_1D_1}=\sqrt{\overline{A_1B_1}^2+\overline{A_1D_1}^2}=\sqrt{4^2+1^2}=\sqrt{17}$

이므로 $\overline{D_1E_1}=\dfrac{1}{2}\times\overline{B_1D_1}=\dfrac{\sqrt{17}}{2}$

그러므로

$S_1=2\times(\triangle A_2D_1E_1)=2\times\left(\dfrac{1}{2}\times\dfrac{\sqrt{17}}{2}\times\dfrac{\sqrt{17}}{2}\right)=\dfrac{17}{4}$

STEP 02 $\overline{A_1B_1}$, $\overline{A_2B_2}$의 길이를 각각 구한 후 공비를 구하여 $\lim\limits_{n\to\infty}S_n$의 값을 구한다.

한편, 직각삼각형 $D_1B_1C_1$에서 $\angle C_1D_1B_1=\theta$라 하면

$\sin\theta=\dfrac{\overline{B_1C_1}}{\overline{D_1B_1}}=\dfrac{1}{\sqrt{17}}$

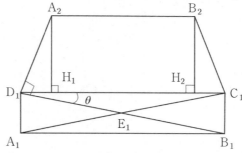

또, A_2에서 선분 D_1C_1에 내린 수선의 발을 H_1이라 하면

$\angle A_2D_1H_1=\dfrac{\pi}{2}-\theta$이므로

$\overline{D_1H_1}=\overline{A_2D_1}\cos\left(\dfrac{\pi}{2}-\theta\right)=\overline{A_2D_1}\sin\theta=\dfrac{\sqrt{17}}{2}\times\dfrac{1}{\sqrt{17}}=\dfrac{1}{2}$

또, 점 B_2에서 선분 D_1C_1에 내린 수선의 발을 H_2라 하면

$\overline{A_2B_2}=\overline{H_1H_2}=4-2\times\overline{D_1H_1}=4-2\times\dfrac{1}{2}=3$

이때, $\overline{A_1B_1}=4$, $\overline{A_2B_2}=3$에서

길이의 비가 $\dfrac{3}{4}$이므로 넓이의 비는 $\dfrac{9}{16}$이다.

따라서, $\lim\limits_{n\to\infty}S_n=\dfrac{\dfrac{17}{4}}{1-\dfrac{9}{16}}=\dfrac{17\times4}{16-9}=\dfrac{68}{7}$

28 삼각함수의 극한

그림과 같이 반지름의 길이가 1이고 중심각의 크기가 $\dfrac{\pi}{2}$인 부채꼴 OAB가 있다. 호 AB 위의 점 P에 대하여 $\overline{PA}=\overline{PC}=\overline{PD}$가 되도록 호 PB 위에 점 C와 선분 OA 위에 점 D를 잡는다. 점 D를 지나고 선분 OP와 평행한 직선이 선분 PA와 만나는 점을 E라 하자. $\angle POA=\theta$일 때, 삼각형 CDP의 넓이를 $f(\theta)$, 삼각형 EDA의 넓이를 $g(\theta)$라 하자.

❶ $\lim\limits_{\theta\to0+}\dfrac{g(\theta)}{\theta^2\times f(\theta)}$의 값은? (단, $0<\theta<\dfrac{\pi}{4}$) [4점]

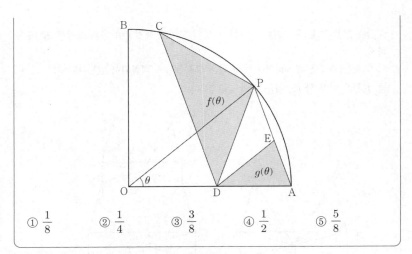

① $\dfrac{1}{8}$　② $\dfrac{1}{4}$　③ $\dfrac{3}{8}$　④ $\dfrac{1}{2}$　⑤ $\dfrac{5}{8}$

STEP 01 $\overline{AP}$와 $\angle DPC$를 구하여 $f(\theta)$를 구한다.

$\overline{AP}=\overline{PC}$이므로 삼각형 OPC에서 $\angle COP=\angle POA=\theta$
또, 점 O에서 선분 AP에 내린 수선의 발을 H_1이라 하면

$\angle H_1OA=\dfrac{\theta}{2}$이므로

$$\overline{AP}=2\overline{AH_1}=2\times\overline{OA}\sin\dfrac{\theta}{2}=2\sin\dfrac{\theta}{2}\qquad\cdots\cdots\text{㉠}$$

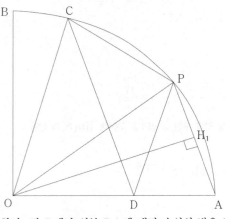

한편, 점 P에서 선분 DA에 내린 수선의 발을 H_2라 하면
$$\begin{aligned}\angle APD&=2\angle APH_2\\&=2\times\{\pi-(\angle PH_2A+\angle H_2AP)\}\\&=2\times\left[\pi-\left\{\dfrac{\pi}{2}+\left(\dfrac{\pi}{2}-\dfrac{\theta}{2}\right)\right\}\right]=\theta\end{aligned}$$

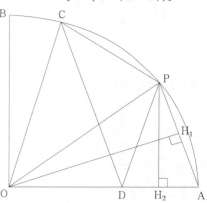

또, $\angle APO=\angle OPC=\dfrac{\pi}{2}-\dfrac{\theta}{2}$이므로

$$\begin{aligned}\angle DPC&=\angle APO+\angle OPC-\angle APD\\&=\left(\dfrac{\pi}{2}-\dfrac{\theta}{2}\right)+\left(\dfrac{\pi}{2}-\dfrac{\theta}{2}\right)-\theta\\&=\pi-2\theta\qquad\cdots\cdots\text{㉡}\end{aligned}$$

그러므로 ㉠과 ㉡으로부터
$$\begin{aligned}f(\theta)&=\dfrac{1}{2}\times\overline{PD}\times\overline{PC}\times\sin(\pi-2\theta)\\&=\dfrac{1}{2}\times\left(2\sin\dfrac{\theta}{2}\right)^2\times\sin2\theta\\&=2\times\left(\sin\dfrac{\theta}{2}\right)^2\times\sin2\theta\end{aligned}$$

STEP 02 $\overline{DA}$를 구한 후 두 삼각형 OAP, DAE의 닮음을 이용하여 $g(\theta)$를 구한다.

또, ㉠으로부터 삼각형 APD에서
$$\overline{DA}=2\overline{AP}\cos\left(\dfrac{\pi}{2}-\dfrac{\theta}{2}\right)=2\times2\sin\dfrac{\theta}{2}\times\sin\dfrac{\theta}{2}=4\left(\sin\dfrac{\theta}{2}\right)^2$$

이때, 두 삼각형 OAP, DAE는 닮음이고

$\overline{OA}=1$, $\overline{DA}=4\left(\sin\dfrac{\theta}{2}\right)^2$이므로
$$\begin{aligned}g(\theta)&=\triangle DAE\\&=4^2\times\left(\sin\dfrac{\theta}{2}\right)^4\times\triangle OAP\\&=16\times\left(\sin\dfrac{\theta}{2}\right)^4\times\dfrac{1}{2}\sin\theta\\&=8\times\left(\sin\dfrac{\theta}{2}\right)^4\times\sin\theta\end{aligned}$$

STEP 03 ❶에 $f(\theta)$와 $g(\theta)$를 대입하고 삼각함수의 극한으로 값을 구한다.

따라서,
$$\begin{aligned}\lim_{\theta\to0+}\dfrac{g(\theta)}{\theta^2\times f(\theta)}&=\lim_{\theta\to0+}\dfrac{8\times\left(\sin\dfrac{\theta}{2}\right)^4\times\sin\theta}{\theta^2\times2\times\left(\sin\dfrac{\theta}{2}\right)^2\times\sin2\theta}\\&=\lim_{\theta\to0+}\dfrac{4\times\left(\sin\dfrac{\theta}{2}\right)^2\times\sin\theta}{\theta^2\times\sin2\theta}\\&=\lim_{\theta\to0+}\dfrac{4\times\left(\dfrac{\sin\dfrac{\theta}{2}}{\dfrac{\theta}{2}}\right)^2\times\dfrac{\sin\theta}{\theta}\times\dfrac{1}{4}}{\dfrac{\sin2\theta}{2\theta}\times2}\\&=\dfrac{1}{2}\end{aligned}$$

●핵심 공식

▶ $\dfrac{0}{0}$ 꼴의 삼각함수의 극한

x의 단위는 라디안일 때

① $\lim\limits_{x\to0}\dfrac{\sin x}{x}=1$　　② $\lim\limits_{x\to0}\dfrac{\tan x}{x}=1$

③ $\lim\limits_{x\to0}\dfrac{\sin bx}{ax}=\dfrac{b}{a}$　　④ $\lim\limits_{x\to0}\dfrac{\tan bx}{ax}=\dfrac{b}{a}$

⑤ $\lim\limits_{x\to0}\dfrac{\sin bx}{\tan ax}=\dfrac{b}{a}$

---

29 합성함수와 역함수의 미분법　　정답률 18% | 정답 ③

함수 $f(x)=e^x+x$가 있다. 양수 t에 대하여 점 $(t,\,0)$과 점 $(x,\,f(x))$ 사이의 거리가 $x=s$에서 최소일 때, 실수 $f(s)$의 값을 $g(t)$라 하자.
❶ 함수 $g(t)$의 역함수를 $h(t)$라 할 때, $h'(1)$의 값을 구하시오. [4점]

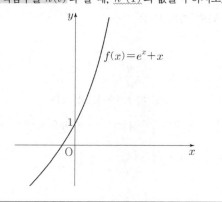

STEP 01 곡선 $y=f(x)$ 위의 임의의 점 P에서의 접선과 두 점 P와 $(t,\,0)$을 지나는 직선이 서로 수직임을 이용하여 $g(t)$를 구한다.

곡선 $y=f(x)$ 위의 점 $P(s,\,f(s))$와 점 $Q(t,\,0)$에 대하여
점 P에서의 접선과 직선 PQ는 수직이어야 한다.
이때, $f(x)=e^x+x$에서 $f'(x)=e^x+1$이므로
$$f'(s)=e^s+1\qquad\cdots\cdots\text{㉠}$$
또, 직선 PQ의 기울기는
$$\dfrac{f(s)-0}{s-t}=\dfrac{e^s+s}{s-t}\qquad\cdots\cdots\text{㉡}$$
㉠과 ㉡으로부터
$$(e^s+1)\times\dfrac{e^s+s}{s-t}=-1$$
$$(e^s+1)(e^s+s)=t-s$$
$$t=(e^s+1)(e^s+s)+s\qquad\cdots\cdots\text{㉢}$$

한편, $f(s)$의 값이 $g(t)$이므로

$g(t) = e^s + s$ ...... ㄹ

STEP 02 ❶을 이용하여 $h'(t)$를 구한다.

또, 함수 $g(t)$의 역함수가 $h(t)$이므로

$h(1) = k$라 하면 $g(k) = 1$

ㄹ에서

$e^s + s = 1$

$s = 0$

이 값을 ㄷ에 대입하면

$k = 2 \times 1 + 0 = 2$

$g(h(t)) = t$에서 양변을 t에 대하여 미분하면

$g'(h(t)) \times h'(t) = 1$

$h'(t) = \dfrac{1}{g'(h(t))}$

STEP 03 ㄷ, ㄹ의 미분을 이용하여 $h'(1)$의 값을 구한다.

이때, $t = 1$을 대입하면

$h'(1) = \dfrac{1}{g'(2)}$

한편, ㄹ의 양변을 t에 대하여 미분하면

$g'(t) = (e^s + 1)\dfrac{ds}{dt}$

이때, ㄷ의 양변을 t에 대하여 미분하면

$1 = \{e^s(e^s + s) + (e^s + 1)^2 + 1\}\dfrac{ds}{dt}$

$\dfrac{ds}{dt} = \dfrac{1}{e^s(e^s + s) + (e^s + 1)^2 + 1}$ 이므로

$g'(t) = \dfrac{e^s + 1}{e^s(e^s + s) + (e^s + 1)^2 + 1}$

이때, $s = 0$일 때, $t = 2$이므로

$g'(2) = \dfrac{2}{1 + 2^2 + 1} = \dfrac{1}{3}$

따라서, $h'(1) = \dfrac{1}{g'(2)} = 3$

●핵심 공식

▶ 합성함수의 미분법

$h(x) = (g \circ f)(x) = g(f(x)) \Rightarrow h'(x) = g'(f(x))f'(x)$

★★★ 등급을 가르는 문제!

30 함수의 추론과 치환적분   정답률 6% | 정답 283

최고차항의 계수가 1인 사차함수 $f(x)$와 구간 $(0, \infty)$에서 $g(x) \geq 0$인 함수 $g(x)$가 다음 조건을 만족시킨다.

> (가) $x \leq -3$인 모든 실수 x에 대하여 $f(x) \geq f(-3)$이다.
> (나) $x > -3$인 모든 실수 x에 대하여
> $g(x+3)\{f(x) - f(0)\}^2 = f'(x)$이다.

$\displaystyle\int_4^5 g(x)dx = \dfrac{q}{p}$일 때, $p + q$의 값을 구하시오.

(단, p와 q는 서로소인 자연수이다.) [4점]

STEP 01 두 조건에서 $f'(x)$의 특성을 파악하여 $f'(x)$를 구한 후 $f(x)$를 구한다.

조건 (가)에서 함수 $f(x)$는 구간 $(-\infty, -3)$에서 감소하는 함수이다.

또, 조건 (나)에서 $x > -3$인 모든 실수 x에 대하여

$g(x+3)\{f(x) - f(0)\}^2 = f'(x)$ ...... ㉠

이고 함수 $g(x)$는 구간 $(0, \infty)$에서

$g(x) \geq 0$이므로 ㉠의 좌변은 0 이상인 실수이다.

그러므로 구간 $(-3, \infty)$에서

$f'(x) \geq 0$

또, ㉠에 $x = 0$을 대입하면 $f'(0) = 0$

이때, 함수 $f(x)$가 최고차항의 계수가 1인 사차함수이므로

$f'(x) = 4x^2(x+3)$

즉, $f'(x) = 4x^3 + 12x^2$

이때, $f(x) = x^4 + 4x^3 + C$ (C는 상수)

STEP 02 ㉠에서 $g(x+3)$을 구한 후 $\displaystyle\int_1^5 g(x)dx$를 변형한 식에 대입하여

치환적분으로 값을 구한다.

이 식을 ㉠에 대입하면

$g(x+3) \times (x^4 + 4x^3)^2 = 4x^3 + 12x^2$ ...... ㉡

한편, $\displaystyle\int_4^5 g(x)dx$ ...... ㉢

에서 구간 $[4, 5]$에서의 $g(x)$가 가지는 값은

구간 $[1, 2]$에서의 $g(x+3)$이 가지는 값과 같다.

한편, ㉡의 좌변의 식 $x^4 + 4x^3$은 구간 $[1, 2]$에서

$x^4 + 4x^3 \neq 0$이므로

$g(x+3) = \dfrac{4x^3 + 12x^2}{(x^4 + 4x^3)^2}$

또, ㉢에서

$x - 3 = t$로 놓으면 $\dfrac{dx}{dt} = 1$이고

$x = 4$일 때 $t = 1$, $x = 5$일 때 $t = 2$이므로

$\displaystyle\int_4^5 g(x)dx = \int_1^2 g(x+3)dx$

$\displaystyle\qquad\qquad = \int_1^2 \dfrac{4x^3 + 12x^2}{(x^4 + 4x^3)^2}dx$ ...... ㉣

이때, $x^4 + 4x^3 = s$로 놓으면

$4x^3 + 12x^2 = \dfrac{ds}{dx}$

이고 $x = 1$일 때 $s = 5$, $x = 2$일 때 $s = 48$이므로 ㉣은

$\displaystyle\int_1^2 \dfrac{4x^3 + 12x^2}{(x^4 + 4x^3)^2}dx = \int_5^{48} \dfrac{1}{s^2}ds$

$\displaystyle\qquad\qquad = \left[-\dfrac{1}{s}\right]_5^{48}$

$\displaystyle\qquad\qquad = \left(-\dfrac{1}{48}\right) + \dfrac{1}{5}$

$\displaystyle\qquad\qquad = \dfrac{43}{240}$

따라서, $p = 240$, $q = 43$이므로

$p + q = 240 + 43 = 283$

●핵심 공식

▶ 치환적분

$\displaystyle\int_a^b f(g(x))g'(x)dx$에서 $g(x) = t$로 놓으면 $g'(x)dx = dt$

$\displaystyle\int_a^b f(g(x))g'(x)dx = \int_{g(a)}^{g(b)} f(t)dt$

★★ 문제 해결 꿀~팁 ★★

▶ 문제 해결 방법

두 조건에서 구간 $(-3, \infty)$에서 $f'(x) \geq 0$, $f'(0) = 0$이므로 $f'(x) = 4x^2(x+3)$, $f(x) = x^4 + 4x^3 + C$이다. 한편, $\displaystyle\int_4^5 g(x)dx$에서 구간 $[4, 5]$에서 $g(x)$가 가지는 값은 구간 $[1, 2]$에서 $g(x+3)$이 가지는 값과 같으므로

$\displaystyle\int_4^5 g(x)dx = \int_1^2 g(x+3)dx = \int_1^2 \dfrac{4x^3 + 12x^2}{(x^4 + 4x^3)^2}dx$이다.

여기서 $x^4 + 4x^3$를 치환하여 치환적분으로 적분하면 답을 구할 수 있다. 치환할 식을 결정하여 치환적분을 할 수 있어야 함은 물론이고 주어진 조건에서 $f(x)$를 구할 수 있어야 한다. 주어진 조건을 토대로 함수를 구하거나 그래프의 개형을 구하는 연습을 충분히 하여야 한다.

●정답●

공통 | 수학

01 ③ 02 ④ 03 ③ 04 ④ 05 ⑤ 06 ① 07 ② 08 ⑤ 09 ① 10 ④ 11 ① 12 ⑤ 13 ② 14 ③ 15 ②
16 10 17 22 18 110 19 102 20 24 21 6 22 29
선택 | 확률과 통계
23 ② 24 ④ 25 ⑤ 26 ③ 27 ① 28 ① 29 64 30 5
선택 | 미적분
23 ④ 24 ② 25 ③ 26 ⑤ 27 ① 28 ④ 29 30 30 91

★ 표기된 문항은 [등급을 가르는 문항]에 해당하는 문제입니다.

---

01 지수법칙   정답률 90% | 정답 ③

❶ $2^{\sqrt{2}} \times \left(\dfrac{1}{2}\right)^{\sqrt{2}-1}$ 의 값은? [2점]

① 1   ② $\sqrt{2}$ ③ 2   ④ $2\sqrt{2}$ ⑤ 4

STEP 01 지수의 계산으로 ❶의 값을 구한다.

$2^{\sqrt{2}} \times \left(\dfrac{1}{2}\right)^{\sqrt{2}-1} = 2^{\sqrt{2}} \times 2^{-\sqrt{2}+1} = 2^{\sqrt{2}-\sqrt{2}+1} = 2$

●핵심 공식

▶ 지수법칙

$a > 0$, $b > 0$이고, m, n이 실수일 때

(1) $a^m a^n = a^{m+n}$ (2) $(a^m)^n = a^{mn}$

(3) $(ab)^n = a^n b^n$ (4) $a^m \div a^n = a^{m-n}$

(5) $\sqrt[n]{a^n} = a^{\frac{n}{m}}$ (6) $\dfrac{1}{a^n} = a^{-n}$

(7) $a^0 = 1$

---

02 미분계수   정답률 88% | 정답 ④

함수 $f(x) = 2x^3 + 3x$에 대하여 $\lim\limits_{h \to 0} \dfrac{f(2h) - f(0)}{h}$ 의 값은? [2점]

① 0   ② 2   ③ 4   ④ 6   ⑤ 8

STEP 01 $f(x)$를 미분하여 $f'(x)$를 구한 뒤 미분계수의 정의에 의해 $2f'(0)$의 값을 구한다.

$f'(x) = 6x^2 + 3$이므로

$\lim\limits_{h \to 0} \dfrac{f(2h) - f(0)}{h} = \lim\limits_{h \to 0} \dfrac{f(2h) - f(0)}{2h} \times 2 = 2f'(0) = 2 \times 3 = 6$

●핵심 공식

▶ 미분계수의 정의를 이용한 극한값의 계산

① $\lim\limits_{h \to 0} \dfrac{f(a+h) - f(a)}{h} = f'(a)$ ② $\lim\limits_{h \to 0} \dfrac{f(a+ph) - f(a)}{h} = pf'(a)$

③ $\lim\limits_{x \to a} \dfrac{f(x) - f(a)}{x - a} = f'(a)$ ④ $\lim\limits_{x \to a} \dfrac{af(x) - xf(a)}{x - a} = af'(a) - f(a)$

---

03 등차수열과 등비수열   정답률 87% | 정답 ③

공차가 3인 등차수열 $\{a_n\}$과 공비가 2인 등비수열 $\{b_n\}$이

❶ $a_2 = b_2$, $a_4 = b_4$

를 만족시킬 때, $a_1 + b_1$의 값은? [3점]

① -2 ② -1 ③ 0   ④ 1   ⑤ 2

STEP 01 ❶의 두 식을 등차수열과 등비수열의 일반항으로 나타내고 연립하여 a_1, b_1을 구한 후 $a_1 + b_1$의 값을 구한다.

$a_2 = b_2$에서 $a_1 + 3 = b_1 \times 2$

즉 $a_1 - 2b_1 = -3$ ······ ㉠

$a_4 = b_4$에서 $a_1 + 3 \times 3 = b_1 \times 2^3$

즉 $a_1 - 8b_1 = -9$ ······ ㉡

㉠, ㉡을 연립하여 풀면 $a_1 = -1$, $b_1 = 1$

따라서 $a_1 + b_1 = 0$

●핵심 공식

▶ 등차수열과 등비수열

(1) 첫째항이 a, 공차가 d인 등차수열의 일반항 a_n은

$a_n = a + (n-1)d$ $(n = 1, 2, 3, \cdots)$

(2) 첫째항이 a, 공비가 r인 등비수열의 일반항 a_n은

$a_n = ar^{n-1}$ $(n = 1, 2, 3, \cdots)$

---

04 사잇값의 정리   정답률 74% | 정답 ④

두 자연수 m, n에 대하여 함수 $f(x) = x(x-m)(x-n)$이

❶ $f(1)f(3) < 0$, $f(3)f(5) < 0$

을 만족시킬 때, $f(6)$의 값은? [3점]

① 30   ② 36   ③ 42   ④ 48   ⑤ 54

STEP 01 ❶에서 사잇값의 정리에 의하여 $f(x)$를 구한 후 $f(6)$의 값을 구한다.

방정식 $f(x) = 0$의 실근은 0, m, n이고 m, n은 자연수이므로 사잇값의 정리에 의하여

$f(1)f(3) < 0$에서 $f(2) = 0$

$f(3)f(5) < 0$에서 $f(4) = 0$

$f(x) = x(x-2)(x-4)$이므로

$f(6) = 6 \times 4 \times 2 = 48$

---

05 삼각함수의 성질   정답률 81% | 정답 ②

$\pi < \theta < \dfrac{3}{2}\pi$인 θ에 대하여

❶ $\dfrac{1}{1 - \cos\theta} + \dfrac{1}{1 + \cos\theta} = 18$

일 때, $\sin\theta$의 값은? [3점]

① $-\dfrac{2}{3}$ ② $-\dfrac{1}{3}$ ③ 0   ④ $\dfrac{1}{3}$ ⑤ $\dfrac{2}{3}$

STEP 01 ❶에서 삼각함수의 성질을 이용하여 $\sin\theta$의 값을 구한다.

$\dfrac{1}{1 - \cos\theta} + \dfrac{1}{1 + \cos\theta} = \dfrac{2}{1 - \cos^2\theta} = \dfrac{2}{\sin^2\theta} = 18$

$\sin^2\theta = \dfrac{1}{9}$이고 $\pi < \theta < \dfrac{3}{2}\pi$에서 $\sin\theta < 0$이므로

$\sin\theta = -\dfrac{1}{3}$

---

06 정적분의 활용   정답률 77% | 정답 ①

곡선 ❶ $y = \dfrac{1}{3}x^2 + 1$과 x축, y축 및 직선 $x = 3$으로 둘러싸인 부분의 넓이는? [3점]

① 6   ② $\dfrac{20}{3}$ ③ $\dfrac{22}{3}$ ④ 8   ⑤ $\dfrac{26}{3}$

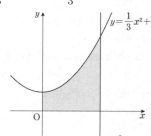

STEP 01 ❶의 적분을 이용하여 구하는 넓이를 구한다.

구하는 부분의 넓이는

$\displaystyle\int_0^3 \left(\dfrac{1}{3}x^2 + 1\right) dx = \left[\dfrac{1}{9}x^3 + x\right]_0^3 = 3 + 3 = 6$

---

07 등차수열   정답률 77% | 정답 ②

등차수열 $\{a_n\}$의 첫째항부터 제n항까지의 합을 S_n이라 할 때,

❶ $S_7 - S_4 = 0$, ❷ $S_6 = 30$

이다. a_2의 값은? [3점]

① 6 ② 8 ③ 10 ④ 12 ⑤ 14

STEP 01 등차수열의 성질을 이용하여 ❶에서 a_6을 구한 후 ❷에서 첫째항을 구한 다음 a_6을 이용하여 공차를 구하여 a_2의 값을 구한다.

$S_7 - S_4 = a_5 + a_6 + a_7 = 0$

수열 $\{a_n\}$이 등차수열이므로 공차를 d라 하면

$a_5 = a_6 - d$, $a_7 = a_6 + d$에서

$(a_6 - d) + a_6 + (a_6 + d) = 3a_6 = 0$, 즉 $a_6 = 0$

$S_6 = 30$이므로

$S_6 = \dfrac{6(a_1 + a_6)}{2} = 3a_1 = 30$

$a_1 = 10$

$a_6 = 10 + 5d = 0$이므로 $d = -2$

따라서 $a_2 = a_1 + d = 10 - 2 = 8$

● 핵심 공식

▶ 등차수열의 일반항과 합

(1) 등차수열의 일반항
  첫째항이 a, 공차가 d인 등차수열의 일반항 a_n은
  $a_n = a + (n-1)d$ $(n = 1, 2, 3, \cdots)$

(2) 등차수열의 합
  첫째항이 a, 공차가 d, 제 n항이 l인 등차수열의 첫째항부터 제 n항까지의 합을 S_n이라 하면
  $S_n = \dfrac{n(a+l)}{2} = \dfrac{n\{2a + (n-1)d\}}{2}$

08 도함수의 활용   정답률 76% | 정답 ⑤

두 함수

$f(x) = -x^4 - x^3 + 2x^2$, $g(x) = \dfrac{1}{3}x^3 - 2x^2 + a$

가 있다. 모든 실수 x에 대하여 부등식

❶ $f(x) \le g(x)$

가 성립할 때, 실수 a의 최솟값은? [3점]

① 8 ② $\dfrac{26}{3}$ ③ $\dfrac{28}{3}$ ④ 10 ⑤ $\dfrac{32}{3}$

STEP 01 $g(x) - f(x)$를 구한 뒤 미분하여 최솟값을 구한 다음 ❶을 만족하도록 a의 범위를 구하여 a의 최솟값을 구한다.

$f(x) \le g(x)$에서 $g(x) - f(x) \ge 0$

$x^4 + \dfrac{4}{3}x^3 - 4x^2 + a \ge 0$

$h(x) = x^4 + \dfrac{4}{3}x^3 - 4x^2 + a$라 하면 $h(x) \ge 0$

$h'(x) = 4x^3 + 4x^2 - 8x = 4x(x-1)(x+2)$

$h'(x) = 0$에서 $x = -2$ 또는 $x = 0$ 또는 $x = 1$

함수 $h(x)$의 증가와 감소를 나타내면 다음과 같다.

x	$\cdots$	-2	$\cdots$	0	$\cdots$	1	$\cdots$
$h'(x)$	$-$	0	$+$	0	$-$	0	$+$
$h(x)$	$\searrow$	$a - \dfrac{32}{3}$	$\nearrow$	a	$\searrow$	$a - \dfrac{5}{3}$	$\nearrow$

함수 $h(x)$는 $x = -2$에서 최솟값 $a - \dfrac{32}{3}$를 갖는다.

$a - \dfrac{32}{3} \ge 0$에서 $a \ge \dfrac{32}{3}$

따라서 실수 a의 최솟값은 $\dfrac{32}{3}$이다.

09 거듭제곱근의 정의   정답률 58% | 정답 ①

자연수 n $(n \ge 2)$에 대하여 $n^2 - 16n + 48$의 n제곱근 중 실수인 것의 개수를 $f(n)$이라 할 때, $\displaystyle\sum_{n=2}^{10} f(n)$의 값은? [4점]

① 7 ② 9 ③ 11 ④ 13 ⑤ 15

STEP 01 n이 홀수, 짝수인 경우로 나누어 각각 $f(n)$을 구한 후 $\displaystyle\sum_{n=2}^{10} f(n)$의 값을 구한다.

n이 홀수이면 $n^2 - 16n + 48$의 n제곱근 중 실수인 것의 개수는 항상 1이므로
$f(3) = f(5) = f(7) = f(9) = 1$

n이 짝수이면 $n^2 - 16n + 48$의 값에 따라 다음과 같은 경우로 나누어 생각할 수 있다.

(i) $n^2 - 16n + 48 > 0$인 경우
  $(n-4)(n-12) > 0$에서 $n < 4$ 또는 $n > 12$
  이때 $f(n) = 2$이므로
  $f(2) = 2$

(ii) $n^2 - 16n + 48 = 0$인 경우
  $(n-4)(n-12) = 0$에서 $n = 4$ 또는 $n = 12$
  이때 $f(n) = 1$이므로
  $f(4) = 1$

(iii) $n^2 - 16n + 48 < 0$인 경우
  $(n-4)(n-12) < 0$에서 $4 < n < 12$
  이때 $f(n) = 0$이므로
  $f(6) = f(8) = f(10) = 0$

따라서 $\displaystyle\sum_{n=2}^{10} f(n) = 4 \times 1 + 1 \times 2 + 1 \times 1 + 3 \times 0 = 7$

10 함수의 극한   정답률 60% | 정답 ④

실수 t $(t > 0)$에 대하여 ❶ 직선 $y = tx + t + 1$과 곡선 $y = x^2 - tx - 1$이 만나는 두 점을 A, B라 할 때, $\displaystyle\lim_{t \to \infty} \dfrac{\overline{AB}}{t^2}$의 값은? [4점]

① $\dfrac{\sqrt{2}}{2}$ ② 1 ③ $\sqrt{2}$ ④ 2 ⑤ $2\sqrt{2}$

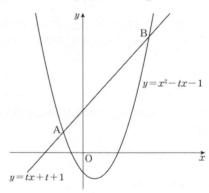

STEP 01 ❶의 두 식을 연립한 식에서 근의 공식으로 두 점 A, B의 x좌표를 구한 후 $\overline{AB}$를 구한 다음 $\displaystyle\lim_{t \to \infty} \dfrac{\overline{AB}}{t^2}$의 값을 구한다.

두 점 A, B의 x좌표를 각각 α, $\beta(\alpha < \beta)$라 하면

α, β는 이차방정식 $x^2 - tx - 1 = tx + t + 1$

즉 $x^2 - 2tx - 2 - t = 0$의 두 실근이므로

$\alpha = t - \sqrt{t^2 + t + 2}$, $\beta = t + \sqrt{t^2 + t + 2}$

$\beta - \alpha = 2\sqrt{t^2 + t + 2}$ 이고

직선 AB의 기울기가 t이므로

$\overline{AB} = 2\sqrt{t^2 + t + 2}\sqrt{t^2 + 1}$

$\displaystyle\lim_{t \to \infty} \dfrac{\overline{AB}}{t^2} = \lim_{t \to \infty} \dfrac{2\sqrt{(t^2 + t + 2)(t^2 + 1)}}{t^2}$

$\qquad = 2\lim_{t \to \infty} \sqrt{\left(1 + \dfrac{1}{t} + \dfrac{2}{t^2}\right)\left(1 + \dfrac{1}{t^2}\right)} = 2$

11 삼각함수의 그래프   정답률 47% | 정답 ①

그림과 같이 두 상수 a, b에 대하여 함수

$f(x) = a\sin\dfrac{\pi x}{b} + 1 \left(0 \le x \le \dfrac{5}{2}b\right)$

의 그래프와 직선 $y = 5$가 만나는 점을 x좌표가 작은 것부터 차례로 A, B, C라 하자.

❶ $\overline{BC} = \overline{AB} + 6$이고 ❷ 삼각형 AOB의 넓이가 $\dfrac{15}{2}$일 때, $a^2 + b^2$의 값은?

(단, $a > 4$, $b > 0$이고, O는 원점이다.) [4점]

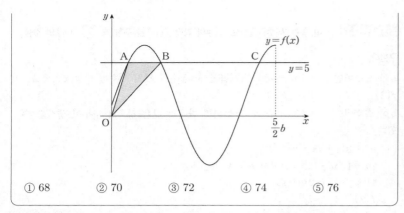

① 68   ② 70   ③ 72   ④ 74   ⑤ 76

STEP 01 ❶, ❷와 $f(x)$의 주기를 이용하여 b와 점 A의 좌표를 구한 후 점 A의 좌표를 $f(x)$에 대입하여 a를 구한 다음 a^2+b^2의 값을 구한다.

삼각형 AOB의 넓이가 $\dfrac{1}{2}\times\overline{AB}\times5=\dfrac{15}{2}$이므로

$\overline{AB}=3$, 이때 $\overline{BC}=\overline{AB}+6=9$

함수 $y=f(x)$의 주기가 $2b$이므로

$2b=\overline{AC}=\overline{AB}+\overline{BC}=12$, $b=6$

선분 AB의 중점의 x좌표가 3이므로 점 A의 좌표는 $\left(\dfrac{3}{2},\ 5\right)$이다.

점 A는 곡선 $y=f(x)$ 위의 점이므로

$f\left(\dfrac{3}{2}\right)=5$에서 $a\sin\dfrac{\pi}{4}+1=5$, $a=4\sqrt{2}$

따라서 $a^2+b^2=(4\sqrt{2})^2+6^2=32+36=68$

---

12 | 도함수의 활용   정답률 63% | 정답 ⑤

양수 k에 대하여 함수 $f(x)$를
$$f(x)=|x^3-12x+k|$$
라 하자. 함수 ❶ $y=f(x)$의 그래프와 직선 $y=a\,(a\ge0)$이 만나는 서로 다른 점의 개수가 홀수가 되도록 하는 실수 a의 값이 오직 하나일 때, k의 값은? [4점]

① 8   ② 10   ③ 12   ④ 14   ⑤ 16

STEP 01 $x^3-12x+k$의 극값을 구한 후 ❶을 만족하도록 하는 극값의 위치를 추론하여 k의 값을 구한다.

$g(x)=x^3-12x+k$라 하면 $f(x)=|g(x)|$

$g'(x)=3x^2-12=3(x+2)(x-2)$

$g'(x)=0$에서 $x=-2$ 또는 $x=2$

함수 $g(x)$가 $x=-2$에서 극댓값 $k+16$, $x=2$에서 극솟값 $k-16$을 가지므로 k의 값에 따라 다음과 같은 경우로 나누어 생각할 수 있다.

(ⅰ) $0<k<16$ 또는 $k>16$인 경우

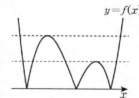 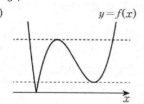

함수 $y=f(x)$의 그래프와 직선 $y=a$가 만나는 서로 다른 점의 개수가 홀수가 되는 실수 a의 값이 3개 존재하므로 조건을 만족시키지 못한다.

(ⅱ) $k=16$인 경우

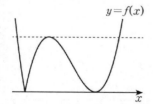

함수 $y=f(x)$의 그래프와 직선 $y=a$가 만나는 서로 다른 점의 개수가 홀수가 되는 실수 a의 값이 오직 하나이다.

(ⅰ), (ⅱ)에서 $k=16$

---

13 | 지수함수   정답률 35% | 정답 ②

그림과 같이 두 상수 $a\,(a>1)$, k에 대하여 두 함수
$$y=a^{x+1}+1,\quad y=a^{x-3}-\dfrac{7}{4}$$

의 그래프와 직선 $y=-2x+k$가 만나는 점을 각각 P, Q라 하자. 점 Q를 지나고 x축에 평행한 직선이 함수 $y=-a^{x+4}+\dfrac{3}{2}$의 그래프와 점 R에서 만나고 $\overline{PR}=\overline{QR}=5$일 때, $a+k$의 값은? [4점]

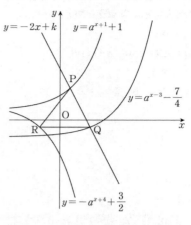

① $\dfrac{13}{2}$ ② $\dfrac{27}{4}$ ③ 7   ④ $\dfrac{29}{4}$ ⑤ $\dfrac{15}{2}$

STEP 01 $\overline{PH}$, $\overline{HR}$의 길이를 구한 후 세 점 P, Q, R의 좌표를 놓는다.

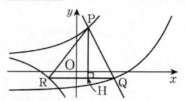

점 P에서 직선 QR에 내린 수선의 발을 H라 하자.

$\overline{HQ}=t\,(t>0)$이라 하면 직선 PQ의 기울기가 -2이므로

$\overline{PH}=2t$이고 $\overline{HR}=5-t$이다.

직각삼각형 PRH에서 피타고라스 정리에 의하여

$(5-t)^2+(2t)^2=5^2$, $t(t-2)=0$, $t=2$

따라서 $\overline{PH}=4$, $\overline{HR}=3$

점 R의 x좌표를 m이라 하면

점 P의 x좌표는 $m+3$, 점 Q의 x좌표는 $m+5$이므로

$P\left(m+3,\ a^{m+4}+1\right)$, $Q\left(m+5,\ a^{m+2}-\dfrac{7}{4}\right)$, $R\left(m,\ -a^{m+4}+\dfrac{3}{2}\right)$

STEP 02 세 점 P, Q, R의 y좌표의 관계에서 미지수들을 구한 후 $a+k$의 값을 구한다.

점 P의 y좌표는 점 R의 y좌표보다 4만큼 크므로

$a^{m+4}+1=\left(-a^{m+4}+\dfrac{3}{2}\right)+4$

$a^{m+4}=\dfrac{9}{4}$ …… ㉠

점 Q의 y좌표와 점 R의 y좌표가 같으므로

$a^{m+2}-\dfrac{7}{4}=-a^{m+4}+\dfrac{3}{2}$

㉠을 대입하여 정리하면 $a^{m+2}=1$

$a>1$에서 $m+2=0$이므로

$m=-2$

㉠에서 $a^2=\dfrac{9}{4}$, $a>1$이므로

$a=\dfrac{3}{2}$

점 $P\left(1,\ \dfrac{13}{4}\right)$이 직선 $y=-2x+k$ 위의 점이므로

$\dfrac{13}{4}=-2\times1+k$, $k=\dfrac{21}{4}$

따라서 $a+k=\dfrac{3}{2}+\dfrac{21}{4}=\dfrac{27}{4}$

---

14 | 정적분의 성질   정답률 38% | 정답 ③

최고차항의 계수가 1이고 $f'(2)=0$인 이차함수 $f(x)$가 모든 자연수 n에 대하여

❶ $\displaystyle\int_4^n f(x)dx\ge0$

을 만족시킬 때, 〈보기〉에서 옳은 것만을 있는 대로 고른 것은? [4점]

─── <보기> ───

ㄱ. $f(2) < 0$

ㄴ. $\displaystyle\int_4^3 f(x)dx > \int_4^2 f(x)dx$

ㄷ. $6 \le \displaystyle\int_4^6 f(x)dx \le 14$

① ㄱ 　　② ㄱ, ㄴ 　　③ ㄱ, ㄷ
④ ㄴ, ㄷ 　　⑤ ㄱ, ㄴ, ㄷ

STEP 01 ㄱ. ❶에서 정적분과 넓이의 관계에 의하여 참, 거짓을 판별한다.

$f'(2) = 0$이므로 실수 k에 대하여 $f(x) = x^2 - 4x + k$라 하자.

ㄱ. 만약 $f(2) \ge 0$이면 $x > 2$일 때 $f(x) > 0$이므로

정적분과 넓이의 관계에 의하여 $\displaystyle\int_2^4 f(x)dx > 0$

즉 $\displaystyle\int_4^2 f(x)dx = -\int_2^4 f(x)dx < 0$이므로 주어진 조건을 만족시키지 못한다.

따라서 $f(2) < 0$　　　　　∴ 참

STEP 02 ㄴ. 적분으로 부등식의 양변을 구하여 참, 거짓을 판별한다.

ㄴ. $\displaystyle\int_4^3 f(x)dx = \left[\frac{1}{3}x^3 - 2x^2 + kx\right]_4^3 = -k + \frac{5}{3}$

$-k + \frac{5}{3} \ge 0$이므로 $k \le \frac{5}{3}$

$\displaystyle\int_4^2 f(x)dx = \left[\frac{1}{3}x^3 - 2x^2 + kx\right]_4^2$

$\qquad = -2k + \frac{16}{3}$

$\displaystyle\int_4^3 f(x)dx - \int_4^2 f(x)dx = k - \frac{11}{3}$

$k \le \frac{5}{3}$에서 $k - \frac{11}{3} \le -2 < 0$이므로

$\displaystyle\int_4^3 f(x)dx < \int_4^2 f(x)dx$　　　　∴ 거짓

STEP 03 ㄷ. 모든 자연수 n에 대하여 ❶을 만족할 조건과 정적분과 넓이의 관계에 의하여 k의 범위를 구한 후 $\displaystyle\int_4^6 f(x)dx$를 구하여 참, 거짓을 판별한다.

ㄷ. ㄴ에서 $k \le \frac{5}{3}$이므로 $f(3) = k - 3 \le -\frac{4}{3} < 0$

$f(3) = f(1) < 0$이므로 구간 $[1, 3]$에서 $f(x) < 0$이고,

$n = 1$ 또는 $n = 2$일 때 곡선 $y = f(x)$와 x축 및 두 직선 $x = n$, $x = 3$으로 둘러싸인 부분의 넓이가 $-\displaystyle\int_n^3 f(x)dx$와 같다.

즉 $\displaystyle\int_3^n f(x)dx = -\int_n^3 f(x)dx > 0$　　　…… ㉠

$\displaystyle\int_4^5 f(x)dx = \left[\frac{1}{3}x^3 - 2x^2 + kx\right]_4^5$

$\qquad = k + \frac{7}{3}$

$k + \frac{7}{3} \ge 0$에서 $k \ge -\frac{7}{3}$이므로

$f(5) = 5 + k \ge \frac{8}{3} > 0$

구간 $[5, \infty)$에서 $f(x) > 0$이다.

그러므로 6 이상의 모든 자연수 n에 대하여 곡선 $y = f(x)$와 x축 및 두 직선 $x = 5$, $x = n$으로 둘러싸인 부분의 넓이가 $\displaystyle\int_5^n f(x)dx$와 같다.

즉 $\displaystyle\int_5^n f(x)dx > 0$　　　　…… ㉡

㉠, ㉡에서 $\displaystyle\int_4^3 f(x)dx \ge 0$, $\displaystyle\int_4^5 f(x)dx \ge 0$이면

함수 $f(x)$가 주어진 조건을 만족시킨다.

따라서 $-\frac{7}{3} \le k \le \frac{5}{3}$　　　　…… ㉢

$\displaystyle\int_4^6 f(x)dx = 2k + \frac{32}{3}$이므로 ㉢에서

$6 \le \displaystyle\int_4^6 f(x)dx \le 14$　　　　∴ 참

이상에서 옳은 것은 ㄱ, ㄷ이다.

---

15 수열의 귀납적 정의　　　　정답률 27% | 정답 ②

모든 항이 자연수인 수열 $\{a_n\}$이 다음 조건을 만족시킨다.

(가) 모든 자연수 n에 대하여
$$a_{n+1} = \begin{cases} \frac{1}{2}a_n + 2n & (a_n\text{이 } 4\text{의 배수인 경우}) \\ a_n + 2n & (a_n\text{이 } 4\text{의 배수가 아닌 경우}) \end{cases}$$
이다.

(나) $a_3 > a_5$

❶ $50 < a_4 + a_5 < 60$이 되도록 하는 a_1의 최댓값과 최솟값을 각각 M, m이라 할 때, $M + m$의 값은? [4점]

① 224　　② 228　　③ 232　　④ 236　　⑤ 240

STEP 01 a_3이 4의 배수인 경우와 4의 배수가 아닌 경우로 나누어 각각 조건 (가)에 의해 a_4, a_5를 구한 후 ❶과 조건 (나)를 만족하는 a_3을 구하여 a_1을 구한 다음 $M + m$의 값을 구한다.

조건 (나)에서 $a_3 > a_5$이므로 a_3이 4의 배수인 경우와 4의 배수가 아닌 경우로 나누어 생각하자.

(i) a_3이 4의 배수인 경우

$a_3 = 4k(k\text{는 자연수})$라 하면 $a_4 = 2k + 6$

　i) k가 홀수일 때

　　a_4는 4의 배수이고 $a_5 = k + 11$

　　$a_4 + a_5 = 3k + 17$이므로

　　　$50 < 3k + 17 < 60$, $a_3 > a_5$에서 $k > \frac{11}{3}$

　　k는 홀수이므로 $k = 13$이고 $a_3 = 52$

　ii) k가 짝수일 때

　　a_4는 4의 배수가 아니고 $a_5 = 2k + 14$

　　$a_4 + a_5 = 4k + 20$이므로

　　　$50 < 4k + 20 < 60$, $a_3 > a_5$에서 $k > 7$

　　k는 짝수이므로 $k = 8$이고 $a_3 = 32$

　따라서 $a_3 = 52$ 또는 $a_3 = 32$

　$a_3 = 52$인 경우 $a_2 = 96$이고 $a_1 = 94$ 또는 $a_1 = 188$

　$a_3 = 32$인 경우 $a_2 = 56$이고 $a_1 = 54$ 또는 $a_1 = 108$

(ii) a_3이 4의 배수가 아닌 경우

　i) $a_3 = 4k - 1$ 또는 $a_3 = 4k - 3(k\text{는 자연수})$일 때

　　a_3, a_4, a_5는 모두 홀수이고 $a_5 = a_4 + 8 = a_3 + 14 > a_3$
　　이므로 조건 (나)를 만족시키지 못한다.

　ii) $a_3 = 4k - 2(k\text{는 자연수})$일 때

　　$a_4 = 4k + 4$이고 $a_5 = 2k + 10$

　　$a_4 + a_5 = 6k + 14$이므로

　　　$50 < 6k + 14 < 60$, $a_3 > a_5$에서 $k > 6$

　　$k = 7$이고 $a_3 = 26$

　따라서 $a_2 = 22$ 또는 $a_2 = 44$이다.

　$a_2 = 22$인 경우 $a_1 = 40$

　$a_2 = 44$인 경우 $a_1 = 42$ 또는 $a_1 = 84$

(i), (ii)에서 $M = 188$, $m = 40$이므로

$M + m = 228$

---

16 로그방정식　　　　정답률 79% | 정답 10

방정식
$$\log_2(x - 2) = 1 + \log_4(x + 6)$$
을 만족시키는 실수 x의 값을 구하시오. [3점]

STEP 01 로그의 성질을 이용하여 방정식을 풀고 진수의 조건을 만족하는 x의 값을 구한다.

로그의 진수의 조건에서 $x - 2 > 0$, $x + 6 > 0$이므로
$x > 2$

주어진 방정식에서

$\log_2(x - 2) = \log_4 4 + \log_4(x + 6)$

$\log_4(x - 2)^2 = \log_4 4(x + 6)$

$(x - 2)^2 = 4(x + 6)$

$x^2 - 8x - 20 = 0$, $(x+2)(x-10) = 0$
$x > 2$이므로 $x = 10$

---

17 곱의 미분법 　　　　　　　정답률 73% | 정답 22

삼차함수 $f(x)$에 대하여 함수 $g(x)$를
$$g(x) = (x+2)f(x)$$
라 하자. 곡선 ❶ $y = f(x)$ 위의 점 $(3, 2)$에서의 접선의 기울기가 4일 때, $g'(3)$의 값을 구하시오. [3점]

STEP 01 ❶에서 $f'(3)$을 구한 후 곱의 미분법으로 $g(x)$를 미분하여 $g'(x)$를 구한 다음 $g'(3)$의 값을 구한다.

곡선 $y = f(x)$ 위의 점 $(3, 2)$에서의 접선의 기울기가 4이므로
$f(3) = 2$, $f'(3) = 4$
$g(x) = (x+2)f(x)$에서
$g'(x) = f(x) + (x+2)f'(x)$이므로
$g'(3) = f(3) + 5f'(3) = 2 + 5 \times 4 = 22$

●핵심 공식

▶ 미분계수의 기하학적 의미
함수 $y = f(x)$의 $x = a$에서의 미분계수 $f'(a)$는 $x = a$인 점 $(a, f(a))$에서의 접선의 기울기이다.
▶ 곱의 미분
$f(x) = g(x) \cdot h(x)$라 하면, $f'(x) = g'(x) \cdot h(x) + g(x) \cdot h'(x)$

---

18 ∑의 성질 　　　　　　　정답률 75% | 정답 110

두 수열 $\{a_n\}$, $\{b_n\}$에 대하여
$$❶ \sum_{k=1}^{10}(a_k - b_k + 2) = 50, \quad \sum_{k=1}^{10}(a_k - 2b_k) = -10$$
일 때, $\sum_{k=1}^{10}(a_k + b_k)$의 값을 구하시오. [3점]

STEP 01 ∑의 성질을 이용하여 ❶의 두 식을 전개한 후 연립하여 $\sum_{k=1}^{10} a_k$, $\sum_{k=1}^{10} b_k$ 구한 다음 합을 구한다.

$\sum_{k=1}^{10}(a_k - b_k + 2) = 50$에서
$\sum_{k=1}^{10} a_k - \sum_{k=1}^{10} b_k = 30$ 　　　　　…… ㉠

$\sum_{k=1}^{10}(a_k - 2b_k) = -10$에서
$\sum_{k=1}^{10} a_k - 2\sum_{k=1}^{10} b_k = -10$ 　　　　…… ㉡

㉠, ㉡에서 $\sum_{k=1}^{10} a_k = 70$, $\sum_{k=1}^{10} b_k = 40$

따라서 $\sum_{k=1}^{10}(a_k + b_k) = \sum_{k=1}^{10} a_k + \sum_{k=1}^{10} b_k = 110$

---

19 정적분의 활용 　　　　　　　정답률 37% | 정답 102

시각 $t = 0$일 때 동시에 원점을 출발하여 수직선 위를 움직이는 두 점 P, Q의 시각 t $(t \geq 0)$에서의 속도가 각각
$$v_1(t) = 12t - 12, \quad v_2(t) = 3t^2 + 2t - 12$$
이다. 시각 $t = k$ $(k > 0)$에서 두 점 P, Q의 위치가 같을 때, ❶ 시각 $t = 0$에서 $t = k$까지 점 P가 움직인 거리를 구하시오. [3점]

STEP 01 $v_1(t)$, $v_2(t)$를 적분하여 두 점 P, Q의 위치를 구한 후 두 식을 연립하여 k를 구한 다음 $|v_1(t)|$의 적분으로 ❶을 구한다.

원점에서 출발한 점 P의 시각 $t = k$에서의 위치는
$$\int_0^k (12t - 12)dt = \Big[6t^2 - 12t\Big]_0^k = 6k^2 - 12k$$

원점에서 출발한 점 Q의 시각 $t = k$에서의 위치는
$$\int_0^k (3t^2 + 2t - 12)dt = \Big[t^3 + t^2 - 12t\Big]_0^k = k^3 + k^2 - 12k$$

시각 $t = k$에서 두 점 P, Q의 위치가 같으므로
$6k^2 - 12k = k^3 + k^2 - 12k$, $k^2(k-5) = 0$
$k > 0$이므로 $k = 5$
시각 $t = 0$에서 $t = 5$까지 점 P가 움직인 거리는
$$\int_0^5 |12t - 12|dt = \int_0^1 (12 - 12t)dt + \int_1^5 (12t - 12)dt$$
$$= \Big[12t - 6t^2\Big]_0^1 + \Big[6t^2 - 12t\Big]_1^5 = 102$$

●핵심 공식

▶ 속도와 이동거리 및 위치
수직선 위를 움직이는 점 p의 시각 t에서의 속도를 $v(t)$라 할 때, $t = a$에서 $t = b$ $(a < b)$까지의 실제 이동거리 s는 $s = \int_a^b |v(t)|dt$이고
점 p가 원점을 출발하여 $t = a$에서의 점 p의 위치는 $\int_0^a v(t)dt$ 이다.

★★★ 등급을 가르는 문제!

20 정적분과 미분의 관계 　　　　　　　정답률 13% | 정답 24

다항함수 $f(x)$가 모든 실수 x에 대하여
$$❶ 2x^2 f(x) = 3\int_0^x (x-t)\{f(x) + f(t)\}dt$$
를 만족시킨다. ❷ $f'(2) = 4$일 때, $f(6)$의 값을 구하시오. [4점]

STEP 01 ❶을 전개하여 정리하고 양변을 x에 대하여 미분한 후 양변의 최고차항의 계수를 비교하여 $f(x)$의 차수를 결정한 뒤 ❷를 이용하여 $f(x)$를 놓는다.

$2x^2 f(x) = 3\int_0^x (x-t)\{f(x) + f(t)\}dt$에서
$2x^2 f(x) = 3\int_0^x (x-t)f(x)dt + 3\int_0^x (x-t)f(t)dt$
$$= 3f(x)\int_0^x (x-t)dt + 3\int_0^x (x-t)f(t)dt$$
$$= 3f(x)\Big[xt - \frac{1}{2}t^2\Big]_0^x + 3\int_0^x (x-t)f(t)dt$$
$$= \frac{3}{2}x^2 f(x) + 3\int_0^x (x-t)f(t)dt$$
$x^2 f(x) = 6\int_0^x (x-t)f(t)dt$
$x^2 f(x) = 6x\int_0^x f(t)dt - 6\int_0^x tf(t)dt$ 　　　　…… ㉠

㉠의 양변을 x에 대하여 미분하면
$2xf(x) + x^2 f'(x) = 6\int_0^x f(t)dt$ 　　　　…… ㉡

$f'(2) = 4$이므로 다항함수 $f(x)$의 차수는 1 이상이다.
함수 $f(x)$의 차수를 n이라 하고, 최고차항의 계수를 $a(a \neq 0)$이라 하자.
㉡의 양변의 최고차항의 계수를 비교하면
$$a(2+n) = \frac{6a}{n+1}$$
$(n+1)(n+2) = 6$, $(n-1)(n+4) = 0$
n은 자연수이므로 $n = 1$
함수 $f(x)$가 일차함수이고 $f'(2) = 4$이므로 $a = 4$
$f(x) = 4x + b$(단, b는 상수)라 하자.

STEP 02 $f(x)$를 ㉡에 대입하여 b를 구한 후 $f(6)$의 값을 구한다.

㉡에서
$2x(4x + b) + 4x^2 = 6\Big[2t^2 + bt\Big]_0^x$
$12x^2 + 2bx = 12x^2 + 6bx$ 　　　　…… ㉢
모든 실수 x에 대하여 ㉢이 성립하므로 $b = 0$
$f(x) = 4x$이므로
$f(6) = 24$

★★ 문제 해결 꿀~팁 ★★

▶ 문제 해결 방법
$x^2 f(x) = 6x\int_0^x f(t)dt - 6\int_0^x tf(t)dt$이고 양변을 x에 대하여 미분하면
$2xf(x) + x^2 f'(x) = 6\int_0^x f(t)dt$이다. 여기서 양변의 최고차항의 계수를 비교하면

$a(2+n) = \dfrac{6a}{n+1}$ 로 $n=1$이므로 $f(x)=4x+b$라 할 수 있다.

$f(x)$를 다시 $2xf(x)+x^2f'(x)=6\displaystyle\int_0^x f(t)dt$에 대입하고 미분과 적분으로 식을 정리하면 $f(x)$를 구할 수 있다.

주어진 식의 우변에서 x와 t를 구분하여 식을 정리해야 한다. 적분이 dt이므로 x는 상수취급을 하여 $\displaystyle\int_0^x (x-t)\{f(x)+f(t)\}dt$를 정리하여야 한다.

식을 정리한 후에는 양변을 x에 대하여 미분하여야 한다. 미분과 적분을 할 때 어떠한 문자를 대상으로 미적분을 하는지 반드시 구분하여야 한다.

다음으로 중요한 과정은 $f(x)$의 차수와 최고차항의 계수를 미지수로 놓고 양변의 차수와 최고차항의 계수를 비교하여 $f(x)$의 차수를 결정하여야 한다. $f(x)$의 차수를 결정하여 $f(x)$를 놓지 않으면 안된다.

준식을 정리한 식을 미분한 식에 다시 $f(x)$를 대입하여 미분과 적분을 하면 $f(x)$를 구할 수 있다. 주어진 식을 잘 정리하고 미분과 적분의 관계를 활용할 수 있어야 한다.

★★★ 등급을 가르는 문제!

21 사인법칙과 코사인법칙   정답률 13% | 정답 6

그림과 같이 선분 BC를 지름으로 하는 원에 두 삼각형 ABC와 ADE가 모두 내접한다. 두 선분 AD와 BC가 점 F에서 만나고

$$\overline{BC}=\overline{DE}=4, \quad \overline{BF}=\overline{CE}, \quad \sin(\angle CAE)=\frac{1}{4}$$

이다. $\overline{AF}=k$일 때, k^2의 값을 구하시오. [4점]

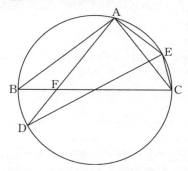

STEP 01 삼각형 ACE에서 사인법칙에 의하여 $\overline{CE}$, $\overline{FC}$를 구한 후 삼각형 ABF에서 사인법칙에 의하여 $\overline{AC}$를 구한 다음 삼각형 AFC에서 코사인법칙에 의하여 k^2의 값을 구한다.

$\angle CAE=\theta$라 하면 $\sin\theta=\dfrac{1}{4}$이고 $\overline{BC}=4$이므로

삼각형 ACE에서 사인법칙에 의하여

$\dfrac{\overline{CE}}{\sin\theta}=\overline{BC}$, $\overline{CE}=1$

$\overline{BF}=\overline{CE}=1$이므로 $\overline{FC}=3$

$\overline{BC}=\overline{DE}$에서 선분 DE도 주어진 원의 지름이므로

$\angle BAC=\angle DAE=90°$

$\angle BAD=90°-\angle DAC=\theta$

삼각형 ABF에서 사인법칙에 의하여

$\dfrac{k}{\sin(\angle ABF)}=\dfrac{1}{\sin\theta}=4$이므로

$\sin(\angle ABF)=\dfrac{k}{4}$

직각삼각형 ABC에서 $\sin(\angle ABC)=\dfrac{\overline{AC}}{4}$이므로

$\overline{AC}=4\sin(\angle ABC)=4\times\dfrac{k}{4}=k$

직각삼각형 ABC에서 $\cos(\angle BCA)=\dfrac{k}{4}$이므로

삼각형 AFC에서 코사인법칙에 의하여

$\overline{AF}^2=\overline{AC}^2+\overline{FC}^2-2\times\overline{AC}\times\overline{FC}\times\cos(\angle FCA)$

$k^2=k^2+3^2-2\times k\times 3\times\dfrac{k}{4}$, $\dfrac{3}{2}k^2=9$

따라서 $k^2=6$

● 핵심 공식

▶ 사인법칙

$\triangle ABC$에 대하여 $\triangle ABC$의 외접원의 반지름 길이를 R라고 할 때,

$\dfrac{a}{\sin A}=\dfrac{b}{\sin B}=\dfrac{c}{\sin C}=2R$

▶ 코사인법칙

세 변의 길이를 각각 a, b, c라 하고 b, c 사이의 끼인각을 A라 하면

$$a^2=b^2+c^2-2bc\cos A, \quad \left(\cos A=\frac{b^2+c^2-a^2}{2bc}\right)$$

★★ 문제 해결 꿀~팁 ★★

▶ 문제 해결 방법

주어진 조건을 이용하여 차례대로 삼각형 ACE에서 사인법칙, 삼각형 ABF에서 사인법칙, 삼각형 AFC에서 코사인법칙을 이용하면 필요한 선분들의 길이를 구하여 답을 구할 수 있다. 주어진 조건들이 모두 사인법칙과 코사인법칙을 이용할 수 있는 조건들이고 별다른 도형의 특이 사항이나 주의할 점도 없다. 두 공식을 정확히 알고 적용할 수 있어야 하며, 필요한 선분이나 각을 파악할 수 있어야 한다. 공식뿐만 아니라 공식을 적용하는 방법 및 경우도 알아두는 것이 좋다.

★★★ 등급을 가르는 문제!

22 접선의 활용   정답률 5% | 정답 29

삼차함수 $f(x)$에 대하여 구간 $(0, \infty)$에서 정의된 함수 $g(x)$를

$$g(x)=\begin{cases} x^3-8x^2+16x & (0<x\le 4) \\ f(x) & (x>4) \end{cases}$$

라 하자. 함수 $g(x)$가 구간 $(0, \infty)$에서 미분가능하고 다음 조건을 만족시킬 때, $g(10)=\dfrac{q}{p}$이다. $p+q$의 값을 구하시오.

(단, p와 q는 서로소인 자연수이다.) [4점]

> (가) $g\left(\dfrac{21}{2}\right)=0$
>
> (나) 점 $(-2, 0)$에서 곡선 $y=g(x)$에 그은, 기울기가 0이 아닌 접선이 오직 하나 존재한다.

STEP 01 $g(x)$가 $x=4$에서 연속, 미분가능할 조건과 조건 (가)를 이용하여 $f(x)$를 놓는다.

$0<x\le 4$에서 $g(x)=x(x-4)^2$이고

함수 $g(x)$가 $x=4$에서 연속이므로

$\displaystyle\lim_{x\to 4+}g(x)=\lim_{x\to 4-}g(x)$, $\displaystyle\lim_{x\to 4+}f(x)=\lim_{x\to 4-}x(x-4)^2$

$f(4)=0$

함수 $g(x)$가 $x=4$에서 미분가능하므로

$\displaystyle\lim_{x\to 4+}\frac{g(x)-g(4)}{x-4}=\lim_{x\to 4-}\frac{g(x)-g(4)}{x-4}$

$\displaystyle\lim_{x\to 4+}\frac{f(x)-f(4)}{x-4}=\lim_{x\to 4-}\frac{x(x-4)^2}{x-4}$

$f'(4)=0$

$f(4)=f'(4)=0$이고 $g\left(\dfrac{21}{2}\right)=f\left(\dfrac{21}{2}\right)=0$이므로

$f(x)=a(x-4)^2(2x-21)(a\ne 0)$이라 하자.

STEP 02 조건 (나)를 만족시키는 $y=g(x)$의 그래프의 개형을 그려 조건 (나)를 만족하는 접선의 위치를 파악한 후 $0<x<4$에서 접선의 방정식을 구한 다음 점 $(-2, 0)$을 대입하여 접점의 x좌표를 구한다.

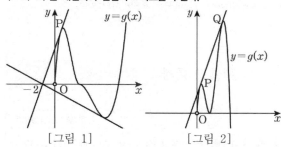

[그림 1]   [그림 2]

$a>0$이면 함수 $y=g(x)$의 그래프의 개형이 [그림 1]과 같으므로 조건 (나)를 만족시키지 못한다.

$a<0$이면 [그림 2]와 같이 조건 (나)를 만족시키는 함수 $y=g(x)$의 그래프의 개형이 존재한다.

조건 (나)에 의하여 점 $(-2, 0)$에서 곡선 $y=g(x)$에 그은 기울기가 0이 아닌 접선은 곡선 $y=g(x)$ 위의 두 점 P, Q에서 곡선 $y=g(x)$에 접한다.

두 점 P, Q의 x좌표를 각각 t, s라 하고 $0<t<4$, $s>4$라 하자.

$0<t<4$에서 $g'(t)=3t^2-16t+16$이므로 접선의 방정식은

$y=(3t^2-16t+16)(x-t)+t^3-8t^2+16t$

접선이 점 $(-2, 0)$을 지나므로

$$(3t^2-16t+16)(-2-t)+t^3-8t^2+16t=0$$
$$2t^3-2t^2-32t+32=0, \quad (t-4)(t+4)(t-1)=0$$

$0<t<4$에서 $t=1$이므로 접선의 방정식은

$y=3x+6$이다.

STEP 03 $x>4$에서 접선의 방정식을 구한 다음 점 $(-2, 0)$을 대입하여 접점의 x좌표를 구한다.

이 접선이 점 Q에서 곡선 $y=f(x)\,(x>4)$에 접한다.

$f(x)=a(x-4)^2(2x-21)$에서

$f'(x)=2a(3x^2-37x+100)=2a(x-4)(3x-25)$

점 Q에서의 접선의 방정식은

$y=2a(s-4)(3s-25)(x-s)+a(s-4)^2(2s-21)$

이 접선이 점 $(-2, 0)$을 지나므로

$0=2a(s-4)(3s-25)(-2-s)+a(s-4)^2(2s-21)$

$a\neq 0$, $s>4$이므로

$(s-4)(2s-21)=2(s+2)(3s-25)$

$4s^2-9s-184=0, \quad (4s+23)(s-8)=0, \quad s=8$

STEP 04 두 접선의 기울기가 동일함을 이용하여 a를 구한 후 $f(x)$를 구한 다음 $p+q$의 값을 구한다.

$f'(8)=3$이므로 $a=-\dfrac{3}{8}$

$f(x)=-\dfrac{3}{8}(x-4)^2(2x-21)$이므로

$g(10)=f(10)=\dfrac{27}{2}$

따라서 $p=2$, $q=27$이므로

$p+q=29$

● **핵심 공식**

▶ **미분가능일 조건**

$f(x)=\begin{cases}g(x) & (x\leq a)\\ h(x) & (x>a)\end{cases}$가 $x=a$에서 미분가능일 조건

(1) $x=a$에서 연속이다. 즉, $g(a)=h(a)$

(2) $x=a$에서의 좌미분계수와 우미분계수가 같아야 한다.
즉, $g'(a)=h'(a)$

▶ **접선의 방정식**

곡선 $y=f(x)$ 위의 점 $(a, f(a))$에서의 접선의 방정식은

$y-f(a)=f'(a)(x-a)$

★★ 문제 해결 꿀~팁 ★★

▶ **문제 해결 방법**

$g(x)$가 $x=4$에서 연속이고 미분가능하므로 $f(4)=f'(4)=0$이고 $g\left(\dfrac{21}{2}\right)=f\left(\dfrac{21}{2}\right)=0$

이므로 $f(x)=a(x-4)^2(2x-21)(a\neq 0)$이라 할 수 있다.

조건 (나)를 만족시키는 함수 $y=g(x)$의 그래프의 개형을 그리면 $y=f(x)$의 그래프의 개형이 파악된다.

$h(x)=x^3-8x^2+16x$라 하자. 조건 (나)를 만족하려면 점 $(-2, 0)$에서 그은 접선은 $y=h(x)$와 $y=f(x)$에 동시에 접해야 한다. 두 함수 $y=h(x)$와 $y=f(x)$의 미분을 이용하여 각각 접선의 방정식을 구한 후 점 $(-2, 0)$을 대입하고 두 접선이 일치함을 이용하면 미지수들을 구할 수 있다.

가장 중요한 것은 조건 (나)를 만족하는 그래프의 개형을 파악할 수 있느냐이다. 그래프의 개형을 파악하여 두 함수에서의 접선의 방정식을 구할 수 있으면 된다.

$y=f(x)$의 식이 복잡하여 접선의 방정식도 복잡하므로 계산에 유의하여야 한다.

확률과 통계

| 23 | 이항분포 | 정답률 85% | 정답 ② |

확률변수 X가 이항분포 ❶ $B(45, p)$를 따르고 $E(X)=15$일 때, p의 값은? [2점]

① $\dfrac{4}{15}$ 　② $\dfrac{1}{3}$ 　③ $\dfrac{2}{5}$ 　④ $\dfrac{7}{15}$ 　⑤ $\dfrac{8}{15}$

STEP 01 ❶에서 $E(X)$를 구하여 p의 값을 구한다.

확률변수 X는 이항분포 $B(45, p)$를 따르므로

$E(X)=45p=15$에서

$p=\dfrac{1}{3}$

● **핵심 공식**

▶ **이항분포의 평균, 분산, 표준편차**

확률변수 X가 이항분포 $B(n, p)$를 따를 때, X의 평균, 분산, 표준편차는 다음과 같다.

$E(X)=np$, $V(X)=npq$, $\sigma(X)=\sqrt{npq}$ (단, $q=1-p$)

| 24 | 확률의 덧셈정리 | 정답률 83% | 정답 ④ |

두 사건 A, B가 서로 배반사건이고

❶ $P(A\cup B)=\dfrac{5}{6}$, $P(A^C)=\dfrac{3}{4}$

일 때, $P(B)$의 값은? (단, A^C은 A의 여사건이다.) [3점]

① $\dfrac{1}{3}$ 　② $\dfrac{5}{12}$ 　③ $\dfrac{1}{2}$ 　④ $\dfrac{7}{12}$ 　⑤ $\dfrac{2}{3}$

STEP 01 두 사건 A, B의 관계를 이용하여 ❶에서 $P(B)$의 값을 구한다.

두 사건 A, B가 서로 배반사건이므로 $P(A\cap B)=0$

확률의 덧셈정리에 의하여

$P(A\cup B)=P(A)+P(B)=\dfrac{5}{6}$

$P(A)=1-P(A^C)=\dfrac{1}{4}$이므로

$P(B)=\dfrac{5}{6}-\dfrac{1}{4}=\dfrac{7}{12}$

● **핵심 공식**

▶ **독립사건과 배반사건**

두 사건 A, B에 대하여

(1) 두 사건 A, B가 독립이면 $P(A\cap B)=P(A)P(B)$

(2) 두 사건 A, B가 배반이면 $P(A\cup B)=P(A)+P(B)$

| 25 | 중복순열 | 정답률 73% | 정답 ⑤ |

숫자 0, 1, 2 중에서 중복을 허락하여 4개를 택해 일렬로 나열하여 만들 수 있는 네 자리의 자연수 중 ❶ 각 자리의 수의 합이 7 이하인 자연수의 개수는? [3점]

① 45 　② 47 　③ 49 　④ 51 　⑤ 53

STEP 01 중복순열을 이용하여 만들 수 있는 네 자리의 자연수의 개수를 구한 후 ❶을 만족하지 않는 경우를 제외하여 구하는 자연수의 개수를 구한다.

숫자 0, 1, 2 중에서 중복을 허락하여 4개를 택해 일렬로 나열할 때,

천의 자리에는 0이 올 수 없으므로 만들 수 있는 네 자리의 자연수의 개수는

$2\times {}_3\Pi_3=2\times 3^3=54$

이때 각 자리의 수의 합이 7보다 큰 자연수는 2222뿐이므로

구하는 자연수의 개수는

$54-1=53$

● **핵심 공식**

▶ **중복순열**

서로 다른 n개의 물건에서 중복을 허락하여, r개를 택해 일렬로 배열한 것을 서로 다른 n개에서 중복을 허락하여 r개를 택한 중복순열이라 하고, 중복순열의 총갯수는 ${}_n\Pi_r$로 나타낸다.

$\therefore {}_n\Pi_r=n\times n\times n\times \cdots \times n=n^r$

| 26 | 표본평균과 신뢰구간 | 정답률 68% | 정답 ③ |

어느 지역에서 수확하는 양파의 무게는 ❶ 평균이 m, 표준편차가 16인 정규분포를 따른다고 한다. 이 지역에서 수확한 양파 ❷ 64개를 임의추출하여 얻은 양파의 무게의 표본평균이 $\overline{x}$일 때, 모평균 m에 대한 신뢰도 95%의 신뢰구간이 ❸ $240.12\leq m\leq a$이다. $\overline{x}+a$의 값은?

(단, 무게의 단위는 g이고, Z가 표준정규분포를 따르는 확률변수일 때, $P(|Z|\leq 1.96)=0.95$로 계산한다.) [3점]

① 486 　② 489 　③ 492 　④ 495 　⑤ 498

STEP 01 ❶, ❷에서 모평균의 신뢰구간을 구한 후 ❸을 이용하여 $\overline{x}$, a를 구한 다음 $\overline{x}+a$의 값을 구한다.

양파 64개를 임의추출하여 얻은 표본평균이 $\overline{x}$이므로

모평균 m에 대한 신뢰도 95%의 신뢰구간은

$$\overline{x} - 1.96 \times \frac{16}{\sqrt{64}} \leq m \leq \overline{x} + 1.96 \times \frac{16}{\sqrt{64}}$$

$$\overline{x} - 3.92 \leq m \leq \overline{x} + 3.92$$

이때 $\overline{x} - 3.92 = 240.12$, $\overline{x} + 3.92 = a$이므로

$$\overline{x} = 240.12 + 3.92 = 244.04$$

$$a = 244.04 + 3.92 = 247.96$$

따라서 $\overline{x} + a = 244.04 + 247.96 = 492$

●핵심 공식

▶ 모평균의 추정

(1) 신뢰도가 95%일 때, 모평균 m의 신뢰구간은

$$\overline{X} - 1.96 \times \frac{\sigma}{\sqrt{n}} \leq m \leq \overline{X} + 1.96 \times \frac{\sigma}{\sqrt{n}}$$

(2) 신뢰도가 99%일 때, 모평균 m의 신뢰구간은

$$\overline{X} - 2.58 \times \frac{\sigma}{\sqrt{n}} \leq m \leq \overline{X} + 2.58 \times \frac{\sigma}{\sqrt{n}}$$

---

27 원순열　　　정답률 49% | 정답 ①

1부터 8까지의 자연수가 하나씩 적혀 있는 8개의 의자가 있다. 이 8개의 의자를 일정한 간격을 두고 원형으로 배열할 때, ❶ 서로 이웃한 2개의 의자에 적혀 있는 두 수가 서로소가 되도록 배열하는 경우의 수는?
(단, 회전하여 일치하는 것은 같은 것으로 본다.) [3점]

① 72　　② 78　　③ 84　　④ 90　　⑤ 96

STEP 01 원순열로 홀수가 적힌 의자를 먼저 배열한 후 ❶을 만족하도록 나머지 의자를 배열하는 경우의 수를 구하여 구하는 경우의 수를 구한다.

서로 이웃한 2개의 의자에 적힌 두 수가 서로소가 되려면 짝수가 적힌 의자끼리는 서로 이웃하면 안 되고 3과 6이 적힌 의자도 서로 이웃하면 안 된다.
홀수가 적힌 의자를 일정한 간격을 두고 원형으로 배열하는 원순열의 수는

$$(4-1)! = 3! = 6$$

홀수가 적힌 의자들의 사이사이에 있는 4개의 자리 중 3이 적힌 의자와 이웃하지 않는 자리에 6이 적힌 의자를 배열하고, 남은 3개의 자리에 나머지 3개의 의자를 배열하는 경우의 수는

$$_2C_1 \times 3! = 2 \times 6 = 12$$

따라서 구하는 경우의 수는

$$6 \times 12 = 72$$

●핵심 공식

▶ 원순열

서로 다른 n개의 원형으로 배열하는 원순열의 수는 $(n-1)!$

---

28 정규분포의 성질　　　정답률 35% | 정답 ①

정규분포를 따르는 두 확률변수 X, Y의 확률밀도함수는 각각 $f(x)$, $g(x)$이다. ❶ $V(X) = V(Y)$이고, 양수 a에 대하여
　❷ $f(a) = f(3a) = g(2a)$,
　❸ $P(Y \leq 2a) = 0.6915$
일 때, $P(0 \leq X \leq 3a)$의 값을 오른쪽 표준정규분포표를 이용하여 구한 것은? [4점]

z	$P(0 \leq Z \leq z)$
0.5	0.1915
1.0	0.3413
1.5	0.4332
2.0	0.4772

① 0.5328　　② 0.6247　　③ 0.6687
④ 0.7745　　⑤ 0.8185

STEP 01 확률밀도함수의 대칭성과 ❶, ❷를 이용하여 두 함수의 평균을 각각 구한다.

$E(X) = m_1$, $E(Y) = m_2$, $V(X) = V(Y) = \sigma^2$으로 놓으면
두 확률변수 X, Y는 각각 정규분포 $N(m_1, \sigma^2)$, $N(m_2, \sigma^2)$을 따른다.
함수 $y = f(x)$의 그래프는 직선 $x = m_1$에 대하여 대칭이고,
$f(a) = f(3a)$이므로

$$m_1 = \frac{a + 3a}{2} = 2a$$

함수 $y = f(x)$의 그래프를 x축의 방향으로 평행이동하면
함수 $y = g(x)$의 그래프와 일치하고,
$f(a) = f(3a) = g(2a)$이므로
$g(0) = g(2a)$ 또는 $g(2a) = g(4a)$
이때 함수 $y = g(x)$의 그래프는 직선 $x = m_2$에 대하여 대칭이므로

$$m_2 = \frac{0 + 2a}{2} = a \text{ 또는 } m_2 = \frac{2a + 4a}{2} = 3a$$

STEP 02 ❸에서 σ를 구한 후 표준정규분포표를 이용하여 $P(0 \leq X \leq 3a)$의 값을 구한다.

$P(Y \leq 2a) = 0.6915 > 0.5$이므로 $m_2 < 2a$이다.
$a > 0$이므로 $m_2 = a$
확률변수 Z가 표준정규분포 $N(0, 1)$을 따를 때

$$P(Y \leq 2a) = P\left(Z \leq \frac{2a - a}{\sigma}\right) = P\left(Z \leq \frac{a}{\sigma}\right) = 0.5 + P\left(0 \leq Z \leq \frac{a}{\sigma}\right) = 0.6915$$

$P(0 \leq Z \leq 0.5) = 0.1915$이므로

$$\frac{a}{\sigma} = 0.5, \text{ 즉 } \sigma = 2a$$

따라서

$$P(0 \leq X \leq 3a) = P\left(\frac{0 - 2a}{2a} \leq Z \leq \frac{3a - 2a}{2a}\right)$$
$$= P(-1 \leq Z \leq 0.5)$$
$$= P(0 \leq Z \leq 1) + P(0 \leq Z \leq 0.5)$$
$$= 0.3413 + 0.1915 = 0.5328$$

●핵심 공식

▶ 정규분포의 표준화

(1) 확률변수 X가 정규분포 $N(m, \sigma^2)$을 따를 때 확률변수 $Z = \dfrac{X - m}{\sigma}$은 표준정규분포 $N(0, 1)$을 따른다.

(2) $P(a \leq X \leq b) = P\left(\dfrac{a - m}{\sigma} \leq Z \leq \dfrac{b - m}{\sigma}\right)$

---

29 중복조합　　　정답률 43% | 정답 64

다음 조건을 만족시키는 자연수 a, b, c의 모든 순서쌍 (a, b, c)의 개수를 구하시오. [4점]

　(가) $a \leq b \leq c \leq 8$
　(나) $(a - b)(b - c) = 0$

STEP 01 중복조합을 이용하여 조건 (가)를 만족시키는 순서쌍 (a, b, c)의 개수를 구한 후 조합으로 조건 (나)를 만족시키지 않는 순서쌍 (a, b, c)의 개수를 구한 다음 차를 구하여 구하는 순서쌍 (a, b, c)의 개수를 구한다.

조건 (가)를 만족시키는 순서쌍 (a, b, c)의 개수는

$$_8H_3 = {}_{8+3-1}C_3 = {}_{10}C_3 = 120$$

이때 조건 (나)를 만족시키지 않는 경우는

$$(a - b)(b - c) \neq 0$$

즉, $a < b < c \leq 8$　　　…… ㉠

㉠을 만족시키는 순서쌍 (a, b, c)의 개수는

$$_8C_3 = 56$$

따라서 구하는 모든 순서쌍 (a, b, c)의 개수는

$$120 - 56 = 64$$

●핵심 공식

▶ 중복조합

$_nH_r$은 서로 다른 n개의 원소에서 r개를 뽑는 경우의 수이다.

$$_nH_r = {}_{n+r-1}C_r$$

★★★ 등급을 가르는 문제!

30 조건부확률　　　정답률 21% | 정답 5

주머니에 숫자 1, 2가 하나씩 적혀 있는 흰 공 2개와 숫자 1, 2, 3이 하나씩 적혀 있는 검은 공 3개가 들어 있다.
이 주머니를 사용하여 다음 시행을 한다.

주머니에서 임의로 2개의 공을 동시에 꺼내어 꺼낸 공이 서로 같은 색이면 꺼낸 공 중 임의로 1개의 공을 주머니에 다시 넣고, 꺼낸 공이 서로 다른 색이면 꺼낸 공을 주머니에 다시 넣지 않는다.

❶ 이 시행을 한 번 한 후 주머니에 들어 있는 모든 공에 적힌 수의 합이 3의 배수일 때, 주머니에서 꺼낸 2개의 공이 서로 다른 색일 확률은 $\dfrac{q}{p}$이다.

$p + q$의 값을 구하시오. (단, p와 q는 서로소인 자연수이다.) [4점]

꺼낸 2개의 공의 색깔에 따라 경우를 나누어 ❶을 만족하는 확률을 구한 후 조건부확률로 구하는 확률을 구한다.

시행을 한 번 한 후 주머니에 들어 있는 모든 공에 적힌 수의 합이 3의 배수인 사건을 A, 주머니에서 꺼낸 2개의 공이 서로 다른 색인 사건을 B라 하자.
주머니에 들어 있는 모든 공에 적힌 수의 합이 9이므로 이 시행을 한 번 한 후 주머니에 들어 있는 공에 적힌 수의 합이 3의 배수가 되는 경우는 꺼낸 2개의 공의 색깔에 따라 다음과 같이 두 가지이다.

(i) 꺼낸 2개의 공이 서로 다른 색인 경우
꺼낸 2개의 공이 (①, ❷) 또는 (②, ❶)이어야 하므로
$$P(A \cap B) = \frac{2}{{}_5C_2} = \frac{1}{5}$$

(ii) 꺼낸 2개의 공이 서로 같은 색인 경우
꺼낸 2개의 공이 (❶, ❸)이고 이 두 개의 공 중 ❶을 주머니에 다시 넣거나,
꺼낸 2개의 공이 (②, ❸)이고 이 두 개의 공 중 ②를 주머니에 다시 넣어야
하므로
$$P(A \cap B^C) = \frac{1}{{}_5C_2} \times \frac{1}{2} + \frac{1}{{}_5C_2} \times \frac{1}{2} = \frac{1}{10}$$

(i), (ii)에서 구하는 확률은
$$P(B|A) = \frac{P(A \cap B)}{P(A)} = \frac{P(A \cap B)}{P(A \cap B) + P(A \cap B^C)} = \frac{\frac{1}{5}}{\frac{1}{5} + \frac{1}{10}} = \frac{2}{3}$$

따라서 $p = 3$, $q = 2$이므로 $p + q = 5$

● 핵심 공식

▶ 조건부확률
확률이 0이 아닌 두 사건 A, B에 대하여 사건 A가 일어났다고 가정할 때, 사건 B가 일어날 확률을 사건 A가 일어났을 때의 사건 B의 조건부 확률이라 하고, 이것을 $P(B|A)$로 나타낸다.
$$P(B|A) = \frac{P(A \cap B)}{P(A)} \quad (단, P(A) > 0)$$

★★ 문제 해결 꿀~팁 ★★

▶ 문제 해결 방법
시행을 한 번 한 후 주머니에 들어 있는 모든 공에 적힌 수의 합이 3의 배수가 되는 경우는 꺼낸 2개의 공의 색깔에 따라 경우와 확률이 달라지므로 꺼낸 2개의 공의 색깔에 따라 경우를 나누어 확률을 구해야 한다.
꺼낸 공의 색이 서로 다른 경우는 1, 2가 적힌 서로 다른 색의 공을 꺼내기만 하면 되지만 꺼낸 공의 색이 서로 같은 경우는 꺼낸 공 중 한 개를 다시 넣어야 하므로 한 개의 공만 꺼낸다고 생각해도 무방하다. 처음 주머니에 들어 있는 모든 공에 적힌 수의 합이 3의 배수이므로 한 개의 공을 꺼낸 후에도 합이 3의 배수가 되려면 꺼낼 수 있는 한 개의 공은 3이 적힌 1개의 공뿐이다. 꺼낸 공의 색이 서로 다른 경우도 꺼낸 두 개의 공에 적혀 있는 숫자의 합이 3의 배수가 되려면 꺼낼 수 있는 두 개의 공은 1과 2가 적힌 공이다. 조건을 만족하는 경우가 그다지 많지 않으므로 실수하지 않고 경우를 따져 경우의 수를 구하고 조건부 확률로 구하는 확률을 구하면 된다.

미적분

23 수열의 극한   정답률 95% | 정답 ④

❶ $\lim\limits_{n \to \infty} \dfrac{2n^2 + 3n - 5}{n^2 + 1}$의 값은? [2점]

① $\dfrac{1}{2}$ ② 1   ③ $\dfrac{3}{2}$ ④ 2   ⑤ $\dfrac{5}{2}$

STEP 01 ❶의 분자와 분모를 각각 n^2으로 나누어 극한값을 구한다.

$$\lim_{n \to \infty} \frac{2n^2 + 3n - 5}{n^2 + 1} = \lim_{n \to \infty} \frac{2 + \frac{3}{n} - \frac{5}{n^2}}{1 + \frac{1}{n^2}} = 2$$

24 정적분과 급수 사이의 관계   정답률 74% | 정답 ②

❶ $\lim\limits_{n \to \infty} \dfrac{2\pi}{n} \sum\limits_{k=1}^{n} \sin \dfrac{\pi k}{3n}$의 값은? [3점]

① $\dfrac{5}{2}$ ② 3   ③ $\dfrac{7}{2}$ ④ 4   ⑤ $\dfrac{9}{2}$

STEP 01 ❶을 적분으로 변형한 후 적분하여 값을 구한다.

$x_k = \dfrac{\pi k}{3n}$라 하면 $\Delta x = \dfrac{\pi}{3n}$이므로

$$\lim_{n \to \infty} \frac{2\pi}{n} \sum_{k=1}^{n} \sin \frac{\pi k}{3n} = 6 \times \int_0^{\frac{\pi}{3}} \sin x \, dx = 6 \times \left[-\cos x \right]_0^{\frac{\pi}{3}} = 3$$

● 핵심 공식

▶ 정적분과 무한급수
(1) $\lim\limits_{n \to \infty} \sum\limits_{k=1}^{n} f\left(\dfrac{k}{n}\right) \dfrac{1}{n} = \int_0^1 f(x)dx$

(2) $\lim\limits_{n \to \infty} \sum\limits_{k=1}^{n} f\left(\dfrac{p}{n}k\right) \dfrac{p}{n} = \int_0^p f(x)dx$

(3) $\lim\limits_{n \to \infty} \sum\limits_{k=1}^{n} f\left(a + \dfrac{b-a}{n}k\right) \dfrac{b-a}{n} = \int_a^b f(x)dx$

(4) $\lim\limits_{n \to \infty} \sum\limits_{k=1}^{n} f\left(a + \dfrac{p}{n}k\right) \dfrac{p}{n} = \int_a^{a+p} f(x)dx = \int_0^p f(a+x)dx = \int_0^1 pf(a+px)dx$

25 정적분을 이용한 입체도형의 부피   정답률 86% | 정답 ③

그림과 같이 곡선 $y = \dfrac{2}{\sqrt{x}}$와 x축 및 두 직선 $x=1$, $x=4$로 둘러싸인 부분을 밑면으로 하고 x축에 수직인 평면으로 자른 단면이 모두 정사각형인 입체도형의 부피는? [3점]

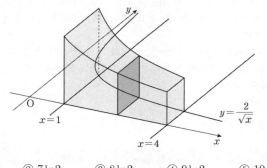

① $6\ln 2$ ② $7\ln 2$ ③ $8\ln 2$ ④ $9\ln 2$ ⑤ $10\ln 2$

STEP 01 단면의 넓이를 구한 후 적분하여 부피를 구한다.

x좌표가 $t (1 \le t \le 4)$인 점을 지나고 x축에 수직인 평면으로 입체도형을 자른 단면의 넓이를 $S(t)$라 하면
$$S(t) = \left(\frac{2}{\sqrt{t}}\right)^2 = \frac{4}{t}$$

따라서 구하는 부피는
$$\int_1^4 S(t)dt = \int_1^4 \frac{4}{t} dt = \left[4\ln t \right]_1^4 = 8\ln 2$$

26 역함수의 미분법   정답률 69% | 정답 ⑤

함수 $f(x) = e^{2x} + e^x - 1$의 역함수를 $g(x)$라 할 때, 함수 ❶ $g(5f(x))$의 $x=0$에서의 미분계수는? [3점]

① $\dfrac{1}{2}$ ② $\dfrac{3}{4}$ ③ 1   ④ $\dfrac{5}{4}$ ⑤ $\dfrac{3}{2}$

STEP 01 역함수의 미분법으로 $f(x)$의 미분을 이용하여 ❶을 구한다.

$f'(x) = 2e^{2x} + e^x$에서 $f'(0) = 3$
$h(x) = g(5f(x))$라 하면 $f(0) = 1$이므로
$h'(0) = g'(5f(0)) \times 5f'(0) = 15g'(5)$
$g(5) = t$로 놓으면 $f(t) = 5$에서
$e^{2t} + e^t - 1 = 5$, $(e^t - 2)(e^t + 3) = 0$
$e^t > 0$이므로 $e^t = 2$, 즉 $t = \ln 2$
$f'(\ln 2) = 2e^{2\ln 2} + e^{\ln 2} = 10$
따라서 $h'(0) = 15g'(5) = 15 \times \dfrac{1}{f'(\ln 2)} = \dfrac{3}{2}$

27 등비급수

모든 항이 자연수인 등비수열 $\{a_n\}$에 대하여

❶ $\displaystyle\sum_{n=1}^{\infty} \frac{a_n}{3^n} = 4$

이고 급수 ❷ $\displaystyle\sum_{n=1}^{\infty} \frac{1}{a_{2n}}$ 이 실수 S에 수렴할 때, S의 값은? [3점]

① $\dfrac{1}{6}$ 　② $\dfrac{1}{5}$ 　③ $\dfrac{1}{4}$ 　④ $\dfrac{1}{3}$ 　⑤ $\dfrac{1}{2}$

STEP 01 ❶, ❷에서 각 급수의 첫째항과 공비를 구한 후 등비급수가 수렴할 조건으로 수열 $\{a_n\}$의 공비를 구한다.

등비수열 $\{a_n\}$의 첫째항을 a, 공비를 r라 하자.

급수 $\displaystyle\sum_{n=1}^{\infty} \frac{a_n}{3^n}$ 은 첫째항이 $\dfrac{a}{3}$, 공비가 $\dfrac{r}{3}$인 등비급수이고 수렴하므로

$$-1 < \frac{r}{3} < 1, \ -3 < r < 3 \qquad\cdots\cdots \text{㉠}$$

급수 $\displaystyle\sum_{n=1}^{\infty} \frac{1}{a_{2n}}$ 은 첫째항이 $\dfrac{1}{ar}$, 공비가 $\dfrac{1}{r^2}$인 등비급수이고 수렴하므로

$$-1 < \frac{1}{r^2} < 1, \ r^2 > 1 \qquad\cdots\cdots \text{㉡}$$

수열 $\{a_n\}$의 모든 항이 자연수이므로 ㉠, ㉡에서 $r = 2$

STEP 02 ❶에서 수열 $\{a_n\}$의 첫째항을 구한 후 ❷에 이용하여 등비급수로 S의 값을 구한다.

$$\sum_{n=1}^{\infty} \frac{a_n}{3^n} = \frac{\dfrac{a}{3}}{1 - \dfrac{2}{3}} = a = 4$$

$a_n = 4 \times 2^{n-1} = 2^{n+1}$이므로

$$S = \sum_{n=1}^{\infty} \frac{1}{a_{2n}} = \sum_{n=1}^{\infty} \frac{1}{2^{2n+1}} = \frac{\dfrac{1}{8}}{1 - \dfrac{1}{4}} = \frac{1}{6}$$

● **핵심 공식**

▶ 등비급수

무한등비급수 $\displaystyle\sum_{n=1}^{\infty} ar^{n-1} = a + ar + ar^2 + \cdots + ar^{n-1} + \cdots \ (a \neq 0)$

에서 $|r| < 1$이면 수렴하고 그 합은 $\dfrac{a}{1-r}$이다.

28 적분의 활용

함수

$$f(x) = \sin x \cos x \times e^{a\sin x + b\cos x}$$

이 다음 조건을 만족시키도록 하는 서로 다른 두 실수 a, b의 순서쌍 (a, b)에 대하여 $a-b$의 최솟값은? [4점]

(가) $ab = 0$

(나) $\displaystyle\int_0^{\frac{\pi}{2}} f(x)dx = \frac{1}{a^2 + b^2} - 2e^{a+b}$

① $-\dfrac{5}{2}$ 　② -2 　③ $-\dfrac{3}{2}$ 　④ -1 　⑤ $-\dfrac{1}{2}$

STEP 01 조건 (가)를 만족하는 경우를 나누어 각 $f(x)$를 조건 (나)에 대입하고 적분하여 a, b를 구한 다음 $a-b$의 최솟값을 구한다.

$a \neq b$이므로 조건 (가)에서
$a \neq 0$, $b = 0$ 또는 $a = 0$, $b \neq 0$

(i) $a \neq 0$, $b = 0$일 때

$\sin x = t$로 놓으면 $x = 0$일 때 $t = 0$, $x = \dfrac{\pi}{2}$일 때 $t = 1$이고

$\dfrac{dt}{dx} = \cos x$이므로

$$\int_0^{\frac{\pi}{2}} f(x)dx = \int_0^{\frac{\pi}{2}} (\sin x \cos x \times e^{a\sin x})dx$$
$$= \int_0^1 te^{at}dt = \left[\frac{t}{a}e^{at}\right]_0^1 - \int_0^1 \frac{1}{a}e^{at}dt$$

$$= \frac{e^a}{a} - \left[\frac{1}{a^2}e^{at}\right]_0^1$$
$$= \frac{(a-1)e^a + 1}{a^2}$$

조건 (나)에서 $\dfrac{(a-1)e^a + 1}{a^2} = \dfrac{1}{a^2} - 2e^a$

$a - 1 = -2a^2$, $(a+1)(2a-1) = 0$

$a = -1$ 또는 $a = \dfrac{1}{2}$

(ii) $a = 0$, $b \neq 0$일 때,

$\cos x = t$로 놓으면 $x = 0$일 때 $t = 1$, $x = \dfrac{\pi}{2}$일 때 $t = 0$이고

$\dfrac{dt}{dx} = -\sin x$이므로

$$\int_0^{\frac{\pi}{2}} f(x)dx = \int_0^{\frac{\pi}{2}} (\sin x \cos x \times e^{b\cos x})dx$$
$$= -\int_1^0 te^{bt}dt = \int_0^1 te^{bt}dt$$
$$= \left[\frac{t}{b}e^{bt}\right]_0^1 - \int_0^1 \frac{1}{b}e^{bt}dt$$
$$= \frac{e^b}{b} - \left[\frac{1}{b^2}e^{bt}\right]_0^1$$
$$= \frac{(b-1)e^b + 1}{b^2}$$

조건 (나)에서 $\dfrac{(b-1)e^b + 1}{b^2} = \dfrac{1}{b^2} - 2e^b$

$b - 1 = -2b^2$, $(b+1)(2b-1) = 0$

$b = -1$ 또는 $b = \dfrac{1}{2}$

(i), (ii)에서 두 실수 a, b의 순서쌍 (a, b)는
$(-1, 0)$, $\left(\dfrac{1}{2}, 0\right)$, $(0, -1)$, $\left(0, \dfrac{1}{2}\right)$

따라서 $a - b$의 최솟값은
$-1 - 0 = -1$

29 삼각함수의 극한

그림과 같이 $\overline{AB} = \overline{AC}$, $\overline{BC} = 2$인 삼각형 ABC에 대하여 선분 AB를 지름으로 하는 원이 선분 AC와 만나는 점 중 A가 아닌 점을 D라 하고, 선분 AB의 중점을 E라 하자. $\angle BAC = \theta$일 때, 삼각형 CDE의 넓이를 $S(\theta)$라 하자. $60 \times \displaystyle\lim_{\theta \to 0+} \frac{S(\theta)}{\theta}$의 값을 구하시오. $\left(\text{단, } 0 < \theta < \dfrac{\pi}{2}\right)$ [4점]

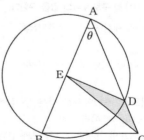

STEP 01 $\overline{CD}$와 $\overline{EH}$를 구한 후 $S(\theta)$를 구한 다음 삼각함수의 극한으로 극한값을 구하여 $60 \times \displaystyle\lim_{\theta \to 0+} \frac{S(\theta)}{\theta}$의 값을 구한다.

삼각형 ABC에서 $\overline{AB} = \overline{AC}$이고 $\angle BAC = \theta$이므로

$\angle BCA = \dfrac{\pi}{2} - \dfrac{\theta}{2}$

점 D는 선분 AB를 지름으로 하는 원 위에 있으므로

$\angle BDA = \dfrac{\pi}{2}$

$\overline{CD} = \overline{BC} \times \cos\left(\dfrac{\pi}{2} - \dfrac{\theta}{2}\right) = 2\sin\dfrac{\theta}{2}$

점 E에서 선분 AC에 내린 수선의 발을 H라 하면
두 삼각형 AEH와 ABD는 서로 닮음이고 닮음비는 $1 : 2$이다.

$\overline{EH} = \dfrac{1}{2} \times \overline{BD} = \dfrac{1}{2} \times \overline{BC} \times \sin\left(\dfrac{\pi}{2} - \dfrac{\theta}{2}\right) = \cos\dfrac{\theta}{2}$

$S(\theta) = \dfrac{1}{2} \times \overline{CD} \times \overline{EH} = \sin\dfrac{\theta}{2}\cos\dfrac{\theta}{2}$

$$\lim_{\theta \to 0+} \frac{S(\theta)}{\theta} = \lim_{\theta \to 0+} \left(\frac{1}{2} \times \frac{\sin \frac{\theta}{2}}{\frac{\theta}{2}} \times \cos \frac{\theta}{2} \right) = \frac{1}{2}$$

따라서 $60 \times \lim_{\theta \to 0+} \frac{S(\theta)}{\theta} = 30$

● 핵심 공식

▶ $\frac{0}{0}$ 꼴의 삼각함수의 극한

x의 단위는 라디안일 때

① $\lim_{x \to 0} \frac{\sin x}{x} = 1$ ② $\lim_{x \to 0} \frac{\tan x}{x} = 1$

③ $\lim_{x \to 0} \frac{\sin bx}{ax} = \frac{b}{a}$ ④ $\lim_{x \to 0} \frac{\tan bx}{ax} = \frac{b}{a}$

⑤ $\lim_{x \to 0} \frac{\sin bx}{\tan ax} = \frac{b}{a}$

★★★ 등급을 가르는 문제!

30 미분법의 활용 정답률 14% | 정답 91

두 정수 a, b에 대하여 함수

$$f(x) = (x^2 + ax + b)e^{-x}$$

이 다음 조건을 만족시킨다.

(가) 함수 $f(x)$는 극값을 갖는다.
(나) 함수 $|f(x)|$가 $x = k$에서 극대 또는 극소인 모든 k의 값의 합은 3 이다.

$f(10) = pe^{-10}$일 때, p의 값을 구하시오. [4점]

STEP 01 $f'(x)$를 구한 뒤 조건 (가)를 만족할 조건을 구한다.

$f'(x) = (2x+a)e^{-x} - (x^2+ax+b)e^{-x}$
$= -\{x^2 + (a-2)x + b - a\}e^{-x}$

$f'(x) = 0$에서 모든 실수 x에 대하여 $e^{-x} > 0$이므로

$x^2 + (a-2)x + b - a = 0$ $\cdots\cdots$ ㉠

조건 (가)에서 이차방정식 ㉠은 서로 다른 두 실근을 가져야 한다.
이 두 실근을 α, $\beta(\alpha < \beta)$라 하자.
이차방정식 ㉠의 판별식을 D_1이라 하면

$D_1 = (a-2)^2 - 4(b-a) = a^2 + 4 - 4b > 0$

STEP 02 $x^2 + ax + b = 0$의 근의 개수에 따라 경우를 나누고 각 경우에 대하여 $y = |f(x)|$의 그래프를 그려 극값을 갖는 x좌표가 조건 (나)를 만족하도록 정수 a, b를 구하여 $f(x)$를 구한 다음 $f(10)$을 구하여 p의 값을 구한다.

$f(x) = 0$에서 모든 실수 x에 대하여 $e^{-x} > 0$이므로

$x^2 + ax + b = 0$ $\cdots\cdots$ ㉡

이차방정식 ㉡의 판별식을 D_2라 하면 $D_2 = a^2 - 4b$

(i) $D_2 > 0$인 경우

함수 $y = f(x)$의 그래프가 x축과 서로 다른 두 점에서 만나고,
이 두 점의 x좌표를 γ, $\delta(\gamma < \delta)$라 하면
함수 $y = |f(x)|$의 그래프의 개형은 [그림 1]과 같다.

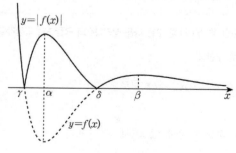

[그림 1]

함수 $|f(x)|$는 $x = \alpha$, $x = \beta$에서 극대이고 $x = \gamma$, $x = \delta$에서 극소이므로 조건 (나)에서 모든 k의 값의 합은 이차방정식 ㉠의 서로 다른 두 실근 α, β와 이차방정식 ㉡의 서로 다른 두 실근 γ, δ의 합과 같다.
이차방정식의 근과 계수의 관계에 의하여

$(\alpha + \beta) + (\gamma + \delta) = (2-a) + (-a) = 3$

$a = -\frac{1}{2}$

이때 a는 정수가 아니므로 조건을 만족시키지 않는다.

(ii) $D_2 = 0$인 경우

함수 $y = f(x)$의 그래프가 x축에 접하고, 이 접점의 x좌표는 α이므로
함수 $y = |f(x)|$의 그래프의 개형은 [그림 2]와 같다.

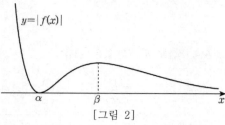

[그림 2]

함수 $|f(x)|$는 $x = \beta$에서 극대이고 $x = \alpha$에서 극소이므로 조건 (나)에서
모든 k의 값의 합은 이차방정식 ㉠의 서로 다른 두 실근 α, β의 합과 같다.
이차방정식의 근과 계수의 관계에 의하여

$\alpha + \beta = 2 - a = 3$, $a = -1$

$D_2 = (-1)^2 - 4b = 0$, $b = \frac{1}{4}$

이때 b는 정수가 아니므로 조건을 만족시키지 않는다.

(iii) $D_2 < 0$인 경우

함수 $y = f(x)$의 그래프가 x축과 만나지 않으므로 함수 $y = |f(x)|$의
그래프의 개형은 [그림 3]과 같다.

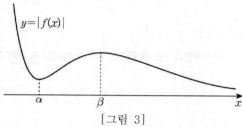

[그림 3]

함수 $|f(x)|$는 $x = \beta$에서 극대이고 $x = \alpha$에서 극소이므로 조건 (나)에서
모든 k의 값의 합은 이차방정식 ㉠의 서로 다른 두 실근 α, β의 합과 같다.
이차방정식의 근과 계수의 관계에 의하여

$\alpha + \beta = 2 - a = 3$, $a = -1$

$D_1 = (-1)^2 + 4 - 4b > 0$, $b < \frac{5}{4}$

$D_2 = (-1)^2 - 4b < 0$, $b > \frac{1}{4}$

$\frac{1}{4} < b < \frac{5}{4}$이고 b는 정수이므로 $b = 1$

(i), (ii), (iii)에서 조건을 만족시키는 정수 a, b의 값이 $a = -1$, $b = 1$이므로

$f(x) = (x^2 - x + 1)e^{-x}$

따라서 $f(10) = (10^2 - 10 + 1)e^{-10} = 91e^{-10}$이므로

$p = 91$

★★ 문제 해결 꿀~팁 ★★

▶ 문제 해결 방법

$f(x)$가 극값을 가지므로 $f'(x) = 0$이 실근을 가져야 한다.
$f'(x) = -\{x^2 + (a-2)x + b - a\}e^{-x}$이고 $e^{-x} > 0$이므로
$x^2 + (a-2)x + b - a = 0$은 서로 다른 두 실근을 가져야 한다.
그러므로 판별식 $D_1 = a^2 + 4 - 4b > 0$이다.

한편 $y = |f(x)|$의 그래프는 $x^2 + ax + b = 0$의 근의 개수에 따라 그래프의 개형이 달라지므로 $x^2 + ax + b = 0$의 근의 개수에 따라 그래프를 각각 그려 조건 (나)를 만족할 수 있는지 확인하여야 한다. 각 그래프에서 극값을 갖는 모든 x좌표의 합이 3임으로 식을 세운 후 이 식이 판별식 D_1과 D_2를 모두 만족할 수 있는지 확인하여 만족하는 정수 a, b를 구하면 된다.

$f(x)$가 e의 지수함수와 이차함수의 곱으로 이루어져 있어 $y = |f(x)|$의 그래프를 그리는 것이 어렵게 느껴질 수도 있으나 $y = e^{-x}$도 일반적인 지수함수처럼 모든 실수 x에 대하여 항상 양수이며 양극한값이 ∞와 0이므로 $y = f(x)$의 그래프는 일반적인 이차함수의 그래프에서 x가 커질 때 극한값이 0으로 가도록만 수정을 해주면 된다. 그래프의 개형이 쉽게 유추되지 않는 경우는 근과 양극한값을 따져주어 유추하는 것이 비교적 편리한 방법이다.

또한 함수가 극값을 가진다는 의미가 $f'(x) = 0$이 실근을 가진다는 뜻임을 알아야 한다.

[문제편 p.224]

•정답•

공통 | 수학
01 ③ 02 ② 03 ③ 04 ④ 05 ⑤ 06 ③ 07 ① 08 ② 09 ③ 10 ⑤ 11 ④ 12 ④ 13 ① 14 ② 15 ①
16 5 17 15 18 109 19 80 20 226 21 8 22 82
선택 | 확률과 통계
23 ② 24 ① 25 ③ 26 ④ 27 ⑤ 28 ④ 29 105 30 17
선택 | 미적분
23 ① 24 ② 25 ⑤ 26 ② 27 ④ 28 ② 29 20 30 12

★ 표기된 문항은 [등급을 가르는 문항]에 해당하는 문제입니다.

---

01 지수법칙
정답률 89% | 정답 ③

❶ $\sqrt{8} \times 4^{\frac{1}{4}}$ 의 값은? [2점]

① 2 ② $2\sqrt{2}$ ③ 4 ④ $4\sqrt{2}$ ⑤ 8

STEP 01 지수법칙으로 ❶의 값을 구한다.

$$\sqrt{8} \times 4^{\frac{1}{4}} = 2^{\frac{3}{2}} \times (2^2)^{\frac{1}{4}} = 2^{\frac{3}{2}} \times 2^{\frac{1}{2}} = 2^{\frac{3}{2}+\frac{1}{2}} = 4$$

●핵심 공식

▶ 지수법칙

$a > 0$, $b > 0$이고, m, n이 실수일 때

(1) $a^m a^n = a^{m+n}$
(2) $(a^m)^n = a^{mn}$
(3) $(ab)^n = a^n b^n$
(4) $a^m \div a^n = a^{m-n}$
(5) $\sqrt[m]{a^n} = a^{\frac{n}{m}}$
(6) $\frac{1}{a^n} = a^{-n}$
(7) $a^0 = 1$

---

02 정적분
정답률 87% | 정답 ②

❶ $\int_0^2 (2x^3 + 3x^2)dx$ 의 값은? [2점]

① 14 ② 16 ③ 18 ④ 20 ⑤ 22

STEP 01 ❶을 적분하여 값을 구한다.

$$\int_0^2 (2x^3 + 3x^2)dx = \left[\frac{x^4}{2} + x^3\right]_0^2 = 16$$

---

03 등비수열
정답률 86% | 정답 ③

모든 항이 양수인 등비수열 $\{a_n\}$에 대하여

❶ $a_1 a_3 = 4$, $a_3 a_5 = 64$

일 때, a_6의 값은? [3점]

① 16 ② $16\sqrt{2}$ ③ 32 ④ $32\sqrt{2}$ ⑤ 64

STEP 01 ❶에 등비중항을 이용하여 공비를 구한 후 a_6의 값을 구한다.

$a_1 a_3 = (a_2)^2 = 4$, $a_3 a_5 = (a_4)^2 = 64$에서 $a_2 = 2$, $a_4 = 8$이고
등비수열 $\{a_n\}$의 공비는 2이므로 $a_6 = 8 \times 2^2 = 32$

---

04 함수의 극한
정답률 90% | 정답 ④

함수 $y = f(x)$의 그래프가 그림과 같다.

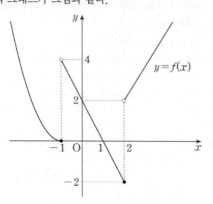

---

❶ $\lim_{x \to -1+} f(x) + \lim_{x \to 2-} f(x)$ 의 값은? [3점]

① −4 ② −2 ③ 0 ④ 2 ⑤ 4

STEP 01 그래프에서 ❶의 두 극한값을 각각 구한 후 합을 구한다.

$$\lim_{x \to -1+} f(x) + \lim_{x \to 2-} f(x) = 4 + (-2) = 2$$

---

05 삼각함수의 성질
정답률 68% | 정답 ⑤

$\frac{\pi}{2} < \theta < \pi$인 θ에 대하여 ❶ $\sin\theta = 2\cos(\pi - \theta)$일 때,

$\cos\theta\tan\theta$의 값은? [3점]

① $-\frac{2\sqrt{5}}{5}$ ② $-\frac{\sqrt{5}}{5}$ ③ $\frac{1}{5}$ ④ $\frac{\sqrt{5}}{5}$ ⑤ $\frac{2\sqrt{5}}{5}$

STEP 01 삼각함수의 성질을 이용하여 ❶에서 $\sin\theta$를 구한 후 $\cos\theta\tan\theta$의 값을 구한다.

$\cos(\pi - \theta) = -\cos\theta$ 이므로
$\sin\theta = -2\cos\theta$ 이다.

$\sin^2\theta + \cos^2\theta = 1$ 이므로 $\sin^2\theta = \frac{4}{5}$

$\frac{\pi}{2} < \theta < \pi$이므로 $\sin\theta = \frac{2\sqrt{5}}{5}$

$\cos\theta\tan\theta = \cos\theta \times \frac{\sin\theta}{\cos\theta} = \sin\theta = \frac{2\sqrt{5}}{5}$

---

06 접선의 방정식
정답률 75% | 정답 ③

함수 $f(x) = x^3 - 2x^2 + 2x + a$에 대하여 ❶ 곡선 $y = f(x)$ 위의 점 $(1, f(1))$에서의 접선이 x축, y축과 만나는 점을 각각 P, Q라 하자.
❷ $\overline{PQ} = 6$일 때, 양수 a의 값은? [3점]

① $2\sqrt{2}$ ② $\frac{5\sqrt{2}}{2}$ ③ $3\sqrt{2}$ ④ $\frac{7\sqrt{2}}{2}$ ⑤ $4\sqrt{2}$

STEP 01 $f(x)$의 미분을 이용하여 ❶을 구한 후 두 점 P, Q의 좌표를 구한 다음 ❷를 이용하여 양수 a의 값을 구한다.

$f(x) = x^3 - 2x^2 + 2x + a$에서
$f'(x) = 3x^2 - 4x + 2$,
$f(1) = a + 1$, $f'(1) = 1$이므로
곡선 위의 점 $(1, f(1))$에서의 접선의 방정식은
$y = (x - 1) + a + 1$, 즉 $y = x + a$
두 점 P, Q의 좌표는 각각 $(-a, 0)$, $(0, a)$이다.
$\overline{PQ} = 6$에서 $\sqrt{a^2 + a^2} = 6$, $a^2 = 18$
$a > 0$이므로 $a = 3\sqrt{2}$

●핵심 공식

▶ 접선의 방정식
곡선 $y = f(x)$ 위의 점 $(a, f(a))$에서의 접선의 방정식은 $y - f(a) = f'(a)(x - a)$

---

07 정적분을 활용한 도형의 넓이
정답률 72% | 정답 ①

두 함수

$$f(x) = x^2 - 4x, \quad g(x) = \begin{cases} -x^2 + 2x & (x < 2) \\ -x^2 + 6x - 8 & (x \geq 2) \end{cases}$$

의 그래프로 둘러싸인 부분의 넓이는? [3점]

① $\frac{40}{3}$ ② 14 ③ $\frac{44}{3}$ ④ $\frac{46}{3}$ ⑤ 16

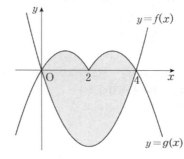

STEP 01 적분으로 구하는 넓이를 구한다.

두 함수 $y=f(x)$, $y=g(x)$의 그래프로 둘러싸인 부분에서
$0 \le x \le 2$인 부분과 $2 \le x \le 4$인 부분의 넓이가 같으므로
구하는 넓이를 S라 하면

$$S = \int_0^4 \{g(x)-f(x)\}dx$$
$$= 2\int_0^2 (-2x^2+6x)dx$$
$$= 2\left[-\frac{2}{3}x^3+3x^2\right]_0^2 = \frac{40}{3}$$

---

08 수열의 귀납적 정의 　　　　　　정답률 74% | 정답 ②

❶ 첫째항이 20인 수열 $\{a_n\}$이 모든 자연수 n에 대하여

❷ $a_{n+1} = |a_n| - 2$

를 만족시킬 때, $\displaystyle\sum_{n=1}^{30} a_n$의 값은? [3점]

① 88　　② 90　　③ 92　　④ 94　　⑤ 96

STEP 01 ❶, ❷에 의해 n의 범위를 나누어 a_n을 구한 후 $\displaystyle\sum_{n=1}^{30} a_n$의 값을 구한다.

(i) $1 \le n \le 10$인 경우
$a_1 = 20$, $a_{n+1} = a_n - 2$이므로
$a_n = -2n + 22$

$$\sum_{n=1}^{10} a_n = \sum_{n=1}^{10}(-2n+22) = 110$$

(ii) $11 \le n \le 30$인 경우
$a_{10} = 2$이므로

$$a_n = \begin{cases} 0 & (n\text{이 홀수인 경우}) \\ -2 & (n\text{이 짝수인 경우}) \end{cases}$$

$$\sum_{n=11}^{30} a_n = (-2) \times 10 = -20$$

(i), (ii)에서 $\displaystyle\sum_{n=1}^{30} a_n = 110 + (-20) = 90$

---

09 도함수의 성질 　　　　　　정답률 67% | 정답 ③

최고차항의 계수가 1인 다항함수 $f(x)$가 모든 실수 x에 대하여

❶ $xf'(x) - 3f(x) = 2x^2 - 8x$

를 만족시킬 때, $f(1)$의 값은? [4점]

① 1　　② 2　　③ 3　　④ 4　　⑤ 5

STEP 01 ❶에서 $f(x)$의 차수를 결정하여 $f(x)$를 놓고 ❶에 대입하여 $f(x)$를 구한 후 $f(1)$의 값을 구한다.

주어진 등식의 양변에 $x=0$을 대입하면
$f(0) = 0$
다항함수 $f(x)$의 차수를 n이라 하자.
(i) $n \le 1$일 때
　주어진 등식의 좌변의 차수는 1 이하이고, 우변의 차수는 2이므로 등식이
　성립하지 않는다.
(ii) $n = 2$일 때
　주어진 등식의 좌변의 이차항의 계수는 -1이고, 우변의 이차항의 계수는
　2이므로 등식이 성립하지 않는다.
(iii) $n \ge 3$일 때
　주어진 등식의 좌변의 n차항의 계수가 $n-3$이고 우변의 차수는 2이므로
　등식이 성립하기 위해서는 $n=3$이어야 한다.
(i), (ii), (iii)에서 $f(x)$는 삼차함수이므로
$f(x) = x^3 + ax^2 + bx$ (a, b는 상수)라 하면
$f'(x) = 3x^2 + 2ax + b$이고
$xf'(x) - 3f(x) = x(3x^2+2ax+b) - 3(x^3+ax^2+bx) = -ax^2 - 2bx$
주어진 등식이 모든 실수 x대하여 성립하므로
$-a = 2$, $-2b = -8$에서 $a = -2$, $b = 4$이고
$f(x) = x^3 - 2x^2 + 4x$
따라서
$f(1) = 1 - 2 + 4 = 3$

---

10 로그함수의 활용 　　　　　　정답률 45% | 정답 ⑤

$a > 1$인 실수 a에 대하여 두 곡선

❶ $y = -\log_2(-x)$, $y = \log_2(x+2a)$

가 만나는 두 점을 A, B라 하자. ❷ 선분 AB의 중점이 직선 $4x+3y+5=0$
위에 있을 때, 선분 AB의 길이는? [4점]

① $\dfrac{3}{2}$　　② $\dfrac{7}{4}$　　③ 2　　④ $\dfrac{9}{4}$　　⑤ $\dfrac{5}{2}$

STEP 01 ❶의 두 식을 연립하여 선분 AB의 중점의 좌표를 구한 후 ❷를 이용하여 a를 구한다.

두 점 A, B의 좌표를 각각 (x_1, y_1), (x_2, y_2)라 하자.
$-\log_2(-x) = \log_2(x+2a)$에서
$\log_2(x+2a) + \log_2(-x) = 0$
$\log_2\{-x(x+2a)\} = 0$
$-x(x+2a) = 1$
$x^2 + 2ax + 1 = 0$ 　　　……㉠
이차방정식 ㉠의 두 실근이 x_1, x_2이므로 근과 계수의 관계에 의하여
$x_1 + x_2 = -2a$, $x_1 x_2 = 1$이다.
이때
$y_1 + y_2 = -\log_2(-x_1) - \log_2(-x_2) = -\log_2 x_1 x_2 = -\log_2 1 = 0$
이므로 선분 AB의 중점의 좌표는 $(-a, 0)$이다.
선분 AB의 중점이 직선 $4x+3y+5=0$ 위에 있으므로
$-4a + 5 = 0$에서 $a = \dfrac{5}{4}$

STEP 02 a를 ㉠에 대입하여 두 점 A, B의 좌표를 구한 후 $\overline{AB}$를 구한다.

$a = \dfrac{5}{4}$를 ㉠에 대입하면

$x^2 + \dfrac{5}{2}x + 1 = 0$, $2x^2 + 5x + 2 = 0$
$(x+2)(2x+1) = 0$
$x = -2$ 또는 $x = -\dfrac{1}{2}$

따라서 두 교점의 좌표는
$(-2, -1)$, $\left(-\dfrac{1}{2}, 1\right)$이고

$$\overline{AB} = \sqrt{\left(\frac{3}{2}\right)^2 + 2^2} = \frac{5}{2}$$

---

11 연속함수의 성질 　　　　　　정답률 49% | 정답 ④

두 정수 a, b에 대하여 ❶ 실수 전체의 집합에서 연속인 함수 $f(x)$가 다음
조건을 만족시킨다.

(가) $0 \le x < 4$에서 $f(x) = ax^2 + bx - 24$이다.
(나) 모든 실수 x에 대하여 $f(x+4) = f(x)$이다.

❷ $1 < x < 10$일 때, 방정식 $f(x) = 0$의 서로 다른 실근의 개수가 5이다.
$a \pm b$의 값은? [4점]

① 18　　② 19　　③ 20　　④ 21　　⑤ 22

STEP 01 두 조건에 ❶을 이용하여 a, b의 관계식을 구한다.

함수 $f(x)$가 실수 전체의 집합에서 연속이므로 조건 (가)와 (나)에서
$f(4) = \displaystyle\lim_{x \to 4-} f(x) = 16a + 4b - 24$이고 $f(0) = f(4)$이므로
$-24 = 16a + 4b - 24$에서 $b = -4a$ 　　　……㉠

STEP 02 ❷를 만족하도록 하는 근의 위치를 파악하여 a의 범위를 구한 후 정수 a, b를 구한 다음 $a+b$의 값을 구한다.

$0 \le x < 4$에서 $f(x) = a(x-2)^2 - 4a - 24$이므로
함수 $y = f(x)$의 그래프는 직선 $x=2$에 대하여 대칭이다.
모든 실수 x에 대하여 $f(x+4) = f(x)$이므로
$1 < x < 2$일 때 방정식 $f(x) = 0$이 실근을 갖지 않으면
$1 < x < 10$일 때 방정식 $f(x) = 0$의 서로 다른 실근의 개수가 4 이하이다.
$1 < x < 2$일 때 방정식 $f(x) = 0$이 실근을 1개 가지면
$1 < x < 10$일 때 방정식 $f(x) = 0$의 서로 다른 실근의 개수가 5이다.
함수 $f(x)$는 닫힌구간 $[1, 2]$에서 연속이므로
$f(1)f(2) = (-3a-24)(-4a-24) = 12(a+8)(a+6) < 0$
$-8 < a < -6$이고 a는 정수이므로 $a = -7$

㉠에 의하여 $b=28$
따라서 $a+b=-7+28=21$

12 삼각함수의 그래프의 성질 정답률 44% | 정답 ④

양수 a에 대하여 함수

$$f(x)=\left|4\sin\left(ax-\frac{\pi}{3}\right)+2\right|\left(0\le x<\frac{4\pi}{a}\right)$$

의 그래프가 직선 $y=2$와 만나는 서로 다른 점의 개수는
n이다. 이 ❶ n개의 점의 x좌표의 합이 39일 때, $n\times a$의 값은? [4점]

① $\dfrac{\pi}{2}$ ② π ③ $\dfrac{3\pi}{2}$ ④ 2π ⑤ $\dfrac{5\pi}{2}$

STEP 01 $ax-\dfrac{\pi}{3}$를 치환하고 $f(x)$와 $y=2$를 연립하여 근의 개수와 모든 근의
합을 구한 후 ❶을 이용하여 a를 구한 다음 $n\times a$의 값을 구한다.

함수 $y=f(x)$의 그래프가 직선 $y=2$와 만나는 점의 x좌표는

$0\le x<\dfrac{4\pi}{a}$일 때 방정식

$$\left|4\sin\left(ax-\frac{\pi}{3}\right)+2\right|=2 \qquad\cdots\cdots\text{㉠}$$

의 실근과 같다.

$ax-\dfrac{\pi}{3}=t$라 하면 $-\dfrac{\pi}{3}\le t<\dfrac{11\pi}{3}$이고

$$|4\sin t+2|=2 \qquad\cdots\cdots\text{㉡}$$

에서 $\sin t=0$ 또는 $\sin t=-1$

$-\dfrac{\pi}{3}\le t<\dfrac{11\pi}{3}$일 때, 방정식 ㉡의 실근은

$0,\ \pi,\ \dfrac{3\pi}{2},\ 2\pi,\ 3\pi,\ \dfrac{7\pi}{2}$

의 6개이고 이 6개의 실근의 합은 11π이다.

따라서 $n=6$이고 방정식 ㉠의 6개의 실근의 합이 39이므로

$$39a-\frac{\pi}{3}\times6=11\pi,\ a=\frac{\pi}{3}$$

따라서 $n\times a=6\times\dfrac{\pi}{3}=2\pi$

13 사인법칙과 코사인법칙 정답률 40% | 정답 ①

그림과 같이 $\overline{AB}=2$, $\overline{BC}=3\sqrt{3}$, $\overline{CA}=\sqrt{13}$인 삼각형 ABC가 있다.
선분 BC 위에 점 B가 아닌 점 D를 $\overline{AD}=2$가 되도록 잡고, 선분 AC 위에
양 끝점 A, C가 아닌 점 E를 사각형 $ABDE$가 원에 내접하도록 잡는다.

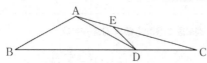

다음은 선분 DE의 길이를 구하는 과정이다.

삼각형 ABC에서 코사인법칙에 의하여
$$\cos(\angle ABC)=\boxed{\text{(가)}}$$
이다. 삼각형 ABD에서 $\sin(\angle ABD)=\sqrt{1-\left(\boxed{\text{(가)}}\right)^2}$
이므로 사인법칙에 의하여 삼각형 ABD의 외접원의
반지름의 길이는 $\boxed{\text{(나)}}$ 이다.
삼각형 ADC에서 사인법칙에 의하여
$$\frac{\overline{CD}}{\sin(\angle ABC)}=\frac{\overline{AD}}{\sin(\angle ACD)}$$
이므로 $\sin(\angle CAD)=\dfrac{\overline{CD}}{\overline{AD}}\times\sin(\angle ACD)$이다.
삼각형 ADE에서 사인법칙에 의하여
$$\overline{DE}=\boxed{\text{(다)}}$$
이다.

위의 (가), (나), (다)에 알맞은 수를 각각 p, q, r라 할 때, $p\times q\times r$의 값은?
[4점]

① $\dfrac{6\sqrt{13}}{13}$ ② $\dfrac{7\sqrt{13}}{13}$ ③ $\dfrac{8\sqrt{13}}{13}$ ④ $\dfrac{9\sqrt{13}}{13}$ ⑤ $\dfrac{10\sqrt{13}}{13}$

STEP 01 삼각형 ABC에서 코사인법칙에 의하여 (가), 삼각형 ABD에서
사인법칙에 의하여 (나)를 구한다.

삼각형 ABC에서 코사인법칙에 의하여
$$\cos(\angle ABC)=\frac{2^2+(3\sqrt{3})^2-(\sqrt{13})^2}{2\times2\times3\sqrt{3}}=\boxed{\frac{\sqrt{3}}{2}}$$
이다. 삼각형 ABD에서
$$\sin(\angle ABD)=\sqrt{1-\left(\frac{\sqrt{3}}{2}\right)^2}=\frac{1}{2}$$
이므로 사인법칙에 의하여 삼각형 ABD의 외접원의 반지름의 길이는
$$\frac{1}{2}\times\frac{\overline{AD}}{\sin(\angle ABD)}=\boxed{2}\ \text{이다.}$$

STEP 02 삼각형 ADE에서 사인법칙에 의하여 (다)를 구한 다음 $p\times q\times r$의 값을
구한다.

삼각형 ADC에서 사인법칙에 의하여
$$\frac{\overline{CD}}{\sin(\angle CAD)}=\frac{\overline{AD}}{\sin(\angle ACD)}$$이므로
$$\sin(\angle CAD)=\frac{\overline{CD}}{\overline{AD}}\times\sin(\angle ACD)=\frac{\sqrt{3}}{2}\times\frac{\sqrt{13}}{13}=\frac{\sqrt{39}}{26}$$
이다. 삼각형 ADE에서 사인법칙에 의하여
$$\overline{DE}=2\times2\times\sin(\angle CAD)=\boxed{\frac{2\sqrt{39}}{13}}$$
이다.

따라서 $p=\dfrac{\sqrt{3}}{2}$, $q=2$, $r=\dfrac{2\sqrt{39}}{13}$이므로
$$p\times q\times r=\frac{\sqrt{3}}{2}\times2\times\frac{2\sqrt{39}}{13}=\frac{6\sqrt{13}}{13}$$

●핵심 공식

▶ **코사인법칙**

세 변의 길이를 각각 a, b, c라 하고 b, c 사이의 끼인각을 A라 하면
$$a^2=b^2+c^2-2bc\cos A,\ \left(\cos A=\frac{b^2+c^2-a^2}{2bc}\right)$$

▶ **사인법칙**

$\triangle ABC$에 대하여 $\triangle ABC$의 외접원의 반지름 길이를 R라고 할 때,
$$\frac{a}{\sin A}=\frac{b}{\sin B}=\frac{c}{\sin C}=2R$$

14 정적분의 성질을 이용한 함수의 추론 정답률 22% | 정답 ②

최고차항의 계수가 1인 삼차함수 $f(x)$와 실수 t에 대하여 x에 대한 방정식
$$\int_t^x f(s)ds=0$$
의 서로 다른 실근의 개수를 $g(t)$라 할 때, 〈보기〉에서 옳은 것만을 있는 대로
고른 것은? [4점]

〈보기〉

ㄱ. ❶ $f(x)=x^2(x-1)$일 때, $g(1)=1$이다
ㄴ. 방정식 ❷ $f(x)=0$의 서로 다른 실근의 개수가 3이면
  $g(a)=3$인 실수 a가 존재한다.
ㄷ. ❸ $\displaystyle\lim_{t\to b}g(t)+g(b)=6$을 만족시키는 실수 b의 값이 0과 3뿐이면
  $f(4)=12$이다.

---

① ㄱ ② ㄱ, ㄴ ③ ㄱ, ㄷ ④ ㄴ, ㄷ ⑤ ㄱ, ㄴ, ㄷ

STEP 01 ㄱ. ❶의 그래프의 개형을 파악하고 $y=F(x)$와 직선 $y=F(1)$과의
교점의 개수를 구하여 참, 거짓을 판별한다.

함수 $f(x)$의 한 부정적분을 $F(x)$라 하면 주어진 방정식은
$$\int_t^x f(s)ds=F(x)-F(t)=0$$이므로
$$F(x)=F(t)$$이다.
따라서 $g(t)$는 곡선 $y=F(x)$와 직선 $y=F(t)$의 서로 다른 교점의 개수와
같다.
ㄱ. $F'(x)=f(x)=x^2(x-1)$이다.
  함수 $F(x)$는 $x<1$에서 감소, $x>1$에서 증가하므로 $x=1$에서 극소이면서
  최소이다.
  따라서 곡선 $y=F(x)$와 직선 $y=F(1)$은 오직 한 점에서 만나므로

$g(1)=1$이다. $\qquad\qquad\qquad\qquad\qquad\qquad$ ∴ 참

STEP 02 ㄴ. ❷를 만족하는 $y=F(x)$의 그래프를 그려 참, 거짓을 판별한다.

ㄴ. 방정식 $f(x)=0$의 서로 다른 실근의 개수가 3일 때, 함수 $F(x)$의 두 극솟값이 같은 경우와 두 극솟값이 다른 경우가 있다.
각 경우 곡선 $y=F(x)$와 직선 $y=F(a)$가 서로 다른 세 점에서 만나는 실수 a가 존재한다.

따라서 $g(a)=3$인 실수 a가 존재한다. $\qquad\qquad\qquad$ ∴ 참

STEP 03 ㄷ. ❸을 만족하는 $y=F(x)$의 그래프를 그려 $f(x)$를 구한 후 $f(4)$를 구하여 참, 거짓을 판별한다.

ㄷ. 함수 $F(x)$가 극댓값을 갖지 않거나, 극댓값을 갖지만 두 극솟값의 크기가 다른 경우에는 $\lim_{t\to b}g(t)+g(b)=6$인 실수 b가 존재하지 않는다.
따라서 곡선 $y=F(x)$의 개형은 다음과 같고, $F(0)=F(3)$이다.

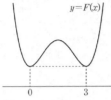

$f(0)=F'(0)=0$이고 $f(3)=F'(3)=0$이므로

$$F(x)-F(0)=\frac{x^2(x-3)^2}{4}=\frac{x^4-6x^3+9x^2}{4}$$

양변을 x에 대하여 미분하면

$$f(x)=x^3-\frac{9}{2}x^2+\frac{9}{2}x$$이므로

$$f(4)=64-72+18=10 \qquad\qquad\qquad\qquad ∴ 거짓$$

이상에서 옳은 것은 ㄱ, ㄴ이다.

---

15 수열의 합의 성질 $\qquad$ 정답률 17% | 정답 ①

수열 $\{a_n\}$의 첫째항부터 제n항까지의 합을 S_n이라 하자. 두 자연수 p, q에 대하여 ❶ $S_n=pn^2-36n+q$일 때, S_n이 다음 조건을 만족시키도록 하는 p의 최솟값을 p_1이라 하자.

> 임의의 두 자연수 i, j에 대하여 $i\neq j$이면 $S_i\neq S_j$이다.

$p=p_1$일 때, ❷ $|a_k|<a_1$을 만족시키는 자연수 k의 개수가 3이 되도록 하는 모든 q의 값의 합은? [4점]

① 372 　② 377 　③ 382 　④ 387 　⑤ 392

STEP 01 S_i-S_j를 구하여 $S_i-S_j\neq0$을 만족할 조건으로 p_1을 구한다.

S_n이 주어진 조건을 만족시키면 $i\neq j$인 임의의 두 자연수 i, j에 대하여 $S_i-S_j\neq0$이므로
$$S_i-S_j=(pi^2-36i+q)-(pj^2-36i+q)=(i-j)(pi+pj-36)\neq0$$
따라서 $i+j\neq\dfrac{36}{p}$

$p\leq4$이면 $i+j=\dfrac{36}{p}$인 서로 다른 두 자연수 i, j가 존재한다.

$p=5$이면 $i+j=\dfrac{36}{p}$인 서로 다른 두 자연수 i, j가 존재하지 않는다.
따라서 p의 최솟값은 5, 즉 $p_1=5$이다.

STEP 02 ❶에서 a_n을 구한 후 ❷를 만족하는 a_1의 범위를 구하여 q의 범위를 구한 다음 범위에 포함되는 모든 자연수 q의 값의 합을 구한다.

$p=5$일 때 $S_n=5n^2-36n+q$이므로
$a_1=S_1=q-31$,
$n\geq2$일 때, $a_n=S_n-S_{n-1}=10n-41$
이때
$a_2=-21$, $a_3=-11$, $a_4=-1$, $a_5=9$, $a_6=19$, $a_7=29$, …
$|a_k|<a_1$을 만족시키는 자연수 k의 개수가 3이므로 k의 값은 3, 4, 5이다.
$11<a_1\leq19$, $11<q-31\leq19$
$42<q\leq50$이다.
따라서 모든 q의 값의 합은

$43+44+\cdots+50=\dfrac{8\times(43+50)}{2}=372$

---

16 로그의 성질 $\qquad$ 정답률 80% | 정답 5

❶ $\log_2 96+\log_{\frac{1}{4}}9$의 값을 구하시오. [3점]

STEP 01 로그의 성질을 이용하여 ❶의 값을 구한다.

$$\log_2 96+\log_{\frac{1}{4}}9=\log_2 96+\frac{\log_2 3^2}{\log_2 2^{-2}}=\log_2(2^5\times3)-\log_2 3=5$$

●핵심 공식

▶ 로그의 성질

$a>0$, $a\neq1$, $x>0$, $y>0$, $c>0$, $c\neq1$
n이 임의의 실수일 때
(1) $\log_a a=1$, $\log_a 1=0$ 　　(2) $\log_a xy=\log_a x+\log_a y$
(3) $\log_a \dfrac{x}{y}=\log_a x-\log_a y$ 　(4) $\log_a x^n=n\log_a x$
(5) $\log_a x=\dfrac{\log_c x}{\log_c a}$ (밑변환공식) 　(6) $\log_a x=\dfrac{1}{\log_x a}$ (단, $x\neq1$)

---

17 도함수의 활용 $\qquad$ 정답률 79% | 정답 15

함수 $f(x)=x^3-3x^2+ax+10$이 ❶ $x=3$에서 극소일 때, 함수 $f(x)$의 극댓값을 구하시오. (단, a는 상수이다.) [3점]

STEP 01 $f(x)$를 미분한 후 ❶에서 a를 구한 다음 극댓값을 구한다.

$f(x)=x^3-3x^2+ax+10$에서
$f'(x)=3x^2-6x+a$
함수 $f(x)$는 $x=3$에서 극소이므로
$f'(3)=27-18+a=0$, $a=-9$
$f'(x)=3x^2-6x-9=3(x-3)(x+1)$
$f'(x)=0$에서 $x=-1$ 또는 $x=3$이므로
함수 $f(x)$는 $x=-1$에서 극대이고 극댓값은
$f(-1)=-1-3+9+10=15$

---

18 Σ의 성질 $\qquad$ 정답률 65% | 정답 109

❶ $\displaystyle\sum_{k=1}^{6}(k+1)^2-\sum_{k=1}^{5}(k-1)^2$의 값을 구하시오. [3점]

STEP 01 $\sum$의 성질을 이용하여 ❶의 값을 구한다.

$$\sum_{k=1}^{6}(k+1)^2-\sum_{k=1}^{5}(k-1)^2=7^2+\sum_{k=1}^{5}(k+1)^2-\sum_{k=1}^{5}(k-1)^2$$
$$=49+\sum_{k=1}^{5}\{(k+1)^2-(k-1)^2\}$$
$$=49+4\sum_{k=1}^{5}k$$
$$=49+4\times\frac{5\times6}{2}=109$$

●핵심 공식

▶ 자연수의 거듭제곱의 합

(1) $\displaystyle\sum_{k=1}^{n}k=\frac{n(n+1)}{2}$ 　(2) $\displaystyle\sum_{k=1}^{n}k^2=\frac{n(n+1)(2n+1)}{6}$
(3) $\displaystyle\sum_{k=1}^{n}c=cn$

---

19 정적분의 활용 $\qquad$ 정답률 67% | 정답 80

수직선 위를 움직이는 점 P의 시각 $t(t\geq0)$에서의 속도 $v(t)$가
$$v(t)=4t^3-48t$$
이다. 시각 ❶ $t=k(k>0)$에서 점 P의 가속도가 0일 때,
❷ 시각 $t=0$에서 $t=k$까지 점 P가 움직인 거리를 구하시오.
(단, k는 상수이다.) [3점]

점 P의 시각 t에서의 가속도 $a(t)$는
$a(t) = v'(t) = 12t^2 - 48$
$a(k) = 12(k^2 - 4) = 0$에서 $k > 0$이므로 $k = 2$이다.
$0 \le t \le 2$일 때 $v(t) \le 0$이므로
시각 $t = 0$에서 $t = 2$까지 점 P가 움직인 거리는
$$\int_0^2 |v(t)|dt = \int_0^2 (-4t^3 + 48t)dt = [-t^4 + 24t^2]_0^2 = -16 + 96 = 80$$

●핵심 공식

▶ 속도와 이동거리
수직선 위를 움직이는 점 p의 시각 t에서의 속도를 $v(t)$라 할 때, $t = a$에서 $t = b$
$(a < b)$까지의 실제 이동거리 s는 $s = \int_a^b |v(t)|dt$이다.

★★★ 등급을 가르는 문제!

20 함수의 극한의 성질   정답률 11% | 정답 226

최고차항의 계수가 1이고 다음 조건을 만족시키는 모든 삼차함수 $f(x)$에
대하여 $f(5)$의 최댓값을 구하시오. [4점]

> (가) $\lim\limits_{x \to 0} \dfrac{|f(x) - 1|}{x}$의 값이 존재한다.
> (나) 모든 실수 x에 대하여 $xf(x) \ge -4x^2 + x$이다.

STEP 01 조건 (가)에서 $f(x)$의 인수를 구하여 $f(x)$를 놓는다.

조건 (가)에 의하여
$\lim\limits_{x \to 0} |f(x) - 1| = 0$
이므로 삼차식 $f(x) - 1$은 x를 인수로 갖는다.
이차식 $g(x)$에 대하여 $f(x) - 1 = xg(x)$라 하자.
$$\begin{aligned}\lim_{x \to 0+} \frac{|f(x) - 1|}{x} &= \lim_{x \to 0+} \frac{|xg(x)|}{x}\\ &= \lim_{x \to 0+} \frac{|x||g(x)|}{x}\\ &= \lim_{x \to 0+} |g(x)| = |g(0)|\end{aligned}$$
$$\begin{aligned}\lim_{x \to 0-} \frac{|f(x) - 1|}{x} &= \lim_{x \to 0-} \frac{|xg(x)|}{x}\\ &= \lim_{x \to 0-} \frac{|x||g(x)|}{x}\\ &= -\lim_{x \to 0-} |g(x)| = -|g(0)|\end{aligned}$$
$|g(0)| = -|g(0)|$에서 $g(0) = 0$
이차식 $g(x)$도 x를 인수로 가지므로
$f(x) - 1 = x^2(x + a)$ (a는 실수)라 하면
$f(x) = x^3 + ax^2 + 1$

STEP 02 판별식을 이용하여 조건 (나)를 만족하는 a의 범위를 구하여 $f(5)$의 최댓값을 구한다.

$xf(x) \ge -4x^2 + x$에서
$x(x^3 + ax^2 + 1) \ge -4x^2 + x$
$x^4 + ax^3 + 4x^2 \ge 0$
$x^2(x^2 + ax + 4) \ge 0$
$x^2 \ge 0$이므로 모든 실수 x에 대하여
$x^2 + ax + 4 \ge 0$이 성립한다.
이차방정식 $x^2 + ax + 4 = 0$의 판별식을 D라 하면
$D = a^2 - 16 \le 0$
$-4 \le a \le 4$
$f(5) = 25a + 126$이므로 구하는 $f(5)$의 최댓값은
$a = 4$일 때 226이다.

★★ 문제 해결 꿀~팁 ★★

▶ 문제 해결 방법
조건 (가)에 의하여 $f(x) - 1$은 x^2을 인수로 가지므로 $f(x) = x^2(x + a) + 1$이라 할 수 있다. $f(x)$를 조건 (나)에 대입하면 모든 실수 x에 대하여 $x^2(x^2 + ax + 4) \ge 0$이므로 $x^2 + ax + 4 = 0$의 판별식을 이용하면 $-4 \le a \le 4$이다. 극한값이 존재할 조건, 함수가 연속일 조건, 미분가능할 조건들을 정확하게 알고 있어야 한다.

---

21 지수함수의 그래프   정답률 10% | 정답 8

그림과 같이 $a > 1$인 실수 a에 대하여 두 곡선
$$y = a^{-2x} - 1, \quad y = a^x - 1$$
이 있다. 곡선 $y = a^{-2x} - 1$과 직선 $y = -\sqrt{3}x$가 서로 다른 두 점 O, A에서 만난다. 점 A를 지나고 직선 OA에 수직인 직선이 곡선 $y = a^x - 1$과 제1사분면에서 만나는 점을 B라 하자. ❶ $\overline{OA}:\overline{OB} = \sqrt{3}:\sqrt{19}$일 때, 선분 AB의 길이를 구하시오. (단, O는 원점이다.) [4점]

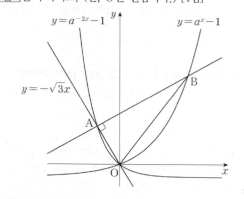

STEP 01 ❶과 두 직선 OA, AB의 기울기를 이용하여 두 점 A, B의 좌표를 구한다.

$\overline{OA}:\overline{OB} = \sqrt{3}:\sqrt{19}$이므로 $\overline{OA} = \sqrt{3}k$ ($k > 0$)
이라 하면
$\overline{OB} = \sqrt{19}k$이고 $\overline{AB} = 4k$이다.
두 점 A, B의 좌표를 각각 $(x_1, y_1), (x_2, y_2)$라 하자.
직선 OA와 x축이 이루는 예각의 크기가 $60°$이므로
$x_1 = -\dfrac{\sqrt{3}}{2}k, \quad y_1 = \dfrac{3}{2}k$
따라서 $A\left(-\dfrac{\sqrt{3}}{2}k, \dfrac{3}{2}k\right)$
직선 AB의 기울기는 $\dfrac{\sqrt{3}}{3}$이므로 직선 AB와 x축이 이루는 예각의 크기가 $30°$이다.
$x_2 - x_1 = 4k\cos 30° = 2\sqrt{3}k$에서
$x_2 = x_1 + 2\sqrt{3}k = \dfrac{3\sqrt{3}}{2}k$
$y_2 - y_1 = 4k\sin 30° = 2k$에서
$y_2 = y_1 + 2k = \dfrac{7}{2}k$
따라서 $B\left(\dfrac{3\sqrt{3}}{2}k, \dfrac{7}{2}k\right)$

STEP 02 두 점 A, B의 좌표를 각각 지나는 곡선에 대입하여 k를 구한 다음 선분 AB의 길이를 구한다.

점 A는 곡선 $y = a^{-2x} - 1$ 위의 점이므로
$\dfrac{3}{2}k = a^{\sqrt{3}k} - 1$에서 $a^{\sqrt{3}k} = \dfrac{3k+2}{2}$ ……㉠
점 B는 곡선 $y = a^x - 1$ 위의 점이므로
$\dfrac{7}{2}k = a^{\frac{3\sqrt{3}}{2}k} - 1$에서 $a^{\frac{3\sqrt{3}}{2}k} = \dfrac{7k+2}{2}$ ……㉡
㉠, ㉡에서
$\left(\dfrac{3k+2}{2}\right)^3 = \left(\dfrac{7k+2}{2}\right)^2$
$27k^3 - 44k^2 - 20k = 0$, $k(k-2)(27k+10) = 0$
$k > 0$이므로 $k = 2$
따라서
$\overline{AB} = 4k = 8$

★★ 문제 해결 꿀~팁 ★★

▶ 문제 해결 방법
$\overline{OA} = \sqrt{3}k$이고 직선 OA의 기울기가 $-\sqrt{3}$이므로 점 $A\left(-\dfrac{\sqrt{3}}{2}k, \dfrac{3}{2}k\right)$이고, 같은 방법으로 직선 AB의 기울기는 $\dfrac{\sqrt{3}}{3}$, $\overline{AB} = 4k$이므로 점 $B\left(\dfrac{3\sqrt{3}}{2}k, \dfrac{7}{2}k\right)$이다. 이제 두 점 A, B의 좌표를 각각 지나는 곡선에 대입하면 k를 구할 수 있다. 선분의 길이와 직선의 기울기를 이용하여 두 점 A, B의 좌표를 놓을 수 있어야 한다.

22 도함수를 이용한 다항함수의 추론
정답률 2% | 정답 82

최고차항의 계수가 1인 사차함수 $f(x)$와 실수 t에 대하여 구간 $(-\infty,\ t)$에서 함수 $f(x)$의 최솟값을 m_1이라 하고, 구간 $[t,\ \infty]$에서 함수 $f(x)$의 최솟값을 m_2라 할 때,

$$g(t)=m_1-m_2$$

라 하자. $k>0$인 상수 k와 함수 $g(t)$가 다음 조건을 만족시킨다.

> $g(t)=k$를 만족시키는 모든 실수 t의 값의 집합은 $\{t\,|\,0 \le t \le 2\}$이다.

$g(4)=0$일 때, $k+g(-1)$의 값을 구하시오. [4점]

STEP 01 조건을 만족하는 함수 $f(x)$의 그래프의 개형을 파악한다.

사차함수 $f(x)$가 $x=\alpha$에서만 극솟값을 갖는다고 하면 함수 $g(t)$는

$$g(t)=\begin{cases} f(t)-f(\alpha) & (t<\alpha) \\ f(\alpha)-f(t) & (t \ge \alpha) \end{cases}$$

구간 $(-\infty,\ \alpha)$에서 함수 $f(t)$가 감소하므로 함수 $g(t)$도 감소하고, 구간 $[\alpha,\ \infty)$에서 함수 $f(t)$가 증가하므로 함수 $g(t)$는 감소한다. 실수 전체의 집합에서 함수 $g(t)$가 감소하므로 조건을 만족시키는 양수 k가 존재하지 않는다.

그러므로 함수 $f(x)$는 극댓값을 가져야 한다.

STEP 02 두 극솟값의 크기에 따라 경우를 나누어 조건을 만족시키는 양수 k 및 함숫값들을 구한다.

함수 $f(x)$가 $x=\alpha$, $x=\beta(\alpha<\beta)$에서 극솟값을 가지고, $f(\alpha)=a$, $f(\beta)=b$라 하자.

(i) $f(\alpha)=f(\beta)$인 경우

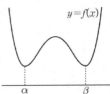

함수 $f(x)$의 최솟값은 a이므로

$$g(t)=\begin{cases} f(t)-a & (t<\alpha) \\ 0 & (\alpha \le t \le \beta) \\ a-f(t) & (t>\beta) \end{cases}$$

따라서 조건을 만족시키는 양수 k가 존재하지 않는다.

(ii) $f(\alpha)<f(\beta)$인 경우

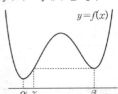

$\alpha<x<\beta$일 때, $f(x)=f(\beta)$의 해를 γ라 하면

$$g(t)=\begin{cases} f(t)-a & (t<\alpha) \\ a-f(t) & (\alpha \le t < \gamma) \\ a-b & (\gamma \le t \le \beta) \\ a-f(t) & (t>\beta) \end{cases}$$

$a-b<0$이므로 조건을 만족시키는 양수 k가 존재하지 않는다.

(iii) $f(\alpha)>f(\beta)$인 경우

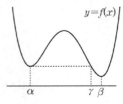

$\alpha<x<\beta$일 때, $f(x)=f(\alpha)$의 해를 γ라 하면

$$g(t)=\begin{cases} f(t)-b & (t<\alpha) \\ a-b & (\alpha \le t \le \gamma) \\ f(t)-b & (\gamma < t < \beta) \\ b-f(t) & (t \ge \beta) \end{cases}$$

$a-b>0$이므로 $k=a-b$, $\alpha=0$, $\gamma=2$이면 k는 주어진 조건을 만족시킨다.

(i), (ii), (iii)에서 $f'(0)=0$, $f(0)=f(2)$이다.

또 $g(4)=0$이므로 $\beta=4$이고 $f'(4)=0$이다.

STEP 03 위에서 구한 조건으로 $f(x)$를 구한 후 $k+g(-1)$의 값을 구한다.

$f(x)-f(0)=x^2(x-2)(x-p)$ (p는 상수)라 하자.

$f'(x)=2x(x-2)(x-p)+x^2(2x-p-2)$이므로
$f'(4)=0$에서 $16(4-p)+16(6-p)=0$
$10-2p=0,\ \ p=5$
그러므로
$f(x)=x^2(x-2)(x-5)+f(0)$
$k=f(\alpha)-f(\beta)=f(0)-f(4)=f(0)-\{-32+f(0)\}=32$
$g(-1)=f(-1)-f(4)=\{18+f(0)\}-\{-32+f(0)\}=50$
따라서 $k+g(-1)=82$

★★ 문제 해결 꿀~팁 ★★

▶ **문제 해결 방법**

사차함수 $f(x)$가 극댓값을 갖지 않으면 하나의 극솟값만을 가지므로 조건을 만족하지 않는다. 그러므로 $f(x)$는 극솟값 2개, 극댓값 1개를 가지는 일반적인 사차함수의 그래프이다. 함수 $f(x)$가 $x=\alpha$, $x=\beta(\alpha<\beta)$에서 극솟값을 가지고, $f(\alpha)=a$, $f(\beta)=b$라 할 때 $g(t)>0$을 만족하려면 $a-b>0$이어야 하므로 $y=f(x)$의 그래프는 (iii)의 그래프의 개형이어야 한다. 따라서 $k=a-b$, $\alpha=0$, $\gamma=2$이다. 이를 이용하여 $f(x)$를 구하면 된다.

주어진 조건을 만족하도록 $y=f(x)$의 그래프를 한 번에 그릴 수 있으면 시간과 노력을 단축시킬 수 있다.

확률과 통계

23 표본평균의 표준편차
정답률 58% | 정답 ②

❶ 표준편차가 12인 정규분포를 따르는 모집단에서 크기가 36인 표본을 임의추출하여 구한 표본평균을 $\overline{X}$라 할 때, $\sigma(\overline{X})$의 값은? [2점]

① 1　　② 2　　③ 3　　④ 4　　⑤ 5

STEP 01 ❶에서 $\sigma(\overline{X})$의 값을 구한다.

모표준편차가 12이고 표본의 크기가 36이므로

$$\sigma(\overline{X})=\frac{12}{\sqrt{36}}=\frac{12}{6}=2$$

24 이항정리
정답률 74% | 정답 ①

다항식 ❶ $(x^2+1)(x-2)^5$의 전개식에서 x^6의 계수는? [3점]

① -10　② -8　③ -6　④ -4　⑤ -2

STEP 01 ❶에서 이항정리를 이용하여 x^6의 계수를 구한다.

다항식 $(x^2+1)(x-2)^5$의 전개식에서
x^6의 계수는 (x^2+1)에서 x^2의 계수 1과 $(x-2)^5$의 전개식에서 x^4의 계수를 곱한 것과 같다.
$(x-2)^5$의 전개식에서 일반항은
$_5C_r x^{5-r}(-2)^r$ $(r=0,\ 1,\ 2,\ 3,\ 4,\ 5)$
$r=1$일 때 x^4의 계수는
$_5C_1 \times (-2)=-10$
따라서 $(x^2+1)(x-2)^5$의 전개식에서 x^6의 계수는
$1 \times (-10)=-10$

●핵심 공식

▶ **이항정리**

n이 자연수일 때

$(a+b)^n={}_nC_0 \cdot a^n+{}_nC_1 \cdot a^{n-1}b+\cdots+{}_nC_{n-1}ab^{n-1}+{}_nC_n b^n$

$$=\sum_{r=0}^{n} {}_nC_r \cdot a^{n-r} \cdot b^r$$

25 이산확률변수의 평균과 분산
정답률 74% | 정답 ③

이산확률변수 X의 확률분포를 표로 나타내면 다음과 같다.

X	-3	0	a	합계
$P(X=x)$	$\dfrac{1}{2}$	$\dfrac{1}{4}$	$\dfrac{1}{4}$	1

❶ $E(X)=-1$일 때, $V(aX)$의 값은? (단, a는 상수이다.) [3점]

① 12　　② 15　　③ 18　　④ 21　　⑤ 24

확률분포표에서 $E(X)$를 구한 후 ❶을 이용하여 a를 구한 다음 $V(X)$를 구하여 $V(2X)$의 값을 구한다.

$$E(X) = (-3) \times \frac{1}{2} + 0 \times \frac{1}{4} + a \times \frac{1}{4} = -\frac{3}{2} + \frac{a}{4}$$

$-\frac{3}{2} + \frac{a}{4} = -1$에서 $a = 2$

$$V(X) = (-3+1)^2 \times \frac{1}{2} + (0+1)^2 \times \frac{1}{4} + (2+1)^2 \times \frac{1}{4} = \frac{9}{2}$$

따라서 $V(2X) = 2^2 \times V(X) = 4 \times \frac{9}{2} = 18$

●핵심 공식

▶ 이산확률변수의 평균, 분산

이산확률변수 X의 확률분포가
$P(X = x_i) = p_i$ $(i = 1, 2, \cdots, n)$일 때, 평균을 $E(X)$, 분산을 $V(X)$라 하면
$$E(X) = x_1 p_1 + x_2 p_2 + \cdots + x_n p_n$$
$$V(X) = \sum_{i=1}^{n} (x_i - m)^2 p_i = \sum_{i=1}^{n} (x_i^2 p_i) - m^2 = E(X^2) - \{E(X)\}^2$$

▶ 평균, 분산, 표준편차의 성질

확률변수 $aX + b$ $(a \neq 0, b$는 상수)에 대하여
(1) $E(aX + b) = aE(X) + b$ (2) $V(aX + b) = a^2 V(X)$
(3) $\sigma(aX + b) = |a| \sigma(X)$

---

26   같은 것이 있는 순열   정답률 68% | 정답 ④

다음 조건을 만족시키는 자연수 a, b, c, d의 ❶ 모든 순서쌍 (a, b, c, d)의 개수는? [3점]

(가) $a \times b \times c \times d = 8$
(나) $a + b + c + d < 10$

① 10   ② 12   ③ 14   ④ 16   ⑤ 18

STEP 01 조건 (가)를 만족시키는 네 자연수의 조합을 구한 후 각각 같은 것이 있는 순열을 이용하여 ❶을 구한다.

조건 (가)를 만족시키는 네 자연수는
1, 1, 1, 8 또는 1, 1, 2, 4 또는 1, 2, 2, 2
이때 조건 (나)를 만족시키는 경우는
1, 1, 2, 4 또는 1, 2, 2, 2

(i) 네 자연수 1, 1, 2, 4를 일렬로 나열하는 경우의 수는 $\frac{4!}{2!} = 12$

(ii) 네 자연수 1, 2, 2, 2를 일렬로 나열하는 경우의 수는 $\frac{4!}{3!} = 4$

(i), (ii)에서 구하는 모든 순서쌍 (a, b, c, d)의 개수는 $12 + 4 = 16$

●핵심 공식

▶ 같은 것이 있는 순열

n개 중에서 같은 것이 각각 p개, q개, r개, $\cdots$, s개가 있을 때, n개를 택하여 만든 순열의 수는
$$\frac{n!}{p! \, q! \, r! \cdots s!} \quad (n = p + q + r + \cdots + s)$$

---

27   확률의 덧셈정리   정답률 49% | 정답 ⑤

1부터 10까지의 자연수가 하나씩 적혀 있는 10장의 카드가 들어 있는 주머니가 있다. 이 주머니에서 임의로 카드 4장을 동시에 꺼내어 카드에 적혀 있는 수를 작은 수부터 크기 순서대로 a_1, a_2, a_3, a_4라 하자. ❶ $a_1 \times a_2$의 값이 홀수이고, ❷ $a_3 + a_4 \geq 16$일 확률은? [3점]

① $\frac{1}{14}$ ② $\frac{3}{35}$ ③ $\frac{1}{10}$ ④ $\frac{4}{35}$ ⑤ $\frac{9}{70}$

STEP 01 ❶을 만족하는 경우를 $a_2 = 7$인 경우와 $a_2 < 7$인 경우로 나누어 각각 (a_1, a_2)와 ❷를 만족하는 (a_3, a_4)의 순서쌍 및 개수를 구하여 구하는 확률을 구한다.

10장의 카드 중 임의로 카드 4장을 뽑는 경우의 수는
$$_{10}C_4 = \frac{10 \times 9 \times 8 \times 7}{4 \times 3 \times 2 \times 1} = 210$$이다.

$a_1 \times a_2$의 값이 홀수인 경우는 다음과 같다.

(i) 순서쌍 (a_1, a_2)가 $(1, 3)$ 또는 $(1, 5)$ 또는 $(3, 5)$인 경우
$a_3 + a_4 \geq 16$을 만족시키는 순서쌍 (a_3, a_4)는
$(6, 10), (7, 9), (7, 10), (8, 9), (8, 10), (9, 10)$
으로 6가지이다.
이때 구하는 경우의 수는 $3 \times 6 = 18$

(ii) 순서쌍 (a_1, a_2)가 $(1, 7)$ 또는 $(3, 7)$ 또는 $(5, 7)$인 경우
$a_3 + a_4 \geq 16$을 만족시키는 순서쌍 (a_3, a_4)는
$(8, 9), (8, 10), (9, 10)$
으로 3가지이다.
이때 구하는 경우의 수는 $3 \times 3 = 9$

(i), (ii)에서 구하는 확률은
$$\frac{18}{210} + \frac{9}{210} = \frac{27}{210} = \frac{9}{70}$$

---

28   정규분포   정답률 40% | 정답 ④

정규분포를 따르는 두 확률변수 X, Y의 확률밀도함수를 각각 $f(x)$, $g(x)$라 할 때, 모든 실수 x에 대하여
❶ $g(x) = f(x+6)$
이다. 두 확률변수 X, Y와 상수 k가 다음 조건을 만족시킨다.

(가) $P(X \leq 11) = P(Y \geq 23)$
(나) $P(X \leq k) + P(Y \leq k) = 1$

오른쪽 표준정규분포표를 이용하여 구한 ❷ $P(X \leq k) + P(Y \geq k)$의 값이 0.1336일 때, $E(X) + \sigma(Y)$의 값은? [4점]

z	$P(0 \leq Z \leq z)$
0.5	0.1915
1.0	0.3413
1.5	0.4332
2.0	0.4772

① $\frac{41}{2}$ ② 21   ③ $\frac{43}{2}$ ④ 22   ⑤ $\frac{45}{2}$

STEP 01 ❶에서 두 확률변수 X, Y의 평균과 표준편차의 관계를 파악하여 조건 (가)에서 확률변수 X의 평균을 구한다.

곡선 $y = g(x)$는 곡선 $y = f(x)$를 x축의 방향으로 -6만큼 평행이동한 것이므로 두 확률변수 X, Y의 표준편차는 같다.
확률변수 X의 평균을 m, 표준편차를 σ라 하면
확률변수 Y의 평균은 $m - 6$, 표준편차는 σ이다.
표준정규분포를 따르는 확률변수 Z에 대하여 조건 (가)에서
$$P(X \leq 11) = P(Y \geq 23)$$
$$P\left(Z \leq \frac{11 - m}{\sigma}\right) = P\left(Z \geq \frac{29 - m}{\sigma}\right)$$
$$\frac{11 - m}{\sigma} = -\frac{29 - m}{\sigma}$$에서
$$m = 20$$

STEP 02 조건 (나)에서 k를 구한 후 ❷에서 표준편차를 구한 다음 $E(X) + \sigma(Y)$의 값을 구한다.

조건 (나)에서
$$P(X \leq k) + P(Y \leq k) = 1$$
$$P\left(Z \leq \frac{k - 20}{\sigma}\right) + P\left(Z \leq \frac{k - 14}{\sigma}\right) = 1$$
$$\frac{k - 20}{\sigma} = -\frac{k - 14}{\sigma}$$에서 $k = 17$

$$P(X \leq 17) + P(Y \geq 17) = P\left(Z \leq -\frac{3}{\sigma}\right) + P\left(Z \geq \frac{3}{\sigma}\right) = 2 \times P\left(Z \geq \frac{3}{\sigma}\right)$$
$$P(X \leq 17) + P(Y \geq 17) = 0.1336$$에서
$$P\left(Z \geq \frac{3}{\sigma}\right) = 0.0668$$

표준정규분포표에서
$$P(0 \leq Z \leq 1.5) = 0.4332,$$
즉 $P(Z \geq 1.5) = 0.0668$
$$\frac{3}{\sigma} = 1.5$$에서 $\sigma = 2$

따라서
$$E(X) + \sigma(Y) = m + \sigma = 20 + 2 = 22$$

▶ 정규분포의 표준화

(1) 확률변수 X가 정규분포 $N(m, \sigma^2)$을 따를 때 확률변수 $Z = \dfrac{X-m}{\sigma}$은 표준정규분포 $N(0, 1)$을 따른다.

(2) $P(a \leq X \leq b) = P\left(\dfrac{a-m}{\sigma} \leq Z \leq \dfrac{b-m}{\sigma}\right)$

---

29 중복조합　　　　　　　　　　　　　정답률 31% | 정답 105

두 집합 $X = \{1, 2, 3, 4\}$, $Y = \{1, 2, 3, 4, 5, 6\}$에 대하여 다음 조건을 만족시키는 함수 $f : X \to Y$의 개수를 구하시오. [4점]

(가) 집합 X의 임의의 두 원소 x_1, x_2에 대하여 $x_1 < x_2$이면 $f(x_1) \leq f(x_2)$이다.

(나) $f(1) \leq 3$

(다) $f(3) \leq f(1) + 4$

STEP 01 중복조합으로 조건 (가)를 만족하는 함수 f의 개수를 구한다. 조건 (나), (다)를 만족시키지 않는 경우의 수를 각각 구한 후 조건 (가)에서 구한 함수 f의 개수에서 제외하여 구하는 함수의 개수를 구한다.

조건 (가)를 만족시키는 함수 f의 개수는

$_6H_4 = {}_9C_4 = \dfrac{9 \times 8 \times 7 \times 6}{4 \times 3 \times 2 \times 1} = 126$

(i) 조건 (나)를 만족시키지 않는 경우

$f(1) \geq 4$인 함수 f의 개수는 $_3H_4 = {}_6C_4 = 15$

(ii) 조건 (다)를 만족시키지 않는 경우

$f(3) - f(1) > 4$에서 $f(1) = 1$, $f(3) = 6$이어야 하므로

$f(4) = 6$, $1 \leq f(2) \leq 6$

이때 함수 f의 개수는 6

(i), (ii)를 동시에 만족하는 경우는 없다.

따라서 구하는 함수의 개수는 $126 - (15 + 6) = 105$

●핵심 공식

▶ 중복조합

$_nH_r$은 서로 다른 n개의 원소에서 r개를 뽑는 경우의 수이다.

$_nH_r = {}_{n+r-1}C_r$

★★★ 등급을 가르는 문제!

30 조건부확률　　　　　　　　　　　　정답률 17% | 정답 17

주머니 A에 흰 공 3개, 검은 공 1개가 들어 있고, 주머니 B에도 흰 공 3개, 검은 공 1개가 들어 있다. 한 개의 동전을 사용하여 [실행 1]과 [실행 2]를 순서대로 하려고 한다.

[실행 1] 한 개의 동전을 던져
　　　　앞면이 나오면 주머니 A에서 임의로 2개의 공을 꺼내어 주머니 B에 넣고,
　　　　뒷면이 나오면 주머니 A에서 임의로 3개의 공을 꺼내어 주머니 B에 넣는다.

[실행 2] 주머니 B에서 임의로 5개의 공을 꺼내어 주머니 A에 넣는다.

❶ [실행 2]가 끝난 후 주머니 B에 흰 공이 남아 있지 않을 때,

❷ [실행 1]에서 주머니 B에 넣은 공 중 흰 공이 2개이었을 확률은 $\dfrac{q}{p}$이다.

$p + q$의 값을 구하시오. (단, p와 q는 서로소인 자연수이다.) [4점]

STEP 01 ❶의 확률과 ❶, ❷가 동시에 일어날 확률을 구한 후 조건부확률을 이용하여 구하는 확률을 구한 다음 $p + q$의 값을 구한다.

[실행 2]가 끝난 후 주머니 B에 흰 공이 남아 있지 않은 사건을 X, [실행 1]에서 주머니 B에 넣은 공 중 흰 공이 2개인 사건을 Y라 하자.

(i) [실행 1]에서 동전의 앞면이 나오고, [실행 2]가 끝난 후 주머니 B에 흰 공이 남아 있지 않은 경우

[실행 1]에서 주머니 B에 넣은 공이 흰 공 2개이고,

[실행 2]에서 주머니 A에 넣은 공이 흰 공 5개이거나

[실행 1]에서 주머니 B에 넣은 공이 흰 공 1개와 검은 공 1개이고,

[실행 2]에서 주머니 A에 넣은 공이 흰 공 4개와 검은 공 1개일 확률은

$\dfrac{1}{2} \times \dfrac{{}_3C_2}{{}_4C_2} \times \dfrac{{}_5C_5}{{}_6C_5} + \dfrac{1}{2} \times \dfrac{{}_3C_1 \times {}_1C_1}{{}_4C_2} \times \dfrac{{}_4C_4 \times {}_2C_1}{{}_6C_5}$

$= \dfrac{1}{2} \times \dfrac{3}{6} \times \dfrac{1}{6} + \dfrac{1}{2} \times \dfrac{3}{6} \times \dfrac{2}{6} = \dfrac{1}{24} + \dfrac{1}{12} = \dfrac{1}{8}$

(ii) [실행 1]에서 동전의 뒷면이 나오고, [실행 2]가 끝난 후 주머니 B에 흰 공이 남아 있지 않은 경우

[실행 1]에서 주머니 B에 넣은 공이 흰 공 2개와 검은 공 1개이고,

[실행 2]에서 주머니 A에 넣은 공이 흰 공 5개일 확률은

$\dfrac{1}{2} \times \dfrac{{}_3C_2 \times {}_1C_1}{{}_4C_3} \times \dfrac{{}_5C_5}{{}_7C_5} = \dfrac{1}{2} \times \dfrac{3}{4} \times \dfrac{1}{21} = \dfrac{1}{56}$

(i), (ii)에서

$P(X) = \dfrac{1}{8} + \dfrac{1}{56} = \dfrac{8}{56} = \dfrac{1}{7}$, $P(X \cap Y) = \dfrac{1}{24} + \dfrac{1}{56} = \dfrac{10}{168} = \dfrac{5}{84}$

그러므로 구하는 확률은

$P(Y | X) = \dfrac{P(X \cap Y)}{P(X)} = \dfrac{\frac{5}{84}}{\frac{1}{7}} = \dfrac{5}{12}$

따라서 $p = 12$, $q = 5$이므로 $p + q = 17$

●핵심 공식

▶ 조건부확률

확률이 0이 아닌 두 사건 A, B에 대하여 사건 A가 일어났다고 가정할 때, 사건 B가 일어날 확률을 사건 A가 일어났을 때의 사건 B의 조건부 확률이라 하고, 이것을 $P(B | A)$로 나타낸다.

$P(B | A) = \dfrac{P(A \cap B)}{P(A)}$ (단, $P(A) > 0$)

★★ 문제 해결 꿀~팁 ★★

▶ 문제 해결 방법

[실행 2]가 끝난 후 주머니 B에 흰 공이 남아 있지 않는 경우는 크게 세 가지로 나누어진다.

(i) 동전의 앞면이 나오고, 주머니 A에서 흰 공 2개를 주머니 B에 넣은 다음 주머니 B에서 흰 공 5개를 주머니 A에 넣는 경우

(ii) 동전의 앞면이 나오고, 주머니 A에서 흰 공 1개와 검은 공 1개를 주머니 B에 넣은 다음 주머니 B에서 흰 공 4개와 검은 공 1개를 주머니 A에 넣는 경우

(iii) 동전의 뒷면이 나오고, 주머니 A에서 흰 공 2개와 검은공 1개를 주머니 B에 넣은 다음 주머니 B에서 흰 공 5개를 주머니 A에 넣는 경우

이 중 [실행 2]가 끝난 후 주머니 B에 흰 공이 남아 있지 않을 때, [실행 1]에서 주머니 B에 넣은 공 중 흰 공이 2개인 경우는 (i), (iii)이다.

각각의 확률을 구한 후 조건부확률을 이용하여 구하는 확률을 구하면 된다.

실행1과 실행 2에서 꺼내는 공의 개수에 유의하여 만족하는 경우를 정확하게 구할 수 있어야 한다.

미적분

23 수열의 극한　　　　　　　　　　　　정답률 92% | 정답 ①

❶ 첫째항이 1이고 공차가 2인 등차수열 $\{a_n\}$에 대하여 ❷ $\displaystyle\lim_{n \to \infty} \dfrac{a_n}{3n+1}$의 값은? [2점]

① $\dfrac{2}{3}$　　② 1　　③ $\dfrac{4}{3}$　　④ $\dfrac{5}{3}$　　⑤ 2

STEP 01 등차수열의 일반항으로 ❶을 구한 후 ❷에 대입하여 극한값을 구한다.

$a_n = 1 + (n-1) \times 2 = 2n - 1$이므로

$\displaystyle\lim_{n \to \infty} \dfrac{a_n}{3n+1} = \lim_{n \to \infty} \dfrac{2n-1}{3n+1} = \lim_{n \to \infty} \dfrac{2 - \frac{1}{n}}{3 + \frac{1}{n}} = \dfrac{2}{3}$

24 로그함수의 극한　　　　　　　　　　정답률 89% | 정답 ③

미분가능한 함수 $f(x)$에 대하여

❶ $\displaystyle\lim_{x \to 0} \dfrac{f(x) - f(0)}{\ln(1 + 3x)} = 2$

일 때, $f'(0)$의 값은? [3점]

① 4　　② 5　　③ 6　　④ 7　　⑤ 8

$$\lim_{x \to 0} \frac{f(x) - f(0)}{\ln(1+3x)} = \lim_{x \to 0} \frac{\dfrac{f(x)-f(0)}{x}}{\dfrac{\ln(1+3x)}{3x} \times 3} = \frac{f'(0)}{3}$$

$\dfrac{f'(0)}{3} = 2$에서 $f'(0) = 6$

---

25 음함수의 미분법   정답률 67% | 정답 ⑤

매개변수 $t(0 < t < \pi)$로 나타내어진 곡선

❶ $x = \sin t - \cos t,\ y = 3\cos t + \sin t$

위의 ❷ 점 $(a,\ b)$에서의 접선의 기울기가 3일 때, $a+b$의 값은? [3점]

① 0 ② $-\dfrac{\sqrt{10}}{10}$ ③ $-\dfrac{\sqrt{10}}{5}$ ④ $-\dfrac{3\sqrt{10}}{10}$ ⑤ $-\dfrac{2\sqrt{10}}{5}$

STEP 01 삼각함수의 미분으로 ❶에서 $\dfrac{dx}{dt}$, $\dfrac{dy}{dt}$를 각각 구한 후 ❷를 이용하여 a, b를 구한 다음 합을 구한다.

$\dfrac{dx}{dt} = \cos t + \sin t$, $\dfrac{dy}{dt} = -3\sin t + \cos t$ 이므로

$$\frac{dy}{dx} = \frac{\dfrac{dy}{dt}}{\dfrac{dx}{dt}} = \frac{-3\sin t + \cos t}{\cos t + \sin t} \quad (단,\ \cos t + \sin t \neq 0)$$

$\dfrac{dy}{dx} = 3$인 t의 값을 $\alpha(0 < \alpha < \pi)$라 하면

$\cos\alpha = -3\sin\alpha$

$\sin^2\alpha + \cos^2\alpha = 1$ 이므로 $\sin^2\alpha + 9\sin^2\alpha = 1$

$\sin\alpha > 0$이므로 $\sin\alpha = \dfrac{\sqrt{10}}{10}$, $\cos\alpha = -\dfrac{3\sqrt{10}}{10}$

$a = \sin\alpha - \cos\alpha = \dfrac{2\sqrt{10}}{5}$,

$b = 3\cos\alpha + \sin\alpha = -\dfrac{4\sqrt{10}}{5}$

따라서

$a + b = -\dfrac{2\sqrt{10}}{5}$

---

26 정적분과 급수 사이의 관계   정답률 56% | 정답 ②

❶ $\displaystyle\lim_{n \to \infty} \sum_{k=1}^{n} \frac{k}{(2n-k)^2}$ 의 값은? [3점]

① $\dfrac{3}{2} - 2\ln 2$ ② $1 - \ln 2$ ③ $\dfrac{3}{2} - \ln 3$ ④ $\ln 2$ ⑤ $2 - \ln 3$

STEP 01 ❶을 적분으로 변형한 후 적분하여 값을 구한다.

$$\lim_{n \to \infty} \sum_{k=1}^{n} \frac{k}{(2n-k)^2} = \lim_{n \to \infty} \sum_{k=1}^{n} \frac{\dfrac{k}{n}}{\left(\dfrac{k}{n} - 2\right)^2} \times \frac{1}{n}$$

$$= \int_{-2}^{-1} \frac{x+2}{x^2}\, dx$$

$$= \int_{-2}^{-1} \left(\frac{1}{x} + \frac{2}{x^2}\right) dx$$

$$= \left[\ln|x| - \frac{2}{x}\right]_{-2}^{-1}$$

$$= 1 - \ln 2$$

●핵심 공식

▶ 정적분과 무한급수

(1) $\displaystyle\lim_{n \to \infty} \sum_{k=1}^{n} f\left(\frac{k}{n}\right) \cdot \frac{1}{n} = \int_0^1 f(x)\, dx$

(2) $\displaystyle\lim_{n \to \infty} \sum_{k=1}^{n} f\left(\frac{p}{n}k\right) \cdot \frac{p}{n} = \int_0^p f(x)\, dx$

(3) $\displaystyle\lim_{n \to \infty} \sum_{k=1}^{n} f\left(a + \frac{b-a}{n}k\right) \cdot \frac{b-a}{n} = \int_a^b f(x)\, dx$

(4) $\displaystyle\lim_{n \to \infty} \sum_{k=1}^{n} f\left(a + \frac{p}{n}k\right) \cdot \frac{p}{n} = \int_a^{a+p} f(x)\, dx = \int_0^p f(a+x)\, dx = \int_0^1 p \cdot f(a+px)\, dx$

---

27 도형의 등비급수   정답률 66% | 정답 ④

그림과 같이 $\overline{A_1B_1} = 1$, $\overline{B_1C_1} = 2\sqrt{6}$인 직사각형 $A_1B_1C_1D_1$이 있다. 중심이 B_1이고 반지름의 길이가 1인 원이 선분 B_1C_1과 만나는 점을 E_1이라 하고, 중심이 D_1이고 반지름의 길이가 1인 원이 선분 A_1D_1과 만나는 점을 F_1이라 하자. 선분 B_1D_1이 호 A_1E_1, 호 C_1F_1과 만나는 점을 각각 B_2, D_2라 하고, 두 선분 B_1B_2, D_1D_2의 중점을 각각 G_1, H_1이라 하자.

두 선분 A_1G_1, G_1B_2와 호 B_2A_1로 둘러싸인 부분인 ⌐⌐ 모양의 도형과 두 선분 D_2H_1, H_1F_1과 호 F_1D_2로 둘러싸인 부분인 ⌐ 모양의 도형에 색칠하여 얻은 그림을 R_1이라 하자.

그림 R_1에서 선분 B_2D_2가 대각선이고 모든 변이 선분 A_1B_1 또는 선분 B_1C_1에 평행한 직사각형 $A_2B_2C_2D_2$를 그린다.

직사각형 $A_2B_2C_2D_2$에 그림 R_1을 얻은 것과 같은 방법으로 ⌐⌐ 모양의 도형과 ⌐ 모양의 도형을 그리고 색칠하여 얻은 그림을 R_2라 하자.

이와 같은 과정을 계속하여 n번째 얻은 그림 R_n에 색칠되어 있는 부분의 넓이를 S_n이라 할 때, $\displaystyle\lim_{n \to \infty} S_n$의 값은? [3점]

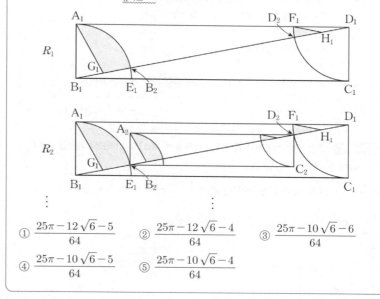

① $\dfrac{25\pi - 12\sqrt{6} - 5}{64}$ ② $\dfrac{25\pi - 12\sqrt{6} - 4}{64}$ ③ $\dfrac{25\pi - 10\sqrt{6} - 6}{64}$

④ $\dfrac{25\pi - 10\sqrt{6} - 5}{64}$ ⑤ $\dfrac{25\pi - 10\sqrt{6} - 4}{64}$

STEP 01 그림 R_1에 색칠된 두 도형의 넓이를 각각 부채꼴의 넓이와 삼각형의 넓이의 차를 이용하여 구하여 S_1을 구한다.

그림 R_n에서 새로 색칠한 부분의 넓이를 a_n이라 하자.

$\angle A_nB_nD_n = \theta$라 하면

$\overline{B_1D_1} = \sqrt{1^2 + (2\sqrt{6})^2} = 5$이므로

$\sin\theta = \dfrac{\overline{A_nD_n}}{\overline{B_nD_n}} = \dfrac{\overline{A_1D_1}}{\overline{B_1D_1}} = \dfrac{2\sqrt{6}}{5}$, $\cos\theta = \dfrac{1}{5}$

두 선분 A_1G_1, G_1B_2와 호 B_2A_1로 둘러싸인 도형의 넓이는 부채꼴 $B_1B_2A_1$의 넓이에서 삼각형 $A_1B_1G_1$의 넓이를 뺀 것과 같으므로

$\dfrac{1}{2} \times 1^2 \times \theta - \dfrac{1}{2} \times 1 \times \dfrac{1}{2} \times \sin\theta = \dfrac{\theta}{2} - \dfrac{\sqrt{6}}{10}$

두 선분 D_2H_1, H_1F_1과 호 F_1D_2로 둘러싸인 도형의 넓이는 부채꼴 $D_1F_1D_2$의 넓이에서 삼각형 $D_1F_1H_1$의 넓이를 뺀 것과 같으므로

$\dfrac{1}{2} \times 1^2 \times \left(\dfrac{\pi}{2} - \theta\right) - \dfrac{1}{2} \times 1 \times \dfrac{1}{2} \times \sin\left(\dfrac{\pi}{2} - \theta\right) = \dfrac{\pi}{4} - \dfrac{\theta}{2} - \dfrac{1}{20}$

그러므로

$a_1 = \left(\dfrac{\theta}{2} - \dfrac{\sqrt{6}}{10}\right) + \left(\dfrac{\pi}{4} - \dfrac{\theta}{2} - \dfrac{1}{20}\right)$

$= \dfrac{\pi}{4} - \dfrac{\sqrt{6}}{10} - \dfrac{1}{20}$

STEP 02 두 선분 $\overline{B_1D_1}$, $\overline{B_2D_2}$의 길이를 구하여 공비를 구한 다음 등비급수로 $\displaystyle\lim_{n \to \infty} S_n$의 값을 구한다.

$\dfrac{\overline{B_{n+1}D_{n+1}}}{\overline{B_nD_n}} = \dfrac{\overline{B_2D_2}}{\overline{B_1D_1}} = \dfrac{\overline{B_1D_1} - (\overline{B_1B_2} + \overline{D_1D_2})}{\overline{B_1D_1}} = \dfrac{3}{5}$

두 직사각형 $A_nB_nC_nD_n$과 $A_{n+1}B_{n+1}C_{n+1}D_{n+1}$의 닮음비는 $5:3$이므로

$\dfrac{a_{n+1}}{a_n} = \left(\dfrac{3}{5}\right)^2 = \dfrac{9}{25}$

수열 $\{a_n\}$은 첫째항이 a_1이고

공비가 $\dfrac{9}{25}$인 등비수열이므로

15회

$$\lim_{n\to\infty}S_n=\frac{a_1}{1-\dfrac{9}{25}}=\frac{25\pi-10\sqrt{6}-5}{64}$$

28 적분의 활용 　　　　정답률 34% | 정답 ②

닫힌구간 $[0,\ 4\pi]$에서 연속이고 다음 조건을 만족시키는 모든 함수 $f(x)$에 대하여 ❶ $\displaystyle\int_0^{4\pi}|f(x)|dx$의 최솟값은? [4점]

> (가) $0\le x\le\pi$일 때, $f(x)=1-\cos x$이다.
> (나) $1\le n\le3$인 각각의 자연수 n에 대하여
> $$f(n\pi+t)=f(n\pi)+f(t)\ (0<t\le\pi)$$
> 또는
> $$f(n\pi+t)=f(n\pi)-f(t)\ (0<t\le\pi)$$
> 이다.
> (다) $0<x<4\pi$에서 곡선 $y=f(x)$의 변곡점의 개수는 6이다.

① 4π　② 6π　③ 8π　④ 10π　⑤ 12π

STEP 01 조건 (가), (나)에서 각 범위에서의 $y=f(x)$의 그래프의 개형을 구한다.

조건 (가)에서 곡선 $y=f(x)$는

구간 $\left(0,\ \dfrac{\pi}{2}\right)$에서 아래로 볼록이고, 구간 $\left(\dfrac{\pi}{2},\ \pi\right)$에서 위로 볼록이므로

점 $\left(\dfrac{\pi}{2},\ f\left(\dfrac{\pi}{2}\right)\right)$는 곡선 $y=f(x)$의 변곡점이다.

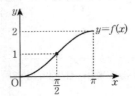

조건 (나)에 의하여 $n\pi<x\le(n+1)\pi$에서 곡선의 모양은 다음 두 가지 중 하나이다.

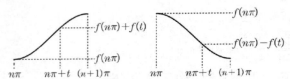

STEP 02 조건 (다)를 만족하는 $y=f(x)$의 경우를 나누어 각각 그래프를 그리고 ❶을 구하여 최솟값을 구한다.

$0<x<4\pi$에서 곡선 $y=f(x)$의 변곡점의 개수가 6인 경우는 다음과 같다.

(i) 함수 $y=f(x)$가 $x=\pi$에서 극대일 때

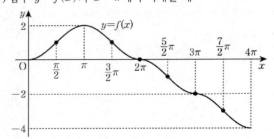

위 그림에서 곡선 $y=f(x)$의 변곡점은

x좌표가 $\dfrac{\pi}{2}$, $\dfrac{3}{2}\pi$, 2π, $\dfrac{5}{2}\pi$, 3π, $\dfrac{7}{2}\pi$인 점이다.

$$\int_0^{4\pi}|f(x)|dx=4\int_0^{\pi}f(x)dx+\pi\times2$$
$$=4\int_0^{\pi}(1-\cos x)dx+2\pi$$
$$=4\Big[x-\sin x\Big]_0^{\pi}+2\pi$$
$$=6\pi$$

(ii) 함수 $y=f(x)$가 $x=2\pi$에서 극대일 때

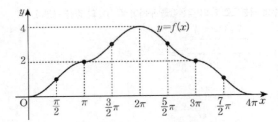

위 그림에서 곡선 $y=f(x)$의 변곡점은

x좌표가 $\dfrac{\pi}{2}$, π, $\dfrac{3}{2}\pi$, $\dfrac{5}{2}\pi$, 3π, $\dfrac{7}{2}\pi$인 점이다.

$$\int_0^{4\pi}|f(x)|dx=4\int_0^{\pi}f(x)dx+2\pi\times2=8\pi$$

(iii) 함수 $y=f(x)$가 $x=3\pi$에서 극대일 때

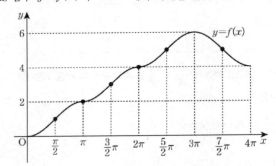

위 그림에서 곡선 $y=f(x)$의 변곡점은

x좌표가 $\dfrac{\pi}{2}$, π, $\dfrac{3}{2}\pi$, 2π, $\dfrac{5}{2}\pi$, $\dfrac{7}{2}\pi$인 점이다.

$$\int_0^{4\pi}|f(x)|dx=4\int_0^{\pi}f(x)dx+2\pi\times5=14\pi$$

(i), (ii), (iii)에서 구하는 최솟값은 6π이다.

29 삼각함수의 극한 　　　　정답률 34% | 정답 20

그림과 같이 길이가 2인 선분 AB를 지름으로 하는 반원이 있다. 선분 AB의 중점을 O라 하고 호 AB 위에 두 점 P, Q를

$$\angle BOP=\theta,\ \angle BOQ=2\theta$$

가 되도록 잡는다. 점 Q를 지나고 선분 AB에 평행한 직선이 호 AB와 만나는 점 중 Q가 아닌 점을 R라 하고, 선분 BR가 두 선분 OP, OQ와 만나는 점을 각각 S, T라 하자.

세 선분 AO, OT, TR와 호 RA로 둘러싸인 부분의 넓이를 $f(\theta)$라 하고, 세 선분 QT, TS, SP와 호 PQ로 둘러싸인 부분의 넓이를 $g(\theta)$라 하자.

❶ $\displaystyle\lim_{\theta\to0+}\frac{g(\theta)}{f(\theta)}=a$일 때, $80a$의 값을 구하시오. (단, $0<\theta<\dfrac{\pi}{4}$) [4점]

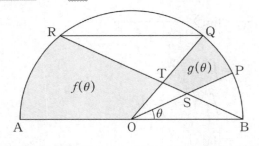

STEP 01 부채꼴 ORA의 넓이와 삼각형 OTR의 넓이의 합으로 $f(\theta)$를 구한 후 삼각함수의 극한으로 $\displaystyle\lim_{\theta\to0+}\frac{f(\theta)}{\theta}$를 구한다.

$\angle RBO=\angle BRQ=\dfrac{1}{2}\angle BOQ=\theta$이므로

$\angle OST=2\theta$, $\angle OTS=\pi-3\theta$

삼각형 OBS에서 사인법칙에 의하여

$\dfrac{\overline{OS}}{\sin\theta}=\dfrac{1}{\sin(\pi-2\theta)}$, $\overline{OS}=\dfrac{\sin\theta}{\sin2\theta}$

삼각형 OBT에서 사인법칙에 의하여

$\dfrac{\overline{OT}}{\sin\theta}=\dfrac{1}{\sin(\pi-3\theta)}$, $\overline{OT}=\dfrac{\sin\theta}{\sin3\theta}$

$\angle \text{ROA} = 2 \times \angle \text{RBA} = 2\theta$, $\angle \text{TOR} = \pi - 4\theta$

$f(\theta) = (\text{부채꼴 ORA의 넓이}) + (\text{삼각형 OTR의 넓이})$

$\quad = \dfrac{1}{2} \times 1^2 \times 2\theta + \dfrac{1}{2} \times 1 \times \overline{\text{OT}} \times \sin(\pi - 4\theta)$

$\quad = \theta + \dfrac{\sin\theta \sin 4\theta}{2\sin 3\theta}$

$\displaystyle\lim_{\theta \to 0+} \dfrac{f(\theta)}{\theta} = \lim_{\theta \to 0+} \left(1 + \dfrac{4 \times \dfrac{\sin\theta}{\theta} \times \dfrac{\sin 4\theta}{4\theta}}{6 \times \dfrac{\sin 3\theta}{3\theta}} \right)$

$\quad = 1 + \dfrac{4 \times 1 \times 1}{6 \times 1} = \dfrac{5}{3}$

STEP 02 부채꼴 OPQ의 넓이와 삼각형 OST의 넓이의 차로 $g(\theta)$를 구한 후 삼각함수의 극한으로 $\displaystyle\lim_{\theta \to 0+} \dfrac{g(\theta)}{\theta}$를 구한 다음 ❶에 대입하여 a를 구하고 $80a$의 값을 구한다.

$g(\theta) = (\text{부채꼴 OPQ의 넓이}) - (\text{삼각형 OST의 넓이})$

$\quad = \dfrac{1}{2} \times 1^2 \times \theta - \dfrac{1}{2} \times \overline{\text{OS}} \times \overline{\text{OT}} \times \sin\theta$

$\quad = \dfrac{\theta}{2} - \dfrac{\sin^3\theta}{2\sin 2\theta \sin 3\theta}$

$\displaystyle\lim_{\theta \to 0+} \dfrac{g(\theta)}{\theta} = \lim_{\theta \to 0+} \left(\dfrac{1}{2} - \dfrac{\left(\dfrac{\sin\theta}{\theta}\right)^3}{12 \times \dfrac{\sin 2\theta}{2\theta} \times \dfrac{\sin 3\theta}{3\theta}} \right)$

$\quad = \dfrac{1}{2} - \dfrac{1^3}{12 \times 1 \times 1} = \dfrac{5}{12}$

$\displaystyle\lim_{\theta \to 0+} \dfrac{g(\theta)}{f(\theta)} = \lim_{\theta \to 0+} \dfrac{\dfrac{g(\theta)}{\theta}}{\dfrac{f(\theta)}{\theta}} = \dfrac{1}{4}$

따라서 $a = \dfrac{1}{4}$이므로

$80a = 80 \times \dfrac{1}{4} = 20$

●**핵심 공식**

▶ $\dfrac{0}{0}$ 꼴의 삼각함수의 극한

x의 단위는 라디안일 때

① $\displaystyle\lim_{x \to 0} \dfrac{\sin x}{x} = 1$ ② $\displaystyle\lim_{x \to 0} \dfrac{\tan x}{x} = 1$

③ $\displaystyle\lim_{x \to 0} \dfrac{\sin bx}{ax} = \dfrac{b}{a}$ ④ $\displaystyle\lim_{x \to 0} \dfrac{\tan bx}{ax} = \dfrac{b}{a}$

⑤ $\displaystyle\lim_{x \to 0} \dfrac{\sin bx}{\tan ax} = \dfrac{b}{a}$

▶ 사인법칙

$\triangle \text{ABC}$에 대하여 $\triangle \text{ABC}$의 외접원의 반지름 길이를 R라고 할 때,

$\dfrac{a}{\sin A} = \dfrac{b}{\sin B} = \dfrac{c}{\sin C} = 2R$

★★★ 등급을 가르는 문제!

30 정적분의 성질과 부분적분법   정답률 10% | 정답 12

최고차항의 계수가 1인 이차함수 $f(x)$에 대하여 실수 전체의 집합에서 정의된 함수

$g(x) = \ln\{f(x) + f'(x) + 1\}$

이 있다. 상수 a와 함수 $g(x)$가 다음 조건을 만족시킨다.

(가) 모든 실수 x에 대하여 $g(x) > 0$이고

$\displaystyle\int_{2a}^{3a+x} g(t)\,dt = \int_{3a-x}^{2a+2} g(t)\,dt$

이다.

(나) $g(4) = \ln 5$

❶ $\displaystyle\int_3^5 \{f'(x) + 2a\}g(x)\,dx = m + n\ln 2$일 때, $m+n$의 값을 구하시오.

(단, m, n은 정수이고, $\ln 2$는 무리수이다.) [4점]

STEP 01 조건 (가)의 식의 미분을 이용하여 a를 구한다.

함수 $g(x)$의 한 부정적분을 $G(x)$라 하자.

조건 (가)에서

$\displaystyle\int_{2a}^{3a+x} g(t)\,dt = \int_{3a-x}^{2a+2} g(t)\,dt$

$G(3a+x) - G(2a) = G(2a+2) - G(3a-x)$

위 등식의 양변을 x에 대하여 미분하면

$g(3a+x) = g(3a-x)$ ······ ㉠

모든 실수 x에 대하여 ㉠이 성립하므로

함수 $y = g(x)$의 그래프는 직선 $x = 3a$에 대하여 대칭이다.

$\displaystyle\int_{2a}^{3a+x} g(t)\,dt = \int_{3a-x}^{2a+2} g(t)\,dt$

$\quad = \displaystyle\int_{3a-x}^{4a} g(t)\,dt + \int_{4a}^{2a+2} g(t)\,dt$

$\displaystyle\int_{2a}^{3a+x} g(t)\,dt = \int_{3a-x}^{4a} g(t)\,dt$에서

$\displaystyle\int_{4a}^{2a+2} g(t)\,dt = 0$

조건 (가)에서 $g(x) > 0$이므로

$2a + 2 = 4a$, $a = 1$

STEP 02 $f(x)$를 놓고 $y = g(x)$의 그래프의 대칭성과 조건 (나)를 이용하여 $f(x) + f'(x) + 1$을 구한 다음 ❶에 대입한 후 부분적분법으로 적분하여 값을 구한다.

$f(x)$는 최고차항의 계수가 1인 이차함수이므로

$h(x) = f(x) + f'(x) + 1 = x^2 + px + q$ (p, q는 상수)라 하자.

함수 $y = g(x)$의 그래프는 직선 $x = 3$에 대하여 대칭이므로

$g(4) = g(2)$, 즉 $h(4) = h(2)$

$16 + 4p + q = 4 + 2p + q$에서 $p = -6$

조건 (나)에서 $h(4) = 5$이므로

$16 - 24 + q = 5$에서 $q = 13$

$h(x) = x^2 - 6x + 13$에서

$h'(x) = f'(x) + f''(x) = f'(x) + 2$

$\displaystyle\int_3^5 \{f'(x) + 2a\}g(x)\,dx = \int_3^5 \{f'(x) + 2\}g(x)\,dx$

$\quad = \displaystyle\int_3^5 h'(x)\ln h(x)\,dx$

$\quad = \Big[h(x)\ln h(x) \Big]_3^5 - \displaystyle\int_3^5 \left\{ h(x) \times \dfrac{h'(x)}{h(x)} \right\}dx$

$\quad = h(5)\ln h(5) - h(3)\ln h(3) - \{h(5) - h(3)\}$

$\quad = 8\ln 8 - 4\ln 4 - (8 - 4)$

$\quad = -4 + 16\ln 2$

따라서 $m = -4$, $n = 16$이므로

$m + n = 12$

●**핵심 공식**

▶ 부분적분법

$\{f(x)g(x)\}' = f'(x)g(x) + f(x)g'(x)$에서 $f(x)g'(x) = \{f(x)g(x)\}' - f'(x)g(x)$이므로 양변을 적분하면

$\displaystyle\int f(x)g'(x)\,dx = f(x)g(x) - \int f'(x)g(x)\,dx$

★★ 문제 해결 꿀~팁 ★★

▶ 문제 해결 방법

조건 (가)의 등식의 양변을 x에 대하여 미분하면 $g(3a+x) = g(3a-x)$이고 함수 $y = g(x)$의 그래프는 직선 $x = 3a$에 대하여 대칭이므로 $\displaystyle\int_{4a}^{2a+2} g(t)\,dt = 0$, $a = 1$ 이다. $h(x) = f(x) + f'(x) + 1 = x^2 + px + q$라 하면 함수 $y = g(x)$의 그래프는 직선 $x = 3$에 대하여 대칭이므로 $g(4) = g(2)$, 즉 $h(4) = h(2)$이다. 또한 조건 (나)에서 $h(4) = 5$이므로 $h(x) = x^2 - 6x + 13$, $h'(x) = f'(x) + f''(x) = f'(x) + 2$이다. 이제 부분적분법으로 적분하면 답을 구할 수 있다.

$g(3a+x) = g(3a-x)$에서 함수 $y = g(x)$의 그래프는 직선 $x = 3a$에 대하여 대칭임을 알고 이를 이용하여 식을 정리할 수 있어야 한다. 또한 미분과 적분의 관계와 부분적분법도 정확하게 알고 있어야 한다.

---

01 지수법칙 정답률 92% | 정답 ⑤

$\sqrt[3]{5} \times 25^{\frac{1}{3}}$ 의 값은? [2점]

① 1 ② 2 ③ 3 ④ 4 ⑤ 5

| 문제 풀이 |

$\sqrt[3]{5} \times 25^{\frac{1}{3}} = 5^{\frac{1}{3}} \times \left(5^2\right)^{\frac{1}{3}} = 5^{\frac{1}{3}} \times 5^{\frac{2}{3}} = 5^{\frac{1}{3}+\frac{2}{3}} = 5^1 = 5$

---

02 미분계수 정답률 89% | 정답 ④

함수 $f(x) = x^3 - 8x + 7$ 에 대하여 $\lim_{h \to 0} \dfrac{f(2+h) - f(2)}{h}$ 의 값은? [2점]

① 1 ② 2 ③ 3 ④ 4 ⑤ 5

| 문제 풀이 |

$f'(x) = 3x^2 - 8$ 이므로

$\lim_{h \to 0} \dfrac{f(2+h) - f(2)}{h} = f'(2) = 3 \times 2^2 - 8 = 4$

---

03 등비수열의 일반항 정답률 84% | 정답 ⑤

첫째항과 공비가 모두 양수 k인 등비수열 $\{a_n\}$이

$$\frac{a_4}{a_2} + \frac{a_2}{a_1} = 30$$

을 만족시킬 때, k의 값은? [3점]

① 1 ② 2 ③ 3 ④ 4 ⑤ 5

| 문제 풀이 |

등비수열 $\{a_n\}$의 첫째항과 공비가 모두 양수 k이므로

$a_n = k^n$

$\dfrac{a_4}{a_2} + \dfrac{a_2}{a_1} = 30$에서

$\dfrac{k^4}{k^2} + \dfrac{k^2}{k} = 30$, $k^2 + k = 30$, $k^2 + k - 30 = 0$, $(k+6)(k-5) = 0$

$k > 0$이므로 $k = 5$

---

04 함수의 연속 정답률 88% | 정답 ②

함수

$$f(x) = \begin{cases} 5x + a & (x < -2) \\ x^2 - a & (x \geq -2) \end{cases}$$

가 실수 전체의 집합에서 연속일 때, 상수 a의 값은? [3점]

① 6 ② 7 ③ 8 ④ 9 ⑤ 10

| 문제 풀이 |

함수 $f(x)$가 실수 전체의 집합에서 연속이므로

$x = -2$에서 연속이어야 한다.

즉, $\lim_{x \to -2^-} f(x) = \lim_{x \to -2^+} f(x) = f(-2)$에서

$\lim_{x \to -2^-} f(x) = \lim_{x \to -2^-} (5x + a) = -10 + a$

$\lim_{x \to -2^+} f(x) = \lim_{x \to -2^+} (x^2 - a) = 4 - a$

$f(-2) = 4 - a$이므로

$-10 + a = 4 - a$, $a = 7$

따라서 상수 a의 값은 7이다.

---

05 미분계수 정답률 87% | 정답 ④

함수 $f(x) = (x^2 + 1)(3x^2 - x)$에 대하여 $f'(1)$의 값은? [3점]

① 8 ② 10 ③ 12 ④ 14 ⑤ 16

| 문제 풀이 |

$f(x) = (x^2 + 1)(3x^2 - x)$에서

$f'(x) = 2x \times (3x^2 - x) + (x^2 + 1) \times (6x - 1)$

따라서 $f'(1) = 2 \times 2 + 2 \times 5 = 14$

---

06 삼각함수의 성질 정답률 68% | 정답 ⑤

$\cos\left(\dfrac{\pi}{2} + \theta\right) = -\dfrac{1}{5}$ 일 때, $\dfrac{\sin\theta}{1 - \cos^2\theta}$ 의 값은? [3점]

① -5 ② $-\sqrt{5}$ ③ 0 ④ $\sqrt{5}$ ⑤ 5

| 문제 풀이 |

$\cos\left(\dfrac{\pi}{2} + \theta\right) = -\dfrac{1}{5}$ 에서 $\sin\theta = \dfrac{1}{5}$

따라서 $\dfrac{\sin\theta}{1 - \cos^2\theta} = \dfrac{\sin\theta}{\sin^2\theta} = \dfrac{1}{\sin\theta} = \dfrac{1}{\frac{1}{5}} = 5$

---

07 정적분 정답률 86% | 정답 ③

다항함수 $f(x)$가 모든 실수 x에 대하여

$$\int_0^x f(t)\,dt = 3x^3 + 2x$$

를 만족시킬 때, $f(1)$의 값은? [3점]

① 7 ② 9 ③ 11 ④ 13 ⑤ 15

| 문제 풀이 |

$\int_0^x f(t)\,dt = 3x^3 + 2x$의 양변을 x에 대해 미분하면

$f(x) = 9x^2 + 2$

따라서 $f(1) = 9 \times 1^2 + 2 = 11$

---

08 로그의 정의와 성질 정답률 71% | 정답 ①

두 실수 $a = 2\log\dfrac{1}{\sqrt{10}} + \log_2 20$, $b = \log 2$ 에 대하여 $a \times b$의 값은? [3점]

① 1 ② 2 ③ 3 ④ 4 ⑤ 5

| 문제 풀이 |

$a = 2\log\dfrac{1}{\sqrt{10}} + \log_2 20$

$= 2 \times \left(-\dfrac{1}{2}\right)\log 10 + \log_2 2 + \log_2 10$

$= -1 + 1 + \log_2 10 = \log_2 10$

$a \times b = \log_2 10 \times \log 2 = 1$

---

09 정적분의 정의와 성질 정답률 79% | 정답 ④

함수 $f(x) = 3x^2 - 16x - 20$에 대하여

$$\int_{-2}^a f(x)\,dx = \int_{-2}^0 f(x)\,dx$$

일 때, 양수 a의 값은? [4점]

① 16 ② 14 ③ 12 ④ 10 ⑤ 8

| 문제 풀이 |

$\int_{-2}^a f(x)\,dx = \int_{-2}^0 f(x)\,dx \quad \cdots\cdots \text{㉠}$

㉠의 좌변은 정적분의 성질을 이용하여 다음과 같이 나타낼 수 있다.

$$\int_{-2}^{a} f(x)dx = \int_{-2}^{0} f(x)dx + \int_{0}^{a} f(x)dx$$

그러므로 ㉠에서

$$\int_{-2}^{0} f(x)dx + \int_{0}^{a} f(x)dx = \int_{-2}^{0} f(x)dx$$

즉, $\int_{0}^{a} f(x)dx = 0$

이때

$$\int_{0}^{a} f(x)dx = \int_{0}^{a} (3x^2 - 16x - 20)dx$$
$$= \left[x^3 - 8x^2 - 20x \right]_{0}^{a} = a^3 - 8a^2 - 20a$$

이므로

$a^3 - 8a^2 - 20a = 0$에서

$a(a^2 - 8a - 20) = 0$, $a(a+2)(a-10) = 0$

따라서 양수 a의 값은 10이다.

---

10 코사인함수의 최댓값과 주기   정답률 69% | 정답 ③

닫힌구간 $[0, 2\pi]$에서 정의된 함수 $f(x) = a\cos bx + 3$이 $x = \dfrac{\pi}{3}$에서
최댓값 13을 갖도록 하는 두 자연수 a, b의 순서쌍 (a, b)에 대하여 $a+b$의
최솟값은? [4점]

① 12　　② 14　　③ 16　　④ 18　　⑤ 20

| 문제 풀이 |

함수 $f(x) = a\cos bx + 3$의 그래프는 함수 $y = a\cos bx$의 그래프를
y축의 방향으로 3만큼 평행이동시킨 것이다.

a가 자연수이므로 $f(0) \geq f(x)$이다.

한편, 함수 $y = a\cos bx + 3$의 주기는 $\dfrac{2\pi}{b}$

닫힌구간 $[0, 2\pi]$에서 정의된 함수 $f(x)$가 $x = \dfrac{\pi}{3}$에서 최댓값 13을 가지므로

$a + 3 = 13$ …… ㉠

$\dfrac{2\pi}{b} \leq \dfrac{\pi}{3}$ …… ㉡

이어야 한다.

㉠에서 $a = 10$, ㉡에서 $b \geq 6$

따라서 $a+b$의 최솟값은 $b = 6$일 때

$10 + 6 = 16$

---

11 속도와 가속도   정답률 75% | 정답 ②

시각 $t = 0$일 때 출발하여 수직선 위를 움직이는 점 P의 시각 $t(t \geq 0)$에서의
위치 x가

$$x = t^3 - \frac{3}{2}t^2 - 6t$$

이다. 출발한 후 점 P의 운동 방향이 바뀌는 시각에서의 점 P의 가속도는?
[4점]

① 6　　② 9　　③ 12　　④ 15　　⑤ 18

| 문제 풀이 |

점 P의 시각 t에서의 속도와 가속도를 각각 v, a라 하면

$v = x' = 3t^2 - 3t - 6$

$a = v' = 6t - 3$

이때 출발한 후 점 P의 운동 방향이 바뀌는 시각은

$v = 3t^2 - 3t - 6 = 3(t-2)(t+1) = 0$에서 $t = 2$

따라서 $t = 2$에서 점 P의 운동 방향이 바뀌므로 구하는 가속도는

$6 \times 2 - 3 = 9$

---

12 여러 가지 수열의 합   정답률 58% | 정답 ①

$a_1 = 2$인 수열 $\{a_n\}$과 $b_1 = 2$인 등차수열 $\{b_n\}$이 모든 자연수 n에 대하여

$$\sum_{k=1}^{n} \frac{a_k}{b_{k+1}} = \frac{1}{2}n^2$$

을 만족시킬 때, $\displaystyle\sum_{k=1}^{5} a_k$의 값은? [4점]

① 120　　② 125　　③ 130　　④ 135　　⑤ 140

| 문제 풀이 |

$$\sum_{k=1}^{n} \frac{a_k}{b_{k+1}} = \frac{1}{2}n^2 \cdots\cdots ㉠$$

㉠에 $n = 1$을 대입하면 $\dfrac{a_1}{b_2} = \dfrac{1}{2}$

$a_1 = 2$이므로 $b_2 = 4$

등차수열 $\{b_n\}$에서 $b_1 = 2$, $b_2 = 4$이므로 $\{b_n\}$은 첫째항이 2,
공차가 2인 등차수열이다. 즉, $b_n = 2n$

한편, ㉠의 양변에 n대신 $n-1$을 대입하면

$$\sum_{k=1}^{n-1} \frac{a_k}{b_{k+1}} = \frac{1}{2}(n-1)^2 \cdots\cdots ㉡$$

㉠－㉡을 하면

$$\frac{a_n}{b_{n+1}} = \frac{1}{2}n^2 - \frac{1}{2}(n-1)^2 = n - \frac{1}{2}$$

$b_{n+1} = 2(n+1)$이므로

$$a_n = 2(n+1)\left(n - \frac{1}{2}\right) = 2n^2 + n - 1 \ (n \geq 2)$$

이 때, $a_1 = 2$이므로

$$a_n = 2n^2 + n - 1$$

따라서

$$\sum_{k=1}^{5} a_k = \sum_{k=1}^{5}(2k^2 + k - 1) = 2 \times \frac{5 \times 6 \times 11}{6} + \frac{5 \times 6}{2} - 1 \times 5 = 120$$

---

13 정적분의 활용   정답률 51% | 정답 ⑤

최고차항의 계수가 1인 삼차함수 $f(x)$가
$$f(1) = f(2) = 0, \ f'(0) = -7$$
을 만족시킨다. 원점 O와 점 $P(3, f(3))$에 대하여 선분 OP가
곡선 $y = f(x)$와 만나는 점 중 P가 아닌 점을 Q라 하자.
곡선 $y = f(x)$와 y축 및 선분 OQ로 둘러싸인 부분의 넓이를 A,
곡선 $y = f(x)$와 선분 PQ로 둘러싸인 부분의 넓이를 B라 할 때,
$B - A$의 값은? [4점]

① $\dfrac{37}{4}$　　② $\dfrac{39}{4}$　　③ $\dfrac{41}{4}$　　④ $\dfrac{43}{4}$　　⑤ $\dfrac{45}{4}$

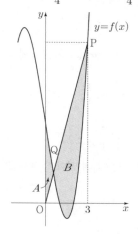

| 문제 풀이 |

$f(x)$는 최고차항의 계수가 1인 삼차함수이고 $f(1) = f(2) = 0$이므로
$f(x) = (x-1)(x-2)(x-k)$ (k는 상수)로 놓을 수 있다.

이때, $f'(x) = (x-2)(x-k) + (x-1)(x-k) + (x-1)(x-2)$이고,
$f'(0) = -7$이므로

$2k + k + 2 = -7$

즉, $k = -3$이므로 $f(x) = (x-1)(x-2)(x+3)$이고, $f(3) = 12$이므로
점 P의 좌표는 $P(3, 12)$
따라서 직선 OP의 방정식은 $y = 4x$이므로

$$B - A = \int_{0}^{3} \{4x - f(x)\}dx$$
$$= \int_{0}^{3} \{4x - (x^3 - 7x + 6)\}dx$$
$$= \int_{0}^{3} (-x^3 + 11x - 6)dx$$
$$= \left[-\frac{1}{4}x^4 + \frac{11}{2}x^2 - 6x \right]_{0}^{3}$$
$$= -\frac{1}{4} \times 81 + \frac{11}{2} \times 9 - 6 \times 3 = \frac{45}{4}$$

그림과 같이 삼각형 ABC에서 선분 AB 위에 $\overline{AD}:\overline{DB}=3:2$인 점 D를 잡고, 점 A를 중심으로 하고 점 D를 지나는 원을 O, 원 O와 선분 AC가 만나는 점을 E라 하자.

$\sin A:\sin C=8:5$이고, 삼각형 ADE와 삼각형 ABC의 넓이의 비가 9:35이다. 삼각형 ABC의 외접원의 반지름의 길이가 7일 때, 원 O 위의 점 P에 대하여 삼각형 PBC의 넓이의 최댓값은? (단, $\overline{AB}<\overline{AC}$) [4점]

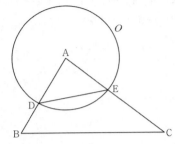

① $18+15\sqrt{3}$ ② $24+20\sqrt{3}$ ③ $30+25\sqrt{3}$

④ $36+30\sqrt{3}$ ⑤ $42+35\sqrt{3}$

| 문제 풀이 |

원 O의 반지름의 길이를 r이라 하면

$\overline{AD}=\overline{AE}=r$이고 $\overline{AD}:\overline{DB}=3:2$이므로 $\overline{BD}=\dfrac{2}{3}r$

또한 $\overline{CE}=x$라 하면 삼각형 ADE와 삼각형 ABC의 넓이가 각각

$\dfrac{1}{2}\times r\times r\times\sin A=\dfrac{1}{2}r^2\sin A$

$\dfrac{1}{2}\times\dfrac{5}{3}r\times(r+x)\times\sin A=\dfrac{5}{6}r(r+x)\sin A$이고

삼각형 ADE와 삼각형 ABC의 넓이의 비가 9:35이므로

$\dfrac{1}{2}r^2\sin A:\dfrac{5}{6}r(r+x)\sin A=9:35$

$3r+3x=7r,\ x=\dfrac{4}{3}r$

이때 삼각형 ABC에서 사인법칙에 의하여 $\dfrac{\overline{BC}}{\sin A}=\dfrac{\overline{AB}}{\sin C}$이고

$\overline{AB}=\dfrac{5}{3}r,\ \sin A:\sin C=8:5$이므로

$\overline{BC}=\overline{AB}\times\dfrac{\sin A}{\sin C}=\dfrac{5}{3}r\times\dfrac{8}{5}=\dfrac{8}{3}r$

$\angle ACB=\theta$라 하면 삼각형 ABC에서 코사인법칙에 의하여

$\cos\theta=\dfrac{\left(\dfrac{8}{3}r\right)^2+\left(\dfrac{7}{3}r\right)^2-\left(\dfrac{5}{3}r\right)^2}{2\times\dfrac{8}{3}r\times\dfrac{7}{3}r}=\dfrac{11}{14}$이므로

$\sin\theta=\sqrt{1-\cos^2\theta}=\sqrt{1-\left(\dfrac{11}{14}\right)^2}=\dfrac{5\sqrt{3}}{14}$

또한 삼각형 ABC의 외접원의 반지름의 길이가 7이므로

$\dfrac{\overline{AB}}{\sin\theta}=2\times 7$, 즉 $\dfrac{\dfrac{5}{3}r}{\sin\theta}=14$에서

$\dfrac{5}{3}r=14\sin\theta=14\times\dfrac{5\sqrt{3}}{14}=5\sqrt{3}$

$r=3\sqrt{3}$

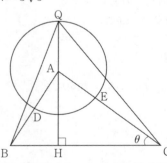

점 A에서 선분 BC에 내린 수선의 발을 H라 하면

$\overline{AH}=\overline{AC}\sin\theta=\dfrac{7}{3}r\sin\theta=\dfrac{7}{3}\times 3\sqrt{3}\times\dfrac{5\sqrt{3}}{14}=\dfrac{15}{2}$

따라서 직선 AH와 원 O가 만나는 점 중 삼각형 ABC의 외부의 점을 Q하면, 삼각형 PBC의 넓이가 최대일 때는 점 P가 점 Q의 위치에 있을 때이다.

이때 $\overline{QH}=r+\overline{AH}=3\sqrt{3}+\dfrac{15}{2}$

이므로 삼각형 PBC의 넓이의 최댓값은

$\dfrac{1}{2}\times\dfrac{8}{3}\times 3\sqrt{3}\times\left(3\sqrt{3}+\dfrac{15}{2}\right)=36+30\sqrt{3}$

상수 $a(a\neq 3\sqrt{5})$와 최고차항의 계수가 음수인 이차함수 $f(x)$에 대하여 함수

$$g(x)=\begin{cases} x^3+ax^2+15x+7 & (x\leq 0) \\ f(x) & (x>0) \end{cases}$$

이 다음 조건을 만족시킨다.

> (가) 함수 $g(x)$는 실수 전체의 집합에서 미분가능하다.
> (나) x에 대한 방정식 $g'(x)\times g'(x-4)=0$의 서로 다른 실근의 개수는 4이다.

$g(-2)+g(2)$의 값은? [4점]

① 30   ② 32   ③ 34   ④ 36   ⑤ 38

| 문제 풀이 |

$g(0)=7$, $x<0$일 때,

$g'(x)=3x^2+2ax+15$이므로 $\displaystyle\lim_{x\to 0-}g'(x)=15$

조건 (가)에서 함수 $g(x)$가 실수 전체의 집합에서 미분가능하므로

$\displaystyle\lim_{x\to 0+}f(x)=7$, $\displaystyle\lim_{x\to 0+}f'(x)=15$

이차함수 $f(x)$의 최고차항의 계수를 $p(p<0)$라 하면

$f(x)=px^2+15x+7$

$f'(x)=2px+15$

$f'(x)=0$에서

$2px+15=0,\ x=-\dfrac{15}{2p}$

이때, $p<0$이므로 $-\dfrac{15}{2p}>0$

조건 (나)에서 x에 대한 방정식 $g'(x)\times g'(x-4)=0$의 서로 다른 실근의 개수가 4이므로 함수 $g(x)$는 $x<0$에서 극댓값과 극솟값을 가져야 한다.

즉, $x<0$에서 방정식 $g'(x)=0$은 서로 다른 두 실근 α, $\beta(\alpha<\beta<0)$를 갖고,

$\beta=\alpha+4,\ -\dfrac{15}{2p}=\beta+4$ …… ㉠

이어야 한다.

이차방정식 $3x^2+2ax+15=0$의 서로 다른 두 실근이 α, $\alpha+4$이므로 이차방정식의 근과 계수의 관계에 의하여

$\alpha+(\alpha+4)=-\dfrac{2a}{3}$ …… ㉡

$\alpha(\alpha+4)=5$ …… ㉢

㉢에서

$\alpha^2+4\alpha-5=0,\ (\alpha+5)(\alpha-1)=0$

$\alpha<0$이므로 $\alpha=-5$

$\alpha=-5$를 ㉡에 대입하면

$-5+(-5+4)=-\dfrac{2a}{3},\ a=9$

$\alpha=-5$를 ㉠에 대입하면

$\beta=-5+4=-1$

$-\dfrac{15}{2p}=-1+4,\ p=-\dfrac{5}{2}$

따라서

$g(-2)=(-2)^3+9\times(-2)^2+15\times(-2)+7=5$

$g(2)=-\dfrac{5}{2}\times 2^2+15\times 2+7=27$이므로

$g(-2)+g(2)=5+27=32$

방정식

$\log_2(x-3)=\log_4(3x-5)$

를 만족시키는 실수 x의 값을 구하시오. [3점]

| 문제 풀이 |

로그의 진수의 조건에 의해

$x-3>0$, $3x-5>0$

즉, $x>3$ ······ ㉠

$\log_2(x-3)=\log_4(3x-5)$ ······ ㉡

이때

$\log_2(x-3)=\log_{2^2}(x-3)^2=\log_4(x-3)^2$ 이므로 ㉡에서

$\log_4(x-3)^2=\log_4(3x-5)$

즉, $(x-3)^2=3x-5$ 에서

$x^2-6x+9=3x-5$

$x^2-9x+14=0$

$(x-2)(x-7)=0$

따라서 ㉠에 의해 $x=7$

---

17 부정적분　　　　　　정답률 83% | 정답 33

다항함수 $f(x)$에 대하여 $f'(x)=9x^2+4x$ 이고 $f(1)=6$ 일 때, $f(2)$의 값을 구하시오. [3점]

| 문제 풀이 |

$f(x)=\displaystyle\int f'(x)dx=\int(9x^2+4x)dx=3x^3+2x^2+C$ (단, C는 적분상수)

이때 $f(1)=6$ 이므로 $C=1$

따라서 $f(x)=3x^3+2x^2+1$ 이므로

$f(2)=24+8+1=33$

---

18 귀납적으로 정의된 수열　　　　　　정답률 64% | 정답 96

수열 $\{a_n\}$이 모든 자연수 n에 대하여

$$a_n+a_{n+4}=12$$

를 만족시킬 때, $\displaystyle\sum_{n=1}^{16}a_n$의 값을 구하시오. [3점]

| 문제 풀이 |

$a_n+a_{n+4}=12$ 이므로

$\displaystyle\sum_{n=1}^{8}a_n=\sum_{n=1}^{4}(a_n+a_{n+4})=\sum_{n=1}^{4}12=12\times4=48$

$\displaystyle\sum_{n=9}^{16}a_n=\sum_{n=9}^{12}(a_n+a_{n+4})=\sum_{n=9}^{12}12=12\times4=48$

따라서

$\displaystyle\sum_{n=1}^{16}a_n=\sum_{n=1}^{4}(a_n+a_{n+4})+\sum_{n=9}^{12}(a_n+a_{n+4})=48+48=96$

---

19 삼차함수의 극댓값　　　　　　정답률 67% | 정답 41

양수 a에 대하여 함수 $f(x)$를

$$f(x)=2x^3-3ax^2-12a^2x$$

라 하자. 함수 $f(x)$의 극댓값이 $\dfrac{7}{27}$일 때, $f(3)$의 값을 구하시오. [3점]

| 문제 풀이 |

$f(x)=2x^3-3ax^2-12a^2x$ 에서

$f'(x)=6x^2-6ax-12a^2=6(x+a)(x-2a)$

$f'(x)=0$ 에서

$x=-a$ 또는 $x=2a$

$a>0$ 이므로

함수 $f(x)$의 증가와 감소를 표로 나타내면 다음과 같다.

x	$\cdots$	$-a$	$\cdots$	$2a$	$\cdots$
$f'(x)$	$+$	0	$-$	0	$+$
$f(x)$	↗	극대	↘	극소	↗

함수 $f(x)$는 $x=-a$ 에서 극댓값을 갖고,

$x=2a$ 에서 극솟값을 갖는다.

함수 $f(x)$의 극댓값이 $\dfrac{7}{27}$ 이고

$f(-a)=-2a^3-3a^3+12a^3=7a^3$ 이므로

$7a^3=\dfrac{7}{27}$ 에서 $a^3=\dfrac{1}{27}$

$a>0$ 이므로

$a=\dfrac{1}{3}$

따라서

$f(x)=2x^3-x^2-\dfrac{4}{3}x$ 이므로

$f(3)=54-9-4=41$

---

20 지수의 성질과 지수함수의 그래프　　　　　　정답률 8% | 정답 36

곡선 $y=\left(\dfrac{1}{5}\right)^{x-3}$ 과 직선 $y=x$ 가 만나는 점의 x좌표를 k라 하자.

실수 전체의 집합에서 정의된 함수 $f(x)$가 다음 조건을 만족시킨다.

> $x>k$인 모든 실수 x에 대하여
> $f(x)=\left(\dfrac{1}{5}\right)^{x-3}$ 이고 $f(f(x))=3x$ 이다.

$f\left(\dfrac{1}{k^3\times5^{3k}}\right)$ 의 값을 구하시오. [4점]

| 문제 풀이 |

곡선 $y=\left(\dfrac{1}{5}\right)^{x-3}$ 과 직선 $y=x$ 는 다음 그림과 같다.

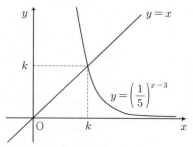

$x>k$ 인 모든 실수 x에 대하여

$f(f(x))=3x$ ······ ㉠

곡선 $y=\left(\dfrac{1}{5}\right)^{x-3}$ 과 직선 $y=x$ 가 만나는 점의 x좌표가 k이므로

$\left(\dfrac{1}{5}\right)^{k-3}=k$

즉, $\left(\dfrac{1}{5}\right)^k\times\left(\dfrac{1}{5}\right)^{-3}=k$ 에서

$k\times5^k=5^3$

그러므로 구하는 값은 다음과 같다.

$f\left(\dfrac{1}{k^3\times5^{3k}}\right)=f\left(\left(\dfrac{1}{k\times5^k}\right)^3\right)=f\left(\left(\dfrac{1}{5^3}\right)^3\right)=f\left(\dfrac{1}{5^9}\right)$ ······ ㉡

한편,

$x>k$ 에서 $f(x)=\left(\dfrac{1}{5}\right)^{x-3}$ 이므로

k보다 작은 임의의 두 양수 y_1, y_2 $(y_1<y_2)$ 에 대하여

$f(x_1)=\left(\dfrac{1}{5}\right)^{x_1-3}=y_1$

$f(x_2)=\left(\dfrac{1}{5}\right)^{x_2-3}=y_2$

인 x_1, x_2 $(k<x_2<x_1)$ 이 존재한다.

㉠에서

$f(f(x_1))=3x_1$, $f(f(x_2))=3x_2$ 이므로

$f(f(x_1))>f(f(x_2))$

즉, $f(y_1)>f(y_2)$ 이므로 함수 $f(x)$는 $x<k$ 에서 감소한다.

$x>k$ 에서 $f(x)=\left(\dfrac{1}{5}\right)^{x-3}$ 이므로 함수 $f(x)$는 실수 전체의 집합에서 감소한다.

그러므로 ㉡에서

$f(\alpha)=\dfrac{1}{5^9}$ 인 실수 α $(\alpha>k)$ 가 존재한다.

이때

$f(\alpha)=\left(\dfrac{1}{5}\right)^{\alpha-3}=\dfrac{1}{5^9}$

에서

$\alpha-3=9$, 즉 $\alpha=12$

따라서 ㉠에 의해 구하는 값은

$f\left(\dfrac{1}{k^3\times5^{3k}}\right)=f\left(\dfrac{1}{5^9}\right)=f(f(\alpha))=3\alpha=3\times12=36$

함수 $f(x) = x^3 + ax^2 + bx + 4$가 다음 조건을 만족시키도록 하는 두 정수 a, b에 대하여 $f(1)$의 최댓값을 구하시오. [4점]

> 모든 실수 α에 대하여 $\displaystyle\lim_{x \to \alpha} \dfrac{f(2x+1)}{f(x)}$의 값이 존재한다.

| 문제 풀이 |

삼차방정식 $x^3 + ax^2 + bx + 4 = 0$은 적어도 하나의 실근을 가지므로
$f(\beta) = 0$인 실수 β가 존재한다.

모든 실수 α에 대하여 $\displaystyle\lim_{x \to \alpha} \dfrac{f(2x+1)}{f(x)}$의 값이 존재하므로

$f(\beta) = 0$인 β에 대하여 $\displaystyle\lim_{x \to \beta} f(x) = 0$이고, $\displaystyle\lim_{x \to \beta} f(2x+1) = 0$

함수 $f(x)$는 연속이므로 $f(2\beta+1) = 0$

즉 $2\beta+1$은 방정식 $f(x) = 0$의 근이다.

마찬가지 방법으로 $2\beta+1$이 방정식 $f(x) = 0$의 근이면
$2(2\beta+1)+1 = 4\beta+3$도 방정식 $f(x) = 0$근이고
$2(4\beta+3)+1 = 8\beta+7$도 방정식 $f(x) = 0$의 근이다.

만약 $\beta \neq 2\beta+1$, 즉 $\beta \neq -1$이면
β, $2\beta+1$, $4\beta+3$, $8\beta+7$가
방정식 $f(x) = 0$의 서로 다른 네 근이다.

그러므로 방정식 $f(x) = 0$는 $x = -1$만 실근으로 갖는다.

$f(-1) = 0$에서

$f(-1) = -1 + a - b + 4 = 0$

$b = a + 3$

$f(x) = x^3 + ax^2 + (a+3)x + 4 = (x+1)\{x^2 + (a-1)x + 4\}$

$f(x) \neq (x+1)^3$이므로

이차방정식 $x^2 + (a-1)x + 4 = 0$의 실근은 존재하지 않는다.

위의 이차방정식의 판별식을 D라 할 때

$D = (a-1)^2 - 16 < 0$

$a^2 - 2a - 15 < 0$

$(a+3)(a-5) < 0$

$-3 < a < 5$

$f(1) = a + b + 5 = a + (a+3) + 5 = 2a + 8$에서

$f(1)$의 최댓값은 $a = 4$일 때,

$2 \times 4 + 8 = 16$

모든 항이 정수이고 다음 조건을 만족시키는 모든 수열 $\{a_n\}$에 대하여 $|a_1|$의 값의 합을 구하시오. [4점]

> (가) 모든 자연수 n에 대하여
> $$a_{n+1} = \begin{cases} a_n - 3 & (|a_n|\text{이 홀수인 경우}) \\ \dfrac{1}{2}a_n & (a_n = 0 \text{ 또는 } |a_n|\text{이 짝수인 경우}) \end{cases}$$
> 이다.
> (나) $|a_m| = |a_{m+2}|$인 자연수 m의 최솟값은 3이다.

| 문제 풀이 |

조건 (나)에서 $|a_m| = |a_{m+2}|$를 만족시키는 자연수 m의 최솟값이 3이므로 다음의 경우로 나누어 생각할 수 있다.

(i) $|a_3|$이 홀수인 경우

$a_4 = a_3 - 3$이고 짝수이다.

$a_5 = \dfrac{1}{2}a_4 = \dfrac{1}{2}(a_3 - 3)$

$|a_3| = |a_5|$에서

$|a_3| = \left| \dfrac{1}{2}(a_3 - 3) \right|$

$a_3 = 1$ 또는 $a_3 = -3$

$a_3 = 1$이면 $a_4 = -2$이고 1은 홀수이므로

a_2는 짝수이고 $a_2 = 2$이므로 $|a_2| = |a_4|$가 되어 조건 (나)를 만족시키지 않는다.

$a_3 = -3$이면 $a_4 = -6$이고 $a_2 = -6$이므로

$|a_2| = |a_4|$가 되어 조건 (나)를 만족시키지 않는다.

(ii) $|a_3|$이 0 또는 짝수인 경우

a_3	a_4	a_5
a_3	$\dfrac{1}{2}a_3$	$\dfrac{1}{2}a_3 - 3$
		$\dfrac{1}{4}a_3$

$|a_3| = \left| \dfrac{1}{4}a_3 \right|$에서 $a_3 = 0$

$a_3 = 0$이면 3 이상의 모든 자연수 m에 대하여 $a_m = 0$이고 a_2, a_1은 다음과 같다.

a_3	a_2	a_1
0	3	6
	0	

$a_2 = 0$이면 $|a_2| = |a_4|$가 되어 조건 (나)를 만족시키지 않으므로, 이때의 조건을 만족시키는 a_1의 값은 6이다.

한편, $|a_3| = \left| \dfrac{1}{2}a_3 - 3 \right|$에서

$a_3 = 2$ 또는 $a_3 = -6$

$a_3 = 2$이면 $a_4 = 1$이고 a_2, a_1은 다음과 같다.

a_3	a_2	a_1
2	5	10
	4	7
		8

이때 조건을 만족시키는 a_1의 값은 10, 7, 8이다.

$a_3 = -6$이면 $a_4 = -3$이고 a_2, a_1은 다음과 같다.

a_3	a_2	a_1
-6	-3	-9
	-12	-24

$a_2 = -3$이면 $|a_2| = |a_4|$가 되어 조건 (나)를 만족시키지 않으므로, 이때의 조건을 만족시키는 a_1의 값은 -9, -24이다.

따라서 조건을 만족시키는 모든 수열 $\{a_n\}$에 대하여 $|a_1|$의 값의 합은
$6 + (10+7+8) + (9+24) = 64$

확률과 통계

다항식 $(x^3 + 2)^5$의 전개식에서 x^6의 계수는? [2점]

① 40   ② 50   ③ 60   ④ 70   ⑤ 80

| 문제 풀이 |

다항식 $(x^3 + 2)^5$의 전개식의 일반항은
$_5\mathrm{C}_r \times 2^{5-r} \times (x^3)^r$ $(r = 0, 1, 2, \cdots, 5)$

x^6항은 $r = 2$일 때이므로 x^6의 계수는
$_5\mathrm{C}_2 \times 2^{5-2} = 10 \times 8 = 80$

두 사건 A, B에 대하여
$$\mathrm{P}(A|B) = \mathrm{P}(A) = \dfrac{1}{2}, \quad \mathrm{P}(A \cap B) = \dfrac{1}{5}$$
일 때, $\mathrm{P}(A \cup B)$의 값은? [3점]

① $\dfrac{1}{2}$ ② $\dfrac{3}{5}$ ③ $\dfrac{7}{10}$ ④ $\dfrac{4}{5}$ ⑤ $\dfrac{9}{10}$

| 문제 풀이 |

$\mathrm{P}(A|B) = \dfrac{\mathrm{P}(A \cap B)}{\mathrm{P}(B)} = \mathrm{P}(A)$이므로

$\mathrm{P}(A \cap B) = \mathrm{P}(A)\mathrm{P}(B)$

이때 $\mathrm{P}(A) = \dfrac{1}{2}$, $\mathrm{P}(A \cap B) = \dfrac{1}{5}$이므로

$$P(B) = \frac{2}{5}$$

따라서

$$P(A \cup B) = P(A) + P(B) - P(A \cap B)$$
$$= \frac{1}{2} + \frac{2}{5} - \frac{1}{5} = \frac{7}{10}$$

---

25 모평균의 추정   정답률 56% | 정답 ①

정규분포 $N(m, 2^2)$을 따르는 모집단에서 크기가 256인 표본을 임의추출하여 얻은 표본평균을 이용하여 구한 m에 대한 신뢰도 95%의 신뢰구간이 $a \leq m \leq b$이다. $b - a$의 값은? (단, Z가 표준정규분포를 따르는 확률변수일 때, $P(|Z| \leq 1.96) = 0.95$로 계산한다.) [3점]

① 0.49   ② 0.52   ③ 0.55   ④ 0.58   ⑤ 0.61

| 문제 풀이 |

모평균 m에 대한 신뢰도 95%의 신뢰구간이 $a \leq m \leq b$이므로

$$b - a = 2 \times 1.96 \times \frac{2}{\sqrt{256}} = 2 \times 1.96 \times \frac{1}{8} = 0.49$$

---

26 여사건의 확률   정답률 76% | 정답 ③

어느 학급의 학생 16명을 대상으로 과목 A와 과목 B에 대한 선호도를 조사하였다. 이 조사에 참여한 학생은 과목 A와 과목 B 중 하나를 선택하였고, 과목 A를 선택한 학생은 9명, 과목 B를 선택한 학생은 7명이다. 이 조사에 참여한 학생 16명 중에서 임의로 3명을 선택할 때, 선택한 3명의 학생 중에서 적어도 한 명이 과목 B를 선택한 학생일 확률은? [3점]

① $\frac{3}{4}$ ② $\frac{4}{5}$ ③ $\frac{17}{20}$ ④ $\frac{9}{10}$ ⑤ $\frac{19}{20}$

| 문제 풀이 |

어느 학급의 학생 16명 중 과목 A를 선택한 학생이 9명이므로 16명 중에서 선택한 3명의 학생 모두 과목 A를 선택할 확률은

$$\frac{{}_9 C_3}{{}_{16} C_3} = \frac{\dfrac{9 \times 8 \times 7}{3 \times 2 \times 1}}{\dfrac{16 \times 15 \times 14}{3 \times 2 \times 1}} = \frac{3}{20}$$

따라서 16명 중에서 선택한 3명의 학생 중 적어도 한 명이 과목 B를 선택한 학생일 확률은 여사건의 확률에 의해

$$1 - \frac{3}{20} = \frac{17}{20}$$

---

27 표본평균   정답률 28% | 정답 ③

숫자 1, 3, 5, 7, 9가 각각 하나씩 적혀 있는 5장의 카드가 들어 있는 주머니가 있다. 이 주머니에서 임의로 1장의 카드를 꺼내어 카드에 적혀 있는 수를 확인한 후 다시 넣는 시행을 한다. 이 시행을 3번 반복하여 확인한 세 개의 수의 평균을 $\overline{X}$라 하자. $V(a\overline{X} + 6) = 24$일 때, 양수 a의 값은? [3점]

① 1   ② 2   ③ 3   ④ 4   ⑤ 5

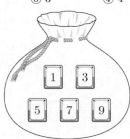

| 문제 풀이 |

모집단의 확률변수를 X라 하면

$$E(X) = \frac{1 + 3 + 5 + 7 + 9}{5} = 5$$

$$V(X) = \frac{(1-5)^2 + (3-5)^2 + (5-5)^2 + (7-5)^2 + (9-5)^2}{5} = 8$$

모집단에서 임의추출한 크기가 3인 표본의 표본평균 $\overline{X}$의 분산은

$$V(\overline{X}) = \frac{V(X)}{3} = \frac{8}{3}$$

$V(a\overline{X} + 6) = 24$에서

$$V(a\overline{X} + 6) = a^2 V(\overline{X}) = \frac{8}{3} a^2 \text{이므로}$$

$\dfrac{8}{3} a^2 = 24$에서 $a^2 = 9$

따라서 양수 a의 값은 3이다.

---

28 중복조합   정답률 49% | 정답 ②

집합 $X = \{1, 2, 3, 4, 5, 6\}$에 대하여 다음 조건을 만족시키는 함수 $f: X \to X$의 개수는? [4점]

> (가) $f(1) \times f(6)$의 값이 6의 약수이다.
> (나) $2f(1) \leq f(2) \leq f(3) \leq f(4) \leq f(5) \leq 2f(6)$

① 166   ② 171   ③ 176   ④ 181   ⑤ 186

| 문제 풀이 |

6의 약수는 1, 2, 3, 6이므로 조건 (가)에서
$f(1) \times f(6) = 1$ 또는 $f(1) \times f(6) = 2$
$f(1) \times f(6) = 3$ 또는 $f(1) \times f(6) = 6$

(i) $f(1) \times f(6) = 1$일 때
$$f(1) = f(6) = 1$$
따라서 조건 (나)에서
$$2 \leq f(2) \leq f(3) \leq f(4) \leq f(5) \leq 2$$
즉, $f(2) = f(3) = f(4) = f(5) = 2$
따라서 이 조건을 만족시키는 함수 f의 개수는 1이다.

(ii) $f(1) \times f(6) = 2$일 때
$f(1) \leq f(6)$이므로 $f(1) = 1$, $f(6) = 2$
따라서 조건 (나)에서
$$2 \leq f(2) \leq f(3) \leq f(4) \leq f(5) \leq 4$$
이므로 $f(2)$, $f(3)$, $f(4)$, $f(5)$의 값을 정하는 경우의 수는
2, 3, 4 중에서 중복을 허락하여
4개를 선택하는 중복조합의 수와 같으므로
$${}_3 H_4 = {}_{3+4-1} C_4 = {}_6 C_4 = {}_6 C_2 = \frac{6 \times 5}{2 \times 1} = 15$$
따라서 이 조건을 만족시키는 함수 f의 개수는 15이다.

(iii) $f(1) \times f(6) = 3$일 때
$f(1) \leq f(6)$이므로 $f(1) = 1$, $f(6) = 3$
따라서 조건 (나)에서
$$2 \leq f(2) \leq f(3) \leq f(4) \leq f(5) \leq 6 \text{이므로}$$
$f(2)$, $f(3)$, $f(4)$, $f(5)$의 값을 정하는 경우의 수는
2, 3, 4, 5, 6 중에서 중복을 허락하여
4개를 선택하는 중복조합의 수와 같으므로
$${}_5 H_4 = {}_{5+4-1} C_4 = {}_8 C_4 = \frac{8 \times 7 \times 6 \times 5}{4 \times 3 \times 2 \times 1} = 70$$
따라서 이 조건을 만족시키는 함수 f의 개수는 70이다.

(iv) $f(1) \times f(6) = 6$일 때
$f(1) \leq f(6)$이므로
$f(1) = 1$, $f(6) = 6$ 또는 $f(1) = 2$, $f(6) = 3$
  i) $f(1) = 1$, $f(6) = 6$일 때
  조건 (나)에서
  $$2 \leq f(2) \leq f(3) \leq f(4) \leq f(5) \leq 12$$
  이므로
  $f(2)$, $f(3)$, $f(4)$, $f(5)$의 값을 정하는 경우의 수는
  2, 3, 4, 5, 6 중에서 중복을 허락하여
  4개를 선택하는 중복조합의 수와 같으므로
  $${}_5 H_4 = {}_{5+4-1} C_4 = {}_8 C_4 = \frac{8 \times 7 \times 6 \times 5}{4 \times 3 \times 2 \times 1} = 70$$
  ii) $f(1) = 2$, $f(6) = 3$일 때
  조건 (나)에서
  $$4 \leq f(2) \leq f(3) \leq f(4) \leq f(5) \leq 6$$
  이므로
  $f(2)$, $f(3)$, $f(4)$, $f(5)$의 값을 정하는 경우의 수는
  4, 5, 6 중에서 중복을 허락하여
  4개를 선택하는 중복조합의 수와 같으므로
  $${}_3 H_4 = {}_{3+4-1} C_4 = {}_6 C_4 = {}_6 C_2 = \frac{6 \times 5}{2 \times 1} = 15$$
  따라서 이 조건을 만족시키는 함수 f의 개수는
  $70 + 15 = 85$이다.

(ⅰ), (ⅱ), (ⅲ), (ⅳ)에 의하여 구하는 함수 f의 개수는
$1 + 15 + 70 + 85 = 171$

정규분포 $N(m_1, \sigma_1^2)$을 따르는 확률변수 X와 정규분포 $N(m_2, \sigma_2^2)$을 따르는 확률변수 Y가 다음 조건을 만족시킨다.

> 모든 실수 x에 대하여
> $P(X \leq x) = P(X \geq 40 - x)$이고
> $P(Y \leq x) = P(X \leq x + 10)$이다.

$P(15 \leq X \leq 20) + P(15 \leq Y \leq 20)$의 값을 오른쪽 표준정규분포표를 이용하여 구한 것이 0.4772일 때, $m_1 + \sigma_2$의 값을 구하시오.
(단, σ_1과 σ_2는 양수이다.) [4점]

z	$P(0 \leq Z \leq z)$
0.5	0.1915
1.0	0.3413
1.5	0.4332
2.0	0.4772

| 문제 풀이 |

$P(X \leq x) = P\left(Z \leq \dfrac{x - m_1}{\sigma_1}\right)$

$P(X \geq 40 - x) = P\left(Z \geq \dfrac{(40 - x) - m_1}{\sigma_1}\right)$이므로

$P\left(Z \leq \dfrac{x - m_1}{\sigma_1}\right) = P\left(Z \geq \dfrac{(40 - x) - m_1}{\sigma_1}\right)$에서

$\dfrac{x - m_1}{\sigma_1} + \dfrac{(40 - x) - m_1}{\sigma_1} = 0$

$40 - 2m_1 = 0$, $m_1 = 20$

또한

$P(Y \leq x) = P\left(Z \leq \dfrac{x - m_2}{\sigma_2}\right)$

$P(X \leq x + 10) = P\left(Z \leq \dfrac{(x + 10) - m_1}{\sigma_1}\right)$

$\qquad\qquad\qquad = P\left(Z \leq \dfrac{x - 10}{\sigma_1}\right)$이므로

$P\left(Z \leq \dfrac{x - m_2}{\sigma_2}\right) = P\left(Z \leq \dfrac{x - 10}{\sigma_1}\right)$에서

$\dfrac{x - m_2}{\sigma_2} = \dfrac{x - 10}{\sigma_1}$

$\sigma_1 x - m_2 \sigma_1 = \sigma_2 x - 10\sigma_2$

이 식은 x에 대한 항등식이므로

$\sigma_1 = \sigma_2$, $-m_2\sigma_1 = -10\sigma_2$, $m_2 = 10$

$P(15 \leq X \leq 20) + P(15 \leq Y \leq 20)$

$= P\left(\dfrac{15 - 20}{\sigma_1} \leq Z \leq \dfrac{20 - 20}{\sigma_1}\right) + P\left(\dfrac{15 - 10}{\sigma_2} \leq Z \leq \dfrac{20 - 10}{\sigma_2}\right)$

$= P\left(-\dfrac{5}{\sigma_1} \leq Z \leq 0\right) + P\left(\dfrac{5}{\sigma_2} \leq Z \leq \dfrac{10}{\sigma_2}\right)$

$= P\left(0 \leq Z \leq \dfrac{5}{\sigma_1}\right) + P\left(\dfrac{5}{\sigma_2} \leq Z \leq \dfrac{10}{\sigma_2}\right)$

$= P\left(0 \leq Z \leq \dfrac{5}{\sigma_1}\right) + P\left(\dfrac{5}{\sigma_1} \leq Z \leq \dfrac{10}{\sigma_1}\right)$

$= P\left(0 \leq Z \leq \dfrac{10}{\sigma_1}\right)$

$= 0.4772$

이때 $P(0 \leq Z \leq 2) = 0.4772$이므로

$\dfrac{10}{\sigma_1} = 2$, $\sigma_1 = 5$

즉 $\sigma_2 = 5$이므로

$m_1 + \sigma_2 = 20 + 5 = 25$

탁자 위에 5개의 동전이 일렬로 놓여 있다. 이 5개의 동전 중 1번째 자리와 2번째 자리의 동전은 앞면이 보이도록 놓여 있고, 나머지 자리의 3개의 동전은 뒷면이 보이도록 놓여 있다.
이 5개의 동전과 한 개의 주사위를 사용하여 다음 시행을 한다.

> 주사위를 한 번 던져 나온 눈의 수가 k일 때,
> $k \leq 5$이면 k번째 자리의 동전을 한 번 뒤집어 제자리에 놓고,
> $k = 6$이면 모든 동전을 한 번씩 뒤집어 제자리에 놓는다.

위의 시행을 3번 반복한 후 이 5개의 동전이 모두 앞면이 보이도록 놓여 있을 확률은 $\dfrac{q}{p}$이다. $p + q$의 값을 구하시오. (단, p와 q는 서로소인 자연수이다.)
[4점]

앞면	앞면	뒷면	뒷면	뒷면
1번째 자리	2번째 자리	3번째 자리	4번째 자리	5번째 자리

| 문제 풀이 |

동전의 앞면을 H, 동전의 뒷면을 T라 하자.
6의 눈이 나올 때 동전의 앞면의 개수와 뒷면의 개수가 서로 바뀌므로
주어진 시행을 3번 반복했을 때, 6의 눈이 나온 횟수를 기준으로 경우를 나누어
5개의 동전이 모두 앞면이 보이도록 놓여 있을 확률을 구하면 다음과 같다.

(ⅰ) 6의 눈이 세 번 나온 경우
각 자리에 있는 동전이 TTHHH이므로 주어진 상황을 만족시키지 않는다.

(ⅱ) 6의 눈이 두 번 나온 경우
3번의 시행 이후, 가능한 경우는 H가 1개, T가 4개 또는 H가 3개, T가 2개이므로 주어진 상황을 만족시키지 않는다.

(ⅲ) 6의 눈이 한 번 나온 경우
주어진 상황을 만족시키려면 1번째 자리, 2번째 자리의 동전을 각각 한 번씩 뒤집고, 5개의 동전을 한 번씩 뒤집어야 한다.
즉, 주사위의 눈의 수 1, 2, 6이 각각 한 번씩 나와야 한다.
이를 만족하는 경우의 수는 1, 2, 6을 일렬로 나열하는 경우의 수와 같으므로
$3! = 6$
그러므로 이 경우의 확률은
$\left(\dfrac{1}{6} \times \dfrac{1}{6} \times \dfrac{1}{6}\right) \times 3! = \dfrac{1}{36}$

(ⅳ) 6의 눈이 한 번도 나오지 않는 경우
주어진 상황을 만족시키려면 3번째 자리, 4번째 자리, 5번째 자리의 동전을 각각 한 번씩 뒤집어야 한다.
즉, 주사위의 눈의 수 3, 4, 5가 각각 한 번씩 나와야 한다.
이를 만족하는 경우의 수는 3, 4, 5를 일렬로 나열하는 경우의 수와 같으므로
$3! = 6$
그러므로 이 경우의 확률은
$\left(\dfrac{1}{6} \times \dfrac{1}{6} \times \dfrac{1}{6}\right) \times 3! = \dfrac{1}{36}$

(ⅰ)~(ⅳ)에 의해 구하는 확률은 $\dfrac{1}{36} + \dfrac{1}{36} = \dfrac{1}{18}$

따라서 $p = 18$, $q = 1$이므로
$p + q = 19$

미적분

$\displaystyle\lim_{x \to 0} \dfrac{3x^2}{\sin^2 x}$의 값은? [2점]

① 1   ② 2   ③ 3   ④ 4   ⑤ 5

| 문제 풀이 |

$\displaystyle\lim_{x \to 0} \dfrac{3x^2}{\sin^2 x} = 3 \times \dfrac{1}{\displaystyle\lim_{x \to 0} \dfrac{\sin x}{x}} \times \dfrac{1}{\displaystyle\lim_{x \to 0} \dfrac{\sin x}{x}} = 3$

$\displaystyle\int_0^{10} \dfrac{x + 2}{x + 1} dx$의 값은? [3점]

① $10 + \ln 5$ ② $10 + \ln 7$ ③ $10 + 2\ln 3$
④ $10 + \ln 11$ ⑤ $10 + \ln 13$

| 문제 풀이 |

$\displaystyle\int_0^{10} \dfrac{x + 2}{x + 1} dx = \int_0^{10} \left(1 + \dfrac{1}{x + 1}\right) dx = \Big[x + \ln|x + 1|\Big]_0^{10} = 10 + \ln 11$

25 수열의 극한
정답률 84% | 정답 ②

수열 $\{a_n\}$에 대하여 $\lim\limits_{n\to\infty}\dfrac{na_n}{n^2+3}=1$일 때, $\lim\limits_{n\to\infty}\left(\sqrt{a_n{}^2+n}-a_n\right)$의 값은? [3점]

① $\dfrac{1}{3}$ ② $\dfrac{1}{2}$ ③ 1 ④ 2 ⑤ 3

| 문제 풀이 |

$b_n=\dfrac{na_n}{n^2+3}$ 이라 하면

$a_n=\dfrac{b_n(n^2+3)}{n}$ 이므로

$\lim\limits_{n\to\infty}\dfrac{a_n}{n}=\lim\limits_{n\to\infty}\dfrac{b_n(n^2+3)}{n^2}=\lim\limits_{n\to\infty}b_n\times\lim\limits_{n\to\infty}\dfrac{n^2+3}{n^2}=1$

따라서

$\lim\limits_{n\to\infty}\left(\sqrt{a_n{}^2+n}-a_n\right)=\lim\limits_{n\to\infty}\dfrac{a_n{}^2+n-a_n{}^2}{\sqrt{a_n{}^2+n}+a_n}$

$=\lim\limits_{n\to\infty}\dfrac{1}{\sqrt{\left(\dfrac{a_n}{n}\right)^2+\dfrac{1}{n}}+\dfrac{a_n}{n}}$

$=\dfrac{1}{\sqrt{1^2+0}+1}=\dfrac{1}{2}$

26 입체도형의 부피
정답률 73% | 정답 ①

그림과 같이 곡선 $y=\sqrt{\dfrac{x+1}{x(x+\ln x)}}$ 과 x축 및 두 직선 $x=1$, $x=e$로 둘러싸인 부분을 밑면으로 하는 입체도형이 있다. 이 입체도형을 x축에 수직인 평면으로 자른 단면이 모두 정사각형일 때, 이 입체도형의 부피는? [3점]

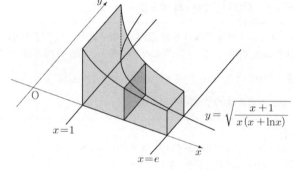

① $\ln(e+1)$ ② $\ln(e+2)$ ③ $\ln(e+3)$
④ $\ln(2e+1)$ ⑤ $\ln(2e+2)$

| 문제 풀이 |

직선 $x=t(1\le t\le e)$를 포함하고 x축에 수직인 평면으로 자른 단면의 넓이를 $S(t)$라 하면

$S(t)=\left(\sqrt{\dfrac{t+1}{t(t+\ln t)}}\right)^2=\dfrac{t+1}{t(t+\ln t)}$

따라서 이 입체도형의 부피는

$\displaystyle\int_1^e S(t)dt=\int_1^e\dfrac{t+1}{t(t+\ln t)}dt$

이때 $t+\ln t=s$라 하면

$\dfrac{ds}{dt}=1+\dfrac{1}{t}=\dfrac{t+1}{t}$

이고 $t=1$일 때 $s=1$, $t=e$일 때 $s=e+1$이므로

$\displaystyle\int_1^e S(t)dt=\int_1^e\dfrac{t+1}{t(t+\ln t)}dt=\int_1^{e+1}\dfrac{1}{s}ds=\Big[\ln s\Big]_1^{e+1}=\ln(e+1)$

27 역함수의 미분법
정답률 39% | 정답 ①

최고차항의 계수가 1인 삼차함수 $f(x)$에 대하여 함수 $g(x)$를

$g(x)=f(e^x)+e^x$

이라 하자. 곡선 $y=g(x)$ 위의 점 $(0,\ g(0))$에서의 접선이 x축이고 함수 $g(x)$가 역함수 $h(x)$를 가질 때, $h'(8)$의 값은? [3점]

① $\dfrac{1}{36}$ ② $\dfrac{1}{18}$ ③ $\dfrac{1}{12}$ ④ $\dfrac{1}{9}$ ⑤ $\dfrac{5}{36}$

| 문제 풀이 |

곡선 $y=g(x)$ 위의 점 $(0,\ g(0))$에서의 접선이 x축이므로
$g(0)=0$, $g'(0)=0$이다.
$g(0)=f(e^0)+e^0=f(1)+1=0$
$f(1)=-1$ …… ㉠
$g'(x)=f'(e^x)\times e^x+e^x$이므로
$g'(0)=f'(e^0)\times e^0+e^0=f'(1)+1=0$
$f'(1)=-1$ …… ㉡
한편, 함수 $g(x)$가 역함수를 가지므로 모든 실수 x에 대하여
$g'(x)\ge 0$ 또는 $g'(x)\le 0$이어야 한다.
$g'(x)=f'(e^x)\times e^x+e^x=e^x\{f'(e^x)+1\}$
에서 모든 실수 x에 대하여 $e^x>0$이고 함수 $f(x)$의 최고차항의 계수가
양수이므로 모든 실수 x에 대하여 $f'(e^x)+1\ge 0$,
즉 $f'(e^x)\ge -1$이어야 한다.
㉡에서 $f'(1)=-1$이고 함수 $f'(x)$는 최고차항의 계수가 3인 이차함수이므로
$f'(x)=3(x-1)^2-1$이어야 한다.
$f(x)=\displaystyle\int\{3(x-1)^2-1\}dx=(x-1)^3-x+C$ (C는 적분상수)이고
㉠에서 $f(1)=-1$이므로
$f(1)=-1+C=-1$, $C=0$
$f(x)=(x-1)^3-x$
$g(x)=f(e^x)+e^x=(e^x-1)^3-e^x+e^x=(e^x-1)^3$
한편, 함수 $h(x)$가 함수 $g(x)$의 역함수이므로
$h(8)=k$라 하면 $g(k)=8$에서
$(e^k-1)^3=8$, $e^k-1=2$, $e^k=3$, $k=\ln 3$
따라서
$h'(8)=\dfrac{1}{g'(h(8))}=\dfrac{1}{g'(\ln 3)}$

$=\dfrac{1}{e^{\ln 3}\{f'(e^{\ln 3})+1\}}$

$=\dfrac{1}{3\times[\{3\times(3-1)^2-1\}+1]}$

$=\dfrac{1}{36}$

28 부정적분과 접선의 방정식
정답률 29% | 정답 ②

실수 전체의 집합에서 미분가능한 함수 $f(x)$의 도함수 $f'(x)$가

$f'(x)=-x+e^{1-x^2}$

이다. 양수 t에 대하여 곡선 $y=f(x)$ 위의 점 $(t,\ f(t))$에서의 접선과 곡선 $y=f(x)$ 및 y축으로 둘러싸인 부분의 넓이를 $g(t)$라 하자. $g(1)+g'(1)$의 값은? [4점]

① $\dfrac{1}{2}e+\dfrac{1}{2}$ ② $\dfrac{1}{2}e+\dfrac{2}{3}$ ③ $\dfrac{1}{2}e+\dfrac{5}{6}$
④ $\dfrac{2}{3}e+\dfrac{1}{2}$ ⑤ $\dfrac{2}{3}e+\dfrac{2}{3}$

| 문제 풀이 |

$x>0$에서
$f''(x)=-1-2xe^{1-x^2}<0$이므로
따라서 곡선 $y=f(x)$는 $x>0$에서 위로 볼록이다.
따라서 양수 t에 대하여 점 $(t,\ f(t))$에서의 접선과
곡선 $y=f(x)$ $(x>0)$의 교점은 점 $(t,\ f(t))$ 하나이고,
접선은 곡선의 위쪽에 위치한다.
점 $(t,\ f(t))$에서의 접선의 방정식
$y=f'(t)(x-t)+f(t)$에 대하여

$g(t)=\displaystyle\int_0^t\{f'(t)(x-t)+f(t)-f(x)\}dx$

이때 $f'(x)=-x+e^{1-x^2}$에서 양변에 x를 곱하면

$xf'(x)=-x^2+xe^{1-x^2}$

$\displaystyle\int xf'(x)dx=\int\left(-x^2+xe^{1-x^2}\right)dx$

$xf(x)-\displaystyle\int f(x)dx=-\dfrac{1}{3}x^3-\dfrac{1}{2}e^{1-x^2}$

$\displaystyle\int f(x)dx=xf(x)+\dfrac{1}{3}x^3+\dfrac{1}{2}e^{1-x^2}$

$g(t)=\left[\dfrac{f'(t)}{2}x^2-tf'(t)x+f(t)x\right]_0^t-\displaystyle\int_0^t f(x)dx$

$$= \frac{1}{2}t^2 f'(t) - t^2 f'(t) + tf(t) - \left[xf(x) + \frac{1}{3}x^3 + \frac{1}{2}e^{1-x^2}\right]_0^t$$

$$= -\frac{1}{2}t^2 f'(t) + tf(t) - \left(tf(t) + \frac{1}{3}t^3 + \frac{1}{2}e^{1-t^2} - \frac{1}{2}e\right)$$

$$= -\frac{1}{2}t^2(-t + e^{1-t^2}) - \frac{1}{3}t^3 - \frac{1}{2}e^{1-t^2} + \frac{1}{2}e$$

$$= \frac{1}{6}t^3 - \frac{1}{2}(t^2+1)e^{1-t^2} + \frac{1}{2}e$$

$$g'(t) = \frac{1}{2}t^2 + t^3 e^{1-t^2}$$

따라서 $g(1) + g'(1) = \left(-\frac{5}{6} + \frac{1}{2}e\right) + \frac{3}{2} = \frac{1}{2}e + \frac{2}{3}$

---

29 등비급수
정답률 16% | 정답 25

등비수열 $\{a_n\}$ 이

$$\sum_{n=1}^{\infty}(|a_n| + a_n) = \frac{40}{3}, \quad \sum_{n=1}^{\infty}(|a_n| - a_n) = \frac{20}{3}$$

을 만족시킨다. 부등식

$$\lim_{n\to\infty}\sum_{k=1}^{2n}\left((-1)^{\frac{k(k+1)}{2}} \times a_{m+k}\right) > \frac{1}{700}$$

을 만족시키는 모든 자연수 m 의 값의 합을 구하시오. [4점]

| 문제 풀이 |

등비수열 $\{a_n\}$ 의 첫째항을 a, 공비를 r 이라 하자.

$a > 0$, $r > 0$ 인 경우 모든 자연수 n 에 대하여 $|a_n| - a_n = 0$ 이므로 조건을 만족시키지 않는다.

$a < 0$, $r > 0$ 인 경우 모든 자연수 n 에 대하여 $|a_n| + a_n = 0$ 이므로 조건을 만족시키지 않는다.

따라서 $a > 0$, $r < 0$ 이거나 $a < 0$, $r < 0$ 이다.

(i) $a > 0$, $r < 0$ 인 경우

$$\sum_{n=1}^{\infty}(|a_n| + a_n) = \sum_{n=1}^{\infty} 2a_{2n-1} = \frac{2a}{1-r^2} = \frac{40}{3}$$

$$\sum_{n=1}^{\infty}(|a_n| - a_n) = \sum_{n=1}^{\infty}(-2a_{2n}) = \frac{-2ar}{1-r^2} = \frac{20}{3}$$

$$\frac{2a}{1-r^2} \times (-r) = \frac{20}{3}, \quad \frac{40}{3} \times (-r) = \frac{20}{3}$$

$$r = -\frac{1}{2}, \quad a = 5$$

(ii) $a < 0$, $r < 0$ 인 경우

$$\sum_{n=1}^{\infty}(|a_n| + a_n) = \sum_{n=1}^{\infty} 2a_{2n} = \frac{2ar}{1-r^2} = \frac{40}{3}$$

$$\sum_{n=1}^{\infty}(|a_n| - a_n) = \sum_{n=1}^{\infty}(-2a_{2n-1}) = \frac{-2a}{1-r^2} = \frac{20}{3}$$

$$\frac{2a}{1-r^2} \times r = \frac{40}{3}, \quad -\frac{20}{3} r = \frac{40}{3}$$

$$r = -2$$

이때, $r < -1$ 이므로 $r^2 > 1$ 이 되어

$$\sum_{n=1}^{\infty}(|a_n| + a_n) \text{ 와 } \sum_{n=1}^{\infty}(|a_n| - a_n) \text{ 모두 수렴하지 않는다.}$$

(i), (ii)에서 $a = 5$, $r = -\frac{1}{2}$ 이므로

$$a_n = 5 \times \left(-\frac{1}{2}\right)^{n-1}$$

부등식

$$\lim_{n\to\infty}\sum_{k=1}^{2n}\left((-1)^{\frac{k(k+1)}{2}} \times a_{m+k}\right) > \frac{1}{700} \text{ 에서}$$

$$\lim_{n\to\infty}\left\{5 \times \left(-\frac{1}{2}\right)^{m-1} \times \sum_{k=1}^{2n}\left((-1)^{\frac{k(k+1)}{2}} \times \left(-\frac{1}{2}\right)^k\right)\right\} > \frac{1}{700}$$

이때

$$\sum_{k=1}^{2n}\left((-1)^{\frac{k(k+1)}{2}} \times \left(-\frac{1}{2}\right)^k\right) = \sum_{k=1}^{2n}\left((-1)^{\frac{k(k+3)}{2}} \times \left(\frac{1}{2}\right)^k\right) \text{ 에서}$$

$k = 4l - 3$ 이면 $(-1)^{\frac{k(k+3)}{2}} = 1$

$k = 4l - 2$ 이면 $(-1)^{\frac{k(k+3)}{2}} = -1$

$k = 4l - 1$ 이면 $(-1)^{\frac{k(k+3)}{2}} = -1$

$k = 4l$ 이면 $(-1)^{\frac{k(k+3)}{2}} = 1$ (단, l 은 자연수)이므로

$2n = 4p - 2(p$ 는 자연수)이면

$$\sum_{k=1}^{2n}\left((-1)^{\frac{k(k+3)}{2}} \times \left(\frac{1}{2}\right)^k\right)$$

$$= \sum_{i=1}^{p}\frac{1}{2} \times \left(\frac{1}{16}\right)^{i-1} - \sum_{i=1}^{p}\frac{1}{4} \times \left(\frac{1}{16}\right)^{i-1} - \sum_{i=1}^{p-1}\frac{1}{8} \times \left(\frac{1}{16}\right)^{i-1} + \sum_{i=1}^{p-1}\frac{1}{16} \times \left(\frac{1}{16}\right)^{i-1}$$

$2n = 4p(p$ 는 자연수)이면

$$\sum_{k=1}^{2n}\left((-1)^{\frac{k(k+3)}{2}} \times \left(\frac{1}{2}\right)^k\right)$$

$$= \sum_{i=1}^{p}\frac{1}{2} \times \left(\frac{1}{16}\right)^{i-1} - \sum_{i=1}^{p}\frac{1}{4} \times \left(\frac{1}{16}\right)^{i-1} - \sum_{i=1}^{p}\frac{1}{8} \times \left(\frac{1}{16}\right)^{i-1} + \sum_{i=1}^{p}\frac{1}{16} \times \left(\frac{1}{16}\right)^{i-1}$$

$n \to \infty$ 이면 $p \to \infty$ 이고

$2n = 4p - 2$, $2n = 4p$ 의 두 경우 모두 각 급수가 수렴하므로

$$\lim_{n\to\infty}\left\{5 \times \left(-\frac{1}{2}\right)^{m-1} \times \sum_{k=1}^{2n}\left((-1)^{\frac{k(k+1)}{2}} \times \left(-\frac{1}{2}\right)^k\right)\right\}$$

$$= 5 \times \left(-\frac{1}{2}\right)^{m-1} \times \left\{\left(\frac{1}{2} - \frac{1}{4} - \frac{1}{8} + \frac{1}{16}\right) \times \frac{1}{1-\frac{1}{16}}\right\}$$

$$= \left(-\frac{1}{2}\right)^{m-1} > \frac{1}{700}$$

따라서 주어진 부등식을 만족시키는 m 의 값은 1, 3, 5, 7, 9이고, 그 합은

$1 + 3 + 5 + 7 + 9 = 25$

---

30 합성함수의 미분법
정답률 15% | 정답 17

두 상수 $a(1 \leq a \leq 2)$, b 에 대하여 함수 $f(x) = \sin(ax + b + \sin x)$ 가 다음 조건을 만족시킨다.

> (가) $f(0) = 0$, $f(2\pi) = 2\pi a + b$
> (나) $f'(0) = f'(t)$ 인 양수 t 의 최솟값은 4π 이다.

함수 $f(x)$ 가 $x = \alpha$ 에서 극대인 α 의 값 중 열린구간 $(0, 4\pi)$ 에 속하는 모든 값의 집합을 A 라 하자. 집합 A 의 원소의 개수를 n, 집합 A 의 원소 중 가장 작은 값을 α_1 이라 하면, $n\alpha_1 - ab = \frac{q}{p}\pi$ 이다. $p + q$ 의 값을 구하시오.
(단, p 와 q 는 서로소인 자연수이다.) [4점]

| 문제 풀이 |

$f(x) = \sin(ax + b + \sin x)$ 이고 조건 (가)에서 $f(0) = 0$ 이므로

$f(0) = \sin b = 0$, $b = k\pi$ (단, k 는 정수) $\cdots\cdots$ ㉠

$f(2\pi) = 2\pi a + b$ 이므로

$f(2\pi) = \sin(2\pi a + b) = 2\pi a + b$ $\cdots\cdots$ ㉡

이때 $\sin x = x$ 를 만족시키는 실수 x 의 값은 0뿐이므로 ㉡에서

$2\pi a + b = 0$, $b = -2\pi a$ $\cdots\cdots$ ㉢

㉠, ㉢에서

$-2\pi a = k\pi$, $a = -\frac{k}{2}$ $\cdots\cdots$ ㉣

이고 $f(x) = \sin(ax - 2\pi a + \sin x)$ 이다.

$1 \leq a \leq 2$ 이고 ㉣에서 $a = -\frac{k}{2}$ (k 는 정수)이므로

$a = 1$ 또는 $a = \frac{3}{2}$ 또는 $a = 2$ 이다.

이때

$f'(x) = \cos(ax - 2\pi a + \sin x) \times (a + \cos x)$ 에서

$f'(0) = \cos(-2\pi a) \times (a + 1) = (a + 1)\cos 2\pi a$

$f'(4\pi) = \cos 2\pi a \times (a + 1) = (a + 1)\cos 2\pi a$ 이고

$f'(2\pi) = \cos 0 \times (a + 1) = a + 1$ 이므로

$a = 1$ 또는 $a = 2$ 이면

$f'(0) = (a + 1)\cos 2\pi a = a + 1$

즉, $f'(0) = f'(2\pi)$ 이므로 조건 (나)를 만족시키지 않는다.

따라서

$a = \frac{3}{2}$, $b = -2\pi a = -3\pi$ 이고

$f(x) = \sin\left(\frac{3}{2}x - 3\pi + \sin x\right)$

$f'(x) = \left(\cos x + \frac{3}{2}\right)\cos\left(\frac{3}{2}x - 3\pi + \sin x\right)$ 이다.

모든 실수 x 에 대하여 $\cos x + \frac{3}{2} \neq 0$ 이므로 $f'(x) = 0$ 에서

$$\cos\left(\frac{3}{2}x - 3\pi + \sin x\right) = 0$$

$g(x) = \frac{3}{2}x - 3\pi + \sin x$ 라 하면 모든 실수 x에 대하여 $g'(x) > 0$이므로

실수 전체의 집합에서 함수 $g(x)$는 증가하고

$g(0) = -3\pi$, $g(4\pi) = 3\pi$

이다. 이때 $i = 1$, 2, 3, 4, 5, 6에 대하여

$g(x) = \dfrac{2i - 7}{2}\pi$를 만족시키는 실수 x의 값을 β_i라 하면

함수 $f(x)$는 $x = \beta_1$, $x = \beta_3$, $x = \beta_5$에서 극소이고

$x = \beta_2$, $x = \beta_4$, $x = \beta_6$에서 극대이다.

즉, $n = 3$이다.

$g(\beta_2) = -\dfrac{3}{2}\pi$에서

$$\frac{3}{2}\beta_2 - 3\pi + \sin\beta_2 = -\frac{3}{2}\pi$$

$$\sin\beta_2 = -\frac{3}{2}(\beta_2 - \pi)$$

이때 곡선 $y = \sin x$와 직선 $y = -\dfrac{3}{2}(x - \pi)$는 점 $(\pi, 0)$에서만 만나므로

$\beta_2 = \pi$이다. 즉, $\alpha_1 = \pi$이다.

따라서

$$n\alpha_1 - ab = 3 \times \pi - \frac{3}{2} \times (-3\pi) = \frac{15}{2}\pi$$

$p = 2$, $q = 15$이므로

$p + q = 2 + 15 = 17$

•정답•

공통 | 수학
01① 02② 03② 04① 05④ 06④ 07⑤ 08② 09④ 10② 11① 12③ 13① 14① ★ 15③
162 178 189 1932 2025 ★ 2110 22483 ★

선택 | 확률과 통계
23③ 24④ 25⑤ 26② 27② 28④ 29196 30673 ★

선택 | 미적분
23③ 24④ 25④ 26③ 27① 28② 29162 30125 ★

★ 표기된 문항은 [등급을 가르는 문항]에 해당하는 문제입니다.

01 지수법칙
정답률 85% | 정답 ①

❶ $\sqrt[3]{24} \times 3^{\frac{2}{3}}$의 값은? [2점]

① 6 ② 7 ③ 8 ④ 9 ⑤ 10

STEP 01 지수의 계산으로 ❶의 값을 구한다.

$$\sqrt[3]{24} \times 3^{\frac{2}{3}} = (2^3 \times 3)^{\frac{1}{3}} \times 3^{\frac{2}{3}} = (2^3)^{\frac{1}{3}} \times 3^{\frac{1}{3}} \times 3^{\frac{2}{3}}$$
$$= 2^{3 \times \frac{1}{3}} \times 3^{\frac{1}{3} + \frac{2}{3}} = 2^1 \times 3^1 = 6$$

●핵심 공식

▶ 지수법칙

$a > 0$, $b > 0$이고, m, n이 실수일 때

(1) $a^m a^n = a^{m+n}$ (2) $(a^m)^n = a^{mn}$

(3) $(ab)^n = a^n b^n$ (4) $a^m \div a^n = a^{m-n}$

(5) $\sqrt[m]{a^n} = a^{\frac{n}{m}}$ (6) $\dfrac{1}{a^n} = a^{-n}$

(7) $a^0 = 1$

02 미분계수의 정의
정답률 86% | 정답 ④

함수 $f(x) = 2x^3 - 5x^2 + 3$에 대하여 $\displaystyle\lim_{h \to 0} \frac{f(2+h) - f(2)}{h}$의 값은? [2점]

① 1 ② 2 ③ 3 ④ 4 ⑤ 5

STEP 01 $f(x)$를 미분하여 $f'(x)$를 구한 뒤 미분계수의 정의를 이용하여 $f'(2)$의 값을 구한다.

$f(x) = 2x^3 - 5x^2 + 3$에서

$f'(x) = 6x^2 - 10x$이므로

$$\lim_{h \to 0} \frac{f(2+h) - f(2)}{h} = f'(2) = 24 - 20 = 4$$

●핵심 공식

▶ 미분계수의 정의를 이용한 극한값의 계산

① $\displaystyle\lim_{h \to 0} \frac{f(a+h) - f(a)}{h} = f'(a)$ ② $\displaystyle\lim_{h \to 0} \frac{f(a+ph) - f(a)}{h} = pf'(a)$

③ $\displaystyle\lim_{x \to a} \frac{f(x) - f(a)}{x - a} = f'(a)$ ④ $\displaystyle\lim_{x \to a} \frac{af(x) - xf(a)}{x - a} = af'(a) - f(a)$

03 삼각함수의 성질
정답률 71% | 정답 ②

❶ $\dfrac{3}{2}\pi < \theta < 2\pi$인 θ에 대하여 $\sin(-\theta) = \dfrac{1}{3}$일 때, $\tan\theta$의 값은? [3점]

① $-\dfrac{\sqrt{2}}{2}$ ② $-\dfrac{\sqrt{2}}{4}$ ③ $-\dfrac{1}{4}$ ④ $\dfrac{1}{4}$ ⑤ $\dfrac{\sqrt{2}}{4}$

STEP 01 삼각함수 사이의 관계를 이용하여 ❶에서 $\sin\theta$, $\cos\theta$를 구한 후 $\tan\theta$의 값을 구한다.

$\sin(-\theta) = -\sin\theta = \dfrac{1}{3}$에서 $\sin\theta = -\dfrac{1}{3}$

$\dfrac{3}{2}\pi < \theta < 2\pi$이므로

$$\cos\theta = \sqrt{1 - \sin^2\theta} = \sqrt{1 - \frac{1}{9}} = \frac{2\sqrt{2}}{3}$$

17회

$$\tan\theta = \frac{\sin\theta}{\cos\theta} = -\frac{1}{2\sqrt{2}} = -\frac{\sqrt{2}}{4}$$

---

04 함수의 연속　　　　　　　　정답률 83% | 정답 ①

함수
$$f(x) = \begin{cases} 3x - a & (x < 2) \\ x^2 + a & (x \geq 2) \end{cases}$$
가 실수 전체의 집합에서 연속일 때, 상수 a의 값은? [3점]

① 1　　② 2　　③ 3　　④ 4　　⑤ 5

STEP 01 $f(x)$가 $x = 2$에서 연속일 조건으로 a의 값을 구한다.

함수 $f(x)$가 실수 전체의 집합에서 연속이므로
함수 $f(x)$는 $x = 2$에서도 연속이어야 한다. 즉,
$$\lim_{x \to 2-} f(x) = \lim_{x \to 2+} f(x) = f(2)$$
이때,
$$\lim_{x \to 2-} f(x) = \lim_{x \to 2-}(3x - a) = 6 - a$$
$$\lim_{x \to 2+} f(x) = \lim_{x \to 2+}(x^2 + a) = 4 + a$$
$$f(2) = 4 + a$$
그러므로 $6 - a = 4 + a = 4 + a$, $2a = 2$
따라서 $a = 1$

●핵심 공식

▶ 함수의 연속
$x = n$에서 연속이려면 함수값 =좌극한 =우극한이여야 한다.
$$f(n) = \lim_{x \to n-} f(x) = \lim_{x \to n+} f(x)$$

---

05 부정적분　　　　　　　　정답률 87% | 정답 ④

다항함수 $f(x)$가
$$f'(x) = 3x(x - 2), \quad f(1) = 6$$
을 만족시킬 때, $f(2)$의 값은? [3점]

① 1　　② 2　　③ 3　　④ 4　　⑤ 5

STEP 01 $f'(x)$를 적분한 후 $f(1) = 6$을 이용하여 $f(x)$를 구한 다음 $f(2)$의 값을 구한다.

$f'(x) = 3x^2 - 6x$이므로
$$f(x) = \int (3x^2 - 6x)dx$$
$$= x^3 - 3x^2 + C \ (C는 \ 적분상수)$$
$f(1) = 1 - 3 + C = 6$에서 $C = 8$
$$f(x) = x^3 - 3x^2 + 8$$
따라서 $f(2) = 8 - 12 + 8 = 4$

---

06 등비수열　　　　　　　　정답률 79% | 정답 ④

등비수열 $\{a_n\}$의 첫째항부터 제n항까지의 합을 S_n이라 하자.
$$❶ \ S_4 - S_2 = 3a_4, \quad ❷ \ a_5 = \frac{3}{4}$$
일 때, $a_1 + a_2$의 값은? [3점]

① 27　　② 24　　③ 21　　④ 18　　⑤ 15

STEP 01 등비수열의 성질을 이용하여 ❶에서 공비를 구한 후 ❷에서 a_1을 구한 다음 $a_1 + a_2$의 값을 구한다.

$S_4 - S_2 = a_3 + a_4$이므로
$a_3 + a_4 = 3a_4$, $a_3 = 2a_4$
등비수열 $\{a_n\}$의 공비를 r라 하면
$a_5 = \frac{3}{4}$에서 $r \neq 0$이고
$a_3 = 2a_4$에서 $r = \frac{a_4}{a_3} = \frac{1}{2}$
$a_5 = a_1 \times r^4$에서

$$a_1 = a_5 \times \frac{1}{r^4} = \frac{3}{4} \times 2^4 = 12$$
$$a_2 = a_1 \times r = 12 \times \frac{1}{2} = 6$$
따라서 $a_1 + a_2 = 12 + 6 = 18$

●핵심 공식

▶ 등비수열의 일반항
첫째항이 a, 공비가 r인 등비수열에서 일반항 a_n은
$$a_n = ar^{n-1} \ (n = 1, 2, 3, \cdots)$$

---

07 다항함수의 극댓값과 극솟값　　　정답률 82% | 정답 ⑤

함수 $f(x) = \frac{1}{3}x^3 - 2x^2 - 12x + 4$가 $x = \alpha$에서 극대이고 $x = \beta$에서 극소일 때, $\beta - \alpha$의 값은? (단, α와 β는 상수이다.) [3점]

① -4　　② -1　　③ 2　　④ 5　　⑤ 8

STEP 01 $f(x)$를 미분하여 $f'(x) = 0$을 만족하는 x를 구한 후 $\beta - \alpha$의 값을 구한다.

$f(x) = \frac{1}{3}x^3 - 2x^2 - 12x + 4$에서
$$f'(x) = x^2 - 4x - 12 = (x + 2)(x - 6)$$
$f'(x) = 0$에서 $x = -2$ 또는 $x = 6$
함수 $f(x)$의 증가와 감소를 표로 나타내면 다음과 같다.

x	$\cdots$	-2	$\cdots$	6	$\cdots$
$f'(x)$	$+$	0	$-$	0	$+$
$f(x)$	↗	극대	↘	극소	↗

함수 $f(x)$는 $x = -2$에서 극대이고, $x = 6$에서 극소이다.
따라서 $\alpha = -2$, $\beta = 6$이므로
$$\beta - \alpha = 6 - (-2) = 8$$

---

08 정적분의 성질　　　　　　정답률 67% | 정답 ②

삼차함수 $f(x)$가 모든 실수 x에 대하여
$$❶ \ xf(x) - f(x) = 3x^4 - 3x$$
를 만족시킬 때, $\displaystyle\int_{-2}^{2} f(x)dx$의 값은? [3점]

① 12　　② 16　　③ 20　　④ 24　　⑤ 28

STEP 01 ❶을 인수분해하여 $f(x)$를 구한 후 적분하여 $\displaystyle\int_{-2}^{2} f(x)dx$의 값을 구한다.

$xf(x) - f(x) = 3x^4 - 3x$에서
$$(x - 1)f(x) = 3x(x - 1)(x^2 + x + 1) \quad \cdots\cdots ㉠$$
$f(x)$가 삼차함수이고 ㉠이 x에 대한 항등식이므로
$$f(x) = 3x(x^2 + x + 1)$$
따라서
$$\int_{-2}^{2} f(x)dx = \int_{-2}^{2} 3x(x^2 + x + 1)dx$$
$$= \int_{-2}^{2}(3x^3 + 3x^2 + 3x)dx$$
$$= 2\int_{0}^{2} 3x^2 dx$$
$$= 2 \times \left[x^3\right]_0^2$$
$$= 2 \times 2^3 = 16$$

---

09 로그의 정의와 성질　　　　　정답률 56% | 정답 ④

수직선 위의 두 점 $\mathrm{P}(\log_5 3)$, $\mathrm{Q}(\log_5 12)$에 대하여 ❶ 선분 PQ를 $m : (1 - m)$으로 내분하는 점의 좌표가 1일 때, 4^m의 값은?
(단, m은 $0 < m < 1$인 상수이다.) [4점]

① $\frac{7}{6}$　　② $\frac{4}{3}$　　③ $\frac{3}{2}$　　④ $\frac{5}{3}$　　⑤ $\frac{11}{6}$

STEP 01 ❶을 구한 후 좌표가 1임을 이용하여 4^m의 값을 구한다.

수직선 위의 두 점 $P(\log_5 3)$, $Q(\log_5 12)$에 대하여 선분 PQ를 $m:(1-m)$으로 내분하는 점의 좌표가 1이므로

$$\frac{m \times \log_5 12 + (1-m) \times \log_5 3}{m + (1-m)} = 1$$

$$m \times \log_5 12 + (1-m) \times \log_5 3 = 1$$

$$m(\log_5 12 - \log_5 3) = 1 - \log_5 3$$

$$m \times \log_5 \frac{12}{3} = \log_5 \frac{5}{3}$$

$$m \times \log_5 4 = \log_5 \frac{5}{3}$$

$$\log_5 4^m = \log_5 \frac{5}{3}$$

따라서 $4^m = \dfrac{5}{3}$

●핵심 공식

▶ 로그의 성질
$a > 0$, $a \neq 1$, $x > 0$, $y > 0$, $c > 0$, $c \neq 1$
n이 임의의 실수일 때
(1) $\log_a a = 1$, $\log_a 1 = 0$
(2) $\log_a xy = \log_a x + \log_a y$
(3) $\log_a \dfrac{x}{y} = \log_a x - \log_a y$
(4) $\log_a x^n = n \log_a x$
(5) $\log_a x = \dfrac{\log_c x}{\log_c a}$ (밑변환공식)
(6) $\log_a x = \dfrac{1}{\log_x a}$ (단, $x \neq 1$)
(7) $a^{\log_a x} = x$
(8) $a^{\log_c x} = x^{\log_c a}$

▶ 내분점과 외분점
수직선 위의 두 점 $A(x_1)$, $B(x_2)$를 연결한 선분 AB에 대하여 (단, $m > 0$, $n > 0$)
(1) $\overline{AB}$를 $m:n$으로 내분하는 점 P의 좌표 $P\left(\dfrac{mx_2 + nx_1}{m+n}\right)$
(2) $\overline{AB}$를 $m:n$으로 외분하는 점 Q의 좌표 $Q\left(\dfrac{mx_2 - nx_1}{m-n}\right)$

---

10 적분의 활용
정답률 49% | 정답 ②

시각 $t = 0$일 때 동시에 원점을 출발하여 수직선 위를 움직이는 두 점 P, Q의 시각 $t(t \geq 0)$에서의 속도가 각각
$$v_1(t) = t^2 - 6t + 5, \quad v_2(t) = 2t - 7$$
이다. 시각 t에서의 두 점 P, Q 사이의 거리를 $f(t)$라 할 때, 함수 $f(t)$는 구간 $[0, a]$에서 증가하고, 구간 $[a, b]$에서 감소하고, 구간 $[b, \infty)$에서 증가한다. 시각 $t = a$에서 $t = b$까지 점 Q가 움직인 거리는? (단, $0 < a < b$) [4점]

① $\dfrac{15}{2}$　② $\dfrac{17}{2}$　③ $\dfrac{19}{2}$　④ $\dfrac{21}{2}$　⑤ $\dfrac{23}{2}$

STEP 01 $v_1(t)$, $v_2(t)$를 각각 적분하여 두 점 P, Q의 위치를 구한 후 $f(t)$를 구한다.

시각 t에서의 두 점 P, Q의 위치를 각각 $x_1(t)$, $x_2(t)$라 하면
$$x_1(t) = 0 + \int_0^t (t^2 - 6t + 5)dt = \frac{1}{3}t^3 - 3t^2 + 5t,$$
$$x_2(t) = 0 + \int_0^t (2t - 7)dt = t^2 - 7t$$
이므로
$$f(t) = |x_1(t) - x_2(t)| = \left|\frac{1}{3}t^3 - 4t^2 + 12t\right|$$

STEP 02 $f(t)$의 미분으로 극값을 갖는 x좌표를 구하여 a, b를 구한 후 $|v_2(t)|$의 적분을 이용하여 점 Q가 움직인 거리를 구한다.

함수 $g(t)$를 $g(t) = \dfrac{1}{3}t^3 - 4t^2 + 12t$라 하면
$$g'(t) = t^2 - 8t + 12 = (t-2)(t-6)$$
$g'(t) = 0$에서 $t = 2$ 또는 $t = 6$
$t \geq 0$에서 함수 $g(t)$의 증가와 감소를 표로 나타내면 다음과 같다.

t	0	$\cdots$	2	$\cdots$	6	$\cdots$
$g'(x)$		$+$	0	$-$	0	$+$
$g(x)$	0	↗	$\dfrac{32}{3}$	↘	0	↗

$t \geq 0$인 모든 실수 t에 대하여 $g(t) \geq 0$이므로 $f(t) = g(t)$이고
함수 $y = f(t)$의 그래프는 그림과 같다.

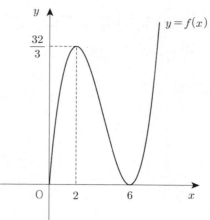

함수 $f(t)$는 구간 $[0, 2]$에서 증가하고, 구간 $[2, 6]$에서 감소하고, 구간 $[6, \infty)$에서 증가한다. 즉, $a = 2$, $b = 6$이다.
시각 $t = 2$에서 $t = 6$까지 점 Q가 움직인 거리는

$$\int_2^6 |v_2(t)|dt = \int_2^6 |2t - 7|dt$$
$$= \int_2^{\frac{7}{2}} (7 - 2t)dt + \int_{\frac{7}{2}}^6 (2t - 7)dt$$
$$= \left[7t - t^2\right]_2^{\frac{7}{2}} + \left[t^2 - 7t\right]_{\frac{7}{2}}^6$$
$$= \frac{9}{4} + \frac{25}{4} = \frac{17}{2}$$

●핵심 공식

▶ 속도와 이동거리 및 위치
수직선 위를 움직이는 점 p의 시각 t에서의 속도를 $v(t)$라 할 때, $t = a$에서 $t = b$ $(a < b)$까지의 실제 이동거리 s는 $s = \int_a^b |v(t)|dt$이고
점 p가 원점을 출발하여 $t = a$에서의 점 p의 위치는 $\int_0^a v(t)dt$이다.

---

11 등차수열의 합
정답률 49% | 정답 ①

공차가 0이 아닌 등차수열 $\{a_n\}$에 대하여
❶ $|a_6| = a_8$, ❷ $\displaystyle\sum_{k=1}^{5} \frac{1}{a_k a_{k+1}} = \frac{5}{96}$

일 때, $\displaystyle\sum_{k=1}^{15} a_k$의 값은? [4점]

① 60　② 65　③ 70　④ 75　⑤ 80

STEP 01 ❶에서 a_1과 공차의 관계를 구한다.

$|a_6| = a_8$에서
$a_6 = a_8$ 또는 $-a_6 = a_8$ …… ㉠
등차수열 $\{a_n\}$의 공차가 0이 아니므로
$a_6 \neq a_8$ …… ㉡
㉠, ㉡에서 $-a_6 = a_8$
즉, $a_6 + a_8 = 0$ …… ㉢
한편, $|a_6| = a_8$에서 $a_8 \geq 0$이고, $a_6 + a_8 = 0$이므로
$a_6 < 0 < a_8$이다.
즉, 등차수열 $\{a_n\}$의 공차는 양수이다.
등차수열 $\{a_n\}$의 공차를 $d(d > 0)$이라 하면 ㉢에서
$(a_1 + 5d) + (a_1 + 7d) = 0$
$a_1 = -6d$ …… ㉣

STEP 02 부분분수의 합으로 ❷를 정리한 식과 ㉣을 연립하여 a_1과 공차를 구한 후 등차수열의 합으로 $\displaystyle\sum_{k=1}^{15} a_k$의 값을 구한다.

한편, $\displaystyle\sum_{k=1}^{5} \frac{1}{a_k a_{k+1}} = \frac{5}{96}$에서
$$\sum_{k=1}^{5} \frac{1}{a_k a_{k+1}} = \sum_{k=1}^{5} \frac{1}{a_{k+1} - a_k}\left(\frac{1}{a_k} - \frac{1}{a_{k+1}}\right)$$
$$= \sum_{k=1}^{5} \frac{1}{d}\left(\frac{1}{a_k} - \frac{1}{a_{k+1}}\right)$$

$$= \frac{1}{d}\left\{ \left(\frac{1}{a_1}-\frac{1}{a_2}\right)+\left(\frac{1}{a_2}-\frac{1}{a_3}\right)+\left(\frac{1}{a_3}-\frac{1}{a_4}\right)+\left(\frac{1}{a_4}-\frac{1}{a_5}\right)+\left(\frac{1}{a_5}-\frac{1}{a_6}\right)\right\}$$
$$= \frac{1}{d}\left(\frac{1}{a_1}-\frac{1}{a_6}\right)=\frac{1}{d}\left(\frac{1}{a_1}-\frac{1}{a_1+5d}\right)$$
$$= \frac{1}{d}\times\frac{5d}{a_1(a_1+5d)}=\frac{5}{a_1(a_1+5d)}$$

이므로
$$\frac{5}{a_1(a_1+5d)}=\frac{5}{96}$$
$$a_1(a_1+5d)=96 \qquad\qquad \cdots\cdots \boxdot$$

㉣을 ㉢에 대입하면
$$-6d\times(-d)=96,\ d^2=16$$
$d>0$이므로 $d=4$
$d=4$를 ㉣에 대입하면
$$a_1=-6\times4=-24$$

따라서 $\displaystyle\sum_{k=1}^{15}a_k=\frac{15\{2\times(-24)+14\times4\}}{2}=60$

● 핵심 공식

▶ 부분분수
$$\frac{1}{AB}=\frac{1}{B-A}\left(\frac{1}{A}-\frac{1}{B}\right)\ (\text{단, }0<A<B)$$

▶ 등차수열의 일반항과 합
(1) 등차수열의 일반항
첫째항이 a, 공차가 d인 등차수열의 일반항 a_n은
$$a_n=a+(n-1)d\ (n=1,\ 2,\ 3,\ \cdots)$$
(2) 등차수열의 합
첫째항이 a, 공차가 d, 제n항이 l인 등차수열의 첫째항부터 제n항까지의 합을 S_n이라 하면
$$S_n=\frac{n(a+l)}{2}=\frac{n\{2a+(n-1)d\}}{2}$$

---

12 적분을 활용한 넓이   정답률 57% | 정답 ③

함수 $f(x)=\dfrac{1}{9}x(x-6)(x-9)$와 실수 $t(0<t<6)$에 대하여 함수 $g(x)$는
$$g(x)=\begin{cases}f(x) & (x<t)\\ -(x-t)+f(t) & (x\geq t)\end{cases}$$
이다. 함수 **❶** $y=g(x)$의 그래프와 x축으로 둘러싸인 영역의 넓이의 최댓값은? [4점]

① $\dfrac{125}{4}$ ② $\dfrac{127}{4}$ ③ $\dfrac{129}{4}$ ④ $\dfrac{131}{4}$ ⑤ $\dfrac{133}{4}$

STEP 01 $g(x)$의 적분으로 **❶**을 구한다.

함수 $g(x)$는 $x\geq t$일 때, 점 $(t,\ f(t))$를 지나고 기울기가 -1인 직선이므로 이 직선은 x축과 점 $(t+f(t),\ 0)$에서 만난다.
그러므로 함수 $y=g(x)$의 그래프와 x축으로 둘러싸인 부분의 넓이를 $S(t)$라 하면
$$S(t)=\int_0^t f(x)dx+\frac{1}{2}\times\{f(t)\}^2$$

STEP 02 $S(t)$를 미분하여 최댓값을 갖는 t를 구한 후 $S(t)$의 최댓값을 구한다.

이때, 양변을 t에 대하여 미분하면
$$S'(t)=f(t)+f(t)\times f'(t)=f(t)\{1+f'(t)\}$$

한편, $f(x)=\dfrac{1}{9}x(x-6)(x-9)$이므로
$0<t<6$에서 $f(t)>0$
또,
$$1+f'(t)=1+\frac{1}{9}\{(t-6)(t-9)+t(t-9)+t(t-6)\}$$
$$=1+\frac{1}{9}\{(t^2-15t+54)+(t^2-9t)+(t^2-6t)\}$$
$$=1+\frac{1}{9}(3t^2-30t+54)$$
$$=1+\frac{1}{3}(t^2-10t+18)$$
$$=\frac{1}{3}(t^2-10t+21)$$
$$=\frac{1}{3}(t-3)(t-7)$$

그러므로 $0<t<6$에서 $S(t)$의 증가와 감소는 다음 표와 같다.

t	(0)	$\cdots$	3	$\cdots$	(6)
$S'(t)$		$+$	0	$-$	
$S(t)$		↗	(극대)	↘	

그러므로 $S(t)$는 $t=3$에서 극대이면서 최대이다.
따라서, 최댓값은
$$S(3)=\int_0^3 f(x)dx+\frac{1}{2}\times\{f(3)\}^2$$
$$=\frac{1}{9}\int_0^3 x(x-6)(x-9)dx+\frac{1}{2}\times\left\{\frac{1}{9}\times3\times(-3)\times(-6)\right\}^2$$
$$=\frac{1}{9}\int_0^3(x^3-15x^2+54x)dx+18$$
$$=\frac{1}{9}\left[\frac{1}{4}x^4-5x^3+27x^2\right]_0^3+18$$
$$=\frac{1}{9}\times\left(\frac{1}{4}\times81-5\times27+27\times9\right)+18$$
$$=\left(\frac{9}{4}-15+27\right)+18$$
$$=\left(\frac{9}{4}+12\right)+18$$
$$=\frac{9}{4}+30=\frac{129}{4}$$

---

13 사인법칙과 코사인법칙   정답률 43% | 정답 ①

그림과 같이
$$\overline{AB}=3,\ \overline{BC}=\sqrt{13},\ \overline{AD}\times\overline{CD}=9,\ \angle BAC=\frac{\pi}{3}$$
인 사각형 ABCD가 있다. 삼각형 ABC의 넓이를 S_1, 삼각형 ACD의 넓이를 S_2라 하고, 삼각형 ACD의 외접원의 반지름의 길이를 R이라 하자.

❶ $S_2=\dfrac{5}{6}S_1$일 때, $\dfrac{R}{\sin(\angle ADC)}$의 값은? [4점]

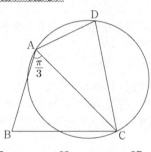

① $\dfrac{54}{25}$ ② $\dfrac{117}{50}$ ③ $\dfrac{63}{25}$ ④ $\dfrac{27}{10}$ ⑤ $\dfrac{72}{25}$

STEP 01 삼각형 ABC에서 코사인법칙에 의해 $\overline{AC}$를 구한다.

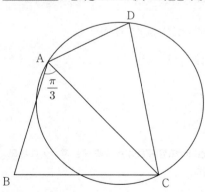

삼각형 ABC에서 $\overline{AC}=a(a>0)$이라 하면
코사인법칙에 의해
$$\overline{BC}^2=\overline{AB}^2+\overline{AC}^2-2\times\overline{AB}\times\overline{AC}\times\cos(\angle BAC)$$
$$(\sqrt{13})^2=3^2+a^2-2\times3\times a\times\cos\frac{\pi}{3}$$
$$a^2-3a-4=0$$
$$(a+1)(a-4)=0$$
$a>0$이므로 $a=4$
즉, $\overline{AC}=4$

STEP 02 S_1, S_2를 구한 후 **❶**을 이용하여 $\sin(\angle ADC)$를 구한다.

삼각형 ABC의 넓이 S_1은

$$S_1 = \frac{1}{2} \times \overline{AB} \times \overline{AC} \times \sin(\angle BAC)$$
$$= \frac{1}{2} \times 3 \times 4 \times \sin\frac{\pi}{3}$$
$$= \frac{1}{2} \times 3 \times 4 \times \frac{\sqrt{3}}{2}$$
$$= 3\sqrt{3}$$

$\overline{AD} \times \overline{CD} = 9$이므로

삼각형 ACD의 넓이 S_2는

$$S_2 = \frac{1}{2} \times \overline{AD} \times \overline{CD} \times \sin(\angle ADC)$$
$$= \frac{9}{2}\sin(\angle ADC)$$

이때, $S_2 = \frac{5}{6}S_1$이므로

$$\frac{9}{2}\sin(\angle ADC) = \frac{5}{6} \times 3\sqrt{3}$$
$$\sin(\angle ADC) = \frac{5\sqrt{3}}{9}$$

STEP 03 삼각형 ACD에서 사인법칙에 의해 R을 구한 다음 $\dfrac{R}{\sin(\angle ADC)}$의 값을 구한다.

삼각형 ACD에서 사인법칙에 의해

$\dfrac{\overline{AC}}{\sin(\angle ADC)} = 2R$이므로

$$\frac{4}{\frac{5\sqrt{3}}{9}} = 2R, \quad R = \frac{6\sqrt{3}}{5}$$

따라서 $\dfrac{R}{\sin(\angle ADC)} = \dfrac{\frac{6\sqrt{3}}{5}}{\frac{5\sqrt{3}}{9}} = \dfrac{54}{25}$

●핵심 공식

▶ 사인법칙

△ABC에 대하여 △ABC의 외접원의 반지름 길이를 R라고 할 때,

$$\frac{a}{\sin A} = \frac{b}{\sin B} = \frac{c}{\sin C} = 2R$$

▶ 코사인법칙

세 변의 길이를 각각 a, b, c라 하고 b, c 사이의 끼인각을 A라 하면

$$a^2 = b^2 + c^2 - 2bc\cos A, \quad \left(\cos A = \frac{b^2+c^2-a^2}{2bc}\right)$$

★★★ 등급을 가르는 문제!

14 미분의 활용 　　　정답률 15% | 정답 ①

두 자연수 a, b에 대하여 함수 $f(x)$는

$$f(x) = \begin{cases} 2x^3 - 6x + 1 & (x \le 2) \\ a(x-2)(x-b) + 9 & (x > 2) \end{cases}$$

이다. 실수 t에 대하여 함수 $y = f(x)$의 그래프와 직선 $y = t$가 만나는 점의 개수를 $g(t)$라 하자.

❶ $g(k) + \lim\limits_{t\to k-}g(t) + \lim\limits_{t\to k+}g(t) = 9$

를 만족시키는 실수 k의 개수가 1이 되도록 하는 ❷ 두 자연수 a, b의 순서쌍 (a, b)에 대하여 $a+b$의 최댓값은? [4점]

① 51　　② 52　　③ 53　　④ 54　　⑤ 55

STEP 01 b의 범위를 나누어 $y = f(x)$의 그래프를 그려 ❶을 만족시키는 경우를 찾는다.

$x \le 2$일 때,

$f(x) = 2x^3 - 6x + 1$에서

$f'(x) = 6x^2 - 6 = 6(x-1)(x+1)$이므로

$f'(x) = 0$에서 $x = -1$ 또는 $x = 1$

$x \le 2$에서 함수 $f(x)$의 증가와 감소를 표로 나타내면 다음과 같다.

x	$\cdots$	-1	$\cdots$	1	$\cdots$	2
$f'(x)$	$+$	0	$-$	0	$+$	
$f(x)$	↗	5	↘	-3	↗	5

또한, a, b가 자연수이므로

곡선 $y = a(x-2)(x-b) + 9$는

점 $(2, 9)$와 점 $(b, 9)$를 지나고 아래로 볼록한 포물선이다.

(i) $b = 1$ 또는 $b = 2$인 경우

함수 $f(x)$는 $x > 2$에서 증가하고, 함수 $y = f(x)$의 그래프는 그림과 같다.

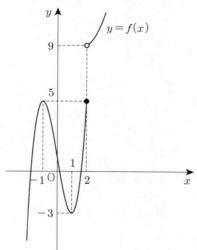

이때 $-3 < k < 5$인 모든 실수 k에 대하여

$g(k) = \lim\limits_{t\to k-}g(k) = \lim\limits_{t\to k+}g(k) = 3$이므로 　　　$\cdots\cdots$ ㉠

$g(k) + \lim\limits_{t\to k-}g(k) + \lim\limits_{t\to k+}g(k) = 9$ 　　　$\cdots\cdots$ ㉡

를 만족시키는 실수 k의 개수가 1이 아니다.

(ii) $b \ge 3$인 경우

곡선 $y = a(x-2)(x-b) + 9$는

직선 $x = \dfrac{2+b}{2} = 1 + \dfrac{b}{2}$에 대하여 대칭이므로

함수 $f(x)$는 $x = 1 + \dfrac{b}{2}$에서 극솟값을 갖는다.

이 극솟값을 m이라 하자.

ⅰ) $m > -3$인 경우

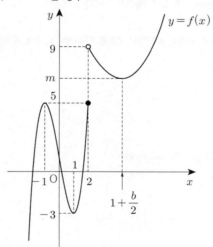

ⅱ) $m < -3$인 경우

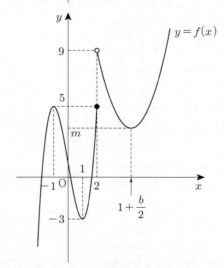

m과 5 중에 크지 않은 값을 m_1이라 하면

$-3 < k < m_1$인 모든 실수 k에 대하여 ㉠이 성립하므로

㉡을 만족시키는 실수 k의 개수가 1이 아니다.

ⅱ) $m < -3$인 경우

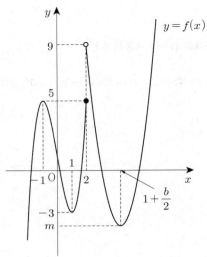

$m<k<-3$인 모든 실수 k에 대하여 ㉠이 성립하므로
㉡을 만족시키는 실수 k의 개수가 1이 아니다.

iii) $m=-3$인 경우

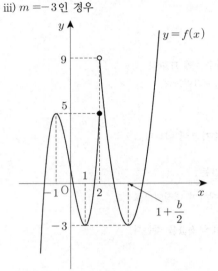

㉡을 만족시키는 실수 $k=-3$뿐으로 개수가 1이다.
(i), (ii)에서 $b \geq 3$, $m=-3$이다.

STEP 02 $y=a(x-2)(x-b)+9$의 꼭짓점의 좌표를 이용하여 a, b의 관계식을 구한 후 ❷를 구한다.

$f\left(1+\dfrac{b}{2}\right)=-3$에서

$a\left(\dfrac{b}{2}-1\right)\left(1-\dfrac{b}{2}\right)+9=-3$

$a(b-2)^2=48=3\times2^4$이므로
만족하는 두 자연수 a, b의 모든 순서쌍 (a, b)는
$(48, 3)$, $(12, 4)$, $(3, 6)$이다.
따라서 $a+b$의 최댓값은
$48+3=51$

〈참고〉
k의 값에 따라 $g(k)$, $\lim\limits_{t \to k-}g(k)$, $\lim\limits_{t \to k+}g(k)$의 값을 구하면 다음과 같다.

	$g(k)$	$\lim\limits_{t \to k-}g(k)$	$\lim\limits_{t \to k+}g(k)$
$k<-3$	1	1	1
$k=-3$	3	1	5
$-3<k<5$	5	5	5
$k=5$	4	5	2
$5<k<9$	2	2	2
$k=9$	1	2	1
$k>9$	1	1	1

★★ 문제 해결 꿀~팁 ★★

▶ 문제 해결 방법

$p(x)=2x^3-6x+1\,(x \leq 2)$, $h(x)=a(x-2)(x-b)+9\,(x>2)$라 하자.
$y=p(x)$는 미분하여 극값을 구하면 2개의 극값을 갖는 일반적인 삼차함수의 그래프이다. $y=h(x)$는 b의 위치에 따라 그래프가 달라지므로 b의 범위를 나누어 그래프를 그려야 하나 만족해야 할 조건이 '$y=f(x)$의 그래프와 직선 $y=t$가 만나는 점의 개수와 직선 $y=t$를 위, 아래로 약간 움직였을 때 만나는 점의 개수의 총합이 '9'가 되어야 하는 것이다. b의 범위를 나누어 그래프를 각각 그려도 좋으나 점 $(2, 9)$를 지나고 기울기가

양수인 이차함수의 그래프를 $x>2$인 범위에서 꼭짓점의 위치를 변화시켜 가며 그려서 조건을 만족하는 경우를 찾는 것이 보다 효과적이라 할 수 있다. 어떠한 방법으로 찾든 자신에게 편한 방법을 찾아 그래프를 구하면 $y=p(x)$의 극솟값과 $y=h(x)$의 최솟값이 일치하는 경우에 조건을 만족한다. 즉, $y=h(x)$의 꼭짓점의 좌표가 $\left(1+\dfrac{b}{2},\ -3\right)$이어야 한다. 이를 이용하면 $a(b-2)^2=3\times2^4$이므로 만족하는 자연수 a, b의 순서쌍 (a, b)를 구하면 된다.
조건을 만족하도록 그래프를 변화시켜 가며 그려 조건에 맞는 그래프를 찾는 훈련을 계속하여 익숙해지면 많은 시간과 노력을 줄일 수 있으므로 꾸준히 연습하여 익혀두는 것이 좋다.

---

15 수열의 귀납적 정의   정답률 57% | 정답 ③

첫째항이 자연수인 수열 $\{a_n\}$이 모든 자연수 n에 대하여

> ❶ $a_{n+1}=\begin{cases} 2^{a_n} & (a_n \text{이 홀수인 경우}) \\ \dfrac{1}{2}a_n & (a_n \text{이 짝수인 경우}) \end{cases}$

를 만족시킬 때, ❷ $a_6+a_7=3$이 되도록 하는 모든 a_1의 값의 합은? [4점]

① 139   ② 146   ③ 153   ④ 160   ⑤ 167

STEP 01 ❶, ❷에서 a_6과 a_7이 될 수 있는 값을 구한다.

a_n이 홀수일 때 $a_{n+1}=2^{a_n}$은 자연수이고

a_n이 짝수일 때 $a_{n+1}=\dfrac{1}{2}a_n$은 자연수이다.

이때 a_1이 자연수이므로 수열 $\{a_n\}$의 모든 항은 자연수이다.

$a_6+a_7=3$에서

$a_6=1$, $a_7=2$ 또는 $a_6=2$, $a_7=1$이다.

STEP 02 a_6의 값에 따라 경우를 나누고 각각 a_5의 홀수, 짝수의 경우를 나누어 만족하는 a_5를 구한 다음 같은 방법으로 a_4, a_3, a_2, a_1을 구한 후 만족하는 모든 a_1의 값의 합을 구한다.

(i) $a_6=1$일 때

$a_6=1$이고 a_5가 홀수인 경우

$a_6=2^{a_5}$에서 $1=2^{a_5}$

이 등식을 만족시키는 자연수 a_5의 값은 없다.

$a_6=1$이고 a_5가 짝수인 경우

$a_6=\dfrac{1}{2}a_5$에서 $1=\dfrac{1}{2}a_5$, $a_5=2$

i) a_4를 구해보자.

$a_5=2$이고 a_4가 홀수인 경우

$a_5=2^{a_4}$에서 $2=2^{a_4}$, $a_4=1$

$a_5=2$이고 a_4가 짝수인 경우

$a_5=\dfrac{1}{2}a_4$에서 $2=\dfrac{1}{2}a_4$, $a_4=4$

ii) a_3을 구해보자.

$a_4=1$일 때 $a_3=2$

$a_4=4$이고 a_3이 홀수인 경우

$a_4=2^{a_3}$에서 $4=2^{a_3}$, $a_3=2$

이때, a_3이 짝수이므로 모순이다.

$a_4=4$이고 a_3이 짝수인 경우

$a_4=\dfrac{1}{2}a_3$에서 $4=\dfrac{1}{2}a_3$, $a_3=8$

iii) a_2를 구해보자.

$a_3=2$일 때 $a_2=1$ 또는 $a_2=4$

$a_3=8$이고 a_2가 홀수인 경우

$a_3=2^{a_2}$에서 $8=2^{a_2}$, $a_2=3$

$a_3=8$이고 a_2가 짝수인 경우

$a_3=\dfrac{1}{2}a_2$에서 $8=\dfrac{1}{2}a_2$, $a_2=16$

iv) a_1을 구해보자.

$a_2=1$일 때 $a_1=2$

$a_2=4$일 때 $a_1=8$

$a_2 = 3$이고 a_1이 홀수인 경우

$a_2 = 2^{a_1}$에서 $3 = 2^{a_1}$

이 등식을 만족시키는 자연수 a_1의 값은 없다.

$a_2 = 3$이고 a_1이 짝수인 경우

$a_2 = \frac{1}{2}a_1$에서 $3 = \frac{1}{2}a_1$, $a_1 = 6$

$a_2 = 16$이고 a_1이 홀수인 경우

$a_2 = 2^{a_1}$에서 $16 = 2^{a_1}$, $a_1 = 4$

이때 a_1이 짝수이므로 모순이다.

$a_2 = 16$이고 a_1이 짝수인 경우

$a_2 = \frac{1}{2}a_1$에서 $16 = \frac{1}{2}a_1$, $a_1 = 32$

따라서 a_1의 값은 2 또는 6 또는 8 또는 32이다.

(ii) $a_6 = 2$일 때

(i)의 과정을 이용하면

$a_2 = 2$ 또는 $a_2 = 6$ 또는 $a_2 = 8$ 또는 $a_2 = 32$

a_1을 구해보자.

$a_2 = 2$이고 a_1이 홀수인 경우

$a_2 = 2^{a_1}$에서 $2 = 2^{a_1}$, $a_1 = 1$

$a_2 = 2$이고 a_1이 짝수인 경우

$a_2 = \frac{1}{2}a_1$에서 $2 = \frac{1}{2}a_1$, $a_1 = 4$

$a_2 = 6$이고 a_1이 홀수인 경우

$a_2 = 2^{a_1}$에서 $6 = 2^{a_1}$

이 등식을 만족시키는 자연수 a_1의 값은 없다.

$a_2 = 6$이고 a_1이 짝수인 경우

$a_2 = \frac{1}{2}a_1$에서 $6 = \frac{1}{2}a_1$, $a_1 = 12$

$a_2 = 8$이고 a_1이 홀수인 경우

$a_2 = 2^{a_1}$에서 $8 = 2^{a_1}$, $a_1 = 3$

$a_2 = 8$이고 a_1이 짝수인 경우

$a_2 = \frac{1}{2}a_1$에서 $8 = \frac{1}{2}a_1$, $a_1 = 16$

$a_2 = 32$이고 a_1이 홀수인 경우

$a_2 = 2^{a_1}$에서 $32 = 2^{a_1}$, $a_1 = 5$

$a_2 = 32$이고 a_1이 짝수인 경우

$a_2 = \frac{1}{2}a_1$에서 $32 = \frac{1}{2}a_1$, $a_1 = 64$

따라서 a_1의 값은 1 또는 3 또는 4 또는 5 또는 12 또는 16 또는 64이다.

(i), (ii)에서 모든 a_1의 값의 합은

$(2+6+8+32) + (1+3+4+5+12+16+64) = 153$

---

16 지수방정식   정답률 75% | 정답 2

방정식 $3^{x-8} = \left(\frac{1}{27}\right)^x$을 만족시키는 실수 x의 값을 구하시오. [3점]

STEP 01 지수의 성질을 이용하여 방정식을 풀어 x의 값을 구한다.

$3^{x-8} = \left(\frac{1}{27}\right)^x$

$3^{x-8} = (3^{-3})^x$

$3^{x-8} = 3^{-3x}$

그러므로

$x - 8 = -3x$

$4x = 8$

$x = 2$

---

17 곱의 미분법   정답률 84% | 정답 8

함수 $f(x) = (x+1)(x^2+3)$에 대하여 $f'(1)$의 값을 구하시오. [3점]

STEP 01 곱의 미분법으로 $f(x)$를 미분한 후 $f'(1)$의 값을 구한다.

$f(x) = (x+1)(x^2+3)$이므로

$f'(x) = (x^2+3) + (x+1) \times 2x$

따라서, $f'(1) = (1+3) + 2 \times 2 = 8$

> ●**핵심 공식**
>
> ▶ 곱의 미분
>
> $f(x) = g(x)h(x)$라 하면, $f'(x) = g'(x)h(x) + g(x)h'(x)$

---

18 ∑의 성질   정답률 73% | 정답 9

두 수열 $\{a_n\}$, $\{b_n\}$에 대하여

❶ $\displaystyle\sum_{k=1}^{10} a_k = \sum_{k=1}^{10}(2b_k - 1)$, $\displaystyle\sum_{k=1}^{10}(3a_k + b_k) = 33$

일 때, $\displaystyle\sum_{k=1}^{10} b_k$의 값을 구하시오. [3점]

STEP 01 ∑의 성질을 이용하여 ❶의 두 식을 전개한 후 연립하여 $\displaystyle\sum_{k=1}^{10} b_k$의 값을 구한다.

$\displaystyle\sum_{k=1}^{10} a_k = \sum_{k=1}^{10}(2b_k - 1) = 2\sum_{k=1}^{10} b_k - 10$ $\cdots\cdots$ ㉠

$\displaystyle\sum_{k=1}^{10}(3a_k + b_k) = 33$에서

$3\displaystyle\sum_{k=1}^{10} a_k + \sum_{k=1}^{10} b_k = 33$

$\displaystyle\sum_{k=1}^{10} b_k = -3\sum_{k=1}^{10} a_k + 33$ $\cdots\cdots$ ㉡

㉠을 ㉡에 대입하면

$\displaystyle\sum_{k=1}^{10} b_k = -3\left(2\sum_{k=1}^{10} b_k - 10\right) + 33$

$\displaystyle\sum_{k=1}^{10} b_k = -6\sum_{k=1}^{10} b_k + 63$

$7\displaystyle\sum_{k=1}^{10} b_k = 63$

따라서 $\displaystyle\sum_{k=1}^{10} b_k = 9$

---

19 삼각부등식   정답률 26% | 정답 32

함수 $f(x) = \sin\frac{\pi}{4}x$라 할 때, $0 < x < 16$에서 부등식

$f(2+x)f(2-x) < \frac{1}{4}$

을 만족시키는 모든 자연수 x의 값의 합을 구하시오. [3점]

STEP 01 삼각함수의 성질을 이용하여 부등식의 좌변을 정리한 후 부등식을 풀어 x의 범위를 구한 다음 범위에 해당하는 자연수 x를 구하여 합을 구한다.

$f(2+x) = \sin\left(\frac{\pi}{2} + \frac{\pi}{4}x\right) = \cos\frac{\pi}{4}x$,

$f(2-x) = \sin\left(\frac{\pi}{2} - \frac{\pi}{4}x\right) = \cos\frac{\pi}{4}x$

이므로 주어진 부등식은

$\cos^2\frac{\pi}{4}x < \frac{1}{4}$

즉, $-\frac{1}{2} < \cos\frac{\pi}{4}x < \frac{1}{2}$ $\cdots\cdots$ ㉠

$0 < x < 16$에서 $0 < \frac{\pi}{4}x < 4\pi$이므로 ㉠에서

$\frac{\pi}{3} < \frac{\pi}{4}x < \frac{2}{3}\pi$ 또는 $\frac{4}{3}\pi < \frac{\pi}{4}x < \frac{5}{3}\pi$ 또는

$\frac{7}{3}\pi < \frac{\pi}{4}x < \frac{8}{3}\pi$ 또는 $\frac{10}{3}\pi < \frac{\pi}{4}x < \frac{11}{3}\pi$이다. 즉,

$\frac{4}{3} < x < \frac{8}{3}$ 또는 $\frac{16}{3} < x < \frac{20}{3}$ 또는 $\frac{28}{3} < x < \frac{32}{3}$ 또는 $\frac{40}{3} < x < \frac{44}{3}$

이므로 구하는 자연수 x의 값은 2, 6, 10, 14이다.

따라서 구하는 모든 자연수 x의 값의 합은

$2 + 6 + 10 + 14 = 32$

▶ 삼각함수의 성질

$\dfrac{\pi}{2}\pm\theta$의 삼각함수

$\sin\left(\dfrac{\pi}{2}+\theta\right)=\cos\theta,\ \sin\left(\dfrac{\pi}{2}-\theta\right)=\cos\theta$

$\cos\left(\dfrac{\pi}{2}+\theta\right)=-\sin\theta,\ \cos\left(\dfrac{\pi}{2}-\theta\right)=\sin\theta$

$\tan\left(\dfrac{\pi}{2}+\theta\right)=-\dfrac{1}{\tan\theta},\ \tan\left(\dfrac{\pi}{2}-\theta\right)=\dfrac{1}{\tan\theta}$

★★★ 등급을 가르는 문제!

20 접선의 방정식   정답률 15% | 정답 25

$a>\sqrt{2}$ 인 실수 a에 대하여 함수 $f(x)$를

$$f(x)=-x^3+ax^2+2x$$

라 하자. ❶ 곡선 $y=f(x)$ 위의 점 $O(0,\ 0)$에서의 접선이 곡선 $y=f(x)$와 만나는 점 중 O가 아닌 점을 A라 하고, 곡선 ❷ $y=f(x)$ 위의 점 A에서의 접선이 x축과 만나는 점을 B라 하자. ❸ 점 A가 선분 OB를 지름으로 하는 원 위의 점일 때, $\overline{OA}\times\overline{AB}$의 값을 구하시오. [4점]

STEP 01 ❶을 구한 후 점 A의 좌표를 구한다.

$f(x)=-x^3+ax^2+2x$에서

$f'(x)=-3x^2+2ax+2$

$f'(0)=2$

곡선 $y=f(x)$ 위의 점 $O(0,\ 0)$에서의 접선의 방정식은

$y=2x$

곡선 $y=f(x)$와 직선 $y=2x$가 만나는 점의 x좌표를 구해보자.

$f(x)=2x$에서

$-x^3+ax^2+2x=2x$

$x^2(x-a)=0$

$x=0$ 또는 $x=a$

점 A의 x좌표는 0이 아니므로 점 A의 x좌표는 a이다.

즉, 점 A의 좌표는 $(a,\ 2a)$이다.

STEP 02 ❸에서 두 직선 OA와 AB의 관계를 파악하여 a를 구한다.

점 A가 선분 OB를 지름으로 하는 원 위의 점이므로

$\angle OAB=\dfrac{\pi}{2}$

즉, 두 직선 OA와 AB는 서로 수직이다.

이때, $f'(a)=-3a^2+2a^2+2=-a^2+2$이므로

직선 AB의 기울기는 $-a^2+2$이다.

$2\times(-a^2+2)=-1$에서 $a^2=\dfrac{5}{2}$

$a>\sqrt{2}$ 이므로 $a=\dfrac{\sqrt{10}}{2}$

점 A의 좌표는 $\left(\dfrac{\sqrt{10}}{2},\ \sqrt{10}\right)$이다.

STEP 03 ❷를 구하여 점 B의 좌표를 구한 후 두 선분 OA와 AB의 길이를 구한 다음 $\overline{OA}\times\overline{AB}$의 값을 구한다.

곡선 $y=f(x)$ 위의 점 A에서의 접선의 방정식은

$y=-\dfrac{1}{2}\left(x-\dfrac{\sqrt{10}}{2}\right)+\sqrt{10}$ ……㉠

㉠에 $y=0$을 대입하면

$0=-\dfrac{1}{2}\left(x-\dfrac{\sqrt{10}}{2}\right)+\sqrt{10}$

$x=\dfrac{5\sqrt{10}}{2}$

점 B의 좌표는 $\left(\dfrac{5\sqrt{10}}{2},\ 0\right)$이다.

따라서

$\overline{OA}=\sqrt{\left(\dfrac{\sqrt{10}}{2}\right)^2+(\sqrt{10})^2}=\dfrac{5\sqrt{2}}{2}$

$\overline{AB}=\sqrt{\left(\dfrac{5\sqrt{10}}{2}-\dfrac{\sqrt{10}}{2}\right)^2+(0-\sqrt{10})^2}=5\sqrt{2}$ 이므로

$\overline{OA}\times\overline{AB}=\dfrac{5\sqrt{2}}{2}\times5\sqrt{2}=25$

▶ 접선의 방정식

곡선 $y=f(x)$ 위의 점 $(a,\ f(a))$에서의 접선의 방정식은

$y-f(a)=f'(a)(x-a)$

★★ 문제 해결 꿀~팁 ★★

▶ 문제 해결 방법

$y=f(x)$ 위의 점 $O(0,\ 0)$에서의 접선의 방정식은 $y=2x$이고 $y=f(x)$와 $y=2x$가 만나는 점의 x좌표를 구하면 $f(x)=2x$에서 $x=a$이므로 점 A의 좌표는 $(a,\ 2a)$이다.

한편, 점 A가 선분 OB를 지름으로 하는 원 위의 점이므로 $\angle OAB=\dfrac{\pi}{2}$, 두 직선 OA와 AB는 서로 수직으로 직선 AB의 기울기는 $-\dfrac{1}{2}$이다.

따라서 $a=\dfrac{\sqrt{10}}{2}$, 점 A의 좌표는 $\left(\dfrac{\sqrt{10}}{2},\ \sqrt{10}\right)$이다.

이제 점 A에서의 접선의 방정식을 구하여 x절편을 구하여 점 B의 좌표를 구하고, 두 점의 좌표를 이용하여 선분을 길이를 구하면 된다.

미분으로 접선의 방정식을 구할 수 있고, 점 A가 선분 OB를 지름으로 하는 원 위의 점이라는 조건에서 두 직선 OA와 AB가 서로 수직임을 알 수 있으면 큰 어려움 없이 문제를 해결할 수 있다.

21 로그함수의 그래프   정답률 23% | 정답 10

양수 a에 대하여 $x\geq-1$에서 정의된 함수 $f(x)$는

$$f(x)=\begin{cases}-x^2+6x & (-1\leq x<6)\\ a\log_4(x-5) & (x\geq6)\end{cases}$$

이다. $t\geq0$인 실수 t에 대하여 닫힌구간 $[t-1,\ t+1]$에서의 $f(x)$의 최댓값을 $g(t)$라 하자. ❶ 구간 $[0,\ \infty)$에서 함수 $g(t)$의 최솟값이 5가 되도록 하는 양수 a의 최솟값을 구하시오. [4점]

STEP 01 $y=f(x)$의 그래프의 개형을 유추하여 ❶을 만족할 조건을 구하여 a의 범위를 구한 다음 양수 a의 최솟값을 구한다.

$t=0$일 때, 구간 $[-1,\ 1]$에서 함수 $f(x)$는 $x=1$에서 최댓값 5를 가지므로

$g(0)=5$

한편, 함수 $y=-x^2+6x$는 직선 $x=3$에 대하여 대칭이고 $f(5)=5$이므로

$1\leq t\leq5$일 때 $g(t)\geq5$

한편, $f(5)=5$이고 $f(6)=0$

또, 구간 $[0,\ \infty)$에서 함수 $g(t)$가 최솟값을 5로 갖기 위해서는 $t=6$일 때, 구간 $[5,\ 7]$에서 함수 $f(x)$의 최댓값이 5이상이어야 하므로

$f(7)\geq5$

즉, $a\log_4(7-5)\geq5$

$a\times\log_{2^2}2\geq5$

$a\times\dfrac{1}{2}\geq5$

$a\geq10$

따라서, 양수 a의 최솟값은 10이다.

★★★ 등급을 가르는 문제!

22 미분을 이용한 함수의 추론   정답률 2% | 정답 483

최고차항의 계수가 1인 삼차함수 $f(x)$가 다음 조건을 만족시킨다.

> 함수 $f(x)$에 대하여
> $f(k-1)f(k+1)<0$
> 을 만족시키는 정수 k는 존재하지 않는다.

❶ $f'\left(-\dfrac{1}{4}\right)=-\dfrac{1}{4}$, $f'\left(\dfrac{1}{4}\right)<0$일 때, $f(8)$의 값을 구하시오. [4점]

STEP 01 $f(x)=0$의 실근의 개수에 따라 경우를 나누어 주어진 조건을 만족하는 경우를 찾는다.

문제의 조건으로부터

함수 $f(x)$가 모든 정수 k에 대하여

$f(k-1)f(k+1)\geq0$을 만족시켜야 한다.   ……㉠

함수 $f(x)$는 삼차함수이므로 방정식 $f(x)=0$은 반드시 실근을 갖는다.

(i) 방정식 $f(x)=0$의 실근의 개수가 1인 경우

방정식 $f(x)=0$의 실근을 a라 할 때,

a보다 작은 정수 중 최댓값을 m이라 하면
$f(m) < 0 < f(m+2)$이므로
$f(m)f(m+2) < 0$이 되어 ㉠을 만족시키지 않는다.

(ii) 방정식 $f(x) = 0$의 서로 다른 실근의 개수가 2인 경우
방정식 $f(x) = 0$의 실근을 a, $b(a<b)$라 할 때,
$f(x) = (x-a)(x-b)^2$ 또는 $f(x) = (x-a)^2(x-b)$이다.

i) $f(x) = (x-a)(x-b)^2$일 때

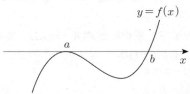
$y = f(x)$

a보다 작은 정수 중 최댓값을 m이라 하면
$f(m-1) < 0$, $f(m) < 0$, $f(m+1) \geq 0$, $f(m+2) \geq 0$
이때 ㉠을 만족시키려면
$f(m-1)f(m+1) \geq 0$, $f(m)f(m+2) \geq 0$이어야 하므로
$f(m+1) = f(m+2) = 0$이어야 한다.
그러므로 $a = m+1$, $b = m+2$이다.
$f'\left(\dfrac{1}{4}\right) < 0$이므로 $m+1 < \dfrac{1}{4} < m+2$이고
정수 m의 값은 -1이다. ...... ㉡
즉, $f(x) = x(x-1)^2$
그러나 이때 함수 $y = f(x)$의 그래프에서 $f'\left(-\dfrac{1}{4}\right) > 0$이므로
$f'\left(-\dfrac{1}{4}\right) = -\dfrac{1}{4}$을 만족시키지 않는다.

ii) $f(x) = (x-a)^2(x-b)$일 때

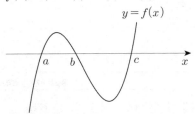
$y = f(x)$

만약 $a < n < b$인 정수 n이 존재한다면 그 중 가장 큰 값을 n_1이라 하자.
그러면 $f(n_1) < 0 < f(n_1+2)$이므로
$f(n_1)f(n_1+2) < 0$이 되어 ㉠을 만족시키지 않는다.
즉, $a < n < b$인 정수 n은 존재하지 않는다. ...... ㉢
그러므로 a보다 작은 정수 중 최댓값을 m이라 하면
$f(m-1) < 0$, $f(m) < 0$, $f(m+1) \geq 0$, $f(m+2) \geq 0$이고,
㉡과 마찬가지로
$a = m+1$, $b = m+2$, 정수 m의 값은 -1이다.
즉, $f(x) = x^2(x-1)$
그러나 이때 함수 $y = f(x)$의 그래프에서 $f'\left(-\dfrac{1}{4}\right) > 0$이므로
$f'\left(-\dfrac{1}{4}\right) = -\dfrac{1}{4}$을 만족시키지 않는다.

(iii) 방정식 $f(x) = 0$의 서로 다른 실근의 개수가 3인 경우
$f(x) = (x-a)(x-b)(x-c)(a<b<c)$라 하자.

$y = f(x)$

이때 ㉢과 마찬가지로 $b < n < c$인 정수 n은 존재하지 않는다.
그러므로 a보다 작은 정수 중 최댓값을 m이라 하면
$f(m-1) < 0$, $f(m) < 0$, $f(m+1) \geq 0$, $f(m+2) \geq 0$이다.
이때 ㉠을 만족시키려면
$f(m-1)f(m+1) \geq 0$, $f(m)f(m+2) \geq 0$이어야 하므로
$f(m+1) = f(m+2) = 0$이어야 한다.
즉, $a = m+1$, $b = m+2$ 또는 $a = m+1$, $c = m+2$
또는 $b = m+1$, $c = m+2$이다.

STEP 02 가능한 a, b, c의 경우에 따라 경우를 나누어 ❶을 만족하는 경우를 찾아 $f(x)$를 구한다.

또, $f'\left(-\dfrac{1}{4}\right) = -\dfrac{1}{4} < 0$, $f'\left(\dfrac{1}{4}\right) < 0$이므로 $f'(0) < 0$이다.

i) $a = m+1$, $b = m+2$일 때
$a < n < b$ 또는 $b < n < c$인 정수 n은 존재하지 않고,

$f'(0) < 0$이므로 $b = m+2 = 0$이다.
이때 $a = m+1 = -1$이므로
$f(x) = x(x+1)(x-c) = (x^2+x)(x-c)$이다.
$f'(x) = (2x+1)(x-c) + (x^2+x)$이므로
$f'\left(-\dfrac{1}{4}\right) = \dfrac{1}{2} \times \left(-\dfrac{1}{4} - c\right) + \left(\dfrac{1}{16} - \dfrac{1}{4}\right) = -\dfrac{1}{2}c - \dfrac{5}{16}$
$f'\left(-\dfrac{1}{4}\right) = -\dfrac{1}{4}$에서 $-\dfrac{1}{2}c - \dfrac{5}{16} = -\dfrac{1}{4}$, $c = -\dfrac{1}{8}$
그러나 이는 $b < c$에 모순이다.

ii) $a = m+1$, $c = m+2$일 때
$m+1$, $m+2$는 연속하는 두 정수이므로
$f'(n) < 0$을 만족시키는 정수 n은 존재하지 않으므로
조건을 만족하지 않는다.

iii) $b = m+1$, $c = m+2$일 때
$a < n < b$ 또는 $b < n < c$인 정수 n은 존재하지 않고,
$f'(0) < 0$이므로 $b = m+1 = 0$이다.
이때 $c = m+1 = 1$이므로
$f(x) = (x-a)x(x-1) = (x-a)(x^2-x)$이다.
$f'(x) = (x^2-x) + (x-a)(2x-1)$이므로
$f'\left(-\dfrac{1}{4}\right) = \dfrac{5}{16} + \left(-\dfrac{1}{4} - a\right) \times \left(-\dfrac{3}{2}\right) = \dfrac{11}{16} + \dfrac{3}{2}a$
$f'\left(-\dfrac{1}{4}\right) = -\dfrac{1}{4}$에서 $\dfrac{11}{16} + \dfrac{3}{2}a = -\dfrac{1}{4}$, $a = -\dfrac{5}{8}$
$f'\left(\dfrac{1}{4}\right) = -\dfrac{3}{16} + \left(\dfrac{1}{4} + \dfrac{5}{8}\right) \times \left(-\dfrac{1}{2}\right) = -\dfrac{5}{8}$이므로
$f'\left(\dfrac{1}{4}\right) < 0$도 만족시킨다.

(i), (ii), (iii)에서 함수 $f(x)$는
$f(x) = \left(x + \dfrac{5}{8}\right)(x^2 - x)$이다.

따라서 $f(8) = \dfrac{69}{8} \times 56 = 483$

★★ 문제 해결 꿀~팁 ★★

▶ **문제 해결 방법**

문제의 조건으로부터 함수 $f(x)$가 모든 정수 k에 대하여 $f(k-1)f(k+1) \geq 0$을 만족시켜야 한다. 즉, 정수 x에 대하여 $f(x)$와 $f(x+2)$의 값의 부호가 같거나 0이어야 한다. $f(x) = 0$의 실근의 개수에 따라 $y = f(x)$의 그래프의 개형이 달라지므로 실근의 개수에 따라 경우를 나누어 그래프를 그려 조건을 만족할 수 있는지 확인하여야 한다. 실근의 개수가 1인 경우는 조건을 만족할 수가 없으며 실근의 개수가 2인 경우는 $f'\left(-\dfrac{1}{4}\right) = -\dfrac{1}{4}$, $f'\left(\dfrac{1}{4}\right) < 0$을 만족하지 않는다.

결국 $f(x) = 0$은 서로 다른 세 실근을 갖는 가장 일반적인 삼차함수의 그래프이다. 또한 $f'\left(-\dfrac{1}{4}\right) = -\dfrac{1}{4}$, $f'\left(\dfrac{1}{4}\right) < 0$에서 $-\dfrac{1}{4}$과 $\dfrac{1}{4}$은 모두 극값을 갖는 x좌표 사이에 있어야 한다. 이 성질과 $f'\left(-\dfrac{1}{4}\right) = -\dfrac{1}{4}$, $f'\left(\dfrac{1}{4}\right) < 0$을 만족할 조건으로 $f(x)$를 구해야 한다.

주어진 조건의 의미를 정확히 파악하여 이해할 수 있어야 하며, 조건을 만족하는 그래프를 유추할 수 있어야 한다. 다양한 조건의 함수를 그리는 연습을 충분히 하여 능숙하게 그래프를 그릴 수 있도록 훈련할 필요가 있다.

확률과 통계

23 | 같은 것이 있는 순열 | 정답률 86% | 정답 ③

5개의 문자 x, x, y, y, z를 모두 일렬로 나열하는 경우의 수는? [2점]
① 10 ② 20 ③ 30 ④ 40 ⑤ 50

STEP 01 같은 것이 있는 순열을 이용하여 나열하는 경우의 수를 구한다.

문자 x 2개, 문자 y 2개, 문자 z 1개를 일렬로 나열하는 경우의 수이므로
$$\dfrac{5!}{2! \times 2!} = 30$$

●**핵심 공식**

▶ **같은 것이 있는 순열**

n개 중에서 같은 것이 각각 p개, q개, r개, $\cdots$, s개가 있을 때, n개를 택하여 만든 순열의 수는
$$\dfrac{n!}{p!q!r! \cdots s!} \quad (n = p+q+r+\cdots+s)$$

두 사건 A, B는 서로 독립이고

❶ $P(A \cap B) = \dfrac{1}{4}$, ❷ $P(A^C) = 2P(A)$

일 때, $P(B)$의 값은? (단, A^C은 A의 여사건이다.) [3점]

① $\dfrac{3}{8}$ ② $\dfrac{1}{2}$ ③ $\dfrac{5}{8}$ ④ $\dfrac{3}{4}$ ⑤ $\dfrac{7}{8}$

STEP 01 ❷에서 $P(A)$를 구한 후 두 사건 A, B의 관계를 이용하여 ❶에서 $P(B)$의 값을 구한다.

$P(A^C) = 2P(A)$에서

$1 - P(A) = 2P(A)$이므로

$P(A) = \dfrac{1}{3}$

두 사건 A, B가 서로 독립이므로

$P(A \cap B) = \dfrac{1}{4}$에서

$P(A)P(B) = \dfrac{1}{4}$

$\dfrac{1}{3} \times P(B) = \dfrac{1}{4}$

따라서 $P(B) = \dfrac{3}{4}$

●핵심 공식

▶ 독립사건과 배반사건

두 사건 A, B에 대하여

(1) 두 사건 A, B가 독립이면 $P(A \cap B) = P(A)P(B)$

(2) 두 사건 A, B가 배반이면 $P(A \cup B) = P(A) + P(B)$

숫자 1, 2, 3, 4, 5, 6이 하나씩 적혀있는 6장의 카드가 있다. 이 6장의 카드를 모두 한 번씩 사용하여 일렬로 임의로 나열할 때, ❶ 양 끝에 놓인 카드에 적힌 두 수의 합이 10 이하가 되도록 카드가 놓일 확률은? [3점]

① $\dfrac{8}{15}$ ② $\dfrac{19}{30}$ ③ $\dfrac{11}{15}$ ④ $\dfrac{5}{6}$ ⑤ $\dfrac{14}{15}$

STEP 01 ❶의 여사건의 확률을 구하여 구하는 확률을 구한다.

두 수의 합이 10보다 큰 경우는 $5 + 6 = 11$ 뿐이므로 양 끝에 놓인 카드에 적힌 두수의 합이 10 이하인 사건을 A라 하면 사건 A^C는 양 끝에 놓인 카드에 적힌 두 수가 5, 6인 사건이다.

따라서 $P(A^C) = \dfrac{2! \times 4!}{6!} = \dfrac{1}{15}$ 이므로

$P(A) = 1 - P(A^C) = 1 - \dfrac{1}{15} = \dfrac{14}{15}$

4개의 동전을 동시에 던져서 앞면이 나오는 동전의 개수를 확률변수 X라 하고, 이산확률변수 Y를

$$Y = \begin{cases} X & (X \text{가 0 또는 1의 값을 가지는 경우}) \\ 2 & (X \text{가 2 이상의 값을 가지는 경우}) \end{cases}$$

라 하자. $E(Y)$의 값은? [3점]

① $\dfrac{25}{16}$ ② $\dfrac{13}{8}$ ③ $\dfrac{27}{16}$ ④ $\dfrac{7}{4}$ ⑤ $\dfrac{29}{16}$

STEP 01 독립시행의 확률로 $P(Y)$를 구한 후 $E(Y)$의 값을 구한다.

$P(Y=0) = P(X=0) = {}_4C_0 \left(\dfrac{1}{2}\right)^4 = \dfrac{1}{16}$

$P(Y=1) = P(X=1) = {}_4C_1 \left(\dfrac{1}{2}\right)^4 = \dfrac{1}{4}$

$P(Y=2) = 1 - P(Y=0) - P(Y=1) = 1 - \dfrac{1}{16} - \dfrac{1}{4} = \dfrac{11}{16}$

확률변수 Y의 확률분포를 표로 나타내면 다음과 같다.

Y	0	1	2	계
$P(Y=y)$	$\dfrac{1}{16}$	$\dfrac{1}{4}$	$\dfrac{11}{16}$	1

따라서 $E(Y) = 0 \times \dfrac{1}{16} + 1 \times \dfrac{1}{4} + 2 \times \dfrac{11}{16} = \dfrac{13}{8}$

●핵심 공식

▶ 이항분포

한 번의 시행에서 사건 A가 일어날 확률이 p일 때, n번의 독립시행에서 사건 A가 일어나는 횟수를 확률변수 X라 하면 X의 확률분포는

$P(X=k) = {}_nC_k p^k (1-p)^{n-k}$ $(k = 0, 1, \cdots, n)$

이와 같은 확률분포를 이항분포라 한다.

▶ 이항분포의 평균, 분산, 표준편차

확률변수 X가 이항분포 $B(n, p)$를 따를 때, X의 평균, 분산, 표준편차는 다음과 같다.

$E(X) = np$, $V(X) = npq$, $\sigma(X) = \sqrt{npq}$ (단, $q = 1 - p$)

---

❶ 정규분포 $N(m, 5^2)$을 따르는 모집단에서 크기가 49인 표본을 임의추출하여 얻은 표본평균이 $\overline{x}$일 때, 모평균 m에 대한 신뢰도 95%의 신뢰구간이 ❷ $a \leq m \leq \dfrac{6}{5}a$이다. $\overline{x}$의 값은? (단, Z가 표준정규분포를 따르는 확률변수일 때, $P(|Z| \leq 1.96) = 0.95$로 계산한다.) [3점]

① 15.2   ② 15.4   ③ 15.6   ④ 15.8   ⑤ 16.0

STEP 01 ❶에서 모평균의 신뢰구간을 구한 후 ❷와 연립하여 $\overline{x}$의 값을 구한다.

모표준편차가 5이고, 표본의 크기가 49, 표본평균이 $\overline{x}$이므로 모평균 m에 대한 신뢰도 95%의 신뢰구간은

$\overline{x} - 1.96 \times \dfrac{5}{\sqrt{49}} \leq m \leq \overline{x} + 1.96 \times \dfrac{5}{\sqrt{49}}$

$\overline{x} - 1.4 \leq m \leq \overline{x} + 1.4$

따라서 $a = \overline{x} - 1.4$이고 $\dfrac{6}{5}a = \overline{x} + 1.4$이므로

$\dfrac{a}{5} = (\overline{x} + 1.4) - (\overline{x} - 1.4) = 2.8$

따라서 $a = 5 \times 2.8 = 14$이므로

$\overline{x} = a + 1.4 = 14 + 1.4 = 15.4$

●핵심 공식

▶ 모평균의 추정

(1) 신뢰도가 95%일 때, 모평균 m의 신뢰구간은

$\overline{X} - 1.96 \times \dfrac{\sigma}{\sqrt{n}} \leq m \leq \overline{X} + 1.96 \times \dfrac{\sigma}{\sqrt{n}}$

(2) 신뢰도가 99%일 때, 모평균 m의 신뢰구간은

$\overline{X} - 2.58 \times \dfrac{\sigma}{\sqrt{n}} \leq m \leq \overline{X} + 2.58 \times \dfrac{\sigma}{\sqrt{n}}$

하나의 주머니와 두 상자 A, B가 있다. 주머니에는 숫자 1, 2, 3, 4가 하나씩 적힌 4장의 카드가 들어 있고, 상자 A에는 흰 공과 검은 공이 각각 8개 이상 들어 있고, 상자 B는 비어 있다. 이 주머니와 두 상자 A, B를 사용하여 다음 시행을 한다.

> 주머니에서 임의로 한 장의 카드를 꺼내어 카드에 적힌 수를 확인한 후 다시 주머니에 넣는다.
> 확인한 수가 1이면 상자 A에 있는 흰 공 1개를 상자 B에 넣고, 확인한 수가 2 또는 3이면 상자 A에 있는 흰 공 1개와 검은 공 1개를 상자 B에 넣고, 확인한 수가 4이면 상자 A에 있는 흰 공 2개와 검은 공 1개를 상자 B에 넣는다.

❶ 이 시행을 4번 반복한 후 상자 B에 들어 있는 공의 개수가 8일 때, 상자 B에 들어 있는 검은 공의 개수가 2일 확률은? [4점]

① $\dfrac{3}{70}$ ② $\dfrac{2}{35}$ ③ $\dfrac{1}{14}$ ④ $\dfrac{3}{35}$ ⑤ $\dfrac{1}{10}$

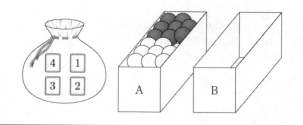

STEP 01 ❶의 경우를 구한다.

상자 B에 들어있는 공의 개수가 8인 사건을 E, 상자 B에 들어있는 검은 공의 개수가 2인 사건을 F라 하면

구하는 확률은 $\mathrm{P}(F|E) = \dfrac{\mathrm{P}(E \cap F)}{\mathrm{P}(E)}$ 이다.

한 번의 시행에서 상자 B에 넣는 공의 개수는 1 또는 2 또는 3이므로
4번의 시행 후 상자 B에 들어있는 공의 개수가 8인 경우는
$8 = 3+3+1+1$ 또는 $8 = 3+2+2+1$ 또는 $8 = 2+2+2+2$
뿐이다.

STEP 02 ❶의 각 경우의 확률과 4번의 시행 후 상자 B에 들어있는 검은 공의 개수를 각각 구한 후 조건부확률로 구하는 확률을 구한다.

(i) $8 = 3+3+1+1$인 경우
상자 B에 들어있는 검은 공의 개수는 2이다.
주머니에서 숫자 1이 적힌 카드를 2번, 숫자 4가 적힌 카드를 2번 꺼내야
하므로 이 경우의 확률은

$$\frac{4!}{2! \times 2!} \times \left(\frac{1}{4}\right)^4 = 6 \times \left(\frac{1}{4}\right)^4$$

(ii) $8 = 3+2+2+1$인 경우
상자 B에 들어있는 검은 공의 개수는 3이다.
주머니에서 숫자 1이 적힌 카드를 1번, 숫자 2 또는 3이 적힌 카드를 2번,
숫자 4가 적힌 카드를 1번 꺼내야 하므로 이 경우의 확률은

$$\frac{4!}{2!} \times \left\{\left(\frac{1}{4}\right) \times \left(\frac{2}{4}\right)^2 \times \left(\frac{1}{4}\right)\right\} = 48 \times \left(\frac{1}{4}\right)^4$$

(iii) $8 = 2+2+2+2$인 경우
상자 B에 들어있는 검은 공의 개수는 4이다.
주머니에서 숫자 2 또는 3이 적힌 카드를 4번 꺼내야 하므로 이 경우의
확률은

$$\left(\frac{2}{4}\right)^4 = 16 \times \left(\frac{1}{4}\right)^4$$

(i), (ii), (iii)에서

$$\mathrm{P}(E) = 6 \times \left(\frac{1}{4}\right)^4 + 48 \times \left(\frac{1}{4}\right)^4 + 16 \times \left(\frac{1}{4}\right)^4 = 70 \times \left(\frac{1}{4}\right)^4$$

$$\mathrm{P}(E \cap F) = 6 \times \left(\frac{1}{4}\right)^4$$

따라서 $\mathrm{P}(F|E) = \dfrac{\mathrm{P}(E \cap F)}{\mathrm{P}(E)} = \dfrac{6 \times \left(\frac{1}{4}\right)^4}{70 \times \left(\frac{1}{4}\right)^4} = \dfrac{3}{35}$

● 핵심 공식

▶ 조건부확률

확률이 0이 아닌 두 사건 A, B에 대하여 사건 A가 일어났다고 가정할 때, 사건 B가 일어날 확률을 사건 A가 일어났을 때의 사건 B의 조건부 확률이라 하고, 이것을 $\mathrm{P}(B|A)$로 나타낸다.

$$\mathrm{P}(B|A) = \frac{\mathrm{P}(A \cap B)}{\mathrm{P}(A)} \quad (\text{단, } \mathrm{P}(A) > 0)$$

---

29 중복조합   정답률 25% | 정답 196

다음 조건을 만족시키는 6 이하의 자연수 a, b, c, d의 ❶ 모든 순서쌍 (a, b, c, d)의 개수를 구하시오. [4점]

$a \leq c \leq d$이고 $b \leq c \leq d$이다.

STEP 01 a, b의 대소관계에 따라 경우를 나누고 각각 중복조합으로 순서쌍 (a, b, c, d)의 개수를 구한 후 ❶을 구한다.

(i) $a \leq b \leq c \leq d$인 순서쌍의 개수
1, 2, 3, 4, 5, 6 중에서 중복을 허락하여 4개를 택한 다음 크지 않은 순서대로 a, b, c, d의 값으로 정하는 경우의 수와 같으므로

$$_6\mathrm{H}_4 = _{6+4-1}\mathrm{C}_4 = _9\mathrm{C}_4 = \frac{9 \times 8 \times 7 \times 6}{4 \times 3 \times 2 \times 1} = 126$$

(ii) $b \leq a \leq c \leq d$인 순서쌍의 개수
(i)과 마찬가지이므로 $_6\mathrm{H}_4 = 126$

(iii) $a = b \leq c \leq d$인 순서쌍의 개수
1, 2, 3, 4, 5, 6 중에서 중복을 허락하여 3개를 택한 다음 크지 않은 순서대로 $a(=b)$, c, d의 값으로 정하는 경우의 수와 같으므로

$$_6\mathrm{H}_3 = _{6+3-1}\mathrm{C}_3 = _8\mathrm{C}_3 = \frac{8 \times 7 \times 6}{3 \times 2 \times 1} = 56$$

(i), (ii), (iii)에서 구하는 순서쌍의 개수는
$126 + 126 - 56 = 196$

다른 풀이

(i) $a \leq b \leq c \leq d$인 순서쌍의 개수
1, 2, 3, 4, 5, 6 중에서 중복을 허락하여 4개를 택한 다음 크지 않은 순서대로 a, b, c, d의 값으로 정하는 경우의 수와 같으므로

$$_6\mathrm{H}_4 = _{6+4-1}\mathrm{C}_4 = _9\mathrm{C}_4 = \frac{9 \times 8 \times 7 \times 6}{4 \times 3 \times 2 \times 1} = 126$$

(ii) $b < a \leq c \leq d$인 순서쌍의 개수
i) $b = 1$일 때 $1 < a \leq c \leq d$인 순서쌍의 개수는
2, 3, 4, 5, 6 중에서 중복을 허락하여 3개를 택한 다음 크지 않은 순서대로 a, c, d의 값으로 정하는 경우의 수와 같으므로
$$_5\mathrm{H}_3 = _{5+3-1}\mathrm{C}_3 = _7\mathrm{C}_3 = 35$$

ii) $b = 2$일 때 $2 < a \leq c \leq d$인 순서쌍의 개수는
3, 4, 5, 6 중에서 중복을 허락하여 3개를 택한 다음 크지 않은 순서대로 a, c, d의 값으로 정하는 경우의 수와 같으므로
$$_4\mathrm{H}_3 = _{4+3-1}\mathrm{C}_3 = _6\mathrm{C}_3 = 20$$

iii) $b = 3$일 때 $3 < a \leq c \leq d$인 순서쌍의 개수는
4, 5, 6 중에서 중복을 허락하여 3개를 택한 다음 크지 않은 순서대로 a, c, d의 값으로 정하는 경우의 수와 같으므로
$$_3\mathrm{H}_3 = _{3+3-1}\mathrm{C}_3 = _5\mathrm{C}_3 = 10$$

iv) $b = 4$일 때 $4 < a \leq c \leq d$인 순서쌍의 개수는
5, 6 중에서 중복을 허락하여 3개를 택한 다음 크지 않은 순서대로 a, c, d의 값으로 정하는 경우의 수와 같으므로
$$_2\mathrm{H}_3 = _{2+3-1}\mathrm{C}_3 = _4\mathrm{C}_3 = 4$$

v) $b = 5$일 때 $5 < a \leq c \leq d$이려면
$a = c = d = 6$이어야 하므로 순서쌍의 개수는 1
이상에서 $b < a \leq c \leq d$인 순서쌍의 개수는
$35 + 20 + 10 + 4 + 1 = 70$

(i), (ii)에서 구하는 순서쌍의 개수는 $126 + 70 = 196$

● 핵심 공식

▶ 중복조합

$_n\mathrm{H}_r$은 서로 다른 n개의 원소에서 r개를 뽑는 경우의 수이다.
$$_n\mathrm{H}_r = _{n+r-1}\mathrm{C}_r$$

★★★ 등급을 가르는 문제!

30 정규분포   정답률 21% | 정답 673

양수 t에 대하여 확률변수 X가 정규분포 ❶ $\mathrm{N}(1, t^2)$을 따른다.

❷ $\mathrm{P}(X \leq 5t) \geq \dfrac{1}{2}$

이 되도록 하는 모든 양수 t에 대하여
❸ $\mathrm{P}(t^2 - t + 1 \leq X \leq t^2 + t + 1)$의
최댓값을 오른쪽 표준정규분포표를 이용하여
구한 값을 k라 하자.
$1000 \times k$의 값을 구하시오. [4점]

z	$\mathrm{P}(0 \leq Z \leq z)$
0.6	0.226
0.8	0.288
1.0	0.341
1.2	0.385
1.4	0.419

STEP 01 ❶, ❷에서 t의 범위를 구한다. ❸을 표준화하고 최댓값을 갖는 경우를 파악하여 표준정규분포표를 이용하여 k를 구한 다음 $1000 \times k$의 값을 구한다.

확률변수 X의 평균이 1이므로

$\mathrm{P}(X \leq 5t) \geq \dfrac{1}{2}$에서 $5t \geq 1$, 즉 $t \geq \dfrac{1}{5}$ ······ ㉠

확률변수 X의 평균이 1, 표준편차가 t이므로 $Z = \dfrac{X-1}{t}$로 놓으면

확률변수 Z는 표준정규분포 $\mathrm{N}(0, 1)$을 따른다.

$$\mathrm{P}(t^2 - t + 1 \leq X \leq t^2 + t + 1) = \mathrm{P}\left(\frac{t^2-t}{t} \leq \frac{X-1}{t} \leq \frac{t^2+t}{t}\right)$$
$$= \mathrm{P}(t-1 \leq Z \leq t+1) \quad \cdots\cdots \text{㉡}$$

이때 $(t+1)-(t-1)=2$로 일정하므로 t의 값이 확률변수 Z의 평균 0에 가까울수록 ⓒ의 값은 증가한다.

따라서 ⊙에서 $t=\dfrac{1}{5}$일 때 ⓒ의 최댓값은

$k=\mathrm{P}\left(\dfrac{1}{5}-1\leq Z\leq\dfrac{1}{5}+1\right)$

$=\mathrm{P}(-0.8\leq Z\leq 1.2)$

$=\mathrm{P}(0\leq Z\leq 0.8)+\mathrm{P}(0\leq Z\leq 1.2)$

$=0.288+0.385=0.673$이므로

$1000\times k=673$

●핵심 공식

▶ 정규분포의 표준화

(1) 확률변수 X가 정규분포 $\mathrm{N}(m,\sigma^2)$을 따를 때 확률변수 $Z=\dfrac{X-m}{\sigma}$은 표준정규분포 $\mathrm{N}(0,1)$을 따른다.

(2) $\mathrm{P}(a\leq X\leq b)=\mathrm{P}\left(\dfrac{a-m}{\sigma}\leq Z\leq\dfrac{b-m}{\sigma}\right)$

★★ 문제 해결 꿀~팁 ★★

▶ 문제 해결 방법

확률변수 X의 평균이 1, 표준편차가 t이므로
$\mathrm{P}(t^2-t+1\leq X\leq t^2+t+1)$를 표준화하면 $\mathrm{P}(t-1\leq Z\leq t+1)$이다.
이때 $(t+1)-(t-1)=2$로 일정하므로 t의 값이 Z의 평균 0에 가까울수록
$\mathrm{P}(t-1\leq Z\leq t+1)$의 값이 증가한다. 조건에서 양수 t라 하였으므로 $t\neq 0$이다.
t의 범위를 모르므로 주어진 조건으로 t의 범위를 구해야 한다.
$\mathrm{N}(1,t^2)$에서 X의 평균이 1이고 $\mathrm{P}(X\leq 5t)\geq\dfrac{1}{2}$이므로 $5t$는 평균 1 이상이어야 한다. 따라서 $t\geq\dfrac{1}{5}$이다. 여기서 t의 범위를 구하지 못하면 문제를 해결할 수가 없다. 정규분포그래프에 X의 평균이 1이고 $\mathrm{P}(X\leq 5t)\geq\dfrac{1}{2}$인 상황을 나타내면 t의 범위를 쉽게 구할 수 있다. 정규분포의 문제에서 그래프를 이용하면 문제를 훨씬 더 쉽고 빠르게 이해하고 해결할 수 있으므로 그래프를 그려 상황을 나타내는 연습을 하여 익혀두는 것이 좋다.

미적분

23 로그함수의 극한   정답률 93% | 정답 ③

$\displaystyle\lim_{x\to 0}\dfrac{\ln(1+3x)}{\ln(1+5x)}$ 의 값은? [2점]

① $\dfrac{1}{5}$ ② $\dfrac{2}{5}$ ③ $\dfrac{3}{5}$ ④ $\dfrac{4}{5}$ ⑤ 1

STEP 01 로그함수의 극한으로 값을 구한다.

$\displaystyle\lim_{x\to 0}\dfrac{\ln(1+3x)}{\ln(1+5x)}=\lim_{x\to 0}\dfrac{3x\times\dfrac{\ln(1+3x)}{3x}}{5x\times\dfrac{\ln(1+5x)}{5x}}=\dfrac{3}{5}\times\dfrac{\displaystyle\lim_{x\to 0}\dfrac{\ln(1+3x)}{3x}}{\displaystyle\lim_{x\to 0}\dfrac{\ln(1+5x)}{5x}}$

$=\dfrac{3}{5}\times\dfrac{1}{1}=\dfrac{3}{5}$

24 음함수의 미분법   정답률 81% | 정답 ②

매개변수 $t(t>0)$으로 나타내어진 곡선

❶ $x=\ln(t^3+1)$, $y=\sin\pi t$

에서 $t=1$일 때, $\dfrac{dy}{dx}$의 값은? [3점]

① $-\dfrac{1}{3}\pi$ ② $-\dfrac{2}{3}\pi$ ③ $-\pi$ ④ $-\dfrac{4}{3}\pi$ ⑤ $-\dfrac{5}{3}\pi$

STEP 01 ❶에서 $\dfrac{dx}{dt}$, $\dfrac{dy}{dt}$를 구한 후 $\dfrac{dy}{dx}$를 구한 다음 $t=1$를 대입하여 값을 구한다.

$x=\ln(t^3+1)$에서 $\dfrac{dx}{dt}=\dfrac{3t^2}{t^3+1}$

$y=\sin\pi t$에서 $\dfrac{dy}{dt}=\pi\cos\pi t$

따라서 $\dfrac{dy}{dx}=\dfrac{\dfrac{dy}{dt}}{\dfrac{dx}{dt}}=\dfrac{\pi\cos\pi t}{\dfrac{3t^2}{t^3+1}}=\dfrac{\pi(t^3+1)\cos\pi t}{3t^2}$

따라서 $t=1$일 때의 $\dfrac{dy}{dx}$의 값은

$\dfrac{\pi(1^3+1)\cos\pi}{3\times 1^2}=\dfrac{\pi\times 2\times(-1)}{3}=-\dfrac{2}{3}\pi$

25 역함수의 미분법과 치환적분법   정답률 71% | 정답 ④

양의 실수 전체의 집합에서 정의되고 미분가능한 두 함수 $f(x)$, $g(x)$가 있다. $g(x)$는 $f(x)$의 역함수이고, $g'(x)$는 양의 실수 전체의 집합에서 연속이다. 모든 양수 a에 대하여

❶ $\displaystyle\int_1^a\dfrac{1}{g'(f(x))f(x)}dx=2\ln a+\ln(a+1)-\ln 2$

이고 $f(1)=8$일 때, $f(2)$의 값은? [3점]

① 36 ② 40 ③ 44 ④ 48 ⑤ 52

STEP 01 역함수의 미분법과 치환적분으로 ❶의 좌변을 정리하여 $f(a)$를 구한 다음 $f(2)$의 값을 구한다.

함수 $g(x)$의 정의역이 양의 실수 전체의 집합이고 그 역함수 $f(x)$의 치역은 양의 실수 전체의 집합이다.
즉, 모든 양수 x에 대하여
$f(x)>0$ ⋯⋯ ⊙
모든 양수 x에 대하여 $g(f(x))=x$이므로 양변을 x에 대하여 미분하면
$g'(f(x))f'(x)=1$
따라서

$\displaystyle\int_1^a\dfrac{1}{g'(f(x))f(x)}dx=\int_1^a\dfrac{f'(x)}{f(x)}dx=[\ln|f(x)|]_1^a$

$=\ln f(a)-\ln f(1)\ (\because\ ⊙)$

$=\ln f(a)-\ln 8$

$=\ln f(a)-3\ln 2$이므로

$\ln f(a)-3\ln 2=2\ln a+\ln(a+1)-\ln 2$에서

$\ln f(a)=2\ln a+\ln(a+1)+2\ln 2=\ln a^2+\ln(a+1)+\ln 2^2=\ln 4a^2(a+1)$

즉, $f(a)=4a^2(a+1)$이므로

$f(2)=4\times 2^2\times(2+1)=48$

다른 풀이

함수 $g(x)$의 정의역이 양의 실수 전체의 집합이고 그 역함수 $f(x)$의 치역은 양의 실수 전체의 집합이다.
즉, 모든 양수 x에 대하여
$f(x)>0$ ⋯⋯ ⊙

$\displaystyle\int_1^a\dfrac{1}{g'(f(x))f(x)}dx$에서 $f(x)=y$라 하면

$x=1$일 때 $y=f(1)=8$
$x=a$일 때 $y=f(a)$이고

$\dfrac{dy}{dx}=f'(x)$

이때 역함수의 미분법에 의하여

$f'(x)=\dfrac{1}{g'(y)}$이므로 $\dfrac{dy}{dx}=\dfrac{1}{g'(y)}$

이때 도함수 $g'(x)$가 양의 실수 전체의 집합에서 연속이므로 $g'(y)\neq 0$
따라서

$\displaystyle\int_1^a\dfrac{1}{g'(f(x))f(x)}dx=\int_8^{f(a)}\left\{\dfrac{1}{g'(y)\times y}\times g'(y)\right\}dy$

$=\displaystyle\int_8^{f(a)}\dfrac{1}{y}dy$

$=[\ln|y|]_8^{f(a)}$

$=\ln|f(a)|-\ln|8|$

$=\ln|f(a)|-3\ln 2$

⊙에서 $f(a)>0$이므로 주어진 등식에서

$\ln f(a)-3\ln 2=2\ln a+\ln(a+1)-\ln 2$

$\ln f(a)=2\ln a+\ln(a+1)+2\ln 2$

$=\ln a^2+\ln(a+1)+\ln 2^2$

$=\ln 4a^2(a+1)$

따라서 $f(a)=4a^2(a+1)$이므로

$f(2)=4\times 2^2\times(2+1)=48$

●핵심 공식

▶ 치환적분

$\int_a^b f(g(x))g'(x)dx$에서 $g(x)=t$로 놓으면 $g'(x)dx=dt$

$$\int_a^b f(g(x))g'(x)dx = \int_{g(a)}^{g(b)} f(t)dt$$

---

26 적분을 이용한 입체도형의 부피 정답률 68% | 정답 ③

그림과 같이 곡선 $y=\sqrt{(1-2x)\cos x}\ \left(\dfrac{3}{4}\pi \le x \le \dfrac{5}{4}\pi\right)$와 x축 및 두 직선

$x=\dfrac{3}{4}\pi$, $x=\dfrac{5}{4}\pi$로 둘러싸인 부분을 밑면으로 하는 입체도형이 있다.

이 ❶ 입체도형을 x축에 수직인 평면으로 자른 단면이 모두 정사각형일 때, 이 입체도형의 부피는? [3점]

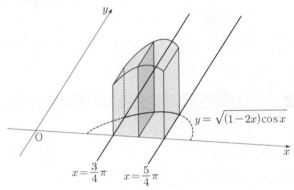

① $\sqrt{2}\pi-\sqrt{2}$ ② $\sqrt{2}\pi-1$ ③ $2\sqrt{2}\pi-\sqrt{2}$

④ $2\sqrt{2}\pi-1$ ⑤ $2\sqrt{2}\pi$

STEP 01 ❶의 넓이를 구한 후 부분적분으로 적분하여 부피를 구한다.

직선 $x=t\left(\dfrac{3}{4}\pi \le t \le \dfrac{5}{4}\pi\right)$를 포함하고 x축에 수직인 평면으로 입체도형을 자른

단면의 넓이를 $S(t)$라 하면

$S(t)=(1-2t)\cos t$

따라서 입체도형의 부피를 V라 하면

$u(t)=1-2t$, $v'(t)=\cos t$

$u'(t)=-2$, $v(t)=\sin t$라 하면

$$V=\int_{\frac{3}{4}\pi}^{\frac{5}{4}\pi}(1-2t)\cos t\,dt$$

$$= \left[(1-2t)\sin t\right]_{\frac{3}{4}\pi}^{\frac{5}{4}\pi}+2\int_{\frac{3}{4}\pi}^{\frac{5}{4}\pi}\sin t\,dt$$

$$= \left[(1-2t)\sin t\right]_{\frac{3}{4}\pi}^{\frac{5}{4}\pi}+2\left[-\cos t\right]_{\frac{3}{4}\pi}^{\frac{5}{4}\pi}$$

$$= \left(1-\frac{5}{2}\pi\right)\left(-\frac{\sqrt{2}}{2}\right)-\left(1-\frac{3}{2}\pi\right)\times\frac{\sqrt{2}}{2}+2\left(\frac{\sqrt{2}}{2}-\frac{\sqrt{2}}{2}\right)$$

$$= 2\sqrt{2}\pi-\sqrt{2}$$

●핵심 공식

▶ 부분적분법

$\{f(x)g(x)\}'=f'(x)g(x)+f(x)g'(x)$에서 $f(x)g'(x)=\{f(x)g(x)\}'-f'(x)g(x)$이므로 양변을 적분하면

$$\int f(x)g'(x)dx = f(x)g(x)-\int f'(x)g(x)dx$$

---

27 접선의 방정식 정답률 31% | 정답 ①

실수 t에 대하여 원점을 지나고 곡선 $y=\dfrac{1}{e^x}+e^t$에 접하는 직선의 기울기를

$f(t)$라 하자. ❶ $f(a)=-e\sqrt{e}$를 만족시키는 상수 a에 대하여 $f'(a)$의

값은? [3점]

① $-\dfrac{1}{3}e\sqrt{e}$ ② $-\dfrac{1}{2}e\sqrt{e}$ ③ $-\dfrac{2}{3}e\sqrt{e}$ ④ $-\dfrac{5}{6}e\sqrt{e}$ ⑤ $-e\sqrt{e}$

STEP 01 접점의 x좌표를 미지수로 놓고 $f(t)$를 구한 후 미분하여 $f'(t)$를 구한다. ❶을 이용하여 접점의 x좌표를 구한 다음 $f'(a)$의 값을 구한다.

$y=e^{-x}+e^t$이므로 $y'=-e^{-x}$

접점의 좌표를 $(s,\ e^{-s}+e^t)$이라고 하면

접선의 방정식은 $y=-e^{-s}(x-s)+e^{-s}+e^t$

이 접선이 원점을 지나므로

$se^{-s}+e^{-s}+e^t=0$

$e^t=-(s+1)e^{-s}$ ······ ㉠

양변을 s에 대하여 미분하면

$e^t\dfrac{dt}{ds}=-e^{-s}+(s+1)e^{-s}=se^{-s}$ ······ ㉡

또한 $f(t)=-e^{-s}$이므로 양변을 s에 대하여 미분하면

$f'(t)\dfrac{dt}{ds}=e^{-s}$ ······ ㉢

㉡, ㉢에서 $\dfrac{e^t}{f'(t)}=s$, 즉 $f'(t)=\dfrac{e^t}{s}$

또한 $f(a)=-e^{-s}=-e\sqrt{e}=-e^{\frac{3}{2}}$에서 $s=-\dfrac{3}{2}$

이고 ㉠에서 $e^a=\dfrac{1}{2}e^{\frac{3}{2}}$이므로

$f'(t)=\dfrac{e^t}{s}$에서

$$f'(a)=\frac{\frac{1}{2}e^{\frac{3}{2}}}{-\frac{3}{2}}=-\frac{1}{3}e^{\frac{3}{2}}=-\frac{1}{3}e\sqrt{e}$$

●핵심 공식

▶ 접선의 방정식

곡선 $y=f(x)$ 위의 점 $(a,\ f(a))$에서의 접선의 방정식은

$y-f(a)=f'(a)(x-a)$

---

28 정적분의 활용 정답률 15% | 정답 ②

실수 전체의 집합에서 연속인 함수 $f(x)$가 모든 실수 x에 대하여

$f(x) \ge 0$이고, $x<0$일 때 $f(x)=-4xe^{4x^2}$이다.

모든 양수 t에 대하여 x에 대한 방정식 $f(x)=t$의 서로 다른 실근의 개수는 2이고, 이 방정식의 두 실근 중 작은 값을 $g(t)$, 큰 값을 $h(t)$라 하자.

두 함수 $g(t)$, $h(t)$는 모든 양수 t에 대하여

$2g(t)+h(t)=k(k$는 상수$)$

를 만족시킨다. ❶ $\int_0^7 f(x)dx=e^4-1$일 때, $\dfrac{f(9)}{f(8)}$의 값은? [4점]

① $\dfrac{3}{2}e^5$ ② $\dfrac{4}{3}e^7$ ③ $\dfrac{5}{4}e^9$ ④ $\dfrac{6}{5}e^{11}$ ⑤ $\dfrac{7}{6}e^{13}$

STEP 01 $f(x)$의 미분과 주어진 조건으로 함수 $f(x)$의 증가와 감소를 따져 $y=f(x)$의 그래프의 개형을 그린다.

$x<0$일 때 $f(x)=-4xe^{4x^2}$이므로

$f'(x)=-4e^{4x^2}-4xe^{4x^2}\times 8x=-4e^{4x^2}-32x^2e^{4x^2}<0$

즉, $x<0$에서 함수 $f(x)$는 감소한다.

또한 모든 실수 x에 대하여 $f(x) \ge 0$이고

양수 t에 대하여 x에 대한 방정식 $f(x)=t$의 서로 다른 실근의 개수가 2이므로 $x \ge 0$에서 함수 $f(x)$는 증가한다.

또한, 모든 양수 t에 대하여 $2g(t)+h(t)=k$가 성립하므로 함수 $y=f(x)$의 그래프의 개형은 다음과 같다.

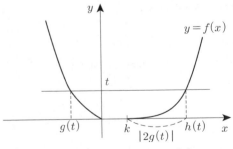

STEP 02 ❶에서 k를 구한 다음 $\dfrac{f(9)}{f(8)}$의 값을 구한다.

이때 $\int_0^7 f(x)dx=e^4-1$에서 $h(t_1)=7$이라 하면

$$\int_{g(t_1)}^0 -4xe^{4x^2}dx=\frac{1}{2}(e^4-1)$$

$$\left[-\frac{1}{2}e^{4x^2}\right]_{g(t_1)}^{0} = \frac{1}{2}(e^4-1)$$

$$-\frac{1}{2}+\frac{1}{2}e^{4\{g(t_1)\}^2} = \frac{1}{2}(e^4-1)$$

$$g(t_1) = -1$$

즉 $k+|2\times(-1)|=7$에서 $k=5$이므로

$$f(8) = f\left(-\frac{3}{2}\right),\ f(9) = f(-2)$$

$$\frac{f(9)}{f(8)} = \frac{f(-2)}{f\left(-\frac{3}{2}\right)} = \frac{-4\times(-2)e^{4(-2)^2}}{-4\times\left(-\frac{3}{2}\right)e^{4\left(-\frac{3}{2}\right)^2}} = \frac{4}{3}e^{16-9} = \frac{4}{3}e^{7}$$

---

29 등비급수   정답률 11% | 정답 162

첫째항과 공비가 각각 0이 아닌 두 등비수열 $\{a_n\}$, $\{b_n\}$에 대하여 두 급수

$\displaystyle\sum_{n=1}^{\infty} a_n$, $\displaystyle\sum_{n=1}^{\infty} b_n$이 각각 수렴하고

❶ $\displaystyle\sum_{n=1}^{\infty} a_nb_n = \left(\sum_{n=1}^{\infty} a_n\right)\times\left(\sum_{n=1}^{\infty} b_n\right)$, ❷ $3\times\displaystyle\sum_{n=1}^{\infty}|a_{2n}| = 7\times\sum_{n=1}^{\infty}|a_{3n}|$

이 성립한다. $\displaystyle\sum_{n=1}^{\infty}\frac{b_{2n-1}+b_{3n+1}}{b_n} = S$일 때, $120S$의 값을 구하시오. [4점]

STEP 01 등비급수로 ❶의 식을 정리한다.

등비수열 $\{a_n\}$의 첫째항을 a, 공비를 r,
등비수열 $\{b_n\}$의 첫째항을 b, 공비를 $s(a\neq 0,\ b\neq 0,\ r\neq 0,\ s\neq 0)$이라 하자.

$\displaystyle\sum_{n=1}^{\infty} a_n$, $\displaystyle\sum_{n=1}^{\infty} b_n$이 각각 수렴하므로

$$-1<r<1,\ -1<s<1$$

$$\sum_{n=1}^{\infty} a_nb_n = \frac{ab}{1-rs}$$

$$\sum_{n=1}^{\infty} a_n = \frac{a}{1-r},\ \sum_{n=1}^{\infty} b_n = \frac{b}{1-s}$$이므로

$$\frac{ab}{1-rs} = \frac{a}{1-r}\times\frac{b}{1-s}$$

$$1-rs = (1-r)(1-s)$$

$$r+s = 2rs \qquad\qquad \cdots\cdots\ \text{㉠}$$

STEP 02 r의 범위를 나누어 ❷를 만족하는 r, s를 구한다.

(i) $r>0$인 경우

$a>0$이면 $a_2>0$, $a_3>0$이므로 모든 항이 양수이다.

$$3\times\sum_{n=1}^{\infty}|a_{2n}| = 3\times\frac{a_2}{1-r^2}$$

$$7\times\sum_{n=1}^{\infty}|a_{3n}| = 7\times\frac{a_3}{1-r^3}$$

$$\frac{3a_2}{1-r^2} = \frac{7a_3}{1-r^3}$$

$$\frac{3}{1-r^2} = \frac{7r}{1-r^3}$$

$$4r^3-7r+3 = 0$$

$$(r-1)(2r-1)(2r+3) = 0$$

따라서 $r=\frac{1}{2}$인데 ㉠을 만족시키는 s의 값이 존재하지 않으므로 모순이다.

같은 방법으로 $a_1<0$인 경우도 존재하지 않는다.

(ii) $r<0$인 경우

$a>0$이면 $a_2<0$, $a_3>0$이고

수열 $\{|a_{2n}|\}$의 공비는 r^2, 수열 $\{|a_{3n}|\}$의 공비는 $-r^3$이므로

$$3\times\sum_{n=1}^{\infty}|a_{2n}| = 3\times\frac{-a_2}{1-r^2}$$

$$7\times\sum_{n=1}^{\infty}|a_{3n}| = 7\times\frac{a_3}{1+r^3}$$

$$\frac{-3a_2}{1-r^2} = \frac{7a_3}{1+r^3}$$

$$\frac{-3}{1-r^2} = \frac{7r}{1+r^3}$$

$$4r^3-7r-3 = 0$$

$$(r+1)(2r-3)(2r+1) = 0$$

따라서 $r=-\frac{1}{2}$이므로 ㉠에 대입하면 $s=\frac{1}{4}$이다.

$a_1<0$인 경우도 같은 방법으로 생각하면 같은 결론을 얻을 수 있다.

STEP 03 등비급수로 S를 구한 다음 $120S$의 값을 구한다.

$$b_n = b\left(\frac{1}{4}\right)^{n-1}$$이므로

$$\sum_{n=1}^{\infty}\frac{b_{2n-1}+b_{3n+1}}{b_n} = \sum_{n=1}^{\infty}\frac{b\left(\frac{1}{16}\right)^{n-1}+b\left(\frac{1}{64}\right)^{n}}{b\left(\frac{1}{4}\right)^{n-1}}$$

$$= \sum_{n=1}^{\infty}\left\{\left(\frac{1}{4}\right)^{n-1}+\left(\frac{1}{4}\right)^{2n+1}\right\}$$

$$= \frac{1}{1-\frac{1}{4}}+\frac{\frac{1}{64}}{1-\frac{1}{16}}$$

$$= \frac{4}{3}+\frac{1}{60} = \frac{27}{20}$$

따라서 $S=\frac{27}{20}$이므로

$$120S = 120\times\frac{27}{20} = 162$$

●핵심 공식

▶ 무한등비급수

무한등비급수 $\displaystyle\sum_{n=1}^{\infty} ar^{n-1} = a+ar+ar^2+\cdots+ar^{n-1}+\cdots\ (a\neq 0)$

에서 $|r|<1$이면 수렴하고 그 합은 $\dfrac{a}{1-r}$이다.

★★★ 등급을 가르는 문제!

30 미적분의 활용   정답률 6% | 정답 125

실수 전체의 집합에서 미분가능한 함수 $f(x)$의 도함수 $f'(x)$가

$$f'(x) = |\sin x|\cos x$$

이다. 양수 a에 대하여 곡선 $y=f(x)$ 위의 점 $(a, f(a))$에서의 접선의 방정식을 $y=g(x)$라 하자. 함수

❶ $h(x) = \displaystyle\int_{0}^{x}\{f(t)-g(t)\}dt$

가 $x=a$에서 극대 또는 극소가 되도록 하는 모든 양수 a를 작은 수부터 크기순으로 나열할 때, n번째 수를 a_n이라 하자. $\dfrac{100}{\pi}\times(a_6-a_2)$의 값을 구하시오. [4점]

STEP 01 x의 범위를 나누어 $f'(x)$를 구한 후 삼각함수의 배각공식으로 식을 정리하여 $y=f'(x)$의 그래프를 그린다.

$$f'(x) = |\sin x|\cos x = \begin{cases} \sin x\cos x & (\sin x\geq 0) \\ -\sin x\cos x & (\sin x<0) \end{cases}$$

$$= \begin{cases} \frac{1}{2}\sin 2x & (\sin x\geq 0) \\ -\frac{1}{2}\sin 2x & (\sin x<0) \end{cases}$$

이때 함수 $y=\sin 2x$의 주기는 $\dfrac{2\pi}{2}=\pi$이므로 함수 $y=f'(x)$의 그래프의 개형을 $0\leq x\leq 2\pi$에서만 그려보면 다음과 같다.

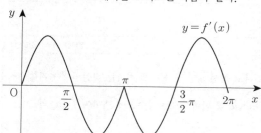

STEP 02 ❶을 만족하는 a의 특징을 파악한 후 삼각함수의 대칭성을 이용하여 a_2, a_6을 구한 다음 $\dfrac{100}{\pi}\times(a_6-a_2)$의 값을 구한다.

또한 $h(x) = \displaystyle\int_{0}^{x}\{f(t)-g(t)\}dt$에서

$h'(x) = f(x) - g(x)$

이므로 $h'(x) = 0$, 즉 $f(x) = g(x)$를 만족시키면서 그 값의 좌우에서 $h'(x)$의 부호가 바뀌는 경우이다.

이때 $y = \sin 2x$의 대칭성을 이용하여 양수 a의 값을 작은 수부터 차례대로 구하면

$\dfrac{\pi}{4}$, $\dfrac{3}{4}\pi$, π, $\dfrac{5}{4}\pi$, $\dfrac{7}{4}\pi$, 2π이므로

$a_2 = \dfrac{3}{4}\pi$, $a_6 = 2\pi$

따라서 $\dfrac{100}{\pi} \times (a_6 - a_2) = \dfrac{100}{\pi} \times \left(2\pi - \dfrac{3}{4}\pi\right) = 125$

● 핵심 공식

▶ 배각공식

(1) $\sin 2\alpha = 2\sin\alpha\cos\alpha$

(2) $\cos 2\alpha = \cos^2\alpha - \sin^2\alpha = 2\cos^2\alpha - 1 = 1 - 2\sin^2\alpha$

(3) $\tan 2\alpha = \dfrac{2\tan\alpha}{1 - \tan^2\alpha}$

▶ 변곡점

$f''(a) = 0$인 $x = a$의 좌우에서 $f''(x)$의 부호가 바뀌면 점 $(a, f(a))$는 곡선 $y = f(x)$의 변곡점이라고 한다.

★★ 문제 해결 꿀~팁 ★★

▶ 문제 해결 방법

다른 어려운 문항들도 마찬가지이지만 이번 문제는 더욱더 문제의 의미를 파악하는 것이 제일 중요하다 할 수 있다.

$h(x) = \displaystyle\int_0^x \{f(t) - g(t)\}dt$가 $x = a$에서 극대 또는 극소라는 의미만 정확하게 파악할 수 있다면 문제를 매우 간단히 풀 수 있다.

$h(x)$가 $x = a$에서 극대 또는 극소이다.

→ $h'(a) = 0$이고 좌우에서 부호가 바뀐다.

→ $f(a) = g(a)$이며 교점의 좌우에서 두 그래프의 위 아래가 반대이다.

⇒ $y = f(x)$와 접선 $y = g(x)$가 $x = a$일 때 만나는데 접점의 좌우에서 두 그래프의 위 아래가 반대가 되려면 접선이 곡선을 관통해야 한다. 즉, $(a, f(a))$는 $y = f(x)$의 변곡점이다. 따라서 $f''(a) = 0$을 만족하는 x를 구하면 된다.

$f(x)$를 미분하여 $y = f'(x)$의 그래프를 그려 극값을 갖는 x의 값 중 작은 수부터 2번째와 6번째 x좌표를 구하거나 $f''(x)$를 구한 후 그래프를 그려 좌우에서 부호가 바뀌는 x의 값 중 작은 수부터 2번째와 6번째 x좌표를 구하면 된다.

문제의 의미를 파악하고 나면 문제를 어떻게 풀이해야 할지 계획이 서게 되고 풀이과정은 그다지 복잡하지 않다. 문제에서 주어진 문장들의 의미와 식의 의미를 파악하는 연습을 충분히 하여야 한다.